LES LIVRES DE JAKÓB

OLGA TOKARCZUK

LES LIVRES DE JAKÓB

OU
LE GRAND VOYAGE
À TRAVERS SEPT FRONTIÈRES,
CINQ LANGUES,
TROIS GRANDES RELIGIONS
ET D'AUTRES MOINDRES

RAPPORTÉ PAR LES DÉFUNTS,
LEUR RÉCIT SE VOIT COMPLÉTÉ PAR L'AUTEURE
SELON LA MÉTHODE
DES CONJECTURES

PUISÉES EN DIVERS LIVRES, MAIS AUSSI SECOURUES
PAR L'IMAGINATION
QUI EST LE PLUS GRAND DON NATUREL
REÇU PAR L'HOMME.

Mémorial pour les Sages, Réflexion pour mes Compatriotes,
Instruction pour les Laïcs, Distraction pour les Mélancoliques.

Traduit du polonais par Maryla LAURENT

LES ÉDITIONS NOIR SUR BLANC

Titre original : *Księgi Jakubowe*

Copyright © by Olga Tokarczuk, 2014.
Édition originale publiée par Wydawnictwo Literackie, Cracovie, 2014.

La publication du présent ouvrage a bénéficié
d'un soutien de la Fondation Leenaards.

Ouvrage publié avec le concours de l'Institut polonais du livre,
dans le cadre du ©Poland Translation Program

© 2018, Les Éditions Noir sur Blanc,
pour la traduction française

ISBN : 978-2-88250-525-5

À mes parents

PROLOGUE

Le bout de papier avalé se coince dans la trachée à la hauteur du cœur, la salive l'imprègne, l'encre noire, spécialement conçue pour cette missive, se dissout lentement et les lettres perdent figure. Dans le corps humain, le mot se divise alors en substance et en essence. Tandis que la première disparaît, la seconde, privée de forme, se laisse capter par les cellules du corps parce que, étant essence, elle est toujours en recherche d'un support matériel, même si cela doit se faire au prix de nombreux malheurs.

Ienta se réveille alors qu'elle était presque morte. À présent, elle sent clairement en elle comme une douleur, un courant de rivière, un frémissement, une pression lente, un mouvement.

Une subtile vibration renaît dans la région de son cœur qui, lui, bat faiblement, mais avec régularité et assurance. La chaleur afflue à nouveau dans sa poitrine asséchée et squelettique. Ienta cligne des yeux et, non sans peine, elle soulève les paupières. Elle voit le visage soucieux d'Elisha Shorr penché sur elle. Elle voudrait lui sourire, mais son visage s'y refuse. Elisha Shorr, les sourcils froncés, la regarde avec un air de reproche affligé. Il remue les lèvres, mais aucun son ne parvient aux oreilles de Ienta. D'on ne sait où apparaissent des mains, ce sont celles, très grandes, du vieux Shorr, elles se portent au cou de Ienta avant de se glisser sous l'édredon. Shorr s'efforce maladroitement de tourner sur le côté le corps inerte de Ienta pour regarder le drap sous elle. Non, Ienta ne perçoit pas ses efforts, elle ne sent qu'une chaleur et une présence, celle de l'homme barbu couvert de sueur.

Soudain, comme sous l'effet d'un choc, Ienta découvre les choses par en haut, elle se voit, mais distingue aussi le crâne dégarni de Shorr, dont le bonnet est tombé alors qu'il s'escrimait à faire basculer le corps de Ienta.

Dorénavant, il en sera ainsi : Ienta verra tout.

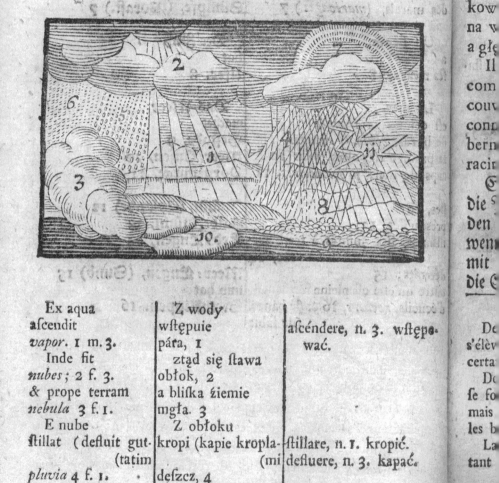

Ex aquā	Z wody	
afcendit	wftępuie	afcéndere, n. 3. wftępo-
vapor. 1 m. 3.	pára, 1	wać.
Inde fit	ztąd się ftawa	
nubes; 2 f. 3.	obłok, 2	
& prope terram	a blifka ziemie	
nebula 3 f. 1.	mgła. 3	
E nube	Z obłoku	
ftillat (defluit gut-	kropi (kapie kropla-	ftillare, n. 1. kropić.
(tatim	(mi	defluere, n. 3. kapać.
pluvia 4 f. 1.	defzcz, 4	
& *imber.* m. 3.	i defzcz gwałtowny,	

Quæ

De l'eau monte la vapeur, I
De là vient le nuage, 2
Et près de la terre le brouillard. 3
Du nuage goutte (tombe par gouttes) la pluie, 4
Et la pluie violente,

1

1752, Rohatyn

C'est la fin octobre, très tôt le matin. Le père doyen se tient dans l'entrée du presbytère, il attend son attelage. Il est coutumier du lever aux aurores, mais, ce jour-là, il ne se sent guère réveillé ; en réalité, il ne sait pas trop comment il a fait pour se trouver là, seul face à une mer de brume. Il ne se rappelle ni comment il s'est levé, ni comment il s'est habillé, ni même s'il a déjà déjeuné. Il est surpris de voir le bout de ses bonnes chaussures qui pointent sous sa soutane, les basques quelque peu effilochées de son manteau en laine fatigué ou les gants qu'il tient dans la main. Il enfile le gauche, l'intérieur lui semble chaud et parfaitement adapté, comme si sa main et le gant se connaissaient depuis des lustres. Il pousse un soupir de soulagement, touche le sac qui pend à son épaule, suit par automatisme le contour des angles droits, durs et renflés comme l'est une cicatrice sous la peau. Peu à peu, il se souvient de ce que la sacoche renferme, de ce qu'est cette forme lourde, agréable et familière. C'est une chose bien, elle l'a amené en ce lieu, il se rappelle les paroles, les signes, tous ces éléments étroitement liés à sa propre existence. Oh oui, il connaît ce contenu, et cette prise de conscience lui réchauffe doucement le corps, le brouillard y perd en opacité. Derrière l'ecclésiastique se trouve l'ouverture sombre de la porte, un battant est fermé, les frimas sont probablement déjà arrivés, le premier gel a peut-être fripé les prunes au verger. Une inscription imprécise surplombe l'entrée, il la voit sans la regarder, il la connaît puisqu'il en a été le commanditaire. Deux artisans de Podhajce ont passé toute une semaine à en tailler les lettres dans le bois, car il avait exigé qu'elles fussent décoratives, exécutées avec soin :

CE QUI FUT AUJOURD'HUI EST DÉJÀ RÉVOLU
LE TEMPS QUI PASSE ИE SE RATTRAPE PLUS

Le « N » l'agace prodigieusement, la lettre est inversée tel son reflet dans un miroir.

Irrité par ce détail pour la énième fois, le doyen fait un violent mouvement de dénégation de la tête... et cela finit par le réveiller. Cette lettre à l'envers, ce « И »... Quelle négligence ! Il faut toujours être derrière eux, les surveiller à chaque pas. Comme ces artisans sont des Juifs, ils ont donné une tournure juive à l'inscription, les lettres sont trop entortillées, trop inclinées. Et qui plus est, l'un des graveurs osa affirmer que ce « N » était parfait, plus joli car l'oblique allait de bas en haut et de gauche à droite, à la chrétienne, alors que l'inverse serait précisément à la juive. Sa légère irritation fait reprendre tous ses esprits au père Benedykt Chmielowski, doyen de Rohatyn, qui voit désormais d'où lui venait cette impression d'être toujours en train de dormir, mais oui, de ce qu'il se trouve dans un brouillard dont la teinte rappelle celle de ses draps, une couleur grisâtre, un blanc altéré, déjà atteint par la saleté, par les réserves énormes de cette grisaille dont est faite la doublure du monde. La brume stagne, elle remplit toute la cour au-delà de laquelle se dessinent vaguement les formes familières du grand poirier, du muret et, au plus loin, de la calèche en osier. Le brouillard est un simple nuage céleste tombé sur terre pour y coller son ventre. La veille, le père doyen a lu quelque chose là-dessus chez Comenius.

Voilà qu'il entend les grincements et bruits de roulage familiers qui, lors de chaque voyage, le plongent immanquablement dans une méditation fructueuse. Ces sons précèdent l'apparition de Roszko, qui mène le cheval par la bride, et de la calèche. À cette vue, l'ecclésiastique se sent gagné par un afflux d'énergie, il fait claquer l'autre gant dans sa paume avant de se hisser sur le siège. Silencieux comme à son habitude,

Roszko ajuste le harnachement, il jette un long regard au doyen. Le brouillard rend un peu plus gris le visage du serviteur, il semble plus âgé que jamais au révérend père, comme s'il avait vieilli pendant la nuit, et pourtant il n'est encore qu'un tout jeune garçon.

Les deux hommes finissent par se mettre en route, mais c'est comme s'ils faisaient du surplace – seul le balancement du véhicule, avec son grincement apaisant, témoigne du mouvement. Ils ont si souvent parcouru cette route, pendant tant d'années, qu'ils n'ont nul besoin de regarder les paysages, aucun point de repère ne leur est nécessaire. Le doyen sait qu'ils viennent d'atteindre le chemin qui longe la forêt, ils trotteront ainsi jusqu'au croisement où se trouve le petit sanctuaire qu'il a fait ériger des années plus tôt, quand il avait été nommé curé de Firlej. Il s'était longtemps demandé à quel saint dédier la chapelle, il songea à saint Benoît, son saint patron, ou encore à saint Onuphre l'Anachorète, miraculeusement nourri de dattes au désert et auquel les anges du Ciel apportaient le corps du Christ tous les huit jours. Pour le père Benedykt, Firlej se présentait aussi comme une contrée désertique. N'arrivait-il pas là après avoir veillé à l'éducation de Dymitry, le fils de Son Altesse M. le duc Jabłonowski ? Après réflexion, il avait pourtant décidé que ce petit calvaire ne devait pas être construit à son unique bénéfice, pour satisfaire sa vanité, mais pour les simples gens, afin qu'ils trouvent où se reposer à la croisée des chemins et puissent y élever leurs pensées vers le Ciel. Aussi est-ce la Sainte Mère de Dieu, la Reine du Monde avec sa couronne sur la tête, qui s'y dresse sur un socle de briques peint en blanc. Un serpent se contorsionne sous le petit soulier pointu de la Vierge.

Elle aussi disparaît aujourd'hui dans la brume, tout comme la chapelle et le carrefour. Seules les cimes des arbres sont visibles, signe que le brouillard commence à se lever.

– Voyez, monsieur le curé, Kaśka ne veut pas avancer, dit sombrement Roszko quand la calèche s'arrête.

Il descend de son siège et fait d'amples signes de croix.

Ensuite, il s'incline pour scruter le brouillard comme il se pencherait au-dessus d'une étendue d'eau. Sa chemise s'échappe hors de sa livrée d'un rouge déjà quelque peu délavé.

– Je ne sais pas où aller, dit-il.

– Comment cela, tu ne sais pas? Nous sommes déjà sur la route de Rohatyn, déclare le doyen étonné.

Et pourtant! Il descend à la suite de son serviteur, et tous deux, dans leur impuissance, font le tour du véhicule, ils fixent intensément le blanc laiteux qui les cerne. Il leur semble voir quelque chose, mais leurs yeux, qui n'ont rien sur quoi se poser, commencent à leur jouer des tours. Quelle histoire que ce qui leur arrive! C'est un peu comme s'ils se perdaient dans leur propre poche.

– Silence, fait soudain le curé qui, tout ouïe, lève un doigt.

En effet, sur la gauche, à travers les volutes de brume, leur parvient comme un frissoulis.

– Suivons ce clapotis. C'est de l'eau qui coule, décide le doyen.

Ils vont maintenant se traîner avec lenteur le long de la rivière appelée Gniła Lipa. Elle les guidera.

Le doyen se détend bientôt dans sa calèche, il allonge ses jambes et autorise son regard à flâner sur la mer de brume. Il sombre vite dans l'état pensif propre aux voyages, car un homme ne réfléchit jamais aussi bien que lorsqu'il est en mouvement. Doucement réticent, le mécanisme de son esprit s'anime, les rouages s'enclenchent et les verges mettent en branle les roues d'échappement, tout à fait comme dans l'horloge, à l'entrée de son presbytère, qu'il a achetée – très cher – à Lwów. Sous peu, elle sonnera ding, dang, dong. Le monde n'aurait-il pas son origine dans pareil brouillard, songe le père Benedykt. Flavius Josèphe, l'historiographe juif, affirme pourtant que le monde a été créé en automne, à l'équinoxe de septembre. On peut le croire, puisque au paradis il y avait des fruits, une pomme était sur l'arbre, ce devait être l'automne… Cela fait sens. Mais aussitôt une autre pensée vient à l'esprit de l'ecclésiastique : c'est quoi cet argument? Le Tout-Puissant n'aurait-il pas pu créer ces fruits misérables spécialement, à n'importe quelle saison de l'année?

Quand le curé et son serviteur atteignent la route principale qui mène à Rohatyn, ils se mêlent au flot de piétons, de gens à cheval et en attelages de toute sorte qui émergent du brouillard pareils aux figurines en mie de pain que l'on confectionne pour Noël. Mercredi est jour de marché, les haquets de paysans chargés de sacs de graines, de cages à volailles et de divers produits agricoles s'y rendent. Au milieu d'eux marchent d'un pas alerte les vendeurs de toutes les marchandises imaginables, leur étal astucieusement plié est posé sur leurs épaules telle une palanche, qui deviendra dans un instant une table couverte de tissus multicolores, de jouets en bois, d'œufs achetés dans les villages au quart de leur prix… Les paysans mènent aussi des chèvres et des vaches à la vente ; les animaux effrayés par le brouhaha se cabrent dans les flaques. Une charrette à ridelles couverte d'une bâche trouée, pleine de Juifs bruyants qui, de toute la région, se pressent à la foire de Rohatyn, les dépasse à vive allure. Dans son sillage se faufile un riche carrosse qui, dans le brouillard et la cohue, peine à garder sa dignité avec ses portes en laque claire noires de boue ; le cocher en pèlerine bleue fait grise mine, il ne s'attendait manifestement pas à pareille confusion et, désormais, il cherche désespérément des yeux le moyen de quitter cette voie infernale.

Roszko est opiniâtre, il ne se laisse pas pousser dans les champs, il reste sur la droite, une roue dans l'herbe, l'autre sur le chemin, il va adroitement de l'avant. Son triste visage oblong prend des couleurs et s'anime d'une grimace de damné. Le doyen lui jette un regard et se rappelle une gravure vue pas plus tard que la veille : en enfer, les damnés avaient la même expression.

– Faites place pour le révérend père, pour monsieur le doyen ! Ouste, de l'air, rangez-vous, manants ! crie Roszko.

Soudain, sans aucun signe avant-coureur, les premières habitations se dressent devant eux. À l'évidence, le brouillard trouble la perception des distances, car Kaśka semble, elle aussi, surprise. Elle bondit brusquement, tire sur le timon et, n'était la réaction décidée de Roszko avec son fouet, elle aurait fait verser la calèche. La jument a-t-elle eu peur des étincelles qui jaillissent du brasier du forgeron ou a-t-elle été gagnée par l'inquiétude des chevaux qui attendent leur tour pour être ferrés ?

Plus loin, il y a l'auberge, aussi pitoyable que misérable, pareille à une masure de paysan. Le balancier du puits se dresse au-dessus d'elle comme un gibet, il traverse la brume et sa pointe disparaît quelque part en hauteur. Le doyen voit que le carrosse couvert de poussière s'est arrêté devant l'auberge, la tête de son cocher épuisé est presque posée sur ses genoux, il ne descend pas de son siège et personne ne quitte le véhicule. Déjà, un grand Juif s'en approche avec, à ses côtés, des petites filles aux cheveux ébouriffés. Le père Benedykt Chmielowski ne voit rien de plus, le brouillard engloutit tour à tour chaque paysage dépassé, qui disparaît, qui fond comme un flocon de neige.

Voici Rohatyn.

Le bourg commence par des maisons en torchis argileux, couvertes de toits de chaume qui semblent les écraser contre terre, mais plus on approche de la grand-place, plus les habitations s'affinent, le feurre est plus travaillé et ensuite des bardeaux le remplacent, ils couvrent de petites demeures en briques d'argile crue. Sont également là l'église paroissiale, le couvent des dominicains, l'église Sainte-Barbara sur la place et, plus loin, deux synagogues et cinq églises orthodoxes. La place du marché est entourée de petites maisons semblables à des champignons dont chacune pratique un commerce. Tailleur, cordelier ou pelletier, tous ces artisans sont juifs, et, à côté, le boulanger s'appelle Bochenek; que son nom veuille dire « miche de pain » réjouit toujours le père Benedykt, car il y voit l'existence d'un ordre caché du monde – qu'il suffirait de rendre plus visible et plus systématique pour que les gens mènent une vie plus vertueuse. Vient ensuite l'atelier du fourbisseur appelé Luba; sa façade se distingue par son caractère cossu, les murs ont été récemment repeints en bleu et une grande épée rouillée est suspendue au-dessus de la porte. À l'évidence, ce Luba doit être un bon artisan et ses clients ont sans doute des bourses bien remplies. Plus loin vient le sellier, qui a sorti devant sa porte un cheval d'arçons sur lequel il a posé une selle magnifique dont les étriers doivent être argentés, tant ils brillent.

Une odeur sirupeuse, écœurante, flotte partout et imprègne chaque marchandise exposée à la vente. On peut s'en rassasier comme avec du pain. Plusieurs petites brasseries se sont installées dans les faubourgs de Rohatyn, à Babińce, et c'est de là que sur toute la région se diffusent ces effluves nourrissants. Nombreuses sont les échoppes qui vendent de la bière, les meilleures boutiques proposent aussi de l'eau-de-vie et de l'hydromel, surtout du *trójniak* où un tiers de miel a fermenté avec deux tiers d'eau. La boutique du marchand juif Wakszula propose du vin, du hongrois authentique, du vrai rhénan, mais également un autre, un peu acide, qu'il fait venir de la lointaine Valachie.

Le doyen longe les échoppes fabriquées avec tous les matériaux possibles et imaginables, des planches, des pièces de grosse toile, des paniers en osier et même du feuillage. Une brave femme en foulard blanc vend dans une carriole des citrouilles empilées, dont la couleur orange et criarde attire les enfants. Une autre mégère, à côté d'elle, vante ses fromages aux formes fuselées, posés sur des feuilles de raifort. Plus loin se tiennent de nombreuses autres bonnes femmes devenues vendeuses d'huile, de sel ou de toile à cause d'un veuvage ou d'un époux ivrogne. Le curé de Firlej achète régulièrement les terrines de la charcutière, et là, en passant devant elle, il lui fait un aimable sourire. Plus loin, deux échoppes sont décorées d'une branche verte, ce qui signale que l'on y vend de la bière nouvelle. Et voici la boutique de marchands arméniens avec de belles matières légères, des couteaux dans des étuis décorés. Tout de suite après viennent les poissons séchés dont l'odeur nauséabonde imprègne les tapis turcs. Après cela, un homme au manteau couvert de poussière vend des œufs emballés par douzaines dans des corbeilles en herbe tressée qu'il sort d'une boîte accrochée à ses maigres épaules. Un autre propose soixante œufs dans de grands paniers à un prix défiant toute concurrence, presque de gros. Des bagels sont suspendus sur toute la devanture du boulanger; quelqu'un en a fait tomber un dans la boue et un petit chien le dévore goulûment.

Tout est bon pour faire commerce. Tissus à fleurs, foulards, châles tout droit venus du bazar d'Istanbul, chaussures d'enfants, fruits, noix. Un homme près d'une clôture vend une charrue et des clous de diverses tailles, fins comme des aiguilles ou gros comme le doigt, pour bâtir les maisons. À côté de lui, une belle femme à la coiffe amidonnée étale devant elle des crécelles pour les veilleurs de nuit: des petites, dont le son fait davantage penser au chant nocturne des grillons qu'à une invitation au sommeil, et des grandes, qui, au contraire, pourraient réveiller un mort.

Combien de fois n'a-t-on pas interdit aux Juifs de vendre des objets propres à l'Église! Les prêtres comme les rabbins y sont allés de leurs voix tonitruantes, mais sans effet. On trouve donc à la foire de beaux livres de prières avec un signet pour marquer la page, des reliures aux magnifiques lettres argentées en cuir repoussé qui, quand on y passe le bout du doigt, semblent chaudes et vivantes. Un homme propre, presque élégant, en bonnet de fourrure, les propose emballés comme des reliques dans du papier très fin couleur crème, pour éviter que cette journée brumeuse et sale ne dépose des taches sur les pages chrétiennes et innocentes à la bonne odeur d'encre d'imprimerie. Il a aussi de vrais cierges et même des images de saints avec des auréoles.

Le doyen s'approche de l'un des vendeurs ambulants de livres dans l'espoir d'en trouver en latin. Hélas, tous ces volumes sont juifs, car ils voisinent avec des objets dont l'ecclésiastique ne connaît pas l'usage.

Plus son regard plonge dans les rues latérales, plus la misère qu'il y voit est grande, elle pointe comme un orteil sale hors d'une chaussure trouée; c'est une pauvreté rude, silencieuse, courbée jusque terre. Les boutiques, les échoppes laissent place aux cabanes semblables à des niches de chiens, fabriquées en planchettes ramassées sur les tas d'ordures. Dans l'une d'elles, un cordonnier répare des chaussures déjà maintes fois recousues, ressemelées et rapiécées. Dans une autre, couverte de casseroles, un ferblantier se tient assis. Il a le visage maigre et creusé, et son bonnet dissimule mal les pétéchies brunes qui constellent son front. Le père Benedykt redouterait de lui faire réparer ses marmites; le toucher des doigts de ce malheureux ne risquerait-il pas de transmettre à autrui une maladie terrible? À côté, un vieil homme aiguise les couteaux et toute sorte de faux et serpettes. Tout son atelier tient dans la meule de pierre qu'il s'est attachée au cou. Quand un objet lui est confié, il pose à terre un chevalet primitif, quelques lanières de cuir en font une machine simple dont la roue, mise en branle d'une main, caresse les lames métalliques. Parfois des étincelles des plus authentiques en jaillissent pour tomber dans la boue, elles réjouissent particulièrement les enfants sales et galeux. Le rémouleur ne gagne presque rien. Son métier ne lui procure qu'un avantage: il peut se servir de sa meule pour se noyer dans la rivière.

Des femmes vêtues de haillons ramassent dans les rues les copeaux et le crottin pour se chauffer. Il serait difficile de décider à leurs guenilles si leur pauvreté est juive, orthodoxe ou catholique. La misère n'a ni foi, ni nationalité, ni religion.

Si est, ubi est ? s'interroge l'ecclésiastique en songeant au paradis. Certainement pas ici, à Rohatyn, ni, comme il lui semble, ailleurs en terre de Podolie. Quiconque imagine que les choses vont mieux dans les grandes villes se trompe lourdement. À vrai dire, Benedykt Chmielowski n'est jamais allé à Varsovie ou à Cracovie, mais il sait ceci ou cela par les récits du bernardin Pikulski, plus introduit que lui, ou encore par ce que lui-même a entendu ici ou là, chez tel ou tel magnat. Le paradis, autrement dit le Jardin des Délices, a été placé par Dieu en un bel endroit inconnu. Comme il est écrit dans l'*Arca Noe*, le paradis se trouve quelque part au pays des Arméniens, très haut en montagne. Brunus affirme pour sa part que c'est *sub polo antarctico*, sous le pôle Sud. La proximité du paradis serait signalée par quatre fleuves, le Gihon, le Pishon, l'Euphrate et le Tigre. Il est des auteurs qui, dans l'incapacité de trouver un lieu sur terre pour le paradis, le situent en l'air, à quinze coudées au-dessus des montagnes. Mais ceci semble assez déraisonnable au doyen. Comment donc ? les gens vivant sur terre le verraient par en dessous ? Ils regarderaient les talons des saints ? Par ailleurs, on ne saurait être d'accord avec ceux qui cherchent à proclamer des jugements faux selon lesquels le paradis de la Genèse n'aurait qu'une valeur mystique, autrement dit que ce saint texte devrait être entendu selon l'esprit ou l'allégorie. Le doyen, par conviction profonde, et pas juste parce qu'il est prêtre, considère que les Saintes Écritures doivent être comprises à la lettre. Il sait presque tout sur le paradis, car, pas plus tard que la semaine précédente, il a achevé la rédaction du chapitre sur le Jardin d'Éden. Il écrit un livre dont la grande ambition est d'être une compilation de tous les ouvrages qu'il possède à Firlej, et il en a cent trente. Pour acquérir certains d'entre eux, il s'est déplacé jusqu'à Lwów, et même Lublin, plus à l'ouest encore.

Voici la maison d'angle, elle est modeste, il s'y rend sur le conseil du père Pikulski. La porte basse à deux battants est grande ouverte, il en émane des effluves d'épices, exceptionnels en des lieux où règne l'odeur du crottin de cheval et de l'humidité automnale. Il y a aussi une autre odeur perturbante, que le père doyen connaît, celle du *cahvé*. Il n'en boit pas, mais il lui faudra tout de même se familiariser un peu plus avec ce breuvage.

Il regarde derrière lui, cherche des yeux Roszko qu'il voit examiner avec un sérieux sinistre des peaux de mouton ; plus loin, tout le marché est occupé à ses propres affaires. Personne ne regarde l'ecclésiastique, chacun est absorbé par son troc. Brouhaha et tapage.

Au-dessus de l'entrée du bâtiment se trouve une enseigne exécutée de façon assez grossière :

SHORR MAGASIN DE TISSUS

Suivent des lettres hébraïques. Près de la porte, une plaquette métallique a été accrochée, il y a aussi des signes à côté et le doyen se souvient qu'Athanasius Kircher relate dans son livre que, quand leur épouse accouche et qu'ils craignent la reine des sorcières, les Juifs écrivent sur les murs « *Adam, Chavvah. Hùc – Lilith* », ce qui signifierait « Adam et Ève, venez ici, et toi, Lilith, la sorcière, sauve-toi ». Ce doit être cela, ces signes. Un enfant doit certainement être né là, il y a peu.

Le père Benedykt franchit la haute pierre de seuil pour se retrouver entièrement plongé dans la chaude odeur d'épices. Il lui faut un moment pour s'habituer à la pénombre, la lumière pénètre uniquement par une petite fenêtre par ailleurs encombrée de pots.

Au comptoir se trouve un adolescent qui en est à sa première moustache, ses lèvres charnues se mettent à trembler légèrement à la vue du prêtre, puis elles cherchent à articuler une parole. Il n'en revient pas de surprise.

– Comment te prénommes-tu, mon garçon ? demande le curé le plus naturellement possible pour montrer à quel point il se sent à l'aise dans cette petite boutique sombre et basse de plafond. – Il veut encourager le gamin à lier conversation, mais il n'obtient aucune réponse. *Quod tibi nomen est ?* reprend-il donc plus officiellement, mais le latin qui devait lui servir de langue de communication prend soudain une résonance trop cérémonieuse, comme si l'ecclésiastique était venu accomplir des exorcismes, à l'exemple du Christ dans l'Évangile de saint Luc, quand, avec cette même phrase, il interpelle le possédé. Mais le garçon ouvre les yeux encore plus grands et répète «bh, bh» avant de filer rapidement derrière les étagères en faisant remuer au passage une tresse d'ail accrochée à un clou.

Le doyen a manqué de subtilité, il n'aurait pas dû espérer que l'on parlerait latin en cet endroit. Il se regarde d'un œil critique : les boutons noirs tissés de sa soutane apparaissent sous son manteau. C'est cela qui l'a effrayé, la soutane, songe-t-il. Il sourit au souvenir du Jérémie de la Bible, qui, lui aussi, avait failli perdre la tête et bégayé : *Aaa, Domine Deus ecce nescio loqui!* «Seigneur Dieu, je ne sais point parler». À partir de cet instant, l'ecclésiastique donne à ce garçon le nom de Jérémie. Il ne sait que faire alors qu'il a disparu si vite. Il regarde autour de lui tout en reboutonnant son manteau. Le père Pikulski l'a convaincu de venir là, il l'a écouté, mais il ne lui semble plus désormais que c'était une bonne idée.

Personne n'entre depuis la rue, et le père remercie Dieu en pensée. Le spectacle ne serait pas banal, un curé catholique, le doyen de Rohatyn, dans le magasin d'un Juif à attendre d'être servi comme une bourgeoise. Le père Pikulski lui avait conseillé de se rendre chez le rabbin Dubs, à Lwów, lui-même y était allé et il avait appris beaucoup de choses. Benedykt s'y était rendu, mais le vieux Dubs devait en avoir assez des prêtres catholiques qui venaient lui demander des livres. Il avait été désagréablement surpris par sa demande, et, le texte qui intéressait le plus le curé de Firlej, il ne l'avait pas ou prétendit ne pas l'avoir. Il avait pris un air aimable, et secoué la tête en claquant la langue. Et quand le père lui avait demandé qui pourrait l'aider, Dubs avait agité les mains, tourné la tête comme si quelqu'un se trouvait derrière lui, fait comprendre qu'il ne savait pas et que, le saurait-il, il ne dirait rien. Par la suite, le père Pikulski avait expliqué au doyen qu'il l'avait interrogé sur les hérésies juives et, si les Juifs se vantent de ne pas en avoir, il semblerait que pour celle, unique, qui intéressait Benedykt ils fassent une exception et qu'ils la détestent sincèrement sans chercher à noyer le poisson.

Pour finir, Pikulski lui avait conseillé d'aller voir Shorr. Une grande maison avec une boutique, place du marché. Le regard que le bernardin lui jeta en disant cela sembla au curé de Firlej chargé d'ironie, bizarre, mais peut-être n'était-ce qu'une impression. Il aurait peut-être dû se pourvoir en livres juifs par l'intermédiaire de Pikulski? Même s'il ne l'aimait guère. Au moins, il ne se serait pas retrouvé dans cette échoppe, embarrassé et en sueur. Mais il est d'une nature indocile, aussi s'est-il déplacé en personne. S'ajoutait à sa décision un élément irrationnel, un petit jeu de mots s'en était mêlé. Qui voudrait croire que pareilles choses jouent un rôle? Le père doyen travaillait attentivement à un passage de Kircher où il était fait allusion au grand bœuf Shorobor. Il est possible que la ressemblance des deux noms, Shorr et Shorobor, l'ait attiré dans cette boutique. Les voies de Dieu sont étranges.

Mais où sont les fameux livres? Où est ce personnage qui suscite pareil respect craintif? Le magasin a l'air d'une boutique banale, alors que son propriétaire serait le descendant du célèbre rabbin, le sage et très respecté Rabbi Zalman Naftali Shorr. Il y a de l'ail, des herbes, des pots de condiments, des bocaux grands et petits d'épices de toute nature, brisées, moulues ou dans leur forme naturelle, comme ces gousses de vanille ou ces clous de girofle ou ces noix de muscade. Sur les étagères garnies de foin sont aussi posés des rouleaux de tissus, sans doute de la soie et du satin, aux couleurs très vives qui attirent le regard. Le curé se demande s'il n'aurait pas besoin de quelque chose, mais déjà son attention est attirée par une inscription maladroite sur un pot vert sombre imposant: «Herba the». Il sait donc ce qu'il demandera quand, finalement, quelqu'un sortira le servir, un peu de cette tisane qui le met de meilleure humeur, ce qui chez lui veut dire qu'il peut travailler sans fatigue. En plus, elle facilite la digestion. Il achèterait bien aussi un peu de clous de girofle pour parfumer son vin chaud du soir. Les dernières nuits furent froides, ses pieds glacés l'empêchaient de se concentrer sur son écriture. Le père Benedykt cherche un banc du regard, mais tout arrive alors au même moment: de derrière les étagères apparaît un homme bien bâti, barbu, en longue robe de laine de sous laquelle émergent des babouches turques aux bouts pointus. Un manteau léger d'un bleu sombre couvre ses épaules. Il cligne des yeux comme s'il sortait d'un puits. Derrière lui, Jérémie, celui qui s'était enfui, ne cache pas sa curiosité, tout comme deux autres visages roses semblables au sien. De l'autre côté, dans l'embrasure de la porte qui donne sur le marché, se présente simultanément un garçon mince, essoufflé, peut-être un jeune homme car ses poils ont généreusement poussé en un petit bouc clair. Il s'appuie au chambranle et halète, il a manifestement couru aussi vite qu'il a pu. Il dévisage effrontément le père doyen, avec un sourire de voyou qui laisse voir de belles dents saines largement disposées. L'ecclésiastique se demande s'il ne s'agirait pas là d'un sourire railleur. Il préfère le personnage respectable en manteau et c'est à lui qu'il s'adresse avec une politesse extrême :

– Veuillez me pardonner, monsieur, cette venue…

Son interlocuteur le regarde, tendu, mais vite l'expression de son visage évolue. Une sorte de sourire y apparaît. Le curé de Firlej s'aperçoit qu'il n'a pas été compris, aussi tente-t-il autre chose, il passe au latin, réjoui et certain d'avoir trouvé son *alter ego*.

Lentement, le Juif tourne son regard vers le garçon à la porte, celui qui est essoufflé et qui, maintenant, entre avec assurance tout en tirant sur sa veste en toile sombre.

– Je vais traduire, annonce-t-il soudain d'une voix grave avec un mélodieux accent ruthène – puis il montre du doigt le doyen et déclare avec émotion : C'est un curé, vrai de vrai.

Il n'était pas venu à l'esprit du père Benedykt Chmielowski qu'un interprète serait nécessaire, il n'y avait pas pensé. Il est confus et ne sait comment se sortir de là, car toute cette affaire, délicate au départ, devient publique et, sous peu, toute la foire s'y intéressera. Il voudrait quitter les lieux pour le brouillard à l'odeur de crottin. Il commence à se sentir oppressé dans cette pièce à l'air densifié par les fragrances d'épices, en plus quelqu'un de la rue vient de passer la tête par la porte pour voir ce qui se passe.

– J'aurais un mot à dire au respectable Elisha Shorr, s'il le permet, dit-il. En privé.

Les Juifs sont surpris. Ils échangent quelques phrases entre eux, Jérémie disparaît pour ne revenir qu'après un long moment de silence insupportable. Apparemment, la demande du doyen est acceptée et on l'emmène de l'autre côté des étagères. Des chuchotements, un martèlement léger de petits pas d'enfants, des rires étouffés l'accompagnent, comme si une foule de personnes était en train d'observer avec curiosité le curé de Firlej et doyen de Rohatyn par les fentes des parois en bois tandis qu'il déambule à travers les recoins d'une maison juive. L'échoppe de la place n'était donc que la dépendance d'une structure plus grande, semblable à une ruche, avec un tas de pièces, des petits couloirs et de petites marches. Le bâtiment est vaste, construit autour d'une cour intérieure que le doyen aperçoit juste du coin d'un œil par une petite fenêtre de la salle où ils s'arrêtent un moment.

– Je suis Hryćko, dit le garçon à la barbichette alors qu'ils marchent.

Benedykt Chmielowski se rend compte que, voudrait-il se retirer, il ne saurait comment sortir de ce rucher labyrinthique. À cette pensée, il se met à transpirer, et là une porte s'ouvre dans un grincement, un homme mince, dans la force de l'âge apparaît, la robe qu'il porte lui cache les genoux, des chaussettes en laine et des pantoufles noires couvrent ses pieds, son visage clair, lisse, avec une barbe grise, est impénétrable.

– Voici justement Rabbi Elisha Shorr, murmure rapidement Hryćko d'une voix empreinte d'émotion.

La pièce est petite, basse, agencée modestement. Au centre, sur une grande table, un livre est ouvert et d'autres s'empilent. Le regard de Benedykt glisse avidement sur leurs dos pour en déchiffrer les titres. Il ne sait pas grand-chose sur les Juifs en général et ne connaît ceux de Rohatyn que de vue.

Il trouve soudain sympathique que cet homme et lui soient d'une taille similaire, peu élevée. Devant les grands, il se sent toujours embarrassé. Les deux hommes se font face et l'ecclésiastique a l'impression que l'autre aussi apprécie cette similarité. Le Juif s'assied avec souplesse, sourit et, de la main, indique le banc au curé.

– Avec votre permission et en ces circonstances exceptionnelles, je viens vous voir ici, monsieur, tout à fait incognito, pour avoir entendu grand bien de votre immense sagesse et de votre érudition...

Hryćko s'arrête au milieu d'une phrase pour interroger le doyen :

– In-co-gnito ?

– Oui, je vous fais supplique d'une absolue discrétion.

– Qu'est-ce donc sup-pli-que ? et dis-cré-tion ?

Le révérend père se tait, désagréablement surpris. Le voilà bien avec un traducteur qui ne le comprend pas! Comment pourront-ils converser? En chinois? Il va tenter de parler simplement.

– Je vous demande de garder le secret, je ne cache pas que je suis le doyen de Rohatyn, un prêtre catholique. Je suis néanmoins avant tout un auteur – il insiste sur le mot «auteur» en levant le doigt. Je préférerais converser ici aujourd'hui non pas en tant qu'ecclésiastique, mais en tant qu'auteur, précisément, un auteur qui travaille assidûment à un certain opuscule...

– O-pus-cu-le? l'interrompt la voix empreinte de doute de Hryćko.

– ... un petit ouvrage.

– Ah. Pardonnez-moi, révérend père, je ne suis pas instruit en polonais, je ne connais que la langue simple que les gens parlent. Je ne sais que ce que j'ai entendu en m'occupant des chevaux.

– Des chevaux? s'étonne grandement le curé, fâché contre ce traducteur minable.

– Oui, parce que je travaille avec eux. Le commerce.

Hryćko parle à grand renfort de gestes. Elisha Shorr le regarde de ses yeux marron insondables et le doyen se demande s'il n'a pas affaire à un aveugle.

– Pour avoir lu plusieurs centaines d'auteurs de la première à la dernière ligne, ceux dont j'ai acquis ou emprunté les ouvrages ici ou là, poursuit-il, je pressens que nombre de livres m'ont échappé parce que je ne peux en aucune manière avoir accès à eux.

Il s'interrompt pour attendre une réponse, mais Shorr dodeline juste de la tête avec un sourire aimable qui ne veut rien dire.

– Comme j'ai appris que vous aviez, monsieur, une bibliothèque tout à fait importante, sans vouloir pour rien au monde vous incommoder... – le doyen se reprend aussitôt à contrecœur : Vous déranger ou vous donner du travail, j'ai pris la liberté, à l'encontre des usages, mais pour le bien d'autrui, de venir ici et...

Il se tait car voici que la porte s'ouvre soudain devant une jeune personne qui, sans prévenir aucunement, pénètre dans la salle basse. À sa suite, des visages à peine visibles dans la pénombre regardent à l'intérieur en chuchotant. Un petit enfant vagit un moment avant de se taire brusquement, comme si tout devait se concentrer sur celle qui vient d'entrer avec détermination : la tête découverte, tout en boucles généreuses, le regard posé loin devant elle, indifférent aux hommes présents, elle porte un plateau avec une cruche et des fruits secs. Elle est vêtue d'une ample robe à fleurs sur laquelle est noué un petit tablier brodé. Ses petits souliers pointus claquent. Elle est mince mais gracile, sa silhouette attire le regard. Une petite fille trotte derrière elle en portant deux verres. La fillette regarde l'ecclésiastique avec un tel effroi qu'elle heurte par inadvertance la femme qui la précède et tombe. Les verres roulent à terre, heureusement qu'ils sont solides. La mère ne prête aucune attention à l'enfant, en revanche elle jette un regard au visiteur, un regard vif et impertinent. Ses yeux sombres, ténébreux lancent des éclairs, ils sont grands et semblent profonds comme un abîme, sa peau incroyablement blanche s'empourpre. Le curé de Firlej, qui n'est guère familier de la présence de jeunes femmes, est surpris par cette soudaine incursion ; il déglutit péniblement. La femme pose avec bruit la cruche, l'assiette et les verres ramassés à terre, puis, le regard de nouveau dirigé au loin, elle sort. La porte claque. Hryćko, le traducteur, semble troublé lui aussi. Elisha Shorr se lève vite pour prendre l'enfant sur ses genoux, mais la fillette se dégage et disparaît à la suite de sa mère.

Le doyen donnerait sa tête à couper que cette entrée de la femme et de l'enfant n'avait pour but que de le voir de près. En voilà une affaire ! Un curé dans une maison juive ! Aussi exotique qu'une salamandre ! Et puis après ? N'est-ce pas un médecin juif qui le soigne ? N'est-ce pas un Juif également qui lui pile ses médecines ? La question des livres est également une question d'hygiène, tout compte fait.

– Les livres, dit le prêtre en montrant du doigt les dos des in-folio et des elzévirs sur la table.

Sur chacun, deux signes ont été tracés à la peinture dorée, le doyen se dit que ce sont les initiales du propriétaire car il sait reconnaître les lettres hébraïques :

שׁיר

Il sort alors de sa sacoche ce qui doit être son billet d'entrée auprès du peuple d'Israël et pose avec précaution devant Elisha Shorr le livre qu'il a apporté. Son sourire est triomphant, car il s'agit du *Turris Babel* d'Athanasius Kircher, un ouvrage majeur tant du point de vue du contenu que du format, et il a pris de grands risques en le trimbalant là. Et s'il était tombé dans la boue puante de Rohatyn? Et si un coupe-jarret le lui avait volé à la foire? Sans ce livre, le père doyen ne serait pas celui qu'il est, ou, plus exactement, il serait devenu un curé borné, un enseignant jésuite chez un noble, un clerc suffisant de l'Église aux doigts couverts de bagues.

Il pousse le livre vers Shorr, un peu comme s'il lui présentait son épouse. Doucement, il frappe de petits coups contre la couverture en bois.

– J'en ai d'autres, mais Kircher est le meilleur, dit-il en ouvrant le volume au hasard.

Les trois hommes voient apparaître un dessin de la Terre sous forme de globe, avec, dessus, le long cône mince de la tour de Babel.

– Kircher démontre que la tour de Babel dont nous avons la description dans la Bible ne pouvait pas être aussi haute qu'on le prétend. Une tour qui arriverait jusqu'à l'orbite de la Lune perturberait l'ordre du cosmos. Il aurait fallu que sa base, posée sur le globe terrestre, soit énorme. Elle aurait caché le Soleil, ce qui aurait eu des conséquences catastrophiques pour toute la création. Les gens auraient dû utiliser toutes les réserves de bois et de glaise de la Terre...

Le père Benedykt a l'impression de proférer une hérésie et, de fait, il ignore pourquoi il dit tout cela au Juif silencieux. Il voudrait que ce dernier l'accepte comme ami et ne le traite pas en ennemi. Mais est-ce possible? Peut-être arriveront-ils à s'entendre sans connaître la langue de l'autre ni ses coutumes, ses objets, ses choses, ses sourires, les gestes de ses mains faisant des signes, ni rien de lui: ils pourraient peut-être communiquer par l'intermédiaire des livres? N'est-ce pas la seule voie envisageable? Si les hommes lisaient les mêmes ouvrages, ils vivraient dans le même monde; or, ils vivent dans des mondes différents, comme ces Chinois dont parle Kircher. Et il y en a toute une multitude, d'ailleurs, qui ne lisent pas du tout, ceux-là ont l'esprit endormi, les idées rudimentaires, animales, comme ces paysans au regard vide. Si lui, le curé de Firlej, était roi, il donnerait l'ordre de dédier une journée de corvée à la lecture, il contraindrait toute la paysannerie à fréquenter

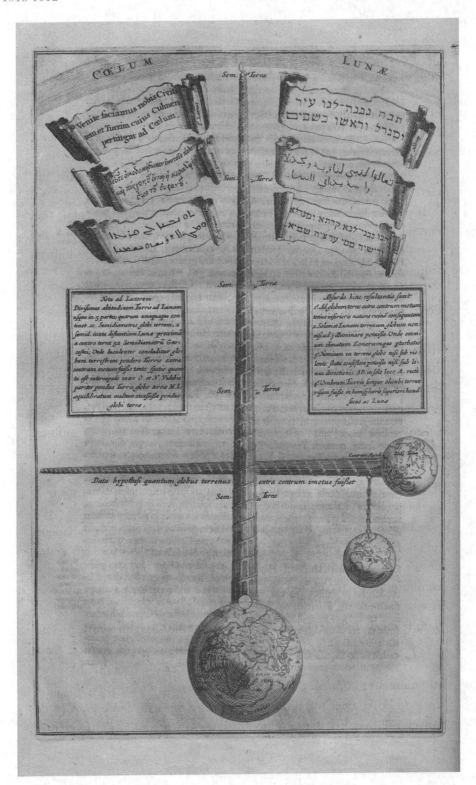

COELUM   LUNÆ

les livres, et la *Respublica* aurait d'emblée une autre allure. Peut-être est-ce une question d'alphabet, parce qu'il n'en existe pas un mais plusieurs et que chacun d'eux élabore différemment les pensées. Les alphabets sont pareils aux briques : les unes, lisses et résistantes, servent à bâtir des cathédrales ; les autres, rudimentaires, en argile crue, à construire de simples maisons. Si le latin doit certainement être le meilleur des alphabets, il semble pourtant que Shorr ne le connaisse pas. Le doyen lui montre donc du doigt une gravure, puis une autre et encore une autre ; il voit que le Juif se penche pour regarder avec un intérêt croissant. Finalement, il chausse des verres habilement cerclés de fil de fer. Le père Chmielowski aimerait en avoir de pareils, il doit lui demander où en commander. Le traducteur montre également de la curiosité, aussi se penchent-ils tous les trois sur le dessin.

Le doyen jette un œil satisfait à ses compagnons, heureux d'avoir suscité leur intérêt ; il remarque dans la barbe sombre du Juif des poils dorés et brun clair.

– Nous pourrions échanger nos livres, propose-t-il.

Il dit qu'il a dans sa bibliothèque de Firlej deux autres ouvrages de Kircher, *Arca Noe* et *Mundus subterraneus*, enfermés à clef car ils sont trop précieux pour être consultés quotidiennement. Il sait aussi qu'il y a d'autres titres de cet auteur, mais il ne les connaît que par des allusions lues ici ou là. Il a par ailleurs collecté de nombreux autres livres de penseurs du monde passé. Et, pour se faire bien voir, il ajoute : dont ceux de l'historiographe juif Flavius Josèphe.

De la cruche, on lui verse du jus de fruits dilué et l'on approche de lui l'assiette avec les dattes et les figues séchées. Le doyen en porte quelques-unes à ses lèvres, religieusement, cela fait longtemps qu'il n'en a pas mangé. Ces douceurs divines lui remontent le moral. Il comprend que le moment est venu pour lui de préciser sa démarche, aussi avale-t-il les friandises pour passer aux choses sérieuses. Mais avant qu'il n'ait terminé, il comprend qu'il est allé trop vite et qu'il n'obtiendra pas grand-chose.

Il le devine peut-être au soudain changement d'attitude de Hryćko. Il mettrait aussi sa tête à couper que le garçon ajoute ses commentaires à ce qu'il traduit. Il ignore juste si ce sont des mises en garde ou, au contraire, des paroles qui lui sont favorables. Elisha Shorr recule imperceptiblement sur sa chaise, incline la tête en arrière et baisse les paupières comme s'il se retirait pour consulter ses ténèbres intérieures.

Cela dure jusqu'au moment où, sans le vouloir, l'ecclésiastique échange un regard entendu avec son jeune interprète.

– Rabbi écoute les voix des anciens, dit en chuchotant Hryćko.

Le doyen hoche la tête avec amabilité mais il ne comprend pas. Il se peut que ce Juif ait un contact magique avec divers diablotins. Il ne manque guère de ces lamies et autres Lilith chez les Juifs. Ce balancement de Shorr et ses yeux fermés convainquent Benedykt qu'il eût mieux fait de ne jamais venir en cet endroit. La situation est délicate et inhabituelle. Pourvu qu'il ne se couvre pas d'infamie!

Shorr se lève, se tourne vers le mur, baisse la tête et reste ainsi un moment. L'ecclésiastique commence à s'impatienter, est-ce le signe qu'il doit se retirer? Les yeux de Hryćko sont également fermés et ses longs cils juvéniles jettent une ombre sur ses joues couvertes de duvet. Se seraient-ils endormis? Le doyen toussote discrètement, leur silence lui retire ce qui lui restait d'assurance. Il regrette déjà d'être venu.

Soudain, comme si de rien n'était, Shorr se dirige vers les armoires pour ouvrir l'une d'elles. Avec recueillement, il sort un grand in-folio marqué des mêmes symboles que tous les autres livres et le pose sur la table devant Benedykt. Il l'ouvre par la fin et le doyen découvre une page de titre d'une facture magnifique…

– Le *Sefer ha-Zohar*, dit Elisha Shorr religieusement avant de ranger de nouveau l'ouvrage dans l'armoire.

– Qui pourrait bien vous lire cela… dit Hryćko en guise de consolation.

Benedykt Chmielowski laisse sur la table les deux volumes de son ouvrage, *La Nouvelle Athènes*, en gage de leurs futurs échanges. Il pointe son index vers les livres puis vers lui-même, au beau milieu de sa poitrine, et il dit: «C'est moi qui les ai écrits.» Ils devraient les lire, s'ils connaissaient la langue polonaise. Ils apprendraient beaucoup de choses sur le monde. Le prêtre attend la réaction de Shorr, mais celui-ci ne fait que soulever légèrement un sourcil.

Le père Chmielowski et Hryćko sortent ensemble dans l'air froid, désagréable. Le jeune garçon n'arrête pas de parler, l'ecclésiastique le regarde attentivement, il considère sa jeune figure où se dessine une barbe prochaine, ses longs cils recourbés qui lui donnent quelque peu un air enfantin et, finalement, sa tenue de paysan.

– Tu es juif?

– Eh non… répond Hryćko avec un haussement d'épaules. Je suis d'ici, de Rohatyn, là, de cette maison. Orthodoxe, faut croire.

– D'où connais-tu leur langue?

Hryćko se rapproche et marche quasiment épaule contre épaule avec le doyen, il se sent manifestement encouragé à pareille familiarité. Il raconte que son père et sa mère sont morts de l'épidémie, en 1746. Ils faisaient des affaires avec les Shorr, son père était artisan, il tannait les peaux, et quand il est décédé Shorr a pris en charge Hryćko, sa grand-mère et Oleś, son jeune frère. Il s'est occupé d'eux trois en voisin, il a aussi racheté les dettes de leur père. Ils vivent ainsi, en bon voisinage. Désormais Hryćko a plus affaire aux Juifs qu'aux siens et il ignore lui-même comment il en est venu à comprendre leur langue, il la parle comme si elle était sienne, couramment, ce qui lui est souvent utile dans les affaires et le commerce, parce que les Juifs, surtout les plus âgés, sont réticents à parler le polonais ou le ruthène. Les Juifs ne sont pas ce qu'on dit d'eux, et les Shorr en particulier. Ils sont nombreux et leur maison est chaleureuse, hospitalière, ils vous donnent toujours quelque chose à manger et un verre de vodka quand il fait froid. Désormais, Hryćko apprend le métier de son père pour reprendre la tannerie où il y aura toujours du travail.

– Tu n'as pas de famille chrétienne?

– J'en ai bien une, mais loin, et elle se soucie pas trop de nous. Voici mon frère, Oleś.

Un garçonnet de peut-être huit ans, tout en taches de rousseur arrive vers eux en courant.

– Ne vous inquiétez pas de nous inutilement, mon père, lance joyeusement Hryćko. Dieu a créé l'homme avec les yeux par-devant et pas à l'arrière de la tête, ce qui veut dire que l'homme doit s'occuper de ce qui vient et pas de ce qui a été.

Le curé de Firlej reconnaît là une preuve de la sagesse divine, mais il ne se rappelle pas à quel endroit des Écritures cela a été énoncé.

– Apprends leur langue auprès d'eux et tu deviendras le traducteur de ces livres.

– Quelle idée, révérend père! Moi, les livres ne m'attirent pas. La lecture m'ennuie. Je préférerais m'occuper de commerce. Ça, ça me plaît. Le mieux ce serait le commerce de chevaux. Ou bien, comme les Shorr, de vodka et de bière.

– Je vois que tu t'es déjà corrompu auprès d'eux… dit le prêtre.

– Pourquoi donc? En quoi est-ce moins bien qu'avec d'autres marchandises? Les gens ont besoin de boire parce que la vie est difficile.

Hryćko continue à parler en suivant le doyen, et ce dernier s'en débarrasserait volontiers. Benedykt Chmielowski fait face à la foire où il cherche Roszko du regard; d'abord près des peaux, puis partout, mais il y a encore plus de monde qu'avant et, en fait, il n'a aucune chance de trouver son cocher. Il décide donc de se diriger vers sa calèche. Son interprète, quant à lui, endosse tellement son nouveau rôle qu'il se met en sus à lui expliquer différentes choses, manifestement content de pouvoir le faire. Il raconte donc qu'il se prépare un grand mariage dans la maison des Shorr, car le fils d'Elisha (celui que le doyen a vu au magasin, ledit Jérémie, qui en fait se prénomme Izaak) épouse la fille de Juifs de Moravie. Toute la famille va bientôt venir et beaucoup de parents de Busk, Podhajce, Jezierzany et Kopyczyńce, mais aussi de Lwów et peut-être de Cracovie, même si la saison est tardive, car, selon lui, Hryćko, mieux vaut se marier l'été. Et Hryćko le bavard poursuit en disant que ce serait bien si le révérend père pouvait venir à un tel mariage, mais sitôt après avoir parlé, il imagine sans doute la scène car il éclate de rire, de ce même rire que le doyen avait d'abord cru railleur. Le garçon reçoit une pièce, il la regarde et disparaît aussitôt. Le doyen reste un moment immobile avant de s'enfoncer dans la foire comme dans une eau bouillonnante et s'y noyer, à la recherche du délicieux fumet des terrines qui y sont vendues.

2

Le ressort fatidique et la maladie féminine de Katarzyna Kossakowska

Au même moment, Katarzyna Kossakowska *de domo* Potocka, la palatine de Kamieniec, et une dame plus âgée, qui depuis plusieurs jours déjà faisaient route de Lublin à Kamieniec, entraient dans Rohatyn. À une heure derrière elles venaient les voitures avec les coffres remplis de vêtements, draps et services de table, afin que, lorsqu'il leur fallait bénéficier d'hospitalité, elles aient leur propre porcelaine et leurs couverts. Car si des émissaires les devancent toujours pour prévenir la famille et les notables amis de l'approche des deux voyageuses, il arrive qu'elles n'atteignent pas pour la nuit le gîte sûr et confortable prévu. Ne leur reste alors que les relais et les auberges où la nourriture n'est pas fameuse. Mme Drużbacka, qui est d'un âge certain, survit à peine. Elle se plaint d'aigreurs, probablement du fait que tout ce qu'elle mange se voit aussitôt agité dans son estomac comme la crème dans une baratte. Mais les remontées acides ne sont pas pour autant une maladie. L'état de Katarzyna Kossakowska paraît plus grave, elle a mal au ventre depuis la veille au soir; recroquevillée dans un coin de la berline, elle est sans force, glacée mais couverte de sueur et tellement pâle que son amie commence à craindre pour sa vie. Aussi est-ce la raison pour laquelle les deux femmes viennent chercher secours à Rohatyn, dont le staroste est Szymon Łabęcki, apparenté à la famille de la palatine comme ne manquent pas de l'être toutes les personnes de quelque importance en Podolie.

C'est jour de foire et le carrosse à suspension, couleur saumon à fioritures dorées, avec le blason des Potocki peint sur les portières, mené
par un cocher assis sur son siège et accompagné de cavaliers en uniforme chatoyant, provoque un émoi peu banal dès les abords de la
petite ville. Il s'arrête sans cesse, car la route est encombrée de piétons et de bêtes. À rien ne sert le fouet qui claque au-dessus des têtes.
Dissimulées dans l'habitacle comme dans un coquillage précieux, les
deux femmes voguent à travers les eaux tumultueuses de la foule multilingue et enfiévrée.

Finalement, comme il était à prévoir dans cette cohue, la berline
s'empale sur un timon et y casse son ressort de Dalesme, une amélioration récente, l'accident ne fera désormais que compliquer le voyage ; la
palatine tombe de son siège et son visage se tord de douleur. Non sans
pester, Mme Drużbacka saute directement dans la boue pour chercher de
l'aide. Elle se tourne d'abord vers deux femmes qui portent des paniers,
mais celles-ci se mettent à rire avant de se sauver tout en échangeant des
propos en ruthène ; ensuite, elle saisit par la manche un Juif en bonnet
et manteau, il essaie de comprendre ce qu'elle lui veut, il va jusqu'à lui
répondre dans sa langue et lui indique quelque chose dans le bas de
la ville, vers la rivière. Impatientée, Mme Drużbacka barre le chemin à
deux marchands d'allure respectable qui viennent de sortir d'un coche
pour s'approcher de l'attroupement, mais ils doivent sans doute être
arméniens et de passage. Ils ne font que remuer la tête. À côté d'eux,
des Turcs observent Mme Drużbacka avec ironie, à ce qu'il lui semble.

– Est-ce que quelqu'un parle polonais par ici ! lance-t-elle, furieuse
contre cette foule autour d'elle et furieuse de se trouver là.

A priori, c'est toujours la Pologne, la Respublica des Trois Nations,
bien que le royaume soit ici complètement différent de ce qu'il est en
Grande-Pologne, dont Mme Drużbacka est originaire. Tout est sauvage,
les visages sont étrangers, exotiques, les tenues cocasses avec des tuniques
qui s'effilochent, des bonnets de fourrure et des turbans, et ces pieds
nus ! Les habitations sont voûtées, petites et en torchis, y compris près de

la place du marché. Des relents sucrés se mêlent à ceux des excréments
et à l'odeur humide des feuilles tombées.

Pour finir, Mme Drużbacka aperçoit devant elle un ecclésiastique
mince et plus tout jeune, aux cheveux complètement gris, vêtu d'un
manteau qui laisse à désirer, avec un sac à l'épaule, et qui la regarde,
les yeux exorbités, complètement ébaubi. Elle l'attrape par les pans de
son pardessus et le secoue en sifflant entre ses dents :

– Pour l'amour de Dieu, dites-moi, révérend père, où se trouve la
maison du staroste Łabęcki ! Et pas un mot ! Silence sur tout !

L'ecclésiastique cligne des yeux, effrayé. Il ne sait pas s'il doit parler ou
se taire. Doit-il indiquer le chemin d'un geste ? La femme qui le secoue
ainsi, sans merci, n'est pas très grande, un peu grassouillette avec des
yeux expressifs et un long nez ; une mèche grise s'échappe de son bonnet.

– C'est une personne de haut rang, elle est là incognito, dit-elle en
montrant le véhicule.

– Incognito, incognito, répète l'ecclésiastique troublé. Il intercepte un
jeune garçon dans la foule auquel il ordonne de conduire le véhicule à
la demeure du staroste. Le gaillard, avec plus d'adresse qu'on ne l'aurait
imaginé, aide à dételer les chevaux pour leur permettre de faire demi-tour.

La palatine gémit derrière les rideaux tirés de la berline, une copieuse
grossièreté fait suite à chaque gémissement.

Le sang sur les soieries

Szymon Łabęcki, marié à Pelagia *de domo* Potocka, est un cousin, lointain
certes mais un cousin tout de même, de Katarzyna Kossakowska. Son
épouse n'est pas là, elle est en visite au manoir de sa famille dans un
village des environs. Surpris par cette visite inopinée, le staroste bou-
tonne en hâte sa veste cintrée, évasée à la française, et remet en place
ses manchettes en dentelle.

– *Bienvenue, bienvenue**, répète-t-il, un peu perdu, tandis que
Mme Drużbacka aidée des servantes fait monter la palatine à l'étage
où il lui cède sa meilleure suite.

* En français dans le texte. *(N.d.T.)*

Puis, il fait quérir Rubine, le meilleur médecin de Rohatyn, tout en marmonnant entre les dents :

– *Quelque chose de féminin, quelque chose de féminin**.

Il n'est pas vraiment content. En fait, il n'est pas content du tout de cette visite imprévue. Il se préparait justement à aller en un certain endroit où il joue régulièrement aux cartes. La seule idée du jeu fait agréablement monter sa tension, un peu comme le ferait une excellente boisson. Comme il use pourtant ses nerfs avec ce vice ! Néanmoins, il se console à l'idée que des personnages plus importants que lui, plus riches et bénéficiant d'une plus grande estime, s'y adonnent. Ces derniers temps, il joue avec Mgr Sołtyk, raison pour laquelle il a enfilé sa belle tenue aujourd'hui. Il était sur le point de partir, sa voiture attelée l'attendait. Eh bien, il n'ira pas. Quelqu'un d'autre va gagner. Il respire profondément et se frotte les mains comme s'il voulait reprendre de l'allant. Tant pis, il jouera une autre fois.

La fièvre dévore la malade toute la soirée et Mme Drużbacka a l'impression qu'elle délire. Avec Agnieszka, la demoiselle de compagnie de madame, elle lui pose des compresses froides sur la tête. Le médecin convoqué en hâte prescrit des herbes, apparemment de l'anis et de la réglisse, dont maintenant l'odeur plane au-dessus de la literie en un nuage douceâtre. La palatine s'endort. Le physicien fait aussi mettre des linges frais sur son ventre et son front. Toute la maison se calme, les bougies s'éteignent.

Que faire, ce n'est ni la première fois ni la dernière que l'indisposition mensuelle fait autant souffrir la palatine. Difficile d'en rendre quelqu'un responsable, la cause en est sans doute la manière dont on élève les demoiselles des grandes familles nobiliaires, dans le confinement et sans défis pour le corps. Les jeunes filles passent leur temps assises, penchées sur leur tambour, à broder des étoles pour les prêtres. La cuisine est lourde, à base de viandes. Les muscles sont faibles. En outre, Katarzyna Kossakowska aime les voyages, elle passe donc des journées entières en voiture à être secouée dans un bruit permanent. Sans compter l'énervement et les intrigues continuelles. La politique, car qu'est-elle d'autre que l'envoyée de Klemens Branicki, dont elle défend les intérêts ? Elle s'en sort parfaitement

---

* En français dans le texte. *(N.d.T.)*

d'ailleurs, car elle a un esprit bien trempé. En tout cas, on parle d'elle et on la respecte comme un homme. Mais Mme Drużbacka ne voit en elle qu'une femme qui aime commander. Grande, sûre d'elle, à la voix qui porte. On dit aussi que son mari, le comte palatin, peu favorisé par la nature, petit, tordu, serait impotent. À ce qu'il paraît, quand il demanda sa main, il était juché sur un sac d'or pour compenser sa petite taille.

Au cas où, par la volonté de Dieu, elle n'aurait pas d'enfant, il ne semble pas qu'elle en serait malheureuse. Les mauvaises langues disent que lorsqu'elle se querelle avec son époux, quand elle le chamaille, elle l'attrape par la taille et le pose sur le manteau de la cheminée d'où il a peur de descendre ; ainsi immobilisé, il se voit obligé de l'écouter jusqu'au bout. Pourquoi une femme aussi altière s'est-elle choisi pareil nabot ? Sans doute afin de renforcer la position de sa famille, pourtant l'une des plus puissantes de la région ; or, cela se fait par la politique.

Elles se mirent à deux pour dévêtir la malade et chaque vêtement retiré à la noble dame Kossakowska laissait un peu plus apparaître la personne prénommée Katarzyna, puis même celle qui portait l'affectueux diminutif de Kasia, lorsque, pleurant et gémissant, elle s'abandonna de faiblesse entre les mains de ses suivantes. Le médecin préconisa de placer entre ses cuisses des charpies propres et de lui donner beaucoup à boire, de la contraindre à boire, surtout les décoctions d'une certaine écorce. Comme cette jeune femme semble maigre à Mme Drużbacka et, parce que telle, ô combien jeune ! Pourtant, elle a déjà dans les trente ans.

Quand elle s'endormit, Agnieszka et Mme Drużbacka s'occupèrent des habits souillés par de grosses taches de sang, la lingerie et les jupons d'abord, la jupe et le manteau bleu marine ensuite. Combien de ces taches n'ai-je vues pas dans ma vie ? songe Mme Drużbacka.

La belle robe de la palatine en satin couleur crème est discrètement parsemée de fleurs, des clochettes rouges avec une feuille verte à droite et une autre à gauche. Un motif joyeux et léger, cela sied bien au teint un peu bis de Katarzyna et à ses cheveux sombres. Les macules inondent à présent la gaieté des fleurs d'une vague menaçante. Leurs contours irréguliers engloutissent l'ordonnancement pour le détruire. Un peu comme si des forces maléfiques étaient remontées à la surface.

Dans les demeures nobiliaires, la suppression des souillures par le sang est une science. Depuis des siècles, elle est transmise aux épouses et aux mères. Si une université pour femmes venait à exister, ce serait le savoir majeur qu'il faudrait y enseigner. Les naissances, les menstruations, les guerres, les combats, les invasions, les agressions, les pogromes, tels sont les événements que le sang vous remet en mémoire par sa disponibilité permanente sous la peau. Que faire avec cette intériorité quand elle ose jaillir à l'extérieur, avec quelle solution la laver, avec quel vinaigre la rincer? Mouiller peut-être le tissu avec un peu de larmes et frotter doucement. Ou l'humidifier fortement de salive. Les draps, la literie, les sous-vêtements, les jupons, les chemises, les tabliers, les bonnets et les châles, les manchettes en dentelle et les jabots, les vestes et les corsets. Les tapis, les lattes du plancher, les bandages, les uniformes.

Une fois le médecin parti, Mme Drużbacka et Agnieszka s'endorment mi-assises mi-agenouillées près du lit, l'une appuie la tête contre sa main dont la trace s'imprime sur sa joue pour le reste de la soirée, l'autre, assise dans le fauteuil, a le menton sur la poitrine et sa respiration agite doucement les dentelles de son décolleté qui ondulent comme les anémones de mer en eaux chaudes.

Les places d'honneur à la table du staroste Łabęcki

La demeure du staroste rappelle un château. En pierre, couverte de mousse, elle repose sur de vieilles fondations, d'où son humidité. Dans la cour, les fruits luisants du vieux châtaignier tombent déjà, les feuilles jaunes suivent. Le sol semble recouvert d'un magnifique tapis doré et orangé. Du vaste hall d'entrée, on passe dans les salons à peine meublés, mais aux murs et plafonds décorés et peints en couleurs claires. Le parquet en bois de chêne brille d'encaustique. Les préparatifs de l'hiver sont en cours; dans l'entrée sont regroupés les paniers de pommes qui seront conservées dans les pièces d'hiver pour y fleurer bon dans l'attente de Noël. Agitation et désordre règnent au-dehors, les paysans viennent de livrer le bois de chauffage qu'ils empilent. Les femmes rapportent des corbeilles de noix dont la taille fait l'étonnement de Mme Drużbacka. Elle en a cassé une dont elle mange avec appétit la chair tendre et savoureuse, goûtant la petite amertume de la peau des cerneaux du bout de la langue. Une odeur de confiture de pruneaux en train de cuire lui arrive des cuisines.

Elle croise le médecin qui marmonne quelque chose à son adresse avant de monter. Elle sait déjà que ce Juif « saturnien », comme l'a qualifié le staroste, docteur de la Faculté italienne, silencieux et absent en esprit, est très estimé de Łabęcki, lequel a séjourné assez longtemps en France pour s'être défait de certains préjugés.

Déjà le lendemain, à l'heure de midi, Katarzyna Kossakowska prend un peu de bouillon de poule, après quoi elle se fait rehausser le dos avec deux coussins et apporter du papier, une plume et de l'encre.

Katarzyna Kossakowska *de domo* Potocka, épouse du comte palatin de Kamieniec, dame de nombreux villages, bourgs, manoirs et châteaux, est une prédatrice. Pareille nature, même dans les ennuis, même prise au piège du braconnier, lèche ses blessures pour aussitôt retourner au combat. La palatine possède un instinct animal pareil à celui de la louve au sein de la meute. Tout va bien. Que dame Drużbacka s'occupe plutôt de ses propres problèmes. Qu'elle réfléchisse au genre d'animal qu'elle est, elle… Ne reste-t-elle pas en vie grâce à ceux qui sont féroces et qu'elle accompagne pour les distraire avec ses bagatelles ? Elle est une bergeronnette apprivoisée, un oiseau qui chante à ravir ses trilles, mais que balaie le moindre coup de vent, fût-ce le courant d'air d'une fenêtre ouverte par l'orage.

Le père Benedykt Chmielowski arrive dans l'après-midi, un peu en avance, il porte le même manteau fatigué et ce sac qui conviendrait plutôt à un marchand ambulant qu'à un ecclésiastique. Mme Drużbacka l'accueille sur le pas de la porte.

– Je voulais vous prier, mon père, de m'excuser pour mon attitude inconsidérée. Ne vous ai-je pas arraché des boutons… dit-elle en l'entraînant par la manche vers le salon, car elle ne sait trop que faire de lui : le repas ne sera servi que deux heures plus tard.

– Telle était l'exigence du moment, *simpliciter...* ainsi *nolens volens* ai-je pu être utile à la santé de Mme la palatine.

Mme Drużbacka est déjà familière du polonais un peu différent que l'on parle dans les résidences de la grande noblesse, aussi ces incursions latines ne font que l'amuser. Elle a passé une partie de sa vie dans ces maisons en tant que dame de compagnie et secrétaire. Ensuite elle s'est mariée, elle a mis au monde ses filles et, désormais, depuis la disparition de son époux et la naissance de ses petits-enfants, elle tente de se débrouiller seule ou auprès de ses filles ou de Katarzyna Kossakowska, ou encore en tant que dame de compagnie. Elle est heureuse de s'en retourner à la cour d'un magnat où il se passe tant de choses et où, le soir, on lit des poésies. Elle en a commis plusieurs petits recueils, mais se sent toujours gênée de les montrer. Elle ne parle pas, elle écoute plutôt le doyen qui lui n'arrête plus et, aussitôt, elle se trouve des centres d'intérêt communs avec lui, malgré ce latin. En effet, récemment le curé de Firlej séjourna au palais des Dzieduszycki à Cecołowce et, désormais, il cherche à recréer dans sa cure ce qu'il a connu là-bas. Enjoué, encouragé par la liqueur dont il a déjà avalé trois verres, ravi que quelqu'un lui prête oreille, il se raconte.

Hier, on a envoyé chercher le comte palatin Kossakowski à Kamieniec et il ne fait nul doute qu'il arrivera bientôt. On l'attend dans la matinée du lendemain ou peut-être déjà dans la nuit.

À table se trouvent les habitants de la maison et leurs invités, les habituels et les fortuits. Les moins importants ont été mis en bout de table, là où la blancheur des nappes ne couvre pas la grisaille du bois. Parmi les résidents, il y a l'oncle maternel ou paternel du staroste, un monsieur d'un certain âge bien en chair et essoufflé qui ne s'adresse plus autrement à tout un chacun que par « monsieur mon bienfaiteur », « madame ma bienfaitrice ». Il y a aussi le régisseur, un moustachu timide de bonne stature, ainsi que l'ancien professeur de religion des enfants Łabęcki, l'immensément instruit bernardin, le père Gaudenty Pikulski. Le doyen de Rohatyn accapare aussitôt ce dernier qu'il entraîne dans un angle de la pièce pour lui montrer un livre juif.

– J'ai fait un échange, je lui ai offert *La Nouvelle Athènes*, il m'a donné le Zohar, dit-il avec fierté avant de sortir le livre de son sac. Il y aurait une demande, ajoute-t-il en usant de l'impersonnel, s'il se trouvait un peu de temps pour transposer ceci ou cela en polonais...

Pikulski regarde l'ouvrage, l'ouvre par la fin et remue les lèvres tandis qu'il lit la page de titre.

– Rien à voir avec le Zohar, dit-il.

– Comment cela ? dit Benedykt Chmielowski qui ne comprend pas.

– Shorr vous a refilé des contes juifs, dit-il en faisant glisser son doigt de droite à gauche sur une suite de petits signes incompréhensibles. *L'Œil de Jakób.* C'est le titre, ce sont des fabliaux pour le peuple.

– Ah, ce Shorr... – Le père Benedykt hoche la tête, déçu, avant d'ajouter : Il a dû se tromper. Dommage, mais je trouverai peut-être bien quelque sagesse là aussi. À condition que quelqu'un me traduise...

Le staroste fait un signe de la main et deux serviteurs apportent les plateaux de liqueurs, de très petits verres et une assiette avec des croûtes de pain finement tranchées. Ceux qui le souhaitent peuvent ainsi s'aiguiser l'appétit car la suite du repas sera lourde et copieuse. D'abord, on y sert une soupe, puis viennent des tranches de bœuf cuit ainsi que d'autres viandes, du bœuf en sauce, des pièces de venaison et des poulets, des carottes cuites, du chou au lard et des bols de sarrasin généreusement saupoudré de lardons.

À table, le père Pikulski se penche vers le père Chmielowski pour lui dire à mi-voix :

– Passez me voir, j'ai aussi des livres juifs en latin, je peux également vous aider pour l'hébreu. Pourquoi vous adresser tout de suite aux Juifs ?

– Vous me l'avez vous-même conseillé, mon fils, rétorque le doyen irrité.

– Je plaisantais. Je n'imaginais pas que vous iriez.

Mme Drużbacka mange avec circonspection, le bœuf lui rend toujours nécessaire l'usage du cure-dent, or elle n'en voit nulle part sur la table. Elle picore le poulet au riz et observe du coin de l'œil deux jeunes servantes encore peu coutumières de leur tâche car elles se font des grimaces à travers la table et s'amusent, persuadées que les commensaux occupés à manger ne verront rien.

La palatine, en principe encore faible, ordonne que son lit, placé dans un coin de la pièce, soit éclairé de bougies et qu'on lui serve du riz et même du poulet. Après quoi, elle demande qu'on lui verse du vin hongrois.

– Le pire est derrière vous, madame, puisque le vin vous tente, lui dit le staroste avec une ironie à peine perceptible dans la voix – il est toujours fâché de n'avoir pu se rendre à sa partie de cartes. *Vous permettez**, ajoute-t-il avec une courbette quelque peu exagérée, à votre santé, madame !

– Je devrais boire, pour ma part, à la santé de ce médecin, il m'a remise sur pied avec sa mixture, réplique Elżbieta Kossakowska avant d'avaler une grande gorgée.

– *C'est un homme rare***, admet son hôte. Un Juif très instruit, même s'il ne sait pas me guérir de la goutte. Il a étudié en Italie. Il saurait vous retirer le voile de la cataracte avec une aiguille et vous rendre ainsi la vue. Il l'a fait pour une dame de la région qui maintenant brode aux petits points.

Depuis son coin, la palatine reprend la parole. Elle a fini de manger ; un peu pâle, elle reste soutenue par ses coussins. Son visage, éclairé par la lumière vacillante des bougies s'agite comme si elle faisait la grimace :

– Il y a plein de Juifs partout, maintenant ; d'ici peu, ils nous mangeront tout crus. Notre noblesse n'a pas envie de travailler pour faire prospérer ses domaines, alors elle les confie aux Juifs pour aller faire la fête dans la capitale. Et que vois-je ? Là, un Juif est maître juré des ponts ; là, un Juif administre une propriété terrienne ; là, un Juif coud chausses et vêtements. Tout l'artisanat est passé aux mains des Juifs !

Au cours du repas, la conversation aborde l'économie qui ici, en Podolie, est toujours défaillante, alors que la richesse de cette terre est considérable. On pourrait en faire un pays de cocagne. Ces potasses, ces *salpetrae*, ces miels. La cire, la graisse, les tissus. Le tabac, les peaux, le bétail, les chevaux. Tellement de choses qui ne sont pas écoulées. Et pourquoi ? demande Łabęcki. Parce que le Dniestr est trop peu profond et, qui plus, entrecoupé par ces rapides, ces *porohy*, sur toute sa largeur. Quant aux routes, elles ne valent rien ; au printemps, lors du dégel, elles ne sont quasiment plus praticables. Comment faire du commerce dans ces conditions ? Avec, en outre, des frontières que les bandouliers turcs traversent sans qu'on les inquiète pour ensuite dévaliser les voyageurs, de sorte qu'il faut se déplacer en armes et engager des gardes.

– Qui en a les moyens? se lamente Łabęcki, qui rêve que les choses deviennent comme dans les autres pays, que le commerce fleurisse et la richesse des gens croisse, comme en France où pourtant la terre n'est pas meilleure qu'ici, ni d'ailleurs les fleuves.

Elżbieta Kossakowska affirme que la faute en revient aux nobles qui paient leurs manants avec de la vodka plutôt qu'en monnaie sonnante.

– Savez-vous, madame, que c'est chez les Potocki, dans leurs domaines, que le paysan a tellement de jours de corvée dans l'année qu'il ne lui reste que les samedis et les dimanches pour travailler sa terre?

– Chez nous, ils ont aussi leur vendredi de libre, réplique la palatine. Il y a surtout qu'ils travaillent de façon pitoyable. La moitié de la récolte va au travailleur pour avoir engrangé l'autre moitié, et cela même ne suffit pas pour que les dons généreux du ciel soient mis à profit. Chez mon frère, des meules énormes de blé rassasient aujourd'hui la vermine sans qu'il ait trouvé un moyen de les vendre.

– Celui qui a eu l'idée de changer les céréales en vodka devrait être décoré, déclare Łabęcki qui retire sa serviette de sous son menton et fait signe de passer dans la bibliothèque pour fumer, comme le veut l'étiquette. Désormais, poursuit-il, des gallons de vodka passent en voiture sur l'autre rive du Dniestr. À dire vrai, le Coran interdit de boire du vin, mais il ne parle pas de la vodka. D'ailleurs, les terres du hospodar de Moldavie ne sont plus très loin, et là-bas les chrétiens peuvent en boire à volonté… – ayant dit cela, il se met à rire et laisse voir ses dents jaunies par le tabac.

Le staroste Szymon Łabęcki n'est pas n'importe qui; dans la bibliothèque, son livre occupe une place d'honneur: *Instructions pour les jeunes Seigneurs par Messire de la Chétardie, chevalier à l'armée et à la Cour Royale de France, homme de grand mérite, colligées brièvement ici, et dans lesquelles un jeune homme interroge et reçoit réponse. Offertes en guise d'ultime Adieu aux Écoles de Lwów à ses camarades et données à imprimer par Sa Grandeur Monsieur Szymon Łabęcki, Staroste de Rohatyn.*

Quand Mme Drużbacka interroge aimablement son hôte sur le sujet du livre, il devient clair que c'est une chronologie de batailles majeures, puis, après une prise de parole plus longue de Łabęcki, qu'il s'agit davantage d'une traduction que d'un texte original qu'il aurait écrit. Ce que le titre, à vrai dire, ne laisse pas deviner d'emblée.

Au fumoir, tout le monde – les dames, qui sont deux grandes fumeuses, également – doit ensuite écouter comment le staroste avait discouru cérémonieusement lors de l'inauguration de la Bibliothèque Załuski.

Quand Szymon Łabęcki est appelé à quitter ses invités parce que son médecin vient d'arriver pour son traitement, la conversation s'intéresse à Mme Drużbacka ; la palatine rappelle qu'elle est une poétesse, ce dont le père doyen Chmielowski s'étonne poliment, mais il tend la main avec empressement pour saisir le livret présenté. Les pages imprimées provoquent chez lui un réflexe difficile à dominer : il lui faut s'en saisir et ne plus les lâcher tant que ses yeux n'auront pas parcouru l'ensemble, au moins superficiellement. Il en est ainsi à cet instant, il rapproche le livre de la lumière pour en regarder de plus près la page de titre.

– Ce sont des rimes, dit-il déçu, mais il se reprend aussitôt et dodeline de la tête avec respect.

Recueil de rythmes d'esprit, de louange, de morale et d'urbanité... Que ce soient des poèmes ne l'enchante guère, il ne les comprend pas, mais la valeur de la plaquette augmente à ses yeux quand il voit qu'elle a été publiée par les frères Załuski.

Par la porte entrouverte, on entend la voix du staroste soudain devenue humble :

– Mon Asher adoré, cette maladie m'empêche de vivre, j'ai mal à l'orteil, fais quelque chose, mon cœur.

Aussitôt une autre voix, profonde, avec un accent juif, répond :

– Je vais devoir vous demander la liberté de ne plus vous soigner, votre grandeur. Vous ne deviez ni boire de vin ni manger de viande, surtout de viande rouge. Vous n'écoutez pas votre docteur, donc vous souffrez et vous aurez encore plus mal. Je n'ai pas le projet de vous soigner de force.

– Ne te fâche pas, ce ne sont pas tes doigts de pied, mais les miens... Quel médecin diabolique...

Les paroles s'éteignent au loin, les deux hommes se sont visiblement retirés au fond de la maison.

3

Asher Rubine et ses sombres pensées

Asher Rubine quitte la demeure du staroste pour se diriger vers la place du marché. Dans la soirée, le temps s'est éclairci et un million d'étoiles brillent dans le ciel d'une lumière froide qui fait descendre le gel sur la terre. Ici, à Rohatyn, le premier frimas de l'automne arrive. Asher Rubine tire sur les pans de son manteau noir en laine pour s'en envelopper ; grand et mince, il a désormais l'air d'un trait vertical. La ville est silencieuse et glaciale. De pâles lueurs vacillent derrière les fenêtres, mais, à peine visibles, elles semblent n'être qu'une illusion, on pourrait facilement les confondre avec un reflet de soleil sur l'iris de l'œil, attardé là depuis les jours ensoleillés. Le souvenir d'Asher remonte le temps pour s'arrêter à tous les objets observés. Le médecin s'intéresse beaucoup à ce que nous voyons les paupières fermées, il voudrait savoir à quoi cela tient. Aux impuretés sur le globe oculaire ? L'œil serait-il une sorte de *lanterna magica* comme celle qu'il a vue en Italie ? Il ressent un frisson d'excitation à l'idée que c'est de sa tête que provient tout ce qu'il aperçoit : l'obscurité surfilée par les pointes acérées des étoiles au-dessus de Rohatyn, les silhouettes des petites maisons penchées, le rocher du château avec, à proximité, la tour pointue de l'église, les lumières imprécises, presque fantomatiques, le balancier du puits projeté de biais vers le ciel comme en signe de protestation, mais aussi peut-être tout ce qu'il entend, le murmure de l'eau en contrebas et aussi le léger crissement des feuilles raidies par le gel. Qu'en est-il, si nous imaginons tout cela ? Que se passe-t-il si chacun voit différemment ? La couleur verte est-elle perçue pareillement par tous ? Peut-être que «vert» n'est qu'un nom dont nous couvrons comme d'une peinture des sensations absolument différentes pour pouvoir communiquer, alors qu'en réalité chacun de nous voit autre chose ? Existe-t-il un moyen de vérifier cela ? Que se passerait-il si nous *ouvrions* vraiment les yeux ? Si nous *apercevions* par quelque miracle l'aspect véritable de ce qui nous entoure ? Que découvririons-nous ?

Asher a souvent de telles pensées et alors l'effroi le gagne.

Les chiens se mettent à aboyer, des voix masculines s'élèvent, des cris montent, ce doit être à la taverne du marché. Le médecin arrive à la hauteur des maisons juives, il laisse sur sa droite la grande masse sombre de la synagogue. L'odeur de l'eau lui parvient de la rivière en contrebas. La place de Rohatyn sépare deux groupes de Juifs en conflit, ennemis.

Qui attendent-ils, se demande Asher Rubine, qui selon eux doit venir sauver le monde ?

Qu'espère donc chacune des deux factions ? Il y a ceux fidèles au Talmud, confinés à Rohatyn dans quelques maisons à peine comme dans une forteresse assiégée, et ceux, hérétiques et dissidents, pour lesquels, au fond de son cœur, le médecin ressent une aversion plus grande encore. Superstitieux et primaires, couverts d'amulettes, un sourire mystérieux et rusé sur les lèvres comme celui du vieux Shorr, ils se complaisent dans des inepties mystiques. Ils croient au Messie douloureux, celui qui serait tombé au plus bas, car ce n'est que de là qu'il est possible de se relever pour accéder au plus haut. Ils croient au Messie en haillons, celui qui, quelque cent ans plus tôt, serait déjà venu. Le monde aurait déjà été sauvé, alors qu'à première vue cela ne se voit pas, mais ceux qui savent qu'il en est ainsi se réfèrent à Isaïe. Ils ne respectent pas le Shabbat et se livrent à l'adultère, autant de péchés incompréhensibles pour les uns, d'une grande banalité pour les autres, de sorte qu'il serait vain de s'en préoccuper. Leurs maisons dans la partie haute de la place sont tellement rapprochées que les façades semblent se rejoindre pour ne former qu'un front solidaire et puissant.

Asher s'y rend, précisément.

Le rabbin de Rohatyn, un despote avide, toujours à débattre de petites questions absurdes, le fait souvent venir, lui aussi, de l'autre côté de la place. Il ne tient pas en grande estime le mire Rubine qui se montre rarement à la synagogue, ne s'habille pas comme un Juif, mais de façon intermédiaire, en noir, avec une longue veste modeste et un chapeau italien grâce auquel il ne passe pas inaperçu dans la petite ville. Dans la maison du rabbin, il y a un petit garçon malade, il a les jambes torses et Asher n'est pas capable de l'aider. En fait, il lui souhaite de mourir pour que cette souffrance enfantine imméritée se termine rapidement. Ce n'est qu'à cause de ce petit qu'il a un peu de compassion pour le rabbin, qui est un homme vaniteux à l'esprit étriqué.

Asher en est persuadé : le rabbin voudrait que le Messie soit un roi sur un cheval blanc qui entrerait dans Jérusalem en armure dorée, avec, pourquoi pas, une armée de guerriers qui prendraient le pouvoir avec lui et instaureraient dans le monde un ordre définitif. Ce Messie ressemblerait à un général célèbre. Il reprendrait le pouvoir aux seigneurs de ce monde, toutes les nations se soumettraient sans combattre, les rois paieraient des tributs et, au bord du fleuve Sambatyon, le *Mashiah* rencontrerait les dix tribus perdues d'Israël. Le Temple de Jérusalem descendrait du ciel tout achevé et, le même jour, ceux qui sont ensevelis en terre d'Israël ressusciteraient. Asher sourit quand il se rappelle que ceux qui sont morts hors de la Terre sainte ne devraient ressusciter que quatre cents ans plus tard. Enfant, il y croyait, mais cela lui semblait cruellement injuste.

Les deux partis de Rohatyn s'accusent mutuellement des pires péchés et se livrent une guerre d'usure. Les uns et les autres sont pitoyables, songe Asher Rubine, qui, à vrai dire, est un misanthrope. Étrange qu'il soit devenu médecin. Les gens l'agacent et le déçoivent fondamentalement. Quant aux péchés, il en sait plus sur le chapitre que quiconque. Les péchés s'inscrivent sur la peau humaine comme sur du parchemin et la lecture n'en est pas très différente d'une personne à l'autre. Les péchés aussi se ressemblent de façon sidérante.

La ruche, ou la demeure de la famille Shorr de Rohatyn

Chez les Shorr de la place du marché et dans quelques autres habitations, car la famille Shorr est grande et elle compte plusieurs branches, les préparatifs de la noce vont bon train. L'un des fils se marie.

Elisha en a cinq, et une fille aussi, qui est l'aînée de ses enfants. Le premier fils se prénomme Salomon, il a trente ans; sérieux et silencieux, il ressemble à son père. Il a pour épouse Haïkele, ainsi appelée pour la distinguer de Haya, la sœur de son mari. Elle attend justement un nouvel enfant. Elle est originaire de Valachie, sa beauté attire les regards même quand elle est enceinte. Elle compose des chansons amusantes qu'elle chante et elle écrit aussi des historiettes pour les femmes. Le deuxième fils, Natan, vingt-huit ans, le visage ouvert et aimable, excelle dans le commerce avec les Turcs; il est toujours en route et fait de bonnes affaires dont rares sont ceux qui savent en quoi elles consistent. Il vient rarement à Rohatyn, mais il est là pour le mariage. Son épouse, une dame richement vêtue, élégante, est originaire de Lituanie. Elle prend de haut la famille de Rohatyn. Elle a des cheveux touffus coiffés en hauteur et elle porte une robe cintrée. La berline dans la cour appartient au couple. Vient ensuite Iehuda, vif et toujours à plaisanter. Il donne du souci, car sa nature impétueuse se laisse difficilement brider. Il s'habille à la polonaise et porte l'épée. Ses frères l'appellent «le Cosaque». Il possède un commerce à Kamieniec: il s'y occupe de l'approvisionnement de la forteresse, ce qui lui assure un très bon revenu. Son épouse est récemment morte en couches, l'enfant n'a pas survécu non plus. Iehuda a deux bambins de cette union. À l'évidence, il cherche déjà à reprendre femme, et la noce sera une bonne occasion pour se trouver une fiancée. La fille aînée de Mosze de Podhajce lui plaît, elle a maintenant quatorze ans, précisément l'âge qu'il faut pour se marier. Mosze, quant à lui, est un homme honorable, très instruit. Il maîtrise la Kabbale, connaît par cœur tout le Zohar et sait «saisir le mystère», quoi que cela puisse signifier pour Iehuda, aux yeux duquel, à vrai dire, ce n'est pas aussi important que la beauté et l'intelligence de la jeune fille que son père kabbaliste a prénommée Malka, c'est-à-dire « reine ». Wolf, le plus jeune fils de Shorr a sept ans. De visage large et joyeux, couvert de taches de rousseur, il est toujours près de son père.

Le marié est Izaak, c'est celui que le père Chmielowski appela Jérémie. Il a seize ans, il est grand, disgracieux, et n'a pas montré, jusqu'à présent, de qualités particulières. Sa future épouse, Freïna, est originaire de Lanckoruń ; elle est une parente de Hirsz, le rabbin de là-bas et l'époux de Haya, la fille d'Elisha Shorr.

Tous les habitants de cette demeure basse mais très vaste composent une famille. Ils sont unis par des liens de sang, de mariage, d'intérêt commercial, de cautions d'emprunts financiers ou de charrettes prêtées.

Asher Rubine y vient assez souvent, on l'appelle pour soigner les enfants mais également Haya qui souffre toujours de maux particulièrement mystérieux, que le médecin ne sait traiter autrement qu'en discutant avec sa patiente. À vrai dire, il aime ces visites à Haya. Ce sont les seules dont il peut dire cela. En général, c'est la jeune femme qui insiste pour qu'on le fasse venir, car personne dans cette maison ne croit à la médecine, quelle qu'elle soit. Haya discute avec Asher, et puis la maladie s'en va. Parfois l'homme de science se dit qu'avec ses maux la jeune femme s'apparente à la salamandre qui change de couleur pour mieux se cacher de ses prédateurs ou paraître différente de ce qu'elle est. Ainsi, tantôt Haya se couvre d'une éruption, tantôt elle n'arrive plus à respirer, tantôt elle saigne du nez. Tout le monde croit que c'est à cause des esprits, des *dibbouks*, des démons ou encore des *balakaben*, qui sont des êtres boiteux veillant sur des trésors dans les profondeurs de la terre. Une maladie de Haya est toujours le signe qui précède une prophétie. Quand celle-ci arrive, les Shorr renvoient Asher, il ne leur est plus utile. Amusé, le médecin se dit que, dans cette famille, les hommes font des affaires tandis que les femmes prophétisent. La moitié d'entre elles sont des oracles. Et dire que dans son journal berlinois il a lu aujourd'hui que, dans la lointaine Amérique, on a démontré que la foudre est un phénomène électrique, et qu'avec un simple fil de fer on peut se protéger de la colère divine.

Pareil savoir ne prévaut pas à Rohatyn.

Depuis son mariage, Haya est allée vivre chez son mari, mais elle revient souvent. Elle a été mariée au rabbin de Lanckoruń, un proche, un ami de son père, beaucoup plus âgé qu'elle, avec qui elle a déjà deux enfants. Le beau-père et le gendre se ressemblent comme deux gouttes d'eau, ils sont barbus, grisonnants, avec des joues creuses dans lesquelles se niche l'ombre de la salle basse de plafond où ils officient souvent. Leurs visages ne se défont jamais de cette brume qu'ils transportent partout.

Quand elle se livre à des prophéties, Haya tombe en transes. Elle joue alors avec de petites figurines en mie de pain qu'elle déplace sur une tablette qu'elle a peinte de ses propres mains, et elle prédit l'avenir. Pour cela, elle a besoin de son père qui, les yeux fermés, approche l'oreille de ses lèvres tellement près que l'on pourrait croire que la jeune femme la lui lèche. Ensuite, il traduit en langage humain ce qu'il a entendu dans la langue des esprits. Nombre de choses dites se vérifient, mais tout autant ne se réalisent pas. Asher Rubine ne sait l'expliquer, il ignore de quel trouble il s'agit là. Dans la mesure où il est dans l'ignorance, il se sent mal à l'aise, aussi s'efforce-t-il de ne pas y penser. Les autres disent de cette voyance qu'elle est *ibour*, autrement dit que Haya est visitée par un esprit bon et sacré, qui lui délivre un savoir habituellement inaccessible aux hommes. Asher fait parfois une saignée à Haya, pendant laquelle il évite de la regarder dans les yeux. Il pense que cet acte médical la purifie en faisant baisser la tension dans ses artères et qu'ainsi le sang ne monte plus à son cerveau. Haya, dans sa famille, n'est pas moins écoutée que son père.

Mais ce soir-là, Asher a été appelé pour une vieille femme mourante qui est arrivée chez les Shorr en qualité d'invitée au mariage. Au cours du voyage, elle s'est affaiblie au point qu'ils ont dû la mettre au lit; ils craignent qu'elle ne meure au cours de la cérémonie. Aussi, Asher ne verra-t-il sans doute pas Haya ce soir.

Il entre par la cour boueuse et sombre où sont accrochées par le cou les oies qui viennent d'être tuées après avoir été gavées tout l'été. Il traverse l'étroit couloir, sent des côtelettes mitonnées aux oignons et entend que l'on écrase du poivre au pilon quelque part. Des femmes s'agitent bruyamment dans la cuisine, dont la vapeur chaude des plats préparés pénètre dans l'air froid de l'entrée, et, avec elle, des effluves de vinaigre, de muscade et de laurier, mais aussi une odeur doucereuse et nauséeuse de viande fraîche. Du fait de tout cela, l'air d'automne semble encore plus froid et plus désagréable.

De l'autre côté de la cloison en bois, les hommes discutent avec une certaine animosité, comme s'ils se disputaient, on entend leurs voix, cela sent la cire des bougies, mais aussi l'humidité qui imprègne leurs vêtements. Ils sont nombreux, la maison est pleine à craquer.

Des enfants croisent Asher, ils ne lui prêtent aucune attention, excités qu'ils sont par l'approche de la fête. Le médecin traverse une deuxième cour faiblement éclairée par une torche, il y a là un cheval et une voiture. Dans le noir, une personne que Rubine voit mal décharge des sacs qu'elle transporte dans la remise. Quand, un instant plus tard, il en distingue les traits, il sursaute malgré lui, car c'est le paysan en fuite que, cet hiver, l'aîné des Shorr a sorti de la neige plus mort que vif et le visage gelé.

Sur le seuil, il rencontre Iehuda un peu ivre, celui que toute sa famille appelle Lejb. D'ailleurs, Rubine aussi est un sobriquet, car son nom est Asher ben Levi. Mais à présent, dans l'obscurité et la foule d'invités, les noms semblent quelque chose de fluide, de changeant et de secondaire. Après tout, personne ne les portera bien longtemps. Iehuda conduit le médecin sans un mot vers le fond de la maison où il ouvre la porte d'une petite pièce; deux jeunes femmes s'y trouvent occupées à des travaux et, dans le lit près du poêle, est allongée une vieille femme desséchée, entourée de coussins. Les travailleuses accueillent bruyamment Asher avant de se pencher avec curiosité au-dessus du lit pour voir comment il auscultera Ienta.

Celle-ci est petite et maigre comme une vieille poule, sa chair est flasque. Sa cage thoracique bombée est celle d'un oiseau, elle se soulève et retombe rapidement comme chez un nourrisson. Sa bouche entrouverte, cernée de fines lèvres, se replie vers l'intérieur. Il n'en demeure pas moins que ses yeux sombres suivent attentivement les gestes du mire. Quand, après avoir fait partir les indiscrets, Asher soulève la couverture, il découvre qu'elle a la taille d'un enfant et des mains osseuses pleines de fils et de lanières. On l'a entourée de peaux de loup jusqu'au cou. Ces gens croient que la peau du loup réchauffe et redonne des forces.

Quelle idée que d'emmener en voyage cette vieille femme à laquelle ne reste qu'une étincelle de vie, songe Asher. Elle fait penser à un champignon sec, elle a un visage ridé marron que la lumière des bougies creuse un peu plus cruellement, jusqu'à lui retirer lentement son apparence humaine. Le médecin a l'impression qu'encore un peu et il n'y aura plus différence entre elle et les éléments de la nature que sont une écorce d'arbre, une pierre rugueuse ou du bois noueux.

À l'évidence, la vieille femme a été bien soignée chez ses hôtes. Somme toute, comme Elisha Shorr l'a dit à Asher, le père de Ienta et le grand-père d'Elisha, Zalman Naftali Shorr, celui-là même qui a écrit le célèbre *Tevuos Shor*, étaient frères. Il ne faut donc pas s'étonner qu'elle soit venue au mariage de son parent, puisqu'il y aura des cousins de Moravie et de la lointaine ville de Lublin. Asher s'accroupit près du lit, très bas, et sent aussitôt le sel de la transpiration, mais aussi autre chose – il se demande un moment comment définir cela –, une odeur d'enfant. À l'âge de cette femme, l'on commence à avoir la même odeur que les bambins. Il sait que cette vieille ne souffre de rien de particulier ; elle est simplement en train de mourir. Il l'ausculte attentivement et ne constate aucun autre symptôme que ceux de la vieillesse. Son cœur bat irrégulièrement et très faiblement, comme fatigué, sa peau est nette quoique fine et sèche comme du parchemin. Ses yeux sont vitreux, enfoncés. Ses tempes aussi se creusent et c'est signe que la mort est proche. Sa chemise légèrement dégrafée au cou laisse voir des fils et des nœuds. Asher touche son poing fermé qui résiste un moment puis, comme gêné, s'ouvre telle une rose des sables. Il s'y trouve un bout de tissu en soie tout entier recouvert des lettres שׁריץ.

Le médecin a l'impression que la vieille lui sourit de sa bouche édentée, ses yeux sombres, profonds comme des puits, reflètent les flammes des bougies ; il lui semble que ce reflet vient à lui de très loin, des profondeurs insondables qui sont en l'être humain.

– Qu'est-ce qu'elle a ? demande Elisha qui vient d'entrer brusquement dans la petite pièce.

Asher se met lentement debout pour fixer son visage inquiet.

– Que voulez-vous que ce soit ? Elle se meurt. Elle n'assistera pas à la noce, répond-il.

L'expression de son visage parle d'elle-même : pourquoi l'avoir fait voyager dans cet état ?

Elisha Shorr lui saisit le coude et l'attire sur le côté.

– Tu as tes méthodes, des méthodes que nous ne connaissons pas. Aide-nous, Asher. La viande est hachée, les carottes sont épluchées. Les raisins secs ont été mis à tremper dans les saladiers, nos femmes nettoient les carpes. Tu as vu le nombre de nos invités ?

– Son cœur bat à peine, dit Rubine. Je n'y puis rien. Il ne fallait pas l'emmener dans ce voyage.

Le médecin dégage délicatement son coude de la poigne d'Elisha Shorr pour se diriger vers la sortie.

Il considère que la plupart des gens sont des idiots et que c'est la bêtise humaine qui attire la tristesse sur le monde. Il ne s'agit ni d'un péché ni d'une caractéristique avec laquelle naîtraient les hommes, mais d'une mauvaise manière de regarder le monde, d'une appréciation erronée de ce qu'ils voient. Le résultat en est qu'ils perçoivent les objets séparément, chaque élément indépendamment du reste. La vraie sagesse serait de relier tout avec tout pour qu'apparaisse la vraie dimension des choses.

Il a trente-cinq ans, mais il a l'air bien plus âgé. Les dernières années ont voulu qu'il se voûte, que ses cheveux deviennent gris, alors qu'auparavant ils étaient d'un noir de jais. Il a aussi des soucis avec ses dents. Parfois, lorsque le temps est humide, les articulations de ses doigts enflent. Il est fragile et devrait prendre soin de lui-même. Il a réussi à éviter le mariage. Sa fiancée est morte alors qu'il était parti faire ses études. Il ne l'avait pratiquement pas connue, mais le fait l'avait attristé. Ensuite, on le laissa tranquille.

Il est originaire de Lituanie. Comme il était doué, sa famille avait réuni les fonds nécessaires pour lui payer des études à l'étranger. Il était donc parti en Italie, mais n'avait pas terminé sa médecine. Une sorte de faiblesse l'avait terrassé. Il avait juste trouvé assez de forces pour rentrer au pays, mais seulement jusqu'à Rohatyn, où un oncle, Antshel Lindner, taillait les habits des popes orthodoxes, ce qui lui permettait d'être suffisamment riche pour pouvoir l'accueillir sous son toit. Là, Rubine avait commencé à se rétablir. Malgré ses quelques années d'études médicales, il ne découvrit jamais ce qu'il avait eu. Une faiblesse, juste une faiblesse.

Sa main était posée devant lui sur la table sans qu'il trouvât la force de la soulever. Il n'arrivait pas non plus à ouvrir les yeux. Sa tante lui avait enduit les paupières avec de la graisse de mouton mêlée d'herbes plusieurs fois par jour. Peu à peu, la vie était revenue en lui. De même, il retrouva chaque jour un peu plus la science acquise à l'université italienne. Il se mit alors à soigner les gens. Cela se passait bien, mais il se sentait à Rohatyn comme un insecte piégé dans la résine pour l'éternité.

Au *Beth Midrash*

Elisha Shorr, à qui sa longue barbe donne une allure de patriarche, tient sa petite-fille dans les bras et lui chatouille le ventre avec son nez. La fillette rit joyeusement, laissant voir ses gencives encore sans quenottes. Elle renverse la tête en arrière, son rire emplit la pièce. On dirait un roucoulement de pigeon. Quand des gouttes s'échappent de ses langes pour tomber à terre, le grand-père rend rapidement l'enfant à sa mère, Haya. Celle-ci la confie à d'autres femmes qui l'emportent dans les profondeurs de la maison, laissant derrière elles un filet d'urine sur le bois usé du plancher.

À la mi-journée, Elisha doit sortir dans l'air froid d'octobre pour aller dans l'autre bâtiment où se trouve le *Beth Midrash* et où l'on entend comme toujours s'élever de nombreuses voix masculines ; il n'est pas rare que le ton y monte avec impatience et l'on pourrait croire que c'est un bazar plutôt qu'un lieu de savoir et d'étude des livres. Shorr rejoint les enfants en cet endroit où on leur apprend à lire. Sa famille en compte beaucoup, lui-même a déjà neuf petits-enfants. Il pense qu'il faut les encadrer strictement. Le matin se passe en études, lectures et prières. Viennent ensuite le travail au magasin, l'aide qu'ils doivent apporter à la maison, l'apprentissage des choses pratiques telles que faire les comptes ou gérer la correspondance commerciale. Mais on leur demande aussi de s'occuper des chevaux, de réparer dans la maison ce qui doit l'être, de couper du bois pour le chauffage et de l'empiler en tas réguliers. Ils doivent tout apprendre car tout leur sera utile. Un homme doit être autonome et autosuffisant, il doit savoir un peu tout faire. En fonction de son talent, il développera correctement une activité majeure qui, en cas de besoin, lui permettra de vivre. Aussi faut-il prêter attention à ce qui attire l'enfant, de sorte que l'on ne se trompera pas dans sa formation. Elisha permet aux fillettes de s'instruire également, mais pas à toutes et pas avec les garçons. Il a le regard perçant d'un faucon, il sait pénétrer les esprits pour discerner quelle fillette sera une élève intelligente. Perdre du temps avec les moins capables, les plus futiles, n'est pas nécessaire, elles feront de bonnes épouses et mettront au monde beaucoup d'enfants.

Il y a onze élèves au *Beth Midrash*, presque tous sont les petits-enfants d'Elisha Shorr.

Lui-même aura bientôt soixante ans. Il est mince, vif et tout en muscles. Les garçons qui attendent l'instituteur savent que leur grand-père viendra vérifier comment ils travaillent. Il le fait chaque jour, du moins quand il est à Rohatyn, entre deux voyages d'affaires.

Il passe donc aujourd'hui. À son habitude, il entre d'un pas rapide, deux rides verticales marquent son visage et son expression sévère s'en trouve renforcée. Il ne veut pas pour autant effrayer les enfants, il veille donc à leur sourire. Il regarde d'abord chacun d'eux avec une tendresse qu'il cherche à dissimuler. Ensuite, il s'adresse à eux d'une voix étouffée, un peu rauque, comme s'il la retenait, et il sort de sa poche des grosses noix, réellement énormes, presque de la taille d'une pêche. Les paumes grandes ouvertes, il les met sous le nez des garçons. Ils regardent avec curiosité, persuadés qu'il va les leur distribuer, ils ne devinent pas la ruse. Le vieil homme en casse une dans l'étau vigoureux de sa poigne osseuse, puis il la montre au garçon le plus proche, le fils de Natan.

– Qu'est-ce que c'est?

– Une noix, répond avec assurance Leïbko.

– De quoi se compose-t-elle? demande-t-il au suivant, qui est Shlomo.

Celui-là est déjà moins sûr de lui, il regarde son grand-père et ses paupières s'agitent.

– D'une coquille et d'un cœur.

Elisha Shorr est satisfait. Lentement, avec ostentation, il sort un cerneau pour le manger en fermant les yeux et en claquant la langue pour marquer son plaisir. C'est drôle. Au dernier rang, le petit Izrael éclate de rire en voyant son grand-père rouler des yeux.

– Oh, mais ce serait trop simple, dit Elisha, soudain redevenu sérieux. Regarde, il y a aussi une membrane qui tapisse la coque et une autre qui couvre le noyau.

D'un geste de la main, Elisha incite les garçons à se pencher au-dessus de la noix.

– Venez voir ici.

Il fait tout cela pour leur expliquer ce qu'est la Torah. La coquille correspond à l'explication la plus simple que l'on en donne, ce sont en général des récits, des descriptions de ce qui est arrivé. Ensuite, on va plus profond. Maintenant, les enfants tracent sur leurs ardoises quatre lettres : Peh, Resh, Daleth, Shin. Une fois qu'ils arrivent au bout de leurs efforts, Elisha leur demande de lire à voix haute ce qu'ils ont écrit, toutes les lettres ensemble et chacune isolément.

Shlomo récite un poème, mais il le fait comme s'il n'en comprenait pas du tout le sens :

– P, pshat, est l'exégèse littérale ; R, remez, est l'exégèse symbolique ; D, drash, est ce que disent les sages, l'homélitique ; S, sod, est l'exégèse mystique.

Au mot « mystique », il se met à bégayer exactement comme le fait sa mère. Comme il lui ressemble, songe Elisha Shorr, ému. Cette découverte lui remonte le moral, tous ces enfants sont de son sang, en chacun il y a une part de lui, un peu comme s'il était une bûche que l'on fendrait en faisant voler des éclats.

– Comment s'appellent les quatre fleuves qui sortent de l'Éden ? interroge-t-il un garçon mince de visage et aux grandes oreilles décollées.

C'est Hilel, le petit-fils de sa sœur. Celui-ci lui répond aussitôt :

– Le Piquehon, le Guichon, le Hiddekel et l'Euphrate.

Berek Smetankes, l'instituteur, vient d'entrer, il voit une scène qui ne peut que réjouir les yeux de chacun : Elisha Shorr, assis avec les élèves, est en train de leur parler. Berek affiche un visage radieux pour se faire bien voir du vieil homme, il roule des yeux. Sa peau très claire, ses cheveux presque blancs lui valent son surnom de Smetankes, qui veut dire « crème fraîche». Au fond de lui-même, l'instituteur ressent une peur panique devant ce mince vieillard, il ne connaît personne qui ne le craindrait pas, d'ailleurs. Sauf peut-être les deux Haya, la grande et la petite, sa fille et sa belle-fille. Ces deux-là font de l'ancien ce qu'elles veulent.

– Il y eut autrefois quatre grands sages qui s'appelaient Shimon ben Azaï, Shimon ben Zoma, Elisha ben Avouya et Rabbi Akiva ben Yosseph. Ils sont allés au paradis l'un après l'autre. Ben Azaï a vu et il est mort.

À ces mots, Elisha suspend son récit, il se tait de façon dramatique; les sourcils levés, il s'assure de l'effet produit par ses paroles. Le petit Hilel ouvre la bouche d'étonnement.

– Qu'est-ce que cela veut dire? demande le vieil homme aux enfants, mais évidemment aucun d'eux ne lui répond – il lève alors un doigt pour dire: Cela signifie qu'il a plongé dans le fleuve Piquehon, dont le nom signifie «les lèvres qui apprennent l'exégèse littérale».

Il redresse un deuxième doigt et dit:

– Ben Zoma a vu et il a perdu l'esprit – Elisha fait une grimace qui fait rire les petits. Et qu'est-ce que cela veut dire? Cela signifie qu'il est entré dans le fleuve Guihon dont le nom nous informe que l'homme ne voit que le sens allégorique.

Il sait que les enfants ne comprennent pas grand-chose à ce qu'il explique. Peu importe. Ils comprendront plus tard.

– Elisha ben Avouya a regardé et il est entré en dissidence, poursuit-il. Cela signifie qu'il est entré dans le fleuve Hiddekel et qu'il s'est égaré dans les nombreuses significations possibles.

Il pointe ses trois doigts vers le petit Izaak qui commence à gigoter.

– Seul Rabbi Akiva est entré au paradis et en est sorti sans embûche, ce qui signifie qu'en plongeant dans l'Euphrate il a saisi le sens le plus profond, la signification mystique. Tels sont les quatre chemins de la lecture et de la compréhension.

Les enfants regardent avec gourmandise les noix posées devant eux sur la table. Leur grand-père les casse dans ses mains et les leur distribue. Il observe attentivement les garçons tandis qu'ils les mangent jusqu'à la dernière parcelle, et il sort; ses traits se tirent, son sourire disparaît, Elisha s'engage dans les dédales de sa maison pareille à une ruche, il va voir Ienta.

Ienta, ou un mauvais moment
pour mourir

Ienta est arrivée de Korolówka avec son petit-fils Izrael, et Sobla, l'épouse de celui-ci, tous deux également invités au mariage. Eux aussi sont de la famille, comme tout le monde dans cette maison. Ils vivent au loin, mais sont des proches.

Maintenant, Izrael et Sobla regrettent d'avoir emmené l'aïeule, ils ne se souviennent plus qui en a eu l'idée. Elle le souhaitait, mais peu importe. Ils ont toujours craint cette grand-mère qui dirigeait toute la maison. Il était impossible de lui opposer un refus. Désormais, ils tremblent de la voir mourir dans la demeure des Shorr, au moment du mariage qui plus est, ce qui jetterait à jamais une ombre sur la vie des jeunes mariés. En Ruthénie, lorsqu'ils étaient montés dans le chariot bâché qu'ils avaient loué avec les autres convives, Ienta était encore en parfaite santé, elle s'était d'ailleurs hissée seule jusqu'au siège. Ensuite, elle s'était fait donner du tabac, ils avaient fait la route en chantant jusqu'au moment où, fatigués, ils avaient essayé de s'endormir. À travers la toile sale et abîmée de la bâche, elle regardait le monde qu'ils laissaient derrière eux devenir une ligne tortueuse de routes, de chemins et d'arbres jusqu'à l'horizon.

Ils ont roulé deux jours durant, le chariot les secouait impitoyablement, mais la vieille Ienta le supportait bien. Ils ont dormi chez des parents, à Buczacz, et repris la route dès l'aube le lendemain. Et là, en chemin, un brouillard tellement dense tomba qu'ils en ressentirent tous un profond malaise et ce fut alors que Ienta commença à pousser des gémissements, comme si elle voulait attirer leur attention. Le brouillard est une eau trouble, il transporte diverses forces mauvaises qui perturbent l'esprit de l'homme et de l'animal. Le cheval ne quittera-t-il pas la route pour les mener tous à la rive abrupte de la rivière où ils sombreront dans l'abîme ? Des forces inouïes, mauvaises et cruelles ne les attaqueront-elles pas ? Un gouffre menant à une caverne, où des gnomes aussi laids que riches gardent des trésors, ne s'ouvrira-t-il pas devant eux ? Autant de craintes qui avaient peut-être provoqué la faiblesse de l'aïeule.

À midi, le brouillard s'était levé, ils avaient découvert, non loin, l'énorme et incroyable masse du château de Podhajce. Inhabité, il tombait en ruine. De grandes volées de corneilles tournoyaient au-dessus et, d'instant en instant, revenaient s'abattre sur la toiture à demi effondrée. La brume reculait devant leur croassement effroyable qui se heurtait aux murs et revenait en écho. Izrael et Sobla, son épouse, qui, hormis Ienta, se trouvaient être les plus âgés dans le chariot, décidèrent une halte. Tout le monde descendit pour se reposer en bordure du chemin ; on sortit des petits pains, des fruits et de l'eau, mais l'aïeule ne mangea rien. Elle n'avala que quelques gouttes d'eau.

Quand ils arrivèrent enfin à Rohatyn, tard dans la nuit, elle ne tenait plus debout et il fallut appeler des hommes pour la porter dans la maison. Ils ne furent d'ailleurs pas très utiles, un seul suffisait. Combien pouvait peser la vieille Ienta ? Quasiment rien. Autant qu'une chèvre maigrichonne.

Elisha Shorr accueillit sa tante avec un certain embarras, il lui donna un bon lit dans une petite chambre et ordonna aux femmes de bien s'occuper d'elle. Cet après-midi, il est venu la voir et maintenant tous deux chuchotent à leur habitude. Ils se connaissent depuis toujours.

Elisha la regarde, soucieux. Ienta sait à quoi il pense.

– L'heure n'est pas appropriée, n'est-ce pas ?

Elisha ne répond pas. Ienta plisse aimablement les paupières.

– Y a-t-il un bon moment pour mourir ? finit par répondre Elisha avec philosophie. ;

Ienta lui dit qu'elle attendra que la foule des invités soit passée, eux dont les respirations embuent les vitres des fenêtres et rendent l'air étouffant. Elle attendra que les convives rentrent chez eux après les danses et la vodka, que l'on ait balayé la sciure sale et lavé la vaisselle. Elisha la regarde apparemment d'un air soucieux, mais ses pensées sont ailleurs.

Ienta n'a jamais aimé Elisha. C'est un homme qui, intérieurement, est comme une maison aux nombreuses pièces ; dans l'une il y a ceci, dans l'autre cela. De l'extérieur, on dirait un bâtiment unique, mais à l'intérieur on voit cette complexité. On ne peut jamais savoir à quoi s'attendre avec lui. Et une chose encore : Elisha est toujours malheureux. Il lui manque toujours quelque chose, il est toujours en demande, il voudrait avoir ce que d'autres possèdent ou, au contraire, il détient ce que d'autres n'ont pas et qu'il estime inutile. Cela fait de lui un homme aigri et insatisfait.

Ienta étant la plus âgée des convives, tout nouvel arrivant au mariage vient aussitôt la saluer. Des invités lui rendent continûment visite dans la petite pièce au bout du labyrinthe, dans l'autre maison, celle à laquelle on arrive en traversant la cour et qui est bordée par la ruelle du cimetière. Les enfants regardent l'aïeule par les fentes des murs, qu'il serait bien temps de colmater avant l'hiver. Haya passe de longs moments auprès d'elle. Ienta lui prend les mains pour les poser sur son visage, elle touche ses yeux, ses lèvres et ses joues, les petits l'ont vu. Elle lui caresse la tête. Haya lui apporte des gâteries, l'abreuve de bouillon de poule auquel elle ajoute une cuillère de graisse d'oie, et alors la vieille Ienta fait longuement du bruit avec sa langue tant elle apprécie, ensuite elle lèche ses fines lèvres desséchées, mais le gras ne lui redonne pas assez de forces pour qu'elle puisse se lever.

Les Moraves, Zalman et sa très jeune épouse, Szejndel, vont lui rendre visite sitôt arrivés. Depuis Brünn, ils ont roulé trois semaines, ils ont pris par Zlín, Prešov, puis Drohobycz, mais ils ne rentreront pas par la même route. Dans les montagnes, ils ont été attaqués par des paysans révoltés, auxquels Zalman a dû verser une rançon d'importance. Par bonheur, ils ne lui ont pas tout pris. Il rentrera par Cracovie avant la première neige. Szejndel est enceinte, elle vient de le dire à son époux. Elle a des nausées. Elle supporte particulièrement mal l'odeur de *cahvé* et d'épices qui sature la première partie de la vaste demeure des Shorr, celle qui commence par la petite boutique. Elle n'aime pas non plus l'air que dégage la vieille Ienta. Elle a peur de cette femme qui semble être une sauvage avec ses robes étranges et ses poils au menton. En Moravie, les femmes âgées ont plus de tenue, elles portent des coiffes amidonnées et des tabliers proprets. Szejndel est persuadée que c'est une sorcière, elle a peur de s'asseoir au bord du lit comme on l'y encourage. Elle craint que quelque chose de la vieille ne passe à l'enfant dans son ventre, une folie ténébreuse, impossible à maîtriser. Elle s'efforce de ne rien toucher dans la pièce dont les relents la rendent malade. D'une manière générale, ces parents de Podolie lui semblent être des sauvages. Pour finir, on la pousse tout de même vers la vieille : elle s'assied tout au bord du lit, mais prête à s'enfuir.

En revanche, Szejndel apprécie la senteur de la cire (discrètement, elle hume les bougies), et celle de la boue mélangée au crottin de cheval, mais aussi, elle le découvre seulement maintenant, celle de la vodka. Zalman, de beaucoup son aîné, un homme d'âge moyen, bien bâti, ventru, barbu, fier de sa belle et gracieuse épouse, vient de lui en apporter un verre. Szejndel y goutte, mais elle n'arrive pas à l'avaler et recrache par terre.

Quand la jeune femme s'assied, Ienta sort la main de sous les peaux de loup pour la poser sur son ventre alors qu'aucune rondeur n'est encore visible. Oh oui, Ienta voit que sous le sein de Szejndel une âme s'est installée ! Elle est encore floue, difficile à décrire parce que multiple ; en fait, il s'agit d'âmes libres qui sont nombreuses alentour à chercher l'occasion de s'emparer d'un bout de matière libre. Et là, elles caressent cette petite parcelle de vie qui rappelle un têtard, elles regardent à l'intérieur, mais elles n'y voient encore rien de concret, juste des prémices, des ombres. Elles palpent, éprouvent. Elles-mêmes sont des effluences d'images, de souvenirs, de mémoire d'actes, de bribes de phrases, de lettres. Par le passé, jamais Ienta n'avait vu cela aussi clairement. À vrai dire, par moments, Szejndel, elle aussi, est dans un état bizarre, elle aussi sent quelque chose comme des dizaines de mains étrangères qui la palperaient et planteraient leurs doigts en elle. Elle ne veut pas en parler à son mari, elle ne saurait trouver les mots.

Lorsque les hommes s'installent dans une pièce, les femmes se réunissent dans la petite chambre de Ienta qui les contient à peine. Régulièrement, de la cuisine l'une d'elles apporte un peu de vodka, celle du mariage, en secret, comme s'il s'agissait de contrebande, mais cela fait partie de la fête. À l'étroit, excitées par la noce qui s'annonce, elles se lâchent pour s'amuser. Cela ne semble pas déranger la malade – qui est peut-être même ravie de se trouver au centre de leur amusement. Parfois, elles lui jettent un regard inquiet, un sentiment de culpabilité les gagne quand elle s'endort soudain pour se réveiller l'instant d'après avec un sourire enfantin. Szejndel observe Haya d'un regard entendu quand celle-ci arrange les peaux de loup sur la malade, lui entoure le cou de son châle et découvre les très nombreuses amulettes que porte la vieille femme : des petites gourdes sur des ficelles, des bouts de bois couverts de lettres, des figurines en os. Haya n'ose pas les toucher.

Les femmes se racontent des histoires horribles, elles parlent d'esprits, d'âmes égarées, de personnes enterrées vivantes et de signes annonçant la mort.

– Si vous saviez combien d'esprits mauvais guettent le quart d'une goutte de votre sang, vous offririez votre corps et votre âme au créateur du monde, dit Cypa, l'épouse du vieux Notka, qui est considérée comme étant une personne instruite.

– Ils sont où ces esprits ? demande l'une des femmes d'une voix effrayée.

Cypa prend alors un bâton qui traîne sur la terre battue et elle en montre le bout.

– Ici ! Ici, tous. Regardez attentivement.

Les femmes fixent le bout de bois, leurs yeux louchent d'une manière cocasse ; l'une d'elles se met à rire et, à la lumière des quelques rares bougies, elles voient double et triple, mais n'aperçoivent aucun esprit.

Ce que nous lisons dans le Zohar

Elisha, avec son fils aîné, son cousin Zalman Dobruszka de Moravie et Izrael de Korolówka, lequel enfonce son cou si fort dans ses épaules que chacun voit à quel point il se sent coupable d'être venu avec Ienta, débattent d'une question importante : que convient-il de faire quand un mariage et un enterrement s'annoncent au même moment dans une maison. Les quatre hommes assis se penchent les uns vers les autres. La porte s'ouvre pour laisser entrer le Rabbi Moszko, particulièrement versé dans la Kabbale. Izrael bondit pour l'accueillir et le mener jusqu'au groupe. Il est inutile d'exposer l'affaire au rabbin, il la connaît, tout le monde en parle.

Les hommes chuchotent entre eux, finalement Rabbi Moszko s'exprime :

– Nous lisons dans le Zohar que les deux femmes prostituées qui vinrent trouver le roi Salomon avec l'enfant vivant se nommaient

Mahalath et Lilith, hein? dit-il en suspendant sa voix comme pour donner le temps aux autres d'avoir sous les yeux le passage correspondant.

– Les lettres du prénom Mahalath ont une valeur numérique de 478 et celles de Lilith 480, hein? poursuit-il.

Ils hochent la tête. Ils savent déjà ce qu'il va dire.

– Quand un homme prend part à une noce, il rejette la sorcière Mahalath avec ses 478 démons. Quand il prend part au deuil d'un proche, il terrasse la sorcière Lilith et ses 480 démons. Voilà pourquoi nous lisons dans Qohelet 7, 2: «Mieux vaut aller à la maison du deuil qu'à la maison du banquet, puisque c'est la fin de tout homme; ainsi, le vivant y réfléchira. En allant à la maison du deuil, il est vainqueur de 480 démons, dans celle du banquet que de 478.»

Ce qui signifie qu'il convient de repousser le mariage et d'attendre l'enterrement.

Zalman Dobruszka regarde son cousin Elisha d'un air entendu, il lève les yeux au ciel, il est déçu par le verdict. Il ne restera pas là indéfiniment. À Prostějov, en Moravie, il a ses affaires de tabac qu'il ne devrait pas quitter des yeux. Et aussi ses livraisons de vin casher pour tous les Juifs de là-bas, il en a le monopole. Les parents de sa femme, ici, sont de gentilles personnes, mais simples et superstitieuses. Il fait de bonnes affaires turques avec eux, aussi avait-il décidé de venir les voir. Mais il ne va pas s'éterniser. Et s'il neige? En réalité, la solution proposée ne plaît à personne. Tous veulent la noce, maintenant, immédiatement. Impossible d'attendre, tout est prêt.

Elisha Shorr n'est pas satisfait du verdict non plus. Le mariage doit avoir lieu.

Une fois seul, il fait venir Haya, elle le conseillera, et, tandis qu'il l'attend, il tourne les pages du livre laissé par le révérend Benedykt Chmielowski, dont il ne comprend pas un mot.

L'amulette avalée

Dans la nuit, alors que tout le monde dort déjà, sur un petit bout de papier, à la lueur d'une bougie, Elisha Shorr écrit:

המתנה,המתנה,המתנה

Hej-mem-taw-nun-hej. *Hamtana*: Attendre.

Haya, en chemise de nuit blanche, se place au milieu de la pièce et se met à décrire dans l'air, autour d'elle, un cercle invisible pour le regard. Elle lève le petit papier au-dessus de sa tête et reste ainsi un long moment, les yeux fermés. Ses lèvres remuent. Elle souffle ensuite plusieurs fois sur le feuillet avant de le rouler soigneusement en un tube minuscule qu'elle place dans une boîte en bois de la taille d'un ongle. Elle reste encore un peu debout en silence, la tête penchée, pour aussitôt après mouiller ses doigts de salive et faire passer une petite lanière dans le trou de l'amulette qu'elle remet à son père. Une bougie à la main, Elisha file à travers la maison endormie, saturée de grincements et de ronflements, par les couloirs étroits vers la pièce où Ienta a été mise au lit. Il s'arrête à la porte pour écouter. Apparemment, rien ne l'inquiète, car il ouvre celle-ci en douceur, elle se laisse faire humblement, sans un son, et le petit intérieur étroit, à peine éclairé par une lampe à huile, apparaît. Le nez pointu de Ienta vise témérairement le plafond et projette sur le mur une ombre arrogante. Elisha doit la traverser pour passer l'amulette au cou de la mourante. Au moment où il se penche au-dessus de sa tante, les paupières de cette dernière s'agitent. Il se fige, mais ce n'est rien, elle doit rêver, son souffle est tellement léger qu'il en est presque imperceptible. Elisha noue les bouts de la lanière autour du cou de la vieille femme et glisse l'amulette sous sa chemise. Il fait ensuite demi-tour sur la pointe des pieds pour sortir sans bruit.

Quand la lumière de la bougie disparaît sous la porte et faiblit dans les fentes de la cloison de planches, Ienta ouvre les yeux et touche l'amulette de sa main affaiblie. Elle sait ce qui y est écrit. Elle arrache le cordon, ouvre la boîte et avale le minuscule bout de papier comme si c'était un cachet.

Ienta est allongée dans la petite pièce où les serviteurs apportent en permanence les manteaux des invités pour les poser au bas du lit. Quand finalement de la musique commence à être jouée quelque part dans la maison, Ienta est presque invisible sous le tas de vêtements. Il faut attendre que Haya arrive pour qu'elle y mette enfin bon ordre, les pelisses atterrissent sur le sol. Haya se penche au-dessus de sa vieille tante pour écouter sa respiration tellement faible qu'un papillon pourrait, de ses ailes, provoquer un plus grand mouvement d'air. Mais le cœur bat. Haya, les joues un peu rouges à cause de la vodka, pose une oreille contre la poitrine de Ienta, sur les nœuds d'amulettes, de cordons et de lanières. Elle entend un discret baboum, baboum, très lent ; les baboums sont distants l'un de l'autre comme les respirations.

– Mamie Ienta ! appelle-t-elle tout bas – et il lui semble que les paupières mi-closes frémissent, que les pupilles ont bougé et qu'un semblant de sourire s'est dessiné sur les lèvres.

C'est un sourire égaré, il ondoie, les commissures des lèvres se soulèvent parfois, mais parfois elles retombent, et alors Ienta semble morte. Les mains ne sont pas froides, elles sont tièdes, la peau reste souple, pâle. Haya arrange un peu les cheveux qui s'échappent du foulard, puis se penche vers l'oreille de la vieille femme.

– Est-ce que tu es vivante ?

De nouveau, d'on ne sait où, le sourire revient pour tenir un instant et disparaître aussitôt. Le martèlement des pieds et les sons aigus de la musique appellent Haya de loin, aussi embrasse-t-elle Ienta sur sa joue tiède pour courir danser.

Les convives dansent, le bruit rythmé des pas arrive jusqu'à la chambre de Ienta, même si la musique, interceptée par les cloisons en bois, brisée en sons éclatés par les couloirs tortueux, n'est pas audible. On n'entend que le boum, boum, boum des pas de danse et, parfois, des cris et des ovations. Une femme plus âgée devait veiller Ienta, mais elle a fini par s'en aller, attirée par la noce. Ienta, elle aussi, est curieuse de savoir ce qui se passe là-bas. Elle découvre avec étonnement qu'il lui est facile de sortir de son corps pour se placer au-dessus de lui ; elle regarde son visage pâle aux joues creuses, ce qui lui procure un sentiment étrange, pour aussitôt s'éloigner en voguant ; portée par le souffle des courants d'air, par les vibrations des sons, elle traverse sans peine les parois et les portes de bois.

Tantôt Ienta voit tout d'en haut, tantôt son regard s'en retourne sous ses paupières closes. Il en est ainsi toute la nuit. Elle se soulève, puis elle redescend. Elle oscille à la charnière. Cela la fatigue, et, de fait, elle ne s'est jamais autant donnée à une tâche, ni pour l'entretien de sa maison ni au jardin. Pourtant, aussi bien l'élévation que la descente sont agréables. Le seul désagrément, c'est ce mouvement sifflant et violent qui cherche à la pousser quelque part au loin, au-delà des horizons, cette force intérieure et brutale avec laquelle il lui serait difficile de se mesurer si son corps n'avait pas été protégé de l'intérieur, et de façon irréversible, par l'amulette.

Il est étrange comme ses pensées parcourent toute la région. C'est le vent, lui dit une voix dans sa tête, la sienne sans doute. Le vent est le regard des morts qui observent le monde de là où ils sont. As-tu jamais vu un champ d'herbes qui salue et s'incline ? C'est qu'un défunt doit précisément le regarder, voudrait confier Ienta à Haya. S'il fallait compter tous les disparus, on s'apercevrait qu'ils sont beaucoup plus nombreux que les vivants sur terre. Leurs âmes se sont déjà purifiées par leur traversée de nombreuses existences et, désormais, elles attendent la venue du Messie qui viendra achever l'œuvre. Ils regardent tout. Voilà pourquoi le vent souffle en ce bas monde. Il est leur regard attentif.

Après un temps d'hésitation effarouchée, Ienta rejoint, elle aussi, ce vent qui passe au-dessus des maisons de Rohatyn, des petites habitations insignifiantes, des cochers accroupis sur la place à attendre un client, des trois cimetières, des églises catholiques, de la synagogue, de l'église orthodoxe et de la taverne, pour filer plus loin en agitant les herbes jaunies des collines ; il le fait d'abord n'importe comment, sans ordre ni sens, puis comme s'il apprenait les pas d'une danse pour suivre le lit des rivières jusqu'au Dniestr. Là, il s'arrête, car Ienta apprécie la maestria du cours tortueux du fleuve, de ses courbes qui font penser aux traits des lettres Ghimel et Lamed. Ensuite, la vieille femme fait demi-tour, mais nullement à cause de la frontière qui fait alliance avec le fleuve pour séparer deux grands pays. Le regard de Ienta n'a que faire de telles limites.

4

Mille et pharaon

Mgr Sołtyk a vraiment un énorme souci. Même ses prières sincères et profondes sont impuissantes face à la déferlante de ses pensées. Ses mains transpirent, il se réveille trop tôt le matin, au moment où les oiseaux commencent à chanter, alors qu'il se couche très tard pour des motifs connus. Aussi ses nerfs ne se reposent-ils jamais.

Vingt-quatre cartes. On en donne six à chaque joueur, la treizième carte est placée face visible sur la table, sa couleur détermine l'atout qui bat toutes les autres cartes. Monseigneur ne retrouve son calme que quand il s'assied pour jouer, ou plus précisément quand l'atout est sur la table. Il jouit alors de quelque chose qui ressemble à une bénédiction. Son esprit trouve une véritable stabilité, un merveilleux *aequilibrium*, son regard se concentre sur la table et l'aspect des cartes, il voit tout d'un seul coup d'œil. Sa respiration devient régulière, la sueur ne perle plus sur son front, ses mains s'assèchent pour devenir assurées et rapides, ses doigts mélangent les cartes habilement et les retournent l'une après l'autre. Le moment est délicieux! Oui, monseigneur préférerait ne pas manger, se priver de tous les autres plaisirs de la chair plutôt que de cet instant.

Au mille, il joue avec ses égaux. Dernièrement, le chanoine de Przemyśl pérégrinait par chez lui, ils ont joué jusqu'au petit matin. Jabłonowski,

Łabęcki et Kossakowski sont également ses partenaires de jeu, mais cela ne lui suffit pas. Aussi, ces derniers temps, lui arrive-t-il de se livrer à autre chose. Cela le gêne d'y penser.

Il ôte par la tête sa tenue d'évêque pour enfiler des vêtements communs et se coiffer d'un bonnet. Seul son majordome, Antoni, est au courant, il est comme un proche parent et ne montre jamais aucun signe d'étonnement. Il n'y a d'ailleurs pas lieu de s'étonner : un évêque est un évêque, il sait ce qu'il fait quand il demande qu'on le conduise dans ces auberges des faubourgs où il est assuré que l'on jouera au pharaon pour de l'argent. Des marchands de passage, des nobles en voyage, des étrangers, des clercs porteurs de missives et toute sorte d'aventuriers s'installent à table pour jouer. Dans ces relais pas très propres et enfumés, on croirait que tout le monde joue, le monde entier, et que les cartes sont mieux capables d'unir les hommes que la foi ou la langue. On s'installe, on dispose les cartes en éventail et l'ordre des choses est intelligible pour chacun. Et il faut savoir s'y conformer si l'on veut, à la fin, pouvoir rafler la mise. Monseigneur a l'impression qu'il s'agit là d'un nouveau langage qui permet aux gens de fraterniser pour un soir. Quand il n'a plus de liquidités, il fait appeler un Juif, mais il n'emprunte que des petites sommes. Pour les plus importantes, il a des lettres de change émises par les Juifs de Żytomierz, qui sont en quelque sorte ses banquiers et auxquels il atteste chaque emprunt de sa signature.

Quiconque s'assied à la table joue. À l'évidence, monseigneur préférerait une meilleure compagnie, des personnes de son rang, mais d'ordinaire leurs finances ne sont pas brillantes. Ceux qui ont de l'argent, ce sont les commerçants de passage, les Turcs, les officiers et d'autres gens d'on ne sait où. Quand le banquier déverse l'argent sur le tapis et bat les cartes, ceux qui veulent jouer contre lui, les pontes, prennent place avec chacun son propre jeu de cartes. Le joueur en sort une ou plusieurs qu'il place devant lui et pose une somme sur chacune. Après avoir fini de battre sa taille, le banquier découvre toutes ses cartes en disposant la première à sa droite, la suivante à sa gauche, et ainsi de suite jusqu'à épuisement. Celles de droite indiqueront les gagnantes pour lui, celles de gauche pour les pontes. Ainsi donc, si quelqu'un pose devant lui un sept de pique avec un ducat dessus, alors que chez le banquier le sept de pique est à droite, il perd le ducat. En revanche, si chez le banquier le sept de pique se trouve à gauche, alors le banquier paie au joueur un ducat. La règle connaît des exceptions: la dernière carte, même posée à gauche, fait gagner le banquier. Un ponte ayant gagné à la première joute peut terminer le jeu ou jouer une autre carte, mais il peut aussi jouer à la parlante. C'est ce que fait toujours Mgr Sołtyk. Il laisse l'argent gagné sur la carte dont il corne un coin. S'il perd ensuite, ce n'est que la mise de départ.

Le jeu de pharaon est des plus honnêtes, tout est entre les mains de Dieu. Aucun moyen de tricher.

Aussi quand les dettes de jeu s'accumulent, monseigneur en appelle à Dieu pour qu'il le protège du scandale, au cas où cela viendrait à se savoir. Il réclame une collaboration, puisque Dieu et lui se battent dans la même équipe. Dieu agit néanmoins avec lenteur, parfois il doit vouloir rappeler l'histoire de Job à Mgr Sołtyk. Il arrive alors que ce dernier le maudisse; évidemment, ensuite Son Excellence se repent et demande pardon, n'est-il pas connu qu'il s'emporte facilement? En pénitence, il jeûne et dort avec un cilice.

Nul ne sait encore qu'il a mis en gage ses insignes épiscopaux pour honorer ses dettes. Chez les Juifs de Żytomierz. Ils ne voulaient pas les accepter, il a dû insister pour les convaincre. Quand ils ont vu ce qui se trouvait dans le coffre de l'évêque, recouvert par discrétion de toile de jute, ils ont fait un bond en arrière et se sont mis à jérémier, à se lamenter, à agiter les bras comme s'ils venaient de voir Dieu sait quoi.

– Je ne peux pas prendre ça, déclara le plus âgé d'entre eux. Pour vous cela vaut plus que de l'argent et de l'or, pour moi ne compte que le métal précieux. Et si l'on trouvait ces choses chez nous, je ne donnerais pas cher de notre peau!

Ils jérémiaient ainsi, mais monseigneur s'obstina, il haussa le ton jusqu'à les effrayer. Ils prirent ses mitre, croix et crosse, et lui versèrent l'argent sonnant.

Or, monseigneur, n'ayant pas récupéré ses liquidités au jeu, veut désormais leur reprendre ses insignes, quitte à envoyer des hommes en armes pour ce faire. Les Juifs garderaient ses objets précieux sous leur plancher. Si cela se savait, ce serait la fin de Mgr Sołtyk. Aussi est-il prêt à tout pour que les insignes épiscopaux regagnent sa résidence.

En attendant, il essaie de gagner au pharaon et compte sur l'aide divine. Évidemment, au départ, tout va bien.

La pièce est enfumée, ils sont quatre à la table de jeu: monseigneur, un voyageur vêtu à l'allemande mais parlant bien le polonais, un noble du coin qui parle le ruthène et jure en ruthène. Ce dernier est avec une jeune fille, presque une enfant, qui est assise sur ses genoux. Quand il perd, il la repousse; quand il gagne, il l'attire à lui pour caresser sa poitrine quasi dénudée, ce que l'évêque observe avec réprobation. Il y a aussi un marchand qui a l'air d'un Juif converti. À celui-là aussi, les cartes sont favorables. Avant chaque distribution, l'évêque est absolument certain que désormais ses cartes seront du côté gagnant, et sa consternation est totale de voir qu'elles se retrouvent du côté perdant. Il n'en croit pas ses yeux.

Polonia est paradisus Judaeorum...

Mgr Kajetan Sołtyk, évêque coadjuteur de Kiev, fatigué après une mauvaise nuit, vient de renvoyer son secrétaire pour écrire une lettre de sa propre main à Mikołaj Dembowski, l'évêque de Kamieniec.

C'est avec précipitation et de ma propre plume que je vous entretiens, Cher Ami, pour vous mander que je me porte bien de corps, mais ma fatigue est extrême par le fait de soucis croissants qui me viennent de toute part, au point que je me sens parfois aux abois tel un animal sauvage. Nombreuses sont les fois où vous vîntes à mon aide, aussi je m'adresse de nouveau à vous comme à un frère de sang au nom de notre longue amitié, qu'il serait vain de chercher ailleurs. Interim...

Cependant... cependant... Il ne sait plus quoi écrire. Comment se justifier? Dembowski ne joue pas aux cartes, il ne peut pas comprendre.

Mgr Sołtyk est soudainement gagné par un profond sentiment d'injustice, il sent dans sa poitrine une pression douce et chaude, sans doute est-ce elle qui dissout son cœur pour le transformer en quelque chose de mou et de coulant. Il se souvient tout à coup du jour où il prenait en charge l'évêché de Żytomierz, de sa première arrivée dans la ville sale et boueuse, cernée de tout côté par les forêts… Ses pensées affluent à présent sous sa plume avec aisance et célérité, son cœur redevient une chair ferme et il retrouve son énergie. Mgr Kajetan Sołtyk écrit :

Vous vous souvenez qu'alors que j'étais intronisé à Żytomierz tous les péchés jouissaient d'une grande popularité en ce lieu. Ne serait-ce que la polygamie, une situation des plus communes. Les hommes vendaient leurs femmes pour cause de mauvaises actions et en prenaient d'autres. L'adultère et la luxure n'étaient nullement considérés comme répréhensibles et il paraîtrait qu'à la noce, déjà, les époux se promettaient une liberté réciproque à cet égard. En outre, il n'y avait aucune observance des devoirs de la religion, de ses commandements. Le péché et le stupre étaient partout avec en sus la pauvreté et la misère.

Je vous remémore donc scrupuleusement que le diocèse était divisé en trois doyennés. Celui de Żytomierz : 7 paroisses, 277 villages et bourgs ; celui de Chwastowo : 5 paroisses, 100 villages et bourgs ; celui d'Owruck : 8 paroisses, 220 villages et bourgs. Tout cela ne réunissant que 25 mille âmes chrétiennes. Mes revenus de ces modestes biens épiscopaux n'atteignaient pas 70 000 zlotys polonais ; c'est autant dire rien, eu égard à mes dépens pour le Consistoire et l'école diocésaine. Vous savez par vous-même ce que rapportent des biens aussi misérables. Au titre de ma charge épiscopale, je ne tire de revenus que des villages de Skryhylówka, Wepryk et Wolica.

Sitôt après mon arrivée, je me préoccupai en tout premier lieu des finances. Il apparut que la cathédrale possédait en capitaux offerts par les dévots une somme de 48 000 zlp. L'argent était placé dans des biens privés et une somme avait été prêtée aux Juifs, ceux du *Kahal* de la ville de Dubno, elle rapportait annuellement une rente de 3 337 zlp. Mes dépenses, quant à elles, étaient énormes : entretien de l'église, pensions des quatre vicaires, des servants de l'église, et cætera.

Le Chapitre, quant à lui, était doté modestement, divers placements pour un total de 10 300 zlp lui apportaient annuellement 721 de rente. Le village offert par le prince Sanguszko ajoutait un revenu de 700 zlp, mais le propriétaire du village de Zwiniacz ne payait plus depuis trois ans les dividendes des 4 000 zlp empruntés. La somme offerte par un certain officier Piotr restait entre les mains du chanoine Zawadzki, qui ne l'avait ni placée, ni n'en payait les dividendes. Il en était de même avec la somme de 2 000 zlp restée chez le chanoine Rabczewski. Pour résumer, le désordre était grand et je me hâtai de restaurer les finances.

Ce que je fis, vous avez pu, mon fidèle Ami, l'apprécier par vous-même. Vous me rendîtes visite et vous le vîtes. Actuellement, je termine la construction d'une chapelle et de brusques dépenses assèchent ma caisse, mais les choses vont dans la bonne direction, aussi je vous conjure, mon Ami, d'entrer dans mes intérêts et de me prêter quelque 15 000 zlp que je vous rendrai sitôt Pâques. L'esprit d'offrande que je sus susciter chez les fidèles aura assurément ses effets au temps de Pâques. Ainsi, par exemple, Jan Olszański, le *subcamerarius* de Słuck, a placé le somme de 20 000 sur ses propriétés de Brusiłów et il en destine la moitié des rentes au Chapitre de la cathédrale et l'autre à accroître le nombre des mission-naires. Głębocki, le *pocillator* de Bracław, offre 10 000 zlp pour payer une nouvelle cure et un autel à la cathédrale, ainsi que 2 000 zlp pour le séminaire.

Je vous mande tout cela car je fais de grandes affaires et je veux vous donner l'assurance que votre emprunt sera couvert. Je me suis fourvoyé en quelques questions malheureuses avec les Juifs de Żytomierz, et comme l'impudence de ceux-ci ne connaît aucune limite, j'aurais besoin de cet argent au plus vite. Il est étonnant que dans notre *Respublica* les Juifs puissent contrevenir aussi manifestement aux lois et aux bons usages. Ce n'est pas en vain que nos papes Clément VIII, Innocent III, Grégoire XIII ou Alexandre III ordonnaient en permanence de brûler leurs talmuds, mais quand finalement nous voulûmes le faire chez nous, il y eut jusqu'aux autorités civiles qui nous firent opposition.

C'est chose inouïe que nous ayons chassé les Tatares, les ariens, les hussites, et que l'on oublie de chasser les Juifs alors même qu'ils sucent notre sang. À l'étranger, ils ont déjà leur dicton nous concernant : *Polonia est paradisus Judaeorum*...

La cure de Firlej
et le berger pécheur qui y vit

Cet automne est comme un napperon brodé par des fils invisibles, songe Elżbieta Drużbacka tandis qu'elle roule dans la calèche prêtée par le staroste. Les profonds sillons marron des labours dans les champs, avec leurs lignes plus claires de terre séchée, et en sus les branches noirâtres auxquelles s'accrochent encore les feuilles les plus tenaces, créent un panorama de taches colorées. Et par endroits, l'herbe a gardé son vert tendre, comme si elle avait oublié que, fin octobre, il gèle la nuit.

La route est droite comme une flèche, elle longe la rivière. Sur la gauche, une combe sablonneuse témoigne d'un éboulement provoqué par une ancienne catastrophe. On y voit des charrettes de paysans venus chercher du sable jaune. Des nuages nerveux flottent dans le ciel, il fait tour à tour sombre et gris, puis un soleil vif apparaît soudain qui rend tous les objets sur terre effroyablement nets et tranchants.

Mme Drużbacka pense à sa fille, qui attend son cinquième enfant ; elle se dit que c'est auprès d'elle qu'elle devrait être en ce moment, au lieu de pérégriner avec cette comtesse excentrique en terre inconnue, et, à cette heure, de se rendre chez un révérend père à tout faire. Malheureusement, ces voyages la font vivre – quand bien même on imaginerait qu'être poète est une activité sédentaire où l'on cultive son jardin plutôt que l'existence de quelqu'un qui court les routes.

Le curé de Firlej l'attend au portail. Il saisit les rênes du cheval comme s'il attendait cette visite avec impatience, puis il prend aussitôt Mme Drużbacka par le bras pour la conduire au jardin jouxtant la maison.

– Après vous, Madame.

La cure se trouve sur une route passante. C'est un manoir en bois, bien entretenu et joliment blanchi à la chaux. On voit que, durant la belle saison, il était entouré de massifs de fleurs. Ils sont désormais aplatis en coussins jaunis auxquels déjà une main met de l'ordre. Une partie des tiges flétries a été regroupée sur un tas qui ne fait encore que fumer, manifestement le feu ne se sent pas rassuré dans cet air tellement humide. Deux paons déambulent avec fierté sur les chaumes. L'un est déjà vieux, rabougri, il ne reste que peu de plumes à sa queue. L'autre est sûr de lui, il accourt vers Mme Drużbacka et heurte sa robe avec tant d'agressivité qu'elle fait un bond, effrayée.

Elle jette un œil au jardin, il est magnifique, chaque rangée est tirée au cordeau, des pierres rondes bordent l'allée, l'ensemble est dessiné selon le meilleur art du jardinage : le long de la haie sont plantées des roses pour la liqueur, mais aussi, sans doute, pour décorer l'église de couronnes ; plus loin il y a de l'angélique, de la pimpinelle, un arbre à encens. Le thym, la mauve, l'asaret et la camomille poussent entre les cailloux. Il ne reste plus beaucoup de ces plantes sur pied, mais de petites pancartes en bois avec leurs noms informent de leur présence estivale.

Depuis la cure, on accède à un petit parc en suivant une allée soigneusement ratissée que bordent des sculptures. Le socle de ces bustes porte une signature gravée dans la pierre. Il y a en outre, à l'entrée du jardin, une planche portant une inscription assez maladroite. À l'évidence, le père Benedykt s'est chargé seul de l'y inscrire :

Le corps humain est puanteur
Sauve-le, ô jardin, de tes senteurs

Drużbacka grimace à lecture de ces vers.

Le terrain n'est somme toute pas très grand ; il y a un endroit où il descend vers la rivière de façon assez abrupte, mais là aussi le prêtre a ménagé une surprise : des marches de pierre mènent à un petit pont qui enjambe un tout petit ruisseau au-delà duquel s'élève une église très haute, massive, sinistre. Elle domine des masures couvertes de chaume. En descendant, Mme Drużbacka remarque un lapidarium de part et d'autre de l'escalier, il lui faut s'arrêter à chaque pierre pour en lire l'inscription. *Ex nihil orta sunt omnia, et in nihilum omnia revolvuntur.* «Du néant tout est venu, vers le néant tout retournera», lit-elle. Soudain, elle est prise d'un frisson à cause du froid mais aussi de ces mots gravés sans grande habileté dans la pierre. À quoi bon tout cela? Tous ces efforts? Ces chemins et ces petits ponts, ce jardinet, ce puits, ces marches et ces inscriptions?

Le père Benedykt la mène maintenant à la route par un chemin caillouteux et ils contournent ainsi la propriété, heureusement pas très grande. La pauvre Mme Drużbacka ne s'attendait sans doute pas à pareille tournure des événements. À vrai dire, elle porte de bonnes chaussures en cuir, mais elle a eu froid dans la calèche et elle aurait préféré coller son vieux dos contre un poêle que courir la campagne. Après cette promenade obligatoire, son hôte finit par l'inviter à entrer; à la porte de la cure, une plaque gravée, assez grande, informe:

Benedykt, avec pour nom Chmielowski
Berger pécheur à Firlej égaré
De Podkamień, il fut le curé
Et de Rohatyn le doyen notamment
Plus que chronique, il mérite châtiment
Devenu non chanoine, mais poussière
À vous tous, il demande des prières
Pour que de ses péchés il ne soit mortifié
Un Notre Père, un Ave
Le rassasieront pour l'éternité.

Tout à son étonnement, Elżbieta Drużbacka regarde le père Benedykt.

– Comment donc? Vous prépareriez-vous d'ores et déjà à mourir?

– Mieux vaut prendre toutes ses dispositions pour ne pas infliger un surcroît de travail à nos malheureux parents. Je veux être assuré de ce que l'on peindra sur ma tombe. Car si je ne m'en charge pas moi-même, ce seront des sottises. Comme cela, je n'ai plus à m'en faire.

Fatiguée, Mme Drużbacka s'assied, elle cherche du regard une boisson, mais il n'y a sur la table que quelques papiers. La demeure sent l'humidité et la fumée. Cela doit faire longtemps que les cheminées n'ont pas été ramonées. Le fond de l'air est froid. Un haut poêle en faïence blanche occupe un angle de la pièce, devant lui est posé un panier plein de bois, mais le feu a été allumé trop peu de temps auparavant, la pièce ne s'est pas encore réchauffée.

– Ce que j'ai eu froid, dit Elżbieta Drużbacka.

Avec une grimace, comme s'il venait d'avaler une chose avariée, le père Benedykt ouvre rapidement la crédence pour en sortir une carafe en cristal taillé et des verres.

– La palatine Kossakowska ne m'est pas inconnue… commence-t-il à dire non sans quelque hésitation en versant la liqueur. J'étais familier de la plus âgée de ses sœurs…

– Mme Jabłonowska sans doute ? répond Elżbieta Drużbacka, distraite, tandis qu'elle trempe les lèvres dans la boisson sucrée.

Une femme bien en chair et très gaie entre dans la pièce, ce doit être la gouvernante du curé, elle apporte un plateau avec deux bols de soupe fumante.

– A-t-on idée de traîner ainsi dans le froid une invitée, lance-t-elle sur un ton de réprimande – et le reproche dans son regard met manifestement mal à l'aise l'ecclésiastique. Mme Drużbacka, quant à elle, s'anime visiblement. Bénie soit cette grosse gouvernante salvatrice !

La soupe est épaisse, faite de légumes avec en plus des *kluski* qui surnagent. Ce n'est que maintenant que le père doyen remarque les chaussures boueuses d'Elżbieta Drużbacka et son dos voûté ; il voit qu'elle tremble de tout son corps et, par réflexe, il fait un geste comme s'il allait l'entourer de son bras, mais, bien sûr, il s'abstient.

Un chien de taille moyenne, aux oreilles tombantes, au pelage touffu, ondulant, couleur châtain, bondit dans la pièce à la suite de sa maîtresse.

Il renifle avec sérieux la robe de Mme Drużbacka. Quand celle-ci se penche pour le caresser, elle aperçoit les chiots qui le suivent en courant ; il y en a quatre, tous différents. La gouvernante veut les chasser et de nouveau ne manque pas d'adresser un reproche au curé, qui a oublié de fermer la porte. Mme Drużbacka demande que l'on permette aux chiens de s'attarder. Ils resteront ainsi jusqu'au soir, de préférence couchés près du poêle qui finit par être assez chaud pour que l'invitée puisse retirer sa veste doublée de fourrure.

Elżbieta Drużbacka regarde le père Benedykt et perçoit soudain à quel point est esseulé cet homme vieillissant, négligé, qui veut l'étonner comme un petit garçon. Il pose la carafe sur la table, regarde les verres sous la lumière pour vérifier leur propreté. Sa soutane fatiguée, un peu déchirée aux ourlets, en camelot laineux, s'est usée sur le ventre où elle luit d'une tache plus claire. Allez savoir pourquoi, Elżbieta Drużbacka s'en émeut. Elle doit détourner le regard, aussi prend-elle sur ses genoux l'un des chiots, une femelle, celle qui ressemble le plus à sa mère. La petite chienne se met aussitôt sur le dos, montrant son ventre délicat. Mme Drużbacka parle de ses petits-enfants, rien que des filles, mais peut-être fait-elle de la peine au père Benedykt avec cela ? Lui l'écoute, distrait, son regard parcourt la pièce comme s'il cherchait encore quelque chose qui pourrait surprendre son invitée. Ils mettent les lèvres simultanément dans la liqueur maison du doyen, et Mme Drużbacka hoche la tête pour signaler combien elle savoure la boisson. Arrive enfin l'heure du plat principal, les verres et la carafe sont repoussés, le père Chmielowski pose avec fierté son ouvrage devant son invitée. Elle lit à voix haute :

– *La Nouvelle Athènes ou Académie pleine de Toute Science, Selon Divers Titres ou Catégories présentée. Érigée en Mémorial pour les Sages, Instruction pour les idiots, Exercice pour les Politiciens, Distraction pour les Mélancoliques…*

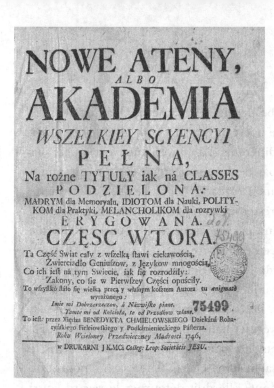

NOWE ATENY,
ALBO
AKADEMIA
WSZELKIEY SCYENCYI
PEŁNA,
Na różne TYTUŁY iak ná CLASSES
PODZIELONA:
MĄDRYM dla Memoryału, IDIOTOM dla Nauki, POLITY-
KOM dla Praktyki, MELANCHOLIKOM dla rozrywki
ERYGOWANA.
CZĘSC WTORA.
Ta Część Swiat cały z wszelką sławi ciekawością,
Zwierciadło Geniuszow, z Językow mnogością,
Co ich iest ná tym Swiecie, iak się rozrodziły:
Zakony, co sie w Pierwszey Częsci opusciły.
To wszyslko sťało się wielka pracą y własnym kosztem Autora tu *enigmaté*
wyrażonego :
Imie mi Dobrzerzeczon, á Náxwisko piane. **75499**
Tamte mi od Kosciola, te od Przodkow zolané.
To iest: przez Xiędza BENEDYKTA CHMIELOWSKIEGO Dziekáná Roha-
tyńskiego Firleiowskiego y Podkámienieckiego Pásterza.
Roku Wcieloney Przedwieczney Mądrosci 1746,
w DRUKARNI J K.MCi Colleg: Leop: Societátis JESU.

Le père doyen, confortablement installé dans son fauteuil, avale d'un trait son verre de liqueur. Mme Drużbacka pousse un soupir admiratif.

– Un titre magnifique, il est très difficile de donner un bon titre.

Le père répond modestement qu'il voudrait rédiger un compendium de savoir qui servirait dans toutes les maisons. Il y aurait un peu de tout dans cet ouvrage, de sorte que quiconque, ignorant une chose, pourrait l'ouvrir pour trouver une réponse. Géographie, médecine, langues humaines, usages, mais aussi flore et faune, curiosités de tout acabit.

– Imaginez, Madame, avoir tout sous la main, dans chaque bibliothèque. L'ensemble du savoir humain réuni.

Il en a déjà collecté beaucoup pour l'insérer dans les deux volumes publiés. Désormais, en plus du latin, il projette d'apprendre l'hébreu pour découvrir diverses choses intéressantes. Mais les livres juifs se trouvent assez difficilement, il faut les solliciter auprès de leurs propriétaires juifs et, en outre, peu de chrétiens savent lire cette langue. Pour l'instant, le père Pikulski a daigné lui expliquer une chose ou l'autre, mais lui-même, ne connaissant pas la langue, n'a pas vraiment accès à ce savoir.

– Le premier volume est paru à Lwów, chez un certain Golczewski… dit-il.

Mme Drużbacka joue avec le chien.

– En ce moment, je rédige le supplément aux deux premiers volumes, donc les tomes trois et quatre, et je pense en avoir terminé alors avec la description du monde, ajoute le père Benedykt.

Que pourrait dire Elżbieta Drużbacka ? Elle repose le chiot pour prendre le livre sur son giron. Certes, elle l'a lu à la cour des Jabłonowski, ils en avaient la première édition. L'ouvrage s'ouvre sur le chapitre consacré aux animaux et elle y trouve un texte concernant les chiens. Elle lit tout haut :

– « Chez nous à Piotrków, il y avait un chien tellement joueur que, sur ordre de son maître, il emportait un couteau à la cuisine où il le frottait de ses pattes, le rinçait dans l'eau, puis l'apportait à son maître. »

– C'est précisément sa mère qui a fait cela, dit le père Benedykt réjoui en montrant sa chienne.

– Pourquoi y a-t-il autant de latin, mon bon ami ? demande soudain Mme Drużbacka. Tout le monde ne l'entend pas.

L'ecclésiastique s'agite, mal à l'aise.

– Comment donc ? Tous les Polonais parlent le latin avec aisance, comme s'ils étaient tombés dedans à la naissance. La nation polonaise est celle de *gens culta, polita*, elle est de toute sagesse *capax*, voilà pourquoi elle se plaît avec raison en langue latine et l'exprime le mieux. Nous ne prononçons pas comme les Italiens, qui disent « Rédjina ». Nous n'abîmons pas le latin comme les Allemands ou les Français en prononçant le nom de Jésus-Christ.

– De quels Polonais parlez-vous cher révérend ? Les dames, par exemple, entendent rarement le latin, dans lequel elles n'ont pas été instruites. Les bourgeois ne connaissent guère le latin, et pourtant vous voulez que les états inférieurs vous lisent… Jusqu'au staroste qui traduit le latin en français. Il me semble que, dans la nouvelle édition, il conviendrait de désherber le texte de ces latinismes aussi proprement que l'est votre jardin de chiendent.

L'ecclésiastique est désagréablement surpris par une critique pareille. La dame qu'il reçoit semble s'intéresser plus aux chiens qu'à ses livres.

Le soleil est sur le point de se coucher quand Mme Drużbacka remonte dans sa calèche; le père Benedykt lui tend un panier avec deux chiots. Quand elle arrivera à Rohatyn, il fera nuit.

– Vous pourriez passer la nuit dans ma modeste demeure, dit le prêtre en fait furieux contre lui-même de prononcer ces paroles.

Le véhicule part, le curé de Firlej se sent décontenancé, il ne sait que faire. Il avait accumulé en lui plus de forces que n'en demandaient ces deux heures, il en avait une réserve pour une journée, une semaine. Quelques planches de la palissade, près des roses trémières, se sont effondrées, un vilain trou reste béant; aussi, sans se poser plus de questions, le père Benedykt décide-t-il d'y remédier dans la foulée. Mais soudain il se fige, et, déjà, il se sent assailli de tout côté par l'inertie et le doute. Une sorte de décomposition gagne ce qui, jusque-là, restait innommé, le chaos s'installe, tout se met à pourrir avec les feuilles, à enfler sous ses yeux. Il s'oblige encore à fixer les planchettes, quand, brusquement, cela lui semble par trop difficile, elles lui tombent des mains sur la terre humide. Le père Benedykt se dirige vers la maison; dans l'entrée sombre, il enlève ses chaussures, gagne sa bibliothèque; la pièce basse de plafond avec ses poutres apparentes semble soudain l'étouffer. Il s'assied dans son fauteuil, le poêle ronfle désormais et les carreaux blancs émaillés deviennent peu à peu brûlants. Il regarde le livre de cette femme d'un certain âge, le prend entre ses mains, en hume l'odeur, celle de l'encre d'imprimerie qui persiste encore. Il lit:

… à la vérité, terrible, desséchée et par trop pâle,
Aux articulations enserrées par les veines tel du fil de fer,
À l'évidence, jamais elle ne dort ni ne boit ni ne mange,
Ses entrailles paraissent sous ses côtes déformées,
Des trous profonds sont là où les yeux étaient,
Du goudron semble versé là où le cerveau habitait.

– Protège-nous, Seigneur, de tout mal, murmure le père Benedykt, avant de reposer le livre – cette femme lui avait paru tellement sympathique…

Tout à coup, il sait qu'il doit retrouver l'enthousiasme juvénile qui le porte à écrire. Autrement, il sera perdu, il se désagrégera dans l'humidité automnale comme ces feuilles qui jonchent le sol.

Il s'assied à sa table, glisse ses pieds dans le chauffe-pieds en peau de loup que sa gouvernante lui a cousu pour qu'il n'ait pas froid quand, des heures durant, il reste assis à écrire. Il prend du papier, taille sa plume, se frotte les mains pour les réchauffer. À cette époque de l'année, il a toujours l'impression qu'il ne passera pas l'hiver.

Le curé de Firlej, doyen de Rohatyn, ne connaît le monde que par les livres. Chaque fois qu'il s'installe dans sa bibliothèque et ouvre un in-folio imposant ou un petit elzévir, c'est toujours comme s'il partait en voyage vers un pays inconnu. Cette métaphore lui plaît, aussi sourit-il et déjà cherche à l'inclure dans une phrase bien tournée… Il lui est plus facile de parler du monde, dans ses écrits, que de lui-même. Toujours occupé, il ne s'est pas inquiété de sa personne, il n'a pas noté les événements de sa vie, et, maintenant, il a l'impression de ne pas avoir de biographie. Si cette dame qui écrit des vers tellement sinistres lui avait demandé qui il était, comment il avait passé ses années, qu'aurait-il répondu? Voudrait-il le rédiger que cela ne serait guère imposant, pas plus de quelques pages, et donc pas un livre, pas même un petit elzévir, juste une brochure, un feuillet, la petite vie d'un non-saint, illustrée d'une image. Ni pérégrinant, ni observateur de pays lointains.

Il trempe sa plume dans l'encre et la tient un moment en l'air au-dessus de sa feuille, puis, avec panache, il commence:

Histoire de la vie du Rév. Père Benedykt Chmielowski, avec Nałęcz pour blason de Famille, curé de Firlej, Podkamień et Janczyn, doyen de Rohatyn, en sa misérable bergerie indigne pasteur, écrite de sa propre main et sans se prévaloir d'un polonais élevé pour ne pas voiler le sens, dédiée au Lecteur *ad usum.*

Le titre prend une demi-page, aussi saisit-il une nouvelle feuille, mais sa main semble engourdie, elle ne veut ou ne peut plus rien écrire. Au moment où il écrivait « au Lecteur », il a vu Mme Drużbacka, cette femme d'un certain âge, mince, à la peau fraîche et aux yeux expressifs. Il se promet de lire ses poèmes, mais n'en attend pas grand-chose. Futilité. Il doit y avoir de la futilité et des cohortes impossibles de dieux grecs dans ses vers !

Il est triste qu'elle soit repartie.

Après avoir pris une nouvelle feuille, il trempe sa plume dans l'encre. Qu'écrire à présent, se demande-t-il. L'histoire de sa vie est l'histoire des livres qu'il a lus et écrits. Sa mère, voyant son attrait pour la lecture, l'envoya à quinze ans chez les jésuites de Lwów. Cette décision améliora considérablement ses relations avec son beau-père, qui ne l'aimait pas. À partir de ce moment-là, ils ne se rencontrèrent pratiquement plus. Ensuite, il rejoignit le séminaire pour être bientôt ordonné prêtre. Son premier poste fut à la cour des Jabłonowski comme précepteur de Dymitry d'à peine cinq ans son cadet. Il y apprit comment paraître plus âgé qu'on ne l'est et comment parler en ayant toujours l'air de faire la leçon, ce que, depuis, certains ne cessent de lui reprocher. On lui permit d'utiliser la bibliothèque de son protecteur, importante en soi, et il y découvrit Kircher et l'*Orbis pictus* de Komenský. Qui plus est, sa main, servante capricieuse, s'impatientait pour écrire, surtout le premier printemps qu'il passa là-bas ; une saison humide et étouffante, en particulier lorsque Son Excellence Joanna Maria Jabłonowska, la mère de Dymitry et l'épouse du duc (détail que Benedykt voulait oublier), se trouvait à proximité. Épris d'elle à en mourir, tout à ses sentiments, absent par l'esprit, en état de faiblesse, il se livra un terrible combat. Pour ne rien laisser voir, il se consacra entièrement au travail et écrivit un livre de messe pour sa bien-aimée. Par ce subterfuge, il réussit à instaurer une distance avec elle, à la rendre en quelque sorte moins dangereuse, à en faire une sainte, un ange, et quand il lui remit le manuscrit (quelques bonnes années avant qu'il ne fût édité à Lwów pour devenir renommé et connaître plusieurs éditions encore), il se sentit comme s'il l'avait épousée, s'était uni à elle et lui donnait l'enfant de cette union : le livre de prières, *Ordinaire de toute l'année*. Ainsi comprit-il que l'écriture était salutaire.

Joanna était à un âge dangereux pour beaucoup d'hommes, entre celui de leur mère et celui de leur maîtresse. L'attrait érotique de la maternité n'était donc pas suffisamment manifeste, on pouvait y baguenauder à loisir, imaginer avoir le visage plongé dans la douceur des dentelles, le discret parfum de rose et de poudre, sentir la délicatesse du duvet de pêche d'une peau qui n'est plus si ferme et tendue, mais chaude, douce et souple comme du daim. Par l'intermédiaire de la duchesse, le père Benedykt obtint du roi Auguste II la cure de Firlej et il prit possession de cette petite paroisse à vingt-cinq ans, le cœur brisé. Il y trimbala sa bibliothèque à laquelle il donna de belles vitrines sculptées. Il possédait quarante-sept volumes, il en emprunta d'autres aux bibliothèques conventuelles et épiscopales, comme à celles des palais de magnats, où, en général, ils n'avaient jamais été ouverts, leurs feuillets jamais séparés, pour n'être que des souvenirs d'expéditions à l'étranger. Ses deux premières années en paroisse furent difficiles. Surtout les hivers. Il s'abîma la vue car l'obscurité s'installait vite et lui ne pouvait pas s'arrêter de travailler. Il rédigea deux étranges petits livres, *Fuite par l'intermédiaire des saints vers Dieu* et *Expédition dans l'autre monde*, qu'il n'osa pas publier sous son nom. Contrairement au livre de prières, ils ne firent pas de grande carrière, mais disparurent. Le père Benedykt en conserve quelques exemplaires, ici à Firlej, dans un coffre spécial qu'il a fait couvrir de métal et munir de bonnes fermetures pour prévenir les dommages d'un incendie, d'un vol ou de tout autre cataclysme dont les simples bibliothèques des hommes ne savent pas se protéger. Il se souvient très exactement du format de l'*Ordinaire* et de l'odeur de sa modeste reliure en cuir foncé. C'est étrange, mais il se souvient aussi du toucher de la paume de Joanna Jabłonowska ; la duchesse avait une habitude, elle recouvrait de sa main celle de Benedykt lorsqu'elle voulait le calmer. Une chose encore, il se rappelle la douceur délicate de sa joue fraîche quand un jour, complètement fou d'amour, il avait osé l'embrasser.

Voilà tout ce qu'il y avait à dire de sa vie, cela ne prendrait guère plus de place que le titre. Sa bien-aimée était morte avant que ne paraisse *La Nouvelle Athènes,* ouvrage également écrit par amour.

L'étrange dessein de Dieu manifesté ces derniers jours l'avait sans doute impliqué pour qu'il commence déjà à se remémorer son existence. Dans les traits de la palatine Kossakowska, il avait reconnu ceux de sa sœur aînée, la duchesse Jabłonowska, au service de laquelle Mme Drużbacka avait passé de longues années. Elle avait même assisté à sa mort, lui confia-t-elle. Le père Benedykt en fut troublé, car cela faisait de Mme Drużbacka un émissaire du passé. Le grain de peau, la joue, la paume de la défunte s'étaient déportés sur elle. Plus rien n'était intense et coloré, chaque chose était diluée, sans contours. À la façon d'un rêve qui disparaît au réveil, quitte la mémoire comme le brouillard les champs. Le curé de Firlej ne comprend pas vraiment cela et ne veut pas le comprendre. Les gens qui écrivent des livres, se dit-il, ne veulent pas avoir d'histoire personnelle. À quoi bon ? En comparaison avec ce qui est écrit, elle sera toujours fade et sans intérêt. Il reste assis, la plume en l'air, l'encre en a séché, la bougie se termine et s'éteint avec un petit bruit sec. L'obscurité s'empare alors de Benedykt Chmielowski.

Le révérend père Chmielowski essaie d'écrire une lettre à Mme Drużbacka

Le père Chmielowski est loin d'être satisfait de ce qu'il a réussi à dire lors de la visite de Mme Drużbacka. C'était peu en vérité, sans doute à cause de sa timidité innée. Il n'a fait que se vanter, il a contraint cette femme remarquable à marcher sur des cailloux, dans le froid et l'humidité. À la seule idée que cet être intelligent et instruit pourrait le tenir pour un idiot et un ignorant, il se sent irrité au plus haut point. Cela le torture, aussi décide-t-il de lui écrire une lettre pour s'expliquer. Il commence par une magnifique tournure :

Inspiratrice des Muses, Aimée d'Apollon...

Il s'interrompt ensuite toute une journée. L'adresse lui plaît à peu près jusqu'au déjeuner. À quatre heures, elle lui semble pompeuse et vaine. Ce n'est que le soir, quand le vin chaud aux épices revigore son esprit et son corps, qu'il s'installe avec plus de hardiesse devant un feuillet blanc pour remercier Mme Drużbacka de lui avoir rendu visite dans sa « Thébaïde de Firlej » et d'avoir apporté un peu de lumière à sa grisaille monotone. Il veut croire que Mme Drużbacka comprendra le mot « lumière » dans une acception large et poétique.

Il l'interroge aussi sur les chiots, lui confie ses soucis, à savoir qu'un renard a égorgé toutes ses poules et qu'il doit envoyer chercher des œufs chez un paysan. Il ajoute qu'il a peur d'en prendre de nouvelles, car ce serait les condamner à une mort certaine sous les crocs de goupil, etc.

Il ne se l'avoue pas, mais, ensuite, l'attente d'une réponse occupe tout son esprit. Il estime en pensée la durée que peut mettre la poste jusqu'à Busk, où Mme Drużbacka se trouve actuellement. Ce n'est tout de même pas très loin. Une lettre devrait arriver.

Enfin, elle est là. Roszko cherche son destinataire dans toute la cure en tenant le courrier au bout de son bras tendu. Il finit par le trouver dans la cave en train de tirer du vin.

– C'est que tu m'as fait peur ! s'exclame le révérend. Il s'essuie les mains dans le tablier qu'il met toujours quand il s'attelle à des tâches domestiques et saisit délicatement la lettre entre deux doigts. Il ne l'ouvre pas. Il regarde le cachet et son propre prénom calligraphié d'une belle écriture marquée d'assurance, dont les courbes réjouissent le papier comme les drapeaux un champ de bataille.

Ce n'est qu'ensuite, une heure plus tard, quand sa bibliothèque a été réchauffée par le poêle, qu'il s'est fait du vin chaud aux épices et qu'il a glissé ses pieds dans la fourrure, qu'il ouvre précautionneusement la lettre pour la lire.

Mme Drużbacka écrit au révérend père Chmielowski

Busk, Noël 1752

Révérend Père, mon bon Ami,

Voici que me vient l'opportunité heureuse, au temps de la naissance de Notre Sauveur, de vous souhaiter prospérité et, plus que tout, ce don précieux, cet inestimable présent qu'est la santé, qu'elle Vous soit bonne, car notre fragilité est telle qu'il suffit de peu pour nous terrasser. Puissiez-vous être comblé, que la grâce du Divin Enfant descende sur vous infiniment.

Je reste sous la grande impression que me fit ma visite à Firlej et je dois avouer que je m'imaginais différemment le célèbre ecclésiastique que vous êtes : je vous croyais en possession d'une vaste bibliothèque où de nombreux secrétaires seraient assis, tous à travailler pour vous, à écrire, à recopier. Or voici que votre modestie est pareille à celle de saint François.

J'admire chez vous l'art du jardinage, Révérend Père, votre imagination si foisonnante et votre érudition considérable. Sitôt rentrée, avec un plaisir manifeste, j'occupai mes soirées à relire *La Nouvelle Athènes*, que pourtant je connais bien pour m'y être longuement plongée quand l'ouvrage fut publié pour la première fois. Mes yeux me le permettraient-ils que je le lirais des heures durant. D'autant que la chose est des plus particulières, puisque j'en connais désormais l'Auteur personnellement, et il m'arrive même d'entendre sa voix comme si la lecture m'était faite à voix haute par vous, mon bon Ami. Ce livre est si étrangement magique qu'il est permis de le lire sans fin en picorant ici ou là, et toujours on en retient des choses intéressantes qui offrent de multiples prétextes à réflexion sur l'immensité et la complexité du monde, avec la pensée qu'il n'est aucune manière de le connaître dans son entier, mais uniquement par bribes, petits détails et modestes éléments de compréhension.

En ce moment, toutefois, l'obscurité tombe tellement vite, elle engloutit chaque jour de précieux instants de notre vie, et la lueur des bougies n'est, quant à elle, qu'une misérable imitation de la lumière et nos yeux ne peuvent pas la supporter longtemps.

Je sais néanmoins que le projet de *La Nouvelle Athènes* est celui d'un grand génie au courage énorme qui œuvre avec mérite immense pour le service de nous tous qui vivons en Pologne, en nous livrant ce véritable compendium de notre savoir.

Il est pourtant une chose qui me semble dommageable à une bonne lecture de votre œuvre, mon Ami, et je vous l'ai déjà exprimé alors que nous étions chez Vous à Firlej. C'est ce latin, non pas en soi, mais par son extrême abondance, inséré qu'il est partout, pareil au sel dont on parsème avec trop de largesse les plats et qui, au lieu de relever leur goût, les rend difficiles à avaler.

Je comprends, mon bon Ami, que le latin est un langage rompu à toute chose et que les mots adéquats à nommer y sont plus nombreux qu'en polonais, mais qui ne le pratique pas ne peut pas lire votre livre, il s'y égarerait complètement. Avez-vous songé à ceux qui ne connaissent pas le latin et voudraient vous lire, comme les marchands, les modestes propriétaires terriens faiblement instruits, ou même les artisans parmi les plus éveillés, auxquels ce savoir que vous collectez si scrupuleusement serait utile, sans doute bien davantage qu'à vos confrères, ecclésiastiques ou académiciens, qui, eux, ont accès aux livres ? S'ils le souhaitent, évidemment, parce qu'ils ne le veulent pas toujours. Et je ne parle pas des femmes qui, le plus souvent, savent lire tout à fait correctement, mais, n'ayant pas été envoyées dans les écoles, sont aussitôt vaincues par le latin !

Mgr Sołtyk écrit une lettre au nonce apostolique

La veille, Mgr Sołtyk s'était laissé cette lettre à écrire en dernier, mais il succomba à la fatigue, aussi doit-il commencer la journée par cette affaire hautement déplaisante. Son secrétaire mal réveillé étouffe un bâillement. Il s'amuse avec la plume, vérifie la grosseur du trait, quand Son Excellence commence à dicter :

Mgr Kajetan Sołtyk, évêque coadjuteur de Kiev, à Son Éminence le Nonce apostolique Niccolò Serra, Archevêque de Mytilène...

Un valet préposé à l'entretien des poêles entre alors pour retirer la cendre. Le bruit de la pelle est insupportable à monseigneur, toutes ses idées s'éparpillent comme cette poussière qui s'élève au-dessus du seau. Son affaire prend, elle aussi, un goût de cendre.

– Reviens faire cela plus tard, mon garçon, dit-il aimablement – puis, pendant un petit moment, il tente de remettre de l'ordre dans ses pensées. Ensuite, la plume reprend son agression contre la page innocente :

Une fois encore, je félicite Votre Éminence pour le nouveau poste qu'Elle occupe en Pologne, avec l'espoir que cela contribuera à l'affermissement universel de la foi en Jésus-Christ sur des terres qu'Il chérit si particulièrement, puisque nous, en *Respublica*, sommes les plus fidèles de Ses ouailles, nos cœurs Lui sont des plus dévoués...

Sur ce, Mgr Sołtyk ne sait pas du tout comment passer à l'objet de son courrier. Il avait envisagé d'abord l'affaire dans ses grandes lignes, il ne s'attendait pas à une demande précise de rapport, et qui plus est de la part du nonce. Il s'en étonne, car un nonce a ses espions partout, et s'il ne fourre, personnellement, son grand nez italien nulle part, il se sert de celui des autres, de ceux qui font du zèle.

Le secrétaire attend, la plume en l'air ; une goutte s'y forme déjà, prête à tomber de la pointe. Mais cet homme hautement expérimenté connaît bien les usages de l'encre, il patiente jusqu'au dernier moment pour renvoyer la goutte dans l'encrier d'une pichenette.

Comment décrire cela, songe Mgr Sołtyk, et lui viennent à l'esprit des phrases bien tournées, du genre : «Le monde est un pèlerinage plein de dangers pour ceux qui aspirent à l'éternité», ce qui signalerait son inconfortable et épuisante situation d'évêque contraint à s'expliquer de ses actes, justifiés quoique regrettables, alors qu'il devrait dévouer ses  pensées à la prière et aux nécessités de son troupeau. Par quoi commencer? Peut-être par l'enfant retrouvé, et que ce fut non loin de Żytomierz, dans le village appelé Markowa Wolica, justement cette année, il y a peu?

    – Studziński, n'est-ce pas?

Son secrétaire hoche la tête et ajoute le prénom du petit, Stefan. Il a finalement été retrouvé, mais son corps était inerte, plein d'hématomes et de blessures comme dues à des aiguilles. Dans les buissons près de la route.

Monseigneur se concentre. Il commence à dicter:

… après avoir trouvé l'enfant, les paysans décidèrent de le porter à l'église orthodoxe. Tandis qu'ils passaient près de la taverne où le corps avait indéniablement été supplicié, le sang coula d'abord de son flanc gauche et, à cause de cela et d'autres faits, la suspicion se porta sur les Juifs, et l'on se saisit aussitôt dans ce village des deux Juifs aubergistes et de leurs épouses qui avouèrent tout et en impliquèrent d'autres. L'affaire se constitua donc d'elle-même grâce à la justice divine.

L'on me fit aussitôt savoir toutes les circonstances et je ne manquai pas en toute diligence, *in crastinum*, d'ordonner aux sénéchaux et aux nobles des propriétés alentour de livrer les autres coupables, et devant leur manque d'empressement, j'en fis le tour personnellement pour convaincre Leurs Grandeurs de procéder aux arrestations. Ainsi arrêta-t-on trente et un hommes et deux femmes qui, mis aux fers, furent convoyés à Żytomierz où ils furent jetés dans des trous spécialement creusés pour la circonstance. Après avoir appliqué la procédure *inquisitio*, j'envoyai les accusés au Mallus urbain. Ce tribunal, pour faire toute la lumière sur l'acte indigne des méchantissimes assassins, décida d'interroger *strictissime* les Juifs présentés devant lui, et ceci d'autant que certains modifiaient leurs dépositions faites devant le tribunal du Consistoire et réfutaient les témoignages accablants des chrétiens. L'on soumit alors les accusés à la torture et le maître de la sainte justice leur appliqua par trois fois les fers chauffés au rouge. Les confessions corporelles révélèrent rapidement que Iankiel et Ela, les gérants de la taverne de Markowa Wolica, poussés par Shmayer, le rabbin de Pawlacz, avaient capturé l'enfant pour l'emmener à la taverne où ils l'avaient enivré à la vodka ; après quoi, le rabbin lui avait transpercé le flanc gauche avec un canif. Ensuite, ils lurent leurs prières dans les livres, tandis que d'autres Juifs, avec des poinçons et de grandes aiguilles, transperçaient toutes les veines pour les vider du sang innocent dans une bassine, un sang qu'ensuite le rabbin partagea entre les Juifs présents en le leur versant dans de petites bouteilles.

Monseigneur fait une pause maintenant, et il demande qu'on lui apporte un peu de ce vin hongrois qui lui fortifie le sang. Peu importe qu'il ait l'estomac vide. Il sent aussi que le temps du petit déjeuner sera vite celui du déjeuner et qu'il commence à avoir faim. La colère le gagne. Que faire ? La lettre doit être envoyée ce jour. Il poursuit donc sa dictée :

Ainsi, attendu que l'accusateur dans l'affaire du jeune Stefan décrivit les *dolenda fata* de ce dernier et, conformément à la procédure, attesta sous serment avec sept témoins que les Juifs susnommés étaient la cause de la mort et de l'épanchement du sang de l'enfant, le Tribunal les condamna à une mort cruelle.

Le maître des hautes œuvres allait mener les sept acteurs de ce crime et instigateurs de cette cruauté païenne depuis les piloris de la place de Żytomierz, à travers la ville, jusqu'aux potences, après leur avoir entouré les deux mains de chanvre enduit de goudron et enflammé. À leur arrivée, trois bandes de peau seraient arrachées à chacun, puis ils seraient démembrés, pendus par quartiers aux gibets, et leurs têtes seraient enfoncées sur des pieux. Six furent condamnés au démembrement, mais le septième, qui s'était converti à la sainte foi catholique avec son épouse et ses enfants, au dernier moment, bénéficia d'une peine plus légère, et donc à avoir juste la tête tranchée. Les autres furent innocentés. Les héritiers des condamnés à mort durent payer 1 000 zlotys polonais au père de la victime sous peine de bannissement perpétuel.

Des sept premiers, l'un parvint à fuir, un autre se fit baptiser et fut condamné à avoir la tête tranchée, et ainsi par ma diligence préservé d'une mort cruelle.

Finalement, la sentence fut appliquée en toute justice. Trois coupables qui persistèrent dans leur colère furent écartelés, trois qui s'étaient fait baptiser eurent leur peine convertie et donc la tête tranchée, et c'est personnellement, accompagné d'un nombreux clergé, que je convoyai leurs corps jusqu'au cimetière catholique.

Le lendemain, je présidai la cérémonie du saint baptême de treize Juifs et Juives. Je fis préparer un *epitupticum* pour l'enfant martyrisé et j'ordonnai que son saint corps d'innocent martyr fût mis dans la crypte de la cathédrale en toute solennité.

Ista scienda saris, ces faits sont terribles, mais ils étaient en toute mesure nécessaires pour punir les coupables d'un acte aussi vil. Je ne doute pas que Votre Éminence trouvera dans ces éclaircissements tout ce qu'Elle souhaitait savoir et que cela effacera l'inquiétude exprimée dans Sa lettre, qui supputait qu'ici nous eussions accompli une chose contraire à Notre Mère la sainte Église.

Zelik

Celui qui s'était échappé avait tout simplement sauté de la charrette qui les menait entravés à leur lieu de torture. Ce ne fut pas difficile, car ils avaient été attachés sans grand soin. Le destin des quatorze prisonniers, dont deux femmes, était décidé, on les tenait pour presque morts et il ne vint à l'esprit de personne qu'ils pourraient tenter de fuir. Juste avant Żytomierz, l'attelage convoyé par des hommes à cheval pénétra pour une lieue dans un bois. Ce fut là que Zelik s'échappa. Il parvint à libérer ses mains de leurs liens, attendit le moment opportun et, quand ils se trouvèrent au plus près de la végétation, il quitta la voiture d'un bond pour disparaître dans la forêt. Les autres détenus restèrent assis, silencieux, la tête baissée, comme s'ils célébraient leur mort prochaine; les gardiens, quant à eux, ne s'aperçurent pas immédiatement de ce qui était arrivé.

Le père de Zelik, celui-là même qui avait prêté de l'argent à Mgr Sołtyk, ferma les yeux et se mit à prier. Zelik, lui, alors que son pied se posait dans le sous-bois, regarda derrière lui et grava dans sa mémoire ce qu'il vit: un vieillard voûté, un vieux couple assis épaule contre épaule, une jeune fille, deux voisins de son père dont les barbes blanches contrastaient avec la noirceur des manteaux, tels les aplats blanc et noir du talith. Seul son père le regarda calmement, comme s'il savait depuis le début.

À présent, Zelik est en fuite. Il se déplace uniquement la nuit. Le jour, il dort. Il se couche à l'aube, quand les oiseaux font le plus de bruit, pour se lever au crépuscule. Il marche et il marche encore, jamais sur les routes, toujours à côté, à travers les fourrés, et il cherche à contourner les espaces découverts. S'il lui faut en traverser, il veille à ce qu'il y ait au moins du blé qui y pousse, toutes les moissons ne sont pas terminées. Dans son errance, il ne mange presque pas, parfois juste des pommes ou d'âpres poires d'hiver, mais il ne ressent aucune faim. Il tremble toujours, tant de peur que de révolte et de colère ; ses mains, ses jambes tremblent et il a une boule au ventre, dans l'estomac, il en vomit de la bile parfois, puis il crache longtemps, avec dégoût. Il y eut plusieurs nuits très claires à cause d'une pleine lune très satisfaite d'elle-même. Il distingua alors de loin une meute de loup, il entendit leurs hurlements. Des troupeaux de biches l'observèrent aussi ; étonnées, elles le suivirent du regard. Un vagabond borgne, sale, hirsute, l'aperçut également, mais lui fut effrayé, et pas un peu, il se signa et disparut vite dans les broussailles. De loin, Zelik remarqua aussi un petit groupe de paysans en fuite qui, à quatre, voulaient traverser la rivière pour rejoindre la Turquie. Des cavaliers arrivèrent, les attrapèrent et les ligotèrent avec des cordes comme du bétail. Il le vit de ses propres yeux.

Enfin, une nuit, la pluie commence à tomber, les nuages cachent la lune. Zelik parvient à traverser la rivière. Tout le jour suivant, il essaie de sécher ses vêtements. Il a froid, il se sent faible et la même pensée l'obsède. Comment se pouvait-il que le maître dont il tenait les comptes de l'abattage des arbres en forêt, un maître très humain à ce qu'il croyait, se fût révélé être un homme mauvais ? Pourquoi avait-il fait un faux témoignage devant le tribunal ? Comment se pouvait-il qu'il ait menti sous serment, et ce non pas dans une affaire d'argent ou de commerce, mais alors qu'il s'agissait de vies humaines ? Zelik n'arrive pas à le concevoir. Les mêmes images lui reviennent en permanence à l'esprit : arrêté, il est traîné hors de sa maison avec les autres, avec son vieux père complètement sourd qui ne comprend pas ce qui arrive. Puis la douleur horrible qui soumet le corps et régente l'esprit, une douleur qui prend le pouvoir sur la totalité du monde. Et encore la charrette à ridelles qui les mène des geôles à la salle de torture, abrutis de souffrances, à travers la petite ville dont les habitants crachent sur eux.

Au bout d'à peu près un mois, Zelik arrive à Iași, en Moldavie, où il retrouve des connaissances de sa mère. Ces gens l'accueillent, ils savent déjà ce qui est arrivé ; chez eux, il met du temps à se rétablir. Il a des difficultés à dormir, il a peur de fermer les yeux. En rêve, quand il succombe au sommeil comme s'il avait glissé sur la rive boueuse d'une mare pour tomber dans l'eau, il voit le corps de son père caché dans la vase, privé de funérailles, horrible. La nuit, il est torturé par l'angoisse que la mort ne le traque dans l'obscurité pour s'emparer de lui à nouveau : là, dans les ténèbres, se trouvent ses garnisons, les casernes de ses armées. Puisqu'il lui a échappé si simplement, puisqu'elle n'a rien vu alors qu'il quittait ceux qui lui appartenaient déjà, il reste toujours pour elle un morceau de choix.

Voilà pourquoi il est désormais impossible d'arrêter Zelik. Il part vers le sud, à pied comme un pèlerin. En chemin, il frappe à la porte des maisons juives pour y passer la nuit. Au dîner, il raconte ce qu'il a vécu et les gens se le confient les uns aux autres, de foyer en foyer, de ville en ville, comme une marchandise fragile. Bientôt son histoire le précède, le récit est connu et l'on sait où se rend Zelik ; aussi l'entoure-t-on d'une sorte de vénération. Chacun l'aide comme il peut. Zelik se repose le jour du Shabbat. Une fois par semaine, il rédige des lettres à sa famille, aux communes juives, aux rabbins, à la Diète des Quatre Terres, le *Waad Arba Aracot*. Aux juifs et aux chrétiens. Au roi de Pologne. Au pape. Il use de nombreuses paires de chaussures et sa plume assèche une pinte d'encre avant qu'il ne réussisse enfin à atteindre Rome. Comme par miracle, comme si des forces puissantes veillaient sur lui, le lendemain de son arrivée, il se trouve face à face avec le pape.

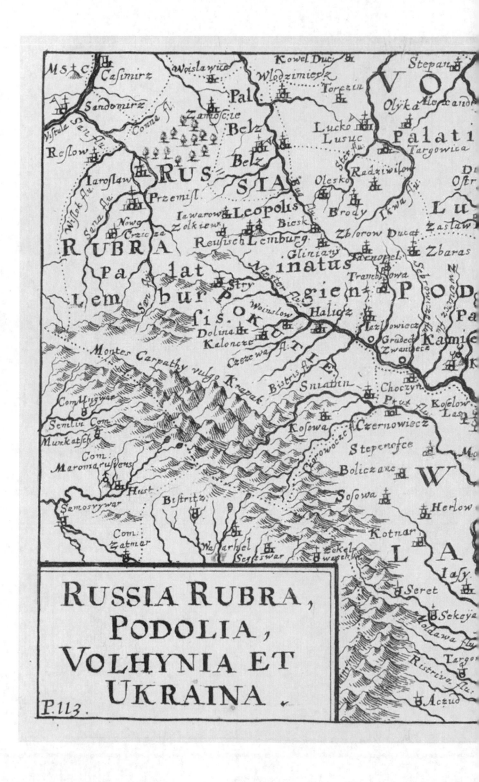

RUSSIA RUBRA,
PODOLIA,
VOLHYNIA ET
UKRAINA.

P.113.

Hubkow · Pa = la = ti = na · Duc: Cz

Zwiahel · Vszinie · Vsza flu. · Cieciorel flu. · Dieper flu. · Decna flu. · Ostrze

Borasze · Radomysl · Wyzgrod · Ohul.

HY · Horoszk · Czernichow · Kijow · Ba.

Bardowka · Brusilow · Bialagrodka · tus · Trupiec flu.

Zitomir · Kijo · W U · Pereaslaw

c · ensis · Constantinow · Chwastow · Powolocz

Constantinowe · NIA. · Borsczowka · Rysow

A · Ochielniok. · Zywotow · BialaCerkiew · Trectimirow · Sula flu.

VIA · Bar · Winnicze · Pala = KR · Bogus law · Kaniow

Ros flu.

Starigrod · t · i · na · Braclaw · Lisianki · Korsum · Czeh

Ladizin · Human · tus · NA.

Czerniowcze · Bercao · Smotwoda · Wicze flu.

Kouczeliez · Czaczanik · Beg flu.

NoweKoniecpold · Beg flu.

Lapusane · Bra · c · l · a · vi = · Ingult maly

HIA · Oriow · Campi Deserti · Chryczkie

Niester flu · ensis · Ingult wielki

OL · Flexin · Czarne · Telgol Ieztero · Oczacow abo Dziarkirmenda

rgosest · Campi Deserti · Tekin · Niester flu · Tezeroro · Kobule · Ste

Olasnosta · Korczowa · Akiorman abo Biellogrod

A · VIA · Tartara barlat · Budziak. · Maree

Super *terra* funt	Na ziemi są	terra, f. 1. ziemia.
alti *montes*, 1	wyſokie gory, 1	altus, a, um, wyſoki, a, e. mons, m. 3. gora,
profundæ *valles*, 2	głębokie doliny, 2	profundus, a, um, głęboki, a, e. vallis, f. 3. dolina.
elevati *colles*, 3	wyniosłe pagorki, 3	elevatus, a. um, wyniosły, a, e. collis, m. 3. pagorek.
cavæ *fpeluncæ*, 4	wklęsłe iaſkinie, 4	cavus, a, um, wklęsły, a, e. fpelunca, f. 1. iaſkinia.
plani *campi*, 5	rowne pola, 5	planus, a, um, rowny, a. e. campus, m. 2. pole.
opáca *fylvæ* 6	ciemne laſy. 6	opacus, a, um, ciemny, a, e. fylva, f. 1. las.

Sur terre
Il y a
De hautes montagnes, 1
De profondes vallées, 2
D'imposantes collines, 3
D'insondables cavernes, 4
De plats terrains, 5

Comment naît le monde
de la fatigue de Dieu

Il arrive à Dieu d'être las de sa luminosité et de son silence, l'infinitude lui soulève le cœur. Alors, telle l'huître gigantesque et suprasensible dont le corps si dénudé et délicat perçoit la plus infime vibration des particules de lumière, Dieu se rétracte en lui-même et laisse un peu d'espace, où, du plus parfait néant, le monde apparaît aussitôt. Délicat et blanc, il rappelle d'abord une moisissure, mais il croît rapidement et ses fibres s'unissent pour former une texture solide. Il finit par durcir et, à partir de là, à prendre des couleurs. Cela s'accompagne d'un son très bas, à peine audible, un sombre tressaillement qui induit les atomes à une vibration inquiète. De celle-ci naissent des particules, puis des grains de sable et des gouttes d'eau qui divisent le monde en deux.

Nous sommes maintenant du côté du sable.

Par les yeux de Ienta, nous voyons l'horizon très bas, l'immense ciel doré et orangé. De gros cumulus ronds voguent vers le couchant, encore inconscients du fait qu'ils sombreront dans l'abîme l'instant d'après. Le désert est rouge, toutes les choses, y compris les plus minuscules cailloux, projettent des ombres désespérées pour tenter de s'agripper à de la matière solide.

Les sabots des chevaux et des ânes ne laissent pratiquement aucune trace, ils glissent sur les pierres, soulèvent un peu de poussière qui aussitôt se redépose et recouvre le moindre sillon laissé par leurs fou-lées. Les animaux avancent lentement, têtes baissées, fatigués par leur journée de voyage, ils sont comme en transe. Leurs dos se sont déjà accoutumés au poids qu'on y place chaque matin après la halte noc-turne. Seuls les ânes font du ramdam au moment du départ, déchirant l'aurore de leur braiment chargé de tristesse et d'étonnement. Eux aussi, pourtant nés rebelles, se taisent désormais et comptent sur un repos proche.

Des hommes se déplacent parmi eux, ils sont minces à côté des formes rebondies de leurs bêtes déformées par les charges. Pareils à des aiguilles qui se seraient libérées de leurs cadrans, ils mesurent désormais le temps décroché, chaotique, qu'aucun horloger ne peut plus brider. Leurs ombres longues et acérées piquent le désert et agacent le crépuscule qui tombe.

Ils sont nombreux à être vêtus de longs manteaux clairs et coiffés de turbans jadis verts, aujourd'hui blanchis par le soleil. Certains se cachent sous de grands chapeaux à large bord et leurs visages ne se distinguent en rien des ombres projetées par les pierres.

C'est la caravane partie de Smyrne il y a quelques jours qui se dirige vers le nord, par Constantinople puis Bucarest. En route, elle se divi-sera et se reformera. Certains marchands la quitteront dans quelques jours à Istanbul, ils partiront par Salonique et Sophia pour la Grèce et la Macédoine, d'autres resteront jusqu'à Bucarest, et d'autres encore iront au terme du voyage en longeant le Prut jusqu'à la frontière polonaise, qu'ils passeront en traversant les eaux peu profondes du Dniestr.

À chaque arrêt, il leur faut retirer les marchandises du dos des ani-maux et vérifier celles qui sont correctement emballées dans les chariots. Certaines sont fragiles, c'est le cas des pipes turques dont chacune est emballée séparément dans de l'étoupe puis enserrée dans de la toile. Il y a aussi un peu d'armes turques, des harnachements de parade pour les chevaux, des tapis persans et des ceintures tissées dont ces messieurs de la noblesse polonaise ceignent leurs manteaux.

Il y a aussi, dans des caisses en bois soigneusement protégées du soleil, des épices, des fruits secs, divers aromates, et même des citrons et des oranges pas tout à fait mûrs pour qu'ils résistent au voyage.

Un Arménien, un certain Jakubowicz, qui a rejoint la caravane au dernier moment, transporte des produits de luxe sur un chariot à part : des tapis persans et des kilims turcs. Il tremble à cause de ce qui pourrait arriver à ses marchandises, il se met en colère pour un rien. Il aurait préféré prendre le bateau de Smyrne à Salonique pour tout transférer en deux jours, mais le commerce maritime est actuellement dangereux, on peut être fait prisonnier, des récits de telles infortunes ne cessent de circuler chaque fois que le convoi fait halte pour se restaurer autour d'un feu.

Nahman Samuel ben Levi de Busk vient précisément de s'asseoir, une caisse plate posée sur ses genoux. Il transporte du tabac tassé en de durs paquets. Il n'y en a pas beaucoup, mais il est de qualité et Nahman l'a acheté à bas prix, aussi espère-t-il en tirer un bénéfice important. Sur lui, dans des poches cousues spécialement, il transporte également d'autres biens précieux : de jolies pierres, surtout des turquoises, mais aussi de longues tiges très compressées de résine à fumer que l'on ajoute aux pipes comme Mordekhaï aime à le faire.

Constituer la caravane leur avait demandé plusieurs bonnes journées, et il avait aussi fallu courir les administrations turques pour obtenir, moyennant un généreux bakchich, un sauf-conduit pour qu'en chemin les autorités la laissent passer.

Voilà pourquoi Nahman se sent si exténué, d'une fatigue qui ne s'estompe pas facilement. La vue du désert de pierre est ce qui lui fait le plus de bien. Il sort du camp pour s'asseoir loin du bavardage des hommes. Le soleil est déjà descendu si bas que les pierres projettent devant elles de longues ombres sombres, telles des comètes terrestres qui, au contraire des célestes, ne sont pas faites de lumière mais de nuit. Nahman, qui voit partout des signes, se demande quel avenir annoncent ces corps terrestres, de quel présage ils sont porteurs. Or, comme le désert est le seul endroit sur terre où le temps revient sur lui-même, fait une boucle et se précipite en avant par grands bonds, comme le font les grosses sauterelles, certains regards peuvent s'y plonger dans l'avenir. C'est ainsi que, justement, les yeux de Ienta voient Nahman, il est déjà âgé, sec comme une boise et voûté. Il est assis devant une petite fenêtre qui laisse passer peu de lumière, des murs épais dégagent leur froideur. Sa main qui tient la plume tremble. Les derniers grains de sable s'écoulent dans le petit sablier posé à côté de l'encrier. La fin de Nahman est proche, mais il écrit toujours.

La vérité est qu'il ne peut pas s'en empêcher. Il ressent comme une démangeaison qui ne s'arrête que lorsqu'il transforme le chaos de ses pensées en phrases. Le crissement de la plume le calme. La trace qu'elle laisse sur la feuille de papier lui donne autant de plaisir que s'il mangeait les dattes les plus sucrées, ou avait un loukoum en bouche. Tout se met alors en ordre, se précise et se définit. Il a toujours eu l'impression qu'il participait à une chose immense, unique et qui ne pouvait pas se répéter. Que plus jamais cela ne reviendrait et que rien de tel n'avait jamais existé par le passé. Qui plus est, il lui semble qu'il écrit pour ceux qui ne sont pas encore nés, car eux voudront savoir.

Il a toujours avec lui son matériel d'écriture, une caisse plate en bois, peut-être assez quelconque, mais qui renferme du papier de bonne qualité, une bouteille d'encre, du sable dans une petite boîte fermée, une réserve de plumes et un petit couteau pour les tailler. Nahman n'a pas de grands besoins, il s'assied à terre, ouvre sa caisse qui se transforme en petite table turque, et le voilà prêt à écrire.

Pourtant, depuis qu'il accompagne Jakób, ce dernier ne cesse de lui adresser des regards mécontents et désapprobateurs. Jakób n'aime pas le grincement de la plume. Un jour où il a regardé par-dessus son épaule, Nahman était, par chance, en train de faire des comptes. Jakób le somma de ne pas coucher ses paroles sur le papier. Nahman l'assura qu'il n'en faisait rien. Mais la question le taraude: pourquoi ce refus?

– Qu'en est-il, demanda-t-il un jour, ne chantons-nous pas «Donne-moi la langue et les paroles pour que je puisse dire la vérité sur Toi»? C'est dans le *Hemdat Yamim*.

Jakób le réprimanda:

– Ne sois pas idiot. Si quelqu'un veut conquérir une forteresse, il ne peut pas le faire uniquement avec des paroles, avec des mots volatils, il doit lever une armée. Nous aussi, nous devons agir et non parler. Nos ancêtres n'ont-ils pas parlé et écrit tant et plus? En quoi cela les a-t-il aidés et qu'en a-t-il découlé? Mieux vaut voir de ses yeux que dire en mots. Nous n'avons pas besoin de beaux parleurs. Si je te vois écrire, je te taperai sur la tête pour te faire reprendre tes esprits.

Nahman sait ce qu'il sait. Écrire *La Vie du très Saint Sabbataï Tsevi* (béni soit son nom!) reste son activité principale. Il consigne la vie du Messie pour le bon ordre des choses, il pose les faits, juste comme cela, ceux qui sont connus et ceux qui le sont moins; parfois, il les enjolive un peu, mais ce n'est pas un péché, plutôt un mérite, ils se graveront mieux dans les mémoires. Au fond de sa boîte, Nahman dissimule encore un autre paquet, des feuillets qu'il a lui-même reliés avec du gros fil de chanvre. Ses reliquats. Il les rédige en secret. De temps à autre, il s'interrompt, car il s'inquiète de savoir si son futur lecteur saura deviner qui les écrivait. Derrière toute lettre, il y a une main; un visage paraît au-delà des phrases. Une présence, immense, ne préside-t-elle pas à la Torah, alors qu'aucune lettre, pas même dorée et grossie, ne peut écrire son véritable nom? Chaque mot est Son nom, chaque chose aussi. La Torah est ainsi une *arighah*, une toile où a été tissée la multitude des noms de Dieu, même s'il est écrit dans le Livre de Job: «Aucun mortel ne connaîtra son ordre.» Personne ne sait ce qui est la trame et ce qui est le fil, ni quel dessin est visible à l'endroit et ce qu'il en est à l'envers.

Il y a très longtemps, Rabbi Éléazar, un kabbaliste très sage, avait déjà deviné que certaines parties de la Torah nous avaient été transmises dans le désordre. Si on nous les avait livrées comme elles devaient l'être, toute personne découvrant le bon ordre serait aussitôt devenue immortelle, elle aurait dû redonner vie aux morts et accomplir des miracles. Aussi, pour préserver l'ordre du monde, les divers fragments ont été mélangés. Ne demande pas par qui. L'heure n'est pas venue. Seul un saint saura restituer l'ordre correct.

Nahman voit que derrière son texte sur *La Vie du très Saint Sabbataï Tsevi*, au-delà du paquet relié au fil de chanvre, c'est lui, Nahman Samuel ben Levi de Busk, qui apparaît. Il aperçoit sa silhouette mince, pas très grande, banale, toujours en voyage. C'est lui-même qu'il inscrit. Ces notes, il les appelle ses reliquats, ce sont les épluchures qui restent d'autres travaux plus importants. Quelques miettes, voilà à quoi se résume notre existence. L'activité scripturale de Nahman sur le couvercle de la petite boîte posée sur ses genoux, dans la poussière et l'inconfort du voyage, est en fait un *tikkoun*, une forme de réparation du monde, un ravaudage des trous dans la toile, tout en tracés, boucles, nœuds et pistes qui se croisent. C'est ainsi qu'il convient de considérer cette étrange activité. Certaines personnes soignent les gens, d'autres construisent des maisons, d'autres encore étudient des livres et déplacent des mots pour trouver leur sens véritable. Nahman, lui, écrit.

LES RELIQUATS,
OU COMMENT DE LA FATIGUE DU VOYAGE
NAÎT UN RÉCIT.
ÉCRIT PAR NAHMAN SAMUEL BEN LEVI,
RABBIN DE BUSK

LÀ D'OÙ JE VIENS

Je sais que je ne suis pas un prophète, qu'il n'y a en moi aucun Esprit Saint. Je n'ai pas de pouvoir sur les voix, je ne sais pas percer le temps futur. Mon origine est humble et rien ne m'élève au-dessus de la poussière. Je suis pareil à la multitude, et de ceux dont les *matzevah* subissent l'outrage du temps en premier. Néanmoins, je ne manque pas de connaître aussi mes qualités : je suis habile dans le commerce et les voyages, je sais compter vite et je possède le don des langues. Je suis un émissaire-né.

Lorsque j'étais enfant, ma parole rappelait le martèlement de la pluie sur les toits en bois des cabanes de Soukkot, un tambourinement qui rendait les mots incompréhensibles. En outre, une force en moi n'arrivait pas à terminer une phrase ou un mot sans les répéter plusieurs fois, en toute hâte, presque en bafouillant. Je bégayais. Non sans désespoir, je voyais que mes parents et ma fratrie ne me comprenaient pas. Mon père me frappait alors sur l'oreille et sifflait entre ses dents : « Parle plus lentement ! » Il me fallait essayer. Ainsi ai-je en quelque sorte appris à sortir de moi pour me saisir par la gorge et arrêter ce bredouillement. Je suis finalement parvenu à détacher les mots en syllabes, à les diluer comme un potage, ce que faisait ma mère avec le borchtch pour qu'il en restât assez pour tout le monde le deuxième jour. J'avais l'esprit vif, en revanche. Par politesse, j'attendais que les gens finissent de parler, mais je savais vite ce qu'ils voulaient dire.

Mon père était rabbin à Busk, dans le district de Lwów, et j'allais moi aussi le devenir plus tard, mais pour peu de temps. Avec ma mère, il tenait une auberge à l'orée des marécages ; les visiteurs étaient rares, aussi mes parents vivaient-ils pauvrement. Ma famille, tant du côté maternel que paternel, était venue en Podolie de l'Ouest, de Lublin, et avant cela des pays germaniques, d'où elle avait été chassée et où il s'en était fallu de peu qu'elle ne laissât la vie. De cette époque-là, il n'est resté que peu de récits, peut-être juste celui qui fut le deuxième à provoquer en moi un effroi enfantin, celui sur le feu qui dévorait les livres.

De mon enfance, j'ai peu de souvenirs. Ils concernent ma mère, principalement ; je ne la quittais pas d'un pas, je restais accroché à ses jupes, ce qui me valait le courroux de mon père, il me promettait que j'allais devenir un mollasson, une femmelette, un faiblard efféminé. Je me rappelle les moustiques, une plaie – j'avais quelques années à peine –, on obturait toutes les ouvertures des maisons avec des chiffons et de l'argile, mais nos corps, nos mains et nos visages étaient rouges de leurs piqûres comme si nous avions tous attrapé la varicelle. Les petites pustules étaient enduites de sauge fraîche, et des vendeurs ambulants parcouraient les villages pour vendre un merveilleux liquide malodorant que l'on extrayait de terre quelque part dans la région de Drohobycz...

Ainsi débute le manuscrit peu soigné de Nahman, et son auteur aime à relire ces premières pages. Il a alors l'impression de marcher avec plus d'assurance, un peu comme si ses pieds avaient soudain grandi. Il rentre au camp maintenant, car il a faim, et il rejoint ses compagnons. Les guides et les porteurs turcs viennent justement d'achever leurs prières et se distraient en se préparant au dîner. Les Arméniens ferment les yeux avant de commencer à manger, et, de la main droite, ils oblitèrent leur corps d'un ample signe de croix. Nahman et les autres Juifs disent une courte prière, en se hâtant. Ils ont faim. La vraie prière attendra leur retour chez eux. Ils s'assoient en groupes dispersés, chacun près de ses marchandises, de sa mule, mais ils se voient tous. Une fois la première faim calmée, ils commencent à converser et enfin à plaisanter. L'obscurité tombe soudainement, en une minute il fait noir et l'on doit allumer les lampes à huile.

Un jour, dans notre auberge, surtout dirigée par ma mère, s'arrêta un invité qui venait à la chasse chez Mgr Jabłonowski. Cet homme était connu pour son ivrognerie et sa cruauté. Comme il faisait une chaleur étouffante et que les relents des marécages flottaient bas, une duchesse voulut prendre immédiatement du repos. Notre famille dut aussitôt sortir de la maison, mais moi je me cachai derrière le poêle pour observer avec beaucoup d'émotion la scène où cette femme magnifique entrait avec ses laquais, ses suivantes et ses majordomes. Le faste, le foisonnement des couleurs, des formes, et la beauté de ces gens me firent une telle impression que le rouge me monta aux joues, au point qu'ensuite ma mère s'inquiéta de ma santé. Une fois partis ces gens puissants, elle me murmura à l'oreille : « Mon petit âne, dans l'autre vie, la duchesse allumera le feu dans notre poêle. »

L'idée me réjouissait grandement de savoir que, quelque part là-haut, où s'élaboraient les plans quotidiens du monde, une justice sévère existait. D'un autre côté, pourtant, j'étais triste pour nous, et surtout pour cette dame fière, jolie et distante. Le savait-elle ? Quelqu'un le lui avait-il dit ? Est-ce que dans leur Église on informe ces gens de ce qui arrivera vraiment ? Que tout sera inversé, que les serviteurs deviendront les maîtres, et les maîtres des serviteurs ? Mais est-ce que ce sera juste et bon ?

Avant de partir, le grand seigneur secoua mon père par la barbichette et ses invités rirent de sa plaisanterie ; après quoi, il ordonna à ses soldats de boire de la vodka juive, ce que ceux-ci firent volontiers, non sans en profiter pour mettre à sac notre auberge, dérobant ou cassant tout ce que nous possédions.

Nahman doit se lever. Dès que le soleil se couche, il fait terriblement froid, ce n'est pas comme en ville où la canicule persiste, dissimulée dans les murs réchauffés, et où, à cette heure, la chemise vous colle au corps. Nahman prend une lampe et se couvre d'un manteau en grosse toile. Les porteurs jouent aux osselets, ce qui va bientôt tourner en dispute. Le ciel est déjà tout entier parsemé d'étoiles et, malgré lui, Nahman vérifie les directions. Au sud, il voit Smyrne, que Reb Mordke appelle Izmir, ils l'ont quittée avant-hier. La ville se compose d'un chaos de bâtiments cubiques inégaux, d'un nombre infini de toits où sont piquées les silhouettes élancées des minarets et, de loin en loin, les coupoles de lieux saints. Nahman croit entendre la voix du muezzin dans l'obscurité, au-delà de l'horizon ; un appel insistant, dolent, auquel répondra aussitôt un autre, depuis la caravane, et ainsi, en un instant, l'air se remplira d'une prière musulmane qui doit être une hymne et une louange, mais qui résonne plutôt comme une plainte.

Nahman regarde vers le nord et il voit au loin, très loin, dans les plis épais de l'obscurité, un bourg sur des marécages, sous un ciel bas accroché au clocher d'une église. La petite ville semble complètement dénuée de couleurs, comme si elle était construite en tourbe et couverte de cendres.

Quand je suis né en l'an 5481, année 1721 du calendrier chrétien, mon père, rabbin de fraîche date, prenait son poste sans trop réaliser ce qu'était l'endroit où il s'installait.

À Busk, le fleuve Bug a pour confluent la Peltwia. Depuis toujours, la ville appartient au roi de Pologne et non pas à un grand noble, c'est la raison pour laquelle il y fait bon vivre pour nous les Juifs; sans doute est-ce aussi pour cela qu'elle a si souvent été détruite, tantôt par les Cosaques, tantôt par les Turcs. Si le ciel est un miroir qui reflète le temps, l'image des maisons incendiées doit être toujours suspendue au-dessus de la ville. Maintes fois totalement dévastée, celle-ci s'est toujours reconstruite de façon chaotique, dans toutes les directions, sur la boue, car ici c'est l'eau qui régente tout en reine absolue. Ainsi, quand au printemps les neiges fondent, la boue rampe sur les routes jusqu'à couper le bourg du reste du monde, et ses habitants, en peuple des boues et des tourbières, restent dans leurs chaumières humides; ils sont moroses, rouillés, c'est à croire que la moisissure les recouvre.

Quand mes parents s'installèrent à Busk, les Juifs y vivaient en petits groupes dans divers quartiers, mais c'était dans la Vieille Ville et à Lipiboki qu'ils étaient les plus nombreux. Ils faisaient commerce de chevaux qu'ils emmenaient aux foires de bourg en bourg, ils avaient aussi de petites échoppes de tabac dont la plupart étaient de la taille d'une niche de chien. Certains cultivaient la terre, il y avait aussi une vingtaine d'artisans. La plupart étaient des miséreux superstitieux.

Nous regardions avec un certain sentiment de supériorité les paysans du coin, des Ruthènes et des Polonais qui, dès l'aube, se courbaient vers la terre pour ne redresser le dos que dans la soirée, quand ils s'asseyaient sur le banc près de leur maison. Ne valait-il tout de même pas mieux être Juif que paysan? Eux nous observaient et se disaient: «Où vont-ils ainsi sur leurs charrettes et pourquoi sont-ils si bruyants, ces Juifs?» Leurs femmes clignaient des yeux, éblouies qu'elles étaient toute la journée par le soleil tandis qu'elles ramassaient les épis oubliés par les moissonneurs.

Au printemps, quand les prés des rives verdoyaient, des centaines ou peut-être des milliers de cigognes se regroupaient à Busk pour y déambuler d'un pas majestueux, droites et dignes. Sans doute était-ce pour cela que tant d'enfants y naissaient: les paysans n'affirment-ils pas que ce sont les cigognes qui les apportent?

Une cigogne debout sur une patte figure sur les armoiries de Busk. Nous aussi, les Buskoviens, nous étions éternellement un pied en l'air, prêts à prendre la route, accrochés à la vie par un unique bail, un seul contrat. Autour de nous, tout n'était qu'humidité et bourbiers. La loi existait *a priori*, mais elle était floue, trouble comme de l'eau sale.

Busk, comme un grand nombre de bourgs en Podolie, était presque entièrement habité par nous – ceux qui s'appelaient entre eux « les nôtres » ou les « vrai-croyants ». Nous croyions d'un cœur pur et sincère que la venue du Messie avait déjà eu lieu, en Turquie, et qu'en s'en allant Il nous avait laissé un successeur, et, surtout, qu'Il avait indiqué la route que nous devions suivre.

Plus mon père lisait et discutait au *Beth Midrash*, plus lui aussi était enclin à le croire. Après un an passé à Busk et une lecture persévérante d'écrits sabbataïstes, il se laissa entièrement convaincre, sa sensibilité naturelle et son esprit religieux favorisèrent ce changement.

« Comment est-ce possible, disait-il. Pourquoi, alors que Dieu nous aime tant, y a-t-il autant de souffrance alentour ? Il suffit d'aller sur la place de Busk pour avoir les jambes qui défaillent sous le poids de cette souffrance. Puisqu'Il nous aime, pourquoi ne sommes-nous pas en bonne santé et repus, et les autres avec nous, de sorte que nous n'ayons pas à regarder la maladie et la mort ? » Il se voûtait alors comme s'il voulait montrer le véritable poids de ce fardeau. Ensuite, il reprenait ses laïus habituels contre les rabbins et leurs prérogatives, s'emportait de plus en plus et commençait à gesticuler.

Enfant, je le voyais souvent sur la petite place, près du magasin de Szyla, où il restait debout à discuter avec d'autres et à s'énerver. Sa petite silhouette qui n'en imposait pas semblait plus grande quand il parlait, parce qu'il le faisait avec passion et conviction.

« D'une loi de la Torah, la *Mishna* en a tiré douze, et la *Gémara* cinq douzaines ; dans les commentaires ultérieurs, les lois sont devenues aussi nombreuses que les grains de sable. Alors, dites-moi, comment devons-nous vivre ? » lançait-il sur un ton si dramatique que les passants s'arrêtaient.

Szyla, qui ne s'intéressait guère au commerce, mais préférait de beaucoup la compagnie des hommes qui discutaient, approuvait avec tristesse en leur offrant sa pipe : « Bientôt, plus rien ne sera casher. »

«Il est difficile de respecter toutes les règles quand on a faim», acquiesçaient les autres en soupirant. Soupirer faisait partie de la conversation. Beaucoup de ces hommes étaient de simples marchands, mais parfois des enseignants de la yeshivah venaient et ils ajoutaient quelque chose de personnel à ces lamentations quotidiennes sur la place du marché. Ensuite, l'on se plaignait encore des décisions de la noblesse et de l'hostilité des paysans qui pouvaient vous empoisonner la vie, du prix de la farine, du temps, du pont arraché par la crue et des fruits qui pourrissaient sur les arbres à cause de l'humidité.

Ainsi, dès mon enfance, je m'imbibais des éternelles récriminations à l'encontre de la création. Quelque chose n'allait pas, nous étions cernés par une forme de mensonge. Quelque chose avait dû être passé sous silence dans ce que l'on nous enseignait dans les yeshivahs. On nous avait certainement caché des faits et, à cause de cela, nous n'arrivions pas à comprendre correctement l'univers. Il devait pourtant exister un secret qui expliquait tout!

Depuis le temps de la jeunesse de mon père, tout le monde disait cela à Busk et le nom de Sabbataï Tsevi était souvent cité, pas du tout en chuchotant, mais haut et clair. À mes oreilles d'enfant, il résonnait comme un galop de cavaliers qui fonceraient à notre secours. Aujourd'hui, il est préférable de ne pas le prononcer.

MA JEUNESSE

Dès le départ, je voulais étudier les Écritures comme beaucoup de garçons de mon âge, mais, enfant unique, j'étais par trop attaché à ma mère et à mon père. Je dus attendre d'avoir seize ans pour comprendre que je voulais servir une belle cause et être de ceux qui ne se contentent jamais de ce qui est, mais veulent toujours plus.

Aussi, lorsque j'entendis parler du grand professeur Baal Shem Tov, également appelé le Besht, et du fait qu'il acceptait des élèves, je décidai de le rejoindre et, ainsi, je quittai mon Busk familial. Au désespoir de ma mère, je m'en allai seul vers l'est, vers Międzybóż, qui était à quelque cent lieues. Dès le premier jour, je rencontrai un garçon un peu plus âgé que moi, qui était parti de Glinna pour la même destination et en était à son troisième jour de voyage. Ce Lejbko, jeune marié qui voyait pousser sa première moustache, paniqué par son mariage, avait obtenu de son épouse et de ses beaux-parents de pouvoir frayer quelque temps avec la véritable sainteté afin de s'en imprégner pour l'avenir avant de se mettre à gagner de l'argent. Il appartenait à une famille respectable de rabbins de Glinna, et qu'il se retrouvât chez les hassidim équivalait pour elle à un grand malheur. À deux reprises, son père vint le trouver chez le Besht pour le supplier de rentrer avec lui.

Nous devînmes rapidement inséparables. Nous dormions sous le même édredon et nous partagions la moindre bouchée de nourriture. J'aimais parler avec Lejbko, car c'était un garçon très sensible qui pensait autrement que la majorité des gens. Nos discussions se prolongeaient dans la nuit sous la couverture sale. Nous y débattions des grands mystères.

Ce fut également Lejbko, en tant que jeune époux, qui m'introduisit aux questions qui concernent les relations entre l'homme et la femme, ce qui à l'époque me parut aussi fascinant que le *tsimtsoum*.

La maison du Besht était en bois, grande et basse. Nous, jeunes garçons maigrichons, nous dormions tous ensemble, blottis les uns contre les autres dans un lit de la largeur de la pièce, sous des édredons où, bien des fois, on trouvait des poux dont nous frottions ensuite les piqûres, sur nos mollets, avec des feuilles de menthe. Nous ne mangions pas beaucoup : du pain, de l'huile, quelques navets. Parfois les femmes nous apportaient des douceurs, ne fût-ce que des raisins secs, mais nous étions tellement nombreux que chacun n'en recevait que très peu, juste assez pour ne pas en oublier le goût. En revanche, nous lisions énormément, en fait nous lisions tout le temps, ce qui nous valait d'avoir les yeux rouges comme ceux des lapins, et c'était là notre signe distinctif. Le soir, quand le Besht pouvait nous consacrer un peu de son saint temps, nous l'écoutions et nous suivions ses entretiens avec les autres *tsadiks*. Je commençai à m'intéresser alors à des apories que mon père n'était pas parvenu à m'expliquer de façon suffisamment convaincante. Comment le monde peut-il exister alors que Dieu est partout ? Puisque Dieu est tout en tout, comment peuvent exister des choses qui ne sont pas Dieu ? Comment Dieu a-t-Il pu créer le monde à partir de rien ?

On le sait, à chaque génération, il y a trente-six hommes saints et c'est grâce à eux que Dieu maintient l'existence du monde. Baal Shem Tov était indéniablement l'un de ceux-là. La plupart des saints restent des inconnus, ils vivent leur existence comme pauvres aubergistes ou cordonniers, mais les vertus du Besht étaient si grandes qu'il eût été impossible de les cacher. Cet homme n'avait pas une once de vanité en lui, et, pourtant, quand il paraissait quelque part tout le monde était intimidé, ce qui, lui, le fatiguait énormément. On voyait qu'il portait sa sainteté comme un bagage pesant. Il ne me rappelait en rien mon père, qui était toujours triste et fâché. Le Besht était changeant. Tantôt il avait l'apparence d'un vieux sage, parlait avec sérieux, les paupières baissées, tantôt il lui prenait l'envie d'être joyeux, de plaisanter avec nous et de provoquer des rires. Il était toujours prêt à faire des choses inattendues, surprenantes. Ainsi attirait-il l'attention sur lui et la conservait-il en permanence. Pour nous, il était le centre du monde.

À Międzybóż, personne n'était attiré par le rabbinisme statique et creux, là-dessus tout le monde était d'accord, et, en un sens, cela aurait beaucoup plu à mon père. Le Zohar était lu quotidiennement avec beaucoup de sérieux ; les plus âgés des disciples étaient des kabbalistes au regard voilé, ils débattaient entre eux des mystères divins comme ils auraient parlé de leur ferme, du nombre de poules à nourrir, de la quantité de foin qui restait pour l'hiver...

Quand, un jour, l'un d'eux demanda au Besht s'il considérait que l'univers était une émanation de Dieu, ce dernier acquiesça joyeusement : « Oh que oui, l'univers est Dieu ! » Tous approuvèrent avec satisfaction. Le premier kabbaliste reprit alors la parole pour le piéger cruellement : « Et le mal ? – Le mal aussi est Dieu », dit calmement le Besht, toujours serein, mais un murmure parcourut l'assemblée et, aussitôt, les voix d'autres tsadiks savants et de divers saints hommes se firent entendre. Il faut savoir que, là-bas, on réagissait à toutes les discussions avec violence, des chaises étaient renversées, on s'arrachait les cheveux et il y avait de brusques sanglots et des cris. Combien de fois ne fus-je témoin de disputes sur cette question. Moi aussi, le sang me montait à la tête, car qu'en était-il ? Comment classifier ce qui nous entourait? Sous quelle rubrique inscrire la faim et les blessures corporelles, le massacre des animaux ou l'épidémie qui décimait les enfants? À l'époque, il me semblait qu'en pensant ainsi il fallait admettre que Dieu n'en avait rien à faire de nous.

Il suffisait que quelqu'un lançât que le mal n'était pas un mal en soi, mais semblait uniquement tel à l'homme, que déjà l'on s'étripait à table, l'eau coulait de la cruche cassée pour imbiber la sciure répandue par terre, un commensal quittait la pièce avec colère, il fallait en retenir un autre qui voulait se jeter sur son voisin. Telle était la puissance de la parole prononcée!

Voilà pourquoi le Besht ne cessait de nous répéter: «Le mystère du mal est le seul que Dieu ne nous demande pas d'approcher dans la foi, mais de penser.» Je méditais donc jour et nuit, d'autant que mon corps, qui réclamait toujours de la nourriture, m'empêchait parfois de dormir tant il avait faim. Je me disais que c'était peut-être que Dieu avait réalisé son erreur d'avoir attendu l'impossible de l'homme. Il l'avait en effet voulu sans péché. Aussi avait-il désormais le choix: il pouvait le punir pour ses fautes, le sanctionner en permanence, et devenir ainsi son éternel régisseur pareil à celui qui fouette le dos des paysans quand ils ne travaillent pas suffisamment au champ de leur seigneur. Mais, dans son infinie sagesse, Dieu pouvait également être prêt à supporter le péché des hommes et laisser un espace pour leurs faiblesses. Dieu se serait dit: «Je ne peux pas avoir un homme à la fois libre et totalement soumis. Je ne peux pas avoir un être libre de tout péché qui serait un homme. Je préfère donc une humanité pécheresse qu'un monde sans hommes.»

Oh oui, nous étions tous d'accord avec cela! Nous, les gars maigrichons en tuniques déchirées, aux manches toujours trop courtes, assis d'un côté de la table, et, de l'autre, les quelques enseignants.

Je passai ainsi plusieurs mois avec les saints de Besht et, malgré la pauvreté et le froid, je sentais que c'était là que mon âme avait rattrapé la croissance de mon corps, lequel avait acquis sa virilité, mes jambes s'étant couvertes de poils, tout comme ma poitrine, et mon ventre étant devenu dur. Mon âme suivait mon corps et se configurait. Il me semblait en outre qu'un nouveau sens, dont j'ignorais l'existence jusque-là, s'y développait.

Certains individus possèdent le sens des questions supraterrestres tout comme d'autres ont un excellent odorat, une ouïe parfaite ou un goût infaillible. Ils perçoivent les mouvements subtils du corps immense et complexe de l'univers. En outre, certains de ceux-là sont dotés d'un regard intérieur tellement acéré qu'ils voient où tombe l'étincelle, discernent son éclat jusque dans les endroits les plus improbables. Plus le lieu est déplorable, plus l'étincelle brille désespérément, plus elle clignote intensément et plus sa lumière devient ardente et pure.

Mais il y a aussi des personnes qui sont dépourvues d'un tel sens; elles doivent donc se fier aux cinq autres et y ramener le monde dans son entier. Pareilles à l'aveugle de naissance qui ignore ce qu'est la lumière, pareilles au sourd qui ne connaît pas la musique ou à celui qui n'a pas d'odorat et n'a pas idée de ce qu'est le parfum des fleurs, ces personnes ne peuvent comprendre les âmes mystiques et considèrent ceux qui en sont dotés comme des fous, des illuminés qui, pour des raisons incompréhensibles, affabulent.

Cette année-là, les élèves du Besht (béni soit son saint nom!) furent frappés d'une étrange maladie, comme ce dernier l'appela lui-même avec tristesse et inquiétude, et moi j'ignorais à quoi il pensait.

Une fois, lors d'une prière, l'un des garçons les plus âgés éclata en sanglots et il fut impossible de le calmer. Conduit jusqu'au saint homme, le malheureux, toujours en larmes, avoua qu'en récitant le *Chema Israël* il pensait au Christ et tournait vers lui les paroles de la prière. Tandis que ce jeune homme parlait, tous ceux qui entendirent ses propos terribles se bouchèrent les oreilles à deux mains et fermèrent les yeux pour ne pas accueillir en eux pareils sacrilèges. Le Besht hocha tristement la tête puis expliqua la chose avec une simplicité qui soulagea tout le monde grandement: ce garçon devait passer chaque jour devant un sanctuaire chrétien où il voyait le Christ. Quand on regarde quelque chose longuement, quand on voit quelque chose souvent, son image pénètre vos yeux et votre esprit, elle les ronge comme le ferait la soude caustique. Dans la mesure où l'esprit humain a besoin de sainteté, il la cherche partout, pareil à la plante qui pousse dans une caverne et se hisse vers la lumière, aussi faible fût-elle. C'était une bonne explication.

fig. 8.

Lejbko et moi avions notre passion secrète : nous écoutions intensément la sonorité des mots, le murmure des prières récitées de l'autre côté de la cloison, et nous tendions l'oreille pour percevoir ces paroles qui, unies entre elles par une récitation rapide, fusionnaient leurs sens. Plus le résultat de nos jeux était bizarre, plus nous étions contents.

À Międzybóż, tout le monde était comme nous, attentifs aux paroles ; aussi, le bourg en soi nous paraissait improbable, banal et fugace, comme si la matière, par sa confrontation avec la parole, avait la queue entre les jambes et se recroquevillait sur elle-même honteuse ; la route boueuse, ravinée par les charrettes, semblait ne mener nulle part ; les petites chaumières qui la longeaient de part et d'autre, mais aussi la maison du savoir, seule à posséder un vaste préau en bois noirci et détrempé dans lequel nous creusions des trous avec nos doigts, avaient l'air d'appartenir au monde du rêve.

Je pourrais dire que nous creusions également des trous dans les mots pour pénétrer leur incommensurable profondeur. Ma première fascination concernait la ressemblance de deux termes.

Les voici. Pour créer le monde, Dieu dut se retirer en lui-même, laisser dans son corps un vide qui devint l'univers. Dieu disparut de cet espace. Le mot « disparaître », en hébreu, a pour racine *elem*, tandis que le lieu de la disparition est appelé *olam*, le « monde ». Ainsi donc, l'histoire de la disparition de Dieu est présente jusque dans le nom du monde. Le monde ne pouvait apparaître que parce que Dieu l'avait abandonné. D'abord, il y avait quelque chose, et ensuite il y eut un manque. C'est-à-dire le monde. L'univers entier est un manque.

La caravane, ou comment je rencontrai Reb Mordke

À mon retour chez mes parents, pour que je reste à la maison, ceux-ci me marièrent à une Léa de seize ans, jeune fille intelligente, confiante et compréhensive. Ce ne fut pas vraiment efficace, car je prétextai mon travail chez Elisha Shorr pour faire une expédition commerciale à Prague et à Brno.

Ce fut alors que je rencontrai Mordekhaï ben Elie Margalit *Tsevi* (béni soit son nom!), que tout le monde appelait Reb Mordke. Il fut pour moi un second Besht, un maître, mais avec ceci d'unique que je l'avais pour moi tout seul; lui de son côté devait probablement ressentir la même chose, toujours est-il qu'il me prit comme disciple. J'ignore ce qui m'attira tant en lui; ceux qui affirment que les âmes se reconnaissent immédiatement et s'attirent de façon inexplicable doivent avoir raison. La vérité est que je quittai les Shorr pour rester avec lui, oublieux de ma famille que j'avais laissée en Podolie.

Il était le disciple d'un sage célèbre, Jonathan Eybeschutz, qui était lui-même l'héritier des plus anciens savoirs.

Au début, les théories de Reb Mordke me semblaient fumeuses. J'avais l'impression qu'il se maintenait dans un état permanent d'élévation : il ne respirait qu'à peine, comme s'il craignait d'avaler l'air terrestre; ce n'est qu'une fois filtré par sa pipe que cet air lui permettait tant bien que mal de vivre.

Mais l'esprit d'un sage est insondable! Au cours de notre voyage, je m'en remis complètement à lui. Il savait toujours quand partir, quelle route emprunter pour que de braves gens nous assurent un transport confortable ou que des pèlerins nous nourrissent. À première vue, ses idées semblaient aberrantes, mais, lorsque nous les suivions, nous nous en sortions au mieux.

Nous étudiions ensemble la nuit, je travaillais le jour. Parfois l'aube me trouvait dans les livres; soumis à de si longs efforts, mes yeux commencèrent à suppurer. Ce que Mordekhaï me donnait à lire était tellement invraisemblable que mon esprit, jusque-là pratique, celui d'un jeune homme de Podolie, ruait comme un cheval habitué à tourner en rond que l'on aurait voulu transformer en cheval de course.

«Pourquoi rejettes-tu ce que tu n'as pas essayé, mon fils?» me demanda Mordekhaï au moment où j'étais quasiment décidé à rentrer à Busk pour m'occuper de ma famille.

Je me dis alors, en moi-même, ce que je pensais être très sage: «Il a raison. Ici, je ne peux que gagner et non pas perdre. Je vais donc attendre patiemment de trouver en tout cela quelque chose de bon pour moi.»

J'obtempérai donc. Je louai une petite chambre derrière une cloison en bois où je vécus modestement, passant mes matinées à travailler au comptoir, mes soirées et mes nuits à étudier.

Il m'enseigna la méthode de permutation et de combinaison des lettres, mais aussi la mystique des chiffres et d'autres «voies de la *Sefer Yetzirah*». Il m'intima de suivre chacune d'elles deux semaines jusqu'à ce que sa forme se gravât dans mon cœur. Ainsi me dirigea-t-il pendant quatre longs mois, puis il m'ordonna de tout «effacer».

Ce soir-là, il bourra généreusement ma pipe d'herbe et me donna une très vieille prière, d'on ne savait plus qui. Cette prière allait bientôt devenir l'expression de ma voix personnelle. Elle disait:

Mon âme
ne se laissera pas mettre en prison
ni dans une cage de fer ni dans une cage d'air.
Mon âme veut être comme un navire dans le ciel

et les frontières du corps ne peuvent la retenir.
Aucune muraille ne l'emprisonnera
ni celle construite par les mains de l'homme,
ni celle de la politesse,
ni celle de l'amabilité
ou de la bonne éducation.
Les discours enflammés ne s'en empareront pas,
pas plus que les frontières des royaumes
ou de la haute naissance. Rien.
Mon âme survole tout cela
avec une grande aisance,
elle est au-dessus de ce qui trouve place dans les mots
et en dehors de ce qui ne peut s'y trouver.
Elle est au-delà du plaisir et au-delà de la peur.
Elle excède aussi bien ce qui est beau ou élevé
que ce qui est terrible et vil.

Aide-moi, mon bon Seigneur, et fais que la vie ne me blesse pas.
Donne-moi la capacité de parler, donne-moi la langue et les paroles,
alors je dirai la vérité
sur Toi.

MON RETOUR EN PODOLIE
ET UNE VISION ÉTRANGE

Peu de temps après, je rentrai en Podolie, où, après la mort soudaine de mon père, j'obtins le poste de rabbin de Busk. Léa m'accepta de nouveau et moi je lui témoignai ma reconnaissance par une grande tendresse. Ma jeune épouse savait nous organiser une vie paisible où nous ne manquions de rien. Aron, mon petit garçon, grandissait et devenait fort. Occupé par mon travail et par les soins à apporter à ma famille, je repoussai les tentations du voyage et toute la Kabbale. Notre Commune juive était grande et divisée entre « les nôtres » et « les autres », et moi, jeune rabbin inexpérimenté, j'avais beaucoup d'occupations et de devoirs.

Pourtant, par une nuit d'hiver, il me fut impossible de trouver le sommeil ; je me sentais très bizarre, j'avais l'impression pénible qu'autour de moi rien n'était authentique, que tout était artificiel, comme si le monde avait été peint par un artiste habile sur des toiles accrochées autour de moi. Ou encore, comme si tout ce qui m'entourait était imaginaire, mais, par on ne sait quel miracle, prenait un semblant de forme.

Déjà plusieurs fois auparavant, alors que je travaillais avec Reb Mordke, j'avais eu cette impression épuisante et propice à susciter l'effroi, mais cette fois c'était si prégnant que je fus saisi d'une peur pareille à celle que l'on ressent enfant. Je m'en sentis soudain prisonnier, comme jeté dans un cachot où bientôt l'air allait manquer.

Tremblant, je quittai mon lit, je rajoutai des bûches dans le feu, je sortis les livres reçus de Reb Mordke pour les poser sur la table et, me rappelant ce qu'il m'enseignait, je me mis à réunir les lettres entre elles et à méditer selon la méthode philosophique de mon maître. Je pensais que cela m'occuperait l'esprit et chasserait ma peur. Je passai ainsi le reste de la nuit, puis je me livrai à mes tâches habituelles dans la journée. Il en fut de même la deuxième nuit jusqu'à trois heures du matin. Léa s'inquiétait de ma conduite, elle se dégageait doucement des bras d'Aron endormi pour se lever, elle aussi, et regarder ce que je faisais par-dessus mon épaule. Sur son visage, je voyais qu'elle me désapprouvait, mais sa désapprobation n'était pas en mesure de me retenir. Mon épouse était très dévote, elle ne reconnaissait nulle Kabbale et traitait avec une suspicion égale les rituels sabbataïstes.

Au cours de la troisième de ces nuits étranges, j'étais tellement fatigué que, passé minuit, je fis un somme, la plume en main, une feuille sur mes genoux. Quand je repris mes esprits, je vis que la bougie s'éteignait, aussi me levai-je pour aller en chercher une nouvelle. Mais la bougie s'éteignit tout à fait et je vis que la clarté persistait ! Je réalisai à mon plus grand étonnement que c'était *moi* qui la diffusais, que l'éclairage de toute la pièce venait de moi. Je me dis à voix haute : « Non, je n'y crois pas », mais la lumière ne s'éteignit pas. Je demandai donc à voix haute : « Comment est-ce possible ? », mais, évidemment, je n'entendis aucune réponse. Je me giflai, je me pinçai les joues, mais rien ne changea. Je restai assis jusqu'au matin, les bras ballants, fatigué, la tête vide... à diffuser de la lumière! À l'aube, celle-ci baissa pour finalement s'éteindre.

Cette nuit-là, je vis le monde tout à fait autrement que je ne l'avais vu jusque-là: éclairé de la lumière grise du soleil, petit, misérable, défaillant. L'obscurité y naissait dans tous les recoins, tous les trous. Des guerres et des épidémies le traversaient, des fleuves y débordaient, la terre tremblait. Chaque être humain semblait tellement fragile qu'il faisait penser au plus petit cil, au pollen de la fleur. Je compris que la vie humaine était faite de souffrance, que telle était la véritable substance du monde. Tout y hurlait de douleur. Ensuite, je vis également l'avenir, car le monde changeait, les forêts disparaissaient, des villes s'étendaient jusqu'à prendre leur place, et il survenait des choses que je ne comprenais pas; mais là non plus aucun espoir n'existait, des événements arrivaient que je ne pouvais pas même envisager car ils dépassaient mon entendement. Cela me paralysa au point que je m'effondrai avec bruit, et, du moins est-ce ce qui me sembla, je vis en quoi consistait le salut. Sur ce, ma jeune épouse entra dans la pièce et se mit à crier pour appeler de l'aide.

L'EXPÉDITION À SMYRNE AVEC MORDEKHAÏ
INDUITE PAR UN RÊVE DE CROTTES DE BIQUES

Mon maître Mordekhaï semblait avoir connaissance de tout cela. Quelques jours plus tard, il arriva à Busk sans crier gare, parce qu'il avait eu un rêve étrange. Il avait rêvé qu'aux portes de la synagogue de Lwów il voyait le Jacob de la Bible qui distribuait des crottes de biques aux gens. La plupart s'indignaient ou éclataient d'un rire sonore, mais ceux qui acceptaient ce présent l'avalaient avec respect et diffusaient de la lumière comme des lampions. Aussi, dans sa vision, Mordekhaï avait tendu le bras pour recevoir ce don.

Quand, réjoui de sa venue, je lui racontai mes aventures avec la lumière, il m'écouta attentivement et je remarquai de la fierté et de la tendresse dans son regard. «Tu n'es qu'au début du chemin. Si tu le suis, tu sauras que ce monde autour de nous va finir, c'est pour cela que tu le perçois comme s'il était irréel, et que tu ne vois pas la lumière de l'extérieur, qui est fausse et trompeuse, mais celle de l'intérieur, la vraie, qui vient des étincelles divines dispersées que le Messie collectera.»

Mordekhaï considéra que j'avais été élu pour sa mission.

«Le Messie arrive, me dit-il en se penchant tellement à mon oreille que ses lèvres la touchèrent. Il est à Smyrne.»

Je ne comprenais pas alors à quoi il songeait, mais je savais que Sabbataï Tsevi (béni soit son nom!) était né à Smyrne, aussi pensai-je que c'était de lui qu'il était question, même s'il nous avait quittés depuis longtemps. Mordekhaï proposa que nous partions ensemble dans le Sud, joignant les affaires à la recherche de la vérité.

À Lwów, un Arménien, Grzegorz Nikorowicz, possédait un comptoir oriental : il y importait surtout des ceintures de Turquie, mais faisait également commerce de tapis et de kilims, de baume turc et d'armes blanches. Lui-même s'était installé à Stamboul pour y surveiller ses affaires, et ses caravanes en partaient régulièrement pour le Nord, chargées de marchandises précieuses, avant de revenir ensuite dans le Sud. Tout un chacun pouvait se joindre à elles, il ne devait pas nécessairement être chrétien, juste faire montre de bonne volonté et avoir assez d'argent pour participer aux frais des guides et de la protection armée. De Pologne, on pouvait emporter des articles comme la cire, la graisse, le miel et parfois l'ambre, même si ce dernier ne se vendait plus aussi bien que par le passé; il fallait aussi avoir de quoi se nourrir pendant le voyage et, une fois sur place, pouvoir investir l'argent gagné dans un peu de marchandises pour retirer quelque bénéfice de l'expédition.

J'empruntai une modeste somme, Mordekhaï ajouta un peu de ses économies. Au total, nous disposions d'un petit pécule et nous partîmes heureux. C'était au printemps 1749.

Mordekhaï ben Elie Margalit était déjà un homme d'âge mûr. D'une patience infinie, il ne se pressait jamais et je n'ai connu personne d'une pareille bonté et compréhension à l'égard du monde. Je lui prêtais souvent mes yeux pour lire, car il ne voyait plus les lettres les plus petites. Il m'écoutait alors attentivement et sa mémoire était si bonne qu'il pouvait tout répéter sans la moindre erreur. Reb Mordke n'en restait pas moins un homme alerte et d'une certaine force. Au cours du voyage, c'était moi, plutôt que lui, qui maugréais à cause de la fatigue. Toutes sortes de gens rejoignaient notre caravane, des Arméniens et des Polonais qui espéraient arriver sans embûches jusqu'en Turquie puis rentrer chez eux, ou des Valaques et des Turcs qui revenaient de Pologne, et souvent des Juifs d'Allemagne. Ils faisaient un bout de route avec le convoi pour le quitter là où d'autres le rejoignaient.

L'itinéraire allait de Lwów à Czerniowce, puis longeait la rivière Prut jusqu'à Jassy pour atteindre enfin Bucarest, où un arrêt plus long était prévu. Nous décidâmes de nous y séparer de la caravane et, à partir de là, sans nous hâter, d'aller là où Dieu nous mènerait.

Aux arrêts, Reb Mordke ajoutait au tabac que nous fumions dans nos pipes un petit grumeau de résine de chanvre; sous l'effet de celle-ci, nos pensées s'élevaient très haut, portaient très loin et tout nous semblait chargé d'un sens caché et de significations profondes. Je restais des heures en extase, debout, immobile, les mains légèrement levées. Le moindre mouvement de tête me révélait de grands mystères. Le moindre brin d'herbe s'inscrivait dans un système de significations des plus profondes, car il était une composante inaliénable de l'immensité de ce monde, un monde élaboré à la perfection, selon un ordre réféchi, et où le plus petit des éléments est relié au plus grand.

Le jour, nous déambulions dans les villages traversés, par les ruelles qui montaient ou descendaient, nous grimpions des escaliers, nous regardions les marchandises exposées dehors. Nous prêtions une grande attention aux jeunes filles et aux jeunes gens, non pas pour notre plaisir mais parce que nous faisions office de marieurs. Nous disions par exemple à Nikopol qu'il y avait à Roussé un jeune homme sympathique et instruit, appelons-le Shlomo, auquel ses parents cherchaient une épouse sympathique avec une dot. À Craiova, nous rapportions qu'il y avait à Bucarest une jeune fille aimable et bonne; sa dot était certes modeste, mais sa beauté était éblouissante à vous faire cligner des yeux, c'était Sara, la fille d'Abraham, le marchand de bétail. Reb Mordke et moi collections ces informations comme les fourmis leurs bouts de feuilles et leurs brindilles jusqu'à ce que se forme la fourmilière. Quand les choses aboutissaient, on nous invitait à la noce et, outre que nous avions à boire et à manger, nous gagnions de l'argent en tant que marieurs. Nous nous trempions toujours soixante-douze fois dans le *mikveh*, autant de fois qu'il y a de lettres dans le nom de Dieu. Ensuite, nous avions droit au jus de grenades pressées sous nos yeux, aux brochettes d'agneau et au bon vin. Nous projetions de faire de grandes affaires qui assureraient l'avenir de nos familles et nous permettraient de nous adonner à l'étude des livres.

Nous dormions avec les chevaux à l'écurie, sur la paille, à même le sol, mais quand nous pénétrions dans l'air chaud et parfumé du Sud, nous nous couchions sur les berges des cours d'eau, sous les arbres, en compagnie des animaux de portage silencieux et nous serrions très fort contre nous les pans de nos capotes dans lesquels se trouvaient cousues toutes les choses qui nous étaient précieuses. L'odeur douceâtre de l'eau sale, de la vase et du poisson pourri finissait même par être agréable au bout d'un moment, et ce d'autant plus que Mordekhaï expliquait que c'était la véritable senteur du monde. Le soir, nous parlions à mi-voix, tellement en accord qu'à peine l'un commençait à dire quelque chose que l'autre savait déjà où il voulait en venir. Quand Mordke parlait de Sabbataï et des chemins compliqués par lesquels le salut viendrait à nous, j'évoquais Besht, persuadé que la sagesse de ces deux hommes pouvait se rejoindre, mais ceci se révéla vite impossible. Avant que je n'aie à choisir entre les deux, nous discutâmes nos arguments des nuits entières. Je disais que Besht avait perçu une étincelle de sainteté en Sabbataï, mais que, selon lui, Samael l'avait interceptée et, par là même, qu'il s'était emparé de Sabbataï. Reb Mordke agitait alors les bras comme s'il voulait repousser loin de lui ces terribles paroles. Je lui racontais aussi que, chez Besht, j'avais moi-même entendu quelqu'un dire que Sabbataï, un jour, serait venu trouver Besht pour le prier de lui venir en aide, de le «réparer», car il pensait être un grand pécheur indigne. Pareille réparation, ou *tikkoun*, exige que le saint s'unisse à l'âme du pécheur, pas à pas, au cours des trois premières étapes de l'âme : d'abord la *néfesh* du saint, c'est-à-dire son âme animale, rejoint la *néfesh* du pécheur, puis, quand cela réussit, le *ruah*, autrement dit les sentiments et la volonté du saint, rejoint le *ruah* du pécheur pour qu'enfin la *neshama* du saint, et donc l'étincelle divine que nous avons tous en nous, s'unisse à la *neshama* du pécheur. Tandis que ce *tikkoun* se déroulait, Besht avait perçu combien il y avait eu de péchés et de ténèbres dans l'homme appelé Sabbataï, et il l'avait repoussé jusqu'à le faire tomber au fin fond du *shéol*.

Reb Mordke n'aimait pas ce récit. « Ton Besht n'a rien compris. L'important se trouve dans Isaïe », disait-il, et moi je hochais la tête, je connaissais le célèbre verset 53,9 du Livre d'Isaïe selon lequel la sépulture du Messie était au milieu des impies. Le Messie doit être originaire des milieux les plus humbles, pécheur et mortel. Une autre définition venait aussitôt à l'esprit de Reb Mordke, il la tirait du soixantième *tikkoun* du *Tikkounei ha-Zohar* : « Le Messie sera bon à l'intérieur, mais son habit sera mauvais. » Il expliquait que ces paroles s'appliquaient à Sabbataï Tsevi, qui, sous la pression du sultan, avait abandonné la religion juive pour se convertir à l'islam. Et ce fut ainsi que, fumant nos pipes, observant les gens et discutant, nous atteignîmes Smyrne où, au cours des nuits chaudes, je m'imbibais de ce savoir bizarre, tenu secret, selon lequel, juste par la prière et la méditation, il est impossible de sauver le monde, ce que, pourtant, beaucoup avaient tenté. Le devoir du Messie est terrible, son destin est celui de la bête d'abattoir. Il doit pénétrer au cœur du royaume des vases brisés, dans les ténèbres, pour en libérer les saintes étincelles. Il doit entrer dans l'antre du mal pour le détruire de l'intérieur. Il doit y pénétrer comme s'il en faisait partie, un pécheur parmi d'autres qui n'éveillera pas les soupçons des forces maléfiques, mais deviendra la poudre qui fera exploser la forteresse de l'intérieur.

J'étais jeune en ce temps-là et si j'avais conscience de la souffrance et de la douleur que j'avais déjà eu tout loisir d'observer, mon approche du monde était pleine de confiance, je le croyais bon et humain. Je me réjouissais de la fraîcheur nouvelle de chaque aube et de tout ce que j'avais à faire. Les couleurs criardes des bazars où nous vendions nos misérables marchandises me réjouissaient le cœur. Oui, j'étais joyeux, la tête me tournait à la vue de la beauté des femmes, de leurs grands yeux noirs, de leurs paupières soulignées d'un trait sombre, ou quand je regardais la délicatesse des garçons avec leurs corps souples et agiles. J'étais en joie à cause des dattes mises à sécher, de leur douceur sucrée, des stries émouvantes des turquoises, de toutes les couleurs de l'arc-en-ciel que formaient les épices étalées dans le bazar.

«Ne te laisse pas séduire par ce vernis, gratte un peu du bout de l'ongle pour voir ce qu'il y a en dessous», répétait Reb Mordke avant de m'entraîner dans des cours crasseuses où il me montrait un tout autre univers. Des vieillardes malades couvertes de pustules y mendiaient aux portes du bazar; des hommes malades, éreintés par le haschisch s'y prostituaient; dans les banlieues, des cahutes se dressaient tant bien que mal; des meutes de chiens galeux fouillaient les ordures entre les cadavres de leurs compagnons crevés de faim. C'était un univers de cruauté et de mal insensés, où tout courait à sa propre perte, dislocation et mort.

«Le monde n'a aucunement pour origine un Dieu bon, me dit un jour Reb Mordke quand il estima que j'en avais vu suffisamment. Dieu a créé tout cela par hasard puis s'en est allé. Tel est le grand mystère. Le Messie viendra en silence, le monde sera alors plongé dans les plus profondes ténèbres, la plus grande des pauvretés, le mal et la souffrance. Ce Messie sera traité comme un criminel, les prophètes l'ont prédit.»

Ce soir-là, à la lisière d'un gigantesque tas d'ordures aux abords immédiats de la ville, Reb Mordke sortit de son sac un manuscrit recouvert de grosse toile pour tromper le monde, de sorte qu'il n'ait l'air de rien et n'attire aucune convoitise. Je savais de quel livre il s'agissait, mais Mordekhaï ne m'avait jamais proposé de le lire avec lui, et moi je n'avais pas osé le lui demander alors que j'étais dévoré de curiosité. Je pensais que le temps viendrait où il me le montrerait. Et il arriva! Je mesurai l'importance du moment, un frisson me parcourut l'échine, mes cheveux se hérissèrent quand, l'ouvrage en main, j'entrai dans le cercle de lumière. Je me mis à lire à haute voix avec émotion.

C'était le traité *Va-Avo hayom el ha-Ay'yin*, «Je suis venu aujourd'hui à la source», rédigé par Jonathan Eybeschutz, le maître de mon Reb Mordke. Je sentis alors que j'étais devenu un nouveau maillon de la longue chaîne des initiés qui traverse les générations, commence bien avant Sabbataï Tsevi, avant Abraham ben Samuel Aboulafia, avant Simon Bar-Jona, avant... l'aube des temps, et que parfois cette chaîne disparaît dans la boue, l'herbe la gagne, les ruines provoquées par les guerres la recouvrent, mais elle résiste et monte vers l'avenir.

6

Un invité étranger à la noce
en bas blancs et sandales

L'étranger qui pénètre dans la pièce doit baisser la tête, aussi ce que l'on remarque d'abord n'est pas son visage mais sa tenue. Il porte un manteau clair défraîchi comme l'on n'en voit guère en Pologne, des bas blancs et des sandales souillés de boue. Il porte à l'épaule un sac en cuir brodé de fils de couleur. À sa vue, les conversations s'arrêtent, ce n'est que lorsqu'il relève la tête et que la lumière des lampes se pose sur son visage qu'un cri s'élève :

– Nahman ! Mais c'est notre Nahman !

Tout le monde n'est pas au fait, aussi murmure-t-on :

– Quel Nahman ? D'où ? Le rabbin de Busk ?

On le conduit aussitôt à Elisha Shorr, dans la pièce où sont assis les anciens, Rabbi Hirsz de Lanckoruń, Rabbi Mosze de Podhajce, le grand kabbaliste, et Zalman Dobruszka de Prossnitz. La porte se ferme.

Le ballet des femmes commence. La fille d'Elisha et ses aides préparent la vodka, le borchtch chaud et le pain à la graisse d'oie. La plus jeune remplit une bassine d'eau afin que le voyageur puisse se laver. Haya est la seule à pouvoir entrer chez les hommes. Elle observe Nahman qui se lave soigneusement les mains. L'homme qu'elle voit est de taille modeste, mince, habitué à voûter le dos, ses traits sont aimables, ses yeux sont un peu tombants, comme s'ils étaient éternellement tristes. Il a les cheveux longs, soyeux, châtains, et sa barbe est d'un roux grisonnant. Le visage allongé reste jeune malgré les rides nombreuses qui lui entourent les yeux. Nahman ne cesse de cligner des paupières. La lumière des lampes lui colore les joues en orange et rouge. Quand il s'assied à table, il retire ses sandales, complètement inadaptées à la saison et aux pluies de Podolie. Haya observe maintenant ses grands pieds osseux dans les chaussettes claires et sales. Elle songe que ces pieds-là arrivent de Salonique, de Smyrne et d'Istanbul, sont encore couverts de poussière macédonienne et valaque, et tout cela pour que les bonnes nouvelles arrivent à Rohatyn. Mais ce sont peut-être de mauvaises nouvelles? Elle ne sait qu'en penser.

Elle jette un regard discret à son père. Que va-t-il dire? Mais il tourne la tête vers le mur et se balance doucement d'avant en arrière. Les informations que rapporte Nahman sont d'une importance si considérable que les anciens décident d'un commun accord qu'il doit en informer tout le monde.

Haya observe son père. L'absence de sa mère décédée l'année précédente se fait sentir. Son père voulait se remarier, mais Haya s'y est opposée et elle ne le permettra jamais. Elle ne veut pas de belle-mère. Elle tient sa fillette sur ses genoux, elle a croisé les jambes, l'enfant fait semblant de monter un cheval. De sous les jupes plissées de la jeune femme émergent ses magnifiques bottes rouges lacées qui lui montent à mi-mollet. Leurs pointes cirées, mi-rondes mi-pointues, attirent le regard.

Nahman commence par remettre les lettres de Reb Mordke et d'Isohar à Shorr, qui les lit lentement et en silence. Les autres attendent qu'il ait fini. L'air se densifie, semble devenir pesant.

– Et tout vous indique que c'est bien lui? demande Elisha Shorr à Nahman après un temps infiniment long.

Nahman confirme. La tête lui tourne à cause de la fatigue et de la vodka. Il sent sur lui le regard de Haya dont il pourrait dire qu'il est collant et humide comme une langue de chien.

– Laissez-le se reposer, dit Elisha qui se lève pour tapoter amicalement l'épaule de Nahman.

Les autres se rapprochent également pour poser la main sur le bras ou le dos du voyageur. Un cercle se forme ainsi, les bras de chacun se plaçant de part et d'autre sur les épaules des voisins. Pendant un instant, rien ne peut y pénétrer et quelque chose semble apparaître au centre, une présence étrange. Ils restent ainsi courbés vers l'intérieur du cercle, leurs têtes penchées se touchent presque. Puis, l'un d'eux fait un pas en arrière, c'est Elisha Shorr, et ils s'écartent, joyeux, le rouge aux joues ; pour finir, quelqu'un donne à Nahman des bottes en peau de mouton pour qu'il se réchauffe les pieds.

Le récit de Nahman où il est question de Jakób pour la première fois

Les bruits et les murmures cessent lentement, Nahman attend un long moment, conscient d'avoir désormais toute l'attention. Il commence par un profond soupir, après lequel s'instaure un silence absolu. L'air qu'il inspire et expire aussitôt de ses poumons provient indéniablement d'un autre monde – le souffle de Nahman grandit comme la pâte à levure de la brioche tressée, se dore et dégage une odeur d'amandes, il resplendit du chaud soleil méridional et porte l'odeur d'un fleuve qui s'étale généreusement – car c'est l'air de Nikopol, une ville valaque dans un pays lointain, et le fleuve, c'est le Danube qui l'arrose. Le Danube y est tellement large que parfois, aux jours de brume, on n'aperçoit pas l'autre rive. La ville est dominée par une forteresse à vingt-six tours et deux portes d'entrée. Le château est gardé par des hommes dont le commandant habite au-dessus de la prison où sont retenus les voleurs et ceux qui n'ont pas payé leurs dettes. La nuit, les gardes battent du tambour et crient : «*Allahu akbar!*» La région est rocailleuse, desséchée en été, mais des figues et des mûres poussent à l'ombre des maisons, et, sur les collines, il y a des vignes. La cité se trouve sur la rive sud du fleuve, elle compte trois mille maisons magnifiques couvertes de tuiles ou de bardeaux. Les quartiers turcs y sont les plus nombreux, viennent ensuite les quartiers juifs et chrétiens. Sur la place du marché, il y a toujours foule parce qu'on y trouve jusqu'à mille boutiques magnifiques. Les artisans possèdent des ateliers dans des appentis correctement construits dans le prolongement des échoppes. Particulièrement nombreux, les tailleurs ont ici la réputation de savoir coudre n'importe quel vêtement, manteau ou chemise, même si ce qu'ils réussissent le mieux ce sont les habits à la mode circassienne. Et combien n'y a-t-il pas de nationalités dans le bazar! Des Valaques, des Turcs, des Moldaves et des Bulgares, des Juifs et des Arméniens, et on peut même y rencontrer parfois des marchands de Gdańsk!

La foule rutile de couleurs et parle diverses langues; des marchandises inouïes sont exposées à la vente: des épices odorantes, des kilims criards, des douceurs turques tellement sucrées qu'on peut en défaillir de plaisir, des dattes et des raisins secs de toutes les variétés, ou de belles babouches en cuir teint et brodées de fils argentés.

– Beaucoup des nôtres ont là-bas leurs échoppes ou un commissionnaire, et certains connaissent bien cet endroit béni.

Nahman s'assied plus confortablement et fixe le vieux Shorr, mais le visage de celui-ci est insondable, pas un de ses cils ne bouge.

Nahman pousse de nouveau un profond soupir et se tait un moment, ainsi se rend-il maître de sa propre impatience comme de celle des autres. Tous les regards semblent le presser et lui dire «la suite, allons la suite», car chacun sait que le véritable récit n'a pas encore commencé.

D'abord, Nahman évoque la jeune mariée. Quand il parle d'elle, de Chana, la fille du grand Tov, il fait inconsciemment de la main des gestes souples, très délicats, qui ajoutent du velouté à ses paroles. Les yeux du vieux Shorr se rétrécissent un instant comme quand le rire est approbateur: c'est ainsi qu'il convient de parler d'une jeune mariée. L'auditoire hoche la tête, satisfait. La beauté, la douceur et la perspicacité des jeunes filles sont l'espoir de tout leur peuple. Quand de nouveau le nom du père de Chana est prononcé, quelques claquements de langues se font entendre dans l'assemblée, aussi Nahman fait-il silence un instant pour donner à ses auditeurs le temps de savourer. Le monde s'accomplit, se répare à nouveau. Le *tikkoun* a commencé.

Le mariage a eu lieu à Nikopol quelques mois plus tôt, en juin. De Chana nous savons tout déjà. Le père de la mariée est Iehuda Tov ha-Levi, un sage, un grand *hakham* dont les écrits sont même arrivés ici, à Rohatyn, et Elisha Shorr les possède dans son armoire, il les étudiait encore récemment. Tov a de nombreux fils, mais Chana est son unique fille.

Comment se fait-il que ce Jakób Lejbowicz ait pu la mériter, cela n'est toujours pas très clair. Qui est-il pour que Nahman parle de lui avec autant d'émotion? Et pourquoi précisément de lui? Jakób Lejbowicz de Korolówka? Non, de Czerniowce. Un des nôtres ou pas? Évidemment, des nôtres, puisque Nahman en parle! C'est un natif d'ici, quelqu'un se souvient avoir connu son père, ne serait-il donc pas le petit-fils de Ienta qui est en train de se mourir dans cette maison? Tout le monde fixe alors du regard Izrael de Korolówka et sa femme Sobla, mais eux, incertains de ce qui sera dit, restent silencieux. Le rouge monte aux joues de la jeune femme.

– Jehuda Lejb de Czerniowce est le père de ce Jakób, déclare Elisha Shorr.

– C'est lui qui était rabbin à Czerniowce, réalise Mosze de Podhajce.

– Tout de suite rabbin, allons… réagit avec humeur Jeruchim, qui commerce avec les Shorr. Il apprenait à lire aux enfants de la yeshivah. On l'appelait Buchbinder.

– C'est le frère de Mosze Meir Kamenker, déclare Shorr avec sérieux – et le silence tombe pour un moment car ce Kamenker était devenu un héros en transportant des livres interdits aux frères vrai-croyants d'Allemagne, une action qui lui avait valu d'être frappé par le *herem*.

Maintenant, ils se souviennent. Ils prennent la parole à qui mieux mieux pour dire que ce Jehuda avait d'abord été régisseur à Bereżanka et à Czerniowce, au service d'un noble polonais pour lequel il collectait les impôts sur les paysans. Il paraît aussi qu'il s'était fait rosser par ces derniers et que, lorsqu'il avait rapporté l'incident au seigneur, celui-ci avait tellement fait fouetter les rustres que l'un d'eux en mourut. C'en était trop et le Buchbinder dut quitter la région, les paysans ne l'auraient plus jamais laissé en paix. Qui plus est, il avait les Juifs contre lui parce qu'il lisait les écrits de Nathan de Gaza sans s'en cacher. C'était un homme bizarre, emporté. Quelqu'un se rappelle que, après le *herem* jeté sur son frère, les rabbins s'en prenaient tellement à ce Lejb qu'il laissa tomber ses fonctions pour s'installer à Czerniowce en Valachie où, sous l'administration turque, la vie était plus paisible.

– Ils ont toujours été attirés par les Turcs tellement ils avaient peur des Cosaques, ajouta encore Malka, la sœur d'Elisha.

Nahman comprend que le personnage du père de Jakób n'est guère apprécié. Plus ils en apprendront sur lui, pire ce sera pour son fils. Aussi laisse-t-il le père de côté.

Nul n'est prophète en son pays : cela reste une grande vérité, il faut qu'un prophète soit un étranger en quelque sorte. Il doit venir d'une terre lointaine, tomber du ciel, avoir un air insolite, improbable. Un mystère doit l'entourer, comme celui, chez les goyim, d'être né d'une vierge. Il doit marcher autrement, parler autrement. Le mieux serait qu'il fût originaire d'endroits inimaginables d'où proviennent des mots exotiques, des mets jamais consommés, des fragrances jamais humées, la myrrhe, les oranges.

Mais ce n'est pas complètement vrai non plus. Un prophète doit aussi faire partie de la communauté, avoir un peu de notre sang, être le lointain parent d'une personne que nous aurions pu connaître, mais dont nous aurions oublié à quoi elle ressemblait. Dieu ne parle jamais à travers le voisin, celui avec lequel nous nous sommes disputé le puits ou celui dont les charmes de l'épouse nous attirent.

Nahman attend qu'ils aient fini.

– Moi, Nahman de Busk, j'étais l'un des témoins à ce mariage. Reb Mordke de Lwów était l'autre.

Dans l'esprit de tous ceux qui sont réunis à l'étroit dans cette pièce basse de plafond s'impose une pensée qui leur redonne de l'espoir. Tous sont en relation avec tous. Le monde n'est que le multiple de cette chambre de la demeure rohatynienne des Shorr située en haut de la place du marché. L'éclat des étoiles y pénètre entre les rideaux mal ajustés mais aussi par les fentes des portes grossières, et ces étoiles sont de bonnes amies parce qu'un cousin ou un ancêtre avait certainement des contacts étroits avec elles. Prononce une parole dans cette pièce de Rohatyn et, dans un instant, elle se diffusera dans le monde par les chemins et les routes, à la suite des caravanes, portée par les émissaires qui circulent sans fin d'un pays à l'autre, portent des lettres et répètent les rumeurs. À l'exemple de Nahman ben Levi de Busk.

Nahman sait maintenant ce qu'il doit dire, il parle longuement de la tenue de la mariée, de la beauté de son frère jumeau, Chaïm, qui lui ressemble tellement qu'ils sont comme deux gouttes d'eau. Il décrit les plats que l'on servit à table, les musiciens et leurs instruments exotiques qu'ici, dans le Nord, on ne voit jamais. Il parle des figues qui mûrissent sur les arbres, de la maison de pierre depuis laquelle on voit le grand fleuve Danube et les vignes où déjà les grappes sont formées, qui rappelleront bientôt les seins de Lilith, gorgés de lait.

Le jeune marié, Jakób Lejbowicz, est grand et bien bâti, explique Nahman ; vêtu à la turque, il fait penser à un pacha. On parle de lui en disant «Jakób le Sage», alors qu'il n'a pas trente ans. Il a étudié à Smyrne chez Isohar de Podhajce (là on entend de nouveau des claquements de langue admiratifs). En dépit de son jeune âge, il a déjà réuni une grande fortune en faisant commerce de soie et de pierres précieuses. Sa future épouse a quatorze ans. Un beau couple. Au moment de la cérémonie du mariage, le vent cessa.

– Alors, dit Nahman – et il suspend sa phrase un instant même s'il a hâte de poursuivre… alors Iehuda Tov ha-Levi pénétra sous le baldaquin pour approcher ses lèvres de l'oreille de son beau-fils. Le monde entier se serait-il tu, les oiseaux auraient-ils cessé de chanter, les chiens d'aboyer, les voitures se seraient-elles arrêtées, personne n'aurait entendu le mystère que Tov révéla à Jakób. Car c'était le *raz de-Meheymanut*, un mystère de notre foi, et rares sont ceux qui peuvent l'entendre. Il est si puissant que le corps de celui à qui il est révélé se met paraît-il à trembler. On ne peut le murmurer qu'à l'oreille de quelqu'un de très proche, dans une pièce sombre qui plus est, pour que personne ne le lise sur les lèvres ou ne le devine aux traits surpris du visage. Il se chuchote à l'oreille de ceux qui ont prêté serment de ne jamais le répéter à personne sous peine d'un sortilège qui leur vaudrait une maladie ou une mort soudaine. Comment pareil mystère peut-il tenir en une phrase? interroge Nahman, anticipant ainsi une question qui pourrait tomber. Est-ce une simple affirmation ou, au contraire, une négation? Ou peut-être une interrogation?

Quoi que ce soit, celui qui a connaissance de ce mystère sera serein et sûr de lui. À dater de ce moment, la chose la plus alambiquée lui semblera simple. Peut-être s'agit-il d'une complexité, celle-ci est toujours plus proche de la vérité, une phrase hermétique qui ferme la tête aux pensées et l'ouvre à la vérité. Le mystère est peut-être une formule magique de quelques syllabes, en apparence sans signification, ou une série de chiffres, une gématrie parfaite où les valeurs numériques des lettres révèlent un sens complètement différent.

– Il y a des années de cela, Chaïm Malach avait été envoyé de Pologne en Turquie à la recherche de ce mystère, dit Shorr.

– Mais l'a-t-il rapporté? doute Jeruchim.

Un murmure traverse la pièce. Nahman sait raconter, mais l'assemblée a du mal à croire que tout cela concerne l'un des siens. Ici? De la sainteté? D'où vient ce nom? «Jakób Lejbowicz», cela sonne comme le nom du premier bougre venu, le peaussier de Rohatyn ne porte-t-il pas le même?

Tard le soir, une fois tout le monde parti, Elisha Shorr prend Nahman sous le bras et les deux hommes sortent sur le seuil de la boutique.

– Nous ne pouvons pas nous fixer ici, dit-il en indiquant d'un geste de la main la place boueuse de Rohatyn et les nuages sombres qui filent tellement bas qu'on les entend presque quand ils se déchirent au clocher de l'église. Nous n'avons pas le droit d'acheter de la terre pour nous y établir à jamais. On nous chasse de partout et chaque génération connaît une catastrophe, une véritable *gezerah*. Qui sommes-nous? Qu'est-ce qui nous attend?

Les deux hommes se séparent de quelques pas et, dans l'obscurité, on entend les jets d'urine frapper les planches de la palissade.

Nahman voit une petite maison qui ploie sous son toit de chaume, ses fenêtres sont minuscules, ses planches vermoulues ; derrière cette masure, il en apparaît d'autres, rajoutées, tout aussi inclinées, collées les unes aux autres comme le sont les alvéoles de cire dans leur cadre. Il sait qu'il y a entre ces bicoques d'innombrables passages, couloirs et recoins où attendent des charrettes avec du bois à décharger. Il y a aussi des cours entourées de clôtures basses sur lesquelles des pots d'argile se chauffent au soleil dans la journée. De là, des passages mènent à d'autres cours tellement exiguës qu'on peut difficilement se retourner, avec leurs trois entrées dont chacune ouvre sur un intérieur différent. Il y a de minuscules greniers qui relient les demeures par le haut, ils sont pleins de pigeons, vives horloges pour lesquelles le temps écoulé se mesure aux couches de fientes. Dans les jardinets de la taille d'une cape étendue, du chou peine à pousser, des carottes s'accrochent à la terre. Il y a peu de place pour les fleurs, hormis les roses trémières qui ne poussent qu'en hauteur, et là, en octobre, leurs tiges semblent soutenir la chaumière. Près des palissades, le long des ruelles, un dépôt d'ordures s'étale, des chats et des chiens retournés à l'état sauvage le gardent. Il s'étend à travers toute la petite ville, dans les vergers et sur le bord de la route qui mène à la rivière, où les femmes lessivent laborieusement toute la saleté du bourg.

– Nous avons besoin de quelqu'un qui nous soutiendra en tout, qui nous aidera. Et qui ne soit ni un rabbin, ni un sage, ni un riche, ni un guerrier. Nous avons besoin d'un homme fort qui ait l'air d'un faiblard et qui soit sans peur. Il nous fera sortir d'ici, dit Elisha Shorr en s'emmitouflant dans son manteau. Connais-tu quelqu'un comme ça ?

– Où ? Où devrions-nous aller ? demande Nahman. En terre d'Israël ?

Le vieux Shorr se retourne pour rentrer. Nahman sent son odeur le temps d'un instant, celle du tabac pas complètement séché.

– Dans le monde – Elisha Shorr fait un geste de la main comme s'il voulait englober un vaste espace devant eux, par-dessus les toits de Rohatyn.

Une fois qu'ils sont rentrés, Elisha dit à son ami :

– Nahman, fais-le venir ici. Ce Jakób.

L'école d'Isohar, ou qui Dieu est-il vraiment. Suite du récit de Nahman ben Levi de Busk

Smyrne sait qu'elle est pécheresse avec ses illusions et ses tromperies. Dans ses ruelles étroites, de jour comme de nuit, l'on commerce ; quelqu'un a toujours quelque chose à vendre, quelqu'un veut toujours acheter quelque chose. Les marchandises passent de main en main, les paumes se tendent pour saisir l'argent qui disparaît vite dans la profondeur des poches de manteaux ou dans les plis des pantalons très larges. Les pièces tintent dans les bourses, les petits sacs, les petites boîtes, les sacoches ; chacun a l'espoir de s'enrichir par ses transactions. Des comptables, appelés *sarafam*, sont assis sur les marches des mosquées ; ils tiennent sur leurs genoux une tablette pourvue d'une gouttière servant à ordonner les pièces d'argent qu'ils ont comptées. À côté d'eux, il y a des sacs d'argent et d'or, et de toutes valeurs en lesquelles un client pourrait souhaiter changer son capital. Ces hommes disposent sans doute de toutes les monnaies qui existent et connaissent le cours de chacune ; aucun livre des plus savants, aucune carte parmi les meilleures ne saurait représenter le monde comme le font les profils des monarques avec leurs noms frappés dans le bronze, l'argent et l'or. C'est à partir de là, de la surface plane de la moindre piécette, qu'ils exercent leur pouvoir et, tels des dieux païens, posent un regard sévère sur leurs sujets.

À Smyrne, l'enchevêtrement des ruelles est tel que l'on peut facilement s'y égarer si l'on ne fait pas attention à son chemin. Les plus nantis y ont leurs échoppes et leurs magasins, dont les réserves s'enfoncent jusque dans la profondeur des habitations où réside la famille et s'entrepose la marchandise la plus précieuse. Les venelles sont souvent couvertes, de sorte que la ville évoque un véritable labyrinthe et il arrive maintes fois qu'un visiteur s'y perde jusqu'à ce qu'il retrouve un endroit par lequel il est déjà passé. Il n'y a presque pas de verdure, ici ; là où s'élève une maison ou un édifice religieux, la terre est sèche et caillouteuse, avec des détritus, des déchets en train de pourrir que fouillent les chiens et les oiseaux, prêts à se battre pour la moindre nourriture.

À Smyrne, les Juifs de Pologne sont nombreux, ils y viennent tantôt en quête d'aumône, n'ayant connu chez eux que la misère, tantôt pour affaires et celles-ci peuvent être modestes – à peine quelques pièces d'or – ou importantes au point de nécessiter toujours plus de coffres et de sacs pour engranger les bénéfices. Ils circulent, s'informent, commercent et ne pensent pas à rentrer. Les Juifs de Smyrne les regardent de haut, ils ne connaissent pas leur langue et, de fait, communiquent avec eux en hébreu (pour ceux qui le peuvent) ou en turc. Les nouveaux venus sont reconnaissables à leurs vêtements chauds, souvent de piètre facture, un peu sales, aux ourlets du bas effilochés, et qui laissent deviner le long chemin parcouru. À présent, on les voit débraillés, leurs boutons défaits, parce qu'il fait très chaud ici.

Certains des riches marchands de Podolie ont à Smyrne leurs représentants, qui veillent à la circulation des articles, prêtent de l'argent, fournissent des garanties de transport et tiennent boutique en l'absence du propriétaire.

Beaucoup d'entre eux, la plupart en fait, sont des fidèles de Sabbataï Tsevi. Ils ne s'en cachent pas et honorent ouvertement le Messie, sans nulle crainte ; en Turquie, il n'y a aucune persécution, le sultan tolère diverses religions pour peu qu'elles évitent un prosélytisme excessif. Ces Juifs se sont plutôt habitués à leur nouveau lieu de vie ; déjà turquisés dans leur apparence, ils sont à l'aise dans leur manière de se conduire ; les autres, restés orthodoxes et moins sûrs d'eux-mêmes, s'habillent encore comme des Juifs, mais, déjà, leurs habits tissés en Podolie s'agrémentent d'éléments étrangers, de couleurs – une sacoche aura des ornements, une barbe sera taillée à la dernière mode ou leurs chaussures seront des turques en cuir souple. Ainsi la foi se signale-t-elle par la tenue. Mais il est connu que, parmi ceux qui semblent être des

Juifs des plus conformistes, les convertis aux idées sabbataïstes sont également nombreux.

Nahman et Reb Mordke se rapprochent de tous ceux-là, car il leur est plus facile de s'entendre avec des gens qui portent un regard semblable au leur sur le monde immense et haut en couleur. Il y a peu, ils ont rencontré Nussen qui est originaire de Podolie comme eux et qui se débrouille à Smyrne mieux que n'importe quel natif de la ville.

Nussen, qui est borgne, fils du sellier Aron de Lwów, achète des peaux teintes, souples, délicates, estampées de divers motifs. Il les fait emballer puis organise leur transport vers le nord pour en laisser une partie à Bucarest, une autre à Vidin ou Giurgiu, et en faire parvenir une dernière en Pologne. La quantité qui arrive à Lwów correspond exactement aux besoins de ses fils pour faire tourner leur atelier de fabrication de reliures de livres, de portefeuilles et de bourses. Nussen est vif et nerveux, il parle vite en mêlant plusieurs langues. Aux rares instants où il sourit, il laisse voir des dents régulières d'une blancheur parfaite, le spectacle en est remarquable, et son visage devient très beau. Il connaît tout le monde à Smyrne. Il se déplace avec aisance entre les échoppes, par les ruelles étroites où il se fraye un chemin entre les voitures et les ânes. Les femmes sont sa seule faiblesse. Il ne sait résister à aucune d'elles, de sorte qu'il se retrouve toujours dans des situations compliquées ; en outre, il est incapable d'économiser assez d'argent pour rentrer en Pologne.

Grâce à lui, Reb Mordke et Nahman parviennent à trouver Isohar de Podhajce ; Nussen les conduit chez le sage, qu'il est très fier de connaître personnellement.

L'école d'Isohar est un bâtiment à étage, étroit et élevé, dans le quartier turc. Un oranger pousse au centre de la cour où règne la fraîcheur, plus loin se trouve un jardin avec de vieux oliviers à l'ombre desquels il n'est pas rare que s'installent des chiens errants. On les chasse en leur jetant des pierres, tous sont jaunes, comme s'ils étaient de la même famille, de la même Ève canine. Ils ne quittent pas volontiers l'ombre, bougent paresseusement et leur regard dit assez que les hommes sont leur éternel tourment.

Dans la maison, il fait frais et sombre. Isohar accueille Reb Mordke chaleureusement, son menton tremble d'émotion, les deux vieillards un peu voûtés se prennent par l'épaule et se mettent à tourner, comme s'ils célébraient la danse des nuages blancs accrochés à leurs lèvres sous l'apparence de barbes. Ils trottent l'un autour de l'autre, en tout point semblables, sinon qu'Isohar est plus délicat et plus pâle, on voit qu'il sort rarement au soleil.

Une chambre est offerte aux voyageurs, parfaite pour deux. La célébrité de Reb Mordke se reporte sur Nahman, qui est traité avec sérieux et respect. Enfin il peut dormir dans un lit propre et confortable.

Les jeunes adeptes dorment au rez-de-chaussée, à même le sol, les uns à côté des autres, à peu près comme chez Besht à Międzybórz. La cuisine se trouve dans la cour. Pour l'eau, on va remplir des cruches au puits juif d'à côté.

La pièce où se fait l'enseignement est toujours pleine de paroles et de bruits comme s'il y avait un marché, si ce n'est qu'ici on fait commerce d'autre chose. Jamais il n'apparaît clairement qui est le maître et qui l'élève. La préconisation de Reb Mordke est qu'il convient de s'instruire auprès des jeunes sans expérience et qui ne sont pas dévoyés par les livres. Isohar va plus loin : s'il reste l'axe, si tout tourne autour de lui, c'est le *Beth Midrash* qui est important et fonctionne comme une ruche ou une fourmilière, et s'il y a une reine ce ne peut être que la Sagesse. Les jeunes y ont de vastes prérogatives, ils peuvent et doivent poser des questions, aucune n'est sotte et chacune demande réflexion.

Les discussions sont les mêmes qu'à Lwów ou Lublin ; ce qui change, ce sont les circonstances et l'environnement, cela ne se déroule pas dans une masure humide et pleine de fumée, dans une classe avec de la sciure par terre qui sent bon le pin, mais à ciel ouvert, sur des pierres chaudes. Le soir, les débatteurs sont concurrencés par les cigales et ils doivent élever la voix pour s'exprimer clairement et être compris.

Isohar leur enseigne qu'il y a trois voies pour la recherche spirituelle. L'une est générale et c'est la plus simple. Ainsi est-elle suivie par les ascètes musulmans, par exemple. Ils utilisent toutes les astuces possibles et imaginables pour éradiquer de leurs âmes la moindre forme naturelle, la moindre représentation du monde terrestre. Parce que celles-ci font obstacle aux formes réellement spirituelles ; or, quand l'une de ces dernières se manifeste, il faut l'isoler pour l'amplifier en imagination jusqu'à ce qu'elle prenne possession de toute notre âme, nous autorisant alors à prophétiser. Ainsi les musulmans répètent-ils en permanence et sans fin le nom d'Allah jusqu'à ce que le mot occupe tout leur esprit. Ils appellent cela l'«éteignoir».

La deuxième voie est de nature philosophique, elle est douce à notre esprit. Le disciple acquiert un savoir dans un domaine, par exemple les mathématiques, puis dans d'autres, et ce jusqu'à ce qu'il en arrive à la théologie. La matière qu'il a approfondie et qui a pris possession de son esprit le domine et il a l'impression qu'il est un grand maître dans tous les domaines. Il commence à comprendre diverses relations complexes et il est persuadé que c'est parce qu'il a élargi et approfondi son savoir humain. Ce qu'il ignore, c'est que les lettres captées par sa pensée et son imagination agissent sur lui de telle sorte que par leur mouvement elles organisent son esprit pour lui ouvrir la porte à une spiritualité inexprimable.

La troisième voie, kabbalistique, repose sur le déplacement, la prononciation et le comptage des lettres, elle mène à la vraie spiritualité. Elle est la meilleure des trois, elle procure en outre beaucoup de plaisir car, grâce à elle, on côtoie de près l'essence de la création et on acquiert la connaissance de qui Dieu est vraiment.

Mis en ébullition par de telles conversations, l'esprit ne se calme pas aisément et Nahman, après avoir fumé avec Reb Mordke sa dernière pipe, voit défiler d'étranges tableaux devant ses yeux avant qu'il ne s'endorme, avec des ruches remplies d'abeilles lumineuses ou encore des personnages ténébreux dont émergent d'autres êtres. Illusions que tout cela. Il n'arrive pas à s'endormir, son insomnie est accrue par la canicule inouïe à laquelle les gens du Nord comme lui peinent à s'habituer. Il n'est pas rare que, la nuit, Nahman reste assis seul au bord du tas d'ordures à observer le ciel étoilé. La première chose que doit comprendre tout adepte est que Dieu, indépendamment de ce qu'il peut être, n'a rien à voir avec l'homme et qu'il reste tellement lointain qu'il est inaccessible aux sens humains. Il en est de même pour ses intentions. Jamais les hommes ne sauront ce qu'il veut.

À propos de Jakób le rustre et des impôts

Déjà au cours de leur périple, ils avaient entendu des voyageurs parler de Jakób, un élève d'Isohar célèbre parmi les Juifs, même si l'on ne savait pas vraiment pourquoi. Était-ce pour la vivacité de son esprit et sa conduite étrange, en rupture avec tous les principes ? Ou bien à cause de sa sagesse, extraordinaire chez un homme aussi jeune ? Il paraîtrait que lui-même se tenait pour un rustre et se faisait appeler ainsi : l'Amorrite, le rustre. On affirmait qu'il était plus que bizarre. On disait que, encore en Roumanie, ce garçon qui n'avait peut-être que quinze ans serait entré comme si de rien n'était dans une auberge où l'on collectait un impôt sur les marchandises, et, après s'être installé à une table, qu'il se serait fait servir du vin et de la nourriture, aurait sorti des documents puis ordonné qu'on lui présentât les articles imposables. Après les avoir scrupuleusement enregistrés par écrit, il aurait gardé l'argent pour lui. La prison le guettait, mais une dame très riche se présenta pour le défendre : grâce à sa protection, on le traita avec clémence et toute l'affaire fut mise sur le compte de la nonchalance juvénile.

En écoutant ce récit, tout le monde souriait avec approbation et se donnait des petites tapes dans le dos. Cela plaisait bien à Reb Mordke, également. Nahman, quant à lui, trouvait la conduite du héros incongrue, et, à vrai dire, il était surpris que non seulement son maître mais aussi toutes les autres personnes en gloussent de contentement.

– Pourquoi êtes-vous tellement ravis? demanda-t-il furieux.

Reb Mordke cessa de rire pour lui lancer un regard noir.

– Réfléchis donc à ce qu'il y a de bon dans cette histoire, dit-il avant de prendre paisiblement sa pipe.

Pour Nahman, il était manifeste que ce Jakób avait trompé les gens en leur prenant de l'argent qui ne lui était nullement dû.

– Pourquoi es-tu du côté de ceux-là? lui demanda Reb Mordke.

– Parce que moi aussi je dois payer le fouage, alors que je n'ai rien fait de mal. C'est pourquoi j'ai pitié des gens auxquels on a pris ce qui leur appartenait. Quand le véritable collecteur d'impôts est arrivé, ils ont dû payer encore une fois.

– Parce que tu crois qu'ils ont payé pour quoi?

– Comment cela, pour quoi? rétorqua Nahman surpris par ce que disait son maître. Comment cela «payer pour quoi?» ajouta-t-il – et les mots lui manquèrent tant devoir payer lui semblait une évidence.

– Tu paies parce que tu es Juif, tu vis par la grâce seigneuriale ou royale. Tu paies des impôts, mais quand une injustice te frappe, ni le noble ni le roi ne te viennent volontiers en aide. Est-il écrit quelque part que ta vie a un coût? Que l'une de tes années d'existence, l'un de tes mois ou de tes jours peut être converti en or? l'interrogea alors Reb Mordke en remplissant calmement et soigneusement sa pipe.

Nahman trouva là matière à réflexion, plus encore que dans leurs disputes théologiques. Comment se fait-il que les uns paient et que les autres collectent? D'où vient que les uns ont des terres tellement vastes qu'ils ne parviennent pas à en faire le tour, alors que d'autres doivent louer un lopin pour lequel ils paient si cher qu'il ne leur reste plus rien pour le pain?

– Ils le tiennent de leurs père et mère, dit-il sans conviction quand, le lendemain, il reprit cette conversation avec Reb Mordke.

– Et les pères, d'où le possédaient-ils?

– Des leurs? répondit Nahman sans finir sa phrase bancale, car il venait de saisir comment cela fonctionnait – aussi poursuivit-il comme s'il était son propre interlocuteur: Un service rendu au roi leur a peut-être valu une propriété en échange. Ou encore, ils ont acheté une terre qu'ils transmettent à leurs descendants...

Sur ce, Nussen, le borgne toujours vif à s'emporter, lui coupa la parole:

– Il me semble à moi que la terre ne devrait ni se vendre ni s'acheter en propre. Tout comme l'eau et l'air. Ou le feu dont on ne fait pas commerce. Ces choses qui nous ont été données par Dieu, non pas à chacun de nous en particulier, mais à nous tous en commun. Comme le ciel et la terre. Le soleil appartient-il à quelqu'un? Ou bien les étoiles?

– Bien sûr que non puisqu'ils sont sans bénéfice. Ce qui apporte du profit à l'homme doit être la propriété de quelqu'un... tenta Nahman.

– Comment cela, le soleil n'apporte aucun bénéfice! s'écria Jeruchim. Si les mains des envieux pouvaient l'atteindre, elles le mettraient aussitôt en pièces pour le cacher dans leur coffre et le vendre aux autres en temps voulu!

– C'est bien cela, la terre est découpée comme le cadavre d'un animal, on s'en empare, on la surveille, on la défend, marmonna entre ses dents Reb Mordke, toujours plus occupé à fumer sa pipe – et il était évident qu'il allait bientôt sombrer dans son état extatique, où le mot «impôt» n'aurait plus le moindre sens.

Dans le récit de Nahman, la question des impôts suscite un grand intérêt chez ses auditeurs de Rohatyn et il doit s'arrêter de parler car ils commencent à discuter entre eux.

Ils se mettent en garde mutuellement et par exemple déconseillent d'entrer en affaires avec les «autres» Juifs, car cela ne mène à rien de bon. Le cas du rabbin Izaak Babada de Brody fait du bruit, n'a-t-il pas dilapidé l'argent de sa commune? Comment payer les impôts? Ils sont trop élevés, à un point qu'il n'y a plus aucun sens à faire quoi que ce soit. Mieux vaudrait se coucher pour dormir du matin au soir, fixer les nuages qui voguent dans le ciel et écouter le pépiement des oiseaux. Les marchands chrétiens n'ont pas de tels soucis, leurs impôts sont raisonnables ; et les Arméniens s'en sortent ô combien mieux que les Juifs, puisque chrétiens. C'est pour cela que les Polonais et les Ruthènes considèrent les Arméniens comme étant des leurs, même si les convives réunis dans la maison des Shorr pensent qu'il n'en est rien. L'esprit d'un Arménien est insondable et tortueux, il sait emberlificoter jusqu'aux Juifs. Tout le monde fait ce que veut l'Arménien car il sait charmer ; en réalité, il est rusé et retors comme un serpent. Les communes juives doivent verser de plus en plus de tributs, tellement que le Synode est déjà endetté parce qu'il a payé le fouage pour les Juifs qui n'avaient pas les moyens de le faire. Ce sont donc les plus riches qui gouvernent, ceux qui ont de l'argent, puis leurs fils et leurs petits-fils. Ils marient leurs filles à des parents de sorte que le capital ne se disperse pas.

Peut-on ne pas payer d'impôts ? Échapper à cet engrenage ? Si tu veux être honnête et respectueux de l'ordre, ce dernier te déçoit aussitôt. À Kamieniec, n'a-t-il pas été décidé d'expulser les Juifs en une journée ? Ils ne peuvent plus s'installer à moins de trois lieues de la ville. Et que peut-on faire ?

– Notre maison venait d'être repeinte, dit l'épouse de Jeruchim, le marchand de vodka. Et il y avait un beau jardin.

La femme se met à pleurer, elle regrette particulièrement le persil-rave et les choux dont les têtes étaient prometteuses. Les tubercules du persil avaient la taille du pouce d'un homme fort. Les choux étaient gros comme la tête d'un nourrisson. Et on ne lui a même pas laissé emporter ça ! L'évocation d'une tête de nourrisson a cet effet étrange que d'autres femmes se mettent également à sangloter, aussi se versent-elles un chouïa de vodka, grâce à quoi elles se calment, non sans renifler encore un peu, puis reprennent leur travail, qui le ravaudage, qui la transformation des plumes d'oie en duvet, leurs mains ne doivent pas rester inactives.

Comment Nahman se révèle à Nahman. Autrement dit, de la graine d'obscurité et du pépin de lumière

Nahman pousse un soupir, cela calme la petite assemblée en émoi. Le plus important arrive, tous le pressentent. Ils s'immobilisent comme pour une apparition.

Les modestes affaires de Nahman et de Reb Mordke ne sont guère florissantes à Smyrne. La question de Dieu les occupe trop, le temps investi en interrogations, en réflexions, a un coût. Et comme chaque réponse engendre de nouvelles questions, leur commerce en souffre, car les dépenses augmentent sans cesse. Les comptes sont toujours déficitaires, la colonne « débit » est toujours plus importante que celle du « crédit ». Oh que oui, si l'on pouvait commercer avec les questionnements, Nahman et Reb Mordke auraient fait fortune !

Parfois, les jeunes disciples envoient Nahman livrer une dispute. Il est le meilleur à cet exercice, il confond n'importe qui. Beaucoup de Juifs et de Grecs, désireux de se livrer à des joutes oratoires, encouragent d'ailleurs les étudiants et Nahman à débattre avec eux. C'est une sorte de duel des rues, les adversaires s'assoient l'un en face de l'autre, un groupe de badauds se forme autour d'eux. L'instigateur de la rencontre lance un thème, peu importe lequel à vrai dire, car il s'agit de présenter les arguments de manière à faire plier l'autre, à l'empêcher de trouver à les contredire. Le perdant de la joute paie ou offre à manger et à boire. Cela devient l'occasion d'une nouvelle disputation et ainsi de suite. Nahman gagne toujours, moyennant quoi ils ne se couchent pas le ventre vide.

— Un après-midi, tandis que Nussen et d'autres cherchaient quelqu'un pour m'affronter, j'étais resté dehors car je voulais observer les rémouleurs, les vendeurs de fruits, les presseurs de jus de grenade, les musiciens des rues et la foule qui s'attroupait partout. Je m'étais accroupi près des ânes, à l'ombre, car c'était la canicule. À un moment donné, je remarquai un homme qui émergeait de la cohue pour se diriger vers la maison où vivait Jakób. Cela me prit un instant, quelques battements de cœur, avant que je comprenne qui je voyais, même si l'individu me sembla immédiatement connu. Je le regardais par en bas, accroupi que j'étais ; il se dirigeait vers la porte de Jakób vêtu d'une cape en grosse toile de coton, j'en avais une pareille datant encore de Podolie. Je voyais son profil, ses joues couvertes d'une barbe naissante, sa peau piquetée de taches de rousseur et ses cheveux roux… Soudain, il se tourna vers moi et je le reconnus. C'était moi !

Nahman se tait un moment, juste pour entendre les exclamations d'une surprise pleine d'incrédulité :

– Comment cela ? Qu'est-ce que cela signifie ?

– C'est un mauvais présage.

– Un signe de mort, Nahman.

Sans prêter attention à ces remarques effrayées, Nahman reprend :

– Il faisait très chaud, l'air était dense à couper au couteau. Je me sentis mal, mon cœur ne semblait tenir qu'à un fil. Je voulais me lever, mais mes jambes refusèrent obéissance. Sentant que je mourais, je ne savais que me blottir contre l'âne qui, je me le rappelle, me regardait étonné de mon accès de tendresse.

Dans l'auditoire, un enfant se met à rire bruyamment, puis se tait, rappelé à l'ordre par sa mère.

– Je le vis comme une ombre. La lumière du matin était aveuglante. Il se posta devant moi qui étais à moitié évanoui et se pencha pour toucher mon front brûlant. En une fraction de seconde, mes pensées redevinrent claires et je fus sur mes jambes… Et lui, cet autre moi, avait disparu.

L'assemblée respire, soulagée, des chuchotements et des murmures se font entendre. C'est un bon récit, il plaît.

Mais Nahman invente. En réalité, il avait perdu connaissance près des ânes et personne ne s'était porté à son secours. Ses compagnons le trouvèrent un peu plus tard et l'emportèrent. Ce ne fut que le soir, quand il fut allongé dans la chambre sombre, sans fenêtres, fraîche et silencieuse, que Jakób vint le voir. Il s'arrêta devant l'entrée, appuya son épaule contre la porte et, ainsi incliné, regarda dans la pièce ; Nahman voyait juste les contours de sa silhouette sombre dans l'embrasure rectangulaire, avec l'escalier en arrière-plan. Jakób devait pencher la tête pour entrer. Il hésitait à faire ce pas dont il ne savait pourtant pas encore qu'il changerait sa vie. Il se décida finalement et alla vers eux, vers Nahman alité, délirant de fièvre, et Reb Mordke assis sur le lit. Ses cheveux ondulés sortant de son fez lui descendaient jusqu'aux épaules. Sur sa barbe sombre et fournie, un rai de lumière dansa un moment pour révéler un chatoiement couleur rubis. Jakób avait l'allure d'un garçon ayant beaucoup grandi.

Plus tard, quand Nahman, une fois guéri, retrouva les rues de Smyrne où il croisait des centaines de personnes pressées par leurs affaires, il n'arrivait pas à se défaire de l'idée que le Messie pouvait se trouver parmi elles et que personne ne le reconnaîtrait. Le pire était que le Messie lui-même en était inconscient.

Lorsqu'il entendit cela, Reb Mordke hocha longtemps la tête avant de finir par déclarer :

– Toi, Nahman, tu es un instrument sensible. Tendre et délicat. Tu pourrais être le prophète de ce Messie comme le fut Nathan de Gaza pour Sabbataï Tsevi. Que son nom soit béni !

Puis, après un long moment où il fut occupé à émietter un minuscule grumeau de résine de chanvre pour le mélanger à son tabac, il ajouta d'un ton mystérieux :

– Toute place a deux apparences, toute place est double. Ce qui est élevé est également déchu. Ce qui est miséricordieux et également vil. Dans les plus grandes ténèbres gît une étincelle de la lumière la plus puissante et, inversement, là où règne une clarté absolue, une graine d'obscurité se cache dans un pépin de lumière. Le Messie est notre sosie, une version de nous plus parfaite – ce que nous serions s'il n'y avait eu la Chute.

Les cailloux et le Fuyard au visage épouvantable

Soudain, alors que dans l'assemblée de Rohatyn tout le monde discute à qui mieux mieux et que Nahman se rince la gorge avec du vin, quelque chose fait résonner le toit et les murs, provoquant cris et vacarme. Par une vitre brisée, un caillou tombe dans la pièce et renverse un chandelier, le feu lèche avec délice la sciure dispersée sur le sol. Une femme âgée se dépêche d'étouffer les flammes de ses lourdes jupes. D'aucuns se précipitent au-dehors en gémissant ou en hurlant, on entend des individus s'interpeller avec hargne dans le noir, mais la grêle de pierres a cessé. Au bout d'un long moment, alors que les invités regagnent déjà la maison, les joues rouges d'excitation et de colère, des cris montent de nouveau de l'extérieur mais aussi de la grande pièce où l'on dansait il y a peu. Des hommes en émoi apparaissent, parmi eux se trouvent deux des fils Shorr, Salomon et Izaak, le futur marié, ainsi que Moszek Abramowicz de Lanckoruń, un beau-frère de Haya, un homme grand et fort ; ils tiennent sous les bras un maigrichon qui cherche à donner des coups avec ses pieds et crache avec rage autour de lui.

– Chaskiel ! s'écrie Haya qui s'approche pour le regarder de près – mais le prisonnier détourne le visage pour ne pas croiser son regard, il a le nez qui coule et il pleure de rage. Qui était avec toi ? Comment as-tu pu ?

– Maudite engeance ! Traîtres ! Renégats ! hurle Chaskiel – et Moszek le gifle si fort qu'il vacille et tombe à genoux.

– Ne le frappe pas ! crie Haya.

Les hommes lâchent donc le garçon qui se relève avec peine pour gagner la sortie. Le sang qui coule de son nez fait des taches sur sa chemise en lin clair.

L'aîné des frères Shorr s'approche pour lui dire calmement :

– Eh bien, Chaskiel, dis à Aron de ne plus jamais se permettre une chose pareille. Nous ne voulons pas faire couler le sang avec vous, mais Rohatyn est à nous.

Chaskiel file non sans trébucher dans sa cape. Au portail, son regard tombe sur une créature au visage épouvantablement déformé, à la vue duquel il pousse des gémissements effrayés :

– Le golem. Le golem…

Dobruszka de Prossnitz est bouleversé, il serre sa femme contre lui. Il peste contre les gens d'ici, qui ne sont que des sauvages ; chez lui en

Moravie chacun fait ce qui lui plaît sous son propre toit et personne ne vient s'en mêler. Venir jeter des pierres!

Salomon, mécontent, fait signe d'un geste au «golem» d'aller dans la dépendance où il est logé. À présent, les Shorr vont devoir se défaire de lui parce que Chaskiel va les dénoncer.

«Fuyard» est le nom qu'ils donnent à ce paysan qui s'est sauvé de chez son maître. Son visage avait gelé, des cicatrices en sont restées, altérant ses traits. Ses grandes mains rougies font penser à des bulbes hirsutes et enflés. Elles suscitent le respect. L'homme est grand, silencieux, fort comme un aurochs et particulièrement doux. Il dort à l'écurie, dont le mur est chaud puisque attenant à la maison des Shorr. Courageux et intelligent, il travaille sérieusement, avec un savoir-faire rustique, lent mais précis. Son attachement aux Juifs est étrange. En tant que paysan, ne devrait-il pas les mépriser et les haïr? Ne sont-ils pas la cause de beaucoup de ses malheurs? Ils gèrent les biens de la noblesse, collectent les impôts, enivrent les rustres dans leurs tripots et, pour peu qu'ils prennent de l'assurance, ils se conduisent comme s'ils étaient des propriétaires d'esclaves. Mais lui, le golem, ne montre aucune agressivité. Il se peut qu'un peu de sa cervelle ait souffert du gel tout comme son visage ou ses mains et qu'un froid éternel le rende si lent.

Les Shorr ont trouvé l'homme dans la neige par un hiver très rude, alors qu'ils revenaient de la foire. Et seulement parce que Elisha avait eu un besoin urgent de s'arrêter. Il y avait un autre fugitif, lui aussi en tunique paysanne, avec des souliers garnis de paille, un balluchon où ne restaient que des miettes de pain et des chaussettes, mais il n'était plus vivant. La neige avait déjà recouvert ces corps étrangers et le vieux Shorr pensa d'abord que c'étaient des animaux morts. Le cadavre fut abandonné dans la forêt.

Le Fuyard mit longtemps à dégeler. Il revint lentement à lui, jour après jour, comme si son âme avait également été congelée et se réchauffait doucement avec le corps. Les engelures ne guérissaient guère, elles suppuraient, la peau se détachait. Haya lavait le visage de l'homme et c'est ainsi elle qui le connaît le mieux. Elle sait son corps grand et magnifique. Il a dormi dans la grande pièce de la maison tout l'hiver, jusqu'en avril, et eux tenaient conseil pour décider ce qu'ils devaient faire. S'ils l'avaient signalé aux autorités, comme l'exigeait la loi, il aurait été emmené et sévèrement puni. Ils étaient déçus qu'il ne parlât pas, mais puisqu'il ne disait mot il n'avait ni histoire personnelle ni langue, il était une sorte de sans-logis, d'apatride. Le vieux Shorr se prit pour cet homme d'une sympathie difficile à expliquer, et dès lors Haya également. Les fils, eux, n'étaient pas d'accord ; pourquoi garder quelqu'un qui nécessitait autant de nourriture et qui, en plus, était un étranger, un espion dans la ruche, un bourdon parmi les abeilles ? Si les autorités l'apprenaient, les ennuis seraient terribles.

Le vieux Shorr décida qu'il ne fallait en parler à personne et, au cas où quelqu'un s'y intéresserait de trop près, dire que c'était un cousin de Moravie, un attardé, raison pour laquelle il ne parlait pas. Le bénéfice était grand, l'homme ne sortait pas, mais savait réparer une charrette, cercler une roue, bêcher un jardin, battre les blés autant qu'il fallait et blanchir les murs ; il exécutait tous les travaux domestiques en échange de sa nourriture et ne demandait rien.

Le vieux Shorr l'observait parfois, voyait ses gestes simples, la manière dont il travaillait, efficace, rapide et réglée. Il évitait de le regarder dans les yeux parce qu'il avait peur de ce qu'il pourrait y voir. Un jour Haya lui dit qu'elle avait vu le golem pleurer.

Salomon fit reproche à son père de son accès de miséricorde et d'avoir accueilli le fugitif.

— Et si c'est un criminel ? demanda-t-il en haussant le ton.

— Qui sait qui il est ? répondit le vieux Shorr. Et si c'était un envoyé ?

— Mais c'est un goy, lança Salomon pour clore le débat.

Il avait raison, c'était un goy. Avoir chez soi pareil fugitif était non seulement effrayant, c'était aussi un délit. Si des personnes mal intentionnées l'apprenaient, Elisha Shorr aurait bien des ennuis. Mais le paysan ne réagissait pas aux gestes qui lui expliquaient clairement qu'il devait partir. Il n'obtempérait ni devant le vieux Shorr ni devant les autres, se détournait et partait vers sa couche près des chevaux.

Elisha songeait qu'il ne fait pas bon être Juif, que la vie des Juifs est pénible, mais qu'être paysan est pire. Il ne doit pas y avoir de destin plus maudit. Celui de la vermine, peut-être. Parce que, pour ce qui est des vaches et des chevaux, et plus encore des chiens, les nobles s'en soucient davantage que du paysan ou du Juif.

Comment Nahman rejoint Ienta et s'endort au pied de son lit

Nahman est ivre. Il lui a suffi de quelques verres, parce qu'il n'avait pas bu depuis longtemps et qu'il était fatigué par le voyage – la vodka locale, très forte, l'a proprement assommé. Il veut prendre l'air, se perd dans le labyrinthe des couloirs, cherche la cour. Il suit à tâtons les parois en bois couvertes d'aspérités et, finalement, devine une poignée de porte. Il ouvre et voit une petite pièce avec juste un lit au pied duquel s'amoncellent des capes et des fourrures. Un homme au visage clair et fatigué en sort, il jette à Nahman, qu'il croise à la porte, un regard inamical et suspicieux. Ce doit être un médecin. Nahman vacille, pose la main sur la cloison en bois, il a un renvoi de l'alcool dont on l'a imbibé et de graisse d'oie. Seule une petite lampe à huile d'olive est allumée, la flammèche est petite, il faudrait la monter pour y voir quoi que ce soit. Une fois les yeux de Nahman habitués à la pénombre, il remarque dans le lit une vieille femme au bonnet de travers. Pendant un moment, il ignore à qui il a affaire. On dirait une farce : une vieille femme mourante sur les lieux d'une noce. Son menton est levé, sa respiration difficile, elle repose sur des coussins, ses petits poings desséchés agrippent le dessus-de-lit en tissu brodé. Est-ce la grand-mère de Jankiełe Lejbowicz, celle de Jakób ? Un effroi mâtiné d'émotion s'empare de Nahman à la vue de cette étrange vieille, il tâtonne sur la porte derrière lui, cherche la clenche. Il attend un signe, mais l'ancêtre doit être inconsciente car elle ne bouge pas ; sous ses cils luit un peu de son œil, il renvoie la lumière. Nahman, éméché, a l'impression que la femme l'appelle, il cherche à maîtriser l'effroi et le dégoût qu'il ressent et va s'accroupir près du lit. Rien ne se passe. De près, la vieille a meilleure allure, elle semble dormir. Nahman sent désormais combien il est fatigué. Il se relâche, son dos se voûte, ses paupières deviennent lourdes. Il se secoue plusieurs fois pour ne pas s'endormir, déjà il se relève pour sortir, mais l'idée de retrouver la foule d'invités avec leurs regards indiscrets et leurs innombrables questions le rebute et l'effraie. Persuadé que personne n'entrera, il s'allonge par terre sur un tapis en peau de mouton près du lit, il se roule en boule comme un chien. Il est plus mort que vif, ses hôtes l'ont pressé comme un citron. «Juste un instant», se dit-il. Quand il ferme les yeux, il voit le visage de Haya, son regard intrigué, admiratif. La béatitude le gagne. Il sent l'odeur humide des planches du parquet, celle des tissus, des vêtements rarement lavés et celle de la fumée omniprésente qui lui rappelle son enfance – il sait qu'il est chez lui.

Ienta rirait volontiers si elle le pouvait. Elle voit l'homme endormi un peu d'en haut, assurément pas avec ses yeux mi-clos. Son nouveau regard est suspendu au-dessus du dormeur et, chose étrange, elle discerne ses pensées.

Elle voit un autre homme dans sa tête. Elle voit aussi que, tout comme elle, il aime cet homme. Pour elle, celui-ci est un enfant, petit, juste né, au corps encore couvert de duvet sombre comme tout nourrisson venu au monde avec trop de hâte.

Au moment où il naissait, des sorcières tournaient autour de la maison, mais elles ne pouvaient entrer parce que Ienta montait la garde. Elle veillait de concert avec une chienne qui avait pour père un vrai loup, l'un de ceux qui traînent solitaires et cherchent leurs proies dans les poulaillers. Cette chienne avait pour nom Wilga. Ainsi donc, tandis que naissait l'enfant du plus jeune fils de Ienta, Wilga avait sillonné les abords de la maison toute une journée et toute une nuit, épuisée à en mourir, mais grâce à cela les sorcières ainsi que Lilith elle-même n'avaient pas réussi à s'approcher.

Pour qui l'ignorerait, Lilith était la première épouse d'Adam, et comme elle ne voulait pas obéir à Adam ni se coucher sous lui comme Dieu l'avait ordonné, elle avait fui au bord de la mer Rouge. Elle y devint écarlate comme si on lui avait arraché la peau. Dieu lui envoya trois anges sévères nommés Snwy, Snswy et Smng pour la contraindre au retour. Ils la débusquèrent dans sa cachette, la torturèrent et menacèrent de la noyer. Elle refusa de rentrer. Après quoi, l'aurait-elle voulu qu'elle ne le pouvait plus : il était devenu impossible à Adam de l'accueillir parce que, selon la Torah, une femme qui a couché avec un autre homme ne peut plus retourner chez son mari. Or, qui était l'amant de Lilith ? Samael en personne.

Dieu fut donc contraint de créer une autre femme, plus soumise, pour Adam. Celle-ci était douce mais plutôt bête. Elle croqua le fruit défendu, la malheureuse, et cela provoqua la Chute. Voilà pourquoi la Loi fut appliquée, en punition.

Mais Lilith et toutes ses semblables appartiennent au monde d'avant la Chute, les règles des hommes ne les concernent pas, pas plus que leurs interdits, ces êtres n'ont ni conscience ni cœur humain, ils ne versent pas non plus de larmes. Pour Lilith, le péché n'existe pas. Cet autre univers est différent. Il peut sembler étrange aux regards humains, comme dessiné d'un trait fin, parce que tout y est plus lumineux, plus léger, et les êtres qui en font partie peuvent traverser les murs et les objets, mais aussi se traverser les uns les autres, il n'y a pas entre eux les différences qu'il y a ici entre les hommes, qui sont enfermés en eux-mêmes comme dans des boîtes de fer. Là-bas, il en est autrement. Entre l'homme et l'animal, il n'y a pas non plus de si grandes différences, juste l'apparence, car dans cet autre monde il est possible de converser avec la bête en silence, elle vous comprend et vous la comprenez. Il en est de même avec les anges ; là-bas, ils sont visibles. Ils volent dans le ciel pareils aux oiseaux ; telles des cigognes, ils se posent parfois sur le toit d'une maison – il y a aussi des maisons de l'autre côté.

Nahman se réveille, la tête lui tourne de toutes ces images. Il se relève vacillant et regarde Ienta ; après une brève hésitation, il touche sa joue, elle est à peine tiède. Soudain, la peur le gagne. Elle a vu ses pensées, elle a visionné son rêve !

Un grincement de porte réveille Ienta, elle est de retour en elle. Où a-t-elle été ? Dans son état second, il lui semble qu'elle ne réussira pas à revenir sur le plancher en bois de ce monde. Et c'est bien ainsi. L'autre est mieux : les époques s'y croisent et s'y interpénètrent. Comment a-t-elle pu penser jadis que le temps coule, que *le temps coule* ? Ridicule. Il est désormais évident que le temps tournoie comme les jupons pendant la danse. Comme une toupie taillée dans du bois de tilleul qu'on lance sur la table et dont le mouvement retient le regard des enfants.

Ienta voit ces enfants, leurs visages rougis par la chaleur, leurs bouches entrouvertes, leurs chandelles sous le nez. Voici le petit Mosze et à côté de lui Cifke qui va bientôt mourir de la coqueluche, et voici Jankiełe, que l'on appelle aussi Jakóbek, et son frère aîné Izaak. Le petit Jankiełe n'arrive pas à refréner son envie de bousculer d'un geste vif la toupie, et celle-ci vacille comme ivre et tombe. Son frère aîné se tourne vers lui, en colère, Cifke commence à pleurer. Là-dessus arrive leur père, Lejb Buchbinder, il est fâché d'avoir été interrompu dans son travail, il attrape Jankiełe par l'oreille et le soulève presque. Ensuite, il pointe vers lui son index, siffle entre ses dents qu'il va voir ce qu'il va voir et, pour finir, il l'enferme dans le cagibi. Le silence tombe, mais l'instant d'après Jankiełe se met à hurler derrière la porte en bois, il hurle si longtemps que c'en est insupportable, impossible de faire quoi que ce soit, et Lejb, rouge de colère, sort le petit pour le gifler plusieurs fois tellement fort que le nez de l'enfant saigne. Ce n'est qu'alors qu'il desserre sa poigne et laisse le garçon s'enfuir de la maison.

Quand la nuit tombe et que l'enfant n'est toujours pas rentré, les recherches commencent. Les femmes s'y mettent d'abord, puis les hommes ; bientôt toute la famille et les voisins parcourent le hameau pour demander si quelqu'un n'a pas vu Jakóbek, Jankiełe. Ils arrivent aux chaumières des chrétiens et, là aussi, ils interrogent les gens, mais personne n'a vu ce petit garçon au nez amoché. La localité s'appelle Korolówka. D'en haut elle ressemble à une étoile à trois branches. Le petit Jankiełe est né là, au bout du village, dans une maison où habite encore Jaakiew, le frère de son père. Jehuda Lejb Buchbinder vit avec les siens à Czerniowce, où il a déménagé quelques années plus tôt. Il était revenu une fois à Korolówka pour la *Bar Mitsvah* du plus jeune fils de son frère, et pour revoir sa famille à cette occasion. La maison familiale où ils avaient logé était un peu petite pour contenir tout ce monde ; elle se trouve près du cimetière ; aussi, l'idée lui vient que Jankiełe s'y est peut-être réfugié pour se cacher derrière une matsevah. Il est si petit, comment le trouver, même si la lune ascendante dont la clarté inonde tout le village facilite les recherches. Rachel, la mère du garçonnet, défaille de chagrin. Elle savait que cela se terminerait de cette façon si son mari, un homme violent, ne se retenait pas de battre Jakób. Elle le savait !

— Jankiełe ! appelle-t-elle — et de l'hystérie pointe dans sa voix. Mon enfant n'est pas là, crie Rachel, tu l'as tué ! Tu as tué ton propre fils ! lance-t-elle à son mari en agrippant une palissade qu'elle secoue jusqu'à l'arracher de terre.

Des hommes ont couru jusqu'à la rivière, effrayant les groupes d'oies de la prairie dont les plumes blanches les ont suivis pour ensuite se poser sur leurs cheveux. D'autres villageois sont allés au cimetière orthodoxe, à l'autre bout du village, parce qu'on savait que le petit y allait.

— Un démon, un *dibbouk* s'est emparé de cet enfant, il y en a beau-coup quand on habite près du cimetière. L'un d'eux sera entré en lui, répète le père désormais inquiet, lui aussi. Je vais lui apprendre, moi, quand il rentrera, ajoute-t-il aussitôt pour cacher sa peur.

— Qu'est-ce qu'il a fait ? demande le frère de Jehuda Lejb Buchbinder à Rachel qui tremble de tout son corps.

— Ce qu'il a fait ? Ce qu'il a fait ? répète-t-elle, sarcastique, reprenant des forces pour exploser de plus belle. Que pouvait-il faire ! Ce n'est qu'un enfant !

À l'aube, tout le village est en alerte.

— Un enfant a disparu chez les Juifs ! lancent des goyim en polonais et en ruthène.

Ils prennent des bâtons, des massues et des fourches, et les voilà partis comme si c'était pour combattre une armée de loups-garous, de gobelins voleurs d'enfants ou de diables des cimetières. Quelqu'un a l'idée d'aller dans la forêt, derrière le village, là où se trouve le mont Księża, l'enfant aurait pu s'y enfuir.

À midi, un petit groupe de ceux qui cherchent se retrouve au-dessus d'un gouffre, l'ouverture n'est pas très grande, elle est étroite, terrible; elle a la forme d'un sexe de femme. Personne ne veut y pénétrer, s'y glisser serait comme retourner dans le ventre d'une femme.

– Il ne serait pas entré là, se rassurent-ils.

Finalement, un gars aux yeux d'un bleu très pâle, qu'on appelle Bereś, trouve le courage de s'introduire dans la fente, et deux de ses compagnons le suivent. On entend d'abord leurs voix à l'intérieur, puis plus rien, comme si la terre les avait engloutis. Au bout d'un quart d'heure, l'homme au regard délavé apparaît avec l'enfant dans les bras. Jankieɫe a les yeux grands ouverts et pleins d'effroi, il hoquette à force de sanglots.

Les trois parties du village parlent de l'événement plusieurs jours durant, et un groupe d'adolescents unis par un même objectif, dans le grand secret propre à cet âge, se met à explorer la caverne de Jakób.

Haya entre dans la pièce où Ienta est allongée, elle scrute attentivement tout mouvement de paupières, toute pulsation au rythme du cœur affaibli sur les tempes creuses. Elle prend entre ses mains la petite tête desséchée de la vieille Ienta.

– Ienta, appelle-t-elle tout bas, tu es en vie?

Que lui répondre? Est-ce la bonne question? Elle devrait plutôt demander: est-ce que tu vois? est-ce que tu sens? comment se fait-il que tu te déplaces aussi vite que la pensée à travers les falbalas ondoyants du temps. Haya devrait savoir comment interroger son aînée. Ienta, sans chercher à faire l'effort d'une réponse, s'en retourne là où elle se trouvait l'instant d'avant, pas exactement peut-être parce que c'est un peu plus tard – ce qui n'a d'ailleurs aucune importance.

Jehuda Lejb Buchbinder, son fils, le père du petit Jankieɫe, est un homme emporté et imprévisible. Il se croit toujours persécuté par quelqu'un pour ses hérésies. Il n'aime pas les gens. Ne peut-il se tenir sur son quant-à-soi, avec ses propres pensées et actions? se demande Ienta. N'était-ce pas ce qu'on leur avait enseigné: mener une double vie paisible sur les pas du Messie? Il faut juste s'imposer un silence absolu, savoir détourner les yeux et vivre en secret. Est-ce si difficile, Jehuda?

Ne pas montrer ses sentiments, ne pas révéler ses pensées. Les habitants de ce monde, des profondeurs de l'abîme, ne comprennent rien de toute manière; pour eux, la vérité est aussi lointaine que l'Afrique. Ils obéissent à des lois que nous devons rejeter.

Buchbinder n'est qu'une tête brûlée, il est en conflit avec tout le monde. C'est à lui que son fils ressemble, il est pareil, voilà pourquoi tous deux ne s'aiment pas. Le regard de Ienta se promène maintenant très haut, sous les ventres humides des nuages, et elle retrouve sans difficulté son fils endormi sur un livre. La lampe à huile est près de s'éteindre. La barbe noire de Jehuda recouvre l'écriture, l'ombre forme deux petits nids dans ses joues creuses, ses paupières frémissent, il rêve.

Le regard de Ienta hésite, va-t-il entrer dans son rêve ou non? Comment se fait-il qu'elle voit tout en même temps, l'ensemble des temps enroulés, avec les pensées en sus? Elle voit les pensées. Elle fait le tour de la tête de son fils. Sur la table en bois, des fourmis défilent, l'une derrière l'autre, en grand ordre. Quand Jehuda se réveillera, d'un geste involontaire il les effacera de la surface du bureau.

Suite des voyages de Ienta dans le temps

Ienta se souvient soudain que, quelques années après l'incident du gouffre, Jehuda était venu lui rendre visite à Korolówka alors qu'il se rendait à Kamieniec. Il voyageait avec Jakób, qui avait quatorze ans. Le père avait l'espoir de donner le sens des affaires à son fils.

Jakób est mince, disgracieux, avec une moustache noire qui se dessine sous son nez. Son visage est couvert d'acné. Certains boutons sont coiffés de pus blanc, la peau est laide, rouge, et elle luit; Jakób en est honteux. Il a laissé pousser ses cheveux, qu'il porte de manière à ce qu'ils lui couvrent le visage, ce qui ne plaît guère à son père qui l'attrape souvent par cette «tignasse», comme il dit, pour en rejeter les mèches en arrière. Les deux hommes sont déjà de la même taille et, vus de dos, peuvent passer pour des frères. Des frères en conflit permanent. Quand le jeune vocifère, le père le gifle.

Au village, seuls quatre foyers partagent la vraie foi. Le soir, on y ferme la porte, on tire les rideaux, on allume les bougies. Les jeunes ne prennent part à la *Bar Mitsvah* qu'au moment de la lecture du Zohar et du chant des psaumes. Ensuite, un adulte les emmène dans une autre maison. Mieux vaut que leurs oreilles fantasques n'entendent pas et que leurs yeux ne voient pas ce qui se passe quand on commence à éteindre les bougies.

Désormais, leurs aînés gardent les fenêtres fermées, y compris durant la journée, dans l'attente du Messie qui va tout de même bien finir par arriver. Les nouvelles du monde arrivent avec retard, trop tard, alors qu'ici quelqu'un a rêvé du Messie – lequel venait de l'ouest et, derrière lui, les champs, les forêts, les villages et les villes s'enroulaient tels les motifs d'un tapis. Le monde devenait un rouleau de feuillets couverts de signes minuscules restés partiellement non déchiffrés. Dans le monde nouveau, l'alphabet sera différent, les signes seront autres, les règles changeront. De bas en haut plutôt que de haut en bas, peut-être. De la vieillesse à la jeunesse et non pas inversement. Les hommes sortiront peut-être de terre pour disparaître dans le ventre de leur mère à la fin de leur vie.

Le Messie qui arrive est un Messie de souffrance, de douleur, le mal du monde et la souffrance des hommes l'accablent. Il se peut qu'il ressemble au Christ dont le corps blessé sur la Croix se trouve à presque tous les croisements de Korolówka. Les simples Juifs détournent le regard de ce terrible personnage, mais eux, les vrai-croyants, le regardent. Sabb ataï Tsevi n'était-il pas un sauveur souffrant? N'a-t-il pas été mis en prison et accablé?

Quand les parents chuchotent entre eux, la canicule fait naître dans la tête des enfants toutes sortes d'idées de jeux. Jakób apparaît alors, ni adulte ni enfant. Son père vient de le chasser de la maison. Jehuda avait le rouge aux joues, un regard absent, sans doute avait-il pleuré sur le Zohar, cela lui arrive de plus en plus souvent.

Jakób, qu'ici l'on appelle Jankiełe, regroupe tous les enfants autour de lui, des plus âgés aux plus jeunes, les chrétiens et les Juifs, et, en bonne intelligence, ils se dirigent tous du cimetière, de la maison de l'oncle, vers le hameau, ils prennent un chemin sablonneux, uniquement bordé de potentille des oies, jusqu'à la route, et ils dépassent le troquet du Juif Salomon appelé Chlomo le Noir. Ils montent vers l'église catholique et sa cure en bois, puis, plus loin, ils longent le cimetière attenant et dépassent les dernières maisons.

Vu d'en haut, le village a l'air d'un jardin entre les blés. Jakób en a sorti plusieurs garçons et deux fillettes pour les mener à travers champs. Ils sont montés sur la hauteur qui domine les habitations – le ciel est limpide, le coucher de soleil proche le couvre de dorure –, ils pénètrent dans un petit bois où poussent des arbres rares comme nul sans doute n'en a vu. Soudain, tout devient étrange, différent, les chants d'en bas ne parviennent plus ici, la voix s'éteint, absorbée par la ductilité des feuilles au vert tellement intense qu'il fait mal aux yeux. «Est-ce que ce sont des arbres de contes et légendes?» demande l'un des plus petits garçons, et Jakób se met à rire et répond qu'en cet endroit le printemps est éternel, le feuillage ne jaunit ni ne tombe jamais. Il dit qu'il y a là un gouffre miraculeusement transféré de la terre d'Israël uniquement pour lui, pour qu'il puisse le montrer, et que dans ce gouffre repose Abraham. À côté d'Abraham gît Sara, son épouse et sa sœur. Et là où se trouve Abraham, le temps ne s'écoule plus, et qui entrerait dans cette caverne et s'y tiendrait assis pendant une heure s'apercevrait en sortant qu'un siècle s'est écoulé au-dehors.

– Je suis né dans ce gouffre, déclare-t-il.

– C'est un mensonge, rétorque avec détermination l'une des fillettes. Ne l'écoutez pas. Il invente toujours.

Jakób la regarde, ironique. La gamine se venge de cette ironie en lançant méchamment:

– Tête à pustules!

Ienta s'envole dans un passé où Jankieɫe est toujours petit et se calme à peine de ses pleurs. Elle l'endort et regarde les autres enfants couchés les uns à côté des autres dans le lit. Tous dorment déjà, sauf Jankieɫe. Le petit garçon doit encore dire bonsoir à tout ce qui l'entoure. Il murmure moitié pour lui, moitié pour elle, de plus en plus bas mais avec émotion: «Bonne nuit, mémé Ienta, bonne nuit, frère Izaak et sœur Chana, cousine Cifke, bonne nuit, maman Rachel » ; puis il cite les noms de tous les voisins et se rappelle encore des gens rencontrés dans la journée et, à eux aussi, il dit bonne nuit ; et ainsi de suite, au point que Ienta se demande s'il en finira jamais, car le monde est tellement grand que, même réfléchi dans une si petite tête, il reste infini et Jankieɬe risque de parler ainsi jusqu'au matin. Ensuite, le petit Jakób dit bonsoir aux chiens, aux chats, aux génisses, aux chèvres des environs et pour finir aux objets. À l'écuelle, aux solives, à la cruche, aux seaux, casseroles, assiettes, cuillères, édredons, coussins, fleurs en pot, voilages et clous. Dans la chambre, tout le monde s'est endormi, le feu décline jusqu'à devenir une braise paresseuse dans l'âtre, quelqu'un ronfle, et cet enfant n'arrête pas de parler, son murmure est de plus en plus faible et silencieux, mais d'étranges erreurs interfèrent dans ses paroles, des lapsus, et il n'y a plus personne d'éveillé pour le corriger ; aussi, peu à peu, sa litanie se contorsionne bizarrement pour prendre l'allure d'une incantation envoûtante, incompréhensible, prononcée dans une langue ancienne et oubliée. Finalement, la voix enfantine s'éteint tout à fait et Jankieɬe s'endort. Ienta se lève alors doucement, elle regarde avec tendresse cet étrange enfant qui devrait s'appeler Souci et non pas Jakób, elle voit ses paupières trembler, ce qui signale que déjà il a sombré dans le rêve où il se livre à de nouvelles extravagances.

Les terribles conséquences
de la disparition d'une amulette

Vers le matin, tandis qu'après la noce les gens dorment un peu partout dans les coins et que la sciure de la grande pièce est tellement écrasée qu'elle rappelle de la poussière agglomérée, Elisha Shorr entre dans la pièce de Ienta. Il est fatigué, ses yeux sont injectés de sang. Il s'assied sur le lit, se balance d'avant en arrière et chuchote :

— C'est terminé, Ienta, tu peux partir. Ne m'en veux pas de t'en avoir empêchée jusque-là. Il n'y avait pas d'autre possibilité.

Avec délicatesse, il tire de sous le corsage de la vieille femme une poignée de ficelles et de lanières, en cherche une, les examine toutes entre ses doigts et ne trouve pas l'amulette la plus importante, il se dit que ses yeux fatigués ne la voient pas. Il s'y reprend à plusieurs fois, compte les *teraphim*, les petites boîtes, les bourses, les tablettes en os avec leur sortilège gravé. Tout le monde en porte, mais les vieilles femmes en ont davantage. À coup sûr, des dizaines d'anges, d'esprits protecteurs et d'autres sans noms tournoient autour de Ienta. Mais l'amulette ajoutée par Elisha n'est pas là. La cordelette seule est restée, dénouée. L'envoûtement a disparu. Comment est-ce possible?

Elisha Shorr retrouve aussitôt toute sa présence d'esprit, ses gestes deviennent nerveux. Il se met bientôt à palper Ienta. Il soulève son corps inerte pour chercher sous son dos, sous ses reins, il découvre ses pauvres jambes, ses grands pieds osseux qui se dressent tout raides sous sa jupe, il inspecte les plis de sa chemise, vérifie l'intérieur de ses paumes et, de plus en plus effrayé, il fouille les coussins, les draps, les couettes et les édredons, vérifie sous le lit et autour. Et si l'amulette était tombée?

Le spectacle de ce vieillard respectable qui se démène dans le lit de la vieille femme comme s'il la tenait pour une jeunesse et voulait la prendre ne manque pas d'être cocasse!

– Ienta, dis-moi ce qui s'est passé? lui chuchote-t-il d'une façon appuyée comme l'on parle à un enfant qui s'est rendu coupable d'une faute terrible – mais, elle, elle ne répond évidemment pas, seules ses paupières frémissent et ses yeux remuent un instant de droite à gauche alors qu'un pâle sourire gagne ses lèvres.

– Qu'y as-tu inscrit? demande Haya à son père dans un murmure insistant.

Encore à moitié endormie, en chemise de nuit et foulard sur la tête, elle a accouru, appelée par Elisha. Il est effondré, les rides forment sur son front des vagues indolentes et cela attire le regard de sa fille. Elle sait qu'il a toujours cet air-là quand il se sent coupable.

– Tu sais ce que j'ai écrit, dit-il, je l'ai retenue.

– Tu as accroché l'amulette à son cou?

Il acquiesce.

– Tu devais la mettre dans une petite boîte fermée à clef, père.

Elisha hausse les épaules d'impuissance.

– Tu es comme un enfant, lui dit Haya avec tendresse et colère à la fois. Comment as-tu pu ? Tu la lui as juste mise comme cela, autour du cou ? Elle est où, maintenant ?

– Nulle part, elle a disparu.

– Rien ne disparaît comme ça, et hop !

Haya se met à chercher, mais voit que cela n'a aucun sens.

– J'ai cherché, elle a disparu.

– Ienta l'a avalée, déclare Haya, elle l'a avalée.

Son père se tait, bouleversé. Il finit par demander plein d'impuissance :

– Qu'est-ce qu'on peut faire ?

– Je ne sais pas.

– Qui encore est au courant ? demande Haya.

Elisha Shorr réfléchit. Il a retiré son bonnet de fourrure pour se frotter le haut du crâne. Ses cheveux sont longs, clairsemés et couverts de sueur.

– Maintenant, elle ne va plus mourir, dit-il avec du désespoir dans la voix.

Une expression d'incrédulité et de surprise apparaît sur le visage de Haya pour devenir l'instant d'après de l'amusement. Elle rit d'abord tout bas, puis de plus en plus fort, et finalement son rire bas et profond emplit toute la petite pièce jusqu'à traverser les cloisons en bois. Son père lui pose la main sur la bouche.

Ce dont parle le Zohar

Ienta meurt sans mourir. Oui, très exactement : « Elle meurt sans mourir. » Haya, en femme instruite, explique la chose.

– C'est tout à fait comme dans le Zohar, dit-elle, tentant de cacher son irritation de ce que tout le monde en fasse un événement – les gens de Rohatyn commencent à venir chez les Shorr et à regarder à leurs petites fenêtres. Dans le Zohar, on trouve beaucoup de ces définitions à première vue contradictoires, poursuit-elle, mais lorsqu'on y regarde de plus près il devient clair qu'il existe des choses incompréhensibles pour l'esprit et notre vision du monde. Le Vieillard du Zohar ne commence-t-il pas sa péroraison de la même manière ?

Haya s'adresse à une vingtaine de personnes fatiguées, mais de confiance, qui sont venues en flairant un miracle. Il serait bien utile ! Parmi elles se trouve Izrael de Korolówka, le petit-fils de Ienta qui a amené celle-ci. Il semble le plus agité et le plus inquiet.

Haya récite : «Qui sont les êtres qui quand ils montent, tombent, et quand ils tombent, ils montent, deux qui sont un et un qui est trois.»

Ses auditeurs hochent la tête comme s'ils s'étaient précisément attendus à cela et que les paroles de Haya les avaient calmés. Seul Izrael ne semble pas satisfait de cette réponse, car il ne sait vraiment pas si Ienta est vivante ou non. Déjà, il commence sa phrase :

— Mais…

Haya, qui est en train de nouer un châle en laine sous son menton parce que l'air s'est rafraîchi, lui rétorque impatiente :

— Les gens voudraient toujours que ce soit simple. Ou comme ceci ou comme cela. Blanc ou noir. Sottises ! Le monde a été élaboré d'une infinité de nuances de gris. Vous pouvez la ramener chez vous, dit-elle à Izrael.

Puis, d'un pas rapide, elle traverse la cour et disparaît dans la dépendance où se trouve Ienta.

Asher Rubine revient ausculter soigneusement la vieille femme dans l'après-midi. Il demande son âge. Très âgée, répondent-ils tous en chœur. Rubine finit par dire que ce peut être un coma et qu'il ne faut en aucun cas la traiter en morte, Dieu nous en garde ! Juste comme endormie. Mais à son air, on voit bien qu'il n'y croit pas trop.

— Elle mourra sans doute spontanément dans son sommeil, ajoute-t-il en guise de consolation.

La noce terminée, les invités reprennent la route et les roues en bois de leurs attelages creusent de profondes ornières près de la demeure des

Shorr. Elisha s'approche de la charrette où l'on a étendu Ienta. Quand personne ne regarde, il lui murmure:

– Ne sois pas en colère contre moi.

Elle ne lui répond pas, c'est évident. Izrael, son petit-fils, s'approche également. Il en veut au vieux Shorr, qui aurait pu garder sa grand-mère et lui permettre de mourir chez lui. Il s'est disputé avec Sobla à cause de cela, parce qu'elle ne voulait pas l'abandonner. Elle aussi murmure maintenant à l'oreille de l'aïeule: «Mémé, mémé.» Il n'y a ni réponse ni réaction aucune. Ienta a les mains froides, on les lui a frottées mais elles ne se sont pas réchauffées. Sa respiration est pourtant régulière, quoique lente. Asher Rubine a pris son pouls plusieurs fois sans arriver à croire qu'il était si lent.

Le récit de Pesełe: le bouc de Podhajce et l'herbe étrange

Elisha leur fournit une charrette supplémentaire garnie de paille. La famille de Korolówka s'installe maintenant dans deux attelages. Il bruine et les édredons dont est couverte la vieille femme s'imbibent d'eau, aussi les hommes dressent-ils un toit de fortune. Là, Ienta a l'air d'un vrai cadavre, ce qui fait qu'en chemin, quand des gens la voient, ils disent aussitôt une prière et les goyim se signent.

À l'étape de Podhajce, Pesełe, son arrière-petite-fille, la fille d'Izrael, se rappelle qu'ils s'étaient arrêtés trois semaines plus tôt à cet endroit pour se reposer et que la grand-mère, encore en bonne santé et avec toute sa tête, leur avait raconté l'histoire du bouc de Podhajce. Pesełe, des larmes dans la voix, veut faire de même maintenant. Les autres l'écoutent en silence, ils réalisent que ce fut le dernier récit de Ienta et leurs yeux se mouillent encore plus. Voulait-elle leur dévoiler quelque chose avec cette histoire? Un mystère? La première fois, l'historiette était amusante, désormais elle est étrange et incompréhensible.

– Pas loin d'ici, à Podhajce, près du château, vit un bouc, dit d'une faible voix Pesełe.

Mutuellement les femmes se font signe de se taire.

– Vous ne le verrez pas maintenant, car il n'aime pas les gens et vit en solitaire. C'est un bouc très savant qui a vu beaucoup de choses bonnes et d'autres terribles. Il a trois cents ans.

Tout le monde regarde autour de soi sans le vouloir, cherchant du regard l'animal. Tout ce qu'ils aperçoivent, c'est de l'herbe desséchée et brunie, des fientes d'oie et la grande masse des ruines du château de Podhajce. Le bouc a sans doute quelque chose à voir avec tout cela. Pesełe tire sa jupe sur ses souliers de voyage en cuir à bouts pointus.

– Dans ces ruines pousse une herbe étrange, une herbe divine parce que personne ne la sème ni ne la coupe. Laissée en paix, elle acquiert aussi de la sagesse. Le bouc se nourrit donc uniquement de cette herbe, d'aucune autre. Il est un *nazir* qui a juré de ne pas se couper les cheveux et de ne pas approcher le corps d'un mort, et nul ne connaît mieux cette herbe. Il n'en a jamais avalé d'autre que celle au pied du château de Podhajce, une herbe pleine de sagesse. Aussi est-ce pourquoi lui aussi est devenu si sage et que ses cornes ont poussé et poussé encore. Ce n'étaient pas de simples cornes pareilles à celles des autres bovidés. Elles étaient malléables, se tordaient et se contorsionnaient. Le bouc, dans sa sagesse, les cachait. Le jour, il les portait repliées pour qu'elles aient l'air des plus banales. La nuit, pourtant, il allait sur le promontoire du château – oui, là-haut –, au centre de la cour effondrée, pour toucher le ciel de ses cornes. Il les étirait haut, très haut, se dressait sur ses pattes arrière pour être encore plus grand, et enfin il accrochait les pointes de ses cornes à celles du jeune croissant de lune pour demander: «Quelles nouvelles, la lune? Le temps de la venue du Messie n'arrive-t-il pas?» La lune regardait alors les étoiles, et elles s'arrêtaient un instant dans leur mouvement. «Le Messie est arrivé, il est à Smyrne, ne le sais-tu donc pas, ô sage bouc? – Je le sais, gentille lune. Je voulais juste m'en assurer.» Ils parlaient ainsi toute la nuit, et le matin, lorsque le soleil se levait, le bouc enroulait ses cornes et continuait à paître dans l'herbe intelligente.

Pesełe se tait, sa mère et ses tantes sanglotent.

Le révérend père Chmielowski
écrit une lettre à Mme Drużbacka

Firlej, Janvier 1753

Après votre départ, Madame, me sont venues à l'esprit de nombreuses questions et des phrases entières que je n'ai pas eu loisir d'exprimer lors de notre rencontre, mais puisque vous m'avez autorisé, Madame, à vous écrire, je me propose d'en tirer bénéfice pour me dédouaner de quelques reproches que vous me fîtes. Le temps à Firlej est devenu tout à fait hivernal, aussi ne puis-je que me tenir près de l'âtre, à œuvrer sur le papier tout le jour, ce qui fatigue intensément mes yeux, tout comme le fait la fumée, elle aussi.

Vous me demandâtes, Madame, pourquoi ce latin ? À l'exemple des autres personnes du beau sexe, vous vous dîtes favorable à impliquer davantage notre langue polonaise dans les écrits. Je n'ai rien contre le polonais, mais comment pourrions-nous formuler les choses, Madame, alors que pour tant de mots il défaille !

N'est-il pas préférable d'utiliser le terme *Rhetoricae* que de devoir écrire « art de la belle parole », et *Philosophia* qu'« amour de la sagesse », ou *Astronomia* plutôt que « science étoilée » ? Cela prend moins de temps et le langage ne s'en trouve pas altéré. Il en va pareillement en musique, où se passer du latin est impossible pour des mots tels *tonus*, *clavis* ou *consonantia*. Si désormais les Polonais abandonnaient le latin devenu *invaluit usus* ainsi que les termes qui lui furent empruntés pour être polonisés, et s'ils ne parlaient ni n'écrivaient plus que le polonais, ils devraient revenir au slave délaissé et incompréhensible de ce *Chant de saint Adalbert*.

Le liriez-vous que vous seriez bien en peine d'entendre ces verbes anciens ! Voudriez-vous, Madame, utiliser « Chambre à coucher » plutôt que « Dormitoir » ? Je ne pourrais le croire ! De quoi aurait l'air le placet du secrétaire écrivant à son supérieur : « Le Siège Juridique de Lublin fait condamnation » ? Tandis que « Par Décret du Tribunal de Lublin » est incommensurablement mieux ! N'ai-je pas raison ? Il vous suffirait, Madame, de vous y essayer. Au lieu de « J'ai entendu au confessionnal de nombreux pénitents », « J'ai eu à entendre au genouilloir de nombreux tristes raconteurs. » Ne serait-ce pas d'une grande drôlerie ? Ou bien « Je me confie à Votre attention, Monsieur » plutôt que « Je me recommande, Monsieur, à votre respect ». Que donnerait : « En Pologne s'est ouverte la vue d'un malheur qui eut en Europe beaucoup de regardeurs » ? N'est-il pas préférable d'écrire : « Un Theatrum de malheur s'ouvrit qui eut nombre de spectateurs en Europe. » Eh bien, Madame ?

Le latin permet de s'entendre partout dans le monde. Seuls les païens et les barbares évitent la langue latine.

Le polonais est en quelque manière récalcitrant et sonne rustre à l'oreille. Il convient à la description de la nature et, tout au plus, de l'agriculture, mais il reste difficile de l'utiliser pour exprimer des questions compliquées, d'ordre supérieur ou de celui de l'esprit. La langue que l'on parle est aussi celle avec laquelle on pense. Le polonais n'est ni clair ni concret. Il convient davantage aux descriptions du temps qu'il fait en voyage qu'aux discours qui exigent un effort de l'intellect et une expression claire. En revanche, oui, il est parfait pour la poésie, Chère Amie, ô Notre Muse Sarmate, parce que la poésie est diffuse et nullement concrète. Elle ne manque pourtant pas de donner de l'agrément par sa lecture, et celui-ci est tel qu'il m'est difficile de le décrire ici simplement. Je le sais car j'ai commandé à Votre éditeur, Madame, Vos rimes, et j'ai connu un grand bonheur à les lire, quoique tout ne m'y semblât ni limpide ni pertinent, ce dont je vous écrirai prochainement.

Moi, j'opte pour une langue commune ; qu'elle soit un peu simplifiée mais telle que tous, dans le monde entier, la comprennent. Ce ne sera qu'ainsi que les hommes auront accès au savoir, parce que la littérature est une forme de savoir, elle nous instruit. Vos vers, Madame, peuvent ainsi apprendre au lecteur attentif ce qui pousse dans la forêt, comment sont la flore et la faune sylvestres, il connaîtra aussi les travaux de la cour et ce qui pousse dans le jardin. Grâce à la poésie, il est également possible de s'exercer, autrement dit de s'initier, aux divers arcanes et, ce qui est le plus important, d'apprendre ce que pensent les autres personnes, ceci est très précieux puisque sans cela l'on pourrait croire que tout le monde pense de la même manière, alors que c'est faux. Chacun pense différemment et imagine autre chose tandis qu'il lit. Il m'arrive de m'en inquiéter et, notamment, de ce que les choses écrites de ma plume seront entendues différemment de ce que je voudrais.

Ainsi donc, Madame, il me semble que l'imprimerie fut inventée, et le noir sur le blanc posé, pour que nous en fassions uniquement bon usage, pour rassembler par écrit le savoir de nos ancêtres, le réunir de manière à ce que chacun de nous y ait accès, y compris les plus humbles pour peu qu'ils apprennent à lire. La connaissance devrait être comme l'eau pure, gratuite et pour tout le monde.

J'ai longtemps songé, Madame, à la façon dont je pourrais Vous apporter quelque plaisir avec mes lettres, alors qu'il se passe tant de choses autour de Vous, ô Lyrique Sappho. Aussi ai-je conçu de placer dans chacun de mes courriers diverses curiosités découvertes et inscrites dans mes livres, de sorte que vous puissiez vous en servir pour montrer de l'esprit dans la bonne société que vous fréquentez. Je commencerai par le Mont du Diable, qui se trouve près de Rohatyn, à quatre lieues de Lwów. À Pâques de l'An 1650, le 8 Aprilis, avant la bataille de Beresteczko contre les Cosaques, il a été déplacé d'un endroit à un autre, autrement dit par *motu terae*, tremblement de terre, et donc *ex Mandato*, à savoir par la volonté de Notre Seigneur Dieu. Les gens de peu, qui ne connaissent rien à la géologie, pensent que les démons voulaient écraser Rohatyn avec cette montagne, mais que, le coq ayant chanté, leur force leur fut enlevée avant qu'ils en eussent terminé. D'où le nom. Je l'ai lu chez Krasuski et Rzączyński, tous deux de la Société de Jésus et donc une source digne de confiance.

7

L'histoire de Ienta

Le père de Ienta, Majer de Kalisz, était l'un de ces justes auxquels il avait été donné de voir le Messie.

Cela s'était passé avant la naissance de Ienta, à une époque mauvaise et pitoyable où tout le monde attendait le sauveur parce qu'il y avait tellement de malheurs qu'il semblait impossible que l'univers puisse continuer à exister ainsi. La souffrance était telle qu'aucun monde n'aurait pu la supporter. L'expliquer ou la comprendre était impossible, personne ne pouvait croire que c'était la volonté de Dieu. D'ailleurs, les personnes qui avaient l'œil vif, le plus souvent des femmes âgées qui avaient vu beaucoup de choses dans leur vie, remarquaient que le mécanisme du monde s'enrayait. Ainsi par exemple, au moulin où le père de Ienta livrait du blé, une nuit, toutes les meules se brisèrent, aucune n'y échappa. Quant aux pissenlits, un beau matin, toutes leurs fleurs jaunes formèrent la lettre *aleph*. Le soir, le soleil se couchait dans un vermeil orangé, de sorte que tout sur terre prenait la couleur marron du sang séché. Les roseaux des bords de rivière avaient poussé tellement coupants qu'ils vous tailladaient les jambes. L'armoise était devenue si toxique que sa seule odeur suffisait à faire tomber un homme adulte à terre. Et les carnages perpétrés par Bohdan Chmielnicki, par exemple, comment auraient-ils pu s'inscrire

dans le projet de Dieu? Depuis 1648, des rumeurs terribles circulaient à leur propos dans tous les pays, il y avait de plus en plus de migrants, de veufs, d'orphelins, d'infirmes, et tout cela était la preuve indéniable que la fin arrivait et que le monde était sur le point d'accoucher du Messie, les douleurs du travail avaient commencé et, comme il était écrit, la vieille loi était caduque.

Le père de Ienta était venu en Pologne de Ratisbonne, d'où toute sa famille avait été chassée, toujours pour les mêmes péchés prêtés aux Juifs depuis des siècles. Il s'était installé en Grande-Pologne où il faisait commerce de blé comme beaucoup de ses confrères, et il envoyait de belles céréales couleur or à Gdańsk et plus loin dans le monde. Son affaire marchait bien, la famille ne manquait de rien.

Majer de Kalisz n'en était qu'à ses débuts quand, en 1654, la peste noire arriva et que son air putride emporta beaucoup de gens. Puis vint le grand froid qui mit un terme à l'épidémie, mais dura de si longs mois que les personnes qui avaient survécu au fléau étaient prises par le gel jusque dans leurs lits. La mer s'était transformée en glace et l'on pouvait aller de Pologne en Suède à pied, les ports étaient bloqués, les animaux domestiques mouraient, la neige avait fait disparaître les routes et toute circulation avait cessé. De sorte qu'au printemps les accusations se mirent aussitôt à pleuvoir sur les Juifs, auxquels on prêta la responsabilité de ces malheurs. Les procès se multiplièrent dans le pays, mais les Juifs se défendirent, ils envoyèrent un émissaire demander l'aide du pape, mais, avant que celui-ci ne revienne, les Suédois protestants avaient envahi la Pologne pour ravager les villes et les campagnes. De nouveau, on s'en prit aux Juifs – parce qu'ils étaient des mécréants.

En conséquence, le père de Ienta décida de quitter la Grande-Pologne avec sa famille pour aller plus à l'est, chez des parents à Lwów où il espérait trouver un havre paisible. Là, on était loin du monde, tout y arrivait avec retard, et la terre se révélait incroyablement fertile, autant que dans ces colonies vers lesquelles les gens de l'Ouest européen émigraient si volontiers. Chacun pouvait s'y trouver une place. Mais juste pour un temps. Quand les Suédois furent chassés, dans les ruines des villes complètement ravagées et sur leurs places, de nouveau l'on s'interrogea sur les responsables des malheurs de la *Respublica* du Royaume de Pologne et la réponse qui tomba le plus fréquemment les attribua aux Juifs et aux mécréants qui auraient intrigué avec l'envahisseur. On s'en prit d'abord aux antitrinitariens, puis, très vite, les pogromes commencèrent.

Le grand-père maternel de Ienta était originaire de Kazimierz, un hameau jouxtant Cracovie. Il y tenait une petite affaire, il faisait des chapeaux en feutre. En été de l'année 1664 chez les chrétiens et 5425 chez les juifs, cent vingt-neuf personnes périrent lors des troubles. Tout cela parce qu'un Juif fut accusé d'avoir volé une hostie. La boutique du grand-père fut totalement pillée et détruite. Après avoir payé une rançon avec ce qui lui restait de biens, l'aïeul fit monter sa famille dans un chariot et l'emporta vers le sud-est, vers Lwów où vivaient des parents. Son raisonnement était juste, la violence cosaque s'était déjà exprimée à satiété sous l'ataman Chmielnicki, en 1648. La Grande Catastrophe, la *Gezerah*, ne pouvait pas se reproduire. Ne dit-on pas que l'endroit le plus sûr est celui où la foudre a déjà frappé?

La famille maternelle s'installa donc non loin de Lwów. La terre y était riche, les sols gras, les forêts denses et les rivières poissonneuses. Le grand magnat Potocki y régentait d'une poigne de fer. Le grand-père avait dû se dire qu'il n'y avait plus d'endroit où se cacher et qu'il valait mieux s'en remettre à la volonté de Dieu. Et là, lui et les siens étaient bien. Il faisait venir de Valachie la laine pour le feutre ainsi que d'autres marchandises, moyennant quoi son affaire prospéra rapidement et il se remit debout, acheta une maison flanquée d'un petit atelier, avec un verger et des oies, des poules, des melons jaunes étalés sur l'herbe, et des prunes qui, après avoir été flétries par le gel, servaient à faire la slivovitz.

Ce fut alors, en automne 1665, qu'avec les marchandises de Smyrne parvint une nouvelle qui bouleversa tous les Juifs de Pologne : le Messie était arrivé. Quiconque entendait la nouvelle se taisait aussitôt pour chercher à saisir le sens de cette courte phrase : « Le Messie est arrivé. » Ce n'était pas une simple phrase, mais une phrase ultime. Quiconque la prononçait voyait le monde différemment, comme si ses yeux s'ouvraient.

En vérité, n'y avait-il pas eu assez de signes avant-coureurs pour annoncer la fin des temps ? Les monstrueuses racines jaunes des orties entouraient insidieusement les racines des autres plantes, les liserons exceptionnellement foisonnants cette année-là avaient des tiges aussi résistantes que des cordes. La verdure grimpait aux murs des maisons, s'accrochait aux écorces des arbres et semblait vouloir prendre les hommes à la gorge. Les pommes étaient issues d'ovaires multiples, les œufs avaient deux jaunes, le houblon poussait à une telle allure qu'il étouffa une génisse.

Le Messie avait pour nom Sabbataï Tsevi. Des milliers de gens se regroupaient autour de lui, ils affluaient du monde entier, ils se rassemblaient afin d'accompagner le Messie à Constantinople où il allait s'emparer de la couronne du sultan pour se proclamer roi. À ses côtés se trouvait Nathan de Gaza, un grand savant qui notait ses paroles pour les diffuser dans le monde, à tous les Juifs.

Aussitôt arriva à la Commune juive de Lwów une lettre du rabbin Baruch Pejsach, de Cracovie, disant qu'il n'était plus temps d'attendre : il fallait se rendre en Turquie au plus vite pour devenir un témoin des derniers jours. Être parmi les premiers qui verraient.

Majer, le père de Ienta, ne se laissait guère aisément convaincre par de pareils enthousiasmes.

S'il en était comme vous l'affirmez, le Messie arriverait à chaque génération, il serait ici ou là tel ou tel mois. Il naîtrait à chaque trouble, à chaque guerre. Il interviendrait après chaque malheur. Or, combien y en avait-il? Une infinité. Ceux qui l'écoutaient hochaient la tête, oui, oui. Il avait raison. Chacun sentait pourtant que, cette fois, il en allait autrement. La ritournelle des signes reprit: lecture dans les nuages, les reflets sur l'eau, la forme des flocons de neige. Majer se décida à partir à cause des fourmis qu'il remarqua tandis qu'il réfléchissait intensément à tout cela: elles escaladaient un pied de table en file indienne, avec calme et ordre, atteignaient le plateau où, l'une après l'autre, chacune collectait les miettes de fromage éparpillées, puis s'en retournait toujours en bon ordre. Cela lui plut et Majer considéra ces fourmis comme un signe. Il avait réuni de l'argent et des marchandises, et, dans la mesure où il était considéré comme un homme réfléchi et sage, il trouva sans difficulté une place dans la grande caravane commerciale qui allait aussi le mener à Sabbataï Tsevi.

Ienta naquit plusieurs bonnes années après cet événement, aussi n'est-elle pas certaine d'avoir part à la sainteté des yeux de son père, qui virent le visage du Messie. Majer prit pour compagnons de voyage Mosze Halewi, son fils et son beau-fils de Lwów, ainsi que Baruch Pejsach de Cracovie.

Ils se rendirent de Cracovie à Lwów, de Lwów *via* Czerniowce vers le sud et la Valachie; plus ils approchaient, plus il faisait chaud, plus la neige était rare et plus l'air sentait bon, devenait doux, raconta plus tard son père. Le soir, ils s'inquiétaient de savoir comment il se faisait que le Messie était venu. Ils en arrivaient à la conclusion que les malheurs des années précédentes étaient finalement bons parce qu'ils avaient un sens, ils annonçaient la venue du sauveur comme les douleurs avertissent de la naissance d'un nouvel homme. Quand le monde accouche du Messie, il doit souffrir et toutes les lois deviennent obsolètes; les accords entre les hommes perdent de leur importance, les serments et les promesses deviennent poussière. Le frère combat le frère, le voisin hait le voisin, les gens qui vivaient proches les uns des autres se tranchent la gorge la nuit et se repaissent du sang.

La délégation de Lwów trouva le Messie en prison, à Gallipoli. Tandis qu'elle était en route de Pologne vers le sud, le sultan, inquiet du tumulte qui régnait parmi les Juifs et des projets de Sabbataï Tsevi, avait fait capturer et enfermer ce dernier à la citadelle.

Le Messie incarcéré! Comment était-ce possible? Parmi les personnes arrivées à Istanbul de partout, pas seulement de Pologne, l'inquiétude était grande. La prison! Le Messie pouvait-il être emprisonné, était-ce possible, était-ce en accord avec les prophéties, n'y avait-il pas Isaïe?

Un moment, de quelle prison parlait-on? Était-ce bien une prison? Qu'est-ce qu'une «prison», somme toute? Sabbataï Tsevi, généreusement doté par les fidèles, séjournait à la citadelle de Gallipoli, qui n'était rien de moins qu'un château. Le Messie ne mangeait ni viande ni poisson; on disait qu'il ne se nourrissait que de fruits et que l'on faisait venir pour lui les plus frais de toute la région, mais aussi par bateau. Il aimait les grenades dont il extrayait, de ses longs doigts, les grains couleur de rubis pour les croquer dans sa sainte bouche. Il ne mangeait pas beaucoup, dit-on, à peine quelques grains de grenade; il paraîtrait que son corps tirait une force vivifiante directement du soleil. Il se disait également dans le plus grand secret, qui pourtant se répandait plus vite que si c'était un petit secret, que le Messie serait une femme. Ceux qui l'avaient approché avaient vu sa poitrine féminine. Sa peau lisse et rose avait aussi l'odeur de celle d'une femme. À Gallipoli, il aurait eu à sa disposition une grande cour et des salles couvertes de tapis où il recevait en audience. Était-ce cela une prison?

Ce fut là que les délégués de Lwów trouvèrent Sabbataï Tsevi. D'abord, ils attendirent un jour et demi, tant il y avait de personnes qui souhaitaient être reçues par le Messie en prison. Une foule excitée, multilingue, se déversait sous les yeux de la délégation de Lwów. Les spéculations allaient bon train: qu'allait-il se passer?... Les Juifs du Sud, basanés, en turbans sombres, croisaient les Juifs d'Afrique vêtus de couleurs pareilles à celles de la libellule. Les Juifs d'Europe étaient cocasses, habillés en noir avec des cols raides qui ramassaient la poussière autant qu'une éponge l'eau.

COSTANTINOPOLI, SUE

1. Veduta di una parte di Galata.
2. Alai Kiosc. } cioè, due Casini di delizia.
3. Sinan Kiose.
4. Caickana, o luoghi per le Navi del Gran Signore.

5. Acropoli, owero la punta del Serraglio.
6. Camere delle Donne del Gran Signore nel Ser
7. Stanza del Divano.
8. Abitazioni degli Uffiziali.

Majer et les autres durent jeûner un jour puis faire des ablutions aux bains. Finalement, ils reçurent des tuniques blanches et purent accéder à la majesté messianique. C'était un jour de fête, décidé précisément selon le nouveau calendrier messianique. Sabbataï avait supprimé toutes les fêtes juives traditionnelles, ce n'était plus la Loi de Moïse qui était en vigueur, mais une autre, non encore mise en mots l'avait remplacée, de sorte qu'il était impossible de savoir comment se conduire selon elle ou que dire.

Ils trouvèrent Sabbataï Tsevi assis sur un trône richement décoré, en vêtements pourpres, assisté de sages pleins de sainteté qui se tournèrent vers eux pour leur demander la raison de leur venue et ce qu'ils attendaient du sauveur.

Il avait été décidé que ce serait Baruch Pejsach qui parlerait, aussi se mit-il à raconter tous les malheurs du pays de Pologne, mais aussi ceux des Juifs polonais, et, pour preuve, il en remit la chronique rédigée par Majer de Szczebrzeszyn intitulée en hébreu *Cok Ha-itimii*, autrement dit «La Pression des temps», publiée quelques années plus tôt. Tandis que Baruch dissertait d'une voix larmoyante sur les guerres, les maladies, les

VTE, E LUOGI VICINI.

Ingresso del Serraglio.   13. *Calcedonia.*

Tempio di Santa Soffia.   14. *Serraglio di Scutari.*

Isola detta de' Principi.   15. *Torre di Leandro.*

Fanari Kiosc, owero Casino detto Fanari.   16. *Scutari.*

pogromes et l'injustice humaine, Sabbataï l'interrompit soudain, pointa le doigt sur ses vêtements pourpres et lança d'une voix forte : « Ne voyez-vous pas la couleur de la vengeance ? Je suis vêtu d'écarlate et, comme le dit le prophète Isaïe, le jour de la vengeance est dans mon cœur alors que l'année du salut est arrivée ! » Tout le monde s'inclina, car cette voix était puissante et surprenante. Ensuite, Sabbataï arracha sa chemise qu'il tendit à Izajasz, le fils de Dawid Halewi ; aux autres, il donna des cristaux de sucre qu'il leur dit de mettre dans leurs bouches : « Puissent-ils éveiller en vous la force de la jeunesse ! » Majer voulut dire qu'une force juvénile ne leur était pas nécessaire, qu'ils souhaitaient juste vivre en paix, mais le Messie hurla : « Silence ! » Majer observa le sauveur à la dérobée, autant que cela lui fut possible, il vit son visage magnifique, plein de douceur avec des traits délicats et des yeux d'une beauté exceptionnelle, humides et ténébreux à la fois entre les cils. Il vit les lèvres charnues et sombres du Messie trembler d'irritation et ses joues mates et glabres, sans doute douces au toucher comme le nubuck le plus travaillé, frémir légèrement. Il fut très étonné par la poitrine du

Messie qui était, en effet, pareille à celle d'une femme, bombée avec des mamelons marron. Quelqu'un s'empressa alors de jeter un châle sur le Messie, mais la vision de ces seins nus demeura dans la mémoire de Majer jusqu'à la fin de ses jours ; par la suite – comme il arrive souvent avec les images de la mémoire – elle fut mise en mots et, à partir de ces mots, reconstituée dans la tête de ses enfants.

Majer le sceptique ressentit à ce spectacle comme une piqûre dans sa poitrine, un tressaillement d'émotion qui dut balafrer profondément son âme, parce qu'il transmit cette balafre à ses enfants puis à ses petits-enfants. Le père de Ienta, Majer, était le frère du grand-père d'Elisha Shorr.

Et ? Et ce fut tout. La délégation de Lwów nota avec précision par écrit chaque geste et chaque parole. La première nuit, ses membres restèrent assis en silence sans comprendre ce qui leur était vraiment arrivé. Était-ce un signe ? Auraient-ils droit au salut ? Est-ce que, confrontés à la fin des temps, ils étaient en mesure de comprendre ce qui se passait, étant donné que *tout était différent, inversé* ?

Finalement, après avoir réglé leurs affaires commerciales, ils rentrèrent chez eux, en Pologne, dans un état d'esprit étrangement solennel.

La nouvelle de la conversion de Sabbataï les frappa comme la foudre par temps clair. Elle eut lieu le 16 du mois d'Ellul de l'an 5426, et donc le 16 septembre 1666, mais ils ne l'apprirent qu'au retour, une fois rentrés chez eux. Ce jour-là, une neige trop précoce était tombée par surprise pour recouvrir les jardins dont la récolte n'avait pas encore été faite : les citrouilles, les carottes et les betteraves qui achevaient de mûrir en terre.

Des émissaires aux vêtements déchirés de tristesse, aux visages sales à force de courir les routes, répandaient la nouvelle. Ils refusaient de faire la moindre halte, ils traversaient les villages en poussant des lamentations. Le mauvais sultan des infidèles avait menacé Sabbataï de mort s'il ne se convertissait pas à l'islam. Il avait promis de lui couper la tête. Le Messie avait obtempéré.

Dans les maisons, il y eut d'abord des sanglots et de l'incrédulité. Puis vint le silence. Pendant un, deux, trois jours, personne ne fut d'humeur à discuter. Que dire? Qu'une fois encore nous sommes les plus faibles, abusés, que Dieu nous a abandonnés? Le Messie vaincu… Ne devait-il pas chasser le sultan du trône, prendre le pouvoir sur le monde entier, relever les humiliés? De nouveau de gros nuages gris, en coton, comme la toile d'une tente usée, arrivèrent au-dessus des pauvres villages de Podolie. Majer eut l'impression que le monde se mettait à pourrir, qu'il était pris de gangrène. Assis à une lourde table en bois, avec sur ses genoux sa fillette minuscule comme un petit pois, il remplissait les colonnes de la gématrie comme tout le monde. Ce ne fut qu'au moment du premier gel que des lettres et des explications commencèrent à circuler, il n'y eut plus de semaine sans qu'un marchand ambulant n'apportât du nouveau à propos du sauveur. Même le simple laitier, qui distribuait le lait et le beurre dans les villages avoisinants, devenait un sage en ce temps-là. Il dessinait du doigt sur n'importe quel support les schémas du salut.

Il fallait établir une vue d'ensemble à partir de tous ces rapports nerveux et partiels, regarder dans les livres, demander aux plus sages. Au cours de cet hiver-là naquit lentement un nouveau savoir qui, au printemps, fut déjà fort et d'une vitalité pareille à celle des nouvelles pousses des plantes. «Comment pouvions-nous nous tromper ainsi? Le chagrin nous avait aveuglés, un doute indigne d'un homme bon? Oui, il était passé à la foi de Mahomet, il s'y était converti mais pas *pour de vrai*, juste *en apparence*, le turban vert était porté par son image, *son but*, autrement dit son ombre. Le Messie, lui, s'était caché pour attendre des temps meilleurs qui arriveraient bientôt, ce n'était plus qu'une question de jours, proches très proches».

Ienta peut encore voir le doigt qui traçait l'Arbre séphirotique dans la farine étalée sur la table, et, simultanément, elle se retrouve au village près de Brzeżany, quelque quatre-vingts ans plus tôt. Le jour est exactement celui où elle a été conçue. Elle ne peut le voir que maintenant.

Est-ce que, dans l'état étrange où elle se trouve, Ienta peut initier de petites choses? Influencer le cours des événements? Le peut-elle? Si elle le pouvait, elle changerait cette journée.

Elle voit une jeune femme qui marche à travers champs avec un panier à la main, et deux oies dedans dont les cous se balancent au rythme de ses pas, leurs yeux comme des perles regardent alentour avec cette sorte de confiance propre aux animaux apprivoisés. Une patrouille de Cosaques surgit de la forêt, elle galope, grandit à vue d'œil. Il est trop tard pour fuir, la femme s'arrête, surprise, elle veut se cacher derrière le panier aux oies. Les chevaux l'encerclent, l'oppressent. Les hommes mettent pied à terre comme sur ordre, et tout se déroule très vite et en silence. Ils la repoussent doucement dans l'herbe, le panier tombe, les oies le quittent mais ne s'éloignent pas, elles sifflent de façon menaçante, en guise d'avertissement, et deviennent les témoins de ce qui arrive. Deux Cosaques retiennent les chevaux et le troisième défait la ceinture de son large pantalon plissé puis se couche sur la femme. Ensuite, ils changent, ils le font de plus en plus vite, en hâte, comme s'ils étaient contraints d'exécuter ces quelques mouvements qui ne semblent quasiment pas leur apporter de plaisir. Leur semence coule dans la femme puis goutte sur l'herbe. Le dernier lui serre le cou et la femme est sur le point d'accepter sa mort proche quand l'un des autres Cosaques tend les rênes à l'homme qui remonte alors à cheval. Il regarde encore un moment sa victime, comme s'il voulait s'en souvenir. Ensuite, les Cosaques s'en vont rapidement.

La femme reste assise, les jambes écartées, ses oies outrées la regardent et cacardent avec désapprobation. Elle s'essuie l'entrejambe avec un bout de jupon puis arrache des feuilles et de l'herbe. Elle court à la rivière, soulève le haut de ses jupes, s'assied dans l'eau et expulse la semence. Les oies s'estiment invitées, elles courent également vers l'eau, mais avant qu'elles n'y pénètrent, avec comme toujours la retenue qui leur est propre, la femme les attrape, les met dans le panier et retourne sur le sentier. Elle ralentit en arrivant au village, marche de plus en plus lentement et s'arrête à une frontière invisible.

Cette femme est la mère de Ienta.

Sans doute est-ce pourquoi, toute sa vie, elle a observé sa fille attentivement et avec suspicion. Ienta s'est habituée à ce regard plein de réserve, notamment lorsqu'on travaillait autour de la table, à couper

les légumes, à écaler les œufs durs ou à fourbir les casseroles. Sa mère
la regardait tout le temps du coin de l'œil. Comme un loup, comme un
chien qui s'apprête à plonger ses crocs dans un mollet. Avec le temps,
une grimace de la bouche s'ajouta aux regards, la lèvre supérieure s'élevait légèrement jusque sous le nez, donnant à sa mère une expression
entre aversion et dégoût, qui restait pourtant infime, à peine visible.

Ienta se souvient qu'un jour, en tressant ses nattes, sa mère trouva
dans ses cheveux, au-dessus de son oreille, une tache qui la réjouit
grandement. «Regarde, dit-elle à son père, elle a un grain de beauté
au même endroit que toi, juste du côté opposé, comme un reflet dans
le miroir.» Majer accueillit ces paroles avec distraction. Il ne soupçonna
jamais rien. Sa mère était morte avec son secret enfermé dans son poing
serré. Elle s'était éteinte dans un spasme, en fureur. Elle reviendra sans
doute en tant qu'animal sauvage.

Ienta était la onzième de ses enfants. Le prénom que lui donna son
père signifie «celle qui diffuse les nouvelles et enseigne aux autres».
Sa mère n'avait plus la force de s'occuper d'elle, elle était trop fragile.
D'autres femmes qui vivaient toujours chez eux, des cousines, une tante,
et un temps une grand-mère, s'en chargèrent.

Ienta se souvient que, le soir, sa mère retirait son bonnet, elle voyait
alors de près ses pauvres cheveux, coupés court et n'importe comment,
son cuir chevelu malade et couvert de croûtes.

Ienta avait six frères aînés qui fréquentaient la yeshivah puis ânon-
naient les mots du Livre à la maison, tandis que, elle, elle s'accrochait
à la table autour de laquelle ils étaient assis, trop petite pour qu'on
l'impliquât dans les travaux des femmes. Elle avait également quatre
sœurs aînées, dont l'une était déjà mariée, et l'on cherchait activement
à en fiancer une autre.

Le père de Ienta voyait l'enthousiasme et la curiosité de sa cadette
pour apprendre, aussi lui montra-t-il les lettres dans l'idée qu'elles
seraient pour elle des images, des bibelots ou des étoiles: un bel Aleph
pareil au reflet d'une patte de chat, un Shin pareil à un petit bateau
avec un mât que l'on taille dans de l'écorce pour le faire flotter sur
l'eau. Mais sans que l'on sût où et comment, la fillette apprit les lettres

autrement, à la manière des adultes, de sorte que bientôt elle savait en faire des mots. Sa mère l'en punit en la frappant sur les doigts avec une fureur inattendue, comme si Ienta était allée trop loin. Elle, elle ne savait pas lire. En revanche, elle aimait beaucoup écouter quand le père, ou, plus souvent, Abramek le Boiteux, un vieux parent, racontaient en yiddish aux femmes et aux enfants les histoires écrites dans les livres ; ce dernier le faisait toujours d'une voix pleurnicheuse, comme si, par nature, les paroles écrites étaient du registre des lamentations. Il commençait au crépuscule, à la lumière fade des bougies ; aussi, avec la lecture, c'est la tristesse des kabbalistes paysans, nombreux à l'époque, qui envahissait la maison. On pouvait s'y complaire et s'y abandonner autant que certains le font dans la vodka. Une telle mélancolie s'emparait de l'assistance qu'il y avait toujours quelqu'un pour pleurer et se lamenter. L'envie venait de toucher tout ce dont Abramek avait parlé, de tendre la main pour saisir du concret, mais il n'y avait rien. Le manque se révélait effroyable. Un authentique désespoir naissait. Alentour, tout n'était qu'obscurité, froidure et humidité. Et, l'été, poussière, herbes sèches et pierrailles. Où donc se trouvait le paradis, le monde, la vie ? Comment y parvenir ?

La petite Ienta avait l'impression que chacune de ces soirées se densifiait, s'assombrissait, devenait abyssale, surtout quand Abramek le Boiteux disait d'une voix profonde et chaude :

– Une chose est sûre, l'espace du monde est peuplé de spectres et d'esprits malfaisants qui naissent du péché de l'homme. Il est clairement écrit dans le Zohar qu'ils s'élèvent dans l'éther. Il convient donc de veiller à ce que, sur le chemin de la synagogue, ils ne s'attachent pas à nous, aussi nous faut-il connaître ce qui est écrit dans le Zohar et savoir en particulier que, sur notre gauche, un démon nous guette parce que la *mezouzah* est uniquement fixée du côté droit et que sur celle-ci figure le Nom de Dieu, Shaddaï, qui vainc les entités maléfiques, ce que nous explique l'inscription qui y figure : « Et Shaddaï sera sur ton chambranle. »

L'assemblée hochait la tête. On savait. Le côté gauche.

Ienta en était consciente. « L'air est rempli d'yeux, lui murmurait sa mère en la malmenant comme une poupée de chiffons chaque fois qu'elle l'habillait. Ils te regardent. Lance une question devant toi et aussitôt les esprits te répondront. Il faut juste savoir interroger. Puis trouver les réponses dans le lait qui s'est renversé pour former la lettre Samekh, dans l'empreinte laissée par un cheval avec la forme de la lettre Shin. Collecte, collecte donc ces signes et bientôt tu liras une phrase entière. Ce n'est pas grand-chose de savoir lire les ouvrages écrits par les hommes quand le monde entier est un livre écrit par Dieu. Le petit chemin de terre qui mène à la rivière est ainsi couvert d'inscriptions. Observe-le. Regarde les plumes d'oie aussi, les nœuds desséchés du bois dans la palissade, les fissures dans les murs d'argile de la maison – celle-ci est tout à fait comme la lettre Shin. Tu sais lire, eh bien, lis, Ienta ! »

La fillette craignait sa mère, ô combien ! Elle restait debout devant cette petite femme maigre qui marmonnait éternellement, toujours avec hargne. Démoniaque : c'est ainsi que tout le village considérait cette mère à l'humeur changeante. Ienta ne savait jamais si elle serait câlinée ou douloureusement serrée aux épaules et secouée comme une marionnette quand celle-ci la prenait sur ses genoux. Aussi, l'enfant préférait-elle l'éviter. Elle la voyait ranger dans son coffre ce qui restait de son ancienne dot – sa mère était d'une famille de Juifs fortunés de Silésie, mais de cette richesse ne restait plus grand-chose. Ienta avait entendu gémir ses parents dans leur lit et elle savait que c'était son père qui, en secret du reste de la famille, chassait le *dibbouk* de sa femme. Elle, elle commençait par lui résister faiblement, puis respirait profondément comme quelqu'un qui aurait plongé dans de l'eau froide, dans l'eau glaciale du *mikveh* et s'y serait caché devant le mal.

Un jour, au temps de la grande misère, Ienta vit sa mère piquer dans leurs réserves de nourriture, dos voûté, visage amaigri, yeux vides tellement sombres que l'on ne voyait pas les pupilles.

Quand Ienta eut sept ans, sa mère mourut en couches, avec l'enfant qui n'avait pas la force de sortir d'elle. Pour Ienta, la cause de ceci était évidemment le *dibbouk* avalé en volant la nourriture et que le père n'avait pas réussi à chasser au cours de ses combats nocturnes. Le démon s'était installé dans les entrailles de la mère et ne voulait plus en sortir. La mort était la punition. Quelques jours avant l'accouchement fatal, la femme grosse et enflée, aux yeux fous, avait réveillé sa fillette à l'aube en la tirant par ses tresses pour lui dire :

– Lève-toi, le Messie arrive. Il est déjà à Sambor.

Après la mort de son épouse, Majer, poussé par un sentiment de culpabilité obscur, s'occupa seul de la fillette. Il ne savait pas trop qu'en faire, aussi, quand il étudiait, elle était assise à côté de lui et regardait ce qu'il lisait.

– À quoi ressemblera la rédemption, lui demanda-t-elle un jour ?

Majer, rappelé à la réalité, quitta ses livres pour s'appuyer le dos au poêle.

– C'est simple, dit-il, quand la dernière étincelle de la lumière divine retournera à sa source, le Messie nous viendra. Toutes les lois seront abolies. Le partage entre ce qui est casher et ce qui ne l'est pas, ce qui est saint et ce qui ne l'est pas, disparaîtra, la nuit ne se distinguera plus du jour et les différences entre les hommes et les femmes n'existeront plus. Les lettres dans la Torah se placeront de telle manière qu'il y aura une nouvelle Torah où tout sera inversé. Les corps humains deviendront légers comme des esprits et de nouvelles âmes viendront en eux directement du trône de notre Bon Dieu. Alors disparaîtra aussi le besoin de manger et de boire, dormir deviendra inutile et tout désir se dissipera pareil à la fumée. La reproduction corporelle fera place à l'union des saints noms. La poussière couvrira le Talmud, il sera oublié, devenu inutile. La clarté de la *Shekhina* sera partout.

Plus tard, Majer jugea utile de lui rappeler l'essentiel.

– Entre le cœur et la langue, il y a un abîme, dit-il. Souviens-toi. Il faut te cacher de tes pensées, surtout quand pour ton malheur tu es née femme. Pense de manière à ce que les autres croient que tu ne penses pas. Conduis-toi de manière à les tromper. Nous devons tous procéder ainsi, et les femmes en particulier. Les talmudistes connaissent la force des femmes, ils en ont pourtant peur, c'est pourquoi ils percent les oreilles des petites filles, pour les affaiblir. Nous, non. Nous, nous ne le faisons pas parce que nous sommes nous-mêmes comme les femmes. Nous nous cachons. Nous faisons les idiots, nous faisons comme si nous étions des personnes que nous ne sommes pas. Nous rentrons chez nous et alors nous ôtons nos masques. Le poids du silence pèse sur nous, il est notre fierté.

Maintenant, tandis qu'elle est alitée dans la remise à bois de Korolówka, recouverte jusqu'au cou, Ienta sait qu'elle a abusé tout le monde.

8

Du miel, mais point trop n'en faut, ou l'enseignement à l'école d'Isohar, à Smyrne, en pays turc

Parce qu'il est passé par l'école d'Isohar, Nahman connaît sur le bout des doigts la gématrie, la notarique et le témura. On peut le réveiller en pleine nuit pour lui demander de déplacer des lettres et de créer des mots. Il a déjà pesé et établi le nombre des mots dans les prières et les bénédictions afin de découvrir selon quel principe ils ont été posés. Il les a comparés avec d'autres, les a transformés en déplaçant les lettres. De nombreuses fois où il ne pouvait pas dormir, par les nuits brûlantes de Smyrne, quand Reb Mordke fumait la pipe en silence, l'esprit ailleurs, Nahman jouait avec les mots et les lettres en créant des sens complètement nouveaux, des significations et des liens invraisemblables, il se distrayait ainsi jusqu'à l'aube, les yeux fermés. Quand les premiers rayons éclairaient la petite place avec ses quelques oliviers misérables, entre lesquels dormaient des chiens, le monde des mots lui paraissait beaucoup plus réel que celui que ses yeux pouvaient voir.

Nahman est heureux. Il est toujours assis derrière Jakób, il aime regarder son dos. C'est précisément pour cela que les Écritures lui parlent – dans le Livre des Proverbes 25,16, on peut lire : « Si tu trouves du miel, n'en mange que ce qui te suffit / De peur que tu n'en sois rassasié et que tu ne le vomisses. »

Cependant, outre l'*Hakkarat Panim*, ou la connaissance de la physionomie, et le *Sidrei Sirtutin*, qui est celle de la chiromancie, les meilleurs étudiants, dont Nahman et Jakób font déjà partie, sont initiés en sus à une autre chose secrète sous l'œil attentif d'Isohar et de Reb Mordke. Le soir, on ne laisse que deux bougies allumées dans une petite pièce et on s'assied par terre près du mur. La tête doit être placée entre les genoux. Le corps retrouve alors la position qu'il avait dans le ventre de la mère et donc quand il était encore dans la proximité de Dieu. Quand on reste ainsi plusieurs heures, quand la respiration revient aux poumons et que l'on entend les battements de son propre cœur, l'esprit humain commence ses voyages.

Jakób, qui est grand et fort, a toujours un cercle d'auditeurs autour de lui. Il raconte ses aventures de jeunesse à Bucarest. Nahman, lui, écoute d'une oreille. Jakób parle de la fois où il avait pris la défense d'un Juif et où deux cavaliers de l'agha l'avaient attaqué. Il s'était battu avec un rouleau à pâtisserie et avait eu raison de la garde turque. Et quand il fut envoyé devant le tribunal pour leur avoir infligé des dommages corporels, l'agha apprécia tellement sa combativité que non seulement il le fit libérer, mais lui offrit en sus des présents. Nahman n'en croit rien, évidemment. La veille, Jakób avait parlé d'un foret merveilleux qui, enduit d'herbes magiques, savait indiquer des trésors cachés dans la terre. Voyant sans doute le regard de Nahman fixé sur lui, que ce dernier se dépêche de détourner dès que Jakób le regarde, Jankiełe lui lance en turc :

– Qu'est-ce que tu as à me regarder comme cela, *Fejgełe*?

Il le fait indéniablement avec l'intention de froisser son compagnon. Nahman bat des paupières tant il est surpris. Il l'est d'autant plus que Jakób utilise le terme yiddish de *fejgełe* qui veut dire « petit oiseau », mais désigne aussi celui qui aime plus les hommes que les femmes.

Jakób est content de lui, il a réussi à mettre Nahman dans l'embarras, il arbore un grand sourire.

Pendant un moment, les deux élèves se cherchent une langue commune. Jakób commence par celle que parlent les Juifs de Smyrne, le ladino, mais Nahman n'y comprend rien et réagit en hébreu; toutefois, ni l'un ni l'autre ne se sent autorisé à utiliser la sainte langue dans la rue, cela les bloque. Nahman passe au yiddish, mais Jakób le parle avec un drôle d'accent, aussi réplique-t-il en turc, avec fluidité et plaisir comme s'il était soudain sur son terrain; seulement, Nahman à son tour ne se sent pas tout à fait à l'aise. Finalement, ils discutent dans un mélange de langues sans se soucier d'où proviennent les mots; le vocabulaire n'est pas de souche nobiliaire, il n'y a pas d'arbre généalogique à dresser. Les mots sont des marchands, vifs et pragmatiques, ils vont ici et là.

Comment appeler l'endroit où l'on boit du *cahvé*? Le *cahvéhane*, n'est-ce pas? Et le Turc trapu, très basané, originaire du Sud, qui apporte à la maison les marchandises achetées au bazar est un *hamal*. Quant au marché de pierres précieuses où Jakób passe chaque jour, c'est le *bezestan*, n'est-ce pas? Jakób rit, il a de belles dents.

LES RELIQUATS. CE DONT NOUS NOUS OCCUPIONS
À SMYRNE EN L'AN JUIF 5511
ET COMMENT NOUS AVONS RENCONTRÉ MOLIWDA,
MAIS AUSSI QUE LE SOUFFLE EST COMME UNE AIGUILLE,
IL TROUE LE MONDE

Je pris à cœur ce que nous enseignait Isohar. Il disait qu'il y a quatre sortes de lecteurs: les éponges, les entonnoirs, les filtres et les tamis. Le premier s'imprègne de tout, comme cela vient. Il est clair qu'ensuite il se souvient de beaucoup de choses, mais il ne sait pas en extraire l'essentiel. Le deuxième avale d'un côté tandis qu'il expulse de l'autre tout ce qu'il a lu. Le troisième laisse passer le vin, mais en garde le dépôt, il ne devrait pas lire et mieux vaudrait qu'il s'occupât d'artisanat. Le lecteur-tamis, quant à lui, crible le son pour obtenir le meilleur des grains.

« Je voudrais que vous soyez pareils au tamis, que vous ne reteniez point ce qui est mauvais et ennuyeux », nous répétait Isohar.

Grâce à nos relations pragoises et à la bonne opinion dont bénéficiait Reb Mordke, nous fûmes tous les deux engagés, et heureux de l'être, contre une bonne rémunération pour venir en aide aux Trinitaires qui rachetaient les esclaves chrétiens aux Turcs. Nous prenions la suite d'un Juif brusquement emporté par une fièvre et qu'il fallait remplacer en hâte. Notre tâche consistait à pourvoir au ravitaillement des moines pendant leur séjour à Smyrne.

Dans la mesure où je parlais déjà couramment le turc, et que, comme je l'ai déjà dit, je connaissais plutôt bien le polonais, l'Ordre de la Sainte-Trinité m'employait aussi pour traduire, moyennant quoi je devins bientôt ce que les Turcs appellent un *dragoman*, autrement dit un interprète.

Les rachats d'esclaves avaient lieu au port, les Trinitaires descendaient dans les cellules provisoires où ils étaient détenus, discutaient avec eux, leur demandaient d'où ils étaient originaires et s'ils avaient de la famille qui pourrait payer leur rançon et rembourser à l'Ordre la somme avancée.

Certaines histoires étaient cocasses, à l'image de celle d'une noble de la région de Lwów, qui s'appelait Zaborowska et dont le petit garçon, né en détention, avait pour prénom Ismail. Elle faillit faire échouer la transaction tant elle s'entêta à affirmer qu'elle n'abandonnerait pas la foi de Mahomet ni ne ferait baptiser son fils, et cela c'était une couleuvre difficile à faire avaler aux moines.

Un interprète qui travaillait également pour les Trinitaires attira immédiatement mon attention quand je l'entendis parler polonais alors qu'il était vêtu à la turque. Le soleil avait éclairci ses cheveux et il portait une barbe rousse taillée court. Sa stature trapue et robuste laissait supposer qu'il était fort et résistant. Je l'observais en douce, je ne voulais pas l'interpeller avant qu'une occasion se présentât. Un jour, il remarqua que je tentais d'expliquer quelque chose en polonais à des personnes qui arrivaient de Petite-Pologne pour racheter un de leurs parents. Il s'approcha de moi, me tapa sur l'épaule et me prit dans ses bras comme un pays à lui. «Tu es d'où?» me demanda-t-il sans plus de manières, et cela me bouleversa car aucun noble polonais ne m'avait jamais traité aussi chaleureusement. Ensuite, il me parla en hébreu tout à fait correctement, ainsi que dans la langue de chez moi, le yiddish. Sa voix était profonde, il aurait pu prononcer des discours. Je devais avoir une drôle d'expression car il se mit à rire, la tête tellement renversée en arrière que je pouvais voir le fond de sa gorge.

Des affaires mystérieuses dont il ne voulait pas parler l'avaient amené à Smyrne; par contre, il affirmait être le prince d'une île qui portait son nom, Moliwda, en mer grecque. Il disait cela comme s'il tendait un piège; le croirais-je, me laisserais-je prendre? Il le disait comme s'il n'y croyait pas complètement lui-même, comme s'il avait en réserve plusieurs autres versions toutes aussi vraies. En dépit de cela, nous devînmes proches. Avec moi, il avait une attitude paternelle alors qu'il n'était pourtant guère plus âgé.

Il m'interrogeait sur la Pologne, je devais lui raconter des choses tout à fait banales, qui lui faisaient manifestement plaisir : comment la noblesse et les bourgeois se conduisent-ils à Lwów ? comment sont les magasins ? peut-on boire du bon *cahvé*? de quoi les Juifs font-ils commerce ? et les Arméniens ? que mange-t-on ? quel alcool boit-on ? À vrai dire, je n'étais pas très au courant des affaires polonaises. Je lui parlai de Cracovie et de Lwów, je lui décrivis avec précision Rohatyn, Kamieniec et Busk, ma ville familiale. Je dois avouer que tous deux nous n'arrivions pas à éviter les vagues de nostalgie qui submergent les voyageurs éloignés de chez eux. J'avais moi l'impression qu'il n'était plus rentré chez lui depuis très longtemps parce qu'il posait des questions sur des faits anodins et bizarres. En revanche, il me racontait ses aventures en mer avec les pirates et décrivait les batailles de telle manière que même les Trinitaires en habits blancs marqués d'une croix s'accroupissaient auprès de nous pour l'écouter. Avec les frères, il parlait polonais, et à la manière dont eux conversaient avec lui – à l'époque, je ne comprenais pas encore tout –, il était manifeste qu'ils l'appréciaient beaucoup et le traitaient de manière exceptionnelle, comme un noble authentique. Ils parlaient de lui en disant «Monsieur le duc Kossakowski», ce qui me coupait étrangement le souffle car je n'avais jamais vu de duc de près, fût-il aussi excentrique.

Plus Reb Mordke et moi fréquentions ce Moliwda, plus il nous étonnait. Non seulement il lisait et écrivait couramment l'hébreu, mais il connaissait en outre les bases de la gématrie ! Il faisait montre d'un savoir qui allait très au-delà des limites d'un simple goy. Il parlait également le grec et il avait approfondi sa connaissance de l'écriture turque au point de pouvoir remplir des récépissés.

Un jour, Iehuda Tov ha-Levi de Nikopol, que nous ne connaissions pas encore, mais dont nous n'avions entendu dire que du bien et dont nous étudiions aussi le livre et les poèmes, arriva chez Isohar. Tov était un homme modeste et refermé sur lui-même. Son fils de treize ans, un très beau garçon, l'accompagnait partout et on aurait dit un ange s'occupant d'un sage.

Les disputations qui commencèrent à son arrivée nous introduisirent à des champs de recherche complètement nouveaux.

Isohar disait :

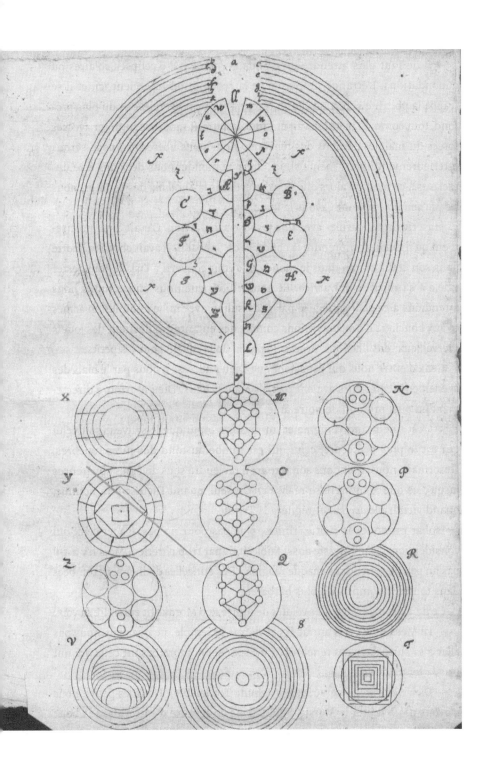

– Il ne faut plus attendre de grands événements, d'éclipses solaires ou d'inondations. L'étrange processus de la rédemption intervient ici, et il se frappa la poitrine si fort qu'elle en résonna. Nous nous relevons du plus profond, tout comme Lui se relevait et tombait, luttant sans discontinuer avec les forces du mal, les démons des ténèbres. Nous nous libérerons, nous serons intérieurement libres, même si, ici, dans ce monde, nous devrions être des esclaves... ce n'est qu'alors que nous relèverons la *Shekhina* des cendres, nous les *Ma'aminim*, nous qui avons la vraie foi.

J'inscrivais ces paroles avec une joyeuse satisfaction. C'était ainsi précisément qu'il fallait comprendre la conduite de Sabbataï. Il avait choisi la liberté dans son cœur et non dans le monde. Il s'était converti à l'islam pour rester fidèle à sa mission salvatrice. Et nous, idiots que nous étions, nous nous attendions à ce qu'il assiège le palais du sultan avec mille hommes en armes et aux boucliers d'or. Nous étions comme des enfants qui désirent des jouets merveilleux, des illusions, *Achizas Einayim*, de la magie pour les petits.

Ceux d'entre nous qui pensaient que Dieu s'adresse à nous par le biais des événements extérieurs avaient tort, ils étaient naïfs. Dieu murmure directement au plus profond de notre âme.

– C'est une grande énigme et un mystère inouï que le sauveur soit celui qui est le plus persécuté, celui qui est tombé au fond des pires ténèbres. Désormais, nous attendons son retour ; il reviendra sous diverses apparences jusqu'à ce que le mystère se réalise en un seul, quand Dieu se fera homme, quand viendra le *devekut* et régnera la Trinité.

Isohar prononça le mot « Trinité » plus bas pour ne pas agacer ceux qui considéraient qu'un Messie aussi faible était par trop chrétien. Mais n'y a-t-il pas un peu de vérité dans chaque religion ? Des étincelles divines sont tombées dans toutes, y compris les plus barbares.

Ce fut alors qu'à travers les volutes de fumée Reb Mordke fit entendre sa voix :

– Le Messie ne nous aurait-il pas donné l'exemple, ne devrions-nous pas aller à sa suite dans ces ténèbres ? En Espagne, nombreux sont ceux qui ont pris la foi d'Édom.

– Dieu nous en préserve ! réagit Iehuda Tov ha-Levi. Nous les petits, nous n'avons pas à imiter le Messie. Seul Lui est en mesure d'entrer dans la boue et la fange, de s'y immerger et d'en sortir intact, sans la moindre tache, complètement pur.

Tov était d'avis qu'il ne fallait pas s'approcher trop près de la chrétienté. Quand par la suite, très excités, nous discutions avec d'autres de la Sainte-Trinité, il affirmait que le savoir chrétien sur celle-ci est la forme corrompue d'une ancienne science du mystère divin dont plus personne ne se souvient. Une version pâle et erronée.

«Tenez-vous à distance de la Trinité», disait-il en guise d'avertissement.

Un tableau se grava dans ma mémoire : trois hommes mûrs, barbus, réunis sous la lumière tremblotante d'une lampe à huile en train de débattre des soirées entières du Messie. Chaque lettre qui arrivait des frères d'Altona ou de Salonique, de Moravie, Lwów ou Cracovie, Istanbul ou Sophia, était prétexte à des nuits blanches, et, à Smyrne en ce temps-là, notre manière de penser devenait de plus en plus harmonieuse. Isohar semblait le plus réservé, Iehuda Tov ha-Levi le plus sarcastique, et, je dois l'avouer, j'évitais son regard irrité.

Oui, nous savions que depuis que Lui, Sabbataï Tsevi, était venu le monde avait un autre visage, un visage inerte, et, s'il apparaissait comme étant le même, il n'en était pas moins complètement différent d'avant. Les anciennes lois n'étaient plus valables, les commandements, que dans l'enfance nous respections avec confiance, avaient perdu leur sens. La Torah était en apparence pareille, rien n'y avait changé au sens littéral, mais elle ne pouvait plus être lue à l'ancienne. Une signification totalement nouvelle des vieux mots apparaissait, et nous la voyions, nous la comprenions.

Celui qui s'en tient à l'ancienne Torah dans ce monde racheté respecte le monde inerte et la loi caduque. Il est un pécheur.

Le Messie accomplira sa douloureuse errance en détruisant de l'intérieur les mondes creux, en réduisant en poussière les lois périmées. Il convient donc d'en finir avec l'ordre ancien pour qu'advienne le règne du nouveau.

Est-ce que les sciences et les livres ne nous indiquent pas clairement qu'Israël a précisément été dispersé de par le monde pour en collecter toutes les étincelles de sainteté, y compris celles des parties les plus lointaines de la terre, des abîmes les plus profonds? Est-ce que Nathan de Gaza ne nous pas enseigné en outre que, parfois, ces étincelles s'étaient enfoncées profondément et honteusement dans la chair de la matière tels des bijoux tombés dans le fumier ? Aux moments les plus difficiles du *tikkoun*, il n'y avait personne qui pût les en extraire – Lui seul devait connaître le péché et le mal pour en sortir les saintes étincelles. Quelqu'un comme Sabbataï Tsevi devait venir et adopter l'islam. Il devait nous trahir tous pour que, nous, nous ne soyons plus obligés de le faire. Nombreux sont ceux qui ne peuvent pas comprendre cela, alors que nous savons par Isaïe que le Messie doit être rejeté par les siens et les étrangers. La prophétie le dit.

Iehuda Tov ha-Levi se préparait déjà au retour. Il avait acheté des soieries qui arrivaient par bateau de Chine, des céramiques chinoises soigneusement emballées dans du papier et de la sciure, et il avait acquis beaucoup d'huiles indiennes. Il s'était rendu lui-même au bazar pour y trouver des cadeaux pour les femmes et surtout Chana, sa fille adorée, dont j'entendis alors parler pour la première fois, sans pouvoir imaginer, bien entendu, la suite des événements. Il s'intéressa aux châles tissés de fil doré et aux babouches brodées. Reb Mordke et moi sommes arrivés chez lui alors qu'il se reposait après avoir envoyé ses aides chercher les *ferman* aux offices de douane, car il devait prendre la route pour rentrer chez lui quelques jours plus tard. Aussi, toutes les personnes qui avaient de la famille dans le Nord rédigeaient des lettres et emballaient de petits paquets pour qu'ils puissent partir avec la caravane de Iehuda Tov jusqu'aux rives du Danube, à Nikopol et Giurgiu, et, de là, vers la Pologne.

Nous nous assîmes à côté de lui, Mordekhaï sortit de je ne sais où une bouteille du meilleur vin. Après deux verres, le visage de Iehuda Tov fondit, l'expression d'un étonnement enfantin y apparut, ses sourcils filèrent vers le haut, son front se plissa, et je me dis que je voyais le vrai visage de ce sage qui, le reste du temps, se contrôlait. En homme peu habitué à boire, il avait succombé au vin, qui lui était monté à la tête. Reb Mordke se moqua de lui : « Comment fait-on pour ne pas boire quand on a des vignes ? » La raison de notre visite était autre, pourtant. Je me sentis de nouveau comme par le passé quand nous jouions aux entremetteurs. Il s'agissait de Jakób. D'abord il fut dit qu'il frayait avec les Juifs de Salonique qui soutiennent Barukhia, le fils de Kohn, et cela plut beaucoup à Tov également proche de ces derniers. Mais Reb Mordke et moi revenions obstinément à autre chose, notre obstination à nous, les « deux Juifs de Pologne » comme nous appelait Iehuda Tov, ressemblait à une spirale qui, un instant, paraissait faiblir, puis reprenait aussitôt là où elle avait décliné, mais sous une autre forme. Or, ce point vers lequel toute notre conversation revenait après les plus vastes des digressions et les plus lointaines des associations d'idées était Jakób. Que voulions-nous ? Marier Jakób avec la fille de Iehuda Tov, ainsi Jakób deviendrait-il un homme respecté. Un Juif non marié n'est rien et jamais il ne sera pris au sérieux. Et quoi d'autre ? Qu'est-ce qui avait surgi comme par miracle dans nos têtes ? Pareille idée était audacieuse, dangereuse peut-être, mais je la vis soudain dans son entier et elle me parut absolument parfaite. C'était comme si j'avais compris le pourquoi de notre existence, de toutes nos pérégrinations avec Reb Mordke, de toutes nos études. Peut-être était-ce également le vin qui avait détendu mon esprit, car soudain tout était devenu clair pour moi. Ce fut alors que Reb Mordke dit à ma place :

– Nous allons arranger son union avec ta fille et il partira en Pologne en tant qu'envoyé.

C'était précisément ce que nous voulions. Et, ô miracle, Iehuda Tov ne trouva rien à redire, il avait entendu parler de Jakób comme tout un chacun.

Nous envoyâmes donc chercher Jakób, qui arriva au bout d'un long moment et avec lui toute une bande de garçons de son âge et des Turcs. Ceux-là restèrent de l'autre côté de la petite place ; Jakób, lui, se présenta devant nous quelque peu intimidé. Je me souviens qu'en le voyant je ressentis un frisson, une vibration dans tout mon corps et un amour plus grand que pour n'importe qui d'autre au monde. Les yeux de Jakób brillaient, il était surexcité et avait du mal à maîtriser son sourire ironique.

– Si, toi Mordekhaï, toi Tov et toi Nahman, vous êtes les sages de ce siècle, dit-il avec une déférence excessive, convertissez le métal en or, je saurai alors que vous êtes de saints émissaires.

J'ignorais s'il plaisantait ou s'il parlait sérieusement.

– Assieds-toi, lui dit durement Reb Mordke. Seul le Messie peut accomplir ce miracle-là. Tu le sais parfaitement. Nous en avons déjà discuté.

– Et il est où, ce Messie ?

– Parce que tu ne le sais pas ? répondit Reb Mordke, qui lui lança un regard de travers, ironique. Tu passes pourtant ton temps avec ses adeptes !

– Le Messie est à Salonique, lui dit calmement Iehuda Tov en étirant les mots sous l'effet du vin. À la disparition de Sabbataï Tsevi, le souffle est passé à Barukhia Russo, que son nom soit béni !

Tov resta silencieux un moment avant d'ajouter comme par provocation :

– Et maintenant on dit que le souffle a trouvé sa place dans Barukhia, le fils de Kohn. On dit aussi qu'il est le Messie.

Jakób ne parvint pas à garder son sérieux. Il eut un large sourire, et cela soulagea tout le monde, car on ne savait plus où on allait avec cette conversation.

– Si vous le dites, je vais le voir de ce pas, dit Jakób après un moment. Je désire le servir de tout mon cœur. S'il veut, je lui couperai son bois. S'il me dit de porter de l'eau, j'en porterai. S'il a besoin de quelqu'un pour faire la guerre, je prendrai la tête de l'armée. Il suffit de me dire ce que je dois faire.

Dans le traité Haguiga 12, il est dit : « Malheur aux hommes qui voient et ne savent pas ce qu'ils voient. » Mais, nous, nous voyions et nous comprenions ce que nous voyions. Cela se passa la même nuit. Jakób se tint debout devant Reb Mordke qui, en pleurant et en prononçant les mots les plus puissants, touchait tour à tour les lèvres, les paupières et les sourcils du garçon, puis frottait son front avec des herbes jusqu'à ce que ses yeux deviennent vitreux et Jakób lui-même silencieux et soumis. Nous lui retirâmes alors ses vêtements et nous ne laissâmes que la flamme d'une unique lampe. Puis, d'une voix vibrante, je chantai le chant que nous connaissions tous, mais qui désormais acquérait une tout autre signification, nous ne demandions plus que le souffle descende, comme cela se fait au quotidien, en général pour rendre le monde meilleur, pour que le souffle vienne à notre secours. Désormais, nous le priions de descendre véritablement dans le corps nu qui était devant nous, le corps de l'homme, du frère que nous connaissions bien et qu'en même temps nous ne connaissions pas. Nous l'offrions au souffle pour qu'il l'essayât, nous vérifiions que Jakób convenait, qu'il supporterait le coup. Nous ne demandions plus un simple signe qui consolerait nos cœurs, nous demandions un acte, une entrée dans notre monde sombre, sale et sinistre. Nous exposions Jakób en appât comme on livre un mouton abasourdi au loup. Notre voix s'élevait jusqu'à devenir fluette comme si nous étions devenus des femmes. Iehuda Tov se balançait d'avant en arrière ; moi, j'avais la nausée comme si j'avais avalé quelque chose d'avarié et il me semblait que j'allais m'évanouir. Seul Reb Mordke restait debout, calme, les yeux tournés vers le haut, vers le plafond où il y avait une petite lucarne. Il pensait peut-être que le souffle arriverait par là.

– Le souffle rôde autour de nous comme le loup autour d'individus enfermés dans une grotte, dis-je. Il cherche le plus petit trou pour atteindre ces faibles êtres de lumière qui vivent dans le monde des ombres. Il renifle et vérifie chaque fissure, il nous sent à l'intérieur. Tel un amoureux en proie au désir, il tourne autour de nous pour irradier de clarté les êtres délicats, pareils à des champignons souterrains, que nous sommes. Et nous, les êtres humains, existences chétives, fragiles et égarées, lui laissons des signes, marquons d'huile les pierres, l'écorce des arbres, le chambranle des portes, faisons une marque à l'huile sur nos fronts pour que le souffle puisse mieux nous pénétrer.

– Pourquoi le souffle aime-t-il autant l'huile ? À quoi tient cette onction ? Est-ce parce que c'est plus lisse et que cela facilite le glissement dans la matière ? demanda un jour Jakób – et tous les élèves éclatèrent de rire, et moi aussi, car la question était tellement téméraire qu'elle ne pouvait pas être sotte.

Ensuite, tout se passa très vite. Jakób eut brusquement une érection et sa peau se couvrit de sueur. Ses yeux aveugles étaient curieusement exorbités et tout son être semblait *bourdonner*. Puis il fut jeté à terre, où il resta dans une étrange posture, convulsionné, tremblant de tout son corps. Dans un premier réflexe naturel, je fis un pas vers lui pour lui venir en aide, mais la poigne d'une force inattendue de Reb Mordke m'en empêcha. La scène dura un moment. Enfin, un filet d'urine coula lentement sous Jakób. Il m'est difficile d'en écrire plus.

Je n'oublierai jamais ce que j'ai vu et je n'ai jamais plus rien vu d'aussi authentique pour témoigner combien nous sommes étrangers au souffle dans notre être terrestre, corporel et matériel.

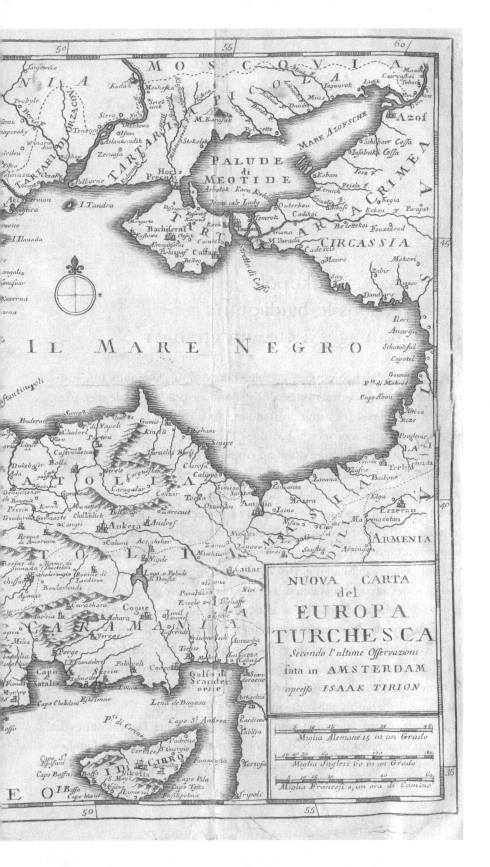

NUOVA CARTA
del
EUROPA
TURCHESCA
Secondo l'ultime Offervazioni
fata in AMSTERDAM
appreffo ISAAK TIRION

9

Le mariage à Nikopol, le secret sous le baldaquin et les avantages à être un étranger

La carte des influences turques au milieu du XVIIIᵉ siècle montre une vaste étendue parsemée de rares villes. Une majorité de celles-ci s'étaient établies le long des fleuves, et surtout du Danube; sur la carte, elles rappellent des tiques accrochées aux veines. L'eau est l'élément dominant, elle semble présente partout. L'Empire ottoman commence au Dniestr dans le Nord, pourlèche les bords de la mer Noire à l'est, englobe la Turquie et la terre de Sion au sud, puis s'étend à l'ouest où il vient border la mer Méditerranée. Il s'en faut de peu qu'il ne forme un cercle. Et si, sur une telle carte, il était possible d'indiquer les déplacements des hommes, il apparaîtrait que ceux-ci laissent derrière eux des traces chaotiques et, qui plus est, désagréables à l'œil. Des zigzags, des spirales tordues, des ellipses bancales, qui attestent d'autant de voyages d'affaires, de pèlerinages, d'expéditions de marchands, de visites de famille, de fuites et de nostalgies.

Beaucoup de gens mauvais circulent, certains sont très cruels. Ils étendent un kilim sur la route et plantent une lance à côté: c'est le signe qu'il faut déposer là une rançon sans même voir le visage du malandrin. Si tu ne le fais pas, bientôt d'autres lances voleront des buissons et, épée au poing, les gredins suivront pour te mettre en pièces.

Les dangers ne retiennent pourtant pas les voyageurs. Des caravanes de charrettes chargées de balles de coton se mettent en route. Des familles entières grimpent sur des chariots pour rendre visite à des parents. Des idiots, des bannis, des fous circulent, ils ont déjà vu tant de choses que tout leur est égal et les rançons ne sont rien pour eux. Il y a également les colonnes des représentants du sultan, lentes et paresseuses, qui collectent les impôts et en répartissent généreusement le fruit entre leurs membres et leurs fidèles. Les harems des pachas laissent dans leur sillage l'odeur des huiles et des parfums. Des bergers poussent leurs troupeaux vers le sud.

Nikopol est une petite ville sur la rive sud du Danube, de là des bacs vont à Turnu, la ville valaque également appelée le Grand Nikopol, de l'autre côté du fleuve très large. Tous ceux qui voyagent du sud au nord doivent s'y arrêter pour vendre ou échanger une partie de leurs marchandises. Grâce à cela la ville est animée et le commerce s'y porte bien. Ici, à Nikopol, les Juifs parlent le ladino, la langue qui les a accompagnés, eux les bannis d'Espagne ; elle s'est enrichie de nouveaux termes en route, elle a changé de sonorités pour devenir enfin ce qu'elle est, la langue des Juifs sépharades des Balkans. D'aucuns la qualifient méchamment d'« espagnol avarié ». Pourquoi donc avarié ? C'est une très belle langue. Tout le monde la parle à Nikopol, non sans parfois passer au turc. Jakób a vécu dans sa jeunesse en Valachie, aussi connaît-il bien le ladino, mais ses témoins de mariage, Reb Mordke de Prague et Nahman de Busk, ne cherchent même pas à utiliser les quelques mots qu'ils ont acquis et préfèrent en rester à l'hébreu et au turc.

La noce dure sept jours à partir du 24 du mois de Sivan 5512, et donc du 6 juin 1752. Le père de la mariée, Iehuda Tov ha-Levi, s'est endetté à cette fin, et, déjà, il s'inquiète de soucis financiers probables d'autant que, dernièrement, ses affaires ne vont pas au mieux. La dot est modeste, mais la mariée très belle et amoureuse de son époux. Comment s'en étonner, Jakób est gai, plein d'humour et, ce qui ne gâche rien, aussi gracieux qu'un cerf. Le mariage est consommé dès la première nuit, et plusieurs fois encore, du moins est-ce ce dont se vante le marié. Personne n'interroge la jeune femme. Étonnée de l'incursion de son mari de douze ans son aîné dans son jardin secret, elle interroge du regard les yeux de sa mère et de ses sœurs. C'est donc ainsi ?

Elle a reçu une nouvelle tenue en tant qu'épouse, à la turque, un pantalon-salvar souple et ample, une tunique turque brodée de roses avec des pierres précieuses, et aussi un châle en cachemire qui, pour l'instant, est abandonné sur une balustrade car il fait très chaud.

Le collier offert par son mari est tellement précieux qu'on le lui a aussitôt repris pour le cacher dans un coffre. Chana a une dot spécifique : le prestige de sa famille, le savoir-faire de ses frères, les livres écrits par son père, l'origine de sa mère, qui est juive portugaise, sa propre beauté rêveuse et sa douceur qui ravissent Jakób habitué aux femmes minces, fières, insolentes et de caractère comme le sont les Juives de Podolie, sa grand-mère, ses sœurs et ses cousines, ou encore les veuves d'âge mûr par lesquelles il se laissait séduire à Smyrne. Chana est douce comme une biche. Elle se donne à lui avec amour, ne prend rien pour elle, mais cela il le lui enseignera plus tard. Elle se donne à lui avec de l'étonnement dans le regard, et, lui, cela l'excite. Elle le regarde attentivement comme un cheval qu'elle aurait pu recevoir en cadeau. Jakób somnole, elle examine soigneusement ses doigts, la peau de son dos, ausculte les traces laissées par la varicelle sur son visage, enroule sa barbe autour de son doigt et, finalement enhardie, observe avec surprise ses parties génitales.

Jardin piétiné, palissade renversée, sable apporté dans la maison par les danseurs sortis se rafraîchir, et c'était comme un signe avant-coureur du désert qui se déposait sur le sol recouvert de kilims et de coussins. Ustensiles sales qui traînent encore, même si les femmes s'activent depuis le matin ; odeur d'urine dans le verger, restes de nourriture jetés aux chats et aux oiseaux, petits os totalement nettoyés de leur viande : voilà tout ce qui reste de la noce qui a duré plusieurs jours. Nahman a mal à la tête, sans doute a-t-il exagéré avec le vin de Nikopol. Allongé à l'ombre d'un figuier, il observe Chana qui fourrage avec un bâton dans le mur de la maison où se sont fixées des guêpes – et c'est inconvenant pour une jeune épouse. Elle va dans un instant s'attirer des problèmes, comme à eux tous d'ailleurs, ils vont devoir fuir. Elle boude parce que le mariage vient juste de s'achever et que les hommes veulent déjà partir. À peine a-t-elle pu voir son époux qu'il s'en va.

Nahman fait semblant de somnoler, mais, les yeux mi-clos, il regarde Chana. Sans doute ne lui plaît-elle guère. Elle lui paraît tellement banale.

Qui est celle qui a été donnée à Jakób? Il ne saurait la décrire s'il reprenait la rédaction de ses *Reliquats*. Il ignore si elle est intelligente, sotte, gaie ou mélancolique, si elle se met facilement en colère ou si, au contraire, elle est douce de caractère. Il ne sait pas comment cette jeune femme au visage rond et aux yeux verts peut être une épouse. À Nikopol, on ne coupe pas les cheveux aux femmes mariées, aussi voit-il les siens, magnifiques, denses et sombres comme du *cahvé*. Elle a de belles mains aux longs doigts fins et de larges hanches. Elle semble avoir bien plus que quatorze ans. Elle a l'air d'en avoir vingt, d'être une femme. Belle et potelée sont les termes pour la décrire. Ils suffiront. Quelques jours plus tôt, il la voyait encore comme une enfant!

Il observe également Chaïm, le jumeau de Chana, la ressemblance entre eux donne le frisson. Il est juste plus petit, plus mince et plus vif, son visage est plus allongé et ses cheveux lui descendent aux épaules dans un désordre enfantin. Son corps est plus mince, ce qui lui vaut de paraître plus jeune. Il est éveillé et toujours à vous sourire. Iehuda Tov ha-Levi l'a désigné comme son successeur. La séparation du frère et de la sœur a lieu maintenant et ce ne sera pas aisé. Chaïm voudrait les accompagner à Craiova, mais son père a besoin de lui sur place, ou peut-être a-t-il peur du voyage pour lui. Dès le début, les filles sont destinées à être mariées, à quitter la maison, tout comme l'argent scrupuleusement amassé pour, à l'heure dite, pouvoir se dédouaner du monde. Quand Chana arrête de bouder et oublie presque qu'elle s'est mariée, elle rejoint son frère et tous deux se parlent tout bas, leurs têtes sombres inclinées l'une vers l'autre. Le spectacle est agréable et pas seulement pour Nahman qui remarque que ce tableau à deux faces plaît à tout le monde : ce n'est qu'ensemble que la perfection des jumeaux est atteinte. L'homme ne devrait-il pas être double ainsi? Qu'est-ce que cela donnerait si chacun avait un jumeau de l'autre sexe? La conversation se ferait sans mots.

Nahman regarde également Jakób, dont il lui semble que, depuis la noce, les yeux se sont recouverts d'un voile; la fatigue peut-être, une conséquence du nombre de toasts bus. Où est passé son regard perçant et vif que les gens évitent en détournant le leur? Il a mis les bras sous sa tête, il n'y a pas d'étrangers, il est à l'aise; sa large manche a glissé jusqu'à son épaule, elle laisse voir son aisselle densément couverte de poils sombres.

Son beau-père lui susurre à mi-voix quelque chose à l'oreille, la main sur son épaule. On pourrait penser, se dit méchamment Nahman, que c'est lui qui l'a épousé et non sa fille Chana. En revanche, Chaïm, le frère de celle-ci, fraie avec tout le monde sauf avec Jakób, qu'il évite. Quand ce dernier l'interpelle, il se tait et s'éclipse. Allez savoir pourquoi, cela fait rire les adultes.

Reb Mordke, lui, ne quitte pas la maison, il n'aime pas le soleil. Il reste assis seul dans une pièce, appuyé sur les coussins à fumer sa pipe lentement, avec paresse, savourant chaque bouffée de fumée ; il réfléchit, il examine, comme sous une loupe, les moments spécifiques du monde d'un œil attentif aux lettres de l'alphabet. Nahman sait qu'il attend, qu'il monte la garde, qu'il veille à ce que s'accomplisse tout ce qu'il voit de ses yeux même quand il ne regarde pas.

Sous le baldaquin, Iehuda Tov ha-Levi a dit quelque chose à Jakób, quelques mots, une courte phrase dont le début et la fin se sont emmêlés dans la barbe touffue du sage. Jakób a dû se pencher vers son beau-père et, un bref instant, son visage marqua la surprise et l'étonnement. Ensuite, il se figea comme s'il s'efforçait de maîtriser une grimace.

Les invités cherchent le marié, ils veulent entendre une fois encore l'histoire que partage volontiers avec eux Mordekhaï, installé à table dans un nuage de fumée, le récit où, avec Nahman ben Samuel Levi de Busk, ils ont fait venir Jakób chez Iehuda Tov.

– Voici le mari pour ta fille, avons-nous dit. Ce sera lui, pas un autre. Et pourquoi lui ? demanda Tov. Parce qu'il est exceptionnel, dis-je, grâce à lui Chana connaîtra de grands honneurs. Regarde-le, ne vois-tu pas ? C'est un sage – Mordekhaï tire sur sa pipe, la fumée sent Smyrne et Stamboul. Mais Tov hésitait, explique-t-il. Qui est-il ce garçon au visage angulaire et d'où sont ses parents ? demanda-t-il. Sur quoi, moi, Reb Mordke, et lui, là, Nahman de Busk, avons expliqué patiemment qu'il était le fils d'un rabbin connu, Jehuda Lejb Buchbinder, et de Rachel de Rzeszów, une femme d'excellente famille, une parente de Chaïm

Malach, avec une cousine mariée en Moravie à Dobruszka, l'arrière-petit-fils de Leibele Prossnitz. Cette famille ne compte aucun fou, malade ou infirme. Le souffle ne descend que sur les élus. Si Tov avait encore son épouse, il pourrait l'interroger, elle le conseillerait, mais elle est morte. Reb Mordke se tait et se souvient que cette hésitation de Tov les avait agacés, Nahman et lui, elle leur semblait être celle d'un commerçant qui tremble au-dessus de la marchandise. Or, il s'agissait de Jakób tout de même!

Nahman écoute Reb Mordke d'une oreille car, de loin, il observe Jakób qui boit du *cahvé* avec son beau-père dans des petites tasses. Le marié baisse la tête et regarde ses chaussures. La canicule fait que les paroles des deux hommes ont du mal à mûrir pour être prononcées, elles sont pesantes et lentes. Jakób ne quitte plus son habit turc, sa tête est coiffée d'un nouveau turban criard, celui de la noce, couleur feuille de figuier. Cela lui va bien. Nahman aperçoit ses chaussures turques à bouts relevés en saffiano. Puis il voit les deux hommes lever le bras au même moment pour avaler le *cahvé* des minuscules récipients.

Nahman sait que Jakób est *le Jakób* parce que, quand il le regarde comme à cet instant, de loin, alors que celui-ci ne le voit pas, il a un serrement dans la région du cœur comme si une poigne invisible, chaude et humide, l'avait saisi. Cette étreinte fait qu'il se sent bien, il est serein. Triste aussi. Des larmes lui montent aux yeux. Il pourrait regarder ainsi et regarder encore. Quelle preuve pourrait-il encore souhaiter, n'est-ce pas son cœur qui parle?

Tout à coup, Jakób a commencé à se présenter différemment, non plus en tant que Jankiel Lejbowicz, comme jusque-là, mais en tant que Jakób Frank. «*Frank*», ou «*frenk*», veut dire «étranger»: c'est ainsi que sont appelés à Nikopol les Juifs d'Occident, c'est ainsi que l'on parle de son beau-père et de son épouse. Nahman sait que cela plaît à Jakób, être un étranger est le propre de ceux qui ont souvent changé de lieu de vie. Il a confié à Nahman qu'il ne se sent jamais mieux que dans un nouvel endroit, parce qu'alors le monde commence à nouveau. Être un étranger, c'est être libre. Avoir derrière soi un grand espace, une steppe, un désert. Avoir derrière soi la forme de la lune pareille à un berceau, le chant assourdissant des cigales, l'air qui sent bon la peau de melon, le bruissement du scarabée qui, le soir, quand le ciel devient complètement rouge, sort chasser dans le sable. Posséder sa propre histoire, non destinée à tous, son propre récit écrit avec les traces laissées derrière soi.

Se sentir partout un invité, s'installer dans une maison pour un temps, ne pas s'inquiéter du verger, se réjouir du vin plutôt que s'attacher au vignoble. Ne pas comprendre la langue, à la faveur de quoi mieux voir les gestes et les mimiques, l'expression des yeux, les émotions qui apparaissent sur les visages telle l'ombre des nuages. Apprendre une langue étrangère par le début, à chaque endroit un peu, comparer les mots et découvrir l'ordre des ressemblances.

Il faut protéger avec soin cet état, car il procure une puissance énorme.

Jakób a dit à Nahman une chose pas très claire, comme toujours un peu par plaisanterie, un peu par hâblerie, et cela se grava aussitôt dans sa mémoire parce qu'il s'agissait du premier enseignement de Jakób, ce que peut-être celui-ci ne savait pas encore lui-même : « Chaque jour, il faut s'exercer à dire "non". » Qu'est-ce que cela signifie ? Nahman se promet qu'il va le lui demander, mais quand ? Il n'a plus le temps. Il est triste et irrité maintenant. Est-ce le vin qui était mauvais ? Il ignore quand cela se fit, mais de maître il est devenu le camarade de Jakób, puis, imperceptiblement, son élève. Il a permis cela.

Jakób ne parle jamais comme les sages, avec de longues phrases compliquées dans lesquelles il y a une multitude de mots rares et précieux et qui renvoient en permanence à des écrits par des citations. Il parle avec clarté et brièveté comme quelqu'un qui vit du commerce sur la place du marché ou du transport par charrette. Il plaisante tout le temps, mais, à vrai dire, on ne sait pas si ce sont des plaisanteries ou des avis sérieux qu'il formule. Il vous regarde droit dans les yeux, lance une phrase qui fuse comme un tir, puis il attend votre réaction. En général, son regard insistant, tel celui d'un aigle, d'un épervier ou d'un vautour, met ses interlocuteurs mal à l'aise. Ils détournent les yeux, bafouillent. Il arrive que Jakób éclate de rire sans prévenir, et alors tout le monde autour de lui est soulagé. Il lui arrive d'être grossier, grinçant. Moqueur. Quand on lui déplaît, il fronce les sourcils et son regard devient aussi acéré qu'un couteau. Il proclame des choses sages et des sottises. Si tu lui fais trop de confidences, il se moquera de toi. Nahman en a déjà été témoin, même si sur lui Jakób n'a encore jamais posé son regard de vautour. À cause de tout cela, au premier abord, Jakób semble être comme soi, un égal, mais après un moment de conversation on sent qu'il n'est ni comme tout le monde ni l'égal de quiconque.

Le jeune marié s'apprête à partir. Iehuda Tov ha-Levi, son beau-père, lui a trouvé un bon travail à Craiova. C'est une assez grande ville sur un affluent du Danube, une porte entre le Nord et le Sud. Tov y a un beau-frère qui s'occupe de commerce avec succès, il s'agira de gérer des halles de marchandises, de faire entrer les articles, de les distribuer, de les facturer. Ce vaste réseau commercial est dirigé par Osman de Czerniowce, un homme incroyablement habile ; on dit de lui que tout ce qu'il touche se transforme en or. L'or arrive de Pologne, de Moravie, il sert à payer les marchandises turques et d'autres que l'on ne trouve pas dans le Nord. Pourquoi ne fait-on pas de chapeaux en feutre de laine en Pologne ? Pourquoi n'y a-t-il pas de tissage de tapis ? Et la céramique ? Et le verre ? On y fabrique peu, on importe beaucoup, c'est pourquoi quelqu'un comme Osman doit se situer à la charnière, il est le sel de la terre qui permet de diriger les impulsions du monde. Osman a un bon ventre, il s'habille à la turque. Le turban qui surmonte son visage bronzé parachève son image de Turc.

Reb Mordke reste à Nikopol, il est vieux et fatigué. Il a besoin de coussins moelleux, de draps propres, sa mission est terminée, le mystère est dévoilé, Jakób a été marié, il est devenu un homme adulte. L'un des mécanismes cassés de la machine du monde a été réparé. Désormais, Mordekhaï peut se retirer dans l'ombre et dans la fumée de sa pipe.

Demain, ils se sépareront. Jakób et Herszełe ben Zebu, un jeune cousin de Chana, partent pour Craiova et Nahman rentre en Pologne. Il va porter les bonnes nouvelles aux frères de Podolie, à Rohatyn, Glinna et Busk, et pour finir chez lui. Il y songe avec un mélange de joie et de déplaisir. Il n'est pas facile de revenir chez soi, chacun sait cela.

Les adieux durent jusqu'à minuit. Ils ont envoyé les femmes se coucher et ont fermé la porte. Ils boivent maintenant le vin de Nikopol et font des projets d'avenir, jouent avec les miettes de pain sur la table, les amoncellent en petits tas, en roulent des boulettes. Nussen dort déjà sur une balle de coton, il a fermé son unique œil et ne voit plus Jakób, lequel, le regard brumeux, caresse le visage de Nahman, qui, dans son ivresse, s'est abandonné sur sa poitrine.

À l'aube, pas encore tout à fait réveillé, Nahman monte sur le chariot qui emmène les voyageurs à Bucarest ; il a cousu de l'or dans sa cape claire, tout ce qu'il a gagné au cours de son expédition. Il transporte aussi plusieurs flacons d'huile d'aloès qu'il revendra en Pologne à un prix décuplé. Dans la poche du manteau en laine blanche acheté au bazar de Nikopol, il cache profondément une motte de résine de chanvre odorante. Le chariot transporte également un sac de lettres et tout un tas de cadeaux pour les femmes. Des larmes coulent sur le visage tanné et couvert de taches de rousseur de Nahman ben Samuel Levi, mais dès les faubourgs passés il se sent gagné par un sentiment de légèreté tel qu'il lui semble voler au-dessus de la piste caillouteuse vers le soleil qui justement se lève et l'aveugle.

Il a la chance, à Bucarest, de pouvoir rejoindre la caravane de la société Wereszczyński, Dawid et Muradowicz de Kamieniec, c'est ainsi que sont marqués les paquets sur les voitures. Le chargement sent le *cahvé* et le tabac. La caravane s'ébranle vers le nord. Après presque trois semaines, Nahman arrive sain et sauf à Rohatyn. Au crépuscule, avec ses bas souillés de boue, son manteau clair empoussiéré, il se tient sur le seuil de la demeure des Shorr, où se prépare une noce.

À Craiova. Le commerce aux jours de fête et Herszełe confronté au dilemme des merises

Le magasin d'Abraham, le beau-frère de Iehuda Tov ha-Levi, est une véritable caverne d'Ali Baba, il fait commerce dans toute l'Europe de ce que l'Orient possède de meilleur, de ce qui coule de Stamboul en un flot bariolé de biens de toute sorte, criards, brillants, et dont sont avides la cour et les palais de Buda, Vienne, Cracovie ou Lwów. Les tissus de couleurs variées appelés *stambulakijari*, surfilés d'or, à bandes amarante, rouges, vertes ou azurées, et à gaufrures florales, sont roulés en balles recouvertes de grosse toile pour les protéger de la poussière et du soleil. Tout à côté se trouvent les tapis algérois en laine, si délicats qu'au toucher ils rappellent un damas, les uns avec des franges, les autres ourlés d'un galon. Le camelot aux teintes variées est aussi dans des paquets ficelés ; en Europe, il servira à tailler d'élégantes vestes masculines doublées de soie.

Et voilà encore des petits kilims, des pompons, des franges, des boutons en nacre et en laque, de petites armes décoratives, des tabatières en laque, cadeau pour un homme respectable, des éventails avec des images pour dame européenne, des pipes, des pierres précieuses. Il y a aussi des douceurs, du halva et des loukoums. Les Bosniaques, qu'ici l'on appelle les « Grecs », viennent livrer des articles en cuir, des éponges, des serviettes de toilette à longs poils, des brocarts, des châles du Khorasan et des châles de Kerman qui font merveille avec leurs lions ou leurs paons brodés. Les piles de kilims dégagent une odeur exotique, inconnue, celle de jardins inimaginables, d'arbres en fleurs…

– *Subhanulah*, gloire à Allah, disent les associés en entrant, *Assalamu alaykoum, Shalom Alekhem.*

Ils doivent baisser la tête parce que la porte est basse. Jakób n'est jamais assis à l'officine, il reste à boire du thé à une petite table, il est richement vêtu comme un Turc, il porte volontiers son caftan bleu-vert et son fez d'un rouge foncé. Avant de parler affaires, il convient de boire deux, trois verres de thé. Tous les marchands de la région veulent connaître le gendre de Iehuda Tov ha-Levi et donc Jakób leur accorde une sorte d'audience, ce qui agace Abraham. Il n'en demeure pas moins que grâce à cela la boutique, qui n'est pas excessivement grande, est toujours pleine de monde. On y négocie notamment en demi-gros des pierres précieuses et des bijoux déjà montés. Les colliers de perles de corail, de malachites et de turquoises de toutes les tailles imaginables pendent sur des crochets au mur dont ils recouvrent la pierre d'un motif compliqué et coloré de lignes ondoyantes. Les pièces les plus précieuses se trouvent dans une vitrine en métal, et il y a là une perle de grand prix.

Jakób accueille d'un salut chaque nouvel arrivant. À peine quelques jours après qu'il a commencé à travailler, le magasin d'Abraham est devenu l'endroit le plus fréquenté de Craiova.

Quelque temps après son arrivée, la célébration de *Tisha Beav* a lieu. Elle commémore la chute du premier Temple de Jérusalem, temps morne et ténébreux, jour de tristesse ; le monde ralentit, lui aussi, comme s'il se lamentait et défaillait de chagrin. En ville, les Juifs de plus d'une dizaine de maisons ferment boutique pour ne pas travailler, rester assis à l'ombre et lire le Livre de Jérémie en réfléchissant aux calamités qui frappèrent leur peuple.

C'est une bonne chose pour Abraham qui, en vrai-croyant adepte de Sabbataï Tsevi et de son successeur Kohn, célèbre cette fête autrement, puisqu'il sait qu'à la fin des temps tout s'inverse. Pour lui, *Tisha Beav* est une fête joyeuse.

Kohn naquit exactement neuf mois après la disparition de Sabbataï Tsevi, et ceci le 9 du mois d'Av, comme il avait été prédit ! C'est ainsi le jour du deuil, le jour de la chute du Temple, qu'*AMIRAH* – acronyme pour *Adonenu Malkhenu Yarum Hodo,* « Notre seigneur et roi, Sa Majesté soit honorée », puisque c'est ainsi que l'on inscrivait le nom de Sabbataï – est revenu pour vivre ces années en tant que Kohn de Salonique. En 5476 et donc en l'année chrétienne 1716, il fut considéré comme le Dieu incarné et la *Shekhina* le pénétra, celle-là même qui avait éclairé Sabbataï au préalable. C'est pour cela que tous ceux qui croient à la mission de Kohn transforment le jour de deuil en jour de joie pour le plus grand effroi des autres Juifs. Les femmes se lavent les cheveux et les sèchent dehors au soleil d'août, elles nettoient leur maison, qu'elles décorent de fleurs, et balaient par terre pour que le Messie puisse entrer dans un monde propre. L'univers est terrible certes, mais peut-être qu'ici ou là il est possible de le purifier un peu.

Au jour le pire, le plus sombre, sourd la lumière. Au fond de la tristesse et du deuil se trouve une étincelle de joie et de fête – et inversement.

Isaïe 61, 3, dit: «Mettre le diadème sur leur tête au lieu de la cendre, l'huile de joie au lieu du deuil, un habit de fête au lieu d'un esprit abattu.» C'est parfait, les clients de tout acabit, tenue ou langue, viennent chez Abraham. Jakób et Herszełe sont déjà à l'officine. Qui compte les petits sacs de tabac et combien en charge-t-on sur le chariot? Beaucoup. Qui va délivrer les denrées au marchand de Wrocław qui paie en liquide et fait de grosses commandes?

Les clients, y compris les adversaires les plus acharnés des adeptes de Sabbataï Tsevi, ne peuvent retenir leur curiosité et ils passent à la boutique, mais ils refusent le verre de vodka offert par le schismatique avec des «*naï, naï, naï*» offusqués. Jakób s'autorise des plaisanteries pour les effrayer encore un peu plus. Celle qui marche le mieux, c'est quand il demande à l'acheteur ce qu'il a dans sa poche.

– Rien, répond celui-ci, surpris.

– Et ces œufs? Volés, hein? À quelle maraîchère les avez-vous piqués?

– Quels œufs? s'étonne l'interlocuteur. Qu'est-ce que vous racontez!

C'est le moment que choisit Jakób pour porter vivement la main à la poche de l'homme pour en sortir un œuf. Les gens autour éclatent de rire, le héros de la farce devient tout rouge et ne sait que dire, ce qui amuse encore plus l'assemblée. Jakób fait semblant de se mettre en colère, et il a l'air sérieux, il fronce les sourcils et fixe le délinquant de son œil de rapace.

– Pourquoi n'as-tu pas payé? Tu es un voleur! Un voleur d'œufs!

L'instant d'après, tout le monde autour reprend derrière lui: «Voleur d'œufs!», et l'accusé en vient à envisager qu'il a peut-être volé, ne serait-ce qu'inconsciemment. Il note pourtant que le sourcil de Jakób est légèrement levé sur un regard amusé, aussi sourit-il, puis il se met à rire bêtement et, sans doute est-ce le mieux qu'il peut faire, il accepte l'idée d'avoir fait les frais d'une facétie, rit de lui-même et s'en va.

Herszełe, cela ne l'amuse pas du tout. Si cela devait lui arriver, si un œuf sortait de sa poche, il mourrait de honte. Il n'a pas encore treize ans. Sa famille l'a envoyé à Craiova à la mort de ses parents. Jusque-là, il avait vécu à Czerniowce; désormais, il restera sans doute auprès d'Abraham, un lointain parent.

Herszełe ignore ce qu'il en est du jeûne de *Tisha Beav*, personne ne l'a initié, ne lui a expliqué pourquoi ce jour-là, ici, il doit être joyeux alors que d'autres sont tristes. Chez lui, à la maison, la tristesse régnait lors de cette célébration. Ce n'est que chez son oncle qu'il en est autrement, mais personne ne l'a introduit à ces subtilités religieuses. Il sait déjà que Sabbataï est le Messie, mais pourquoi n'a-t-il pas sauvé le monde, n'y a-t-il rien changé, cela il l'ignore. En quoi le monde sauvé devrait-il être différent de celui qui ne l'est pas ? Pour ses parents, des gens simples, c'était évident : le Messie allait arriver en guerrier, il balaierait de la surface de la terre les sultans, les rois et les empereurs pour gouverner le monde. Le Temple de Jérusalem se restaurerait de lui-même ou bien Dieu en ferait descendre un en or directement du ciel. Tous les Juifs retourneraient en terre de Sion. Ceux qui y étaient enterrés seraient les premiers à renaître, puis ce serait le tour de ceux qui reposent ailleurs dans le monde, loin de la Terre sainte.

Or, les gens d'ici disent autre chose. Herszełe les a interrogés en route. Mordekhaï et Nahman parlaient, Jakób se taisait.

Étrange que cette rédemption qui ne se voit pas. Elle a lieu non pas ici, dans ce qui est visible, mais ailleurs, et Herszełe ne comprend pas très bien de quelle autre dimension il s'agit, est-ce tout à côté ou bien au-dessous du monde visible ? Le Messie est déjà venu et, sans que ce soit perceptible, il a fait basculer le levier du monde, un balancier comme celui du puits. Maintenant tout est inversé, l'eau de la rivière remonte à la source, la pluie regagne les nuages, le sang la blessure. La loi de Moïse se révèle avoir été temporaire, écrite uniquement pour le monde d'avant la rédemption, et elle n'est plus valable. Ou, pour le dire autrement, il faut respecter les commandements à l'envers. Quand les Juifs jeûnent, il faut boire et manger ; quand ils se lamentent, il faut se réjouir.

Personne ne se préoccupe de Herszełe, on le tient pour un idiot. Jakób le regarde parfois de telle manière que le garçon devient tout rouge. Herszełe est son aide, il nettoie ses habits, balaie l'office, fait du *cahvé*. Le soir, au moment des comptes, il inscrit les chiffres dans les colonnes.

Il n'est sûr de rien, il a honte de demander, il perçoit un mystère autour de tout cela. Comme il n'a pas encore fait sa *Bar Mitzvah*, les autres ne le laissent pas entrer quand ils se réunissent pour leurs prières, ils ferment la porte. Doit-il jeûner ou non?

Le jour du jeûne de *Tisha Beav*, Herszełe range les caves, balaie la poussière de coton et les crottes de souris. Il n'a rien mangé depuis le matin, se souvenant que c'est jeûne. C'était ainsi chez lui. Il n'a pas voulu regarder Jakób et tous les autres se restaurer en haut. Mais maintenant la faim s'est emparée de son ventre, d'une forte poigne, et elle le tient, ses boyaux se lamentent. Du vin et des carottes sont conservés dans la cave. Des pots de fruits au sirop y sont mis au frais. Il pourrait y goûter. Il n'arrive pourtant pas à se décider, à sauter le pas pour manger, parce que durant toute sa vie jusque-là, le jour du jeûne, on ne mangeait pas; aussi sort-il une petite merise de l'un des bocaux pour en manger la moitié. Si Sabbataï Tsevi est le Messie, Herszełe obéit et transgresse la Loi conformément à la nouvelle Loi; mais s'il n'est pas le Messie, lui, il jeûne tout de même, car qu'est-ce qu'une petite merise pour toute une journée?

Le matin, il a interrogé Jakób là-dessus. Il lui a apporté le traité Yoma où, au chapitre huit, il est écrit:

«Quiconque a mangé un volume de nourriture de la taille d'une datte qui aura séché avec son noyau et bu de quoi se remplir une joue est coupable. Toute la nourriture ne doit pas dépasser le volume d'une datte séchée et toutes les boissons ne pas remplir la bouche. Si quelqu'un mange et boit coup sur coup, les quantités ne s'ajoutent pas.»

Jakób regarda le texte puis Herszełe, qui était si troublé, avec un sérieux feint. Puis il pouffa de rire. Il riait à son habitude d'un rire sonore, profond et contagieux qui devait s'entendre dans tout Craiova. Herszełe l'imita malgré lui, il sourit d'abord puis rit. C'est alors que Jakób l'attira à lui et, à sa grande surprise, l'embrassa sur la bouche.

Herszełe se demande si Chana, restée chez son père, ne manque pas au jeune époux. Elle lui envoie des lettres d'amour, le supplie de rentrer et lui demande aussi régulièrement quand il la fera venir. Herszełe le sait, car il lit le courrier en douce, lorsque Jakób ne peut le voir. Parfois, il imagine la main blanche qui a rédigé la missive. Il en ressent du plaisir. Jakób ne range pas son courrier, il est désordonné, les listes de commandes traînent sur la table et c'est Herszełe qui s'efforce de les ramasser pour les trier. Il accompagne Jakób quand celui-ci se rend chez des clients, ou plus exactement des clientes, de riches bourgeoises dont les maris sont en voyage, des femmes de capitaine et des veuves qui envoient chercher Jakób, lui personnellement, afin qu'il leur montre ce qu'il a à vendre. Quand il fait tomber sa bourse, apparemment par inadvertance, c'est le signal que Herszełe doit s'excuser et sortir. Ensuite, il attend Jakób dans la rue sans quitter la porte des yeux.

Jakób sort d'un grand pas, il marche toujours comme cela, en écartant les jambes, le pied légèrement de côté, et il arrange son pantalon-salvar car il s'habille à la turque. Il regarde Herszełe d'un air triomphant. Content, il se bat l'entrejambe comme le font les Turcs. Qu'est-ce qui attire tant les femmes chez lui? Il y a quelque chose que les femmes sentent toujours et à quoi elles reconnaissent les hommes, Herszełe lui-même le comprend. Jakób est beau, partout où il paraît les choses prennent un sens, s'ordonnent comme si quelqu'un les avait agencées.

Jakób a promis à Iehuda Tov ha-Levi de beaucoup étudier, mais Herszełe voit que la lecture le fatigue, le temps de la ferveur dont l'avaient contaminé Reb Mordke et Nahman est passé. Les livres traînent à l'abandon. Parfois, Jakób laisse plusieurs jours de suite sans ouvrir les longues lettres de Pologne envoyées par Nahman. Herszełe les ramasse, les lit et les met en pile. Pour l'heure, l'argent intéresse beaucoup plus Jakób. Il a déposé chez le cousin Abraham tout ce qu'il a gagné dans l'année. Il voudrait avoir une maison avec un vignoble à Nikopol ou à Giurgiu d'où voir le Danube par la fenêtre. Il y aurait aussi des rameaux de vigne qui grimperaient sur les tuteurs pour former des parois et un toit de verdure. Alors seulement il fera venir Chana. Pour l'heure, il se livre à ses facéties avec les clients ou sort à la mi-journée pour disparaître. Il doit avoir ses propres affaires et cela ne plaît guère à Abraham qui interroge Herszełe, et, bon gré mal gré, celui-ci doit le couvrir. Il veut le couvrir. Il invente donc des histoires inouïes. Comme quoi Jakób irait prier au bord du fleuve, emprunterait des livres, solliciterait des clients ou surveillerait un déchargement de marchandises. Quand pour la première fois Jakób propose à Herszełe de venir dans son lit, le jeune garçon ne proteste pas. Il se donne complètement, brûlant comme une braise, et, si c'était possible, il donnerait plus encore, jusqu'à sa vie. Jakób appelle cela *Maase Zar*, « Acte étrange », acte inversé, contraire à la loi écrite qui s'est consommée sous le feu purifiant du Messie jusqu'à ne plus être qu'un vieux chiffon humide.

La perle et Chana

Jakób décide d'offrir à Chana la perle la plus précieuse. Pendant quelques jours, il court les échoppes de bijoutiers avec Herszełe. Il y sort avec solennité la perle de sa boîte, où elle repose sur un morceau de soie. Quiconque la tient entre ses mains cligne aussitôt des yeux d'admiration, claque la langue et dit : « C'est une merveille, pas une perle ! Elle est hors de prix ! » Jakób savoure cette admiration. Ensuite, généralement, le joaillier lui rend la perle, telle une pincée de lumière saisie entre ses doigts : « Non, non, je ne me risquerai pas à y forer un trou, cette merveille pourrait éclater, la perte serait énorme. Voyez ailleurs. » Jakób est furieux. Rentré chez lui, il pose la perle sur la table et la regarde en silence. Herszełe lui tend une coupelle avec les olives qu'il apprécie tant. Ensuite, le jeune garçon ramassera les noyaux recrachés à terre.

– Il n'y a plus personne à voir. Cette perle leur fait peur, elle les intimide, ces lâches, dit Jakób.

Quand il est en colère, il marche plus vite qu'à son habitude, avec plus de rigidité. Il plisse le front et fronce les sourcils. Dans ces moments-là, Herszełe a peur, même si Jakób ne lui a jamais fait mal. Herszełe sait que Jakób l'aime.

Jakób finit par lui dire de se préparer, tous deux enfilent leurs plus vieux habits, les plus usés, avant de se rendre au débarcadère pour traverser la rivière en bac. Une fois sur l'autre rive, ils entrent dans la première boutique d'orfèvrerie venue. D'une voix et d'un geste assurés, Jakób commande à l'artisan de percer un trou dans une fausse perle sans grande valeur, selon ses dires, une frivolité.

– Je veux l'offrir à ma belle, ajoute-t-il.

Il sort le bijou directement de sa poche pour le lancer sur le plateau tout en poursuivant sa conversation anodine. Le joaillier saisit la perle sans hésiter, sans s'extasier non plus et sans soupirer, il la place dans l'étau, et, tout en continuant à parler avec Jakób, y fore un petit trou. La mèche la traverse comme du beurre. Il reçoit une petite pièce et retourne à ses occupations.

Une fois dans la rue, Jakób dit à Herszełe, sidéré par ce qui vient de se passer :

– Voilà comment il faut faire. Ne jamais tergiverser. Souviens-t'en.

Ces paroles sont d'un grand effet sur le jeune garçon. À partir de ce moment-là, il voudrait devenir comme Jakób. Qui plus est, il éprouve une excitation inouïe lorsqu'il est proche de lui, la chaleur gagne tout son maigre corps, de même qu'un sentiment de sécurité, et il se sent fort.

Pour Hanoukka, ils partent à Nikopol chercher Chana. La jeune épouse accourt au-devant d'eux avant même que Jakób ne s'extirpe du chariot avec les cadeaux pour toute la famille. Ils se saluent de façon céromonieuse, avec une certaine rigidité. Tout le monde traite Jakób comme quelqu'un de plus important qu'un simple marchand et lui aussi se pare d'un sérieux que Herszełe ne lui connaissait pas. Jakób embrasse Chana sur le front, comme le ferait un père. Avec Iehuda Tov, les embrassades sont celles de deux rois. On lui donne une chambre séparée, mais il disparaît aussitôt dans celle de Chana, dans la partie féminine de la maison. Herszełe lui laisse pourtant le lit préparé pour la nuit et dort par terre près du poêle.

Au cours de la journée, ils mangent, boivent et prient, mais sans porter de *tefillins*. En outre, le garçon remarque que la cuisine n'est pas casher, on coupe le simple pain turc qu'on trempe dans de l'huile d'olive avec des herbes, on émiette le fromage avec les doigts. On reste assis par terre comme les Turcs. Les femmes portent de larges pantalons en tissu léger.

Il prend l'idée à Chana d'aller voir sa sœur à Vidin. Elle en parle d'abord à son père, mais celui-ci lui jette un regard désapprobateur et elle comprend vite que c'est à son mari qu'elle devrait adresser sa demande. Elle triture entre ses doigts la perle sur sa chaînette en or, le cadeau de Jakób. Elle en a manifestement assez du cocon paternel, elle voudrait certainement afficher sa fierté d'être une femme mariée, elle veut Jakób pour elle, elle veut voyager, elle veut du changement. Herszełe voit bien qu'elle n'est encore qu'une enfant – elle a son âge – qui joue à l'adulte. Une fois, il l'épie alors qu'elle se lave au nord du jardin, à l'arrière. Elle est replète, large de hanches avec de grosses cuisses.

Au cours des trois jours de voyage de Nikopol à Vidin, le long du Danube, Herszełe tombe amoureux de Chana. Désormais, il aime les deux époux d'un même amour. Étrange état, être près d'elle est devenu une obsession pour lui. Ses cuisses ne quittent plus ses pensées, des cuisses grandes et si curieusement douces et innocentes, il voudrait y fourrager sans fin.

Juste avant Vidin, le jeune couple se fait conduire sur les hauteurs qui dominent la ville. Herszełe mène l'attelage, mais voit du coin de l'œil où se glisse la main de Jakób, il serre un peu plus fort les rênes. Ils lui disent, comme à un domestique, d'attendre près des chevaux et disparaissent entre les rochers qui rappellent des monstres pétrifiés. Herszełe sait que cela va durer, aussi allume-t-il sa pipe à laquelle il ajoute un peu de la résine de chanvre que lui a offerte Jakób. Il aspire comme le fait le vieux Reb Mordke et, soudain, l'horizon ramollit. Le jeune garçon s'appuie contre le dossier de son banc et observe les sauterelles brunes, grosses et anguleuses. Quand il lève les yeux, il voit que la ville blanche toute de pierre s'étend jusqu'à l'horizon, et, chose étrange, c'est elle qui contemple les hommes et non l'inverse. Il ne sait pas s'expliquer pourquoi ce sont aussi les falaises qui les regardent. Cela ne l'étonne pas pour autant. Lui aussi regarde. Il voit Chana dénudée, appuyée des deux mains contre une paroi de pierre, et Jakób, à moitié nu, collé à son dos, qui bouge lentement et en rythme. Soudain, Jakób tourne les yeux vers Herszełe, assis sur le siège du cocher, et il le regarde de loin, son regard est si brûlant, si puissant qu'il atteint le garçon. Herszełe a aussitôt une érection, les sauterelles brunes trouvent sur leur chemin un sérieux obstacle. Elles doivent s'étonner de cette vaste tache de matière organique qui, soudain, tombe du ciel pour envahir leur monde d'insectes.

10

Qui est celui qui cueille des herbes sur le mont Athos?

Antoni Kossakowski, dans un petit bateau venant de Develika, atteint le port au pied du mont Athos. Il ressent une émotion incroyable; la douleur qui encore il y a peu enserrait sa poitrine s'estompe complètement, et il serait difficile de savoir si c'est grâce à l'air marin et au vent qui en rebondissant sur les falaises abruptes se charge d'une odeur spécifique de sève et d'herbes ou grâce à la proximité de la Sainte Montagne.

Il s'interroge sur le changement soudain de son humeur et de son état d'esprit. Une transformation radicale et inattendue. Il y a des années de cela, quand il a quitté la froide Russie pour gagner les pays grecs et turcs, il est aussitôt devenu un homme différent, qu'il qualifierait de «lumineux et léger». Est-ce si simple, quand la lumière et la chaleur interviennent? Le soleil aussi; quand il y en a davantage, les couleurs se font plus intenses, la terre réchauffée rend les parfums envoûtants. Là, il y avait plus de ciel, le monde semblait obéir à d'autres mécanismes que dans le Nord. Là, le destin irrévocable avait toujours cours, ce *Fatum* antique qui animait les gens et qui traçait leurs routes pareilles à ces petites rigoles de sable qui coulent sur la dune de haut en bas, créant des dessins tortueux, chimériques et raffinés que ne renierait pas le meilleur des artistes.

Là, dans le Sud, tout cela existe de façon tangible. Cela croît au soleil, cela se cache dans la canicule. La conscience qu'en a Antoni Kossakowski le soulage, il devient plus tendre pour lui-même. Parfois, l'envie lui vient de pleurer tellement il se sent libre.

Il remarque que plus l'on va vers le sud, plus la chrétienté décline, que plus il y a de soleil, plus le vin est sucré, et que plus il y a de *Fatum*, meilleure est sa vie. Ses décisions ne sont plus les siennes mais lui viennent de l'extérieur, elles relèvent de l'ordre du monde. Puisqu'il en est ainsi, sa responsabilité est moindre, tout comme cette honte intérieure, ce sentiment insupportable d'être coupable de tout ce qu'il a fait. Là, toute action peut être réparée, il est possible de s'entendre avec les dieux, de leur faire une offrande. Regarder son propre reflet dans l'eau avec respect devient possible. Considérer autrui avec amour, également. Personne n'est mauvais, aucun assassin ne peut être condamné car il intervient dans un projet plus vaste, qui le dépasse. On peut aimer autant le bourreau que la victime. Les gens sont bons et paisibles. Le mal qui arrive ne vient pas d'eux, mais du monde. Le monde, lui, est mauvais, et comment !

Plus on va vers le nord, plus on se concentre sur soi, et, dans une sorte de folie septentrionale, par manque de soleil sans doute, on s'attribue un grand nombre de choses. On se rend responsable de ses actes. Les gouttes de pluie perforent le *Fatum*, les flocons de neige l'achèvent, il disparaît bientôt. Ne reste plus que la conviction, confortée par le Maître du Nord, et donc l'Église et ses fonctionnaires omniprésents, que le mal est en l'homme et que celui-ci ne peut y remédier seul. Le mal peut uniquement être pardonné. Complètement ? De là vient le sentiment pénible et dévastateur d'une culpabilité permanente, et ce dès la naissance, parce que tout est péché : l'action et l'omission, l'amour et la haine, la parole et la pensée. Le savoir est un péché, tout autant que l'ignorance.

Antoni Kossakowski descend dans une auberge pour pèlerins dirigée par une femme que l'on appelle Irena ou la Mère. Elle est mince, plutôt petite, elle a le teint bistre et elle s'habille toujours en noir. Parfois, dans le vent, son foulard laisse échapper des cheveux complètement gris. Elle a beau être une aubergiste, tout le monde s'adresse à elle avec un immense respect, celui que, d'ordinaire, on a pour les moniales, alors qu'il est connu qu'elle a de grands enfants quelque part au loin et qu'elle est veuve. Chaque soir et chaque matin, elle dirige la prière en entonnant les chants d'une voix tellement pure que les cœurs des pèlerins s'ouvrent. À son service, elle a deux supposées jeunes filles. Au début Kossakowski pensait que c'étaient des paysannes du cru, telle était l'impression qu'elles donnaient, et il lui a fallu quelques jours pour s'apercevoir qu'il s'agissait plutôt de castrats, mais avec de la poitrine. Il doit faire attention de ne pas trop les regarder, parce qu'alors ils ou elles lui tirent la langue. Quelqu'un lui raconte que dans cette auberge, depuis des centaines d'années, il y a toujours eu une Irena et qu'il doit en être ainsi. Originaire du Nord, l'actuelle Irena ne parle pas parfaitement le grec, elle le truffe de mots étrangers qu'Antoni identifie souvent ; elle doit être valaque ou serbe.

Alentour, il n'y a que des hommes, pas une seule femme – Irena exceptée, mais est-elle vraiment une femme ? Il n'y a pas non plus un seul animal femelle. Cela risquerait de distraire les moines. Antoni essaie de se concentrer sur un hanneton à ailes vertes qui trotte sur le chemin. Il se demande si c'est aussi un mâle…

Avec les autres pèlerins, Antoni escalade le mont, mais l'entrée du monastère leur est interdite. Près du saint mur, il y a une maison de pierre dont une partie a été prévue pour que les gens comme lui puissent y dormir et se restaurer. Les matinées et les soirées sont consacrées à la prière, conformément aux prescriptions du saint moine Grégoire Palamas. Elle consiste à répéter sans fin, mille fois par jour : « Seigneur Jésus, Fils de Dieu, aie pitié de moi. » Les fidèles s'assoient par terre, se recroquevillent, la tête baissée sur le ventre, comme s'ils étaient des fœtus, comme s'ils n'étaient pas encore nés, et ils essaient de retenir leur respiration le plus possible.

Matin et soir une voix masculine haut perchée convoque aux prières communes ; dans toute la région, l'on entend son appel en slavon : « *Molidbaaa, Molidbaaa**. » Les pérégrins abandonnent aussitôt leurs activités pour se diriger d'un pas rapide vers le monastère du haut.

* Prière. *(N.d.T.)*

Kossakowski assimile leur réaction à celle des oiseaux au cri d'un des leurs qui vient d'apercevoir un prédateur.

Dans la journée, Antoni Kossakowski travaille au jardin près du port. Il s'est également engagé comme porteur, il aide à décharger les petits bateaux qui accostent une ou deux fois par jour. Ce n'est pas pour les quelques sous qu'il le fait, mais pour être avec les gens et aussi pour monter au monastère, ainsi lui est-il possible de pénétrer dans la cour intérieure. Là, le portier, un moine alerte dans la fleur de l'âge, récupère la nourriture et les marchandises, offre à boire de l'eau fraîche, presque glacée, et propose des olives. Néanmoins, le portage n'est pas si fréquent que cela parce que les moines parviennent à vivre en autarcie.

Kossakowski se montre d'abord rétif, il regarde avec ironie ces pèlerins pris de manie religieuse. Il préfère les promenades dans les chemins pierreux qui entourent l'abbaye, la terre chaude traversée en permanence par les minuscules violons des cigales, une terre à laquelle un mélange d'herbes et de résine vaut une bonne odeur de nourriture, celle d'un gâteau aux épices. Au cours de ses flâneries, Kossakowski imagine que vivaient là jadis les dieux grecs, ceux-là mêmes dont il a tout appris dans la maison de son oncle. Désormais, ils reviennent. Ils portent des habits dorés et brillants, leur peau est très claire, ils sont plus grands que les hommes. Parfois il lui semble suivre leurs traces et, s'il se hâtait un peu, qu'il pourrait rattraper la déesse Aphrodite, apercevoir sa merveilleuse nudité ; le temps d'un instant, la fragrance de l'hysope devient l'odeur semi-animale du Seigneur en sueur. Kossakowski sollicite son imagination ; à travers elle, il veut voir les dieux, ils lui sont nécessaires. Les dieux. Dieu. Leur présence dans le parfum de la sève et, surtout, l'existence secrète d'une force visqueuse et sucrée qui pulse dans chaque être font que le monde semble rempli à ras bord. Cette présence, il veut à toute force se la représenter. Son membre viril durcit et, bon gré mal gré, il doit se soulager sur cette Sainte Montagne.

Un jour où Antoni Kossakowski a l'impression d'être le plus heureux des hommes, il s'endort à l'ombre d'un arbrisseau en plein midi. Soudain, le bruit de la mer, qui pourtant l'accompagne toujours, le réveille : il semble menaçant. Antoni se redresse pour regarder autour de lui. Le soleil impérial, haut dans le ciel, divise le paysage en zones claires et sombres, en lumière et ombre. Tout s'est arrêté, Antoni aperçoit au loin les flots figés dans leur immobilité, avec au-dessus d'eux une mouette unique suspendue et comme clouée sur l'azur. Son cœur bat à tout rompre et Antoni veut prendre appui pour se mettre debout, mais là, sous ses mains, l'herbe devient poussière. Il manque d'air, l'horizon s'est dangereusement approché et, dans un instant, sa ligne souple formera un nœud coulant. Antoni réalise que ce mugissement plaintif de la mer est une lamentation et que toute la nature participe au deuil de ces dieux dont le monde avait tellement besoin. Il n'y a plus personne : Dieu créa le monde et cet effort le fit mourir. Pour comprendre cela, il fallait qu'Antoni Kossakowski vienne au mont Athos.

Il se met à prier.

La prière ne donne rien. En vain baisse-t-il la tête vers son ventre, recroqueville-t-il son corps dans une position pareille à celle d'avant la naissance, comme on lui a appris. La paix ne vient pas, sa respiration reste irrégulière et les paroles «Seigneur Jésus… », répétées mécaniquement, ne lui apportent aucun soulagement. Il ne sent que sa propre odeur, celle d'un homme mûr en sueur. Rien de plus.

Le lendemain matin, sans tenir compte des reproches d'Irena ni se soucier de ses obligations, il monte à bord du premier voilier venu sans même s'inquiéter de la destination. Il entend une dernière fois monter du rivage l'appel « *Molidbaaa, Molidbaaa* », et il lui semble que c'est l'île qui le lui lance. En mer, il apprend qu'il vogue vers Smyrne.

À Smyrne, les choses se présentent très bien pour lui. Il trouve du travail chez les Trinitaires et, pour la première fois depuis longtemps, il réussit à gagner un argent convenable. Il ne se refuse rien, acquiert un bel habit turc et commande du vin. Boire lui procure un grand plaisir, à condition qu'il soit en bonne compagnie. Il remarque que, lorsqu'il parle avec des chrétiens et dit être allé au mont Athos, il suscite un grand intérêt, aussi, chaque soir, ajoute-t-il un petit détail à son récit qui s'étend désormais comme une suite d'aventures sans fin. Il dit s'appeler Moliwda. Il est content de sa trouvaille, car ce n'est en rien un prénom. Moliwda, c'est davantage qu'un nom, c'est un nouveau blason, une enseigne. Il abandonne presque complètement son patronyme antérieur, selon lui un peu étriqué, flétri, de pacotille. Il ne l'utilise qu'avec les frères de l'Ordre de la Sainte-Trinité. Que reste-t-il d'Antoni Kossakowski?

Moliwda voudrait désormais regarder sa vie d'une certaine distance, un peu comme le font ces Juifs de Pologne rencontrés à Smyrne. Dans la journée, ils remplissent leurs obligations avec sérieux et toujours de bonne humeur. Le soir, ils discutent sans fin. Il commence par les écouter discrètement, eux pensent qu'il ne comprend pas ce qu'ils disent. Ce sont des Juifs, mais lui décèle en eux quelque chose de familier. Il va jusqu'à se demander très sérieusement si l'air, la lumière, l'eau, la nature ne déteignent pas sur l'homme de telle manière que ceux qui ont été élevés dans un même pays se ressemblent nécessairement, y compris lorsque tout les sépare.

Il aime tout particulièrement Nahman, qui a l'esprit vif, la parole aisée, et parvient à renverser les données d'une discussion pour démontrer l'affirmation la plus absurde. Il sait aussi poser des questions qui étonnent Moliwda-Kossakowski. Néanmoins, celui-ci note que l'immense savoir et l'intelligence de ces gens sont employés à des jeux bizarres avec les mots dont, pour sa part, il n'a qu'une vague idée. Un jour, il achète un panier d'olives et une grande cruche de vin pour aller les voir. Ils mangent les olives, recrachent les noyaux dans les pieds des passants qui s'attardent puisque le soir tombe et que la chaleur smyrniote, humide et collante, diminue un peu. Tout à coup, le plus âgé des Juifs, Reb Mordke, commence un cours sur l'âme. Elle serait triple, en réalité. La plus basse, celle de la faim, du froid et du désir, c'est *Néfesh*, affirme-t-il. Les animaux en sont également dotés.

– Le *soma*, dit Moliwda.

L'âme au-dessus, c'est l'esprit, *Ruah*. Elle anime nos pensées, fait que nous devenons des gens de bien.

– La *psychê*, rétorque Moliwda.

La troisième, la plus haute, c'est *Neshama*.

– Le *pneuma*, commente Moliwda non sans ajouter, la belle découverte que voilà!

Reb Mordke, imperturbable, poursuit:

– *Neshama* est l'âme vraiment sainte que ne peut acquérir qu'un homme bon et saint, un kabbaliste ; il y parvient uniquement en approfondissant le mystère de la Torah. Grâce à *Neshama*, nous pouvons examiner la nature cachée du monde et de Dieu parce qu'elle est l'étincelle détachée du *Bina*, l'intellect divin. Il n'est que *Néfesh* pour être capable du péché. *Ruah et Néfesh* ne pèchent pas.

– Puisque *Neshama* est une étincelle divine en l'homme, comment Dieu pourrait-il condamner le pécheur à l'enfer, ne se punirait-il pas ainsi lui-même ? demande Moliwda quelque peu échauffé par le vin, et sa question lui vaut l'estime de ses deux compagnons.

Tout comme lui, ils connaissent la réponse. Là où se trouve Dieu, le grand, le plus grand, il n'y a ni péché ni sentiment de culpabilité. Seules les petites divinités engendrent le péché, elles sont pareilles en cela aux mauvais artisans qui fabriquent de la fausse monnaie.

Le travail chez les Trinitaires terminé, ils s'installent au *kahvehane*. Moliwda a appris à prendre plaisir à boire du *cahvé* amer et à fumer la pipe turque à long tuyau.

Moliwda participe au rachat de Piotr Andruszewicz de Buczacz pour une rançon de 600 zlotys et d'Anna de Popielawy, qui séjourna plusieurs années à la cour d'Hussein Bayraktar de Smyrne, pour 450 zlotys. Il retient ces noms parce qu'il rédige l'accord en turc et en polonais. Il connaît les prix qui ont cours à Smyrne pour racheter les gens : pour un certain Tomasz Cybulski, noble de quarante-six ans, officier d'intendance du régiment de Jabłonowski, en captivité depuis neuf ans, la somme importante de 2 700 zlotys fut versée et on le renvoya aussitôt en Pologne sous escorte. Pour les enfants, on paie 618 zlotys et pour Jan, un vieillard, la somme ne s'élève qu'à 18 zlotys polonais. Originaire d'Opatów, le vieil homme pèse autant qu'une chèvre, il a passé toute sa vie en captivité chez les Turcs et semble ne plus avoir chez qui rentrer en Pologne, mais sa joie est immense. Moliwda voit couler des larmes sur son visage ridé et tanné par le soleil. Moliwda ne manque pas d'observer avec attention mademoiselle Anna, devenue une femme mûre. Il aime la façon impérieuse et fière avec laquelle elle traite les Trinitaires, mais aussi lui, l'interprète. Il n'arrive pas à comprendre pourquoi le riche Turc se prive de cette belle compagne. D'après ce qu'elle explique à Moliwda, Hussein Bayraktar aurait promis de la libérer par amour, parce qu'elle était malheureuse loin de son pays. Dans quelques jours, elle doit prendre un bateau pour Salonique, puis voyager par voie terrestre jusqu'en Pologne. Moliwda, soudain en proie à une passion incompréhensible, attiré par la peau blanche et le corps plantureux d'Anna, joue de nouveau son va-tout et se fait complice du projet de fuite de la dame. Anna Popielawska n'a absolument pas l'intention de retourner en Pologne, dans le manoir de Polésie qui exsude l'ennui. Dans sa hâte, Moliwda ne trouve pas le temps de dire au revoir à ses amis. Il s'enfuit à cheval avec sa belle vers une petite ville portuaire au nord de Smyrne, et là, avec son argent, il loue une maison où, deux semaines durant, Anna et lui s'abandonnent à la volupté. Ils passent leurs après-midi sur un vaste balcon qui donne sur la côte où, chaque jour à la même heure, se promène un agha turc avec ses janissaires. Ceux-ci portent des plumes blanches à leurs fez, tandis que leur chef est vêtu d'un manteau pourpre doublé d'un fin tissu argenté qui brille au soleil comme le ventre d'un poisson projeté sur le sable.

Aux heures les plus chaudes, allongées sur les ottomanes de leurs balcons, des chrétiennes, épouses de marchands grecs, aguichent du regard les jeunes gens qui se pavanent devant elles. Inimaginable pour une femme turque! La blonde Anna Popielawska attire elle aussi du regard cet agha et un bref échange de paroles a lieu entre eux. Moliwda est en train de lire à l'arrière de la maison, où il y a de l'ombre. Le lendemain, Anna Popielawska disparaît avec tout l'argent qu'il a gagné chez les Trinitaires. Moliwda rentre à Smyrne, mais les Frères ont engagé un autre *dragoman* et les deux Juifs palabreurs ont disparu. Il décide donc de s'enrôler sur un bateau pour retourner en Grèce.

À regarder l'horizon marin, à écouter le clapotis des vagues contre la coque, Moliwda devient soudain songeur. Pensées et images s'agencent en longs rubans, il peut s'y attarder pour voir ce qui découle de quoi. Il se rappelle son enfance. Des années qui lui semblent avoir été aussi rigides que les chemises du dimanche amidonnées que sa tante préparait pour lui et ses frères à Pâques et dont la raideur nécessitait plusieurs jours pour succomber enfin à la chaleur du corps et à la transpiration.

Moliwda pense à son jeune âge chaque fois qu'il se retrouve en mer, il ignore pourquoi, sans doute l'immensité lui donne-t-elle le vertige et lui faut-il s'accrocher à quelque chose.

Son oncle, qu'il fallait saluer par une génuflexion et un baisemain, avait épousé en secondes noces une femme dangereusement jeune qui créait autour d'elle une ambiance théâtrale de faux-semblants, totalement incompréhensible pour le jeune Antoni d'alors. Elle venait d'une famille noble extrêmement pauvre, suspecte, aussi devait-elle se surpasser pour se donner de l'apparence. Ses efforts la rendaient ridicule. Quand des invités arrivaient au château, elle caressait le visage des neveux de son mari avec ostentation, les attrapait par l'oreille affectueusement pour chanter leurs louanges : « Ah, notre Antoni, lui, il aura une belle vie ! » Au départ des hôtes, elle retirait aux garçons leur beau costume pour le ranger dans l'armoire de l'entrée, comme si elle s'attendait à l'arrivée d'autres enfants laissés par des parents défunts, mais, cette fois, de meilleure qualité.

Le départ de sa maîtresse, l'étendue marine et ce souvenir d'enfance font que Moliwda se sent effroyablement seul. Le soulagement lui viendra bientôt des bogomiles valaques, dont on affirme avec une opiniâtreté erronée que ce sont des lipovènes. Ils lui offriront un répit dans son tourment de se sentir brisé en deux – quelle étrange maladie, nul n'en a sans doute souffert avant lui, aussi n'y a-t-il personne à qui en parler. Tout cela parce que Moliwda est absolument persuadé que sa vie touche à son terme et qu'il n'y aura pas d'autre monde.

11

Comment Moliwda-Kossakowski rencontre Jakób dans la ville de Craiova

Deux années se sont écoulées; en ce printemps de 1753, Moliwda a trente-cinq ans et il s'est un peu amaigri à suivre la diète des bogomiles. Ses yeux sont clairs, transparents, y lire quelque chose serait difficile. Sa barbe est clairsemée, d'un gris roux de sac de jute, le soleil a tanné son visage. Un turban turc blanc, très défraîchi, le coiffe.

Il veut voir à quoi ressemble cet insensé, ce fou divin dont tous les Juifs disent que l'âme du Messie est descendue en lui, et que, de ce fait, il ne se conduit plus en être humain. Moliwda en a déjà beaucoup vu des pareils, l'âme du Messie semble aimer s'incarner tous les deux jours.

Il n'approche pas trop près. Il se poste de l'autre côté de la ruelle, s'appuie au mur, bourre sa pipe avec des gestes calmes et lents. Tout en fumant, il observe la confusion régnante. Il y a surtout des hommes jeunes, des jeunots juifs ou turcs. Quelque chose se passe à l'intérieur du bâtiment, un groupe d'hommes force la porte, des explosions de rires fusent.

Une fois sa pipe terminée, Moliwda se décide à entrer. Il doit baisser la tête, traverser un sombre corridor jusqu'à une cour où un petit puits a été transformé en une sorte de fontaine. Là, il fait frais, des hommes se sont installés sous un arbre à larges feuilles, presque tous sont en tenue turque, assis à même le sol, mais il y en a quelques-uns en caftans juifs, sur de petits tabourets. Il voit aussi des bourgeois imberbes vêtus à la valaque, ainsi que deux Grecs qu'il reconnaît à leurs manteaux de laine caractéristiques. Tous dévisagent un moment Moliwda avec suspicion, puis un individu maigre, au visage grêlé par la variole, finit par lui demander ce qu'il est venu chercher. Il répond alors dans le turc le plus pur : « Juste écouter. » L'autre recule, mais son regard reste inamical. Il l'observe avec défiance. On le prend pour un espion. Peu importe.

Au centre de ce qui est presque un grand demi-cercle, un personnage de belle prestance, vêtu à la turque, se tient debout. D'une voix forte et vibrante, il parle avec désinvolture mais de telle manière qu'il serait difficile de l'interrompre. Il s'exprime en turc, lentement, avec un étrange accent, et nullement comme un sage, mais plutôt comme un marchand ou peut-être un traîne-savates. Il utilise des expressions qu'on entend au marché aux chevaux, dans lesquelles il glisse inopinément des termes grecs ou hébreux, indéniablement érudits. Le contraste est trop grand, l'effet est déplaisant, Moliwda grimace malgré lui. Cela ne peut rien être d'intéressant, se dit-il, avant de réaliser soudain que c'est le langage de tous ceux qui l'entourent dans cette cour, de cette diversité d'individus qui sont toujours sur les routes, ce n'est pas la langue des livres déposés en un endroit à l'usage de rares privilégiés. Il ne sait pas encore que l'on entend un accent étranger dans chacune des langues qu'utilise Jakób.

Le visage de ce Frank est oblong, plutôt clair pour un Juif turc, sa peau irrégulière, les joues surtout sont couvertes de minuscules anfractuosités, comme de petites cicatrices qui témoigneraient d'un sombre événement, comme s'il avait subi le feu dans un lointain passé. « Il y a quelque chose d'inquiétant dans cette figure qui suscite un respect involontaire, songe Moliwda, d'autant que le regard est totalement insondable. »

C'est très surpris qu'il reconnaît un vieillard assis au plus près de ce supposé prophète, il fume la pipe en fermant les yeux à chaque bouffée. Sa barbe est touffue, grise, jaunie par le tabac ; il ne porte pas de turban, mais un simple fez dont sortent des cheveux tout aussi denses et gris. Antoni Kossakowski se donne un peu de temps pour se rappeler où il l'a vu.

– Comme le monde est petit, dit-il au vieil homme en turc, d'une voix apparemment neutre.

L'autre se retourne et l'instant d'après un sourire chaleureux éclaire son épaisse barbe.

– Voyez-vous ça, notre grand seigneur, l'aristocrate ! lance Reb Mordke avec ironie, en pointant Moliwda du doigt et en s'adressant à un individu borgne, basané comme un Arabe. Tu as donc réussi à t'enfuir, je vois !

Il rit très fort, heureux qu'une telle rencontre puisse arriver deux fois. Il lui donne l'accolade chaleureusement, avec une familiarité qu'ils n'avaient jamais eue l'un envers l'autre.

Moliwda reste jusqu'au soir, il observe les allées et venues permanentes : des hommes entrent et sortent, ils viennent faire un saut avant de retourner à leurs affaires, à leurs caravanes, à leurs échoppes. En aparté, ils échangent les adresses et les noms des fonctionnaires turcs qui sont corruptibles. Ils les notent sur de petits calepins que l'on peut acheter au bazar. Après quoi, ils se joignent à la conversation comme s'ils n'avaient jamais bougé de là. La disputation est permanente, une question est posée, elle est parfois idiote, parfois provocatrice, et la joute commence : chacun veut répondre, c'est à qui criera le plus fort. Parfois, les intervenants ne se comprennent pas, certains ont pris un tel accent, Dieu sait où, qu'ils doivent désormais tout répéter deux fois. Il y a aussi des traducteurs et, dans ces cas-là, Moliwda reconnaît le yiddish de Pologne, un étrange mélange d'allemand, de polonais et d'hébreu. Quand il l'entend, une émotion soudaine le gagne. Nahman parle comme sa chère Malka et ses sœurs. Moliwda se retrouve sous le chaud manteau des images du temps révolu. Celles, par exemple, des céréales, du blé qui s'étendait jusqu'à l'horizon, d'un jaune pâle piqueté des points bleu sombre des bleuets ; du lait qui vient d'être trait et de la tranche de pain sur la table ; de l'apiculteur dans son auréole d'abeilles qui sort les rayons couverts de miel.

Et alors, en Turquie, il y a aussi du miel et du pain ! Moliwda s'en veut de cette nostalgie. Il repousse dans le fond de sa tête ce bouquet d'images fortuitement écloses pour en revenir à la discussion. Justement elle s'épuise, le prophète raconte des historiettes, et quand il parle l'ombre d'un méchant sourire se tapit dans les traits de son visage. Il s'exprime comme s'il combattait cent malandrins qu'il mettrait en pièces en les hachant comme des orties. Quelqu'un l'interrompt, crie quelque chose au-dessus des têtes de l'assemblée. Certains s'en vont, d'autres s'éloignent un peu pour gagner le fond où un olivier jette de l'ombre ; en fumant la pipe, ils commentent ce qu'ils ont entendu. À un moment donné, Nahman prend la parole. Il s'exprime de façon docte et précise. Il évoque Isaïe. Difficile de lui damer le pion. Il sait tout justifier. Quand il cite un passage pertinent des Écritures, il lève les yeux comme si une bibliothèque invisible pour les autres était suspendue dans les airs. Jakób ne réagit par aucun geste à l'enseignement de Nahman. Quand celui-ci termine, il ne lui adresse pas un signe de tête. Étrange école.

Au moment où l'assemblée se raréfie, il fait déjà sombre, et, autour de Frank, se forme un groupe de jeunes hommes peu nombreux mais bruyants. Ils vont en ville. Ils déambulent bruyamment dans ses étroites ruelles et cherchent à en découdre. Ils harcèlent les passants, commentent les exploits des funambules, boivent du vin, sèment le désordre. Moliwda et Reb Mordke les suivent, mais restent à distance derrière eux, à tout hasard, pour ne pas faire les frais d'une rixe. De ce petit groupe conduit par Jakób émane une étrange force, celle de jeunes mâles qui éprouvent leurs véritables capacités par des bousculades. Cela plaît bien à Moliwda. L'envie d'en être lui vient, de se cogner épaule contre épaule avec eux, de se donner mutuellement des tapes dans le dos, de se déplacer dans le sillage de leur odeur âcre et intense de transpiration juvénile, mêlée au vent, à la poussière. Il y a sur le visage de Jakób ce sourire fanfaron qui lui donne l'air d'un gamin qui s'amuse. Moliwda capte son regard un instant, il voudrait lever la main pour lui faire signe, mais déjà Jakób se retourne. À l'approche du cortège, les marchandes de fruits et les vendeurs de galettes prennent la fuite. Soudain, toute la troupe s'arrête, Moliwda ne voit pas ce qui se passe, mais il attend patiemment, il s'achète une crêpe arrosée de sirop qu'il mange avec appétit. Là-bas, devant lui, c'est le brouhaha, des voix crient, un rire éclate. Une nouvelle frasque de Jakób. Sur ce qui s'est passé cette fois, on ne saura rien.

L'histoire de Monsieur Moliwda,
Son Altesse Antoni Kossakowski
au blason *Corvinus*, dit Korwin

Il est originaire de Samogitie, son père était hussard dans l'armée royale. Il a cinq frères dont l'un est un militaire, deux sont prêtres, et il ignore tout des deux derniers. L'un des religieux vit à Varsovie, ils s'écrivent une fois l'an.

Antoni n'est pas retourné en Pologne depuis plus de vingt ans. Par miracle, il pense toujours en polonais, mais il doit faire un effort pour tourner une phrase à peu près adroite et les mots lui manquent dans bien des domaines. Il a déjà tant vécu que le vocabulaire de sa langue maternelle est devenu insuffisant pour raconter sa vie. Il le fait avec l'aide d'un mélange de grec et de turc. Des termes hébreux viennent également s'y ajouter depuis qu'il travaille pour les Juifs. Dans cette mixture langagière, Moliwda livre de lui l'image d'une chimère, d'une étrange créature des antipodes.

En polonais, il sait parler de son enfance dans la demeure de son oncle Kossakowski, sieur Dominik, l'échanson de Kowno, qui, à la disparition brutale de ses deux parents, se chargea de son éducation et de celle de ses cinq frères. Il était exigeant et avait la main lourde. Quand il prenait l'un de ses neveux à mentir ou à dissimuler, il le giflait violemment. En cas de faute plus grave (par exemple, quand Antoni mangea un peu de miel d'un pot et, pour que cela passât inaperçu, ajouta de l'eau dans la cruche, ce qui eut pour effet de corrompre le miel), l'oncle sortait une discipline à lanières de cuir, sans doute prévue pour s'autoflageller car la famille était très pieuse, et l'appliquait à nu sur dos et les fesses de l'enfant. Dominik Kossakowski choisit la carrière militaire pour le plus robuste des frères, en dirigea deux autres, plutôt calmes et soumis, vers la prêtrise, mais Antoni n'était bon ni pour l'armée ni pour l'Église. Il faisait des fugues, les serviteurs le recherchaient dans le village, le tiraient des granges où, épuisé d'avoir pleuré, il dormait dans le foin. Les méthodes éducatives de l'oncle étaient sévères et cruelles, mais, finalement, l'espoir pointa de faire à Antoni une place dans la bonne société. Après tout, il avait reçu une excellente éducation, aussi, homme d'influence, l'échanson Kossakowski recommanda son neveu de quinze ans à la chancellerie du roi Stanisław Leszczyński. Le neveu eut droit à une tenue vestimentaire appropriée, on lui acheta un coffre, des chaussures, du linge de corps de rechange, des mouchoirs, et il partit pour Varsovie. Personne ne savait trop que faire de cet adolescent, aussi eut-il à recopier des documents de sa belle écriture et à couper les mèches des chandelles. Il raconta aux gratte-papier que son oncle l'avait trouvé dans la forêt lituanienne où une louve l'avait élevé plusieurs années durant, ce qui lui permit de bien connaître la langue des chiens et des loups ; il était le fils d'un sultan et avait été conçu lors de la pérégrination incognito de ce dernier chez les magnats Radziwiłł. Quand il en eut assez de recopier des rapports, Antoni en cacha une liasse derrière un meuble très lourd, près d'une fenêtre où, à cause du manque d'étanchéité des vitres, ils prirent l'humidité et moisirent. Il y eut aussi d'autres facéties, comme quand ses camarades plus âgés enivrèrent Antoni et l'abandonnèrent dans un bordel de Powiśle où il faillit mourir et mit trois jours à se remettre. Un beau matin, il prit l'argent qu'on lui avait imprudemment confié et devint le roi de ce bas quartier de Varsovie – jusqu'à ce qu'on le volât à son tour et qu'on le rouât de coups.

Depuis peu, Moliwda se demande souvent ce qui serait arrivé s'il était resté à la chancellerie, qui il serait aujourd'hui. Serait-il devenu un noble ministériel de la capitale, un fonctionnaire de ce nouveau roi de Pologne rarement présent dans la *Respublica*, si ce n'est à Wschowa, aux confins de la Grande-Pologne ? Or, qui est-il maintenant, lui, Antoni Kossakowski ?

À la chancellerie, on lui fit dire de ne jamais plus se montrer, ce dont son oncle fut informé. Sieur Dominik vint le chercher, mais il n'osa plus le battre comme il l'avait fait jusque-là ; désormais, son jeune neveu était, quoi qu'on en dise, un commis du roi.

Pour le punir, il l'envoya dans la propriété apportée en dot par feu sa mère et, jusque-là, confiée à un régisseur local. Il ordonna qu'il s'y formât à l'agronomie, à la culture de la terre, aux moissons, à l'agnelage, à l'élevage des poules. Le domaine s'appelait Bielewicze.

Antoni, qui n'avait pas vingt ans, y arriva à la fin de l'hiver, quand la terre était encore gelée. Les premières semaines, il ployait sous une telle culpabilité et avait un tel sentiment de gâchis qu'il ne quittait pratiquement pas le manoir, où il restait à prier avec ardeur et à fureter dans les pièces vides, en quête de traces laissées par sa mère disparue. Ce ne fut qu'en avril qu'il se rendit pour la première fois au moulin.

Le moulin avait été affermé à Mendel Kozorowicz, un Juif qui n'avait que des filles. L'une d'elles se prénommait Malka. Elle était déjà promise à un homme de peu et le mariage était pour bientôt. Au prétexte de livrer du grain ou de vouloir contrôler le fonctionnement de la meule, Antoni se présenta chaque jour chez les Kozorowicz. Brusquement, il était devenu un maître vraiment sourcilleux, qui surveillait l'écrasement des grains et vérifiait la qualité de farine; il en prenait entre ses doigts une pincée après l'autre, la portait à ses narines, vérifiait que le seigle n'avait pas pris l'humidité. Il sortait du moulin saupoudré de blanc, comme vieilli. Il faisait tout cela non pas pour la farine, mais à cause de Malka. Elle lui avait confié que son prénom voulait dire « reine », bien qu'elle n'eût pas l'air d'une reine, mais plutôt d'une princesse mince et vive, avec des yeux sombres et une peau incroyablement sèche et chaude comme celle des lézards, de sorte qu'une fois, lorsque son épaule se frotta à celle d'Antoni, il entendit un froissement et un craquement.

Personne ne remarqua l'amourette, peut-être à cause des volutes de farine dans l'air, peut-être parce qu'elle était insolite. Deux enfants étaient tombés amoureux. Malka était de peu l'aînée d'Antoni, mais suffisamment pour lui montrer, lors de leurs promenades, sous quelles pierres se cachaient les écrevisses et où, dans les taillis, poussaient les lactaires. Ils étaient plutôt comme deux orphelins qui se seraient trouvés.

À la moisson d'été, personne ne vit Antoni aux champs et il était rarement au manoir. En septembre, pour le Nouvel An juif, il devint clair que Malka était enceinte et quelqu'un, un fou sans doute, conseilla au jeune noble d'enlever Malka, de la faire baptiser et de l'épouser. Les deux familles se retrouveraient devant le fait accompli, ce qui calmerait leur courroux.

Antoni enleva donc Malka, l'emmena en ville où il soudoya un prêtre pour qu'il la baptisât rapidement et les mariât. Avec le sacristain, il fut témoin du baptême. Elle reçut pour prénom chrétien Małgorzata.

C'était insuffisant. Ce n'était rien. Alors qu'ils se tenaient l'un à côté de l'autre devant l'autel, quelqu'un aurait pu dire, par exemple une Ienta qui voit tout, que c'étaient un garçon et une fille d'âge semblable. En réalité, entre eux s'ouvrait un abîme impossible à combler, profond jusqu'au centre de la terre, voire plus. Difficile d'expliquer cela avec des mots. Dire qu'elle est une Juive et lui un chrétien, c'est peu. Cela ne veut pas dire grand-chose, parce que, en réalité, c'est comme s'ils représentaient deux sortes d'humains, ce qui au premier regard ne se voit pas ; deux êtres donnant l'illusion d'être semblables alors qu'ils sont radicalement différents : elle, elle ne sera pas sauvée ; lui, il vivra éternellement. Aussi, quoique vivante en apparence, est-elle déjà cendre et spectre. Du point de vue du meunier Kozorowicz qui loue le moulin de sieur Dominik, la différence entre les deux jeunes mariés est plus grande encore : Malka est un être humain, un vrai ; Antoni n'est qu'une créature qui ressemble à un être humain, une falsification qui ne vaut rien dans le vrai monde, pas même un peu d'attention.

Inconscients de ces différences, Antoni et Malka se montrèrent au moulin de Bielewicze, mais ils ne le firent qu'une fois. Il devint aussitôt clair qu'il n'y aurait pas là de place pour eux. Le père Mendel se lamenta tellement qu'il perdit ses forces et tomba malade. On voulut enfermer Malka dans la cave, mais elle s'échappa.

Antoni s'installa avec sa jeune épouse au manoir, à Bielewicze, mais ce ne devait être que pour quelques mois.

Les serviteurs les accueillirent avec réserve. Les sœurs de Malka commencèrent à venir la voir, s'enhardissant bientôt à soulever les napperons, à fouiller les tiroirs, à carresser les couvre-lits. Elles s'asseyaient à table avec le jeune couple : cinq filles et un garçon dont la moustache poussait à peine. Elles mettaient le couvert avec Malka et, quand le couple faisait le signe de la croix, elles priaient à leur manière. Ils formaient une république judéo-enfantine. Les demoiselles parlaient yiddish, Antoni attrapa vite cette tonalité particulière et les mots lui venaient d'eux-mêmes. Tout ce petit monde ressemblait à une famille heureuse, une famille idéale, rien que des enfants sans cause première.

Après quelques mois, choqué par pareils événements, l'intendant envoya des courriers à l'oncle Dominik, lequel, aussi menaçant qu'un nuage de grêle, annonça son arrivée. Quand le jeune Antoni réalisa qu'il allait se faire fouetter devant sa femme enceinte, il fit ses bagages et se rendit avec Malka au moulin. Mendel Kozorowicz, par peur du

seigneur dont il était le métayer, envoya discrètement le jeune couple chez des parents en Lituanie. À partir de là, on perdit toute trace de Malka et d'Antoni.

Ce qui attire les gens entre eux
et quelques mises au point
sur la transmigration des âmes

Moliwda passe de plus en plus de temps dans le magasin où travaille Jakób. L'activité commerciale s'y tient aux heures matinales, quand la chaleur n'est pas excessive, ou tard le soir. Deux heures après le coucher de soleil, à la place du thé apparaît alors le vin destiné aux vieux clients.

Moliwda connaît bien Osman de Czerniowce. Ceci par l'intermédiaire de certains Turcs, il ne dira pas d'où, il a juré le silence. Confidence, cachotterie, masque. Si l'on regardait ce secret avec les yeux de Ienta, qui voit tout, on saurait que les deux hommes se sont rencontrés à des réunions secrètes de bektachis. Maintenant, ils se saluent juste avec un petit hochement de tête, sans même se parler.

Moliwda se présente donc comme un vieux client. Il fait surtout impression parce qu'il est un duc polonais, ce sur quoi il insiste volontiers. Une certaine incrédulité doublée d'un respect infantile apparaît alors sur les visages de ses interlocuteurs juifs. Il lance quelques mots en turc et en hébreu. Son rire est profond et contagieux. Au mois de septembre, Moliwda est présent chaque jour chez Jakób. Jusque-là, il n'a acheté qu'une fibule avec une turquoise, et d'ailleurs Jakób la lui a vendue à un prix scandaleusement bas, ce dont Nahman était outré. Reb Mordke aime aussi passer son temps avec eux à discuter; plus le sujet est bizarre, mieux c'est.

Des hommes venus du nord entrent dans la boutique, ils parlent une langue étrangère. Nussen concentre son attention sur ces clients, et de sage devient vendeur. Ce sont des marchands juifs de Silésie, ils sont intéressés par les malachites, les opales et les turquoises. Jakób leur montre également des perles; quand il vend de la marchandise, il élève la voix. La transaction dure des heures, on verse du thé, le jeune Herszełe apporte des gâteaux et chuchote à l'oreille de Jakób qu'Abraham a dit de leur proposer également des tapis. Les marchands tergiversent et critiquent dans leur langue, ils se consultent à mi-voix, persuadés que personne ne les comprend. Ils ne devraient pas en être aussi sûrs. Nussen écoute, son œil unique presque fermé, puis il passe derrière le rideau où se tient Nahman pour lui rendre compte.

– Seules les perles les intéressent, ils ont déjà le reste, acheté plus cher d'ailleurs. Ils regrettent de ne pas nous avoir trouvés avant.

Jakób envoie Herszełe chercher des perles chez Abraham et dans d'autres échoppes. Quand, tard le soir, la transaction se termine et que la journée est jugée comme ayant été particulièrement bonne, les amis étendent des tapis et des coussins dans la plus grande pièce de la maison pour un dîner tardif, qui se transforme vite en festin.

– C'est ainsi que le peuple d'Israël dévorera le Léviathan ! s'écrie Jakób comme s'il levait un toast avant de glisser le morceau de viande grillée dans sa bouche – la graisse coule sur son menton. Le grand corps immense du monstre est délicieux et tendre comme la chair de caille, délicat comme celle des poissons. Le peuple se nourrira du Léviathan jusqu'à ce qu'il rassasie sa faim pluriséculaire.

Tous, occupés à manger, rient et plaisantent.

– Le vent jouera dans les nappes blanches, nous jetterons les os aux chiens sous la table, ajoute Moliwda entre ses dents.

Nahman, que le bon vin de la cave de Jakób a détendu, dit à Moliwda :

– Quand tu considères que le monde est bon, le mal devient exception, lacune, erreur, et plus rien n'a de sens. Quand tu pars du principe inverse, que le monde est mauvais et le bien une exception, alors tout s'ordonne intelligiblement. Pourquoi ne voulons-nous pas voir ce qui est évident ?

Moliwda poursuit sur le sujet :

– Chez moi, au village, on dit que le monde est divisé en deux, deux forces motrices, la bonne et la mauvaise…

– C'est quoi « ton » village ? interroge Nahman la bouche pleine.

Moliwda l'éconduit d'un geste impatient de la main et poursuit :

– Il n'y a pas un homme qui ne veuille du mal à un autre, d'État qui ne se réjouisse de la chute d'un autre, de marchand qui ne veuille la faillite de son voisin… Livrez-moi celui qui a créé cela. Celui qui a bâclé son travail !

– Laisse tomber, Moliwda, le calme Nahman. Tiens, mange ! Tu ne manges pas, tu ne fais que boire.

Tout le monde s'égosille à qui mieux mieux ; manifestement, Moliwda a mis un bâton dans la fourmilière. Il rompt un morceau de galette qu'il trempe dans de l'huile aux herbes.

– C'est comment chez toi ? ose encore lui demander Nahman. Tu pourrais nous montrer comment on y vit.

– Je ne sais pas, tergiverse Moliwda, le regard légèrement trouble par excès de vin. Il faudrait que tu me jures de garder le secret.

Sans hésiter, Nahman acquiesce d'un mouvement de tête. Cela lui semble évident. Moliwda ajoute du vin dans leurs godets, un cru tellement sombre qu'il laisse sur les lèvres un dépôt violet.

– Chez nous, commence Moliwda en bafouillant, je vais te le faire court, tout est horizontal, la lumière et l'obscurité. Et l'obscurité attaque la lumière, et Dieu crée les hommes pour avoir de l'aide, pour qu'ils défendent la lumière.

Nahman repousse son assiette et lève le regard vers son ami. Moliwda voit ses yeux sombres et profonds. Les bruits de la ripaille s'éloignent d'eux. Nahman parle à voix basse des quatre plus grands paradoxes auxquels il faut réfléchir, sans quoi l'on ne peut pas être un homme pensant.

– D'abord, Dieu, pour créer un monde fini, a dû se restreindre; mais la part infinie de Dieu, qui n'est en rien engagée dans la création, persiste. N'est-ce pas? demande-t-il à Moliwda pour s'assurer que celui-ci comprend ce langage.

Moliwda acquiesce, Nahman poursuit en disant que, si l'on admet que la conception du monde créé n'est que l'une du nombre infini d'idées présentes dans l'esprit divin, alors elle est certainement marginale et sans importance. Il se peut que Dieu n'ait même pas remarqué qu'Il créait quelque chose. De nouveau Nahman observe attentivement la réaction de Moliwda. Celui-ci inspire profondément.

– Deuxièmement, poursuit Nahman, la Création, en tant que part infime de l'esprit divin, L'indiffère et Il s'y engage à peine; du point de vue humain, nous pouvons percevoir cette indifférence comme de l'hostilité.

Moliwda boit son vin d'un trait et repose bruyamment le godet sur la table.

– Troisièmement, poursuit Nahman à voix basse, l'Absolu, parce que infiniment parfait, n'avait aucune raison de créer le monde. Cette partie de Lui qui induisit la création du monde fut obligée de se montrer plus rusée que les autres et elle doit continuer à l'être; et, nous, nous sommes impliqués dans ses ruses. Tu saisis? Nous prenons part à la guerre. Et, quatrièmement, en tant qu'Absolu, Dieu a dû se restreindre pour qu'advienne notre monde fini. Pour Lui, notre monde est un exil. Tu comprends? Pour créer le monde, Dieu Tout-Puissant a dû se rendre faible et soumis comme une femme.

Les deux amis restent assis en silence, épuisés. Le vacarme du festin leur revient aux oreilles, ils entendent la voix de Jakób qui raconte des histoires salaces. Ensuite, Moliwda, complètement ivre, donne longuement des tapes dans le dos de Nahman, jusqu'à susciter des plaisanteries grossières. Il pose alors la tête sur l'épaule de son ami et marmonne dans sa manche:

– Je le sais.

Moliwda disparaît plusieurs jours puis revient pour un jour ou deux. Il dort alors chez Jakób.

Quand ils restent à veiller le soir, Herszełe met de la cendre chaude dans le *tandir*, un four d'argile creusé dans le sol. Ils y appuient leurs pieds, la douce chaleur remonte agréablement avec le sang pour chauffer tout leur corps.

– Est-ce qu'il est *cibukli*? demande Moliwda à Nahman en regardant Herszełe.

Les Turcs appellent ainsi les androgynes dotés par Dieu de telle manière qu'ils peuvent passer à la fois pour une femme et pour un homme.

Nahman hausse les épaules.

– C'est un bon garçon. Très dévoué. Jakób l'aime.

L'instant d'après, considérant que sa sincérité obligera Moliwda à une sincérité similaire, Nahman demande:

– C'est vrai ce qu'on dit de toi, que tu es un bektachi?

– On dit cela?

– Et comme quoi tu as été au service du sultan… – Nahman hésite avant d'ajouter: comme espion.

Moliwda fixe ses mains serrées, ses doigts entrelacés.

– Tu sais bien, Nahman, que c'est une bonne chose que d'être avec eux. Je suis avec eux, moi aussi, répond-il – avant d'ajouter: Il n'y a aucun mal non plus à être un espion du moment qu'ainsi on sert le bien. Cela aussi tu le sais.

– Je le sais. Tu nous veux quoi, Moliwda?

– Rien. Toi, je t'aime bien et j'admire Jakób.

– Moliwda, tu es un esprit supérieur impliqué dans les affaires du siècle.

– Alors, nous sommes pareils.

Nahman ne semble pourtant pas convaincu.

Quelques jours avant le départ de Nahman pour la Pologne, Moliwda les invite tous chez lui. Il arrive à cheval, suivi d'une étrange carriole sur laquelle grimpent Nussen, Nahman et les autres. Jakób et Moliwda ouvrent la marche, chacun sur sa monture. Le voyage dure près de quatre heures parce que la route est difficile, étroite et grimpante.

Jakób est de bonne humeur; tout le long du chemin, il chante de sa belle voix puissante. Il commence par des chants solennels en langue ancienne et poursuit par ces chansonnettes yiddish que pousse à la noce l'animateur boute-en-train pour amuser les invités.

« Qu'est donc la vie,
Si ce n'est une danse sur les tombes? »

Ensuite il entonne des chansons grivoises sur la nuit de noces. Sa voix puissante résonne entre les rochers. Moliwda, qui tient son cheval un demi-pas derrière celui de Jakób, comprend soudain pourquoi cet homme excentrique attire les gens avec autant d'aisance. Jakób est authentique dans tout ce qu'il fait. Il est comme ce puits du conte dans lequel, quoi que l'on crie, la réponse est la même.

Le récit de Jakób sur la bague

En chemin, ils se reposent à l'ombre d'oliviers, sur un promontoire qui domine Craiova. Comme la ville leur semble petite maintenant, un mouchoir de poche! Nahman s'assied à côté de Jakób et, comme par jeu, il attire à lui sa tête. Jakób se laisse faire et l'échange rappelle celui de jeunes chiots. Moliwda songe : « Des gosses ! »

En voyage, au cours des haltes, il faut toujours raconter une histoire. Quand bien même elle serait déjà connue de tous. Herszełe, un peu bouddeur, veut entendre celle sur la bague. Jakób ne se fait jamais prier, aussi il commence :

– Il était une fois un homme qui avait une bague exceptionnelle que l'on se transmettait de génération en génération. Celui qui la portait était un homme heureux, tout allait bien pour lui, mais son aisance ne lui faisait pas perdre sa compassion pour les autres et il ne se dérobait jamais quand il fallait les aider. La bague appartenait donc à de bonnes personnes et chacune d'elles la transmettait à son enfant.

« Cependant, il arriva qu'un couple eût trois fils qui naquirent en même temps. Ils grandissaient en bonne santé et dans l'amour fraternel, ils partageaient tout ce qu'ils avaient et se soutenaient en toute chose. Leurs parents se demandaient ce qu'il adviendrait quand ils seraient adultes et qu'il faudrait donner la bague à l'un d'eux. Ils en discutaient jusque tard dans la nuit ; finalement la mère des garçons proposa la solution suivante : "Nous allons porter la bague chez le meilleur des joailliers pour en faire faire deux autres. L'orfèvre devra veiller à ce qu'elles soient identiques et qu'il devienne impossible de distinguer l'originale des autres." Après avoir longtemps cherché, ils trouvèrent un artisan particulièrement habile qui, à force de soin et de labeur, parvint à réaliser le travail demandé. Quand les parents vinrent reprendre les bagues, le joaillier les mélangea toutes les trois, de sorte qu'ils ne purent distinguer laquelle était l'originale et lesquelles des imitations. Lui-même s'étonna de ne pouvoir dire laquelle était laquelle.

« Quand les trois garçons atteignirent leur majorité, une grande fête eut lieu au cours de laquelle les parents leur remirent les bagues. Les fils n'étaient pas contents, ils s'efforçaient juste de ne pas le montrer pour ne pas faire de peine à leurs père et mère. Au fond de leur cœur, chacun d'eux pensait qu'il avait reçu le bijou authentique et regardait les deux autres avec suspicion et méfiance. À la mort des parents, les trois fils se rendirent aussitôt chez un juge pour qu'il mît fin à leurs doutes une fois pour toutes. Mais le juge, en dépit de sa sagesse, ne fut pas en mesure de le faire, aussi leur dit-il : "Il paraît que le bijou possède la propriété de rendre son possesseur aimable aux yeux de Dieu et des hommes. Puisque cela ne semble s'appliquer à aucun de vous, il est possible que la bague authentique soit égarée. Néanmoins, conduisez-vous comme si la vôtre était vraie et la vie montrera si c'est exact."

«Tout comme il y eut ces trois bagues, il y a trois religions. Qui est né dans l'une d'elles doit prendre les deux autres pour les chausser à chacun de ses pieds et marcher jusqu'au salut.

Moliwda connaît ce récit. Dernièrement, il l'a entendu d'un musulman avec lequel il était en affaires. Pour sa part, il a lui-même été ému par la prière de Nahman, qu'il a discrètement écoutée quand celui-ci la psalmodiait en hébreu. Il n'est pas certain de l'avoir retenue en entier, mais il a traduit en polonais ce qu'il s'est rappelé, et, désormais, quand il se la récite dans sa tête, le rythme fait ses délices, sa bouche s'emplit d'une saveur aussi agréable que s'il dégustait une douceur sucrée.

Mon âme invincible et fière
Bat des ailes à la recherche de l'éther.
Elle ne rappelle ni le corbeau ni la grue cendrée
Quand vers les abîmes des cieux elle s'est envolée.

Ni le goudron ni le fer ne la peuvent piéger,
Dans les caprices du cœur, elle ne s'égare, pour sûr.
Jamais ne la tuera le sépulcre des murs,
Des hommes, la futilité ou le jugement proclamé.

Elle renverse les murailles pour au loin voler,
Par-delà les douces paroles et les galéjades.
Elle ne veut ni ruelles ni allées,
Elle plane au-dessus des palissades.

Libre de toute frontière, elle flotte sur l'océan du néant
Elle se rit de la sagesse des hommes sots,
Elle appelle discrètement laideur ce qui est beau,
Elle dénonce à jamais le faux-semblant.

Elle secoue ses plumes, cherche la lumière féconde,
Celle que tu n'enfermeras pas en mots.
Nulle importance n'a pour elle le ratio
De qui occupe quelle place en ce monde.

Aide-moi, Seigneur, à manier le langage
Pour exprimer ma douleur certaine,
Ajouter de la vérité à la parole humaine,
Et capter de mon âme le sens du divin présage.

La douceur de cette langue polonaise qu'il n'a plus utilisée depuis long-temps se transforme en une mélancolie difficile à supporter.

LES RELIQUATS. CE QUE NOUS AVONS VU CHEZ LES BOGOMILES DE MOLIWDA

Le voudrais-je que je ne saurais tout consigner parce que les faits sont si étroitement liés entre eux qu'à peine en ai-je inscrit un avec la pointe de ma plume qu'il en bouscule un autre et, l'instant d'après, c'est une mer immense qui se déverse. Quel barrage les limites de ma feuille de papier ou le trait qu'y laisse ma plume pourraient être pour eux ? Comment pourrais-je exprimer tout ce que mon âme a reçu dans cette vie, surtout en un seul livre ?

Samuel Aboulafia, que j'ai étudié avec enthousiasme dans ma jeunesse, affirme que l'âme humaine fait partie d'un grand flux cosmique qui traverse toutes les créatures. Il y a un seul mouvement, une seule force, mais quand l'homme naît dans son corps matériel, quand il vient au monde en tant qu'exis-tence unique, cette âme doit se séparer du reste, sinon l'homme ne pourrait pas vivre, l'âme sombrerait dans l'Un et l'homme deviendrait fou en quelques secondes. Aussi, pareille âme se trouve *sigillée*, marquée de sceaux qui ne lui permettent pas de se fondre dans l'Un, mais l'autorisent à agir dans le monde fini et limité de la matière.

Nous devons savoir maintenir un équilibre. Si l'âme est trop possessive, trop collante, alors trop de formes adhèrent à elle et la séparent du flux divin.

N'est-il pas dit : « Celui qui est plein de soi n'a plus de place pour Dieu » ?

Le village de Moliwda se composait de plus d'une dizaine de maisonnettes proprettes en pierre, couvertes d'ardoises, que reliaient des sentes aux bords dessinés par de la pierraille. Elles étaient disposées de façon irrégulière autour d'un pré à l'herbe écrasée, traversé par un ruisseau qui y faisait une petite mare. En amont, il y avait une retenue d'eau, sorte de construction en bois qui, pareille à la roue d'un moulin, entraînait des machines, sans doute pour moudre du grain. À l'arrière des maisonnettes s'étendaient des jardins et des vergers, denses, bien entretenus, et dès l'entrée nous avons aperçu des citrouilles qui mûrissaient.

Sur l'herbe déjà sèche en cette saison, de grands rectangles de tissu blanchissaient, on aurait dit que le village se parait de cols blancs du dimanche. Quelque chose était bizarre, et je remarquai vite qu'il n'y avait aucune de ces volailles qui sont le propre des campagnes : ni poules grattant la terre, ni canards dodelinant avec disgrâce, ni oies qui cacardent en permanence ou jars qui attaquent furieusement.

Notre arrivée provoqua un vrai chahut, ce furent d'abord les enfants, ces sentinelles, qui, les premiers à nous apercevoir, accoururent vers nous. Intimidés par la présence d'étrangers, ils se blottissaient contre Moliwda comme s'ils étaient les siens, et lui s'adressait à eux avec tendresse dans une langue rocailleuse, inconnue de nous. Ensuite, des hommes arrivèrent de je ne sais où, ils étaient aimables, barbus, trapus, vêtus de chemises en lin cru ; ce n'est que derrière eux que se montrèrent les femmes en riant. Tout ce monde était vêtu de blanc, de lin, manifestement ils en cultivaient parce que partout sur les prairies alentour étaient étendues à blanchir des pièces à peine tissées.

Moliwda déchargea les sacs qui contenaient ce qu'il avait acheté en ville. Il demanda aux villageois de nous accueillir, ce qu'ils firent volontiers en faisant cercle autour de nous pour un chant bref et joyeux. Leur geste de bienvenue consistait à se poser la main sur le cœur avant de la porter à leurs lèvres. Ces paysans me touchèrent autant par leur apparence que par leur attitude – même si le terme de « paysan » utilisé en Podolie me semblait s'appliquer à une autre sorte de gens, ceux-ci étaient aimables, contents et ne souffraient manifestement pas de faim.

Nous étions totalement surpris, et même Jakób, qui ne s'étonne habituellement de rien, semblait désarçonné, comme si, confronté à tant de gentillesse, il avait oublié un instant qui il était. Le fait que nous soyons des Juifs ne les gênait en rien ; bien au contraire, c'est précisément parce que nous étions des étrangers que ces gens nous faisaient si bon accueil. Seul Osman ne montra aucun signe d'étonnement ; il ne cessait d'interroger Moliwda sur l'approvisionnement, le partage des tâches, les revenus de la culture des fruits et légumes ou du tissage, mais Moliwda ne se sentait guère qualifié pour répondre, et, à notre grande surprise, la personne qui avait le plus à dire sur ces questions était une femme qu'ils appelaient la Mère, alors qu'elle n'était nullement âgée.

On nous conduisit dans une grande pièce où des jeunes gens, filles et garçons, nous servirent pendant le repas. La nourriture était simple et bonne : du vieux miel, des fruits secs, des galettes cuites à même une pierre chauffée, arrosées d'huile ou recouvertes d'une purée d'aubergines, le tout accompagné d'eau de source.

Moliwda se conduisait avec calme et dignité, mais je remarquai que, s'il était traité avec respect, ce n'était pas comme s'il était le maître. Les autres s'adressaient à lui en disant « *brate* » et lui faisait de même, « *brate* » pour les hommes et « *sestro* » pour les femmes, autrement dit ces gens se considéraient comme frères et sœurs, telle une grande famille. Une fois que nous fûmes rassasiés, la femme qu'ils appelaient la Mère vint nous voir, tout de blanc vêtue, elle aussi. Elle s'assit au milieu de nous, nous sourit chaleureusement, mais parla peu. À l'évidence, M. Moliwda avait beaucoup de respect pour elle parce que dès qu'elle fit signe de vouloir se retirer il se leva également, et nous à sa suite. On nous conduisit à nos chambres pour la nuit. Tout était très modeste et propre, je dormis très bien : j'étais tellement fatigué que je n'ai plus eu la force de tout noter sur-le-champ. Par exemple que, dans ma chambre, le lit était à même le sol, ou encore que je suspendis mes vêtements sur un bâton retenu à l'horizontale par deux cordes qui tenait lieu de garde-robe.

Le lendemain, Jakób et moi avons vu à quel point tout était bien organisé.

Moliwda était entouré de douze frères et douze sœurs qui étaient les gestionnaires du village, femmes et hommes à égalité. Quand il fallait prendre une décision, ils se réunissaient sur la place près de l'étang et votaient. Quand ils acceptaient, ils levaient la main. Les maisons et les biens tels le puits, les voitures et les chevaux appartenaient à tous, chacun se servait de ce dont il avait besoin, il l'empruntait puis le rendait. Les enfants étaient peu nombreux parce que, pour ces gens, engendrer est un péché. À la naissance, ils ne restaient pas auprès de leurs mères, mais devenaient la progéniture de tous ; les femmes âgées s'en chargeaient car les plus jeunes travaillaient aux champs ou au village. Nous en avons vu peindre les murs en ajoutant une teinture à l'enduit, de sorte que leurs maisons sont bleues. On ne dit pas aux enfants qui est leur père ; aux pères non plus, on ne dit rien. Et ce, pour éviter les injustices ou le favoritisme. Mais comme les femmes sont informées, elles jouent un rôle important, égal à celui des hommes, et cela fait qu'elles sont différentes ici, plus calmes, plus réfléchies, plus posées. Une femme tient les comptes de la communauté, elle écrit, lit et compte, elle est très instruite. Moliwda s'adresse à elle avec respect.

Nous nous sommes tous interrogés sur le rôle de Moliwda : est-ce qu'il dirigeait, est-ce qu'il aidait, est-ce qu'il était au service de cette femme ou elle au sien ? Il nous a ri au nez, il s'est moqué de nous, disant que nous voyions les choses à l'ancienne, du pire point de vue possible : en imaginant qu'il y a partout une échelle et que celui qui se trouve plus haut exerce une contrainte sur celui qui est plus bas. Le plus important, le moins important. Eux, dans ce village à proximité de Craiova, ont une approche complètement différente. Ils sont tous égaux. Chacun a le droit de vivre, de manger, de se réjouir et de travailler. Il peut également s'en aller quand il le veut. Est-ce qu'il y en a qui s'en vont ? Parfois, rarement. Où irait-il ?

Pourtant, nous avions la très nette impression que Moliwda codirigeait la communauté avec cette femme au sourire doux. Nous nous sommes tous aussitôt demandé tout bas si elle était son épouse, mais il nous a vite détrompés, elle était sa sœur comme chacune des autres au village. «Tu couches avec elles?» lui demanda Jakób sans ambages. Moliwda haussa les épaules. Il nous montra les grands potagers soigneusement tenus, où la récolte se faisait deux fois l'an, et dit que la communauté vivait précisément de cela, des dons du soleil, et que, si nous pouvions voir les choses comme lui, nous comprendrions que tout vient du soleil, de la lumière, gratuitement, et pour le bénéfice de chacun.

Nous déjeunâmes à de longues tables où tout le monde s'asseyait en commençant par une prière à haute voix dans une langue que je n'arrivais pas à identifier.

Ces gens ne mangeaient pas de viande, uniquement des légumes, rarement du fromage, sauf quand quelqu'un leur en offrait. Les œufs les dégoûtaient autant que la viande. Ils ne mangeaient pas de fèves non plus, parce qu'ils pensaient que des âmes pouvaient séjourner un instant avant la naissance dans les graines, que la gousse protège comme un écrin précieux. Sur ce point, nous étions d'accord, certaines plantes ont plus de lumière que d'autres: le concombre en a davantage, ainsi que l'aubergine et toutes les sortes de melons allongés.

Ces gens croient à la transmigration des âmes, tout comme nous, et Moliwda pensait d'ailleurs que c'était autrefois une croyance générale, avant que la chrétienté ne l'abandonne. Ils respectaient les planètes qu'ils appelaient les commandeurs.

Même si Jakób et moi n'en fîmes rien savoir, nous étions étonnés par le grand nombre de similitudes avec ce que nous pensions. Ils croyaient par exemple en la sainte langue que l'on utilisait lors des initiations. Sa sainteté consistait en ce qu'elle était, à l'inverse, parfaitement éhontée. Celui qui passait par l'initiation devait écouter un récit qui insultait la décence commune, cela venait d'une très ancienne coutume de leur foi, de mystères païens dédiés à la vieille déesse Baubo ou au dieu grec dévoyé Bacchus. J'ai entendu ici leurs noms pour la première fois, Moliwda les a prononcés très vite et avec une certaine gêne, mais je les ai aussitôt notés.

Après dîner, nous nous sommes installés pour les douceurs dans la maisonnette de Moliwda, c'était des baklavas turcs traditionnels; on servit un peu de vin, le leur, j'ai vu un vignoble au-delà des jardins.

– Vous priez comment? demanda Jakób.

– C'est la plus simple des choses, répondit Moliwda, parce que c'est la prière du cœur : «Seigneur Jésus, sois miséricordieux avec moi.» Il ne faut rien faire de spécial, Dieu entend.

Ils nous dirent encore que le mariage était de nature pécheresse. Tel était le péché d'Adam et d'Ève. Or, il faut que ce soit comme dans la nature, les gens doivent s'unir par l'esprit et non en fonction d'une règle figée. Ceux qui s'unissaient par l'esprit, frères et sœurs en esprit, pouvaient se lier physiquement et les enfants de ces unions étaient un don. Ceux qui étaient issus de couples mariés étaient les «enfants de la loi morte».

Le soir, ils firent cercle pour danser autour d'une femme qui était vierge. Elle se présenta d'abord en vêtements blancs, puis, après le saint acte, les remplaça par des rouges, et, à la fin, quand tout le monde, épuisé par la folle danse galopante autour d'elle, tombait de fatigue, elle se couvrit d'un manteau noir.

Tout cela nous sembla étrangement familier. En rentrant à Craiova, à l'officine de Jakób, nous en discutions à bâtons rompus, excités par ce séjour, et, tard dans la nuit, nous n'arrivions pas à nous endormir.

Quelques jours plus tard, Nussen et moi partions pour la Pologne avec des marchandises et des nouvelles. Pendant notre voyage, nous avions la tête remplie de ce que nous avions vu au village de Moliwda. Nussen surtout; alors que nous traversions de nouveau le Dniestr, très troublé, il rêvait de créer de semblables villages chez nous, en Podolie. Moi, en revanche, ce qui m'avait surtout plu, c'était qu'il importait peu, chez eux, que l'on soit mère, père, fille ou fils, femme ou homme. Il n'y a pas, à la vérité, de différence majeure entre nous. Nous sommes tous des formes dont la lumière s'empare dès qu'elle frôle la matière.

12

L'expédition de Jakób
sur la tombe de Nathan de Gaza

Pour se conduire aussi déraisonnablement que le fait Jakób avec son voyage au tombeau du prophète Nathan, il faut être un fou ou un saint, écrit Abraham à son frère Iehuda Tov ha-Levi. Mes affaires ont souffert du fait que j'ai engagé ton gendre. Dans ma boutique, il y avait plus de parlote et de gens que jamais au préalable, mais le bénéfice était maigre. Selon moi, ton gendre n'est pas fait pour le commerce, je ne te dis pas cela pour te faire reproche, je sais ce que tu attends de lui. C'est un homme agité, intérieurement tourmenté, ce n'est pas un sage, mais un rebelle. Il a tout laissé tomber ici, et, mécontent de l'argent que je lui ai remis pour son travail, il s'est payé en emportant plusieurs objets de prix dont je t'ai établi la liste sur une feuille à part. J'espère que tu sauras le convaincre de me rembourser la somme correspondante, telle qu'évaluée. Lui et ses adeptes se sont mis en tête de se rendre sur la tombe de Nathan de Gaza – que son saint nom soit béni ! Le projet est de toute noblesse, mais ces têtes brûlées y ont mis trop de hâte, ils ont tout abandonné d'un coup, si je puis dire. Il n'empêche qu'ils ont trouvé le temps d'offenser des gens et de faire des dettes chez d'autres. Il n'y a plus de place pour lui ici, même s'il voulait revenir, mais je pense qu'il ne le souhaite pas.

Je veux croire que vous saviez ce que vous faisiez en mariant Chana à un homme pareil. Cher Tov, je crois en ta sagesse et en ta sagacité, qui dépassent souvent le simple entendement. Je te dirai simplement que je suis très soulagé qu'il soit parti. Ton gendre n'est pas apte à travailler dans une officine. Je pense qu'il y a beaucoup de choses pour lesquelles il n'est pas fait.

Comment Nahman suit Jakób à la trace

Finalement, au début de l'été, après avoir réglé toutes ses affaires en Pologne, collecté les lettres et réuni un peu de marchandises, Nahman et Nussen partent pour le Sud. Leur route les mène vers le Dniestr. Tandis qu'ils roulent à travers champs, un soleil magnifique brille, le ciel semble infini. Nahman est las de la crasse de Podolie, de la petitesse campagnarde, des envieux et des rustres; les figues dans les arbres lui manquent, l'odeur du *cahvé* aussi, mais surtout Jakób. Il a des cadeaux de Shorr pour Isohar, et pour Reb Mordke des gouttes d'ambre – une médecine qui soulage les douleurs articulaires –, achetées directement à Gdańsk.

Les berges du fleuve sont complètement desséchées, elles sont recouvertes d'une herbe marron tellement racornie que, sous la foulée des hommes et des animaux, elle tombe en poussière. Nahman se tient sur le bord du Dniestr et regarde vers le sud, vers l'autre rive. Soudain, il entend un bruissement dans les sisymbres fausse-moutarde proches et, peu après, une chienne blanc et noir, maigre, sale, aux mamelles gonflées, en sort. Des chiots la suivent sur leurs pattes maladroites. Elle dépasse Nahman sans remarquer cet homme immobile, mais l'un de ses petits le voit et s'arrête étonné. Ils se mesurent du regard. Le chiot l'observe, curieux et confiant, puis, soudain, comme s'il venait d'être prévenu qu'il se trouve nez à nez avec son plus grand ennemi, il part en courant rejoindre sa mère. Nahman voit en cela un mauvais présage.

Le soir, ils traversent le Dniestr. Des paysans ont allumé des feux près du fleuve et, sur l'onde, voguent des couronnes tressées surmontées de chandelles. Partout, l'on entend des rires et des appels. Au bord, avec de l'eau jusqu'aux genoux, des jeunes filles ont relevé à mi-cuisse leurs longues chemises blanches. Leurs cheveux sont défaits et leurs têtes ceintes de couronnes de fleurs. Les paysannes les regardent, eux les Juifs à cheval, et restent silencieuses au point que Nahman commence à penser que ce ne sont pas les filles du village qui leur disent adieu, mais des naïades qui font surface la nuit pour noyer les imprudents. Soudain, l'une d'elles se penche et commence à les éclabousser, d'autres la rejoignent pour faire de même en riant. Les hommes pressent alors les chevaux afin de traverser plus vite.

Les nouvelles au sujet d'un «saint homme» leur parviennent d'autant plus souvent et sont d'autant plus hautes en couleur qu'ils pénètrent plus avant dans le pays turc. Pour l'heure, ils n'en font aucun cas. Mais ce ne sera pas possible longtemps. Aux arrêts, où habituellement les voyageurs juifs se font part des potins collectés en chemin, ils apprennent de plus en plus de détails, comme par exemple que le «saint homme», qui est à Sophia en grande compagnie, y fait des miracles. Nombreux sont ceux qui le prennent pour un hâbleur. Dans leurs récits, c'est un vieux Juif de l'Empire ottoman, mais parfois un jeunot de Bucarest, de sorte qu'il n'est pas immédiatement clair que tous ces gens, tous ces voyageurs, parlent de Jakób. Nahman et Nussen en sont très contrariés, ils ne dorment pas de la nuit, ils cherchent à deviner ce qui s'est passé en leur absence. Au lieu de se réjouir – n'est-ce pas ce qu'ils espéraient? – ils commencent à avoir peur. L'écritoire est le meilleur remède contre l'angoisse et l'inquiétude. Nahman la sort à chaque étape pour noter ce que l'on dit de Jakób. Ainsi:

Dans un village, il a passé une demi-journée à sauter à cheval au-dessus d'un trou profond dans lequel il eût été dangereux de tomber. Quand le cheval fatigué commença à freiner de ses sabots, Jakób continua à l'éperonner. Autour de lui et du trou, il y eut bientôt tout le village, des gardes turcs vinrent également, ils voulaient voir les raisons de l'attroupement et, notamment, s'il ne s'agissait pas d'une révolte contre le sultan, par hasard.

Ou encore:

Jakób alla voir un marchand qui semblait riche, il plongea la main dans sa poche et en sortit quelque chose qui avait l'air d'être un serpent, puis il se mit à l'agiter au-dessus des têtes de l'assemblée en criant. Cela provoqua un grand tumulte et les femmes poussèrent de tels hurlements d'effroi que les chevaux des gardes turcs s'effarouchèrent. Jakób, lui, éclata de rire à s'en tordre par terre dans le sable. C'est alors que la cohue remarqua pour sa plus grande honte que ce n'était nullement un serpent, mais un collier de perles en bois qu'il avait agité.

Mais aussi, par exemple :

Dans une grande synagogue, il est monté sur la *bimah* et, au moment où on allait lire les lois de Moïse, il arracha le pupitre et se mit à l'agiter au-dessus des têtes en menaçant de tuer tout le monde. Les gens s'enfuirent alors de la synagogue, le prenant pour un fou capable de tout.

Ou bien :

Un jour, Jakób a été attaqué par un bandoulier. Il lui a suffi de crier vers le ciel et, en un clin d'œil, il s'est produit un orage avec des éclairs qui effraya tellement les gredins qu'ils s'enfuirent.

En petites lettres, Nahman ajoute :

Nous filâmes à Sophia, mais il n'y était plus. Nous y interrogeâmes à son sujet les nôtres ; très excités, ils nous racontèrent tous ses exploits en ville, mais aussi qu'avec tout son groupe il s'était dirigé vers Salonique. Il paraîtrait que désormais il se déplace comme un *tsadik*, sa carriole prend la tête du convoi, elle est suivie de chariots, de charrettes à ridelles, d'hommes à cheval ou à pied ; tout ce monde encombre la route, la poussière vole au-dessus des têtes. Partout où il s'arrête, les gens demandent qui est ce personnage, et quand on le leur explique ils abandonnent ce qu'ils sont en train de faire, s'essuient les mains dans leur capote et rejoignent la colonne, ne serait-ce que par curiosité. Voilà ce qu'on nous relata. Nos informateurs étaient en outre dithyrambiques quant à la beauté des chevaux et la qualité des équipages, ils nous assuraient qu'il s'agissait de centaines de personnes.

Il me semble pourtant connaître cette « troupe ». Des misérables et des gueux en haillons qui ne savent se poser nulle part. Des malades, des infirmes qui espèrent un petit miracle, et, plus encore, avoir des sensations fortes ou faire scandale. Des jeunots qui fuient la lourde main de leur père, des marchands qui ont tout perdu par incompétence et, désormais pleins d'amertume et de colère, sont en quête de n'importe quelle consolation ; des fous de toute engeance et des types qui se sont sauvés de chez eux parce qu'ils se sont lassés de leurs ennuyeuses obligations. S'ajoutent à cela des femmes, soit de mauvaise vie, soit des mendiantes, qui pensent trouver des avantages dans un aussi grand groupe, ou bien des veuves avec un enfant dans les bras dont personne ne veut, mais aussi des chrétiens meurt-la-faim et des chemineaux désœuvrés. Tous ces gens suivent Jakób, mais si on leur demandait de quoi il s'agit, derrière qui ils marchent, ils ne sauraient trop que dire.

À Skopje, au tombeau de Nathan, sans même bouger les lèvres, tout bas, juste en pensée, sans m'en ouvrir à personne, j'adressai au prophète ma prière de rattraper Jakób au plus vite. Je commençais à me dire que, sans moi, Jakób divaguait – il me venait parfois de ces pensées qui signalent mon manque d'humilité et de juste appréciation de ma personne – et que, dès que je le retrouverais, il se calmerait et ne s'entêterait plus à vouloir imiter le Premier, que son saint nom soit béni ! Je pensais que ce tumulte sur sa route était le signe qu'il avait besoin de moi.

Nahman et Nussen se retrouvèrent le 2 du mois d'Ellul 5514, et donc le 20 septembre 1754, à Salonique. Aussitôt, en dépit du fait qu'il faisait déjà sombre et que l'un et l'autre tombaient de fatigue, ils se mirent en quête de Jakób. La nuit était chaude et les murs de la ville saturés de chaleur. La brise venant de la montagne apportait par bouffées les senteurs des plantes, du bois et des feuilles, mais l'air tardait à rafraîchir. Dans la cité, tout était complètement sec. Il planait, venue d'on ne sait où, une odeur d'oranges, de celles qui, gorgées de jus, sont les plus sucrées et les meilleures à manger, mais qui, l'instant d'après, vont pourrir et sentir mauvais.

Nahman fut le premier à l'apercevoir. Jakób était près du *Beth Midrash*, là où avaient toujours lieu les disputations des Juifs de Salonique. Déjà, le groupe se dispersait parce qu'il se faisait tard ; encore entouré de quelques hommes, Jakób s'attardait et discutait vivement. Nahman vit le petit Herszełe parmi des jeunes habillés à la grecque. Il s'approcha et,

bien qu'il ne pût entendre leurs propos, il se mit à trembler. C'était difficilement explicable par une nuit aussi chaude. Il nota dans ses *Reliquats* :

Je venais seulement de comprendre à quel point il m'avait manqué ; là, enfin,
tomba toute la hâte qui présidait à mon voyage, toute cette fébrilité qui ne
m'avait pas quitté ces derniers mois.

« Que dit cet homme ? » demandai-je à un individu qui se trouvait là.

« Il affirme que Sabbataï n'était pas un Messie de nature divine, mais un
simple prophète qui devait annoncer son successeur. »

« Il a raison, renchérit un autre à côté de moi. S'il était d'une nature venant
directement de Dieu, il aurait changé le monde de façon tangible. Est-ce le cas ? »

Je n'intervins pas dans ces considérations.

Je vis Jakób parmi d'autres hommes. Il avait maigri, il avait mauvaise
mine, sa barbe avait poussé. Il y avait aussi quelque chose de nouveau chez
lui, davantage d'emportement, de l'assurance. Qui l'avait amené à cela ? Qui
lui avait permis de devenir tel alors que je n'étais pas auprès de lui ?

Tandis que j'observais ses gestes, tandis que j'écoutais ce qu'il disait, je
commençai à saisir que tout allait bien parce qu'il apportait du soulagement à
ceux auxquels il s'adressait. Il me sembla aussi que son cœur était habité par une
sorte de totalité, quelque chose qui savait où il fallait se diriger et ce qu'il convenait
de faire. Le regarder suffisait parfois ; le simple fait de le voir attirait les gens à lui.

Rien n'apporte un soulagement aussi grand que de savoir qu'il existe
quelqu'un qui sait vraiment. Parce que nous, les hommes du commun, nous
n'avons jamais pareille certitude.

Quand j'étais en Podolie auprès de ma famille, je pensais souvent à Jakób. Il
me manquait, surtout le soir au moment de m'endormir quand mes pensées
vagabondaient à leur guise et qu'il devenait impossible de les maîtriser. C'était
triste parce que mon épouse à laquelle je n'accordais pas beaucoup d'attention
était allongée à côté de moi. Nos enfants naissaient faibles et mouraient vite. Je ne
m'en préoccupais pas. Il me semblait que le visage de Jakób devenait mon visage,
je m'endormais avec le sien au lieu du mien. Et là, je le voyais vivant devant moi !

C'est pourquoi, le soir, lorsque enfin nous nous sommes assis ensemble,
Jakób, Reb Mordke, Isohar, Nussen, le petit Herszełe et moi, je me sentis heureux – comme le vin ne manquait pas, je m'enivrai –, mais, comme si j'étais

un enfant, j'étais réceptif, prêt à tout ce qu'apporterait le destin et certain que, quoi qu'il arrivât, je serais avec Jakób.

Comment Jakób
se mesure à l'Antéchrist

À Salonique réside le successeur du Deuxième Messie, c'est-à-dire de Kohn, et il se nomme Barukhia.

Il y a là beaucoup d'adeptes, nombreux sont ceux qui le considèrent comme un saint homme dans lequel vit l'âme de Kohn. Longtemps, Nahman et ses amis cherchent à le rencontrer; le fait qu'il ait béni Jakób et qu'il ait accepté de lui transmettre l'enseignement de son père confirmerait l'exceptionnalité de ce dernier. Muni des lettres écrites par Isohar et Reb Mordke, Nahman se présente plusieurs fois à la grande demeure sans fenêtres, au centre-ville, qui fait penser à une tour blanche. Il paraît qu'à l'intérieur du bâtiment se trouve un jardin magnifique avec une fontaine et des paons, mais, du dehors, on dirait une forteresse. Les murs blancs sont lisses comme s'ils étaient de granit blanc. Qui plus est, des gardes surveillent la maison. Un jour où Nahman demandait audience avec trop d'insistance, ils tailladèrent ses vêtements.

Jakób, manifestement choqué par le préjudice subi – le caftan était neuf, Nahman venait de l'acquérir au marché pour une somme non négligeable –, demande à ses compagnons de le laisser près de la tour inaccessible avant de se cacher dans un taillis proche. Il s'appuie contre l'un des murs et commence à chanter aussi fort qu'il le peut, presque à brailler comme un âne, dans la langue ancienne des Sépharades. Une fois sa chanson terminée, il la recommence au pied d'un autre mur et ainsi de suite sur les quatre côtés du bâtiment.

– *Makhshava se in fue esta...* hurle-t-il en grimaçant, en prenant des poses bizarres et en chantant faux. Cela attire évidemment des badauds qui étouffent des rires en le voyant, un attroupement bruyant se forme.

En hauteur, une petite lucarne s'ouvre alors pour laisser apparaître la tête de Barukhia en personne. Il se penche, crie quelques mots en ladino, Jakób lui répond, et les deux hommes discutent ainsi un moment. Nahman lance un regard interrogatif à Isohar, qui connaît cette ancienne langue des Juifs d'Espagne.

– Il demande une rencontre, explique Isohar.

La lucarne se referme en claquant.

Jakób chante sous la tour jusqu'au soir, jusqu'à en être enroué.

Il n'y a rien à faire. Barukhia reste inaccessible, ces voyageurs venus de Pologne ne l'intéressent pas. Peu importe que le Brillant Jakób, qui a chanté sous ses fenêtres, soit parmi eux. Oui, on parle déjà de Jakób en l'appelant ainsi, « le Brillant Jakób ».

Il faut dire qu'à Salonique, à ce moment-là, il y a des illusionnistes et des faiseurs de miracles de toute facture, on rencontre un messie auto-proclamé ou un grand magicien à tous les coins de rue. On y accorde aussi beaucoup d'intérêt à un Juif qui se prend pour le Messie Antéchrist, et il paraît que quiconque échange avec lui, ne serait-ce qu'une parole, se joint aussitôt à ses adeptes.

Jakób veut le jauger, il veut se mesurer à quelqu'un de son espèce. Il le proclame partout, plusieurs jours durant, jusqu'à ce que se réunisse autour de lui un petit monde de modestes marchands, d'étudiants, de colporteurs, de cordonniers qui ferment leurs échoppes, juste pour assister à quelque chose d'inhabituel. La petite troupe traverse bruyamment la ville pour retrouver l'Antéchrist autoproclamé et sa suite sur la place ombragée où il enseigne. L'homme est grand, imposant, brun de teint, c'est un Sépharade. Il est tête nue avec des cheveux crêpés et tournés en longues papillotes. Il porte un habit blanc qui semble briller par contraste avec sa peau si sombre. Jakób s'installe face à lui en affichant son petit sourire, qui s'intensifie quand il manigance quelque chose, et il lui demande, non sans arrogance, qui il est. L'autre, habitué à être écouté, répond calmement qu'il est le Messie.

– Eh bien, prouve-le par un signe, lui dit Jakób, tout en faisant glisser son regard sur les gens qu'il prend à témoin.

L'autre se lève pour partir, mais Jakób n'abandonne pas. Il le suit et répète :

– Fais donc un signe. Déplace cette fontaine jusqu'au mur, là-bas. En tant que Messie, tu peux le faire.

– Tire-toi, lui dit l'autre. Je ne veux pas parler avec toi.

Jakób ne cède pas. L'autre se tourne vers lui et se met à murmurer des sortilèges. Jakób l'attrape alors par ses papillotes, ce qui fait réagir les compagnons de l'autre, qui prennent sa défense. Violemment poussé, Jakób s'effondre dans la poussière.

Le soir, il raconte à tous ceux qui n'étaient pas là dans la journée que, comme le Jacob biblique combattit l'ange, lui, Jakób, a combattu l'Antéchrist.

Nahman, auquel Jakób a tant manqué, suit celui-ci partout où il peut, ce qui lui fait négliger tant ses affaires que sa quête de savoir. Les questions relatives au gain d'argent sont à l'abandon. Les marchandises rapportées de Pologne ne sont toujours pas vendues. Certains agissements de Jakób lui font honte et il en est qu'il n'arrive pas à accepter. Jakób traîne dans la ville pour trouver des occasions de se battre ou de se quereller. Il choisit par exemple un Juif instruit auquel il pose une question intelligente, puis il tourne les choses de telle manière que celui-ci se sente dans l'obligation de répondre et se trouve ainsi plongé dans une disputation. Avant d'avoir eu le temps de comprendre ce qui lui arrive, ce sage se retrouve au café turc à boire du *cahvé* avec Jakób, et, lorsque ce dernier lui propose de fumer la pipe, l'autre n'ose pas refuser, alors que pourtant c'est le Shabbat! Arrive le moment de payer; or, un Juif pieux ne peut pas avoir d'argent sur lui le jour du Shabbat. Aussi Jakób lui retire-t-il son turban pour le garder en gage, de sorte que l'autre, ridiculisé, doit rentrer chez lui tête nue. Jakób se livre à tant de semblables facéties que tout le monde commence à avoir peur de lui. Tout le monde, y compris ses proches.

Nahman supporte difficilement pareille humiliation de qui que soit, serait-ce de son plus grand ennemi. Jakób, pour sa part, est très content de lui:

– Celui qui craint, respecte, c'est ainsi.

À Salonique, tout le monde reconnaît bientôt Jakób; Reb Mordke et Isohar décident de le libérer des charges commerciales. Ils pensent qu'eux aussi devraient se consacrer à la quête du savoir de façon exclusive.

– Règle tout ce que tu as à régler, mais ne cherche plus de nouveaux contacts, dit Reb Mordke à Nahman.

– Comment cela? s'étonne celui-ci, consterné. Et nous allons vivre de quoi? Manger comment?

– De mendicité, répond Reb Mordke avec simplicité.

– Le travail n'a jamais empêché l'étude jusqu'à présent, objecte Nahman.

– Maintenant si.

Le *Ruah ha-Kodesh,* ou quand le souffle descend en l'homme

Au mois de Kislev 5515, et donc en novembre 1754, Jakób annonce par la voix et les écrits de Nahman qu'il ouvre son propre *Beth Midrash,* son école, et, aussitôt, les étudiants affluent. D'autant que, chose absolument inouïe, Rabbi Mordekhaï, autrement dit Reb Mordke, est le premier d'entre eux. Introduit en grande cérémonie, il concentre sur sa personne de nombreux regards; lui, il bénéficie de la confiance générale et il est très respecté. Et puisqu'il fait confiance à ce Jakób, celui-ci doit être quelqu'un d'exceptionnel. Au bout de plusieurs jours, Jakób fait entrer dans son école Nahman et Nussen. Nahman semble intimidé dans son nouveau vêtement grec, acheté avec l'argent provenant de la vente de la cire amenée de Podolie.

Une dizaine de jours plus tard, ils apprennent que, à Nikopol, Chana a mis au monde une fillette et, comme elle en était convenue avec son mari, qu'elle lui a donné pour prénom Awacza-Ewa. Ils en avaient eu le présage par l'ânesse de Nussen, qui avait mis bas des jumeaux. Alors qu'elle-même était de robe grise, l'un de ses ânons, une femelle, était complètement blanc, et l'autre, un mâle, d'une teinte sombre incroyable, pareille à celle du *cahvé.* Jakób, tout à sa joie, devient sérieux pour quelques jours et raconte à qui veut l'entendre qu'une fille lui est née et que, le jour de sa naissance, lui a accouché du *Beth Midrash.*

Ensuite, une chose étrange arriva qui était attendue depuis longtemps ou, du moins, dont on savait qu'elle devait arriver, qu'elle était inévitable. Elle est difficile à décrire, alors qu'il s'agit d'un événement unique où tout intervient selon un ordre et où, pour chaque mouvement, pour chaque image, existe un terme approprié… Peut-être est-il préférable que ce soit raconté par un témoin, d'autant qu'il note tout.

Peu de temps après, je fus arraché à mes rêves par Nussen, venu me dire que quelque chose d'étrange se passait avec Jakób. Nussen avait l'habitude de veiller tard le soir pour lire, tout le monde se couchait avant lui. Il réveilla également d'autres personnes qui logeaient alors chez nous au *Beth Midrash* et qui, ensommeillées et effrayées, gagnèrent la chambre de Jakób où plusieurs petites lampes étaient allumées et où se trouvait déjà Rabbi Mordekhaï. Les meubles étaient renversés, Jakób tremblait de tout son corps comme pris d'un accès de fièvre, il était debout au centre de la pièce, à demi nu, ses longs pantalons bouffants à peine retenus par ses maigres hanches, la peau luisante de sueur, le visage blême, le regard étrange et comme aveugle. Nous restâmes un moment à l'observer et à attendre ce qui arriverait. Personne n'osait toucher Jakób. Mordekhaï se mit à prier d'une voix lancinante, très émue, de sorte que le tremblement me gagna moi aussi et que les autres également furent sidérés par ce qui survenait sous leurs yeux. Il était clair que le souffle descendait parmi nous. Le rideau entre ce monde et l'autre avait été déchiré, le temps perdait sa virginité, le souffle se propulsait pour arriver à nous tel un bélier. La petite pièce étouffante était saturée de l'odeur de nos transpirations et, en outre, il y flottait comme des relents de viande crue, de sang. J'eus la nausée, puis je sentis tous les poils de mon corps se hérisser, je vis aussi que la verge de Jakób grandissait et gonflait le tissu de son pantalon ; pour finir, Jakób poussa un gémissement et s'effondra à genoux, la tête baissée. L'instant d'après, il parla tout bas avec des paroles que tous ne comprirent pas : « *Mostro Signor abascharo* » ; Reb Mordke les répéta dans notre langue : « Notre Seigneur descend. »

Jakób resta ainsi agenouillé dans une posture inhabituelle, recroquevillé, le dos et les épaules couverts de sueur, le visage encollé de ses cheveux humides. Son corps frémissait légèrement comme si, coup sur coup, des ondes d'air froid le traversaient. Ensuite, au bout d'un long moment, il tomba à terre inconscient.

Voilà à quoi ressemble le *Ruah ha-Kodesh*, quand le souffle descend en l'homme. Cela rappelle une maladie, visqueuse et inguérissable, sorte de soudaine faiblesse. On pourrait être déçu. Une majorité de gens pense que le moment est solennel, grandiose, alors que cela rappelle plutôt une flagellation ou un accouchement.

Tandis que Jakób était agenouillé, replié sur lui-même par un spasme douloureux, Nahman vit une clarté au-dessus de lui qu'il pointa du doigt à quelqu'un : l'air plus clair, comme chauffé par une lumière froide, dessinait une auréole inégale. Ce ne fut qu'à la vue de celle-ci que l'assemblée se jeta à genoux et, au-dessus d'elle, lentement comme dans de l'eau, quelque chose tournoya, pareil à de la limaille de fer étincelante.

La nouvelle de tout cela se diffusa vite en ville, et, dès lors, des gens campèrent au pied de l'immeuble où vivait Jakób. Qui plus est, lui commença à avoir des visions.

Nahman les nota scrupuleusement :

Il planait dans l'air, flanqué de deux belles demoiselles, tandis qu'on le conduisait à travers les diverses pièces. Dans les salles, il vit nombre de femmes et d'hommes, et, en plusieurs endroits, des *Botei Midrash* ; d'en haut, il entendait les discussions qu'il comprenait d'emblée. Il y avait une multitude de pièces, dans la dernière il vit Sabbataï Tsevi, béni soit son nom ; le Premier portait une tenue frankiste pareille à la nôtre et, autour de lui, de nombreux élèves étaient rassemblés. Il dit à Jakób : « Tu es le Brillant Jakób ? J'ai entendu dire que tu es fort et que tu as du cœur. Cela me réjouit parce que j'ai atteint un point au-delà duquel je n'ai plus la force de poursuivre. Nombreux sont ceux qui ont essayé de soulever ma charge, mais ils se sont effondrés. Tu n'as pas peur ? »

Sabbataï montra à Jakób un abîme qui avait l'air d'une mer noire. Une montagne s'élevait sur l'autre rive. Jakób s'écria alors : « Advienne que pourra ! J'irai ! »

La nouvelle de cette vision se répand dans Salonique, les gens se la racontent de bouche à oreille, parfois avec un nouveau détail. Elle gagne toute la ville comme le ferait celle de l'arrivée d'un bateau avec une cargaison exceptionnelle. Encore plus de personnes viennent voir Jakób par simple curiosité, son école manque de place. Quand il marche dans la rue, les gens lui cèdent le passage avec un respect religieux. Certains, plus téméraires, tendent le bras pour toucher sa tunique. Ils ont déjà commencé à le désigner comme un *hakham*, une personne cultivée et instruite, mais lui en est agacé et répète qu'il est un rustre. À la suite de sa vision, même les aînés, ceux qui s'y entendent en ancienne Kabbale, reconnaissent sa grandeur. Ils s'accroupissent à l'ombre pour discuter, et les plus sages distinguent en tout cela les signes secrets qu'évoquaient les anciens prophètes.

Jakób rêve aussi de palais divins. Il est allé là où s'est rendu le Premier. Il a vu la même porte dorée. Il a marché dans les pas de Sabbataï. Il a suivi le même chemin.

Chaque jour commence par le récit des rêves de Jakób. Son entourage attend son réveil, son premier mouvement. Il n'a pas le droit de se lever ni de toucher quoi que ce soit, il doit tout de suite parler, sitôt tiré de son sommeil, c'est comme s'il apportait des nouvelles de là-bas, des mondes immensément vastes et plus proches de la lumière.

Les étudiants du fils de Kohn, de ce Barukhia qui n'avait pas voulu le recevoir, viennent également le voir, eux aussi écoutent Jakób, et cela fait particulièrement plaisir à Reb Mordke. La plupart abordent néanmoins Jakób avec suspicion, ils en ont une idée toute faite. Ils le traitent en concurrent, comme quelqu'un qui aurait effrontément ouvert, tout à côté de la leur, une échoppe qui elle aussi vendrait du salut, mais à des prix plus bas. Ils demandent haut et fort: «Qui est ce vagabond?»

Les Juifs de Pologne sont néanmoins les plus nombreux à venir vers Jakób, ceux qui ont des affaires à Salonique ou qui s'y retrouvent coincés, faute d'argent, sans plus pouvoir regagner leurs familles. Comment les reconnaître? Rien de plus simple, cela saute aux yeux. Nahman, par exemple, les repère d'emblée dans la foule, porteraient-ils des tenues grecques ou turques et marcheraient-ils d'une foulée rapide dans les ruelles encombrées. Il se retrouve en eux, ils ont des gestes et une attitude identiques aux siens, un pas mi-hésitant mi-insolant. D'ordinaire, les plus pauvres portent des vêtements gris, d'une banalité certaine, et même si l'un d'eux s'offre un châle ou un manteau de meilleure qualité l'estampille de Rohatyn, Dawidów ou Czerniowce transparaît. Ils peuvent s'entourer la tête d'un turban pour se protéger du soleil, Podhajce ou Buczacz se signalent par leur pantalon, Lwów émerge de leur poche, et, quand bien même leurs chaussures se voudraient grecques, elles bâillent comme si elles venaient directement de Busk.

Pourquoi Salonique n'aime pas Jakób

La situation change soudain. Un jour, pendant que Jakób délivre son enseignement, un groupe de gaillards munis de bâtons pénètrent dans sa salle. Ils se jettent sur les étudiants qui se trouvent le plus près de la porte. Ils frappent à l'aveugle. Nussen prend des coups, il a le nez cassé, il saigne. Des traces de sang couvrent le sol, on entend des cris et du vacarme. Les étudiants se sauvent, ils ont peur de revenir, la scène se répète le lendemain. Tout le monde sait que ce sont les adeptes de Barukhia, le fils de Kohn, qui cherchent à chasser Jakób parce qu'ils estiment être les seuls à avoir le droit d'enseigner à Salonique. Certains ont des visages familiers, ils étaient des amis, eux aussi sont de vrai-croyants, mais désormais l'ancienne amitié ne compte plus. À Salonique, il n'y a pas la place pour deux prétendants Messies. Nussen place donc des gardes devant le *Beth Midrash* de jour comme de nuit. Malgré cela, à deux reprises quelqu'un y met le feu. Jakób est attaqué plusieurs fois dans la rue, mais il est fort et sait se défendre. Nussen, sorti faire des courses, manque de perdre le seul œil qui lui reste. Et encore ceci, l'attaque la plus étrange : des Juives de Salonique se liguent contre Jakób, des jeunes et des vieilles s'en prennent à lui alors qu'il se rend aux bains et lui jettent des pierres. À la suite de l'incident, il boite plusieurs jours, mais la honte l'empêche d'avouer que c'est du fait des femmes.

Du jour au lendemain, les marchands locaux cessent tout commerce avec eux. Quand les gens de Jakób entrent dans leurs boutiques, ils les traitent en étrangers, détournent la tête et disparaissent dans leurs resserres. Tout cela rend la situation inconfortable. Pour acheter quelque chose, il faut aller loin, dans d'autres bazars, dans les faubourgs où personne ne les connaît. Les adeptes de Barukhia déclarent la guerre à Jakób et aux autres. Ils se mettent d'accord avec les Grecs, des marchands chrétiens donc, qui eux aussi détournent la tête à leur approche. Les gardes de Nussen devant le *Beth Midrash* ne servent à rien, ceux de Barukhia empêchent toute personne d'accéder à l'école du Brillant Jakób. L'argent s'épuise très vite et, malheureusement, l'école doit fermer.

Qui plus est, écrit ensuite Nahman, un hiver d'une rigueur inattendue est arrivé.

Ils n'ont pas même de quoi acheter le plus modeste des combustibles. Ils restent enfermés dans la maison de location, à craindre pour leur vie. Jakób tousse.

J'ai souvent réfléchi à la soudaineté avec laquelle succès et bonheur se transformaient en misère et humiliation.

Il n'y avait pas d'argent ; aussi, je me souviens de cet hiver à Salonique comme d'un temps de maigreur et de faim. Pour remplir nos estomacs, nous sortions souvent mendier, à l'exemple de nombreux lettrés de la ville. Moi, je m'efforçais toujours de demander un sou aux gens avec calme et politesse, mais Jakób appliquait d'autres méthodes. Un jour, juste avant la Pâque, nous sommes arrivés chez un Juif qui tenait une caisse pour les pauvres. Je m'adressai à lui en premier, c'était toujours ainsi en pareille circonstance, on me faisait intervenir d'abord parce qu'on considérait que je parlais bien et que ma façon d'argumenter faisait bonne impression, celle d'un homme instruit et digne de confiance. Je lui dis donc que nous venions d'une terre maudite où les Juifs avaient connu les pires souffrances à cause de persécutions terribles, où une grande misère régnait, où le climat était hostile et sévère, mais où les nôtres étaient pourtant demeurés confiants et fidèles à la foi... Je parlais ainsi pour susciter sa pitié, mais lui ne me prêtait pas la moindre attention.

– Nous avons assez de nos mendiants locaux pour avoir à subvenir en plus aux besoins des étrangers.

À quoi je lui répondis :

– Dans notre pays, les étrangers trouvent eux aussi de l'aide.

Le caissier eut un mauvais sourire, et, pour la première fois, il me dévisagea.

– En ce cas, pourquoi vous êtes-vous ramenés par ici, pourquoi avez-vous quitté cette merveilleuse contrée où vous étiez si bien ?

J'étais sur le point de lui tourner une réponse habile quand Jakób, qui jusque-là se tenait derrière moi, me repoussa et lui cria :

– Comment oses-tu demander pourquoi nous sommes partis de chez nous, mine de pelure d'oignon ?

L'autre recula, effrayé par le ton de voix, mais ne répondit pas ; d'ailleurs, c'était impossible parce que Jakób se penchait vers lui et vociférait :

– Et pourquoi Jacob le patriarche a-t-il quitté son pays pour l'Égypte ? La Pâque vient de là ! S'il était resté chez lui, tu n'aurais pas de fête, cadavre pestiféré, et, nous, nous n'aurions pas besoin de nourriture pascale !

Le caissier eut tellement peur qu'il nous donna aussitôt plusieurs piastres et s'excusa poliment avant de nous reconduire à la porte.

Ce fut sans doute une bonne chose que cet hiver de privations, car la faim nous permettait de nous concentrer sur nous-mêmes et aiguisait nos esprits. Aucune force n'était en mesure d'éteindre le feu qui brûlait en Jakób. Comme de nombreuses situations le démontrèrent, il brillait telle une pierre précieuse jusque dans les pires circonstances. Alors que, vêtus de loques, nous mendions dans la rue, sa grandeur irradiait et quiconque le rencontrait savait qu'il avait affaire à un être exceptionnel. Et il en avait peur ! C'est étrange, mais dans l'indigence où nous nous trouvions, au lieu de crever, nous nous en sortions. C'était comme si cette misère, ce froid et cette souffrance étaient nos déguisements. Tout particulièrement pour Jakób qui, glacé et en haillons, éveillait non seulement plus de compassion, mais également un respect plus important que quand il était le *hakham* content de lui et aisé.

À nouveau, il y eut un miracle : la renommée de Jakób gagna tout Salonique, de sorte que les adeptes de Barukhia se manifestèrent finalement pour essayer de l'acheter. Ils voulaient lui donner beaucoup d'argent pour qu'il se rallie à eux ou quitte la ville.

– C'est maintenant que vous venez ! leur lança-t-il avec amertume. Allez vous faire mettre ! C'est trop tard.

L'animosité à son égard fut bientôt telle qu'il cessa de dormir à la maison. Cela arriva après qu'il eut donné son lit à un Grec qui acceptait encore de faire avec nous du commerce de pierres précieuses. Pour sa part, il alla dormir dans la cuisine, du moins à ce qu'il prétendit. Je savais, quant à moi, qu'il s'était rendu chez une veuve qui lui offrait fréquemment son argent et son corps. Au cours de la nuit, quelqu'un pénétra chez nous et le Grec fut poignardé sous l'édredon. L'assassin disparut telle une ombre.

L'incident effraya tellement Jakób qu'il quitta Salonique pour s'installer un temps à Làrissa, et, nous, nous faisions comme s'il n'était jamais parti. Quand il revint, dès la première nuit, il y eut de nouveau une tentative de guet-apens.

Dès lors, Jakób dormit chaque nuit en un lieu différent et nous avons commencé à craindre pour la vie et la santé de chacun de nous. Il n'y avait pas d'autre issue que de quitter Salonique et de rentrer à Smyrne, abandonnant cette ville à la déréliction. Le pire était que ceux qui voulaient le plus grand mal à Jakób étaient de notre confession. Jakób n'avait plus désormais pour eux la moindre estime, il les méprisait. Il disait qu'ils étaient efféminés et que tout ce qui leur restait de l'enseignement de Kohn, c'était leur appétence pour la sodomie.

LES RELIQUATS.
LE SORTILÈGE SALONICIEN ET LA MUE DE JAKÓB

Une fois décidés à fuir Salonique, nous avions à peine commencé nos préparatifs de voyage que, soudain, Jakób tomba malade. En un jour, son corps se couvrit entièrement d'abcès, sa peau partit en lambeaux sanguinolents, et, lui, il hurlait de douleur. Quelle maladie s'abat aussi soudainement, aussi inopinément et avec de tels symptômes? Ce qui vint à l'esprit de chacun de nous, c'était qu'il s'agissait d'un sortilège. Jakób le croyait également. Les barukhiens avaient dû avoir recours à un jeteur de sorts – d'ailleurs, parmi eux il y en avait, et des meilleurs! – qui avait lancé un maléfice à ce rival.

D'abord, Reb Mordke lui appliqua lui-même des compresses, puis il plaça sur lui des amulettes qu'il avait préparées en marmonnant des formules. Il chargea ensuite une pipe de résine sombre qui atténuait la douleur quand on la fumait. Toutefois, impuissant face à la souffrance de son Jakób bien-aimé, il se résolut à faire venir une vieille femme dont tout le corps était agité de tremblements mais qui était considérée comme la meilleure guérisseuse de la région. On disait que c'était une sorcière très célèbre, l'une de ces Saloniciennes qui vivent aux portes de la ville depuis des siècles et savent parfois disparaître. Elle enduisit les plaies d'un liquide puant qui piquait et brûlait, de sorte que les hurlements de Jakób furent sans doute entendus dans toute la ville. Dans une langue que personne n'identifiait tellement elle était bizarre, la sorcière marmonnait des envoûtements près du malade gémissant de douleur. Elle lui donnait des tapes sur les fesses comme à un garçonnet et, à la fin, elle ne voulut accepter aucun dédommagement parce que, disait-elle, ce n'était aucunement une maladie: Jakób muait tout simplement. Comme un serpent.

Nous nous lancions des regards incrédules, Reb Mordke éclata en sanglots tel un enfant.

«Il mue comme un serpent!» Mordekhaï, bouleversé, leva les bras vers le ciel et s'écria: «Seigneur Notre Dieu, jusqu'à la fin des temps, merci à Toi!» Après quoi, il secoua chacun de nous par la manche en répétant, excité: «Le serpent salvateur, le serpent *nahash*. N'est-ce pas la preuve de la mission messianique de Jakób?» Dans ses yeux sombres et humides brillait le reflet des flammes des petites lampes. Moi, je faisais tremper les bandages dans une décoction d'herbes chaude, comme l'avait indiqué la vieille, pour les poser sur les plaies encroûtées. Ce qui était terrible, ce n'était pas tant ces lésions, même si elles étaient cause d'une douleur insupportable, mais le fait seul de leur apparition. Qui a fait cela? Qui s'en est mêlé? ai-je songé d'abord avec colère et révolte. Désormais, je savais que plus personne n'était en mesure de faire du mal à Jakób. Quand le souffle descend en l'homme, tout dans son corps doit changer, se reconfigurer. L'homme abandonne son ancienne peau pour en revêtir une nouvelle. Voilà ce que, durant toute la nuit, à la veille du départ, nous disions de ce qui était arrivé.

Nussen et moi restâmes accroupis sous les arbres. Nous attendions un miracle. Le ciel rosit à l'est, les oiseaux chantèrent, et à leur chant s'ajouta l'appel du muezzin. Quand le soleil pointa à l'horizon, les maisons aux toits plats se couvrirent de longues ombres humides et toutes les senteurs du monde s'éveillèrent: celles de la fleur d'oranger, de la fumée, de la cendre et des détritus de la veille jetés dans les rues. Celles aussi de l'encens et du crottin des ânes. Je me sentis gagné par un sentiment de bonheur inouï, c'était le miracle, et le signe que, chaque jour, le monde renaissait pour nous offrir une nouvelle chance de *tikkoun*. L'univers se remettait avec confiance entre nos mains comme un immense animal incertain de soi, invalide et dépendant de notre volonté. À nous de nous mettre à notre ouvrage!

«Est-ce que la mue transparente de Jakób restera sur le sol?» s'enquit Herszełe, troublé – et moi je me levai dans la clarté de l'aube pour danser au chant du muezzin qui reprenait.

Ce jour-là Jakób se réveilla furieux et souffrant mille morts. Il ordonna d'emballer nos maigres biens et, comme nous n'avions pas d'argent pour prendre le bateau, nous montâmes sur des ânes pour longer le littoral vers l'est.

Sur notre route vers Adrianople, nous avons bivouaqué près de la mer, Jakób gémissait de douleur et rien n'y faisait, pas même les compresses que je lui posais. Une femme qui passait sur son âne, probablement une sorcière elle aussi, comme toutes les Saloniciennes, lui conseilla d'entrer dans l'eau de mer salée et d'y rester debout le temps qu'il pourrait. Jakób fit ce qu'elle lui conseillait, mais l'eau ne voulait pas de lui. Il vacillait, tombait, la mer repoussait l'être affaibli qu'il était vers le rivage, il essayait de se jeter sur les vagues, mais on aurait dit qu'elles le fuyaient et il restait sur le sable humide. Je vis alors – j'insiste, je dis cela en tant que témoin – Jakób lever les bras au ciel et pousser un cri terrible. Il hurlait tellement que tous les voyageurs s'arrêtèrent, inquiets, que les pêcheurs ravaudant leurs filets s'immobilisèrent à mi-geste, tout comme les marchandes qui, à proximité de la jetée, vendaient du poisson directement des paniers, et que les navigateurs des voiliers à peine entrés au port levèrent la tête. Nussen et moi ne supportions pas de l'entendre. Je me bouchai les oreilles quand une chose étrange arriva. Soudain, la mer se laissa pénétrer, une vague arriva et Jakób s'y enfonça jusqu'au cou pour disparaître tout entier sous l'eau l'instant d'après; ses mains et ses pieds apparaissaient lorsque l'onde le retournait comme un petit bout de bois. Il finit par se retrouver sur le sable comme mort. Nussen et moi courûmes vers lui et, mouillant nos vêtements, nous l'avons tiré un peu plus haut sur le rivage, car, à vrai dire, j'étais persuadé qu'il s'était noyé.

À la suite de ce bain, sa peau s'en alla par plaques toute une journée, faisant place à une peau nouvelle, saine et rose comme celle d'un enfant.

En deux jours, Jakób guérit, et quand nous atteignîmes Smyrne il était de nouveau jeune, beau et rayonnant comme à son habitude. C'est ainsi qu'il se montra à son épouse.

Nahman est très content de ce qu'il a écrit. Il hésite et se demande s'il doit évoquer ce qui s'est passé quand ils étaient en mer sur le bateau. À vrai dire, il pourrait le décrire, le voyage fut suffisamment dramatique. Il trempe donc sa plume pour aussitôt secouer les gouttes d'encre sur le sable. Non, il ne va pas l'écrire. Il ne va pas consigner qu'un petit bateau marchand accepta de les embarquer pour une somme modique. Le transport était bon marché, mais les conditions très mauvaises. À peine s'étaient-ils installés sous le pont, à peine le bateau avait-il pris la mer, qu'il devint clair que le propriétaire, un Grec mâtiné d'Italien, en tout cas un chrétien, ne s'occupait pas du tout d'acheminement de marchandises mais de piraterie. Quand ils se mirent à exiger qu'il prenne la route directe de Smyrne, cet homme leur chanta pouilles et menaça de les faire jeter à la mer par ses sbires.

Nahman a bien retenu la date, ce fut le 25 juillet 1755, jour du saint patron de cet homme – qui le priait ardemment, se confessant de tous ses horribles crimes (ce qu'ils durent écouter et cela leur glaça le sang) –, qu'une tempête terrible se déchaîna. Nahman vivait pour la première fois de sa vie une chose aussi épouvantable et prenait peu à peu conscience qu'il allait périr ce jour-là. Terrifié, il s'attacha à l'un des mâts pour ne pas être emporté par les déferlantes et poussa des lamentations. Puis, dans sa panique, il saisit nerveusement le manteau de Jakób, cherchant à s'y blottir. Jakób, qui ne ressentait aucune peur, essaya d'abord de le calmer, mais, comme rien n'y faisait, la situation l'amusa manifestement parce qu'il se mit à se moquer du pauvre Nahman. Les hommes se cramponnaient aux mâts, mais ceux-ci se brisèrent sous les coups de boutoir des vagues, et, dès lors, ils se raccrochèrent à ce qui se présentait. L'eau était pire qu'un brigand, elle emporta tout le butin qui se trouvait sous le pont et, en sus, un mousse ivre qui tenait à peine sur ses jambes. La mort de ce matelot dans les remous fit que Nahman cessa complètement de se dominer. Il bredouillait des paroles de prière, des larmes aussi salées que l'eau de mer embuaient ses yeux.

À l'évidence, son effroi réjouissait Jakób, parce que, après la confession du pirate, il dit à Nahman de se confesser également et, pire, de promettre des choses à Dieu. Dans sa panique, Nahman s'engagea en pleurant à ne plus jamais toucher au vin ou à l'aquavit ni fumer la pipe.

— Je le jure, je le jure ! criait-il les yeux fermés, trop effrayé pour penser raisonnablement.

Jakób en était tellement réjoui qu'il ricanait dans l'orage comme un démon.

— Jure aussi de toujours nettoyer la merde derrière moi ! lui hurla-t-il par-dessus le bruit de la tempête.

Nahman répondit :

– Je le jure, je le jure !

– Et d'essuyer aussi mon cul !

– Et essuyer le cul de Jakób. Je le jure, je jure sur tout ! répondit Nahman.

Entendant cela, les autres se tordirent également de rire et se moquèrent du rabbin, ce qui les occupa finalement plus que la tempête, laquelle passa comme un mauvais rêve.

Nahman se ressentait encore de sa honte et de son humiliation. Il n'adressa pas une parole à Jakób jusqu'à Smyrne, bien que celui-ci l'ait pris plusieurs fois par l'épaule pour l'attirer à lui et lui donner des tapes affectueuses dans le dos. Difficile de pardonner à celui qui s'amuse du malheur d'autrui. Mais ce qui est particulier, c'est que Nahman trouve un étrange plaisir en tout cela, l'ombre pâle d'une jouissance inexprimée, une discrète souffrance, quand le bras de Jakób lui étreint la nuque.

Parmi toutes les promesses auxquelles Jakób contraignit Nahman en riant, il y avait également que jamais il ne le quitterait.

LES RELIQUATS.
LE DÉPLACEMENT DES TRIANGLES

À Smyrne, tout nous sembla familier, comme si nous n'avions été absents qu'une semaine.

Avec Chana et la petite fille qui venait de leur naître, Jakób loua une maison pas très grande dans une traverse. Chana, dotée par son père, organisa l'intérieur et il était agréable de s'y rendre et d'y passer un moment. Selon l'usage turc, elle disparaissait avec l'enfant dans la partie féminine de la demeure, mais je sentais souvent son regard dans mon dos.

Isohar, après avoir appris que le souffle était entré en Jakób, changea du tout au tout son attitude. Il eut pour moi des égards, car j'étais le témoin direct de Jakób et son porte-parole. Nous nous réunissions chaque jour pour de longues séances au cours desquelles, avec une insistance croissante, il essayait de nous convaincre de nous mettre à l'étude de la Trinité.

Ce concept interdit nous faisait frissonner, et je ne sais pas s'il était aussi déviant pour tout Juif que pour nous, ou s'il était tellement éminent qu'il nous semblait avoir en soi la puissance des quatre lettres hébraïques qui forment le nom de Dieu.

Isohar dessinait des triangles dans le sable étalé sur la table puis marquait leurs angles selon ce qui était indiqué dans le Zohar, puis selon les enseignements de Sabbataï Tsevi, béni soit son nom ! Quelqu'un aurait pu penser que nous étions des enfants qui jouaient avec des dessins.

Le Dieu de vérité est dans le monde de l'esprit. La *Shekhina* est emprisonnée dans la matière. Et en quelque sorte «sous» les deux, dans l'angle du bas, se trouve le Dieu créateur des étincelles divines. Quand le Messie vient, il élimine la Première Cause et le triangle se renverse, le Dieu de vérité est en haut, la *Shekhina* et son réceptacle, le Messie, passent en dessous.

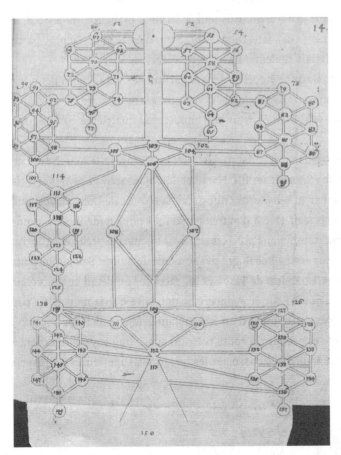

Je ne comprenais pas grand-chose à tout cela.

« Oui, oui ! » ne faisait que répéter Isohar, qui dernièrement avait beaucoup vieilli comme s'il avançait plus vite que les autres, seul en tête.

Il nous indiquait également deux lignes formant une croix, la quadrature qui est l'estampille du monde. Il dessinait deux lignes qui se croisaient et il les tordait un peu.

« Qu'est-ce que cela te rappelle ? » demandait-il.

Jakób vit aussitôt le mystère de la croix.

« C'est *Aleph*. La croix est *Aleph*. »

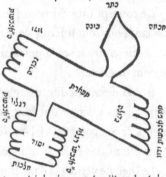

En secret, lorsque je me retrouvais seul, je levais la main vers mon front, je touchais ma peau et je disais : « Dieu d'Abraham, d'Isaac et de Jacob », parce que je me familiarisais seulement avec cette idée.

Par une nuit où Smyrne étouffait dans le parfum des orangers en fleur, car c'était déjà le printemps, Isohar nous dévoila un autre mystère :

« Il n'y a qu'un seul Dieu en trois personnes, et la quatrième est la Sainte Mère. »

Quelque temps plus tard, hâtée par mes lettres, la caravane marchande de Podolie, avec Elisha Shorr et ses fils, Natan et Salomon, arriva à Smyrne. Je fis valoir à Jakób, Isohar et Reb Mordke que c'était la volonté de Dieu, lequel nous dirigeait et nous plaçait face à d'autres personnes pour nous inciter à rencontrer ceux dont nous avions précisément besoin, mais la vérité était autre. C'était moi qui avais écrit à Reb Shorr, avant même de quitter Salonique, pour lui décrire le *Ruah ha-Kodesh* de Jakób et lui raconter en détail ce qui s'était passé là-bas pour nous. Pour être sincère, je dois dire que je ne pensais pas que cela pousserait cet homme d'un âge certain à faire seller des chevaux, sortir des chariots et prendre la route pour un aussi long voyage. Il est clair que les Shorr ont toujours su associer les questions supérieures de l'esprit aux affaires en tout genre ; aussi, tandis que les deux frères s'occupaient à vendre et acheter des marchandises, le vieux Shorr discutait avec nous, et lentement au cours de ces soirées s'élaborait la vision des jours qui allaient venir et que nous aurions à diriger. Elisha trouva là un grand soutien en la personne de Reb Mordke, qui cherchait depuis longtemps à évoquer cet avenir en se référant à ses rêves insolites. Mais pour les Shorr, ce n'était pas de rêves dont il était question.

Jakób savait-il ce que nous lui préparions ? Il tomba malade et il s'en fallut de peu qu'il ne mourût ; quand il sortit de sa fièvre, il déclara qu'il avait eu un rêve. Un homme avec une barbe blanche lui était apparu qui lui avait dit : « Tu partiras pour le Nord et là-bas tu gagneras de nombreuses personnes à la nouvelle foi. »

Le Brillant Jakób résista : « Comment irais-je en Pologne alors que je ne comprends pas la langue polonaise et que toutes mes affaires sont ici, en pays turc, et que j'y ai une jeune épouse avec une petite fille qui vient de naître, elle ne voudra pas partir avec moi... » Il argumenta contre nous et contre son propre rêve, et, nous, nous étions assis devant lui tel un quadrige : Isohar, Elisha Shorr, Reb Mordke et moi.

« Cet homme barbu que tu as vu en rêve est Élie lui-même, tu ne le savais pas ? lui dit Reb Mordke. Quand le chemin sera difficile, il marchera devant toi. Tu partiras le premier, Chana te rejoindra par la suite. En Pologne, tu seras roi et sauveur. »

« Je serai avec toi, ajoutai-je, moi, Nahman de Busk. »

LA RENCONTRE DE JAKÓB AVEC SON PÈRE
À ROMAŃ, LE STAROSTE ET LE VOLEUR

Début octobre 1755, nous nous sommes mis en route vers le nord avec deux charrettes et plusieurs cavaliers. Nous n'avions indéniablement pas l'air de ce que nous étions, les envoyés d'une mission primordiale. Nous faisions plutôt penser à de simples marchands qui vont de-ci de-là telles des fourmis. Sur la route de Czerniowce, nous avons pris par Romań pour rendre visite au père de Jakób, qui, depuis la mort de son épouse, vivait là seul. Jakób s'arrêta aux abords de la ville pour enfiler son plus bel habit. Pourquoi fit-il cela ? Je n'en sais rien.

Jehuda Lejb Buchbinder habitait une petite maison d'une seule pièce étroite et enfumée. Il n'y avait pas même d'endroit où mettre les chevaux, ils restèrent dehors toute la nuit. Nous étions trois, Jakób, Nussen et moi, parce que la caravane des Shorr était déjà partie pour la Pologne beaucoup plus tôt.

Jehuda Lejb était un homme de grande stature, mais maigre et ridé. À notre vue, son visage prit une expression mécontente et déçue. Ses sourcils denses et broussailleux lui couvraient presque les yeux, d'autant qu'il avait tendance à vous toiser par en dessous. Jakób était très excité à l'idée de revoir son père, mais, quand les deux hommes se rencontrèrent, ils se saluèrent presque avec indifférence. Buchbinder était sans doute plus heureux de la visite de Nussen, qu'il connaissait bien, que de retrouver son fils. Nous avions apporté de la bonne nourriture, beaucoup de fromages, des outres de vin, un pot d'olives, le tout acheté en route et de la meilleure qualité. Jakób avait payé sans lésiner. La vue de ces bonnes choses n'égaya nullement Jehuda Lejb. Ses yeux restèrent tris·es, son regard fuyant.

Jakób aussi était bizarre, lui qui auparavant se réjouissait tellement se taisait désormais, il s'était tassé sur lui-même. C'est ainsi, nos parents nous rappellent ce que nous détestons le plus en nous, et, dans leur vieillissement, nous apercevons nos nombreux péchés, songeai-je, mais peut-être y avait-il plus ; il arrive que les âmes des enfants et des parents soient ennemies et elles se retrouvent dans la vie pour réparer cet antagonisme. Cela ne réussit pourtant pas toujours.

« Tout le monde, par ici, a fait un rêve similaire, déclara Jehuda Lejb dès les premiers instants. Tous ont rêvé qu'en ville, dans le voisinage, le Messie était déjà arrivé, mais personne ne se souvient ni du nom de l'endroit ni de celui du Messie. Moi aussi je l'ai fait, ce rêve, et le nom de la ville m'était familier. Certains disent la même chose et ils vont jusqu'à jeûner des jours entiers pour qu'un autre rêve leur révèle comment cette ville s'appelle. »

Nous buvions du vin, mangions des olives, et moi, étant le plus bavard, je racontai tout ce qui nous était arrivé. Je le faisais comme je le fais ici, mais il était clair que le vieux Buchbinder n'écoutait pas. Il se taisait et ses yeux erraient dans la pièce où il n'y avait pourtant rien pour attirer le regard. Finalement, Nussen prit la parole :

« Je ne te comprends pas, Lejb. Nous sommes venus de loin pour te raconter ces choses incroyables, et toi rien. Tu écoutes à peine, tu ne poses aucune question. Tu vas bien ?

– À quoi ça me sert que tu me parles des réjouissances au ciel, lui rétorqua Lejb. Qu'ai-je à faire de ces sagesses, quand ce qui m'intéresse c'est ce qui m'attend, moi. Combien d'années je vais encore vivre comme ça tout seul dans la souffrance et la tristesse ? Dis-moi plutôt ce que Dieu fait pour nous. »

Il ajouta ensuite :

« Je ne crois plus que quelque chose va changer. Personne ne connaît le nom de ce bourg. Il m'a semblé que c'était quelque chose comme Sambor, Sampol... »

Avec Jakób, nous sommes sortis sur le devant de la maison, une rivière coulait en contrebas. Jakób me raconta que toutes les habitations étaient ainsi sur la haute rive de la Moldau, et que, chaque soir, les oies sortaient de l'eau à la queue leu leu, il s'en souvenait du temps de son enfance. Il se trouvait, par on ne sait quel miracle, que sa famille s'installait toujours près d'un cours d'eau comme celui-ci, sinuant entre deux collines, peu profond, tumultueux et ensoleillé. On s'y précipitait en courant et en éclaboussant de tous côtés ; là où, près des berges, les tourbillons avaient creusé le sable, on pouvait apprendre la nage du chien et faire des allers et retours. Soudain, Jakób se rappela que, jouant avec d'autres enfants, il s'était attribué la fonction de staroste, mais, vu qu'il devait représenter le pouvoir, il lui fallait un voleur. Pour jouer ce rôle, ses camarades et lui choisirent un petit garçon qu'ils attachèrent à un arbre pour le torturer en lui appliquant un fer chauffé dans le feu de camp afin qu'il avoue où il avait caché les chevaux. L'enfant se mit à les supplier d'arrêter, disant que c'était un jeu, qu'il n'y avait pas de chevaux. Sa douleur devint telle qu'il s'évanouit presque, et alors il hurla que les chevaux étaient à tel ou tel endroit. Ce fut alors que Jakób le libéra.

Je ne savais que répondre à une histoire pareille. Quand l'affaire fut connue, me confia Jakób après un silence, tandis qu'il pissait debout sur la palissade délabrée de la maison paternelle, son père le frappa avec des verges.

«Il a eu raison», fis-je, bouleversé par la cruauté du récit. Le vin m'était monté à la tête et je voulais rentrer, mais il me saisit par la manche et m'attira à lui.

Il me dit que je devais toujours l'écouter et que, lorsqu'il me dirait que je suis un voleur, je devrais être un voleur; quand il me dirait que je dois devenir staroste, je devrais me faire staroste. Il me disait cela visage contre visage et je sentais son haleine avinée. Je fus effrayé par ses yeux que la colère assombrissait et je n'osai pas le contredire. Quand nous sommes revenus à l'intérieur de la maison, les deux vieux hommes pleuraient. Les larmes coulaient sur leurs joues pour disparaître dans leurs barbes.

«Que dirais-tu, toi, Jehuda Lejb Buchbinder, demandai-je au moment du départ, si ton fils allait en mission en Pologne pour y enseigner notre foi?

– À Dieu ne plaise, répondit-il.

– Pourquoi?»

Il haussa les épaules.

«Il se fera tuer. Par les uns ou par les autres. Ils n'attendent que ça, avoir quelqu'un comme ça.»

Deux jours plus tard, à Czerniowce, Jakób connut un nouveau *Ruah ha-Kodesh* en présence de nombreux fidèles. Il tomba à terre, passa la journée à ne rien dire d'autre que des «zé, zé, zé», ce qu'entendant nous comprîmes comme *Maase Zar*, Acte d'Autrui. Il tremblait de tout son corps et claquait des dents. Les gens s'approchaient de lui et il posait ses mains sur eux et beaucoup repartaient guéris. Il y avait là plusieurs personnes de chez nous, des gens de Podolie qui avaient traversé la frontière légalement ou illégalement en se livrant à du petit commerce. Malgré le froid, ils restaient assis près de la chaumière comme des chiens, et ils attendaient la sortie de Jakób pour ne serait-ce que toucher son manteau. Je reconnus certains d'entre eux, dont Szyla de Lanckoruń, et, en discutant avec eux, j'eus la nostalgie de chez moi, c'était si près.

Une chose était certaine, les nôtres de Czerniowce nous soutenaient ; la légende de Jakób avait été largement diffusée et elle se moquait des frontières. C'était comme si tout le monde attendait Jakób Frank, comme si déjà il était impossible de dire « non ».

À la fin, nous avons dormi de nouveau chez le père de Jakób, auquel je rappelai l'histoire du staroste et du voleur.

Le vieux Lejb me dit alors :

« Fais attention à Jakób. Lui, c'est un vrai voleur. »

La danse de Jakób

Dans le village, côté ottoman, les gens se rassemblent parce que les gardes-frontières ne les laissent pas entrer en Pologne. Il y aurait une épidémie. Des musiciens revenant d'une noce se sont assis, fatigués, sur les troncs d'arbres prêts pour le flottage. Ils ont des tambourins, des flûtes, des *baglama*, de petits instruments à cordes dont ils jouent avec un archet. L'un d'eux s'exerce justement à une triste ligne mélodique, il répète en boucle une série de quelques sons.

Jakób s'arrête auprès des croque-notes, laisse tomber son manteau, et sa longue silhouette commence à se balancer en cadence. Il tape d'abord du pied de manière à interpeller le musicien, qui adopte de mauvaise grâce le rythme plus rapide qu'il lui impose. Jakób oscille d'un côté et de l'autre, ses pieds s'animent de plus en plus rapidement, il hèle les autres musiciens, qui comprennent que ce type bizarre veut qu'ils jouent également. Un homme plus âgé sort d'on ne sait où avec un *santour*, le cymbalum turc, et, quand il rejoint les autres, la musique prend un caractère achevé, parfait pour la danse. Jakób pose alors les bras sur les épaules de deux badauds qui tapaient du pied et les voilà qui font de petits pas. Les tambourins battent la mesure haut et clair, elle s'envole au-dessus de l'eau vers l'autre rive et en aval du fleuve. Bientôt, les trois danseurs sont rejoints par d'autres, des convoyeurs de bétail turcs, des marchands, des paysans de Podolie, qui tous laissent tomber leurs sacoches de voyage et leurs vestes en peau de mouton. Un cortège dansant se constitue, ses extrémités se rejoignent jusqu'à former un cercle qui se met à virevolter. Ceux qui ont été attirés par le bruit et l'animation se mettent eux aussi à tressauter, puis, comme s'ils étaient au désespoir, comme s'ils en avaient assez d'attendre, comme s'ils étaient décidés à jouer leur dernière carte, ils rejoignent la farandole. Jakób l'emmène autour des charrettes et des chevaux étonnés; d'abord, on le distingue par son haut fez, mais lorsqu'il le perd on ne voit plus que c'est lui qui mène la danse. Nahman, extatique, le suit tel un saint, les bras levés au ciel, les yeux mi-clos, un sourire béat aux lèvres. Un mendiant pourtant boiteux se transforme en danseur, affiche ses dents, écarquille les yeux. À sa vue, des femmes se mettent à rire et il leur fait des grimaces. Après un moment d'hésitation, le jeune Salomon Shorr, qui attendait avec son père pour veiller à ce que Jakób traverse la frontière en toute sécurité, rejoint la danse, les pans de son manteau en laine volent autour de sa mince silhouette. Il est suivi par Nussen le borgne et, plus loin, par Herszełe, toujours un peu rigide. Les enfants et les serviteurs se joignent également à la ronde, un chien tantôt s'approche puis s'éloigne des pieds qui tapent en cadence et il aboie. Des filles posent les palanches avec lesquelles elles étaient venues chercher de l'eau, soulèvent leurs jupes et trépignent de leurs pieds nus; elles sont petites, fragiles, elles n'arrivent pas à la poitrine de Jakób. Une grosse paysanne en sabots de bois garnis de paille commence aussi à tressauter, et des Turcs qui font de la contrebande de vodka rejoignent la danse, l'air innocent. Le tambourin joue de plus en plus vite, les foulées des danseurs sont de plus en plus rapides. Jakób se met à tournoyer à la manière d'un derviche, le cercle se rompt, les danseurs tombent à terre en riant, rouges d'effort et en sueur.

Et cela se termine ainsi!

Un garde ottoman avec une grosse moustache s'approche de Jakób une fois que tout est fini.

— Tu es qui, toi? lui demande-t-il en turc d'un air menaçant. Un Juif? Un musulman? Un Ruthène?

– Tu ne le vois pas, imbécile, je suis un danseur, lui répond Jakób, essoufflé, avant de poser les mains sur ses genoux et de se retourner comme s'il voulait lui montrer son derrière.

Le garde, qui n'a pas apprécié «imbécile», sort son épée, mais le vieux Shorr, qui jusque-là était assis dans un chariot, retient sa main et le calme.

– C'est quoi, cet idiot? demande le soldat furieux.

Reb Elisha Shorr répond que c'est un innocent de Dieu, mais cela ne parle guère au Turc.

– Pour moi, c'est un fou, conclut-il – et il s'en va.

SVECIÆ
PARS.

30   35   40

Stockholm
Telie

Sinus Fin

MARE
Goste   Sando
Faro

Dago I.

ESTH

Revel

Oesel inf

LIVON

DANIÆ PARS.
Neigoft
Schonen

Beda

Gotilandia

Aoberg

Sinus
Rigen
Livoni

 Le
ttes

Calmer

Oelan
dia

BALTICUM

Duca tus
Goldinge
Curland ia

Pal.
Riga

Rokenhus

Easterbo
Bornholm

Nmo

Valegyia
Eerholma

Liba

Sevenbergen

Semigalia.

55

Vulgo, De Oost Zee.

Memel   Birse Ducat   Pal

DUCATUS

Rugia
Wolgast

SAMOGIYIÆ
Kross

MA
Castellani
Vilhensis.

Wosen   Colberg

DUCATUS

Cassu
bia

Meel

Rosienu

Konigsberg   DUCA

Irokis

Stettin

POME   RANIÆ

Dantzig
Palat
Marienburg
Pomerel?
li

Elbing   Braunsberg
Lisch at   Heilsperg
Stolsberg

Pal.

Vilna
Fros

Pal
nie

Garta

Dresen

Schwetz
Bromberg
Inowladan

Graudentz   Culm Pal.
New marckt

PR   US
Strasburg

et Casse
Merkis

LI
sis

Kustrin
Transfart

Pos
nanien

Culm. Pal.
Thorn

Bieh
sis

coni
sis

Crossen

sis Pala   tina.
POLONIA
MAIO R.

Calis
Fosna

Bresce
Labon sie

Plock

SIE

Pal
vagir
sis

Glogaw

tus   Cass

sien

Raclavo B.

M   A   ZO

Lezensis

Breslaw

Raw   War

cavia

Pal.

Brestien

Pal

Brigk

Lesczo B.
Pul Serad

ensis.
POLO

VIA,   Bals
Lublin
Pal.

sis. Pinsk

Pol

BOHE

Praga

Oppelen
Du   catus

Oppelen

NIA
Pal at.
Cracovia
Cra

San-
gatio
Sudomi

Chelm
nen
sis

Palat.

Dabr B

MIÆ

Ratibor
Legerndorf?
Troppaw?

Oleiuntz

MORA
Brin
VIA.

Cracovia
Cra

oriens

Belsk

Wolkt.yy
Woldxumiera

Pol

Olyke

Stega

Swio

PARS

Danubius flu.

Wein

Pressburg

vie

Sudomix
CO.

Iafrnow   P.Bels
Iaroslow

Przemisl
Liopoli

RUS
SIA

niæ   C.
te   rio;

terior.

ofreg

RUBRA.

Girmani &
Thorow
Habice

P. Podol

AUSTRIÆ

PARS.

PARS.

HUNGARIÆ

Sniatyn

Mochylna

Pa

WALACHIA

MOLDAW

Seret Fl.

Brahilo

WALACHIA.

55

35   40

Nova totius
REGNI POLONIÆ,
Magniq; Ducatus
LITHUANIÆ,
cum suis
PALATINATIBUS
ac Confiniis.
Ægidium Valkenier Excu.

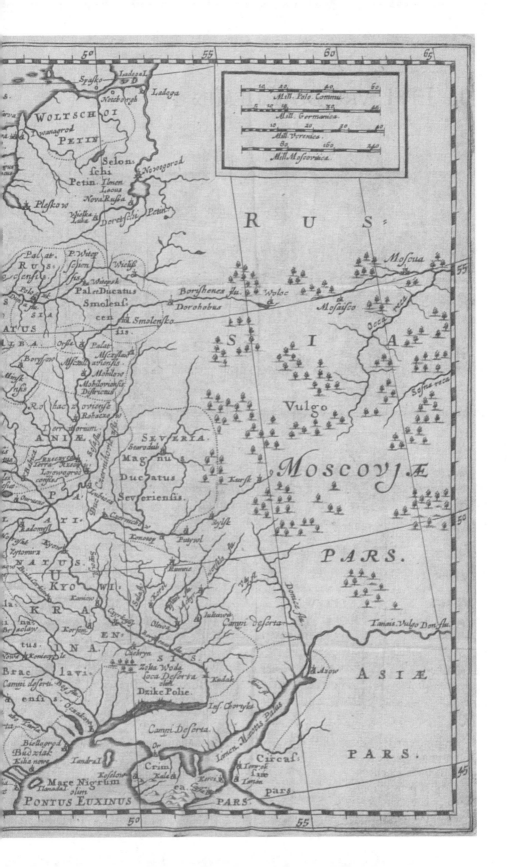

Viator I m. 3.	Podrożny, I	
portat *humeris*	nieśie na ramieniu,	humerus, m. 2. ramie.
in *bulga*, 2	w torbie (taiſtrze)	bulga, f. 1. (torba taiſtra)
quæ capere nequit	ce nie może zabrać	
	(ogarnąć,)	
funda, 3 f. 1.	w kieſzen; 3	
vel *marſupium*; 4		
(n. 2.		
tegitur	okrywa się	
lacerna; 5	opończą; 5	lacerna, f. 1. opończa.
tenet *manu*	w ręku trzyma	manus, m. 2. ręka.
baculum, 6	laſkę; 6	baculus, m. 2 &, um, n. 2.
quo ſe fulciat;	którą się podpięra;	laſka.
opus habet	potrzebuię	viaticum, n. 2. ſtrawa
viatico,	ſtrawnego,	podrożna.

Le voyageur I
porte à l'épaule
dans une sacoche
ce qu'il peut emporter
en poche ; 3
il se couvre d'une cape ; 5

Il tient à la main
une canne ; 6
de laquelle il s'aide
il a besoin
d'un viatique,

13

La chaleur du mois de décembre 1755, ou mois de Tevet 5516. Le pays de Polin et l'épidémie de Mielnica

Un groupe de voyageurs s'arrête au bord du Dniestr, sur la rive basse, celle du Sud. Un discret soleil hivernal jette des ombres rouges sur tout ce qu'il atteint. Décembre est chaud, sa température étrangement élevée, complètement différent de ce qu'il est d'habitude. L'air, comme tressé de souffles glacés et brûlants, sent la terre fraîchement remuée.

Les hommes ont devant eux la haute berge opposée, déjà plongée dans l'obscurité, le soleil a contourné latéralement cette falaise sombre qu'il leur faudra escalader.

– Polin, dit le vieux Shorr.

– La Pologne, la Pologne, répètent-ils tous joyeusement – et leurs sourires font rétrécir leurs yeux à la dimension de deux fentes.

Salomon, le fils de Shorr, se met à prier pour remercier Dieu du fait que, par bonheur, ils soient tous arrivés à bon port. Il prononce tout bas les paroles de sa prière, les autres se joignent à lui, marmonnent négligemment, l'esprit ailleurs, tandis qu'ils desserrent les selles et retirent leurs bonnets humides de transpiration. Ils vont manger, boire et se reposer avant la traversée.

Ils n'ont pas à attendre longtemps : dès que la nuit tombe, le passeur turc se montre, ils le connaissent, c'est Sakadze, il a travaillé avec eux de nombreuses fois. Dans le noir complet, ils traversent le fleuve à gué avec les chevaux et les charrettes. On entend juste le clapotis de l'eau sous la foulée des sabots.

Une fois de l'autre côté, le groupe se divise en deux. Vue de la rive opposée, la falaise semblait plus dangereuse qu'elle ne l'est en réalité. Sakadze les conduit par un chemin qui pénètre en douceur l'abrupte déclivité. Les deux Shorr, détenteurs de papiers polonais, s'avancent vers le poste de garde, tandis que Nahman avec Jakób et quelques autres attendent un peu dans un silence complet avant d'emprunter des voies de traverse.

Les sentinelles polonaises stationnent dans les villages et n'autorisent pas l'entrée des voyageurs arrivant de Turquie à cause de l'épidémie. Shorr et son fils bénéficient de documents et d'autorisations en règle, mais ils disputaillent un moment pour occuper les gardes et détourner leur attention, puis, ils leur graissent la patte, à l'évidence généreusement, puisque le silence retombe et que les Shorr poursuivent leur route.

Jakób possède des papiers turcs qui font de lui un sujet du sultan. C'est aussi ce dont il a l'air, avec son haut bonnet et son manteau turc doublé de fourrure. Il n'y a que sa barbe qui le différencie d'un Ottoman véritable. Il est incroyablement calme, seul le bout de son nez sort de son col. Dormirait-il ?

Ils arrivent à un village plongé dans le silence et tout à fait sombre à cette heure. Personne ne les a interceptés, il n'y avait pas de guet. Sakadze leur fait ses adieux, il glisse les pièces reçues dans sa ceinture, satisfait du travail accompli. Son sourire révèle des dents blanches. Il laisse ses clients devant une petite auberge, le tenancier s'étonne beaucoup de ces hôtes tardifs et que les sentinelles les aient laissés passer.

Jakób s'endort immédiatement, mais Nahman passe la nuit à gigoter sur sa couche pas très confortable et à allumer des bougies pour traquer les punaises. Les petites fenêtres de la chambre sont sales, leur rebord est hérissé de tiges sèches qui ont dû être des fleurs. Le matin, un Juif maigre d'âge moyen, l'air embarrassé, leur donne un peu d'eau chaude avec du pain azyme émietté. L'auberge semble plutôt cossue, mais le propriétaire leur explique que l'épidémie décime les gens, qu'il est trop effrayant de sortir de chez soi pour acheter quoi que ce soit aux personnes contaminées. Ses propres réserves de nourriture sont épuisées, aussi les prie-t-il de l'excuser, mais il leur faudra se débrouiller pour manger. Tandis qu'il parle, il se tient assez loin, par sécurité, à une distance suffisante pour éviter leur haleine ou leur contact.

Ce mois de décembre étrangement chaud favorise la prolifération de petites créatures qui, d'ordinaire, à cette époque de l'année, hibernent sous terre par crainte des frimas : la chaleur leur a permis de venir en surface pour semer la destruction et la mort. Elles se cachent dans le brouillard dense et insaisissable, dans la vapeur étouffante et vénéneuse qui stagne au-dessus des villages et des bourgs, dans la puanteur des miasmes qui s'élèvent des corps contaminés, dans tout ce que les gens appellent l'«air morbide». Quand avec lui elles parviennent à gagner les poumons, elles passent aussitôt dans le sang qu'elles enflamment, puis se faufilent jusqu'au cœur et l'homme meurt.

Au matin, lorsque nos voyageurs sortent dans la petite ville, qui a nom Mielnica, ils trouvent une place assez vaste, presque vide, entourée de maisons basses avec trois rues qui en partent. Il règne un froid humide, apparemment les journées chaudes sont terminées, à moins que, sur la haute falaise, le climat ne soit complètement différent. Des nuages bas, étonnés de leur allure rapide, se mirent dans les flaques qui parsèment la boue. Presque toutes les boutiques sont fermées ; sur la place se dresse un étal solitaire et vide au-dessus duquel se balance une corde de chanvre qui pourrait être celle d'un pendu. Une porte ou un volet grince quelque part, de temps à autre une silhouette emmitouflée longe rapidement les murs des habitations. C'est à cela que doit ressembler le monde abandonné par les hommes après le Jugement dernier. On voit à quel point il est inamical, hostile, songe Nahman en comptant l'argent qu'il a en poche.

– Ils ne prennent pas l'argent des contaminés, dit Jakób en voyant Nahman prêt à aller faire des courses tandis que lui se lave dans l'eau glacée – son torse nu conserve le soleil du Sud sur la peau. Ne les paie pas, lance-t-il encore avant de pouffer de rire et de faire gicler l'eau froide qui éclabousse tout autour de lui.

Nahman entre d'un pas alerte dans une petite échoppe juive dont un homme vient de sortir, et il prend un air endolori. Un vieil homme petit et maigre se trouve derrière le comptoir, un peu comme si sa famille l'avait contraint à ce contact avec le monde pour épargner les plus jeunes.

– Je voudrais du vin, du fromage et du pain, dit Nahman. Plusieurs miches.

Le vieillard lui tend les pains sans détacher son regard de lui tant il est étonné par sa tenue étrangère ; pourtant, si près de la frontière, il ne devrait pas être surpris.

Quand, après avoir payé, Nahman s'en va, il remarque du coin de l'œil que le vieil homme vacille bizarrement sur ses jambes.

Il ne faut pas croire tout ce que raconte Nahman et encore moins tout ce qu'il écrit. Il a tendance à exagérer et à s'enthousiasmer. Il voit partout des signes, il trouve partout des liens. Ce qui arrive ne lui suffit jamais, il voudrait que ce qui se passe ait un sens céleste et définitif. Que cela ait des suites pour l'avenir, que la moindre cause soit d'une grande conséquence. Aussi sombre-t-il souvent dans la mélancolie. N'en a-t-il rien dit ?

Une fois revenu vers Jakób, Nahman raconte que le vieillard est tombé raide mort aussitôt après lui avoir remis ses achats et qu'il n'a pas même eu le temps de prendre l'argent. Jakób rit, très content. Nahman aime lui donner ce genre de plaisirs. Il aime son rire profond et un peu rocailleux.

Ce que voient les yeux avertis
d'espions en tous genres

Divers espions suivent Jakób depuis qu'il a traversé le Dniestr, Ienta les voit mieux qu'eux ne surveillent Jakób. Elle les observe alors qu'ils gribouillent leurs rapports maladroits sur les tables sales des tavernes pour ensuite les confier à des émissaires qui les portent à Kamieniec ou Lwów. Ces comptes rendus y sont traités dans les chancelleries par des secrétaires, ils revêtent alors un aspect plus élaboré, deviennent des comptes rendus étayés par la relation de faits et d'incidents répertoriés ; on les couche sur du papier de meilleure qualité, ils ont droit à des cachets et, devenus ainsi des écrits officiels, ils empruntent la voie postale pour rejoindre Varsovie, être feuilletés par les fonctionnaires fatigués d'un État qui s'effondre, arriver jusqu'au palais dégoulinant d'or du nonce apostolique, mais aussi à Wilno, Cracovie, voire même Altona et Amsterdam, par l'intermédiaire des secrétaires des communes juives. Ils sont lus par l'évêque Mikołaj Dembowski, frigorifié dans son misérable palais de Kamieniec, et par Chaim Kohen Rapaport et Dawid ben Abraham, les rabbins des *Kahal* de Lwów et de Satanów, qui s'adressent en permanence des nouvelles truffées de non-dits tant cette affaire fâcheuse et gênante est difficile à évoquer en usant des termes purs et saints de l'hébreu. Les agents turcs, qui doivent savoir ce qui se passe dans le pays voisin, d'autant plus qu'ils sont en affaires avec les nobles locaux, finissent également par les lire. La faim d'information est énorme.

Les espions, tant ceux du roi que ceux de l'Église ou de la Synagogue, informent que Jakób est arrivé à Korolówka, sa ville natale, où vit toujours une partie de sa famille, notamment son oncle, lui aussi prénommé Jankiel, rabbin de Korolówka, dont le fils, Izrael, est l'époux d'une certaine Sobla.

À en croire les rapports, Jankiel Frank aurait pour adeptes une vingtaine de personnes, des parents à lui pour la plupart. Ceux-ci inscrivent leurs prénoms en grande cérémonie dans un registre et jurent par là même de rester fidèles à leur foi sans s'inquiéter d'aucune persécution et sans avoir peur de rien. Ils confirment également qu'en cas de nécessité ils suivront Jakób pour se convertir à une autre croyance. Ils sont prêts à tout comme des soldats, écrit allègrement l'un des indicateurs.

Les espions savent aussi qu'à Korolówka, dans une dépendance de la maison familiale, il y a Ienta. Ils écrivent à son propos : « sainte vieille », « vieille femme qui ne veut pas mourir », « sorcière qui a trois cents ans ».

C'est elle que Jakób va trouver en premier.

Sobla le conduit à l'appentis, ouvre la porte et lui indique celle qu'il a demandé à voir dès son arrivée. Jakób se fige, sidéré. La remise à bois a été transformée en pièce de cérémonie, des kilims à bandes de couleurs tissés par les paysans du coin sont accrochés aux murs, d'autres tapissent le sol. Au centre de la pièce se dresse un lit avec une magnifique parure brodée, désormais un peu empoussiérée ; d'un geste de la main, Sobla en chasse des fragments d'herbes et de petites toiles d'araignée. Un visage humain émerge de l'édredon, sur lequel sont posées deux mains blanches et osseuses. Les jambes de Jakób, toujours amusé et prompt à la plaisanterie, flanchent. C'est sa grand-mère. Les autres – Nahman, Nussen, Reb Mordke, et le vieux Mosze de Podhajce venu accueillir Jakób –, s'inclinent au-dessus de Ienta. Jakób reste immobile un moment puis se met soudain à sangloter de façon théâtrale. Les autres en font autant. Sobla se place à l'entrée pour que plus personne n'entre, pour éviter l'incursion des curieux ; la petite cour s'est quasiment remplie de gens pâles, barbus, en bonnet de fourrure, qui piétinent dans la neige fraîchement tombée.

Sobla connaît son moment de gloire, elle est fière que Ienta ait si belle apparence.

Elle claque la porte et avance jusqu'au lit pour attirer l'attention des visiteurs sur les paupières de Ienta qui frémissent délicatement, sur les yeux qui remuent en dessous alors que le regard voyage vers des mondes inimaginables.

– Elle vit, déclare Sobla rassurante. Touche-la, elle est même un peu tiède.

Sans hésiter, Jakób obéit et touche du doigt la main de Ienta. Il le retire aussitôt. Sobla rit en douce.

Que dis-tu de cela, Brillant Jakób ?

À l'évidence, comme beaucoup de femmes, Sobla, l'épouse d'Izrael, est opposée aux « vrai-croyants », comme ceux-ci se qualifient en renversant les choses, puisque, à la vérité, ils pervertissent la foi. Comme beaucoup de femmes, elle n'aime pas Jakób. Surtout quand elle le voit prier sans phylactères ! Et tourner sur lui-même en claquant des dents ! Il se livre à des facéties de foire, pense Sobla. Jakób lui enjoint d'aller au magasin goy, il y a un village de goyim plus haut, pour y acheter du pain chrétien. Sobla refuse. Une autre personne apporte ce pain, Jakób en offre à tout le monde, et certaines personnes se sentent tellement à l'aise en sa présence qu'elles tendent la main pour en demander et commettent ainsi un sacrilège. Jakób se conduit également de façon bizarre quand il s'arrête soudain pour tendre l'oreille comme s'il entendait des voix, juste lui. Il dit aussi des choses absurdes dans une langue inconnue, ainsi, par exemple, il répète « zé, zé, zé » en tremblant de tout son corps. Ce que cela signifie, Sobla l'ignore, personne ne le sait, mais ses adeptes le prennent au sérieux. Mosze de Podhajce explique à Izrael que Jakób répète *Maasim zarim, Maasim zarim,* qu'il s'agit des Actes contraires, et donc ce par quoi il faut commencer. Actes idolâtres, Actes étranges, initiatives surprenantes, incompréhensibles de prime abord, bizarres pour les non-initiés, mais ceux qui le sont, les proches de Jakób, devraient le savoir. Il faut faire toutes les choses qui jusque-là étaient interdites. De là, le pain chrétien impur.

Izrael réfléchit à cela tout l'après-midi. Puisque les temps messianiques attendus depuis tant d'années sont arrivés, Jakób a raison, les lois de ce monde, les lois de la Torah qui prévalaient jusque-là sont caduques. Désormais tout est à l'envers. Cette pensée emplit Izrael d'effroi. Il reste assis la bouche ouverte, sur un banc, à fixer le monde soudain devenu fantasque. La tête lui tourne. Dans la cour, Jakób promet qu'il y en aura d'autres, de ces Actes contraires, et qu'il faut les accomplir avec soin, avec recueillement. Contrevenir à l'ancienne loi est nécessaire, c'est la seule chose qui peut accélérer la rédemption. Le soir, Izrael demande de ce pain goy qu'il mâche ensuite lentement, laborieusement, à fond.

Sobla, quant à elle, est une personne incroyablement pragmatique que pareilles affaires n'intéressent absolument pas. N'était son bon sens, ils seraient morts de faim depuis longtemps, parce que Izrael ne se préoccupe que de choses comme le *tikkoun,* le *devekut,* le salut du monde et autres choses du même acabit. En outre, il a une maladie pulmonaire qui l'empêche même de couper correctement du bois. Sobla fait donc chauffer de l'eau pour ébouillanter les poulets, elle dirige la cuisson d'un bouillon gras, elle fait son travail. Auprès d'elle, il y a Pesełe, huit ans, qui est franche et concrète. Elles se ressemblent comme deux gouttes d'eau. Sobla nourrit une autre enfant, Freïna. La petite est tellement vorace qu'elle en provoque la maigreur de sa mère. Le reste de la marmaille court à travers la maison.

Sobla serait plutôt curieuse de la femme de ce cousin antipathique qu'elle doit accueillir dans sa maison : il paraît qu'elle a donné naissance à une petite fille. Viendra-t-elle un jour en Pologne, rejoindra-t-elle son mari ? Comment est-elle ? Comment est cette famille de Nikopol ? Est-ce vrai que Jakób est riche et qu'il a là-bas ses propres vignes ? Si oui, qu'est-ce qu'il cherche par ici ?

Le premier jour, Jakób n'a le temps de rien, des gens l'entourent en permanence, le touchent, le tirent par la manche ; pour cette assemblée, il prononce un long discours chargé de prophéties. Il annonce cette religion absolument nouvelle, celle qu'il faut atteindre à travers l'Ezhava, et donc la chrétienté, tout comme Sabbataï est entré en Ismaël, et donc en religion musulmane. Le chemin du salut consiste à extraire de ces croyances les graines de la révélation pour les réunir en une seule grande révélation divine, la Torah de-'Atzilut, l'émanation de la divinité pure. Dans cette religion ultime, les trois religions n'en feront plus qu'une. En entendant cela, certaines personnes crachent dans la neige et s'en vont.

Ensuite vient un banquet après lequel Jakób, fatigué ou ivre, se couche aussitôt mais évidemment pas seul, puisque, dans les maisons sabbataïstes, une hospitalité particulière prévaut. La fille cadette de Mosze, celui qui vit derrière le cimetière, vient réchauffer Jakób.

Aussitôt après le petit déjeuner, Jakób se fait conduire sur le mont où se trouvent les grottes. Ses compagnons doivent l'y attendre tandis qu'il disparaît en forêt. De nouveau, les gens piétinent dans la neige. Une petite foule tout à fait conséquente se réunit, il y a aussi des goyim qui veulent savoir ce qui se passe. Ils raconteront plus tard aux autorités qu'« un Juif savant est venu de Turquie, un saint à eux. Grand, coiffé d'un fez, un visage angulaire. » Des villageois suivent aussi Jakób, ils l'attendent avec sérieux dans le petit bois, persuadés qu'il parle avec les esprits des entrailles de la terre. Quand il revient vers eux, le crépuscule tombe déjà et il recommence à neiger. Toute la compagnie s'en retourne au village en joie, quoique frigorifiée, heureuse de ce qu'un bouillon de poule brûlant et de la vodka seront servis.

Le matin, ils poursuivent leur route vers Jezierzany en prenant par Chanuka. Les espions savent déjà parfaitement ce qui se passe ensuite : ce prophète Jakób s'arrête pour deux semaines chez Symcha ben Chaïm, où il voit des lumières au-dessus de la tête de certains fidèles. Il s'agit d'une auréole verdâtre, peut-être bleue. Symcha et son frère en ont une, ce qui signale qu'ils sont des élus. Tout le monde voudrait avoir une auréole pareille, certains sentent déjà des démangeaisons discrètes autour de leur crâne, une chaleur, comme s'ils n'avaient pas de couvre-chef. Quelqu'un avance que cette auréole vient d'un petit trou invisible dans la tête par lequel sourd la clarté intérieure. Ce serait cet orifice qui démangerait. Il faudrait absolument se débarrasser de la touffe de nœuds dans les cheveux, de la *plica polonica* dont beaucoup de personnes sont atteintes, elle empêche la lumière de passer.

« Il y a trois choses qui me dépassent, et même quatre que je ne comprends. » Livre des Proverbes 30, 18

Alors que Jakób traverse villes et villages, les Juifs orthodoxes courent derrière lui en criant : « Trinité ! Trinité ! », comme si c'était une insulte. Parfois, ils ramassent des pierres qu'ils jettent sur ses adeptes. D'autres, ceux qui ont cru au prophète interdit Sabbataï Tsevi, le regardent avec curiosité et un petit groupe d'entre eux suit Jakób.

Les gens de cette contrée sont pauvres et cela les rend méfiants, un pauvre ne peut pas se permettre trop de confiance. Le temps qu'un gros met à maigrir, un maigre meurt, dit un adage local. Ils voudraient des miracles, des signes, des chutes d'étoiles, de l'eau changée en sang. Ils ne comprennent pas très bien ce que Jankiel Lejbowicz, appelé Jakób Frank, leur raconte. Dans la mesure où il a de la prestance, où il est beau et vêtu à la turque, il leur semble être un homme exceptionnel, il les impressionne. Le soir, quand il discute auprès du feu avec ses compagnons, Jakób se plaint à Nahman de se sentir comme un marchand qui proposerait à la vente la plus belle des perles, mais serait pris pour un charlatan parce que ces gens ne sauraient pas estimer le bijou à sa valeur et seraient persuadés qu'il est faux.

Il raconte pourtant aux gens ce que lui a enseigné Isohar, ce que chaque soir lui suggère Reb Mordke et ce que lui explique Nahman, qui est habile à toute disputation bien qu'il soit privé d'une belle apparence tout autant que de force de persuasion. Néanmoins, quand Jakób est en verve, il enjolive volontiers de lui-même. Il apprécie particulièrement les comparaisons percutantes et ne se prive jamais de grossièretés. Il parle comme les Juifs du peuple, comme le laitier de Czerniowce, comme le sellier de Kamieniec, à ceci près qu'il glisse nombre de mots turcs dans les phrases en yiddish, qui, dès lors, rappellent une brioche aux raisins.

Le jour du Nouvel An chrétien, Jakób et son entourage partent pour Kopyczyńce. Ils croisent en chemin de nombreux traîneaux richement parés, ce sont les seigneurs du coin qui se rendent en grandes cérémonie et tenue à l'église. Les chevaux ralentissent et les deux cortèges se dévisagent dans un silence étonné. Jakób porte un manteau à grand col, il est coiffé d'un colback en fourrure teinte, tel un roi. Les nobles engoncés dans leurs fourrures ont l'air gros et trapus ; leurs têtes sont parées de *chapkas* où une plume est maintenue par une broche coûteuse. Les femmes, pâles, le nez rougi par le froid, disparaissent sous les fourrures.

À Kopyczyńce, les tables sont mises, les vrai-croyants de tout le village attendent devant la maison de Szlomo et Zytla, ils s'appuient tantôt sur une jambe tantôt sur l'autre, tapent des pieds à cause du gel qui les gagne et parlent entre eux. Le ciel est rouge quand les traîneaux arrivent devant la maison. La foule se tait et regarde Jakób s'approcher de l'entrée dans un silence tendu. Arrivé à la porte, il fait toutefois demi-tour pour s'approcher de Ryfka et de sa petite fille, et de son mari Szyla aussi, tout en regardant au-dessus de leurs têtes comme s'il apercevait quelque chose. Cela provoque un émoi dans la foule, et ceux qui font l'objet de cette attention se sentent mal à l'aise, eux aussi. Après cela, quand Jakób disparaît à l'intérieur de la maison, Ryfka se met à pleurnicher, de même que sa fillette, qui peut avoir dans les trois ans, mais aussi de nombreuses autres personnes, que ce soit à cause de la tension du moment, du froid glacial ou de la fatigue. Certains ont voyagé toute la nuit. D'autres ont suivi Jakób depuis Jezierzany, ou même Korolówka.

Dans la maison, Jakób est accueilli en grande cérémonie par Chaïm de Varsovie qui a un commerce dans la capitale, ce qui lui vaut le respect de tous. La célébrité de Jakób y est parvenue également. Les gens de là-bas voudraient savoir eux aussi ce qui va se passer désormais que le monde se rapproche de sa fin. Jakób l'explique patiemment tout l'après-midi, au point que les vitres des petites fenêtres se couvrent de vapeur blanche que le gel transforme aussitôt en palmes de givre filigranées.

Ce soir-là, ceux qui regardent par les petites croisées n'aperçoivent pas grand-chose. Les flammes des bougies vacillent et s'éteignent régulièrement. Le souffle, *Ruah ha-Kodesh*, descend à nouveau en Jakób. Cela ne se voit pas bien, juste une ombre incertaine qui tressaille sur le mur à cause des flammes de bougies. Un bref cri de femme se fait entendre.

Une fois que tout est terminé, Salomon Shorr envoie Zytla dans le lit de Jakób, conformément à la loi initiée par Sabbataï Tsevi. Jakób est pourtant tellement fatigué que la jeune femme, propre et parfumée, en chemise de fête, retourne bientôt furieuse dans le lit de son mari.

Dans la maison des parents de Chaïm, Jakób convertit trois personnes. Chaïm plaît beaucoup à Jakób, car il a le sens de l'organisation et se met au travail dès le deuxième jour. Désormais, c'est un vrai cortège, plus d'une dizaine de charrettes, et des cavaliers, mais aussi des piétons qui peinent à suivre et n'arrivent à destination que le soir, fatigués et affamés ; ceux-là dorment n'importe où, dans les granges, sur le sol des tavernes. Les villages se transmettent Jakób comme une sainte curiosité. Là où il s'arrête pour la nuit, des gens se regroupent aussitôt, regardent par les fenêtres, et, tandis qu'ils écoutent ses paroles sans les comprendre complètement, l'émotion leur emplit les yeux de larmes. Ils ne sont pas uniquement émus par Jakób, dont les gestes sont devenus tranchants, déterminés, comme s'il faisait un saut chez eux tout en étant déjà ailleurs en pensée, avec Abraham, avec Sara, avec Sabbataï, avec les grands sages qui ont analysé le monde jusque dans ses moindres détails. Il y a en outre une comète qui est apparue dans le ciel, elle accompagne Jakób chaque soir comme s'il était son fils, une étincelle de lumière tombée dans le monde. Le cortège traverse Trembowla, Sokołów, Kozowa, Płaucza, Zborów, Złoczów, Hanaczówka et Busk. Tous lèvent la tête pour observer le ciel. Jakób guérit en imposant les mains, des objets perdus sont retrouvés, des ulcères disparaissent, des femmes connaissent enfin la grossesse désirée, l'amour revient dans les couples. Les vaches mettent bas des jumeaux d'une robe bizarre, les poules pondent des œufs à deux, voire trois jaunes. Les nobles polonais viennent regarder ce Frank, ce Juif turc ou valaque accomplir des miracles comme ils n'en ont jamais vu et qui parle de la fin du monde. Les chrétiens seront-ils également sauvés ou n'est-ce que la fin du monde des Juifs ? Voilà qui n'est pas clair. Ils veulent discuter avec lui. Au cours de la conversation, Nahman ou Chaïm de Varsovie assumant le rôle d'interprète, les nobles cherchent à conserver leur supériorité. Ils le font d'abord venir jusqu'à leur calèche, et Jakób approche pour répondre poliment. Il commence par dire qu'il est un homme simple, un rustre, mais il les regarde de telle manière qu'ils perdent de leur superbe. Après cela, ils rejoignent la foule dans laquelle ils ne se différencient que par leur fourrure et la plume de leur chapka.

À Busk, tous habitants du village sortent de chez eux, des torches brûlent, il gèle très fort et la neige fraîche crisse sous les pas. Jakób séjourne une semaine dans la maison de Chaïm, le frère de Nahman, et de son épouse. Aronek, le jeune fils de Nahman, et d'autres petits garçons suivent Jakób tels des pages leur roi. À Busk, Jakób aperçoit des auréoles sur presque toutes les têtes. Quasiment tout le bourg se convertit à la Sainte Trinité, comme le dit Jakób. Le jour, on lui amène les enfants malades pour une imposition des mains. Plus tard, on vient le chercher de Dawidów, puis on veut le voir à Lwów où l'on met à disposition une grande salle. Une foule y est venue le voir, mais quand il déclare que, lorsqu'il viendra en Pologne pour la deuxième fois, il leur faudra rejoindre l'Ezhava, autrement dit embrasser la religion chrétienne, pour qu'adviennent les Derniers Jours, les gens sortent en vitupérant. Les Juifs de Lwów sont riches, déplaisants et dépravés. La grande ville n'est pas aussi acquise à Jakób que les humbles petits bourgs et villages. Les gens riches et comblés ne se pressent pas autant auprès du Messie; n'est-il pas celui que l'on attend éternellement? Celui qui vient est forcément un faux Messie. Un Messie, c'est quelqu'un qui ne vient jamais. Tel est le principe. Dans la synagogue de Lwów, l'assemblée chahute Jakób quand il parle. Il finit par arracher le pupitre pour le lancer sur la foule et doit s'enfuir car les fidèles furieux et enragés se jettent sur lui.

À la taverne, on n'est guère plus aimable avec lui, en dépit du fait que Chaïm paie bien. La tenancière, peu polie, traite Jakób avec dédain. Il lui dit alors de regarder dans sa poche car elle y a un denier. Elle s'arrête, étonnée.

– Et il me viendrait d'où?

Jakób insiste en lui disant de mettre sa main dans sa poche, tout cela se passe en présence de nombreux témoins. Aussi la tenancière sort-elle la pièce, qui n'a plus trop de valeur depuis qu'on la contrefait, mais qui reste de l'argent. Elle la considère, embarrassée, le regard fuyant, elle s'éclipserait volontiers si Jakób ne la retenait fermement par le bras.

– Et tu sais bien d'où ce denier te vient, n'est-ce pas? lui demande-t-il sans la regarder car son regard plane au-dessus des têtes de la petite foule curieuse qui s'est déjà assemblée.

– Ne dites rien, monsieur, supplie la tenancière en s'arrachant de son étreinte.

Il n'a aucune intention d'obtempérer et, déjà, la tête relevée pour être mieux entendu, il lance:

– Elle l'a reçu du noble avec lequel elle a péché hier soir!

Les gens éclatent de rire, persuadés que c'est une invention, mais, chose étonnante, la tenancière confirme. Elle lui donne raison à la surprise des badauds avant de disparaître, rouge de confusion.

Désormais, la mission de Jakób devient claire, visible comme les pas dans la neige laissés par ceux qui trépignaient de froid parce qu'ils n'avaient pas pu entrer et devaient tout apprendre des plus chanceux.

Il s'agit de réunir trois religions, la juive, la musulmane et la chrétienne. Sabbataï fut le Premier, il ouvrit la voie par l'islam, Kohn par la chrétienté. Qu'est-ce qui choque le plus et provoque des martèlements de pieds et des cris? Le fait qu'il faille passer par la foi de Jésus de Nazareth comme on traverse un fleuve, et que le Christ soit l'enveloppe et la carapace du véritable Messie.

Cette pensée semble éhontée à midi. Elle se prête à être discutée dans l'après-midi. Elle est acceptable le soir et tout à fait évidente plus tard.

Au bénéfice de la nuit, un autre aspect de cette pensée intervient qui, jusque-là, n'était pas relevé: c'est qu'avec le baptême l'on cesse d'être un Juif, du moins pour les autres. On devient un être humain, un chrétien. On peut acheter une terre, ouvrir un magasin en ville, envoyer ses enfants dans les écoles… Ces possibilités donnent le vertige, c'est comme si l'on recevait soudain un cadeau étrange, inouï.

La garde rapprochée du Maître

Les espions découvrirent également que, dès Jezierzany, une jeune fille accompagnait Jakób, et qu'une seconde la rejoignit ensuite, toutes deux supposées veiller sur lui. La première, une très belle demoiselle de Busk, blonde au teint rose, toujours joyeuse, le suit un demi-pas derrière. La seconde, Gitla de Lwów est grande, fière comme la reine de Saba, elle parle rarement. Ce serait la fille de Pinkas, l'écrivain de la Commune juive de Lwów, mais, elle, elle affirme être de sang royal, celui d'une princesse polonaise que son grand-père aurait enlevée. Les deux jeunes femmes restent assises de part et d'autre de Jakób tels des anges gardiens, elles portent sur les épaules de belles fourrures et sont coiffées de chapkas décorées d'une pierre précieuse et d'une plume de paon. Elles ont au côté une petite épée dont le fourreau est serti de turquoises. Entre elles deux, Jakób est comme entre les piliers d'un temple. Bientôt, la brune Gitla devient son véritable bouclier, elle trace le chemin devant lui, le protège de son corps, retient de son bâton ceux qui se bousculent auprès de lui. En manière de mise en garde, elle tient la main sur son épée. Sa fourrure ne fait que la gêner, aussi l'échange-t-elle vite pour une courte veste militaire rouge, décorée d'un cordon blanc. Sa belle chevelure sombre, ondulée et peu sage laisse échapper des boucles de son bonnet militaire en fourrure.

Jakób ne sait plus se passer de Gitla, il dort partout en sa compagnie comme si elle était sa femme. Elle serait, paraît-il, la protection que Dieu lui a donnée. Elle continuera de le suivre dans toute la Pologne, de le protéger. Parce que Jakób a peur, il n'est tout de même pas aveugle, et, derrière ses adeptes, il remarque les badauds silencieux qui crachent en entendant son nom et marmonnent des malédictions. Nahman le voit également, c'est pourquoi il fait placer des sentinelles toutes les nuits autour de la maison où ils dorment. Une cruche de vin et la belle Gitla sont seules aptes à calmer les nerfs de Jakób. Les minces parois en bois des chaumières laissent entendre leurs rires et leurs gémissements amoureux à ceux qui montent la garde. Cela ne plaît guère à Nahman. Pas plus qu'à Mosze de Podhajce, celui-là même qui conseilla à Elisha Shorr d'annuler le mariage de son fils ; pour ce rabbin, pareille osten-tation n'est pas utile, elle excite les mauvaises langues, mais lui aussi, veuf depuis peu, regarde d'un œil gourmand les jeunes filles. Gitla agace tout le monde, elle fait la fière, elle regarde de haut les autres femmes. Chaïm de Varsovie et son épouse Wittel ne la supportent plus. À Lwów, Jakób éloigne sa gardienne blonde, très à contrecœur d'ailleurs, mais il retient Gitla. Du reste, au premier village venu, une nouvelle demoiselle remplace celle dont il s'est séparé.

Le périple dure tout un mois, avec à chaque fois un nouvel endroit pour dormir et de nouvelles gens. À Dawidów, Jakób retrouve Elisha Shorr qu'il salue comme un père ; le vieux Shorr dans son grand man-teau qui touche terre, en chapka de fourrure, est entouré de ses fils. D'une main tremblante, il pointe une étrange clarté au-dessus de la tête de Frank ; et plus il la montre, plus elle grandit, de sorte que toutes les personnes présentes s'agenouillent.

Quand, de retour à Rohatyn, il passe la nuit dans la demeure des Shorr, Elisha lui demande devant tout le monde :

– Montre ta force, Jakób. Nous savons que tu l'as reçue.

Mais Jakób dit qu'il est fatigué, qu'il est temps pour lui d'aller dormir après les longues disputations, et il monte l'escalier pour rejoindre ses appartements. L'assemblée réunie aperçoit alors sur les marches en chêne la trace de son pied, elle s'est imprimée profondément dans le bois qui est comme brûlé. À partir de ce moment-là, les gens viennent contempler ces saintes empreintes dans un silence recueilli; ils gardent également à Rohatyn l'une de ses babouches turques brodées.

Les espions envoyés par la Commune juive de Lwów notent scrupuleusement aussi bien les paroles de la nouvelle prière introduite par Jakób Lejbowicz Frank que le fait qu'il apprécie beaucoup le *qaymar* et les douceurs turques faites de sésame et de miel. Ses compagnons en ont toujours dans leurs bagages. La prière mélange des mots hébreux, espagnols, araméens et portugais, de sorte que personne ne peut tout comprendre, mais cela la rend mystérieuse. Elle s'adresse à un Señor Santo, on y chante *Dio mio Barukhia*. Les espions cherchent à reconstituer le sens de la prière à partir des fragments entendus et ils arrivent à:

« Puissions-nous connaître Ta grandeur, Señor Santo, Toi le Dieu véritable et le Maître du monde, le Roi de l'univers qui connut l'existence corporelle, qui détruisit à jamais l'ordre de la création, qui T'élevas à Ta juste place pour écarter tous les autres mondes créés. À part Toi, il n'est pas d'autre Dieu, ni très haut ni très bas. Protège-nous de la tentation et de la honte, aussi nous agenouillons-nous devant Toi et bénissons-nous Ton nom, Roi grand et puissant. Saint Il est. »

LES RELIQUATS DE NAHMAN DE BUSK
ÉCRITS EN CACHETTE DE JAKÓB

Quand Dieu ordonna aux Juifs de prendre la route, Il pensait déjà au but de leur pérégrination, mais eux l'ignoraient. Il voulait qu'ils aillent vers leur destinée. L'objectif et l'issue sont affaire divine; être impatient, croire au hasard et s'attendre à des aventures est le propre des hommes. Aussi, quand il arrivait aux Juifs de devoir se fixer quelque part pour un temps plus long, tels des enfants ils montraient leur mécontentement. C'est de la joie, en revanche, qu'ils ressentaient quand venait de l'heure de plier bagage à nouveau! Or, c'est ce qui est en train de se passer. Notre Bon Dieu détermine le cadre de chaque périple, l'homme travaille à son contenu.

«Sommes-nous arrivés au pire des endroits possibles? Est-ce Busk?» me demanda Jakób avant d'éclater de rire, quand nous atteignîmes ma ville natale.

Nous y avons accueilli Jankiełe dans la maison de mon frère Chaïm ben Levi, parce que ma femme ne voulait pas l'installer chez nous. Dans la mesure où sa grossesse était très avancée, j'avais cédé. Léa, à l'exemple de beaucoup de femmes, était réticente à l'égard de la nouvelle doctrine religieuse. Mon fils, le seul à avoir survécu plus de quelques mois, se prénommait Aronek et notre Jakób l'apprécia tout particulièrement. Il le prit sur ses genoux – ce qui réjouissait particulièrement mon âme! – et il dit encore que le garçonnet deviendrait un grand sage que personne n'égalerait en paroles. J'en étais heureux, mais je savais que Jakób connaissait parfaitement ma situation, qu'il n'ignorait pas qu'aucun de mes enfants n'avait dépassé la première année de vie. Ce fameux soir, Aronek eut le visage en feu et Léa me reprocha d'avoir emmené le frêle enfant pour le trimbaler dans le froid.

Elle est allée une fois chez Chaïm avec moi, ensuite elle n'a plus voulu. Elle m'a demandé si ce que l'on racontait sur nous était vrai.

«Et qu'est-ce qui se dit? demandai-je. – Tu nous avais promis un vrai rabbin instruit, alors qu'avec lui (elle fit un mouvement de tête en direction de la fenêtre) Dieu nous envoie un châtiment. Il me fait accoucher d'enfants qui meurent. – Pourquoi serait-ce à cause de lui? demandai-je. – Parce que tu le suis depuis plusieurs années. Là où il est, on te trouve aussi.»

Que pouvais-je répondre à cela? Elle avait peut-être raison. Dieu m'enlevait peut-être mes enfants pour que je puisse être plus proche de Jakób?

Chaque soirée se déroulait de la même manière, d'abord un dîner en commun – kacha, fromage, viande en sauce, pain et huile. Tout le monde s'asseyait autour de longues tables, y compris les femmes, les enfants et les adolescents, et quiconque avait contribué au festin, mais aussi celui qui n'avait pas les moyens de le faire, il ne restait pas sur sa faim. Jakób déployait alors ses récits souvent drôles et amusants des pays ottomans. La majorité des femmes, charmées par sa belle élocution et son humour, oubliaient la mauvaise opinion qu'elles avaient eue de lui ; les enfants, quant à eux, le tenaient pour un conteur remarquable. Venait ensuite la prière commune qu'il nous avait apprise, et, quand les femmes avaient fini de desservir la table et allaient coucher les enfants, ne restaient que ceux qui étaient dignes de participer à l'enseignement nocturne.

Jakób commençait toujours par le poids du silence. Il levait son index pour le faire glisser à droite et à gauche de son visage, tous nos regards suivaient ce doigt dressé derrière lequel sa figure apparaissait et disparaissait. Puis il prononçait les mots *Shloisho seforim niftuhem*, ce qui voulait dire : « Trois livres s'ouvrent. » Un silence impressionnant tombait alors, on entendait presque le bruissement des pages des saints livres. Ensuite, Jakób interrompait le silence pour nous instruire : « Ce que vous entendrez ici doit disparaître en vous comme dans une tombe. Désormais, notre religion ce sera cela, nous taire. »

Il disait :

« Si quelqu'un veut conquérir une forteresse, il ne peut y parvenir en usant uniquement de mots, de paroles fugaces, il doit l'assiéger avec une armée. Nous devons faire pareillement, agir et non parler. Nos aïeux n'ont-ils pas suffisamment devisé, ne se sont-ils pas assez penchés sur leur page, la plume à la main ? À quoi leur ont servi ces verbiages et qu'en a-t-il découlé ? Il est mieux de voir de ses yeux que de parler en mots. Nous n'avons nul besoin de fileurs de paroles. »

J'avais toujours l'impression que, lorsqu'il parlait des discoureurs, il me regardait. Je m'efforçais pourtant de retenir la moindre de ses paroles, en dépit du fait qu'il m'interdisait de les mettre par écrit. Je les notais donc en cachette. Je craignais que tous ceux qui étaient là, réunis à l'écouter, auraient tout oublié dès qu'ils s'en iraient. Je ne comprenais pas cette interdiction. Quand, le lendemain matin, je m'asseyais soi-disant pour faire les comptes, rédiger des lettres ou fixer le calendrier, j'avais au-dessous une autre feuille sur laquelle j'inscrivais les paroles de Jakób, comme pour les expliquer une nouvelle fois, mais à moi seul.

« Il faut aller vers la chrétienté, disait-il aux gens simples. Nous réconcilier avec l'Ezhava. Il faut avancer dans l'obscurité, c'est clair comme le soleil ! Car ce n'est que dans le noir qu'adviendra notre rédemption. Ce n'est que dans le pire des endroits que peut s'ouvrir la mission messianique. Le monde entier est ennemi du vrai Dieu, ne le savez-vous pas ? »

« Tel est le fardeau du silence. Une charge de fierté. Tandis que la parole nous pèserait autant que de porter la moitié du monde. Vous devez m'écouter et me suivre. Vous devez abandonner votre langue pour parler avec chaque nation dans la langue qui est la sienne. »

C'est vertu que de ne laisser aucune laideur franchir nos lèvres. La vertu est de se taire, de garder en soi tout ce que l'on voit et entend. Rester constant. Tout comme le Premier, Sabbataï, convia des invités à sa noce dont la mariée, sous le baldaquin nuptial, était la Torah, de la même manière nous avons remplacé la Torah par une femme. Depuis, chaque soir, elle nous apparaît nue, sans voile. La femme est le plus grand des mystères et, ici, dans le monde du bas, elle correspond à la sainte Torah. Nous nous unirons à elle, en douceur d'abord, avec nos seules lèvres, par un mouvement de la bouche qui prononcera la parole lue, et, ainsi, en retour le monde se recréera chaque jour à partir du néant. Je l'affirme, moi, Nahman Samuel ben Levi de Busk, il n'y a qu'un Dieu dans la Trinité et la Sainte Mère de Dieu est la Quatrième Personne.

Les mystérieuses célébrations de Lanckoruń et l'hostilité d'un regard

Nahman ne consignera pas ce qui suit, car, en effet, les paroles donnent du poids aux événements. On ne doit pas oublier que, lorsqu'il s'assied pour écrire, il différencie clairement ce qui peut être couché sur le papier de ce qui ne doit pas l'être. D'ailleurs, Jakób dit toujours : « Aucune trace, le secret vous oblige tout entier, personne ne doit savoir qui nous sommes et ce que nous faisons. » Seulement, lui, il fait beaucoup de bruit, il se livre à de drôles de choses et lance des phrases étranges. Il parle par énigmes, de sorte qu'il faut deviner ce qu'il entend par là. Longtemps après son départ, les gens restent réunis pour s'expliquer les paroles de ce Frank, de cet étranger. Qu'a-t-il dit? En un sens, chacun comprend à sa manière.

Quand, le 26 janvier, ils arrivent à Lanckoruń avec à leur tête Lejbko Abramowicz et son frère Moszek à cheval, on conduit aussitôt Jakób et ses compagnons chez Lejbko. Il fait complètement nuit.

Le village se trouve sur une falaise abrupte qui plonge dans une rivière. La route qui mène là-haut est caillouteuse et difficile. Les ténèbres sont denses et froides, la lumière des lanternes ne les pénètre que de quelques coudées. L'air sent la fumée de bois humide, les silhouettes des maisons se discernent à peine, avec, ici ou là, une lueur d'un jaune sale à leurs petites fenêtres.

Salomon Shorr et son frère Natan retrouvent leur sœur. Haya la devineresse vit à Lanckoruń depuis son mariage avec Hirsz, le rabbin du lieu. Ce dernier fait commerce de tabac et bénéficie d'un grand respect parmi les vrai-croyants. En apercevant Haya, Nahman est pris d'un léger vertige, comme s'il avait bu de la vodka.

Elle arrive avec son époux, ils s'arrêtent à la porte, et Nahman a l'impression qu'elle est accompagnée de son père tellement Hirsz rappelle le vieux Shorr. Rien d'étonnant à cela, ne sont-ils pas cousins? Les grossesses ont embelli Haya, elle est très mince et grande. Elle porte une robe rouge sang et un châle d'un bleu turquoise vif, comme une jeune fille. Ses cheveux retenus par un fichu coloré s'étalent sur son dos, de longues boucles d'oreilles turques pendent à ses oreilles.

Les fenêtres couvertes de poussière laissent toujours filtrer trop peu de lumière, aussi une mèche plongée dans une coquille en terre cuite se consume-t-elle toute la journée, d'où l'odeur de suie et d'huile brûlée. Les deux pièces sont encombrées et on y entend un grignotis, une sorte de bruissement permanent. C'est l'hiver, les souris aussi se sont réfugiées sous les toits pour se protéger des grands froids; elles créent des cités verticales dans les murs et horizontales dans les planchers, des villes plus complexes que Lwów et Lublin réunies.

Dans la pièce de devant, au-dessus de l'âtre se trouve une ouverture qui laisse pénétrer l'air, mais elle se bouche régulièrement et le fourneau fume. Cela fait que tout est saturé par l'odeur de fumée.

La porte est fermée avec soin, les fenêtres sont obturées. On pourrait penser que tous les visiteurs sont allés se coucher après une journée entière de route, qu'ils étaient fatigués tout autant que les espions. Le village fulmine d'indignation : la peste sabbataïste est arrivée. Il y a aussi deux fureteurs, Gerszom Nachmanowicz et son cousin Naftali, celui qui a un bail chez le seigneur local et, de ce fait, une haute idée de lui-même. Gerszom se faufile et parvient à regarder par une fenêtre – quelqu'un a laissé un rideau mal tiré. Le sang se retire de son visage, il est comme ensorcelé, il n'arrive pas à détacher les yeux de ce qu'il voit et, en dépit du fait qu'il ne peut regarder que par une étroite bande verticale, en bougeant la tête il arrive à observer toute la scène. À la lueur d'une unique bougie, voici qu'il aperçoit des hommes assis en cercle et, au centre, une femme à demi nue. Ses grands seins fermes semblent briller dans la pénombre. Le nommé Frank tourne autour d'elle en marmonnant.

Dans l'intérieur grossier de la demeure de Lejbko, le corps de Haya est merveilleusement parfait, il semble venu d'un autre monde. Elle a les yeux mi-clos, ses lèvres entrouvertes laissent voir les pointes de ses dents. Des gouttes de sueur perlent sur ses épaules et son décolleté, sa poitrine est si lourde que l'on voudrait la soutenir. Haya se tient debout sur un tabouret. Elle est la seule femme au milieu de nombreux hommes.

Jakób s'approche d'elle le premier, il lui faut se mettre sur la pointe des pieds pour toucher des lèvres le bout de ses seins. Il semblerait même qu'il retienne un instant son téton, qu'il en boive une goutte de lait. Pareil pour le deuxième. Puis Reb Shajes prend la relève, il est vieux, sa barbe peu fournie lui arrive à la taille, ses lèvres agitées comme celles d'un cheval cherchent le mamelon de Haya à l'aveuglette – Reb Shajes garde les yeux fermés. Vient ensuite le tour de Salomon Shorr, le frère de Haya, qui, après une brève hésitation, fait de même, mais très vite. Tous les autres suivent : Lejbko Abramowicz, l'hôte des lieux, s'enhardit et son frère Moszek aussi ; puis un Shorr de nouveau, mais Iehuda, l'autre frère, suivi par Izaak de Korolówka, et aussi quelqu'un qui jusque-là se tenait près du mur, retiré dans l'ombre, et qui sait désormais qu'il est autorisé à participer au grand mystère de cette foi et qu'ainsi il devient un vrai-croyant, et que les hommes présents autour de lui sont ses frères, et qu'il en sera ainsi jusqu'à ce que le sauveur détruise l'ancien monde pour qu'apparaisse le nouveau. La Torah est entrée dans l'épouse de Hirsz, elle brille à travers sa peau.

Il faut fermer les yeux et marcher dans les ténèbres, parce que ce n'est qu'à travers elles que l'on aperçoit ce qui est lumineux, songe Nahman quand il saisit de ses lèvres le téton de Haya.

Comment Gerszom s'empara des dissidents

On dit que ce serait Jakób en personne qui aurait donné la consigne de tirer négligemment les rideaux pour que les autres voient tout de même. Les fureteurs se précipitèrent aussitôt au village, chez le rabbin, et, en un clin d'œil, un groupe d'hommes armés de bâtons se rassembla.

De fait, Gerszom dit vrai. Il leur fait d'abord jeter un œil par l'interstice entre les rideaux, puis, quand ils enfoncent la porte, ils aperçoivent brièvement une femme à demi nue qui cherche à se couvrir d'un bout de vêtement et des hommes qui reculent précipitamment jusqu'aux murs. Gerszom braille des menaces, quelqu'un saute par une fenêtre, mais ceux qui sont à l'extérieur l'attrapent, un autre parvient à s'enfuir. Effrayés et encore un peu ivres, ceux qui restent sont attachés avec des cordes, à l'exception de Haya, et Gerszom les fait conduire chez le rabbin. Il prend l'initiative de faire saisir leurs charrettes, chevaux, livres et *chouba*, ces vastes manteaux longs doublés de fourrure, après quoi il se rend au domaine. Il ignore que c'est carnaval et que le noble reçoit des invités. Qui plus est, ce magnat ne veut pas intervenir dans les conflits entre Juifs – il a des emprunts chez eux –, et il ne sait pas exactement de quoi il s'agit, quels sont ceux qui sont mêlés à l'affaire et ceux qui ne le sont pas. Occupé à goûter le vin de cornouiller, il appelle donc Romanowski, son régisseur. Le château est éclairé de toutes parts, le fumet des cuissons se laisse sentir jusqu'au-dehors et l'on entend la musique et les rires. Des visages rouges et curieux regardent derrière le dos du maître des lieux. Romanowski enfile ses hautes bottes, prend un fusil au mur, appelle les valets et sort avec eux rejoindre les autres dans la neige ; tous sont pris d'une sainte fureur, juive et chrétienne, des représentations inquiétantes leur viennent à l'esprit, un grand sacrilège serait perpétré, un blasphème général, *supra*-confessionnel. Ce qu'ils voient une fois arrivés sur place, ce sont des hommes frigorifiés, attachés deux à deux, sans vêtements chauds, tremblants de froid. Romanowski hausse les épaules. Il n'a pas la moindre idée de ce qui se passe ici. Mais, par précaution, il les fait tous mettre aux arrêts à Kopyczyńce.

Les autorités ottomanes ne tardent guère à apprendre ce qui est arrivé ; à peine trois jours plus tard, un petit détachement turc se présente pour exiger de Romanowski qu'il lui remette le prisonnier Jakób Frank, sujet de la Sublime Porte. Le régisseur obtempère volontiers. Que les Juifs ou les Turcs jugent seuls leurs dissidents.

Il paraîtrait que, au cours des trois journées d'arrestation à Kopyczyńce qui précédèrent la venue du détachement, Jakób aurait eu une nouvelle descente du Souffle saint, le *Ruah ha-Kodesh*, et qu'il aurait crié des choses étranges, notamment qu'il rejoindrait avec douze frères la religion chrétienne, ce que certifièrent plus tard Reb Shajes et Icełe de Korolówka qui partageaient sa cellule. Lorsque les Turcs le libérèrent, ils lui donnèrent un cheval qu'il enfourcha pour rejoindre aussitôt Chocim, de l'autre côté de la frontière ottomane. Les espions rapportèrent au rabbin Rapaport de Lwów qu'en partant il aurait dit en hébreu, tout à fait clairement : « Nous prenons le chemin royal ! »

Gitla demoiselle Pinkas, princesse polonaise

La belle Gitla est la fille unique de Pinkas, le secrétaire de Rapaport, le rabbin de Lwów. Cette jeune fille à l'esprit en désordre causait tant d'ennuis à son père qu'il l'envoya chez sa sœur à Busk afin qu'elle y respirât l'air sain de la campagne et se fît un peu oublier.

Sa beauté est un souci – d'habitude, les parents s'en réjouissent chez une fille –, Gitla est grande, svelte, a un visage ovale, le teint bis, avec des lèvres pulpeuses et des yeux sombres. Elle s'habille avec négligence et toujours de façon bizarre. Elle passe l'été à se promener dans les prés humides qui entourent la ville, à réciter des poèmes, à se rendre seule au cimetière, toujours avec un livre à la main. Sa tante pense qu'il en est toujours ainsi quand on commet l'erreur d'apprendre aux filles à lire. Le père de Gitla a eu cette imprudence, voilà le résultat ! Une femme instruite est source de grands soucis. En voici la preuve ! Quelle personne normale passerait son temps au cimetière ? Sa nièce a dix-neuf ans, elle aurait dû être mariée depuis longtemps ; en attendant, elle attire les regards des garçons et des hommes plus âgés, mais aucun ne voudrait épouser une fille comme elle. Il paraî-trait qu'elle se serait laissé toucher par certains. Cela se serait passé derrière le cimetière, justement, là où le chemin mène à la forêt. Qui sait jusqu'où c'est allé.

Gitla a perdu sa mère quand elle était petite. Pinkas est resté long-temps seul, mais, il y a de cela quelques années, il s'est trouvé une nouvelle épouse qui ne supporte pas sa belle-fille. Et c'est réciproque ! Quand la marâtre donna naissance à des jumeaux, Gitla fit sa première fugue. Son père la retrouva dans une taverne à la sortie de Lwów. La jeunette s'était assise auprès de joueurs et conseillait tantôt l'un tantôt l'autre sur la carte à jouer. Ces hommes ne l'avaient pas prise pour une gueuse itinérante. Elle parlait correctement le polonais, on voyait qu'elle était instruite, avec une bonne éducation. Elle voulait aller à Cracovie. Bien habillée, dans ses plus belles tenues, elle se conduisait comme si elle attendait quelqu'un. Le tavernier pensait que c'était une demoiselle de haute noblesse tombée dans les difficultés. Elle disait être la petite-fille du roi de Pologne, son père l'aurait trouvée dans un panier tapissé de plumes de cygne, et, qui plus est, un cygne l'aurait nourrie de son lait. Ceux qui l'écoutaient riaient davantage de ce lait de cygne que du panier. Quand son père pénétra dans le troquet, il la gifla devant tout le monde. Il la fit ensuite grimper de force dans le chariot et ils rentrèrent à Lwów. Le pauvre Pinkas entend encore les ricanements et les plaisanteries grivoises de l'assistance. Il décida alors de la marier au plus vite, de la donner au premier qui voudrait d'elle, si du moins – comme il l'espérait – elle était encore vierge. Il engagea les meilleures marieuses et, aussitôt, il se trouva des prétendants à Jezierzany et à Czortków. Gitla se mit alors à rouler dans le foin avec des garçons, de manière à être vue de tout le monde. Elle le fit exprès pour que nul mariage ne fût conclu. Et il n'y en eut aucun, parce que les candidats se retirèrent. Tant celui de Jezierzany que celui de Czortków – les nouvelles circulent vite. Depuis, à Busk, pareille à une lépreuse, elle logeait dans une pièce à part, aménagée dans une dépendance.

L'hiver de cette année fatale, Gitla eut pourtant la chance, ou peut-être le malheur, qui sait, de voir arriver dans la cour une file de traîneaux dont les passagers s'installèrent dans le bourg. La tante de Gitla, qui recevait justement la marâtre avec ses jumeaux, deux garçons voraces et velus comme Ésaü, enferma toute la famille, boucla les volets et ordonna à tout le monde de prier pour que les voix de ces mécréants n'atteignent pas leurs oreilles innocentes.

Sans prêter attention à l'interdiction de sa tante et sa belle-mère, Gitla enfila la veste houtsoule que lui avait offerte son père. Elle s'en alla dans la neige traverser le village jusqu'à la maison de Nahman le Roux, où le Maître faisait une brève halte. Elle attendit devant la porte avec les autres, la buée de leurs respirations cachait leurs visages, ils piétinaient dans le froid ; enfin, le Maître appelé Jakób finit par sortir avec sa cour. Gitla lui saisit alors la main, qu'elle embrassa. Il voulut la lui retirer, mais Gitla avait au préalable détaché ses beaux cheveux et, qui plus est, elle dit aussitôt ce qu'elle répétait toujours : «Je suis une princesse polonaise, petite-fille du roi de Pologne.»

L'entourage se mit à rire, mais cela fit de l'effet sur Jakób, il regarda mieux la jeune fille et la fixa droit dans les yeux. Ce qu'il vit, nul ne le sait. À partir de ce moment-là, elle le suivit pas à pas, elle ne le quitta plus, fût-ce pour un instant. On disait que le Maître en était très satisfait. À travers elle, affirmait-on, le Maître gagnait en puissance, et, elle, elle avait reçu une grande force des cieux, elle pouvait la sentir en elle. Quand, un jour, un gueux se jeta sur le Maître, elle usa de cette force pour frapper le gredin si fort qu'il tomba dans la neige sans pouvoir longtemps se relever. Auprès de Jakób, elle était comme une louve, et ce jusqu'à la nuit fatidique de Lanckoruń.

Pinkas et son grand désespoir

Quand Pinkas arrive chez Rapaport, il préfère ne pas se faire remarquer, il longe les murs, se recroqueville sur les textes qu'il recopie, il est presque invisible. Mais le rabbin aux yeux toujours mi-clos a une meilleure vue que plus d'un jeunot. Il semble passer à côté de son secrétaire sans le voir, mais celui-ci sent son regard sur lui comme si une ortie lui brûlait la peau. Arrive finalement le moment où le rabbin le fait venir alors qu'il est seul. Il l'interroge sur sa santé, son épouse et ses jumeaux, poliment, aimablement, à son habitude. Pour finir, sans le regarder, il lui demande :

— Est-ce vrai que…

Il ne termine pas sa phrase, Pinkas étouffe, sa peau est criblée de mille aiguilles dont chacune a été chauffée à blanc en enfer.

— Un grand malheur m'arrive.

Rabbi Rapaport se contente de hocher tristement la tête.

— Sais-tu, Pinkas, qu'elle ne fait plus partie des Juives ? demande-t-il sur un ton aimable. Sais-tu cela ?

Rapaport lui dit qu'il aurait dû faire quelque chose il y a longtemps, dès que Gitla se mit à raconter qu'elle était une princesse polonaise, voire plus tôt, quand tout le monde voyait que quelque chose n'allait pas chez elle, qu'elle était habitée par un *dibbouk*, tant elle était devenue délurée, grossière et impolie.

— À partir de quand a-t-elle commencé à se conduire aussi bizarrement ? demande le rabbin.

Pinkas réfléchit longuement, puis répond que c'était après la mort de sa mère. Sa maman mit longtemps à mourir, dans de grandes souffrances, elle avait une boule au sein qui s'est déversée dans tout le corps.

– Il est compréhensible que ça ait commencé là, dit le rabbin. Autour d'une âme de mourant se réunissent de sombres esprits, libres et ténébreux. Ils sont en quête d'un point fragile par lequel pénétrer en l'homme. Le désespoir affaiblit.

Pinkas écoute cela le cœur serré. Il donne raison au rabbin, c'est un homme sage ; et lui, Pinkas, comprend cette logique, il dirait la même chose à autrui ; quand dans un panier un fruit est pourri, il faut le jeter pour qu'il ne gâte pas les autres. Mais quand Pinkas regarde le rabbin si sûr de lui, quoique compatissant, et qui, en plus, ferme les yeux en parlant, il pense à la cécité et il se dit qu'il y a peut-être quelque chose que ce grand homme sage ne voit pas. Il y a peut-être des lois qui échappent à l'entendement, tout n'est peut-être pas dit dans les écrits, il faudrait peut-être concevoir un nouveau texte pour sa Gitla et ses semblables, elle est peut-être une princesse polonaise, son âme…

Rapaport ouvre les yeux et, voyant Pinkas plié en deux, pareil à un bâton brisé, il lui dit :

– Pleure, pleure, mon frère. Tes larmes assainiront ta plaie et elle cicatrisera vite.

Pinkas sait que de telles blessures ne guérissent jamais.

14

L'évêque de Kamieniec
Mgr Mikołaj Dembowski inconscient
de la fugacité de sa présence dans l'affaire

Mgr Dembowski est grandement persuadé qu'il est une personne importante. Il pense également qu'il vivra éternellement, car il se considère comme un homme honnête et juste, exactement conforme à l'enseignement du Christ.

Si on le regardait avec les yeux de Ienta, il faudrait avouer qu'en un sens il a raison. Il n'a ni tué, ni trahi, ni volé, et, tous les dimanches, il vient en aide aux pauvres en leur faisant l'aumône. Certes, il lui arrive parfois de céder à une pulsion sexuelle, mais il faut lui accorder qu'il combat son désir honnêtement, et, quand il y succombe, il l'oublie vite et pense à autre chose. Le péché se renforce quand on le médite, le ressasse, le rumine, quand il nous désespère. Or, il est clairement dit qu'il faut faire pénitence et qu'après c'est terminé.

Son Excellence a une certaine inclination pour le luxe, il la justifie par sa santé défaillante. Il voudrait servir le monde, faire le bien, aussi est-il reconnaissant à Dieu d'être évêque, car cela lui en donne l'opportunité.

Assis à sa table, il écrit. Son visage est rond, charnu, avec de grandes lèvres que l'on pourrait qualifier de sensuelles si elles n'étaient pas celles d'un ecclésiastique. Il a le teint et les cheveux clairs. Parfois, quand il a trop chaud, il devient tout cramoisi et alors il a l'air d'avoir cuit. Pour l'heure, il a enfilé une chaude mosette en laine sur son rochet et, comme souvent, il a froid aux pieds, aussi les glisse-t-il dans un chauffe-pieds en fourrure que des femmes ont spécialement cousu pour lui. Son petit palais de Kamieniec est difficile à chauffer, la chaleur s'en échappe, on sent y des courants d'air, et pourtant les fenêtres sont petites, la pénombre règne toujours à l'intérieur. Les croisées de son cabinet donnent sur une petite rue jouxtant le mur de l'église. Il y voit des gueux qui se disputent, l'un d'eux se met à frapper l'autre avec un bâton, la victime crie d'une voix aiguë, d'autres mendiants se lèvent pour intervenir dans l'affrontement et, bientôt, le vacarme casse les oreilles de Son Excellence.

Mgr Dembowski cherche le mot, il écrit :

Sabbat Lustrateurs
Sabbat Contreurs
Sabbasectateurs
Sabbatrompeurs
Sabbataïeurs
Sabbaprédateurs

Finalement, il se tourne vers le père Pikulski, le quadragénaire mince, petit, aux cheveux grisonnants, mis spécialement à sa disposition par le couvent en tant qu'expert sur un sujet particulier, sur recommandation de Mgr Sołtyk ; le bernardin travaille derrière une porte entrebâillée et sa grosse tête qui ignore la douceur des perruques projette une ombre longue sur le mur à cause de la bougie.

– Comment cela s'écrit-il, bon sang ?

Gaudenty Pikulski vient près du bureau. Ses traits se sont affirmés au cours des dernières années, depuis que nous l'avons rencontré au dîner de Rohatyn ; il est rasé de frais et, sur son menton proéminent, on aperçoit des coupures. Quel barbier l'a arrangé de la sorte ? se demande l'évêque.

– Il serait préférable d'écrire « les antitalmudistes », Votre Excellence, étant donné qu'ils se positionnent contre le Talmud, cela du moins c'est clair. Pour nous, il est plus prudent de ne pas interférer dans leurs théologies. Le peuple les appelle les « sabbasectateurs ».

– Vous en pensez quoi? demande l'évêque en indiquant la lettre sur la table – elle lui a été envoyée par les anciens de la Commune juive de Lanckoruń et Satanów, les rabbins lui demandent d'intervenir dans la question des hérétiques à la loi de Moïse et de leur bafouement des traditions les plus ancrées.

– Manifestement, eux-mêmes sont dépassés.

– Il s'agit du stupre auquel ces gens se sont livrés dans une auberge? Est-ce une raison?

Pikulski attend un moment, il semble compter dans sa tête, peut-être le fait-il d'ailleurs. Ses mains se rejoignent ensuite et, sans regarder l'évêque, il dit:

– Il me semble qu'ils veulent nous faire savoir qu'ils n'ont rien de commun avec ces hérétiques.

Monseigneur se racle un peu nerveusement la gorge, son pied s'agite dans la chaufferette, et le père Pikulski comprend qu'il doit poursuivre.

– Tout comme nous avons le catéchisme, ils ont le Talmud. C'est, pour le dire brièvement, un commentaire de la Bible, mais spécifique parce qu'il explique comment respecter les préceptes et commandements de la loi mosaïque.

Le bernardin s'anime, ravi de pouvoir montrer le savoir qu'il acquiert avec tant d'assiduité depuis des années. Il regarde le banc et interroge son supérieur du regard.

Monseigneur fait un imperceptible hochement de tête et Pikulski s'assied à côté de lui. Une odeur de moisi se dégage du moine, le pauvre a son appartement au rez-de-chaussée, il sent aussi la soude, sans doute à cause de son passage chez le barbier qui l'a si mal rasé.

– Ce sont leurs rabbins qui l'ont rédigé il y a plusieurs centaines d'années de cela, poursuit Pikulski, et ils y ont tout expliqué, ce qu'il faut manger, et quand, ce qui est autorisé et ce qui ne l'est pas. Sans cela, toute cette construction compliquée qui est la leur s'effondrerait.

– Mais vous m'avez dit que toutes les lois sont dans la Torah, l'interrompt Dembowski, agacé.

– Après la destruction du Temple de Jérusalem, il leur aurait été difficile de respecter la Torah dans les pays étrangers, sous des climats différents. En outre, ces lois sont très détaillées, elles se réfèrent à leur ancien mode de vie pastoral ; or, le monde a changé, il a donc fallu rédiger le Talmud. Que Votre Excellence se rappelle le Quatrième Livre de Moïse avec tout ce qui y est écrit, avec ces trompettes et ces armées, ces chefs de tribus, ces tentes…

– Oui, bon, soupire l'évêque vaguement.

– Ce Frank affirme que tout cela est mensonger.

– Voilà une accusation grave. La Torah aussi ?

– La Torah ne le dérange pas, mais son livre saint est le Zohar.

– Cela, je le sais déjà. Et que veulent donc les autres, cette fois ?

– Ils veulent que ce Frank soit puni. Dans le village de Lanckoruń, les talmudistes ont molesté ces hérétiques à leur foi, ils ont déposé plainte contre eux devant le tribunal au motif qu'ils se sont livrés au «péché des adamites» et les ont excommuniés. Que pourraient-ils leur faire de plus ? Voilà pourquoi ils se tournent vers nous.

Mikołaj Dembowski relève la tête.

– Le «péché des adamites» ?

– Vous savez bien, monseigneur… commence Pikulski avant de rougir et de se racler la gorge.

Dans un acte de miséricorde spontanée, l'évêque lui permet de ne pas terminer sa phrase, mais le bernardin se reprend vite.

– Il a fallu libérer ce Frank, mais il poursuit son action alors qu'il séjourne en pays ottoman. Au moment du carême juif, du haut d'une charrette, ce Jakób encourageait ses adeptes à se montrer, il disait que, puisqu'ils avaient un vrai Dieu auquel ils croyaient très fort, ils n'avaient aucune raison de se cacher. Il leur a dit: «Venez, montrons-nous à tout le monde. Qu'ils nous voient.» Ensuite, au moment de leur carême le plus sévère, il a versé de la vodka à tout le monde et offert des gâteaux et du porc.

D'où est-ce qu'ils viennent tout à coup, et en si grand nombre encore? se demande Mgr Dembowski en faisant remuer ses orteils dans le chauffe-pieds. Il avait déjà entendu dire que des dissidents juifs refusaient d'obéir aux règles de la Torah, persuadés qu'ils étaient que ses préceptes étaient annulés avec la venue du Messie. Mais en quoi est-ce que cela nous concerne? songe l'évêque. Ce sont des étrangers, leur religion est bizarre et tordue. C'est un conflit intérieur, qu'ils s'écharpent entre eux! D'autres incidents auraient également eu lieu, ils se seraient servis de sortilèges et d'envoûtements, ils auraient tenté de tirer du vin d'un mur en utilisant des forces mystérieuses décrites dans le Livre de la Création. Ils se seraient réunis dans des endroits reculés, aux foires ils se reconnaîtraient par divers signes, ils inscriraient notamment les initiales de leur prophète «S. T.» sur les livres, les boutiques ou sur leurs marchandises. En outre, et ceci monseigneur l'a bien retenu, ils commerçaient entre eux et créaient des sociétés fermées où ils se portaient garants les uns des autres. Il a entendu dire que, quand l'un d'eux était accusé de malversations, les autres attestaient de son honnêteté pour faire retomber la faute sur quelqu'un qui n'était pas de leur groupe.

– Je n'ai pas encore terminé de rédiger le compte rendu pour Votre Excellence, se justifie soudain Pikulski. Le Zohar est également un commentaire, différent, dirais-je, mystique, il se préoccupe non pas du droit, mais de la question de la création du monde, de Dieu lui-même…

– Sacrilèges! l'interrompt l'évêque, remettons-nous au travail.

Le bernardin ne bouge pourtant pas, il est plus jeune que l'évêque d'une dizaine d'années, peut-être plus, mais malgré cela il a l'air vieux. À cause de sa maigreur, se dit Dembowski.

– C'est une bonne chose que Votre Excellence m'ait envoyé à Lwów, dit le père Pikulski. Je suis à la disposition de Votre Excellence et elle ne trouvera sans doute personne qui en sache plus que moi sur les Juifs et cette hérésie juive.

Alors qu'il prononce ces paroles, le père Pikulski devient soudain tout rouge et il baisse les yeux. Il sent probablement qu'il a exagéré et commis ainsi le péché de vanité.

L'évêque ne remarque pas son trouble. Pourquoi ai-je si froid, songe-t-il, c'est comme si mon sang n'arrivait plus dans mes extrémités, comme s'il circulait trop lentement, pourquoi mon sang est-il aussi indolent?

Monseigneur a suffisamment de problèmes avec ses Juifs locaux. Quelle tribu diabolique, rusée et obstinée! Dès qu'on les chasse d'un endroit, ils reviennent aussitôt par des chemins détournés, il n'y a aucune force qui en vienne à bout, à moins qu'elle ne fût déterminée, irréfutable. Rien n'y fait.

Son Excellence Mikołaj Dembowski n'a-t-il pas contribué à la promulgation du décret royal contre les Juifs en la huitième année de sa charge épiscopale, autrement dit en l'*Anno Domini* 1748? Il a tellement travaillé au corps Sa Majesté, lui adressant sans fin des lettres et des suppliques, que finalement celle-ci a promulgué l'édit: tous les Juifs de Kamieniec eurent vingt-quatre heures pour quitter la ville, l'argent de la vente de leurs maisons allait à la ville, leur école était détruite. Les commerçants arméniens prirent part à l'événement, eux que les Juifs gênaient tout particulièrement en baissant les prix, en vendant de la main à la main et sous le manteau. Ces Arméniens surent joliment témoigner leur reconnaissance à l'évêque Dembowski. Le problème ne disparut pas pour autant. Expulsés de Kamieniec, les Juifs s'installèrent à Karwasar et à Zinkowiec, transgressant ainsi d'emblée l'interdit qui leur était fait de s'établir à moins d'une lieue de la ville, mais personne n'était de force pour les envoyer devant les juges sous ce motif et les autorités fermèrent les yeux. Les Juifs continuèrent à venir chaque jour en ville avec leurs marchandises, pour en vendre ce qu'il pouvait. Ils envoyèrent leurs femmes. Le pire, c'est que leurs clients se déplacèrent à leur suite au-delà de Smotrycz, à Zinkowiec, de sorte que se créa là-bas un marché illégal qui fit décliner celui de Kamieniec. De nouveau, il y eut des plaintes, ne serait-ce que contre les Juives qui, malgré l'interdit, apportaient leurs bagels à la boulangerie de Karwasar pour les faire cuire. Pourquoi est-ce que je dois m'occuper de cela? songe l'évêque.

– Ils affirment que les lois de la Torah ne sont plus contraignantes pour eux, poursuit le père Pikulski. Ils disent aussi que la croyance juive qui s'appuie sur le Talmud est mensongère. Aucun Messie ne viendra, les Juifs l'attendent en vain... Ils disent aussi que Dieu est en trois personnes et que ce Dieu est venu sur terre dans un corps d'homme.

– Oh, mais c'est qu'ils ont raison, se réjouit l'évêque. Le Messie ne viendra pas parce qu'il est déjà venu. Mais vous ne me direz pas, mon ami, qu'ils croient en Jésus-Christ? demande-t-il en se signant. Donnez-moi la lettre de ces hurluberlus.

Il regarde attentivement la feuille comme s'il s'attendait à y trouver quelque chose de particulier, des cachets, des tampons...

– Est-ce qu'ils connaissent le latin? demande l'évêque, dubitatif, alors qu'il lit la lettre que lui ont adressée les antitalmudistes et qui est rédigée d'une main manifestement instruite. Qui leur a écrit cela?

– Un certain Kossakowski, paraît-il, mais j'ignore de quelle branche des Kossakowski. Ils le paient bien.

Le père Benedykt Chmielowski
défend sa bonne renommée chez l'évêque

Benedykt Chmielowski trotte d'un petit pas rapide vers son évêque puis lui baise la main. Celui-ci lève les yeux au ciel, allez savoir si c'est pour bénir son subalterne ou bien pour exprimer sa lassitude. Pikulski salue également le curé de Firlej, plutôt chaleureusement quand on sait sa réserve naturelle. Il s'incline très bas, lui tend la main et secoue la sienne un moment. Le vieux doyen de Rohatyn – mal rasé, tout gris, à la soutane défraîchie (avec des boutons manquants, ce qui est inadmissible), à la sacoche usée dont la sangle est arrachée, aussi la tient-il sous le bras – part d'un rire joyeux.

– J'ai entendu dire que vous vous êtes installé pour de bon chez Son Excellence, lance-t-il, jovial – mais le bernardin comprend apparemment ces paroles comme un reproche, son visage vire au rouge de nouveau.

Le père Benedykt adresse sa supplique dès l'entrée. Il le fait allègrement parce qu'il connaît l'évêque du temps où celui n'était qu'un simple prêtre.

– Monseigneur, Votre Excellence, très cher Mikołaj, je ne suis pas venu vous importuner inutilement, mais solliciter un conseil fraternel. Que faire ? lance-t-il sur un ton dramatique.

Il sort de sa besace un objet emballé dans une toile pas très propre qu'il pose devant lui, mais garde ses mains dessus tandis qu'il parle.

Cela concerne ces années, il y a très longtemps de cela, où il était le précepteur du fils de Józef Jabłonowski. Le château de ce magnat possédait une bibliothèque qu'il était autorisé à utiliser dans ses moments de liberté. Il s'y rendait souvent, chaque fois que son élève était occupé ailleurs, et il passait son temps libre à lire dans ce havre de savoir. Dès cette époque, il prenait des notes, recopiait des passages entiers de livres, et, comme il avait une excellente mémoire, il retenait également beaucoup de choses.

Et à présent qu'une nouvelle édition de son ouvrage voit la lumière du jour – le père Benedykt tapote de façon significative le paquet –, une vieille affaire resurgit comme quoi il aurait emprunté le projet, mais aussi de nombreux faits, voire des idées, au manuscrit non abouti du duc Jabłonowski, qui traînait, paraît-il, sur la table de la bibliothèque sans protection aucune, et lui, il en aurait soustrait à volonté des extraits.

Après ce long laïus, le père Benedykt se tait, hors d'haleine ; l'évêque, effrayé par son débit passionné, se penche vers lui au-dessus du bureau et jette un œil inquiet sur le paquet, tout en cherchant à se souvenir de l'affaire.

– Comment cela « emprunter » ! reprend Benedykt Chmielowski en criant. Qu'est-ce que cela veut dire « emprunter » ? Tout mon travail n'est qu'un *thesaurus stultitiae**! Dans mes livres, j'ai recueilli le savoir humain, comment aurais-je pu ne pas recopier ? Ne pas compulser ! Le savoir d'Aristote, les écrits de Sigebert ou les confessions de

---

* (lat.) Une collection de bêtises. *(N.d.A.)*

saint Augustin ne peuvent pas être leur propriété! Il se peut que Jabłonowski soit un magnat et que son trésor soit plein, mais le savoir ne lui appartient pas et ne peut pas être oblitéré par un sceau ou délimité par des sentes comme un champ! Ce qu'il possède ne lui suffit pas, il voudrait en sus détruire la seule chose qui est mienne, ma bonne renommée et la considération dans laquelle me tiennent mes lecteurs. Quand, *omni modo crescendi neglecto**, à grand effort j'ai mené mon œuvre à son terme, le duc devrait nuire à ma bonne réputation avec ses accusations? *Dicit: fur es***! Je lui aurais volé son idée! Quand l'idée n'est que d'inventorier les choses intéressantes et de les noter! Tout ce que j'ai trouvé d'intelligent, *sine invidia*, sans jalousie aucune, je l'ai transposé dans le *Theatrum curiosis* de ma *Nouvelle Athènes*. Quel mal y aurait-il en cela? N'importe qui peut avoir une idée pareille! Qu'il me prouve où j'ai fauté!

Et là-dessus, le père doyen saisit d'un geste le volume pour montrer à l'évêque la dernière édition de *La Nouvelle Athènes*. L'odeur de l'encre d'imprimerie, intense et âcre, agresse les narines.

— Ce doit bien être la quatrième édition, dit l'évêque Dembowski dans une tentative d'apaisement.

— Précisément! Les gens le lisent plus souvent qu'il ne vous semblerait, Excellence. Dans beaucoup de maisons nobiliaires, et même chez certains bourgeois, ce livre est dans la salle de séjour à la portée des aînés et des jeunes, et petit à petit, *nolens volens*, le savoir s'infiltre en eux goutte à goutte.

Monseigneur plonge dans ses réflexions. La sagesse est-elle autre chose que savoir pondérer ses jugements.

— Les reproches sont peut-être injustes, mais ils sont le fait d'un homme très respecté, dit-il, avant d'ajouter un instant plus tard: Quoique querelleur et grincheux. Que faut-il que je fasse?

Le père Chmielowski voudrait obtenir l'approbation épiscopale pour son livre. D'autant qu'il est lui-même fonctionnaire de l'Église, qu'il tient courageusement son rang de fidèle et travaille pour sa charge sans se soucier de ses bénéfices personnels. Il rappelle que la *Respublica* polonaise est un pays déficitaire en livres. Alors que le pays compte

---

* (lat.) Abandonnant toute recherche de profit terrestre. *(N.d.A.)*
** (lat.) Il dit: tu es un voleur. *(N.d.A.)*

près de six cent mille nobles, il ne s'y publie que trois cents titres par an. Comment cette noblesse pourrait-elle savoir penser ! Un paysan ne sait pas lire par principe, tel est son sort, les livres lui sont inutiles. Les Juifs ont les leurs, ils ne connaissent pas le latin. Benedykt Chmielowski s'interrompt un instant, puis, tandis qu'il considère sa soutane aux boutons manquants, il ajoute :

— Il y a deux ans, Votre Excellence m'avait promis d'aider à la publication… Ma *Nouvelle Athènes* est une mine de savoir que chacun devrait posséder chez lui.

Il ne veut pas le dire pour que l'évêque ne le soupçonne pas de vanité, mais il verrait bien son ouvrage dans toutes les maisons nobiliaires, disponible pour être lu par tous, car c'est dans ce but précis qu'il l'a écrit, pour tous. Pourquoi les femmes après leur travail ne l'ouvriraient pas, et certaines pages peuvent également convenir aux enfants… Certes, pas toutes, songe-t-il aussitôt.

Monseigneur se racle la gorge et recule un peu, aussi le père doyen ajoute-t-il un peu plus bas, avec moins de passion dans la voix :

— Mais il n'en a rien été. J'ai scrupuleusement payé les imprimeurs jésuites avec les deniers économisés pour mes vieux jours.

Son Excellence Mikołaj Dembowski doit trouver un moyen de se défiler face aux attentes absurdes de son vieux camarade. Pas question de lui donner de l'argent, où le prendrait-il ? Exclu de le soutenir. Il ne s'est jamais donné la peine de lire l'ouvrage et il n'aime pas trop Chmielowski, trop négligé pour être un bon écrivain ; en tout cas, il ne saurait le considérer comme un savant. S'il doit y avoir un soutien, ce sera pour l'Église et non pas de l'Église.

— Mon cher père Benedykt, vous vivez de votre plume, défendez-vous avec votre plume, finit-il par dire. Rédigez un factum, un manifeste avec vos arguments.

Tandis qu'il prononce ces paroles, il voit le visage de son collègue s'allonger et devenir triste, il ressent de la peine pour le vieil homme, aussi, attendri, il s'empresse d'ajouter :

— Je te soutiendrai chez les jésuites, mais n'en parle pas.

Il est évident que le père Chmielowski ne s'attendait pas à être reçu ainsi, il voudrait ajouter quelque chose, mais, déjà, le secrétaire semblable à une grande souris se tient à la porte. Le doyen de Rohatyn prend son paquet et sort. Il s'efforce de marcher lentement et avec dignité pour ne pas laisser voir à quel point il est désappointé.

Roszko le ramène chez lui, emmitouflé dans ses fourrures. La couche de neige atteint les toits des chaumières, le traîneau glisse donc facilement, il semble voler. Le soleil qui se reflète dans chaque flocon aveugle le prêtre. Juste avant Rohatyn, une cavalcade de traîneaux grands et petits émergent de cette clarté, ils sont pleins de Juifs. Très bruyante, la colonne disparaît dans la blancheur aveuglante. Benedykt Chmielowski ne sait pas encore qu'une lettre longtemps espérée l'attend chez lui.

Ce qu'écrit Elżbieta Drużbacka au révérend père Chmielowski en février 1756 de Rzemień-sur-Wisłoka

Je voudrais vous écrire plus souvent, mon bon Ami, mais ma fille est présentement en couches et c'est sur moi que retombe la conduite de sa maisonnée. D'autant que mon gendre est en voyage. Cela se prolonge depuis un mois, à cause de ces neiges, tellement horribles, qui font que bonne part des routes sont impraticables, et de ces fleuves qui débordent et isolent les lieux habités du reste du monde.

Chaque matin au lever, je cours aux étables, porcheries, poulaillers, je veille à la bonne conservation de ce que les paysans nous apportent – ainsi, dès l'aube, il y a tout ce soin à porter aux laitages, mottes de beurre, fromage blanc caillé et lisse, aux viandes fumées, à la volaille gavée, aux graisses, farines, kachas, pains, champignons, fruits secs, pains d'épice au miel, cires et suifs pour les bougies, huiles pour les lampes et les jours de jeûne, laine, coton à filer, peaux pour les vestes et les chaussures. Savez-vous, mon bon Ami, que, pour que le pain puisse être posé sur la table le matin, un grand labeur est nécessaire, immense vraiment, et l'ouvrage en incombe à de nombreuses personnes, tant ensemble que séparément. Aux femmes surtout. Ce sont elles qui mettent en mouvement les rouets, fuseaux et métiers à tisser. Elles gardent un œil sur les viandes que l'on fume, les pâtes qui lèvent dans les récipients en bois, les pains qui achèvent de cuire dans les fours, les moules à bougies que l'on presse, les plantes médicinales qui sèchent, la graisse et le lard que l'on sale. Leur savoir-faire permet la distillation de la vodka et son accommodement avec différentes herbes, la fermentation de la bière et la préparation de l'hydromel. Les femmes s'assurent des réserves dans les celliers et les greniers. Trois des piliers de la maison reposent sur la femme et le quatrième sur Dieu.

Je n'ai pas écrit la moindre ligne depuis des mois et, à vrai dire, je serais heureuse de me reposer un peu de cette vie de moulin. J'ai deux filles, comme vous le savez, et l'une d'elles s'est mise aux naissances, elle en est à sa quatrième petite. Tout va bien pour elle, son mari est un honnête homme, capable dans son travail, et l'on voit que ma fille et lui sont proches l'un de l'autre. Que vouloir de plus que pareille proximité humaine ?

Je m'efforce de voir toute chose d'un bon œil, pourtant les soucis ne manquent pas. Pourquoi est-ce que certaines personnes ont plus de choses qu'il ne leur en faut dans la vie, alors que d'autres manquent de tout ? Pas seulement pour ce qui est des biens matériels, mais aussi des occupations, du temps, du bonheur ou de la santé. Ah, s'il était possible de tout partager équitablement...

J'ai déjà prié Zofia Czartoryska de m'aider à vendre mon vin, j'en fais de l'excellent, non pas de raisin mais à partir de fruits des bois, surtout d'aubépine. Il est corsé et l'on vante volontiers son arôme. J'ai le dessein de vous en faire parvenir plusieurs bouteilles, mon bon Ami.

Voici que pendant que j'écris la porte s'ouvre brusquement pour laisser passage aux fillettes qui courent derrière Firlejka, laquelle est entrée dans la maison avec ses pattes sales. Il faudrait les lui essuyer, mais elle se sauve sous les meubles et laisse derrière elle des traces pareilles à des coups de tampon boueux. Chaque fois que je regarde cette chienne, cette bribe de créature divine, je pense à vous, mon bon Ami. Comment allez-vous ? Êtes-vous en bonne santé ? Et surtout, où en êtes-vous de votre grand ouvrage ? Les fillettes piaillent et crient, le chien ne comprend pas ce tumulte et, quand la plus petite tombe sur le plancher, persuadé que c'est un jeu, il se met à la tirer par la jupe. Oh, il y aura de la lessive à faire, mon bon Ami !

Vous pourriez me glisser dans votre courrier quelques petites histoires intéressantes qui me permettraient de briller en société quand je pourrai y paraître. En mai, je me rendrai chez les Jabłonowski à leur invitation...

Le révérend père Chmielowski
à Elżbieta Drużbacka

Votre vin, Madame, m'est arrivé et il est très bon. J'en bois le soir quand mes yeux fatigués ne sont plus aptes au travail, je regarde alors le feu et votre vin fait mes délices. Je vous en remercie de tout cœur, tout comme pour vos livres de poésies.

De tous vos poèmes, je préfère celui qui chante les forêts et la vie d'ermite, il suscite mon plein accord. Je ne me prononce pas sur les vers d'amour, je ne comprends ni n'ai de temps pour ces choses-là, et, de par ma condition ecclésiale, il serait inconvenant que je me préoccupe de pareilles futilités. On accorde trop d'importance à tout cet amourachement humain, on l'exagère trop aisément, et il me semble parfois que les gens qui s'y livrent pensent à autre chose, que cet « amour » est une sorte de métaphore que je ne suis pas en mesure de comprendre. Il se peut que seules les femmes s'y retrouvent, ou encore les hommes efféminés. S'agit-il de *caritas* ou d'*agapè* ?

Je vous admire, Madame, de savoir extraire de vous ces poésies comme on tire de la bière d'un fût. Où trouvez-vous tout cela ? Comment est-il possible de quérir dans son esprit toutes ces belles phrases et idées ? Mon travail, ô ma Bienfaitrice, est de tout autre nature. Je n'invente rien, je livre la quintessence de plusieurs centaines d'auteurs que j'ai lus personnellement de la première à la dernière ligne.

Vous, Madame, vous êtes complètement libre dans ce que vous écrivez, alors que, moi, je suis cantonné à ce qui est déjà écrit. Vous puisez dans votre imagination et votre cœur vos sentiments et vos visions comme dans un porte-monnaie, et, aussitôt, vous lancez autour de vous des pièces d'or, elles vous font briller et attirent la foule. Moi, je n'ajoute rien qui soit de moi, je compile et je cite. J'indique soigneusement les sources, c'est pourquoi je fais figurer partout ce « *teste* », pour dire « vérifie lecteur », saisis-toi du livre mère et remarque comment le savoir se tisse et se croise depuis des siècles. De sorte que, quand nous recopions et citons, nous élaborons une nouvelle construction de connaissances que nous multiplions comme je le fais avec mes légumes ou mes pommiers. Recopier, c'est comme greffer un arbre. Citer, c'est comme semer des graines. Dès lors, les incendies de bibliothèques, les invasions suédoises pareilles au Déluge, les dévastations d'un ataman Chmielnicki, rien ne nous effraie. Tout livre est un nouveau greffon de science. Le savoir devrait être utile et facilement accessible. Chacun devrait avoir les bases des sciences incontestables – médecine, géographie, magie naturelle –, et connaître ceci ou cela sur les religions et les contrées d'autrui. Il faut maîtriser les concepts majeurs et les avoir correctement classés en tête, car *quo modo possum intelligere, si non aliquis ostenderit mihi** ? Plutôt qu'avoir à ouvrir d'énormes volumes, à acheter des bibliothèques, vous avez, Madame, tout cela sans *multa scienda***, grâce à mon travail.

---

* (lat.) Comment pourrais-je comprendre si personne ne m'explique ? *(N.d.A.)*
** (lat.) une grande fatigue. *(N.d.A.)*

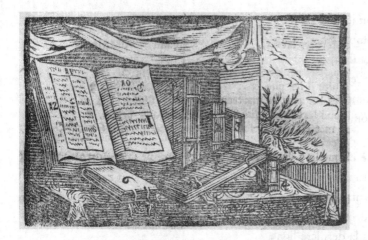

Je me demande pourtant souvent comment décrire les choses, comment traiter pareille immensité de données ? Faut-il en choisir des extraits et les expliquer le plus fidèlement possible ou bien résumer les exposés des auteurs et en indiquer les sources afin que le lecteur intéressé puisse retrouver ces livres quand il sera dans une bonne bibliothèque.

Je m'inquiète pourtant de ce que les résumés des opinions d'autrui ne rendent pas pleinement leur esprit, les manies langagières de l'auteur se perdent, son style aussi, ni l'humour ni les anecdotes ne se résument. Les compilations sont uniquement des approximations, et si ensuite quelqu'un d'autre résume les résumés, il ne reste plus qu'un marc de café dont, en quelque sorte, tout le savoir a été extrait. Je ne sais pas si l'aboutissement ressemble au résidu des fruits qui ont donné du vin et dont l'essentiel a été tiré ou, *a contrario*, à de l'*aqua vitae**, obtenue par la distillation de substances diluées, diffuses, pour en recueillir l'alcool, le pur esprit.

C'est précisément une telle sublimation que je voulais atteindre, afin que que mon lecteur ne soit pas obligé d'ouvrir tous ces livres qui sont sur mes étagères – il y en a cent vingt –, ou ceux qu'il pourrait trouver dans les manoirs, les châteaux et les couvents où il se rendrait en visite. Je les ai lus, ces livres, j'y ai pris des notes en grand nombre. Ne pensez pas, chère Amie, que je tienne mes efforts en plus haute estime que vos poésies et vos romances. Vos compositions servent à badiner, les miennes sont utiles à la science.

* (lat.) Eau-de-vie. *(N.d.A.)*

Mon grand rêve serait de faire un jour une pérégrination lointaine, je ne songe certes pas à Rome ou à d'autres lieux exotiques, mais à Varsovie. Là, je me rendrais aussitôt en un seul endroit, au palais Daniłowiczowski où les frères Załuski, vos respectables éditeurs, Madame, ont constitué une bibliothèque de milliers de volumes, laquelle est accessible à toute personne qui le souhaite et sait lire…

Pour terminer, faites, Madame, de douces gentillesses à Firlejka derrière l'oreille. Comme je suis fier que vous l'ayez appelée ainsi. Sa mère a de nouveau une portée. Je n'ai pas le cœur à noyer les chiots, je les distribuerai dans les manoirs du voisinage, et les paysans en acceptent également volontiers quand cela vient d'un prêtre…

Ce que Pinkas inscrit et ce qu'il occulte à jamais

Penser que les espions travaillent uniquement pour les évêques serait une erreur ; leur courrier arrive également sur la table du rabbin Rapaport de Lwów. Pinkas est le secrétaire le plus chevronné de ce rabbin, sa mémoire extérieure, son dépôt d'archives, son carnet d'adresses. Il marche toujours un demi-pas derrière son maître ; très droit et mince, il ressemble un peu à un rongeur. Il saisit chaque nouvelle lettre entre ses longs doigts minces pour l'examiner sous tous les angles. Il prête attention au moindre détail, à toute tache, à tout pâté, ensuite il l'ouvre avec précaution ; s'il y a un cachet de cire, il veille à le rompre de manière à l'émietter le moins possible et à conserver la marque de l'envoyeur. Ceci fait, il porte la missive au rabbin et attend ses dispositions : traiter plus tard, copier ou répondre immédiatement. Ensuite, Pinkas a l'habitude de s'asseoir pour écrire.

Pourtant, depuis qu'il a perdu sa fille, il lui est difficile de se concentrer sur la correspondance. Rabbi Rapaport le comprend bien – à moins qu'il ne craigne que le trouble intérieur de Pinkas ne lui fasse commettre des erreurs qui le disqualifieraient comme secrétaire –, aussi lui fait-il uniquement lire et apporter les lettres. Le rabbin a déjà engagé quelqu'un d'autre pour l'écriture proprement dite, Pinkas en voit sa charge allégée. Cela le peine, mais il s'efforce de faire taire son amour-propre blessé. Hé oui, il doit l'admettre, le malheur l'a frappé.

Il ne s'en intéresse pas moins vivement à ce qui ce se passe avec les maudits adeptes de ce Frank, ces misérables qui n'hésitent pas à salir leur propre nid. L'expression est du rabbin. Rapaport a rappelé à tous ce qu'il convenait de faire en la circonstance :

– La tradition de nos pères veut que, sur les questions liées à Sabbataï Tsevi, l'on ne dise rien, ni en bien ni en mal, ni pour maudire ni pour bénir. Au cas où quelqu'un voudrait poser trop de questions, chercherait à comprendre ce qui s'est passé, il faut le menacer de *herem*.

Il n'en reste pas moins qu'il est impossible d'ignorer les choses à l'infini. Voilà pourquoi, dans la taverne d'un certain Naftuła, à Lanckoruń, se retrouvent Rapaport et d'autres rabbins dans le but de former un tribunal rabbinique. Ils tiennent conseil après avoir entendu les prisonniers. Il leur avait fallu les protéger de la vindicte des personnes attroupées devant l'auberge, qui les malmenaient furieusement en criant : « Trinité ! Trinité ! »

– La situation est la suivante, dit Rapaport. En tant que Juifs, nous sommes embarqués sur le même bateau, nous naviguons sur une mer démontée avec autour de nous plein de monstres marins, et en permanence, chaque jour, de nombreux dangers nous guettent. Chaque jour, à toute heure, une grande tempête peut se lever qui nous fera sombrer totalement – là-dessus, il monte le ton : Avec nous naviguent également des malfaisants, des Juifs de notre lignée. À première vue, on pourrait croire que ce sont des frères, mais en réalité ce sont des bâtards, de la semence diabolique qui est parvenue à se glisser parmi nous. Ils sont pires que Pharaon, Goliath, les Philistins, Nabuchodonosor, Haman ou Titus... Ils sont pires que le serpent de l'Éden parce qu'ils blasphèment contre le Dieu d'Israël, ce que même le serpent n'osa faire.

Les rabbins les plus âgés, les plus respectés de la région, assis autour de la table, barbus et se ressemblant tous à la faible lueur des lampes à huile, baissent les yeux, accablés. Pinkas et un second secrétaire sont installés à une autre table pour noter les débats. Pinkas a cessé d'écrire pour regarder le rabbin de Czortków qui vient d'arriver en retard et qui est trempé, il observe l'eau qui coule de son manteau sur le plancher de bois ciré pour y former de petites flaques dans lesquelles se reflète la lumière des lumignons.

Rabbi Rapaport élève la voix et l'ombre de son doigt pique le plafond bas :

– Or, précisément, c'est exprès qu'ils percent un trou dans notre embarcation sans se soucier du bien commun des Juifs, comme s'ils ne se rendaient pas compte que nous allons tous sombrer !

Reste que tout le monde n'est pas d'accord pour affirmer que Gerszom de Lanckoruń a bien fait de dénoncer aux autorités les rites répugnants qui ont eu lieu dans l'une des maisons du bourg.

– Ce qui brille le plus, ce qui attire le plus l'attention dans cette affaire n'est ni le plus important ni le plus menaçant, poursuit Rapaport – et, brusquement, il fait signe à Pinkas de ne plus noter. Ce qui est dangereux, c'est ce qui n'a pas été remarqué, dissimulé que c'était par les seins de Haya, la fille de Shorr. Tout le monde se concentre sur la nudité féminine alors que ce qui est important, ce qui est le plus important, c'est ce qu'a vu de ses propres yeux et dont a officiellement témoigné Melech Naftuła, qui y était : *la croix !*

Le silence devient tel que l'on entend la respiration sifflante de Moszek de Satanów.

– Avec cette croix, ils ont fait diverses choses incroyables, ils y ont fiché des cierges allumés et l'on fait tournoyer au-dessus de leurs têtes. Cette croix est un clou pour notre cercueil ! lance le rabbin qui élève la voix comme il n'en a guère l'habitude. N'est-ce pas exact ? dit-il en s'adressant à Naftuła, qui semble effrayé par ce qu'il leur a lui-même rapporté.

Naftuła acquiesce d'un signe de tête.

– Que vont en penser les goyim maintenant ? interroge Moszek de Satanów sur un ton dramatique. Pour eux, un Juif est un Juif, c'est du pareil au même, et de là à dire que tous les Juifs font cela… Qu'ils traitent la croix de façon blasphématoire. Qu'ils se défoulent sur elle. Nous savons comment cela se termine, oh que oui… Avant que nous ayons le temps de nous expliquer, ils nous persécuteront.

– Il aurait peut-être fallu rester tranquille et régler cette affaire entre nous, suggère le rabbin trempé.

– Il n'y a plus d'«entre nous». Il est impossible de s'entendre avec les sabbataïstes, ils nous attaquent de toutes leurs forces. En outre, ils ont la protection de personnes aussi puissantes que Mgr Dembowski – le nom provoque de l'inquiétude dans l'assemblée, et Mgr Sołtyk entendant cela, la plupart des rabbins fixent le plancher sombre, l'un d'eux pousse un soupir et gémit.

– Il serait donc préférable que nous nous lavions complètement les mains de cette saleté, poursuit le sage Rapaport, et que les tribunaux royaux s'en dépêtrent. Nous pouvons affirmer une fois pour toutes que nous n'avons rien en commun avec cette vermine. Car peut-on dire qu'ils sont encore des Juifs? demande-t-il sur un ton dramatique.

Un silence tendu s'installe pour un moment.

– Ce ne sont plus des Juifs puisqu'ils reconnaissent Sabbataï Tsevi, que son nom soit honni à jamais! déclare Rapaport pour en terminer – et cela résonne comme une malédiction.

Oui, après avoir entendu ces paroles, Pinkas se sent soulagé. Il a expulsé de ses poumons de l'air fétide et il va en avaler une bouffée de frais. La discussion dure jusqu'à minuit. Pinkas rédige le procès-verbal et tend l'oreille à tout ce qui se dit entre les phrases dignes d'être consignées.

Le *herem* est prononcé le jour suivant. Pinkas est désormais surchargé de travail. La condamnation rabbinique doit être recopiée de nombreuses fois pour être envoyée au plus vite dans toutes les communes juives. Le soir, il la porte à une petite imprimerie juive proche de la place centrale de Lwów. Il rentre chez lui tard le soir, sa jeune épouse l'accueille avec des reproches, irritée comme toujours par les jumeaux qui, comme elle aime à le dire, dévorent toute sa vie.

Le *seder ha-herem*
ou la mise en place de l'exclusion

L'anathème consiste en des paroles prononcées selon un ordre établi, dans un temps donné et au son du chofar. Cela se passe dans la synagogue de Lwów, à la lueur des chandelles de cire noire et devant l'arche sainte ouverte. Des extraits du Lévitique 26,14-45 et du Deutéronome 28,15-68 sont lus, puis les bougies sont éteintes et tout le monde est pris d'effroi parce que la lumière divine cesse de briller au-dessus de ceux qui sont maudits. La voix de l'un des trois juges qui officient monte dans la synagogue pour se perdre dans la foule des fidèles:

– Nous déclarons à l'attention de tous que, informés de longue date des odieuses opinions et actions de Jankiel Lejbowicz de Korolówka, nous avons cherché par tous les moyens à lui faire quitter la mauvaise voie sur laquelle il s'était engagé. Dans l'impossibilité d'atteindre son cœur endurci, ayant appris jour après jour ses hérésies et ses nouveaux méfaits, le conseil des rabbins, après avoir entendu les témoins, décide que Jankiel Lejbowicz de Korolówka doit être maudit et banni d'Israël.

Pinkas, qui est debout au centre de l'assemblée et qui sent presque la chaleur du corps des autres hommes, s'agite nerveusement. Pourquoi parlent-il de l'exclu en disant Jankiel Lejbowicz et non pas Jakób Frank, annulant par là en quelque sorte tout ce qui s'est passé dernièrement? Un soupçon agaçant lui vient soudain à l'esprit: en maudissant Jankiel Lejbowicz, ne laissent-ils pas Jakób Frank en paix? La malédiction ne s'attache-t-elle pas au nom comme un chien de chasse à sa proie? Et si cette exclusion mal formulée n'atteignait jamais la bonne personne? Un homme qui change de nom, de lieu de vie, de pays, de langue, parvient peut-être à échapper au *herem*, la pire des malédictions? Qui bannissent-ils? Le trublion rebelle, le jeunot qui séduisait les femmes et commettait des mystifications anodines?

Pinkas sait que, selon ce qui est écrit, un homme frappé du *herem* devrait mourir. Il joue des coudes, se porte vers l'avant en chuchotant: «Jakób Frank, Jakób Frank, pas Jankiel Lejbowicz.» L'un et l'autre, plutôt. Finalement, ceux qui se trouvent le plus près du vieux Pinkas comprennent ce qu'il veut. Une petite confusion se crée, puis le rabbin poursuit la proclamation du *herem*, sa voix se fait de plus en plus larmoyante et terrible, les hommes voûtent le dos, tandis que les femmes, dans leur galerie, sanglotent nerveusement d'être confrontées à ce terrible mécanisme qui, sorti des caves les plus sombres tel un monstre en argile dénué d'âme, sera toujours en action sans que plus rien ne puisse l'arrêter.

– Nous excluons, nous maudissons et nous bannissons Jankiel Lejbowicz, également appelé Jakób Frank, avec les paroles dont se servit Josué à Jéricho, avec celles d'Élisée contre les enfants, et avec les paroles de toutes les malédictions répertoriées dans le *Deutéronome*, proclame le rabbin.

La salle gronde sans que l'on sache si c'est de regret ou de satisfaction, le bruit semble s'échapper non pas des lèvres, mais des habits, de la profondeur des poches, des amples manches, des fissures dans le plancher.

– Maudit soit-il le jour, maudit soit-il la nuit. Maudit quand il se couche, maudit quand il se lève, quand il entre dans la maison et quand il en sort. Que le Seigneur ne lui pardonne ni ne le reconnaisse jamais! Que Dieu, dans sa colère, lance désormais ses flammes sur cet homme, qu'Il le charge de toutes les malédictions et efface son nom du Livre de Vie. Nous faisons défense à quiconque d'échanger avec lui ni en paroles ni par écrit; que nul ne lui rende de service, ne reste avec lui sous un même toit, ne s'approche de lui à moins de quatre coudées et ne lise aucun document par lui dicté ou de sa main écrit.

Les paroles s'éteignent, se transforment en quelque chose de quasi matériel, en une créature venue des airs, elles acquièrent une existence indéfinie et séculaire. On ferme la synagogue pour rentrer chez soi en silence. Cependant, très loin de là, en un autre endroit, Jakób est assis entouré de ses gens; il est un peu ivre, il ne remarque rien; rien ne change autour de lui si l'on excepte le discret vacillement des flammes de bougies.

Ienta,
qui est toujours présente, voit tout

Ienta, toujours présente, voit l'anathème sous une forme brouillée comme ces étranges créatures qui flottent dans nos yeux, ces bouts tordus, ces bestioles semi-transparentes. À partir de là, l'opprobre cernera Jakób tout comme dans l'œuf le blanc entoure jaune.

Il ne faut pourtant ni s'inquiéter ni s'étonner, au fond. Combien n'y a-t-il pas de ces malédictions alentour, peut-être sont-elles simplement de moindre importance, moins puissantes, un peu bâclées. Bien des gens en sont entourés comme de lunes gélifiées sur les orbites inertes encerclant le cœur humain, tous ceux qui ont eu droit à un « damné sois-tu ! » quand leur charrette pénétrait dans un champ de choux, écrasant de ses roues les têtes déjà arrondies, ou bien ces filles que leur propre père a maudites parce qu'elles allaient dans les taillis avec un valet de ferme, ou encore ce monsieur en veste joliment brodée voué aux gémonies par son propre paysan le jour de la corvée, ou ce même paysan que son épouse agonit d'injures parce qu'il s'est laissé voler tout leur argent ou l'a dilapidé en boisson à la taverne, lui aussi entend : « Puisses-tu crever ! »

Pour qui saurait regarder comme le fait Ienta, il deviendrait clair que le monde est en réalité constitué de mots qui, une fois prononcés, se piquent de déterminer l'ordre des choses, et tout semble se passer comme ils le dictent, tout leur est soumis.

La plus banale malédiction, la moindre parole prononcée agit.

Quand plusieurs jours plus tard, Jakób est informé de l'anathème prononcé contre lui, il est assis dos à la lumière, aussi personne ne voit l'expression de son visage. Les bougies n'éclairent vivement que sa joue inégale et râpeuse. Va-t-il de nouveau tomber malade, comme ce fut le cas à Salonique ? Il fait seulement appeler Nahman et ils prient debout jusqu'au petit matin. Pour se protéger. Les bougies sont allumées, l'air devient lourd et étouffant dans la pièce. Peu avant l'aube, quand les deux hommes tombent de fatigue, Jakób se livre à un certain rituel secret, après quoi Reb Mordke prononce des paroles aussi puissantes que celles de l'anathème, et c'est en direction de Lwów qu'il les lance.

À Kamieniec, en revanche, Mgr Dembowski se réveille un matin et sent que ses mouvements sont devenus plus lents, ils exigent plus d'efforts. Il ignore ce que cela signifie, mais lorsqu'il réalise quelle peut être la raison possible de son étrange et surprenant malaise il prend peur.

Ienta est allongée dans l'appentis, elle ne meurt ni ne s'éveille. Izrael, quant à lui, traîne dans le village à raconter ce prodige, il est en proie à un tourment et à une inquiétude que seule la vodka peut calmer. Il se présente comme un bon petit-fils qui se dévoue toute la journée à son aïeule, ce qui le prive du temps nécessaire pour travailler. Parfois, il en pleure à force d'y penser; d'autres fois, il se met en colère et, dans ces cas-là, il est prompt à faire du grabuge. En réalité, ce sont ses filles, Pesełe et Freïna, qui s'occupent de Ienta.

Pesełe se lève aux aurores pour se rendre à l'appentis, qui est une baraque accolée à la chaumière, et s'assurer que tout est en ordre. C'est toujours le cas. Une fois seulement, elle a trouvé un chat assis sur le corps de la vieille femme, un chat étranger. Elle l'a chassé et, désormais, elle referme soigneusement la porte. Parfois, Ienta se couvre de ce qui ressemble à de la rosée, des gouttes d'eau tant sur sa peau que sur ses vêtements, mais cette eau est étrange, elle ne s'évapore guère, il faut la faire partir avec un petit plumeau.

Ensuite, Pesełe essuie délicatement le visage de Ienta; elle a toujours un moment d'hésitation avant de toucher sa peau. Celle-ci est froide, fragile mais souple. Parfois, la jeune fille a l'impression qu'elle craque doucement comme le ferait une nouvelle chaussure en cuir ou un harnais de cheval que l'on vient d'acheter à la foire. Une fois, intriguée, Pesełe demanda à sa mère Sobla de l'aider et elles soulevèrent Ienta en douceur pour vérifier s'il n'y avait pas d'escarres. Après avoir soulevé les robes, elles virent qu'il n'y en avait aucune.

– Le sang ne circule plus dans ce corps, dit alors Pesełe à sa mère – et toutes les deux frissonnèrent.

Ce n'est pourtant pas une dépouille inerte. Quand on la touche, le mouvement lent des yeux sous les paupières s'accélère. Il n'y a aucun doute.

Pour satisfaire sa curiosité, Pesełe vérifia encore une chose, mais cette fois sans témoin, seule. Elle prit un petit couteau aiguisé avec lequel elle coupa très vite un morceau de peau sur l'intérieur du poignet de son arrière-grand-mère. Elle avait raison : le sang ne coula pas, mais les paupières de Ienta frémirent nerveusement et un souffle qui semblait avoir été longtemps retenu sortit de ses lèvres. Était-ce possible ?

Pesełe, qui observe attentivement la vie de la défunte, si l'on peut appeler cela ainsi, remarque certains changements très subtils. Elle s'obstine à affirmer devant son père que Ienta rapetisse, par exemple.

Cependant, dehors, le petit peuple encore ensommeillé attend déjà. Certaines personnes ont marché une journée pour arriver, d'autres ont loué une chambre au village parce qu'elles viennent de loin.

Le soleil se lève sur le fleuve pour filer rapidement vers le firmament en lançant de longues ombres humides. Les gens qui attendent se réchauffent à ses rayons vifs. Ensuite, Pesełe fait entrer le public, il est possible à chacun de rester un moment. D'abord intimidés, ces pérégrins n'osent pas approcher de ce qui semble être un catafalque. Pesełe ne leur permet pas de prier à voix haute, il y a suffisamment de soucis comme cela ! C'est donc debout et en silence qu'ils prient et confient à Ienta leurs demandes. Il paraît qu'elle réalise celles qui concernent la fertilité et l'infertilité, selon le désir de chacun. Elle interviendrait pour tout ce qui concerne le corps des femmes. Il y a pourtant des hommes qui viennent aussi ; il se dit que Ienta aide dans les situations désespérées, quand tout est perdu.

L'été où Jakób se déplace avec sa *Havurah* de village en village, où il enseigne et fait naître tant de bonnes et mauvaises pensées, est celui où le plus de monde vient à Korolówka voir sa grand-mère.

Le désordre règne dans la cour d'Izrael. Des chevaux sont attachés à la clôture, cela sent le crottin et il y a plein de mouches alentour. Pesełe fait entrer les pérégrins par petits groupes. Certains sont des Juifs très pieux, mais il y a aussi des pauvres de la région et des vagabonds, ceux qui font commerce de boutons ou de vin vendu au godet. D'autres viennent par pure curiosité. Ils arrivent en charrette, offrent à Sobla du fromage, une poule ou un panier d'œufs. Et c'est parfait, la famille le mérite bien! Chaque soir, après le passage des visiteurs, les jeunes filles doivent tout ranger, ramasser et jeter les ordures qui traînent dans la cour avant de la ratisser, il leur faut aussi balayer la dépendance. Quand le temps est à la pluie, Sobla en personne porte de la sciure dans la chambre de Ienta pour la disperser sur le sol afin de mieux enlever la boue.

Ce soir, Pesełe a allumé une bougie et elle pose sur le corps de la défunte des chaussettes tricotées main, des chaussures d'enfants, des petits bonnets et des mouchoirs brodés. Elle ronchonne. Lorsque soudain la porte grince, elle sursaute nerveusement. C'est Sobla, elle respire, soulagée.

– Ce que vous m'avez fait peur, mère!

Sobla s'arrête, surprise.

– Qu'est-ce que tu fabriques? Qu'est-ce que c'est que tout ça?

Pesełe continue à sortir du panier des chaussettes et des mouchoirs. Elle se contente de hausser les épaules.

– Tout ça, tout ça, répète-t-elle, pincée. Chez les Majorkowicz, un enfant était malade des oreilles, et un bonnet comme ça l'a guéri. Les chaussettes sont pour les pieds et les os douloureux. Les mouchoirs pour tout, en fait...

Freïna est debout près du mur à entourer les chaussettes dans des carrés de lin propre qu'elle noue avec un ruban. Demain, elles les vendront aux pèlerins.

Depuis qu'elle est informée de l'anathème, Sobla sait que tout cela finira mal. Est-ce que la malédiction frappe aussi la famille du maudit? Certainement. Elle en ressent une peur panique. Depuis quelque temps, elle a un point douloureux dans la poitrine. Elle travaille Izrael pour qu'ils ne se mêlent plus de ces querelles religieuses. Se débarrasser de Ienta. Parfois, elle se tient debout à sa fenêtre, qui donne sur le cimetière et les versants qui descendent jusqu'au fleuve, et elle se demande dans quelle direction ils vont devoir fuir.

L'histoire de Józef de Rohatyn l'a remplie du plus grand effroi. Elle le connaissait, il était venu avec Jakób en hiver. Cet homme est allé à la synagogue pour avouer publiquement ses erreurs, il a confié ses péchés, tous ses péchés. Il a parlé du Shabbat non respecté, des temps de jeûne non respectés, des relations charnelles interdites et de ses prières à Sabbataï Tsevi et Kohn, du fait aussi qu'il s'était livré à des rituels de la Kabbale et avait mangé des aliments interdits, et il a raconté tout ce qui s'était passé à Korolówka quand Jakób était présent. Sobla en a la tête qui tourne, elle a la nausée tellement elle a peur. Izrael, son mari, pourrait avouer la même chose. Ce Józef de Rohatyn a été condamné à recevoir trente coups de verge, mais ce n'est encore rien comparé au reste de la sentence. Il a été contraint à divorcer et à proclamer ses enfants bâtards. Il a été chassé de la Commune juive de Rohatyn et il n'a plus le droit d'avoir de contacts avec les Juifs. Il doit errer dans le monde jusqu'à sa mort.

Sobla se précipite vers le lit de Ienta pour envoyer en l'air les chaussettes et les bonnets. Pesełe la regarde étonnée et furieuse.

– Mère, vous ne comprenez vraiment rien ! lance-t-elle.

Mgr Mikołaj Dembowski, évêque de Kamieniec, écrit une lettre au nonce apostolique Niccolò Serra à laquelle son secrétaire ajoute ceci ou cela de lui-même

La lettre sera de Mgr Dembowski, mais elle a été écrite du début à la fin par le père Pikulski. Il est précisément en train de la lire à l'évêque qui est surtout préoccupé par la reconstruction de sa résidence d'été à Czarnokozińce, dont il est impatient de surveiller en personne les moindres aménagements.

Le nonce, quant à lui, voudrait savoir ce qui se passe avec cette étrange affaire des hérétiques juifs. On en est venu à apprendre, et ce par les

Juifs eux-mêmes et leur tribunal rabbinique, que le réseau des communes sabbataïstes sécessionnistes s'étendrait partout ! Il existerait en Bucovine, Hongrie, Moravie et Podolie. Toutes ces communautés seraient secrètes, les hérétiques feraient semblant d'être des Juifs orthodoxes, mais dans leurs foyers ils se livreraient à des rituels diaboliques et au péché des adamites. Une découverte qui horrifie et effraie les rabbins. Ils en ont aimablement informé le nonce.

La lettre de Mgr Dembowski rédigée par le bernardin relate le procès des hérétiques juifs devant le tribunal rabbinique de Satanów.

Les interrogatoires eurent lieu au *Kahal*. Les gardiens du château, et, côté juif, celui du *mikveh*, un certain Naftali, amenèrent les accusés corde au cou et mains entravées, de sorte que ceux-ci ne pouvaient aucunement se protéger des coups et des crachats de la foule. Certains d'entre eux étaient tellement effrayés qu'ils avouèrent tout avant même qu'on leur posât des questions, ils supplièrent aussitôt qu'on leur fît grâce et jurèrent que plus jamais ils ne se livreraient à pareilles actions. Telle fut la démarche d'un certain Józef de Rohatyn. D'autres nièrent et dirent qu'ils avaient été présentés au tribunal par erreur, car ils n'avaient rien à voir avec les hérétiques.

Au terme du premier jour des auditions, il y avait déjà matière à peindre un tableau effrayant. Non seulement ces hommes bafouèrent leurs propres fêtes, tel le Shabbat, mangèrent des nourritures interdites aux Juifs, mais ils se livrèrent en sus à l'adultère, tant les hommes que les femmes, et ceci avec la pleine connaissance et l'accord de leur conjoint. Au centre de cette hérésie se trouverait la famille Shorr, dirigée par Elisha Shorr, lequel est soupçonné de relations intimes avec sa bru. Il semblerait que ces dernières accusations aient provoqué un grand émoi, de sorte que les épouses des inculpés les auraient quittés, en masse, pour demander le divorce.

Les rabbins sont conscients qu'ils doivent réprimer la secte et ses abjectes pratiques, susceptibles de jeter un éclairage déplorable sur les Juifs pieux, aussi se sont-ils décidés à une démarche très sévère, ils ont prononcé l'anathème, autrement dit le *herem*, contre Jakób Frank. La secte doit être persécutée ; quant à l'étude du Zohar et de la Kabbale, tellement dangereuse pour des esprits non aguerris, elle a été interdite avant l'âge de quarante ans.

Toute personne qui croirait en Sabbataï Tsevi et ses prophètes Kohn ou Nathan de Gaza est maudite. Les individus voués à la damnation n'ont plus le droit d'exercer une fonction publique, leurs épouses et leurs filles doivent être considérées comme des femmes adultères et leurs enfants comme des bâtards. Les recevoir chez soi ou nourrir leurs chevaux est interdit. Tout Juif doit immédiatement dénoncer les gens de cette sorte qu'il remarquerait.

La Diète des Quatre Terres – Grande-Pologne, Petite-Pologne, Ruthénie rouge et Volhynie –, assemblée à Konstantynów, confirma l'ensemble des décisions.

L'ordonnance d'anathème fut vite diffusée dans toute la Pologne et, désormais, on nous informe que les sabbasectateurs, comme le peuple les appelle, sont persécutés partout. Ils sont attaqués dans leurs maisons, battus, leurs saints livres sont saisis et détruits.

On dit qu'aux hommes attrapés une moitié de barbe est rasée en signe de ce qu'ils ne sont plus ni juif ni chrétien, mais dans l'entre-deux des religions. Nous sommes donc en présence d'une authentique persécution, et ce coup porté à l'hérésie juive ne lui permettra sans doute plus de se relever. D'ailleurs, son meneur est parti en Turquie, craignant pour sa vie, et il ne reviendra probablement plus.

– Dommage ! laisse échapper Mgr Dembowski. Il y aurait eu une chance de les convertir pour de bon.

Le père Pikulski survole des yeux les formules de politesse puis tend le courrier à l'évêque pour qu'il le signe. Il sèche l'encre en répandant du sable sur la feuille et songe déjà à la lettre qu'il veut écrire en son nom, au risque de passer pour un arrogant, mais l'intérêt de l'Église lui tient également à cœur. Il regagne donc son appartement pour rédiger sa propre réponse au nonce, qu'il enverra à Varsovie par le même coursier. Il y précise notamment :

Mgr Dembowski, dans sa grande magnanimité, voudrait voir en eux des agneaux désireux de rejoindre notre Sainte Mère l'Église, mais j'aurais pour ma part la hardiesse d'émettre des réserves quant à pareille approche. Il conviendrait de vérifier attentivement ce qui se cache sous les déclarations de ces dissidents qui, déjà, parlent d'eux-mêmes en se disant <u>antitalmudistes</u>... Sans vouloir déprécier la bonté de Son Excellence Mgr Dembowski, je verrais dans sa démarche le désir de s'octroyer un mérite personnel par le rattachement d'une multitude de nouveaux chrétiens.

Pour ce que j'ai pu en apprendre, s'il est vrai que ce Frank parle d'une Sainte Trinité, il ne pense nullement à la Trinité chrétienne, mais à la leur, dans laquelle figurerait une femme appelée Shekhina. Rien à voir avec le catholicisme, comme Mgr Dembowski voudrait le croire. Pour ce qui est du baptême, Jakób l'évoque vaguement et selon ce qui l'arrange. Il semble également qu'il dise une chose dans les villages où il se présente comme un rabbin itinérant, un sage, et autre chose, portes closes, devant le cercle le plus restreint de ses adeptes. Ses partisans, les Juifs antitalmudistes, sont principalement nombreux à Nadworna, Rohatyn et Busk. Jusqu'à quel point sommes-nous en présence d'une profonde aspiration confessionnelle et dans quelle mesure il s'agit d'une tentative faite pour pénétrer notre communauté religieuse à d'autres fins que religieuses, il serait difficile à quiconque de le deviner pour l'heure. Aussi, animé par un immense souci, j'ose inciter la hiérarchie de notre Église à étudier attentivement cette affaire par une inquisition précise et ceci avant de faire le moindre geste...

Le père Pikulski termine et son regard s'attarde sur un point du mur qui lui fait face. Il se consacrerait volontiers à cette affaire pour servir l'Église. Il connaît bien l'hébreu et il a étudié à fond la religion juive – à ce qu'il lui semble. Celle-ci éveille en lui une sorte de dégoût. Un peu comme une fascination honteuse. Qui n'est pas allé voir de près – tel est le cas de la majorité des gens – n'a pas idée de l'immense bâtisse que constitue la religion mosaïque. Une brique sur l'autre et des voûtes gigantesques, pesantes, qui se maintiennent les unes les autres – difficile d'imaginer qui a bien pu concevoir une telle chose. Le bernardin croit qu'en réalité Dieu a conclu une alliance avec les Juifs, les a aimés, les a pris sous sa protection, mais les a ensuite rejetés. Dieu s'est retiré pour confier le monde au pouvoir d'un Christ blond, pur, propre, en tenue modeste, sérieux et concentré.

Gaudenty Pikulski voudrait encore ajouter une prière, demander au nonce qu'il fasse de lui quelqu'un d'important en considération de ses talents linguistiques et de l'immensité de ses connaissances. Mais comment écrire cela ? Il se penche sur une feuille gribouillée et cherche à tourner des phrases au brouillon.

Mgr Dembowski écrit à Mgr Sołtyk

Au même moment, Mgr Dembowski, dont l'imagination s'enflamme tout autant, sort d'un tiroir une feuille de papier et la lisse de la main pour en chasser des poussières invisibles. Il commence par la date, 20 février 1756, sa plume file ensuite sur le papier avec ampleur, elle trace de grandes lettres et lui procure un bonheur évident avec les boucles dont elle gratifie les majuscules, en particulier les «J» et les «S».

Ils voudraient une grande disputation publique, s'asseoir face à leurs ennemis les rabbins pour leur démontrer que le Talmud est mauvais. Pour cela, ils se feraient tous baptiser, c'est-à-dire, à ce que j'entends, plusieurs milliers de personnes. Si cela aboutissait, ce serait notre grand exploit aux yeux du monde entier, le fait que dans notre Sainte *Respublica* polonaise nous ayons réussi à convertir des païens, de sorte il n'y aurait nul besoin d'aller aux Indes, il suffirait de prêcher ici la bonne parole à nos propres sauvages. Par ailleurs, ces sabbasectateurs, outre leur bonne volonté, nourrissent une haine véritable pour leurs frères juifs talmudistes...

Cette fois, sitôt leur arrestation à cause d'obscénités auxquelles ils s'étaient livrés dans une chaumière de Lanckoruń, j'en ai été informé par d'autres Juifs avec lesquels je suis en bonnes relations et en affaires personnelles multiples. Ils ont accusé ces hérétiques du péché des adamites, ce qui ne devrait pas concerner le tribunal du Consistoire, n'était que, sous cette dénonciation, il y a la question de l'hérésie. Mais l'hérésie de qui ? Pas la nôtre, tout de même ! Comment pourrions-nous nous occuper d'une hérésie juive alors que nous ne la connaissons en rien et que nous savons si peu de chose sur la juiverie. Grâce à Dieu, j'ai sur qui m'appuyer en ces matières, un bernardin, le père Pikulski, qui les connaît assez bien.

Dans son ensemble, l'affaire est délicate, je la vois ainsi : mieux vaut vivre en bonnes relations avec les rabbins et les laisser à leur place, maintes fois ils nous ont apporté la preuve de leur loyauté. D'un autre côté, le nouveau ferment peut également nous être utile pour le cas où nous voudrions avoir un moyen de pression sur les communes juives et leurs rabbins. Ils ont jeté l'anathème sur ces antitalmudistes, dont la plupart ont été arrêtés par l'autorité royale. Certains sont en liberté parce qu'ils n'étaient pas présents à Lanckoruń. J'ai envoyé chercher leurs délégués dès que j'ai appris la chose. Ils sont venus me voir de Czarnokozińce, mais sans leur dirigeant. Leur chef de file, Jakób, en tant que sujet ottoman, avait dû être immédiatement libéré et il était déjà en Turquie.

Cette fois, le meneur était un certain Krysa, un homme laid, avec en plus un caractère de roquet, mais parlant bien le polonais, de sorte qu'il m'a paru plus perspicace que ledit Frank. Ce Krysa compensait son emportement et sa violence par la beauté et l'élocution de son frère, et ainsi, en commun, ils m'ont expliqué qu'ils étaient persécutés par les rabbins qui ne les laissaient pas tranquilles, allant jusqu'à les menacer de mort, les attaquer sur les routes et leur voler leurs biens. Au point qu'ils ne leur permettent plus ni de vivre ni de faire des affaires, et c'est pourquoi, eux qui sont contre le Talmud et qui en bien des questions se sentent proches de notre Sainte Foi, ils voudraient conserver leur indépendance et pouvoir s'installer hors de ces influences, créer leurs propres villages ou prendre possession de bourgs déjà existants, comme par exemple Busk ou Podhajce, d'où ils sont originaires.

Pour ce qui est de Frank lui-même, les frères Krysa n'en ont pas une excellente opinion, notamment parce que, après avoir multiplié les ennuis, il s'est enfui et que, probablement, il se trouve maintenant à Chocim ou Czerniowce, attendant de voir ce qui va se passer ici. Ils disent qu'il se serait aussitôt converti à l'islam. Si la chose est vraie, cela ne témoigne guère en sa faveur, puisqu'il y a peu il faisait des déclarations religieuses enflammées de sentiments favorables à notre Sainte Église. Par ailleurs, cela voudrait dire qu'ils sont comme les athées et qu'ils se complaisent dans une anarchie confessionnelle, qu'ils vont de-ci de-là, d'une foi à l'autre.

Pour moi, l'aîné des Krysa serait un meilleur chef de ces sabbasectateurs s'il n'était pas aussi laid et emporté. Pour être un dirigeant, il faut de l'allure, une bonne taille et une beauté, à tout le moins ordinaire, dont on peut faire usage pour éveiller tant l'écoute que la sympathie.

Moi, je leur suis favorable. Je n'ai pas pour eux une immense sympathie, ce sont des étrangers, différents de nous et intérieurement retors, mais je voudrais les voir tous accueillis dans mon Église en tant qu'enfants de Dieu. Je pense que vous en serez en tout point d'accord avec moi et que vous soutiendrez pleinement le projet de leur baptême. En attendant, je leur donne une lettre de protection afin que les talmudistes ne les harcèlent plus, car, par ici, il se passe des choses terribles. Comme s'il ne suffisait pas d'avoir jeté l'anathème juif sur ce Jakób Frank, les talmudistes brûlent leurs livres hérétiques dont je ne sais pas grand-chose.

Il me faut attirer votre attention sur plusieurs personnes qui ont été mises en accusation et persécutées par les rabbins talmudistes. S'ils avaient besoin d'aide, prêtez-leur, je vous prie, votre attention clémente. Les voici :

Lejzorg et Jeruhim de Jezierzany
Lejb Krysa de Nadworna
Lejbka Szajnowicz Rabinowicz et Moszko Dawidowicz de Brzeżany
Herszko Szmulowicz et Icek Motylowicz de Busk
Nutka Falek Mejerowicz appelé le Vieux Falek
Moszek Lejbka Abramowicz et son fils Jankiel de Lanckoruń
Elisha Shorr de Rohatyn avec sa nombreuse famille
Lejbka Herszko de Satanów
Moszko Izraelowicz et son fils Josiek de Nadworna
Mojżesz Aronowicz de Lwów
Nahman de Busk
Zelik et son fils Lejbko et Lejbko Szmulowicz

Mgr Mikołaj Dembowski est tellement fatigué que sa tête penche vers la feuille de papier et finit par s'effondrer juste après le nom « Szmulowicz ». L'encre du prénom « Zelik » salit sa tempe claire.

Au même moment...

Toutes les personnes citées par Son Excellence, sans aucune exception, mais également d'autres dont il n'a pas inscrit le nom, se trouvent chez un certain Berko, dans sa maison de Kamieniec. C'est la fin février, un froid glacial pénètre dans la pièce par tous les interstices, et ceux-ci sont nombreux.

– Il a bien fait de filer en Turquie, le grabuge est devenu grand chez nous, dit Lejbko Szmulowicz à Krysa en pensant à Jakób.

Krysa répond :

– Je trouve qu'il devrait être ici avec nous. Il s'est peut-être sauvé, c'est ce que racontent certains.

– Peu importe ce qui se raconte. L'important, c'est que ses lettres nous parviennent ; il est juste de l'autre côté du fleuve, à Chocim. Pologne-Turquie... Parlez-moi d'une frontière ! L'important, c'est qu'il ne se perde pas là-bas, chez les Ottomans, mais qu'il nous donne des indications sur ce qu'ici on doit dire, faire, et comment.

– Comme si on savait pas tout seuls ! marmonne Krysa.

Une fois que les voix se taisent, Salomon Shorr, qui vient d'arriver, se lève ; sa seule silhouette inspire le respect.

– L'évêque nous est favorable. Il nous a interrogés tous les trois, mon frère, Nahman et moi. Nous sommes tous sortis de prison, nous avons été libérés et avons pu rentrer chez nous. Fin de notre infortune. Il y aura une disputation entre nous et eux. Nous l'avons obtenue.

Un brouhaha s'élève que Salomon apaise, avant de faire signe à Mosze de Podhajce qui porte un manteau doublé de fourrure. Celui-ci se lève lourdement et dit :

– Pour que cela tourne selon notre idée, nous devons rester ferme sur deux choses authentiques. La première est que nous croyons en la Sainte-Trinité, qui est le Dieu unique en trois personnes, mais il nous faut éviter toute discussion sur qui est dans cette Trinité, etc. La seconde est que nous rejetons une fois pour toutes le Talmud, source d'erreurs et de blasphèmes. C'est tout. Juste ça.

Ils se séparent alors en silence, traînant des pieds dans la sciure étalée sur le sol.

Comment se réalisent les méchantes prophéties de la marâtre de Gitla

Au moment des troubles de Lanckoruń où tous les hommes furent arrêtés, Gitla n'eut pas trop à souffrir. Haya recueillit pour la nuit les deux jeunes femmes de la «garde rapprochée» de Jakób, son mari vint la chercher aussitôt et il les emmena toutes les trois. Haya, qui, quelques heures plus tôt, recevait solennellement des baisers sur les seins, rappelait désormais une bonne maîtresse de maison. Elle fit les lits des deux jeunes filles et les abreuva de lait caillé.

– Ma chère enfant, dit-elle à Gitla en s'asseyant à côté de celle-ci sur sa couche, il n'y a rien de bon pour toi par ici. Sauve-toi vite, va à Lwów, demande à ton père de te pardonner. Il t'accueillera.

Le lendemain, elle leur donna quelque argent et les deux jeunes femmes quittèrent sa maison. Elles se séparèrent aussitôt, sans un mot, pour partir dans deux directions opposées. Gitla mit sa fourrure à l'envers et se dirigea vers la route. Il y avait des traces de sang sur la neige. Empruntant un traîneau puis un autre, elle chercha à atteindre Lwów non pas à cause de son père, mais parce qu'elle pensait que Jakób y serait probablement.

Début février, Gitla est déjà à Lwów, mais elle n'ose pas se montrer à son père. Elle l'aperçoit une fois à la dérobée, alors qu'il se rend à la Commune juive; vieux et voûté, il rase les murs, marche à petits pas et parle tout seul. Gitla en éprouve de la peine, mais elle ne bouge pas. Elle va chez la sœur de feu sa mère qui habite près de la synagogue, mais celle-ci sait déjà ce qui est arrivé et lui ferme la porte au nez. Gitla entend sa famille gémir encore un moment sur le triste sort de son père.

Elle reste au coin de la rue où commencent les maisons juives. Le vent soulève ses jupes et de fines particules de neige viennent fondre sur ses bas fins. Bientôt, elle va tendre la main pour demander l'aumône ou se donner pour du pain, et ainsi ce que sa marâtre lui avait promis se réalisera, elle sombrera au fin fond de la déchéance. Aussi se tient-elle debout avec dignité dans le froid glacial, du moins le pense-t-elle, mais un jeune Juif en *schtreïmel*, ce chapeau de fourrure noire aux larges bords, lui glisse une piécette sans même la regarder. Elle s'achète un bretzel avec. Elle accepte lentement l'idée qu'elle ressemble à une traînée, toute décoiffée, sale et affamée. Et soudain, elle se sent absolument libre ! Elle pénètre dans la première cour venue, dans le premier immeuble venu, puis grimpe un escalier et frappe à la première porte venue. Un homme grand, voûté, en peignoir doublé de fourrure noire et en bonnet de nuit, lui ouvre. Il a des verres sur le nez et tient devant lui une bougie qui éclaire son visage aux traits marqués.

– Tu veux quoi ? demande-t-il d'une voix basse et rocailleuse tout en cherchant spontanément de l'argent pour une aumône.

– Je suis la petite-fille du roi de Pologne, lui déclare Gitla. Je cherche où passer la nuit avec dignité.

15

À Kamieniec, l'ancien minaret
devient une colonne
pour la Sainte Mère de Dieu

L'été de 1756, Nahman, Jakób et Salomon Shorr se présentent à Kamieniec comme de simples Juifs arrivés de l'autre rive de la Smotrycz pour vendre de l'ail. Nahman porte sur les épaules une palanche à laquelle sont fixés des paniers de têtes d'ail. Si Jakób est maintenant vêtu d'une cape misérable, il a néanmoins refusé d'enfiler des souliers en aubier de tilleul et de bonnes chaussures en cuir pointent sous son large pantalon. Vêtu un peu comme un Turc, un peu comme un Arménien, il rappelle par son allure un de ces vagabonds sans attaches, si nombreux le long de la frontière et que personne ne regarde. Salomon Shorr, grand et mince, a un visage d'une telle dignité qu'il aurait été difficile d'en faire un gueux. En long manteau noir et chaussures de paysan, il fait penser à un religieux d'une confession indéterminée et il suscite un respect spontané chez les gens.

Tous les trois sont devant la cathédrale Saints-Pierre-et-Paul de Kamieniec, dans une petite foule plutôt dense qui commente avec émotion l'installation d'une statue sur une haute colonne. L'événement attire les habitants des villages environnants, de toutes les ruelles proches et éloignées, mais aussi les clients des échoppes de la place, et jusqu'aux prêtres, eux aussi sortis au-dehors pour voir la grue en bois hisser l'effigie dorée. Il y a un instant, tout ce monde discutait vivement et bruyamment, mais là c'est le silence, la statue s'est mise brusquement à osciller, risquant ainsi de rompre les cordages et de tomber sur la tête des badauds. Ceux-ci reculent un peu. Les ouvriers sont des inconnus, il se murmure qu'ils viendraient de Gdańsk, là où le monument aurait été coulé dans le bronze puis recouvert d'une épaisse couche d'or avant de voyager tout un mois sur un chariot. La colonne, quant à elle, avait été élevée par les Turcs et, des années durant, elle fut coiffée d'un croissant, les infidèles ayant converti la cathédrale en mosquée. Désormais, la Sainte Vierge était revenue, elle allait dominer la ville et se dresser au-dessus de la tête de ses habitants.

Enfin, elle est mise en place. La foule pousse un soupir de soulagement, quelqu'un entonne un chant. Maintenant, on peut voir toute la statue. La Sainte Mère de Dieu, la Sainte Vierge, la Dame Miséricordieuse, la Reine du Monde est là comme une jeune fille qui court d'un pas léger et dansant, les bras grands ouverts dans un geste d'accueil. Elle est sur le point de t'embrasser pour te serrer contre sa poitrine. Nahman lève la tête et se protège les yeux parce que le ciel blanc l'aveugle, il lui semble qu'elle lui dit « viens danser avec moi » ou « réjouis-toi avec moi » ou encore « donne-moi ta main ». Jakób tend la sienne vers le haut pour montrer la statue, ce qui est superflu parce que les gens sont tous là pour la regarder. Nahman sait pourtant ce que Jakób veut dire : « C'est la Demoiselle, la sainte *Shekhina*, la présence de Dieu dans le monde obscur. » Au même moment, le soleil sort de derrière les nuages, tout à fait inopinément parce que le ciel était couvert depuis le matin, et l'un de ses rayons frappe la statue, et alors tout l'or de Gdańsk étincelle comme un second soleil, la place de l'église de Kamieniec se remplit soudain de clarté, d'une lumière fraîche et joyeuse, la Demoiselle qui court dans le ciel devient la bonté pure, pareille à celle de Celui qui descend vers les hommes pour leur apporter de l'espoir : tout ira bien. Le peuple soupire, ravi de ce feu de joie lumineux qu'est la Sainte Demoiselle. Les bonnes gens clignent des yeux et s'agenouillent devant cette preuve manifeste de miracle. C'est un signe, un signe, répètent-ils tous. La foule s'agenouille et les trois amis également. Nahman a les yeux remplis de larmes, son émotion gagne les autres. Un miracle est un miracle, peu importe la religion.

À eux, il leur semble que c'est la *Shekhina* qui descend dans cette effigie couverte d'or à Gdańsk, qu'elle les accompagne à la demeure de l'évêque comme une mère, une sœur, la plus tendre des maîtresses prête à tout abandonner pour pouvoir regarder, ne fût-ce qu'un instant, son aimé, serait-il vêtu de la plus pauvre des capes. Avant d'aller à l'audience secrète accordée par Mgr Dembowski, Jakób, qui à son habitude ne supporte pas la sublimité, quitte la foule dans un réflexe d'humeur infantile pour pousser soudain des lamentations contre un mur, tel un gueux juif voûté et boiteux.

– Quel youpin insolent, lance une bourgeoise, ça n'a aucun respect pour le sacré !

Ce même jour, tard le soir, les trois hommes présentent à l'évêque de Kamieniec un manifeste avec neuf thèses qu'ils défendront lors de la disputation. Ils sollicitent également une protection parce que les talmudistes les persécutent. Mais aussi à cause de l'anathème. C'est cela qui irrite le plus Son Excellence, l'anathème. Parce que c'est quoi un anathème juif ?

Il leur dit de s'asseoir tandis que lui se met à lire :

« Un : Nous croyons à tout ce à quoi Dieu a ordonné de croire dans l'Ancien Testament et à tout ce qu'il y a enseigné.

Deux : L'esprit humain ne peut véritablement comprendre les Saintes Écritures sans la Grâce divine.

Trois : Le Talmud, qui est plein d'incroyables blasphèmes contre Dieu, doit être et sera rejeté.

Quatre : Dieu est Un et Il est le Créateur de toutes choses.

Cinq : Ce Dieu en trois personnes est par nature indivisible.

Six : Dieu peut s'incarner dans un corps humain et en connaître toutes les passions à l'exception de celle du péché.

Sept : La ville de Jérusalem ne sera plus reconstruite selon la prophétie.

Huit : Le Messie annoncé dans les Écritures ne viendra plus.

Neuf: Dieu en personne lèvera la malédiction de nos pères et de toute notre nation; Celui qui est le vrai Messie est le Dieu incarné.»

– Est-ce bien, ainsi? demande Nahman qui pose discrètement, sur le guéridon près de la porte, une bourse turque en fine peau de chèvre joliment brodée de ce qui semble être des petits cristaux et des turquoises.

Son Excellence se doute de quoi il s'agit, ils ne seraient pas venus avec n'importe quoi. Le nombre de pierres précieuses est suffisant pour incruster un ostensoir. Monseigneur est pris d'un vertige rien qu'à l'imaginer. Il doit pourtant se concentrer. Sa position ne sera pas facile, parce que cette affaire en apparence petite a soudain pris des dimensions énormes: les adversaires de ces dépenaillés se sont adressés au grand Baruch ben Dawid Jawan, l'homme de confiance du ministre Heinrich Brühl – sur la table sont posées les lettres de Varsovie qui relatent en détail les intrigues de la cour; au palais royal, ils détiennent cette arme, maintenant. Qui aurait pu croire, songe l'évêque, qu'embrasser une femme nue dans un village reculé des confins prendrait pareille ampleur?

Il accepte la bourse et, ce faisant, prend le parti des sabbataïstes, pourtant l'assurance de ce Juif l'agace. Frank veut une disputation. Il veut être protégé. Il veut une terre pour s'installer «paisiblement», comme il dit. Et il veut aussi être anobli. Que l'évêque leur assure sa protection, et ils se feront baptiser. Il souhaite également que les plus éminents des siens – là, Mikołaj Dembowski a du mal à s'imaginer ces «gens éminents», qui ne peuvent être que des fesse-mathieux, des mégissiers, des boutiquiers ou leurs pareils – puissent postuler pour un anoblissement selon les lois de la *Respublica* polonaise. Et qu'on leur donne le droit de s'installer sur les domaines épiscopaux.

L'autre, le roux, celui qui traduit Jakób, explique que la tradition veut, et ceci date des temps où ils vivaient encore en Espagne, que lorsque des questions litigieuses se posent l'on organise une disputation. Le temps est venu de le faire. Il traduit les paroles de Frank:

– Prenez jusqu'à plusieurs centaines de rabbins et d'évêques, et des nobles et des savants parmi les meilleurs. Qu'ils débattent avec moi et mon peuple. Je répondrai à toutes leurs questions parce que la vérité est de mon côté.

Ils sont pareils à des marchands venus régler une affaire, ils demandent beaucoup.

Mais ils offrent beaucoup aussi, songe l'évêque.

À quoi réfléchit Mgr Dembowski tandis qu'on le rase

À quel point le palais épiscopal de Kamieniec Podolski demeure froid et humide est vraiment étrange. Même par ce matin d'été où vient le barbier, l'évêque doit se réchauffer les pieds avec une pierre chaude entourée de grosse toile.

Il fait pousser son fauteuil jusqu'à la fenêtre. Avant que le barbier n'affûte son rasoir d'un geste ample sur une lanière en cuir, ne prépare le savon et, pour éviter, de grâce, toute offense sacrilège, ne couvre le plus délicatement possible les épaules de Son Excellence avec des serviettes en lin brodées, Mikołaj Dembowski a le temps de jeter un œil aux nouvelles lettres arrivées de Kamieniec, Lwów ou Varsovie.

La veille, il a reçu un certain Krysa, supposé agir au nom de Jakób Frank, mais qui semble pourtant jouer sa carte personnelle. L'évêque s'est manifesté avec insistance auprès de tous les talmudistes, comme on les appelle, ces rabbins savants de toute la Podolie, pour qu'ils participent à la disputation, mais ceux-ci ont décliné son invitation. Il leur a intimé l'ordre de se présenter à sa résidence pour s'expliquer, il l'a fait une fois, deux fois, mais ces derniers ne réagirent nullement, n'ayant que mépris pour sa fonction. Quand, enfin, il les a menacés de sanctions financières, ils lui ont envoyé Herszko Szmulewicz, un Juif à l'esprit très vif, qui, en leur nom, inventa tous les empêchements imaginables. En revanche, le contenu de la bourse qu'il lui remit, sans être raffiné, était tout à fait concret : des pièces d'or. Monseigneur fit en sorte de ne pas montrer qu'il avait déjà pris position en faveur des sabbasectateurs.

Ah, s'il pouvait comprendre ces Juifs aussi aisément qu'il saisit presque d'emblée les intentions d'un paysan! Mais là, avec leurs *tefillins*, leurs chapeaux, leur langue si bizarre – et il voit d'un œil d'autant plus favorable les efforts du père Pikulski pour l'apprendre – et leur religion suspecte! Pourquoi suspecte? Car trop proche. Les livres sont les mêmes, Moïse, Abraham, Isaac sur un rocher menacé par le couteau de son père, Noé et son arche, tout est pareil, mais comme placé dans un environnement différent. Noé n'a plus la même allure, il semble tordu; pareil pour son arche, qui est juive, décorée, orientale et débordante. Isaac, qui a toujours été un garçonnet blond à la peau rose, y devient un enfant sauvage, renfermé et plus du tout si inoffensif. Chez nous, tout est plus léger, songe l'évêque, esquissé d'une main élégante, c'est subtil et expressif. Chez eux, c'est sombre et concret, maladroit et littéral. Leur Moïse est un vieux type aux pieds osseux; le nôtre est un vieillard respectable à la barbe fleurie. Mgr Dembowski a l'impression que la lumière du Christ rayonne sur le versant de cet Ancien Testament que les catholiques partagent avec les Juifs, de là viennent les différences.

Le pire, c'est quand quelque chose d'étranger se déguise pour paraître comme nôtre, se dit-il. C'est comme s'ils se moquaient. Comme s'ils plaisantaient des Saintes Écritures. Une chose encore, l'obstination! Les Juifs sont plus anciens et pourtant ils persistent dans leur erreur. Difficile donc de ne pas les soupçonner de manigances. Ah, s'ils étaient aussi ouverts que les Arméniens! Quand ceux-là complotent, il est toujours question d'un profit qui se monnaye en or.

Que disent-ils tous ces Juifs? se demande l'évêque qui les observe par sa fenêtre, ils se réunissent par petits groupes de trois ou quatre personnes pour discuter dans leur langue saccadée et mélodieuse, soulignant leurs paroles de gestes et de mouvements de tout le corps, ils avancent la tête, agitent la barbe, font un bond en arrière comme s'ils se brûlaient quand ils ne sont pas d'accord avec les arguments de leur interlocuteur. Est-ce vrai ce que répète Sołtyk à leur sujet, cet ami en qui Mikołaj Dembowski a confiance? Poussés par on ne sait quelle injonction de leurs croyances obscures, dans leurs chaumières branlantes et humides, ils se livreraient à des rituels nécessitant du sang chrétien? Cela fait peur, rien que d'y penser. Impossible pourtant. À Rome, le Saint-Père affirme clairement qu'il ne faut pas croire des choses pareilles, mais réprimer la rumeur selon laquelle les Juifs feraient usage de sang chrétien. Oh, mais ne suffit-il pas de les regarder... De sa fenêtre, l'évêque aperçoit la petite place devant son palais, où un vendeur à la sauvette, un garçon encore jeune, montre une image sainte à une jeune fille vêtue d'un corsage ruthène brodé et de jupons de couleur. Du bout de son petit doigt, elle frôle doucement les figures des saints, le marchand juif en propose des catholiques et des orthodoxes, il sort aussi d'une poche intérieure une médaille bon marché qu'il glisse dans la main de la belle. Les têtes des deux jeunes gens se rapprochent en se penchant sur la Sainte Vierge. L'évêque est certain que la jeune fille va l'acheter.

Le barbier le barbouille de savon et commence à le raser. Le rasoir grince discrètement en coupant les poils. Soudain, l'imagination de monseigneur bondit pour se glisser sous les capes aux bords effilochés de ces Juifs et la vision de leur membre l'obsède. Parce qu'ils sont circoncis. Il en est fasciné et étonné, mais il ressent aussi une colère incompréhensible. Il serre les dents.

Si le vendeur ambulant d'objets pieux – en infraction avec la loi, ces Juifs n'ont aucun respect des interdits ! – enlevait ses taliths pour enfiler une soutane, en quoi serait-il différent des séminaristes qui marchent là-bas au bout de la place ? Et si lui, Mikołaj Dembowski, évêque de Kamieniec, noble dont le blason est Jelita, qui attend patiemment d'être nommé à l'archevêché de Lwów, retirait ses riches tenues pour revêtir une capote juive usée et vendre des images au pied du palais épiscopal... Il frissonne à cette idée saugrenue, et pourtant il se voit un instant, gros et rose, devenu un Juif en train de vendre des bondieuseries. Non !

S'il en était ainsi qu'on le raconte, s'ils avaient de réels pouvoirs, ces Juifs seraient riches et non pas pauvres comme ceux qu'il observe par sa fenêtre. Sont-ils puissants ou faibles ? Représentent-ils une menace pour le palais épiscopal ? Est-il vrai qu'ils haïssent les goyim et que ceux-ci leur font horreur ? Ont-ils vraiment de fins poils sombres sur tout le corps ?

Dieu ne permettrait pas qu'ils aient un pouvoir pareil à celui dont parle Sołtyk, car n'ont-ils pas rejeté le geste salvateur du Christ ? Ils ne sont plus du bord du vrai Dieu, ils ont été repoussés de la voie du salut pour se trouver enlisés quelque part dans le désert.

La jeune fille ne veut pas de la médaille, elle dégrafe son corsage près du cou et sort la sienne, le gars s'approche avec plaisir de sa gorge. Elle lui achète une image qu'il emballe dans un fin papier défraîchi.

Comment sont ces étrangers quand ils se dévêtent, s'interroge l'évêque. Qu'est-ce qui change en eux quand ils se retrouvent seuls, se demande-t-il encore tandis qu'il renvoie le barbier qui se plie en deux pour le saluer. Réalisant qu'il est temps pour lui de se changer pour la messe, il va dans sa chambre à coucher où il se débarrasse volontiers de sa lourde soutane domestique. Il reste nu un moment sans savoir s'il commet ainsi un péché terrible, dont, en fait, il s'excuse déjà auprès du Seigneur. Est-ce un péché d'impudicité ou juste de misère humaine? Monseigneur sent un léger souffle d'air frais agiter doucement les poils de son corps trapu et velu.

Les deux natures de Haya

Jakób est accompagné de plusieurs cavaliers richement vêtus à la turque, pour lesquels une chambre spéciale a été prévue. À leur tête se trouve Chaïm, le frère de Chana. Entre eux, ils ne parlent que turc. Maintenant, Jakób Frank s'appelle Ahmed Frenk et il possède un passeport turc. Il est intouchable. Chaque jour, un envoyé lui rapporte des nouvelles de la disputation de Kamieniec.

En apprenant que Jakób Frank s'est arrêté en secret chez son père à Rohatyn, pour le temps que durerait la joute de Kamieniec, Haya remplit une malle, saisit la plus jeune de ses enfants et quitte Lanckoruń pour Rohatyn. Il fait chaud, la moisson va bientôt commencer; les champs dorés s'étendent jusqu'à l'horizon, leur surface ondoie au soleil, paisiblement, doucement, comme si toute la terre respirait. Haya porte une robe claire et un voile bleu. Dans la voiture, elle est assise droite et calme, elle nourrit à son sein blanc sa fillette posée sur ses genoux. La calèche légère à capote de toile est tirée par deux chevaux gris pommelé.

À l'évidence, elle transporte une riche Juive en voyage. Les paysannes s'arrêtent et portent la main au-dessus de leurs yeux pour mieux voir cette femme. Dès qu'elle croise leurs regards, Haya esquisse un sourire. L'une d'elles se signe spontanément. Est-ce à la vue d'une Juive ou de cette mère à l'enfant avec un châle bleu?

Haya confie sa fillette à une bonne pour aussitôt se précipiter chez son père qui, dès qu'il l'aperçoit, se lève de la table où il vérifiait des comptes et commence à se racler la gorge, en proie à l'émotion. Haya se blottit dans sa barbe, elle y sent l'odeur familière du *cahvé* et du tabac, l'odeur la plus rassurante du monde pour elle. L'instant d'après, toute la maisonnée se rassemble : son frère Iehuda avec son épouse, frêle comme une fillette aux magnifiques yeux verts, et leurs enfants ; les serviteurs, et Hryćko, qui désormais se fait appeler Chaïm et habite à proximité, mais aussi les voisins. Les lieux bruissent de conversations. Haya ouvre les paniers de voyage, elle en sort les cadeaux. Ce n'est qu'une fois ce sympathique devoir accompli, et après avoir avalé le bouillon de poule, préparé chaque jour pour Jakób dans cette maison – aux cuisines, des plumes traînent encore –, qu'elle peut aller voir l'invité.

Haya s'approche de Jakób, observe attentivement son visage bruni par le soleil qu'illumine, après un instant de sérieux, le sourire ironique qu'elle connaît bien.

– Tu as vieilli, mais tu es toujours aussi belle.

– Quant à toi, tu as plus d'allure parce que tu as maigri. Ta femme te nourrirait-elle mal?

Ils se prennent dans les bras l'un de l'autre comme une sœur et un frère, mais la main de Jakób glisse doucement sur le dos mince de Haya avec ce qui ressemble à de la volupté.

– Je n'avais pas le choix, dit-il – et il recule d'un pas pour rentrer la chemise échappée de son pantalon-salvar.

– Tu as bien fait de fuir. Quand nous nous serons entendus avec les évêques, tu reviendras en roi, répond Haya – et elle lui prend les mains.

– À Salonique, ils voulaient me tuer, et ici c'est pareil.

– Parce qu'ils ont peur de toi. Or, ta force est là.

– Je ne vais plus revenir ici. J'ai une maison et des vignes. Je vais étudier les textes...

Haya éclate de rire, elle rit pleinement, tout son corps est à la joie.

– Je vois cela d'ici... Étudier les textes... dit-elle en cherchant à reprendre son souffle tandis qu'elle sort de sa malle ses livres et ses *teraphim*.

Parmi les statuettes, il en est une particulière, très aimée, une biche sculptée dans de l'ivoire – *Ayelet Ahavim* –, Jakób la prend dans sa main pour l'examiner, mais sans trop d'attention ; puis il lit les titres des livres que Haya pose sur la table.

– Tu pensais que c'étaient des supplications féminines, des *tkhines*, hein ? lui lance malicieusement la jeune femme tout en faisant virevolter sa jupe qui, à son tour, fait voleter les plumes blanches qui traînent à terre.

Ienta, qui n'est jamais loin, observe Haya.

Qui est Haya ? Y a-t-il deux Haya ? Quand, le matin, elle traverse la cuisine avec un saladier d'oignons, quand elle essuie de son poignet la sueur au-dessus de ses sourcils noirs et plisse le front où se creuse un sillon vertical, elle est une femme d'intérieur, la fille aînée qui a pris sur elle les devoirs d'une mère. Quand elle marche, fait claquer ses talons de sorte qu'on l'entend dans toute la maison, elle est la Haya lumineuse, diurne. Au cours des prières, elle devient la souffleuse, elle aide les femmes qui ne savent pas lire, ou pas très bien, à suivre la célébration, à trouver ce qu'il faut réciter aux différents moments. Elle sait être autoritaire. La sévérité de son froncement de sourcils bloque tout projet de désobéissance. Il n'est personne, pas même son père, qui ne craigne son pas rapide, ses cris quand elle corrige les enfants, se fâche contre le charretier qui arrive du moulin avec deux sacs de farine troués, ou ses colères, lorsqu'elle fait voler les assiettes pour le plus grand désespoir des servantes. Comment se fait-il que tant de choses soient permises à Haya ?

Il est dit dans le Zohar : Toutes les femmes sur la terre participent au mystère de la *Shekhina*. Cela seul permet de comprendre comment Haya devient cette femme ténébreuse aux cheveux détachés, aux vêtements négligés, au regard absent. Son visage vieillit en une fraction de seconde, des rides y apparaissent telles des fissures, elle fronce les sourcils et serre les lèvres. Le crépuscule est tombé, la lumière des lampes et des chandelles morcelle la maison en taches éclairées. Les traits de la figure de Haya s'estompent. Elle n'a plus ses yeux fâchés, de lourdes paupières les recouvrent; sa face enfle, se relâche, devient aussi laide que celle d'une vieille femme malade. Haya est pieds nus, son pas se fait pesant quand elle traverse l'entrée pour rejoindre la pièce où, déjà, elle est attendue. Elle frôle de ses doigts les murs comme si elle était vraiment la Dame aveugle. L'assemblée réunie brûle de la sauge et du ciste, l'air devient étouffant, Haya prend la parole. Quiconque a vu cela une fois, se sent à jamais mal à l'aise quand il aperçoit la jeune femme en train de couper du chou dans la journée.

Pourquoi Elisha Shorr a-t-il donné Haya pour prénom à sa fille bien-aimée? D'où savait-il que ce bébé né au petit matin dans une pièce étouffante, où de la vapeur montait des marmites sur le feu pour chauffer la maison par un mois de janvier où il gelait à pierre fendre, deviendrait son enfant chérie, la plus intelligente de tous? Était-ce parce qu'elle avait été conçue la première, avec sa meilleure semence, dans la force de l'âge, quand le corps de son épouse et le sien étaient lisses, souples, purs et virginaux, tandis que leurs esprits étaient remplis d'une foi bonne et que rien ne corrompait? Pourtant, la fillette était née sans vie, elle ne respirait pas et le silence qui suivit l'accouchement dramatique était absolu. Elisha avait craint de la voir mourir. Il redoutait la mort qui faisait déjà certainement le siège de sa maison. Ce ne fut qu'au bout d'un moment, lorsque l'accoucheuse usa de ses murmures et de ses sortilèges, que l'enfant toussota et cria. Aussi, le premier mot qui vint à l'esprit d'Elisha à propos de cette petite fut «vivre», *haya* en hébreu. *Hayim* est la vie, mais pas une vie végétative, pas une vie simplement physique: une vie qui permet de prier, de penser et de sentir.

– *Va-yitzer Ha-Shem Elohim et ha-adam, va-yippah be-apav nishmat hayim, va-yehi ha-adam le-nefesh haya*, récita Elisha en voyant l'enfant. «Alors Dieu modela l'homme avec la glaise du sol, il insuffla dans ses narines une haleine de vie (*nishmat hayim*) et l'homme devint un être vivant (*nefesh haya*).»

Et ce fut ainsi qu'Elisha se sentit semblable à Dieu.

Les formes des nouvelles lettres

La peau avec laquelle le livre est relié est neuve, de bonne qualité, lisse, et elle sent bon. Jakób touche avec plaisir le dos et réalise qu'il a rarement l'occasion de voir de nouveaux ouvrages, comme si ceux dont il convient de se servir devaient nécessairement être vieux. Lui aussi en possède un dont il ne se sépare jamais, chacun devrait en avoir un. Mais c'est une copie manuscrite d'*Aujourd'hui, je suis venu à la source*, un texte très lu, qu'il a toujours dans ses bagages. L'exemplaire est déjà flétri, s'il est permis de dire cela d'un tas de feuillets cousus ensemble avec un fil. La première page est abîmée en plusieurs endroits, les feuilles ont jauni au soleil quand il les a oubliées un jour sur un parapet. Quelle négligence! Son père lui donnait toujours des coups sur les doigts pour un manque de soin pareil.

Le nouveau volume est un gros livre, le relieur en a serré très fort les pages, aussi, quand on les sépare, elles craquent comme des os étirés trop brusquement, elles résistent. Jakób ouvre au hasard et tient fermement l'étrange recueil dans ses mains pour qu'il ne se referme pas, son regard glisse au fil des lettres de droite à gauche, puis il se rappelle que c'est l'inverse, de gauche à droite; ses yeux accomplissent non sans mal cette acrobatie digne d'un cirque, mais, l'instant d'après, alors que pourtant il ne comprend rien, Jakób trouve du plaisir à ce mouvement de gauche à droite, à contre-courant, comme pour s'opposer au monde. Il se dit que ce peut être un élément essentiel que cet autre sens de lecture, qu'il devrait l'apprendre, s'y exercer: un geste initié par la main gauche et terminé par la droite; un cercle qui veut que le bras droit recule devant le gauche et que le jour commence au lever du soleil par la lumière pour sombrer ensuite dans les ténèbres.

Jakób observe la forme des lettres et s'inquiète de ne pas les retenir. Il en est une qui rappelle la lettre hébraïque *Tsade*, une autre semble être comme *Samekh*, et encore une semblable à *Quof*, mais pas tout à fait, elles s'en approchent seulement, avec une imprécision certaine, et il se peut que leurs significations soient également approximatives, imprécises, un peu décalées par rapport à celles qu'il connaît, partielles, mais cela suffit pour voir le monde vaguement.

– C'est leur compilation de *Geschichte*, dit Elisha à Jakób dont la chemise est débraillée. Quelque chose comme notre *Œil de Jacob*, un peu de tout sur tout, sur les animaux, les lieux, les esprits et diverses fables. L'auteur est un prêtre d'ici, de Rohatyn, tu peux croire cela?

Jakób semble regarder le livre avec plus d'attention.

– Je vais te prendre un professeur, dit Elisha en lui bourrant une pipe. Nous ne sommes pas allés te chercher à Smyrne pour te laisser partir maintenant. Tous les gens là-bas, à Kamieniec, défendent la cause en ton nom. Tu es à leur tête, même si tu ne peux pas y aller en personne. Tu n'as absolument pas le droit de te retirer.

Chaque soir, Haya s'agenouille devant son père pour lui masser les pieds avec un mélange malodorant de jus d'oignon et d'autre chose, après quoi la maison sent les herbes pour la nuit. Mais ce n'est pas tout: elle confie son enfant aux autres femmes et s'enferme avec les hommes dans la chambre de son père pour y débattre. Jakób en est d'abord surpris. Il n'est pas coutumier de cela. En Turquie et en Valachie, les femmes connaissent leur place et tout savant garde plutôt ses distances avec elles, car leur lien inné avec le monde le plus bas, celui de la matière, sème le chaos dans le monde de l'esprit. Mais chez eux, les vrai-croyants, cela se passe différemment. Eux, ils se déplacent tout le temps, et, sans leurs femmes, ils seraient perdus.

– Ah, dit Elisha comme s'il l'avait entendu penser, si elle était un homme, de mes fils elle serait le plus réfléchi.

La première nuit, selon leur usage, Haya rejoint le lit de Jakób. Son corps est délicat, peut-être un peu trop maigre, ses cuisses sont longues, son pubis rêche. Ils devraient s'unir sans préliminaires inutiles et sans paroles. Pourtant, Jakób caresse doucement et longuement le ventre rebondi de la jeune femme, il passe à chaque fois la main sur son nombril qui lui semble brûlant. Quant à elle, elle prend son membre dans sa main avec aisance pour le cajoler délicatement et comme par inadvertance. Haya veut savoir comment se déroule la conversion à la religion turque, ce qu'il y a à la place du baptême, s'il convient de se préparer, combien cela leur a coûté, si l'épouse de Jakób est également passée du côté d'Ismaël et si la vie des femmes y est plus facile. Cette décision le protège-t-elle réellement ? Pense-t-il être ainsi intouchable pour les autorités polonaises ? Est-ce qu'il sait que pour les Juifs, et pour elle-même, pareille conversion à une autre foi serait difficile ? Elle a confiance en lui, et tous les Shorr le suivront s'il veut bien être leur guide. Encore une chose, a-t-il entendu toutes ces histoires qui circulent à son propos, et se diffusent également auprès des femmes ? Lassé de son bavardage, Jakób finit par monter sur elle pour la pénétrer brutalement avant de s'effondrer aussitôt épuisé.

Au matin, Jakób l'observe en souriant pendant qu'ils déjeunent. Il remarque qu'elle cligne des yeux en permanence, ce qui lui vaut un maillage de ridules. Elisha a le projet d'envoyer sa fille à Lwów, chez Asher, qui s'est installé là-bas et qui est le meilleur quand il s'agit d'adapter des verres de lecture.

Haya porte des robes simples, Jakób ne l'a vue qu'une fois dans une tenue de fête, le premier jour de son enseignement à Rohatyn quand une foule de personnes est venue de toute la région au *Beth Midrash*: sur sa robe grise, elle avait jeté un châle bleu et mis des boucles d'oreilles. Elle est sérieuse et calme.

Peu après, il fut témoin d'une scène de tendresse surprenante: Elisha leva la main pour caresser la joue de sa fille. D'un mouvement lent et tranquille, Haya posa la tête sur la poitrine de son père, dans les ondulations de sa barbe touffue poivre et sel. Sans savoir pourquoi, Jakób détourna les yeux, gêné.

Krysa et ses plans d'avenir

Comme il fut déjà mentionné, Krysa a une cicatrice sur le visage. L'une de ses joues est balafrée de haut en bas en ligne droite, ce qui donne l'impression d'une symétrie cachée et provoque un sentiment d'autant plus inquiétant que quiconque voit le rabbin de Nadworna pour la première fois n'arrive plus à en détacher les yeux, cherche un ordre qu'il ne trouve pas et finit par se détourner avec un dégoût pas tout à fait conscient. Pourtant, Krysa est l'homme le plus intelligent de Podolie, instruit et capable de prévoir les événements. Cela ne s'aperçoit pas au premier coup d'œil. Et c'est une bonne chose pour lui.

La vie a appris à Krysa qu'il ne fallait rien attendre de la gentillesse d'autrui, mais définir exactement ce que l'on voulait et l'exiger, le demander, le solliciter, le négocier. N'était cette estafilade, il serait actuellement à la place de Jakób, cela est évident.

Il considère qu'au sein du christianisme, eux, les antitalmudistes, devraient être indépendants. Telle est sa position avant la disputation, ainsi que son objectif tandis qu'il se livre à des conversations truffées de malentendus avec Mgr Dembowski dans le dos de ses frères en religion. Il est persuadé qu'il sait tout mieux que quiconque.

– En lisière, à bonne distance de tous, il nous faut mener notre propre barque, affirme-t-il.

Ni trop juifs ni trop chrétiens, ils trouveraient leur place là où ils échapperaient au contrôle et à l'avidité des prêtres et des rabbins. Encore une chose : persécutés par les leurs, les Juifs, ils n'en cessent pas pour autant d'être des Juifs, mais ils se rapprochent simultanément des chrétiens. Ils présentent une supplique, lui et les séparatistes Juifs demandent soutien, protection et aide ; leur geste est celui d'un enfant, leur main innocente est tendue vers la paix. Les chrétiens les accueillent avec compassion.

Pour Krysa, toutefois, l'important est ailleurs, car comme il est écrit dans Yebamoth, 63 (Krysa a beau être un antitalmudiste, il ne peut s'empêcher de citer le Talmud) : «L'homme qui ne possède le moindre lopin de terre n'est pas vraiment un homme.» Obtenir des nobles un bout de terrain pour s'y installer et l'aménager paisiblement serait le mieux pour tout le monde. Les Juifs ne les persécuteraient plus ; eux, les dissidents, seraient chez eux à travailler avec courage et pourraient engager des paysans. Ils n'auraient pas même à se faire baptiser. Krysa déploie cette perspective au-dessus de la table dans une pièce enfumée parce que le vent souffle et refoule l'air dans la cheminée. Les hurlements des rafales ponctuent la discussion.

– Pour un noble, jamais! intervient quelqu'un que Krysa identifie dans la pénombre comme étant Lejb Herszkowicz de Satanów.

– Madame Kossakowska pourrait nous prendre dans son domaine... commence à dire Mosze de Podhajce.

Sur quoi, Krysa bondit en avant, le visage déformé par la colère:

– Vous voulez vous mettre la corde au cou? Un noble fera de vous ce qu'il voudra, aucune loi ne compte pour lui. En deux générations, nous serons traités comme les paysans!

Les autres l'approuvent.

– Chez l'évêque aussi nous serons traités comme des paysans, dit Mosze.

Salomon, l'aîné des fils Shorr qui jusque-là restait assis sans bouger à regarder le bout de ses chaussures, prend alors la parole:

– Il n'y a que chez le roi, notre place est sur les terres royales, c'est ce que dit Jakób et je le pense aussi. Avec le roi, nous serons en sécurité.

Le visage de Krysa se tord de nouveau. Il déclare:

– Vous êtes des sots. On vous tend le petit doigt et vous voulez tout de suite tout! Il faut marchander lentement.

– Et se fourrer dans les soucis, ajoute quelqu'un méchamment.

– Vous allez voir, on s'entend bien avec l'évêque.

16

L'année 1757, ou comment sont établies certaines vérités séculaires au débat de Kamieniec en Podolie pendant l'été

Dans le hameau de Moliwda, proche de Craiova en Valachie, la nouvelle année 1757 est considérée comme étant celle du Jugement dernier. Chaque jour, de nouveaux anges sont invoqués afin qu'ils se présentent comme témoins. Personne n'a envisagé qu'ainsi mille ans pouvaient être nécessaires, puisque le nombre des anges est infini. Les fidèles en prière sont persuadés que le monde ne peut plus être sauvé, qu'il faut se préparer à sa fin qui justement arrive. Le Jugement dernier est pareil à un accouchement: dès qu'il commence, c'est sans retour, il n'est plus possible de l'arrêter. Ce jugement-ci n'est pourtant pas celui auquel nous nous attendions, pensent les frères et les sœurs que Moliwda a quittés pour toujours, il n'est pas terrestre, avec les anges qui sonneraient trompette, avec la grande balance qui pèserait les actions humaines et l'épée de l'archange. Il est modeste, il passe presque inaperçu, sans extravagances. Il se déroule dans notre dos en quelque sorte, en notre absence. Nous avons été jugés par contumace en cette étrange année 1757 et, à coup sûr, sans possibilité de faire appel. Notre ignorance humaine ne nous justifie en rien.

Apparemment, le monde est devenu insupportable non seulement dans les vastes plaines ouvertes de Podolie mais aussi ici, en Valachie, où il fait plus chaud et où pousse la vigne. Le monde nécessitait une fin. D'ailleurs, l'année dernière une guerre éclata. Ienta, qui voit tout, sait que celle-ci durera sept ans et qu'elle affectera les aiguilles fragiles des balances qui mesurent la vie humaine. Les changements ne sont pas encore perceptibles, mais les anges commencent déjà le grand nettoyage; ils saisissent énergiquement le tapis du monde pour le secouer, la poussière vole. Ils vont bientôt le rouler.

Les rabbins perdent complètement le débat de Kamieniec et ceci parce que personne ne veut écouter leurs explications tortueuses face à des accusations très simples et ciblées. En revanche, Reb Krysa de Nadworna devient un héros quand il réussit à ridiculiser le Talmud. Krysa se lève, un doigt en l'air.

— Pourquoi le bœuf a-t-il une queue? demande-t-il.

Dans la salle, les gens se taisent, surpris par une question aussi bête.

— Quel est donc ce livre saint où des questions pareilles sont posées? poursuit-il tandis que son doigt se dirige lentement vers les rabbins. Le Talmud! lance-t-il alors.

L'assemblée éclate de rire. Ce rire monte jusqu'aux voûtes du tribunal peu coutumières de telles explosions de joie.

— Et la réponse du Talmud, ce sera quoi? interroge Krysa dont le visage enlaidi par la balafre se couvre de rougeurs. Après un nouvel instant de silence, il lance la réponse, triomphant: Pour chasser les mouches!

Nouvel éclat de rire général.

Les exigences des rabbins, qui étaient d'interdire aux antitalmudistes de fréquenter la synagogue, de leur imposer d'autres vêtements que ceux portés par les Juifs et de ne plus les autoriser à s'appeler «Juifs», paraissent ridicules également. Le consistoire écarte leur supplique avec le sérieux qui le caractérise, arguant qu'il n'est pas compétent pour décider qui a ou n'a pas le droit de se revendiquer «Juif».

Lorsque les accusations de Lanckoruń viennent sur le tapis, le tribunal évite de prendre position. N'y a-t-il pas déjà eu un jugement qui n'a rien trouvé de coupable à des chants et des trémoussements chez soi, toutes portes fermées? Chacun a le droit de prier comme il l'entend.

De danser avec une femme également, y compris quand elle dénude sa poitrine. D'ailleurs, l'enquête n'a pas établi qu'il y avait des femmes nues. L'attention du public se reporte ensuite sur l'affaire du procès intenté à des Juifs faussaires. Un certain Lejba Gdalowicz et son aide frappaient de la fausse monnaie. L'employé est acquitté, mais l'artisan Gdalowicz est condamné à avoir la tête coupée et à être démembré. Quelques instants avant l'exécution, le coin pour battre monnaie est mis au feu et fondu en grande cérémonie. Ensuite, conformément au verdict, le faux-monnayeur a la tête coupée, son corps mis en pièces est cloué au gibet. Enfin, on plante sa tête sur un pieu.

L'événement n'aida pas les rabbins. Aux derniers jours de la disputation, ils rasèrent les murs tant l'antipathie à leur égard était devenue générale.

Le consistoire devait encore statuer sur des questions secondaires. L'une d'elles choqua les chrétiens de Kamieniec : Henszyja de Lanckoruń, un Juif qui faisait commerce avec les paysans, rétorqua à l'un d'eux, Bazyli Knesz, qui lui reprochait d'être du côté des sabbasectateurs, que, la Croix, il l'avait au bas du dos. Pour ce sacrilège, il fut condamné à cent coups de fouet en quatre fois, dans différents quartiers de la ville pour que le plus de gens possible puissent voir l'application de la peine.

Une sentence identique frappa Gerszom, qui avait provoqué les troubles de Lanckoruń et par qui tout commença.

En outre, le consistoire ainsi que Mgr Dembowski recommandèrent aux nobles de protéger les antitalmudistes, s'il s'en trouvait sur leurs domaines.

Le verdict principal fut lu et aussitôt confirmé pour exécution.

Le tribunal lavait les antitalmudistes de toutes les calomnies, condamnait les rabbins à payer cinq mille zlotys pour les dépens, à dédommager les personnes maltraitées et détroussées lors des attaques contre les dissidents, et, en sus, à verser cent cinquante-deux zlotys rouges pour la réparation du clocher de l'église de Kamieniec à titre punitif. Quant au Talmud, en tant que livre mensonger et nuisible, il devait être brûlé dans toute la Podolie.

La sentence prononcée, il y eut un silence comme si le côté ecclésial était lui-même consterné par sa sévérité ; quand le traducteur transmit les termes de la sentence aux rabbins, des cris et des lamentations montèrent de leur banc. Il leur fut ordonné de se calmer ; désormais, ils provoquaient un malaise, mais n'avaient droit à aucune compassion. Ils ne pouvaient s'en prendre qu'à eux-mêmes. Ils quittèrent le tribunal dans un silence furieux, marmonnant juste entre les dents.

Moliwda, toujours ravi d'être rentré au pays, sent également que tout a changé. Parfois cela l'amuse de prévoir telle chose ou telle autre, il regarde alors le ciel, qui semble plus vaste en plaine, qui est pareil à un miroir optique où plusieurs images n'en forment qu'une et qui reflète la terre en une fresque où tout se passe en même temps, où les événements futurs s'annoncent. Celui qui sait regarder n'a qu'à lever la tête et il verra tout.

Quand Jakób et Nahman sont venus le chercher pour qu'il les accompagne en Pologne, il n'en fut pas du tout surpris. Par politesse, il fit semblant d'hésiter. En vérité, quand il vit Jakób sauter de son cheval à la turque, avec élan, il sentit soudain s'éveiller en lui la joie totalement juvénile de la perspective d'une prochaine et nouvelle aventure périlleuse.

L'autodafé des talmuds

Dans la soirée du même jour, et donc le 14 octobre, les livres brûlent. Les exécuteurs du verdict n'ont pas à faire trop d'efforts. Il n'y a qu'à Kamieniec que l'embrasement du premier tas est précédé par une démarche formelle du bourreau qui donne lecture de l'ordre signé par Son Excellence Mikołaj Dembowski. Ensuite tout suit son cours.

Le plus souvent, la foule s'engouffre dans une maison juive et, aussitôt, un livre lui tombe entre les mains. Tous les « talmuts », tous ces textes impurs écrits dans un alphabet distordu et de droite à gauche atterrissent immédiatement dans la rue où, à grand renfort de coups de pied, on les regroupe en un tas qu'on enflamme. Les sabbasectateurs eux-mêmes, ces hérétiques juifs, aident avec un zèle extrême les fonctionnaires, moyennant quoi ces derniers, soulagés dans leur besogne, peuvent rentrer chez eux dîner. Des goyim et des débauchés toujours en quête de bagarre se joignent aux antitalmudistes. Les autodafés se multiplient dans la ville de Lwów, chaque place de quelque dimension a son feu pour les talmuds, ou tout autre livre d'ailleurs. Les brasiers rougeoient encore le lendemain toute la journée pour monter de nouveau en flammes le soir, alimentés de nouveaux ouvrages. Désormais, l'on prête à n'importe quel texte imprimé des intentions pernicieuses, au point que les chrétiens lwowiens finissent, eux aussi, par cacher leurs livres et barricader leurs imprimeries, au cas où. En quelques jours, les bûchers enfièvrent tellement la populace que les Juifs de Kamieniec, déjà presque chez eux dans la ville, même si cela reste illégal, pensent de nouveau à déménager pour Karwasar avec tous leurs biens tant ils craignent pour leur vie. La vue des volumes qui flamboient, des pages qui frétillent sous les flammèches, attire les gens, un cercle se forme comme autour d'un magicien de foire qui envoûterait des poules pour qu'elles lui obéissent. Chacun fixe les flammes et cette destruction théâtrale plaît, une colère indéfinie gronde, pourtant on ne sait pas vraiment contre qui elle devrait être dirigée, et dès lors l'irritation se tourne quasi automatiquement contre les propriétaires des livres détruits. Désormais, il suffit d'un mot d'ordre pour que cette foule enfiévrée se précipite dans la maison juive la plus proche que lui indiquerait la garde des antitalmudistes supposée défendre ses propres habitations contre le pillage.

Ceux qui, l'instant d'avant, n'étaient que de misérables pécheurs, des maudits, se sont changés en décideurs et en exécuteurs. À l'inverse, ceux qui jugeaient et instruisaient se voient jugés et sermonnés. La maison du rabbin n'est plus à lui, elle est devenue une auberge où chacun peut entrer en poussant la porte du pied. Une fois à l'intérieur, inutile de prêter attention aux protestations et aux cris, l'endroit où les livres sont conservés est connu, il suffit d'y aller directement, c'est en général une petite armoire, et d'en sortir les volumes un à un en les attrapant par la couverture pour les déplumer comme de la volaille avant la cuisson.

Une femme, souvent la plus vieille, se met à défendre désespérément tel ou tel ouvrage comme s'il s'agissait de l'un de ses petits-enfants, un infirme qui aurait rétréci jusqu'à cette forme en papier, mais les autres ont peur de s'opposer à la violence qui s'abat sur leur maison ; sans doute ont-ils déjà compris que les forces capricieuses du monde ont changé de bord – pour combien de temps, nul ne le sait. Parfois des épouses se jettent sur l'exécuteur, or il arrive que celui-ci soit un de leurs jeunes parents séduit par l'idée sabbataïste, elles le saisissent alors par la main et cherchent son regard en disant : « Icełe, qu'est-ce que tu es en train de faire ? On jouait ensemble avec ta mère au bord de la rivière ! » Les petites vieilles lancent du coin où elles se sont recroquevillées : « Ta main se desséchera pour ce sacrilège ! »

À Busk, seuls quelques talmuds brûlent parce qu'il n'y a plus beaucoup de talmudistes dans la ville. Les sabbataïstes sont une majorité. Il y a un petit feu derrière la synagogue qui ne s'embrase pas et fume car les livres, tombés dans une flaque juste avant, ne veulent pas flamber. Personne n'est hargneux. Les destructeurs se conduisent comme s'ils appliquaient une sentence : une bouteille de vodka tourne autour du brasier. Des goyim délurés cherchent à se mêler à cet autodafé : incendier, riffauder les attire toujours, même quand ils ne savent pas vraiment de quoi il s'agit. On leur a fait comprendre que l'affaire est interne, qu'elle ne concerne que les Juifs, aussi restent-ils debout à regarder le feu, les mains dans les poches de leurs pantalons en lin.

C'est à Kamieniec, Rohatyn et Lwów que cela se passe le plus mal. Le sang coule un peu. À Lwów, la foule enragée réduit en cendre la bibliothèque juive de la Maison des prières. Les vitres sont brisées, les bancs cassés.

Au deuxième jour, les troubles gagnent encore en dangerosité : la populace émoustillée – elle n'est plus juste juive, mais composite, bigarrée, vêtue de toutes les couleurs – ne sait pas distinguer un Talmud d'un autre livre, elle voit juste l'étrange écriture, illisible et donc hostile par principe. Ces gens venus à Rohatyn pour la foire du lendemain se sentent enfin autorisés à faire violence aux livres, ils donnent libre cours à leur joyeuse et bruyante folie, ils partent à la chasse. Ils se postent à l'entrée des maisons pour exiger que, tels des otages, les ouvrages leur soient remis, et, quand ils trouvent que le propriétaire tergiverse, ils cognent. Le sang coule, on casse des bras et des dents.

De leur côté, les rabbins furieux d'avoir perdu la disputation décrètent un temps de prières et de jeûne tellement strict que les mères ne donnent plus le sein aux nouveau-nés. À Lwów, la demeure de Rapaport est l'endroit d'où partent les courriers, on y travaille avec acharnement à la lueur des bougies jusqu'à l'aube. Le rabbin Rapaport, lui, est couché ; il a été roué de coups devant la synagogue, il a du mal à respirer, on craint qu'il n'ait des côtes cassées. Pinkas pleure en recopiant les lettres. La fin du monde semble proche, avec l'avènement d'une nouvelle catastrophe, la plus douloureuse de toutes car ce sont les proches qui font souffrir les proches. Comment est-il possible que Dieu nous soumette à une épreuve aussi déchirante, puisque ce ne sont plus les Cosaques ou les Tatares sauvages qui en veulent à notre vie, mais les nôtres, nos voisins, ceux dont les parents fréquentèrent la yeshivah avec nous ! Ils parlent notre langue, habitent nos villages, et les voilà qui s'engouffrent dans nos lieux de prières même si nous ne voulons pas les y voir. Quand, dans la famille, un membre s'en prend à un autre, c'est signe que le péché d'Israël est grand, que Dieu est très en colère.

Après quelques jours, lorsque Rabbi Rapaport est à peu près remis, les représentants des communes juives se réunissent pour décider d'une nouvelle collecte d'argent. Il faut porter la somme à Varsovie, la remettre à Baruch Jawan, qui a l'oreille du ministre Brühl, mais les temps ne sont guère favorables, avec la guerre en cours, pour attirer l'attention du roi sur les autodafés. La réponse se fait attendre.

Le père Pikulski explique les principes de la gématrie aux personnes de haute naissance

Jerzy Marcin Lubomirski est le commandant de la garnison de Kamieniec Podolski, une petite ville où règne plutôt l'ennui, loin du monde, et c'est son premier poste de commandement. Grand et bel homme, il a vingt ans, et, quand bien même on ne serait pas sensible à son physique agréable, il faudrait néanmoins lui reconnaître une autre qualité : il est l'héritier d'une immense fortune. Cela lui donne de la présence, on le remarque d'emblée et, une fois qu'on l'a vu, on ne le quitte plus des yeux. Kamieniec est situé sur son immense domaine. Depuis qu'il s'y passe des choses inouïes, depuis que les rues jusque-là désertes se remplissent de foules, le prince se sent tout excité et enfin heureux. Vivre sans cesse de nouvelles émotions lui est aussi nécessaire que le boire et le manger. Au dîner de départ que donne Mikołaj Dembowski pour fêter sa nomination d'archevêque, il apporte six caisses du meilleur vin de Rhénanie.

Une fois les premières bouteilles vidées, la conversation roule sur les derniers événements et l'attention du prince Lubomirski est attirée par un prêtre sans aucune prestance, le bras droit de l'évêque, Gaudenty Pikulski. Celui-ci est prié d'éclairer les gens de haute naissance sur les questions juives, par nature compliquées et embrouillées. Chacun voudrait comprendre ce dont il retourne dans toute cette confusion.

– Il y a de l'espoir avec le Juif, lance bruyamment Mgr Kajetan Sołtyk qui avale de justesse une grosse bouchée de boudin.

Dernièrement, le coadjuteur de Kiev a grossi. Chez lui, tout semble excessif. La teinte de ses habits épiscopaux est trop criarde, ses manches sont trop amidonnées, la chaîne sur sa poitrine brille trop. Ravi d'avoir réussi à attirer l'attention, il poursuit :

– Le Juif surveille votre argent et vous prête le sien si nécessaire. Il pense vite et il est cupide, il l'est pour lui comme pour son maître. Quand je veux acheter ou vendre quelque chose, je convoque toujours un Juif. Ces gens ont des arrangements avec tous les marchands de Pologne. Ils savent ce que faire des affaires veut dire. L'intérêt du Juif est que je sois son client, et pour moi cela veut dire qu'il me traitera toujours de manière à ce que je me sente en sécurité, il ne me trompera pas et je serai toujours servi au mieux. Dans la région, il n'y a pas un noble ou un propriétaire terrien qui n'ait des Juifs à son service. N'ai-je pas raison, monsieur le palatin ?

Katarzyna Kossakowska répond pour son époux :

– Chacun sait, Excellence, que vous n'êtes pas née pour vous occuper des questions agricoles ou des affaires. Il y a des régisseurs pour cela. Le danger est que, quand ils sont malhonnêtes, ils peuvent voler. Les bras vous en tombent.

Le thème des voleurs interpelle tellement tout le monde que la conversation se divise soudain en entretiens particuliers ; l'excellent vin faisant aussi son effet, les convives s'interpellent par-dessus la table ; les serviteurs remplissent les verres au fur et à mesure qu'ils se vident, mais, sur un signe discret de Mgr Dembowski, ils intervertissent les caisses pour verser désormais du vin de moindre qualité ; ce dont, à ce qu'il semble, personne ne s'aperçoit.

– En quoi consiste cette Kabbale dont tout le monde parle ? demande la palatine au père Pikulski. Même mon mari s'est mis à s'y intéresser.

– Ils croient que le monde a été créé par la parole, répond celui-ci en déglutissant bruyamment – et de reposer sur son assiette un gros morceau de viande de bœuf déjà en partance pour sa bouche.

– Oui, bien sûr, mais tout le monde le croit : « Au commencement était le Verbe. » C'est comme nous. Où est l'hérésie là-dedans ?

– Certes, madame, mais, nous, nous nous contentons de cette phrase, tandis qu'eux l'appliquent, y compris aux plus petites choses.

Le bernardin répond manifestement avec réticence. Allez savoir pourquoi, il s'en étonne lui-même. Est-ce parce que, selon lui, il serait vain de parler à une femme de questions trop compliquées ? Serait-elle très instruite, elle demeure plutôt incapable de comprendre. Ou est-ce parce que ces questions et d'autres l'incitent généralement à simplifier au maximum. Un évêque est un évêque, mais à lui aussi il faut expliquer lentement les choses car il n'a pas l'esprit vif. Dembowski est certainement un saint homme et ce n'est pas à moi de le juger, se fustige Pikulski en pensée, mais parler avec lui reste parfois difficile.

Pour tout leur exposer clairement, l'ecclésiastique demande donc une plume et une feuille de papier qu'il étale entre les assiettes. Monseigneur l'y encourage en écartant un plat d'oie fumée et en reculant lui-même pour lui laisser le champ libre ; il lance aussi un regard entendu à la palatine, car il devine que ce moinillon qui manque d'allant dissimule en lui des forces cachées qu'il est précisément sur le point d'utiliser, mais toujours à petite dose comme s'il ne voulait pas dévoiler l'existence de réserves importantes.

– À chaque lettre correspond un chiffre. Un pour *Aleph*, deux pour *Beth*, trois pour *Gimel*, et ainsi de suite. Autrement dit chaque mot composé de lettres possède une valeur numérique.

Le bernardin s'interrompt pour s'assurer que les autres suivent, puis il reprend :

– Les mots à valeur identique sont reliés entre eux par un sens profond, alors même qu'extérieurement il semble n'y avoir aucun rapport entre eux. On peut compter avec les mots, se livrer à des combinatoires, et alors des choses très intéressantes apparaissent.

Ayant dit cela, Pikulski se demande s'il doit s'arrêter là, si cela ne suffit pas, mais il n'arrive pas à s'empêcher de poursuivre.

– Prenons l'exemple suivant, dit-il, « père » se dit *av* en hébreu, cela s'écrit, de droite à gauche, *Aleph, Beth*. La « mère », c'est *em*, et donc *Aleph, Mem*. Mais le mot « mère », *em*, peut se lire aussi *im*. *Av*, « père », a une valeur numérique de 3, puisque *Aleph* c'est 1 et *Beth* 2. « Mère » a une valeur de 41, puisque *Aleph* c'est 1 et *Mem* 40. Maintenant, si nous additionnons les deux mots « mère » et « père », cela donne 44 ; or, il s'agit de la valeur numérique de *Yeled*, qui veut dire « enfant » !

La palatine, penchée au-dessus de Pikulski, fait un bond en arrière en tapant des mains.

– Comme c'est astucieux ! s'écrit-elle.

– *Iod, Lamed, Daleth,* écrit le bernardin sur la feuille épiscopale avec un regard de triomphe en direction de l'évêque.

Mgr Sołtyk ne comprend pas vraiment tous ces chiffres qui se mélangent déjà dans sa tête. Il respire mal. Il devrait maigrir. Mgr Dembowski, quant à lui, fronce le sourcil pour signifier qu'à l'avenir cela pourrait l'intéresser.

– D'après la Kabbale, dans la relation de la femme et de l'homme, les alphabets se rencontrent, ou, pour le dire en polonais, les avécédaires maternel et paternel, et ce sont eux qui, en s'entremêlant, amènent la naissance de l'enfant.

Mgr Dembowski toussote discrètement plusieurs fois puis recommence à manger.

– La Kabbale est une chose, dit Katarzyna Kossakowska à laquelle le vin a fait monter le rouge aux joues. Mais il nous arrive ici une chose que le monde n'a jamais vue ! Des milliers de Juifs veulent se convertir à la foi catholique. Ils accourent vers nous comme les poussins vers la poule, les pauvres, épuisés qu'ils sont par leur judaïté…

– Vous vous trompez, madame, l'interrompt le père Pikulski qui se racle la gorge, embarrassé.

La comtesse palatine le regarde étonnée par cette incursion dans le fil de sa pensée.

– Ils ont leur intérêt à la chose, poursuit le bernardin. Voici longtemps qu'ils se sont choisi notre pays pour leur Terre promise…

– Il faut toujours les avoir à l'œil, ajoute Mgr Sołtyk.

– Ils ont prononcé une sentence contre le Talmud, reprend Pikulski, mais il faudrait condamner tous leurs livres. La Kabbale est une sorte de superstition dangereuse qui devrait être interdite. Elle enseigne une manière de vénérer Dieu qui est de l'hérésie pure. Elle est aussi supposée apprendre à connaître l'avenir et à pratiquer la magie. La Kabbale ne vient certainement pas de Dieu, mais de Satan.

– Vous exagérez mon père, l'interrompt alors Kossakowska. Et même si cela sentait le soufre, une fois qu'ils auront été accueillis au sein de l'Église, ils découvriront aussitôt une autre existence. Ne nous sommes-nous pas réunis ici pour aider ces gens égarés au moment où ils manifestent eux-mêmes les meilleures intentions ?

Jerzy Marcin Lubomirski déguste du boudin, c'est le meilleur des mets de ce dîner. La viande est dure, le riz trop cuit. Le chou dégage une étrange odeur de moisi. Au goût de Sa Seigneurie, les convives sont trop vieux et ennuyeux. Il n'y connaît rien, aux Juifs, il les aperçoit de loin. Il s'est juste rapproché récemment d'une jeune fille juive, l'une de celles qui tournent autour de la garnison – et il y en a de toutes les nations, pour tous les goûts, comme toujours dans la proximité des armées.

Mgr Dembowski, nouvellement promu archevêque de Lwów, se prépare à partir

Tandis qu'il attend les malles qui peuvent arriver d'un instant à l'autre, prêt à partir rapidement pour Lwów et l'archevêché, monseigneur examine encore une fois le linge de corps qu'il avait commandé, puis fait marquer à ses initiales, «MD» pour Mikołaj Dembowski.

Le monogramme est brodé au fil de soie violet. Monseigneur s'était également fait envoyer de l'étranger des bas en soie car il s'est complètement désaccoutumé de ceux en lin, ceux-ci sont blanc et violet comme le monogramme, ces derniers bénéficient en outre d'un liseré tissé finement. Son Excellence a aussi quelque chose de nouveau, un pantalon chaud en laine fine qui le gratte un peu aux fesses, mais lui procure la chaleur tant désirée.

Il semblerait qu'il est content de lui. Qui sait si ses efforts subtils pour obtenir l'archevêché n'ont pas été évalués à la lumière des derniers événements, tant de pauvres gens, bannis par les leurs, humiliés, qui déjà sentent l'appel du cœur miséricordieux du Christ? Il ne laissera pas tomber cette affaire tant que ces foules juives ne seront pas baptisées. Ce sera un grand miracle en Europe, le début d'une nouvelle époque, peut-être? Il observe attentivement ceux de ses livres qui doivent être emballés, lorsque, parmi les autres, un volume relié d'une toute nouvelle peau arrête son regard. Il sait ce que c'est. Il le prend en souriant, le feuillette au hasard et tombe sur des vers:

Qu'est-ce qui est mauvais en Pologne?
Les gouvernements sont mauvais et aussi les routes,
Les ponts,
Les méchants sans nombre que jamais ne frappe le fouet.

Il sourit, touché par la naïveté de cette poésie. Ah, si le doyen Chmielowski avait autant de sagesse que de ferveur! Après réflexion, il ajoute cet ouvrage magnifiquement relié pleine peau aux autres.

Le dernier soir avant son départ du palais de Czarnokozińce, Mikołaj Dembowski se couche tard, sa main est engourdie d'avoir tant écrit de lettres (il met en ordre les affaires juives, et l'une des missives est pour le roi, auquel il demande de soutenir cette noble action). Il se réveille au milieu de la nuit en sueur, bizarrement tendu, la nuque raide et la tête douloureuse. Il a rêvé une chose horrible, mais n'arrive pas à s'en souvenir. C'était des martèlements, des violences, des rebords acérés, des bruits de déchirures, des claquements, des bredouillements gutturaux qu'il ne comprenait pas. Alors qu'il est ainsi allongé dans le noir, toujours tremblant d'effroi, et qu'il veut tendre le bras pour sonner son serviteur, il sent qu'il ne peut pas bouger et que cette main qui toute la journée a écrit des lettres, cette main refuse de lui obéir. C'est impossible, songe-t-il horrifié, je suis en train de rêver. Une peur panique, animale s'empare de lui.

Il sent alors une odeur caractéristique et comprend qu'il a uriné. Il veut bouger, mais ne peut pas; c'est de cela qu'il a rêvé: qu'il ne pouvait plus bouger. Il veut appeler ses serviteurs, mais sa cage thoracique ne l'écoute pas, elle n'a pas assez de force pour happer l'air et le laisser pousser ne serait-ce qu'un petit gémissement. Il reste donc ainsi immobile jusqu'au matin, couché sur le dos, respirant vite comme un lapin; il se met à prier, mais il est pris d'effroi et la prière lui échappe, elle aussi; il ne sait plus ce qu'il dit.  Il a l'impression qu'un spectre invisible s'est assis sur sa poitrine et que, s'il ne le chasse pas, celui-ci l'étouffera. Il essaie de se calmer et de reprendre possession de son corps, de sentir sa main et son pied, de percevoir son ventre, de serrer ses fesses, bouger un doigt. Mais il abandonne aussitôt ce terrain parce que rien ne se passe. Il ne lui reste que sa tête, mais elle est comme suspendue au-dessus d'un vide total. Il a tout le temps l'impression de tomber, aussi s'accroche-t-il du regard au chandelier en applique, fixé très haut sur le mur de sa chambre épiscopale de Czarnokozińce, au-dessus des malles prêtes pour le départ. Cela dure et s'éternise dans un effroi mortel.

Un serviteur le découvre à l'aube et tout se met en branle. Les médecins lui font des saignées, le sang coule noir et dense ; un profond souci marque leurs traits.

L'état de l'évêque connaît pourtant un mieux après cela. Le malade remue les doigts et la tête. Les mires penchent leurs visages au-dessus de lui, lui disent quelques mots, l'interrogent, le regardent avec tristesse et compassion. Ils ne font que le déprimer ; trop d'éléments les composent, tous ces yeux, lèvres, nez, rides, oreilles, grains de beauté, verrues, c'est trop, c'est insupportable, la tête lui tourne et il a la nausée, aussi fuit-il du regard vers le chandelier. Il sait que des mains le touchent, mais tout ce qu'il sent c'est le caractère tout à fait étranger de son corps. Des personnes sont debout au-dessus de lui, il ne comprend pas ce qu'elles disent ; parfois, il saisit des mots isolés, mais ceux-ci ne forment aucune phrase, ils ne font pas sens. Finalement, ces gens s'en vont, ils ne laissent qu'une bougie, la pénombre s'installe. L'évêque voudrait tellement que quelqu'un lui prenne la main, que ne donnerait-il pour la chaleur rude du creux de la paume d'autrui…

Quand la flamme de la bougie décline parce que ceux qui le veillent se sont endormis, il se débat et crie, ou plutôt il a l'impression de crier parce qu'il n'arrive à émettre aucun son ; il a tellement peur du noir !

Son frère arrive le lendemain ; oh oui, il le reconnaît ; s'il ne voit pas son visage, il entend sa voix. Il sait que c'est lui et cela l'apaise, il s'endort, mais là-bas, dans les rêves, c'est pareil, il est couché au même endroit et il a tout aussi peur de l'obscurité. Ensuite, son frère disparaît. Le soir de ce jour-là, l'esprit de Son Excellence invente des images. L'évêque se trouve à Kamieniec aux abords de son palais, de la cathédrale, mais ses pieds ne touchent pas le sol, il flotte dans les airs à la hauteur du rebord du toit. Il voit que des pigeons y ont fait leur nid, mais celui-ci est vide avec d'anciens restes de coquilles. Ensuite, il aperçoit sur une haute colonne la statue claire et lumineuse de la Vierge qu'il a bénie très récemment; sa peur le quitte un instant, mais revient vite quand son regard se porte vers le fleuve et le corps massif de la forteresse. Il sent sur lui le regard d'yeux innombrables qui l'observent avec indifférence depuis le néant. Comme si, là-bas, des millions de gens attendaient.

Il voit aussi les livres qui brûlent, enflent dans le feu et éclatent. Mais avant que les flammes ne lèchent la blancheur des pages, les lettres, pareilles à des fourmis ou à d'autres petits insectes rapides, s'échappent des feuillets en file indienne pour disparaître dans l'obscurité. Mikołaj Dembowski le voit très nettement et, en fait, il ne s'étonne nullement que les lettres soient vivantes, les unes remuent vite leurs pattes minuscules, les autres, qui en sont privées parce que plus simples, bondissent ou rampent par nécessité. Monseigneur ignore comment elles s'appellent, mais leur fuite l'émeut, il se penche vers elles presque avec tendresse et, l'instant d'après, il voit qu'aucune n'est restée, les pages blanches sont seules à brûler.

Après cela, l'évêque Mikołaj Dembowski perd conscience. Les saignées ne sont d'aucun secours.

Le soir, il meurt.

Les médecins et ceux qui le veillent, ses secrétaires mais aussi le père Pikulski, son plus proche collaborateur, sont tellement surpris par sa mort qu'ils ont un air abasourdi. Comment cela? Il était pourtant en bonne santé. Non, il ne l'était pas, il avait des problèmes avec son sang qui circulait trop lentement, était trop dense, c'est pourquoi il est mort. Il ne se plaignait de rien pourtant. Il n'a peut-être pas dit qu'il avait quelque chose? Il disait juste avoir froid. Ce n'est pas une cause de mort. Voilà pourquoi la décision est prise au palais épiscopal d'attendre pour annoncer la disparition de Son Excellence. Tout le monde reste assis sans savoir que faire. Ce jour-là, le reste du linge de corps commandé arrive, ainsi que les malles pour ses manuscrits. Tout cela a lieu le 17 novembre de l'an 1757.

La vie de Ienta, morte en hiver de l'an 1757, autrement dit l'année où le Talmud fut brûlé, peu avant que ne le soient les livres de ceux qui le brûlèrent

Un événement comme la mort d'un archevêque est unique et ne se répète jamais plus. Chaque situation, et tout ce qui la compose, n'arrive qu'une fois. Les divers éléments ne sont réunis que pour une représentation unique, tels des acteurs invités spécialement pour jouer leur rôle, ne serait-ce qu'en faisant un geste, un passage sur la scène ou en intervenant dans un dialogue bref et rapide qui, tiré de son contexte, vire aussitôt à l'absurde.

Et pourtant, un enchaînement d'événements se crée auquel nous devons accorder notre confiance, car nous n'avons rien d'autre. D'ailleurs, à y regarder très attentivement comme le fait Ienta à cet instant, nous voyons tous les pivots, engrenages, vis et modules, mais aussi tous les petits outils qui assemblent les contingences indépendantes, uniques et qui ne se reproduisent pas. Ce sont eux qui, de fait, sont le ciment du monde, eux qui véhiculent tel mot ou tel autre vers les occurrences voisines, répètent un geste ou une grimace en rythme, et ceci de nombreuses fois en des contextes différents ; les mêmes objets ou les mêmes personnes se rencontrent de nouveau coup sur coup, créent des suites d'associations fantomatiques, étrangères par nature les unes aux autres.

Cela se remarque très précisément de là où est Ienta, elle voit à quel point tout clignote et se modifie en permanence au gré de magnifiques pulsations. Rien ne peut être saisi dans sa globalité parce que tout change aussitôt, éclate en parcelles minuscules pour immédiatement composer un schéma tout aussi fugace que le précédent, lequel semblait pourtant faire sens, être beau ou surprenant. Quand on essaie de suivre à la trace une silhouette humaine, celle-ci évolue tellement qu'il est difficile d'avoir la certitude, ne serait-ce qu'un instant, qu'il s'agit toujours de la même personne. Par exemple, une telle était une petite morveuse, une enfant fragile comme une gaufrette il y a peu, et voilà que sort sur le seuil de la maison une grande femme de belle prestance, qui, d'un geste ferme, jette au loin l'eau sale d'une bassine. Et la lavure corrompt la blancheur de la neige sur laquelle elle laisse des taches jaunâtres.

Seule Ienta est immuable, seule Ienta se répète pour revenir toujours au même endroit. On peut lui faire confiance.

La nouvelle de la disparition de l'archevêque Dembowski se diffuse peu avant Hanoukka et Noël ; douloureuse pour les uns, elle est excellente pour d'autres. Elle ne manque pas d'être surprenante, c'est comme si quelqu'un avait tailladé un tapis mural patiemment tissé. Et combien de démarches n'anéantit-elle pas ! Une autre information se propage immédiatement pour atteindre Korolówka avec la tempête de neige : dès que le protecteur des vrai-croyants est mort, les rabbins ont aussitôt relevé la tête et les persécutions se sont inversées. Ceux dont le Talmud avait été récemment brûlé mettaient le feu aux livres des incendiaires de la veille. Quant à Jakób Frank, il serait aux arrêts les plus rigoureux derrière de grosses murailles. Au village de Ienta, les gens se lancent des regards sinistres. Aussitôt après l'annonce, dès le lendemain soir, une réunion a lieu dans la remise d'Izrael, chacun peine à s'empêcher de chuchoter. Bientôt des voix s'élèvent.

– C'est un affrontement de forces supérieures…
– Pareil qu'avec Sabbataï. Lui aussi a été emprisonné…
– Il doit en être ainsi. L'emprisonnement fait partie du projet…
– C'est la fin des temps…
– C'est la fin.

La neige a recouvert le paysage et toutes les routes des environs. Le cimetière avec ses *matséva* a lui aussi disparu sous une blancheur incommensurable. Où que l'on regarde, tout n'est que neige à perte de vue. Et cela tient du miracle, mais un marchand de Kamieniec parvient à traverser cet océan neigeux pour atteindre Korolówka. Sans force pour dételer ses chevaux, l'homme aux cils couverts de givre cligne seulement de ses yeux aveuglés par la réfraction lumineuse et annonce :

– Non, Jakób n'est pas en prison, il a réussi à fuir de Rohatyn directement à Czerniowce, et là c'est déjà la Turquie. Il est avec sa femme et ses enfants à Giurgiu, et, à ce qu'on dit, il se serait remis aux affaires.

Quelqu'un prend la parole d'une voix terriblement triste :

– Il nous a abandonnés. Ça en a bien l'air. Il a laissé la Pologne derrière lui, ce pays enneigé qui malgré sa blancheur neigeuse est devenu sinistre et sombre. Il n'y a plus de place pour lui ici.

Les autres l'écoutent avec incrédulité d'abord, puis la colère monte en eux, non pas à l'égard de Jakób qui s'est enfui, mais plutôt contre eux-mêmes : ils auraient dû savoir que cela tournerait ainsi. Le pire, c'est la conscience que plus rien ne changera. Le crottin du cheval resté devant la maison d'Izrael fume dans le froid glacial, il souille la neige propre comme un drap, il est la triste preuve de la faiblesse de toute créature ; bientôt, il se transformera en une motte de matière gelée.

– Dieu nous a libérés de cet homme et de la tentation qu'il représentait en permanence, déclare Sobla en rentrant chez elle – et elle se met à pleurer.

Elle pleure toute la soirée. Comment savoir pourquoi ? À vrai dire, elle n'aimait pas Jakób, pas plus que son bruyant entourage, avec ces damoiselles imbues d'elles-mêmes ou ce Nahman tordu. Elle ne croyait pas le moindre mot de ce qu'ils disaient. Elle avait peur de ce qu'ils enseignaient.

Izrael la réprimande. Une fois sous leur duvet à l'odeur humide de plusieurs générations d'oies, il tente maladroitement de la prendre dans ses bras.

– Je me sens comme si c'était moi qui étais en prison… la vie est une prison, sanglote Sobla.

Elle happe de l'air mais sans pouvoir rien dire de plus. Izrael se tait.

Une nouvelle encore plus consternante se confirme par la suite, celle de la conversion de Jakób à la religion musulmane, là-bas, dans cette Turquie. Pour le coup, Izrael s'assied, sidéré d'entendre cela. Sa mère, toutefois, lui rappelle que c'était pareil avec le Premier, avec Sabbataï. N'avait-il pas coiffé le turban, lui aussi ? Est-ce que, ça aussi, ça ne fait pas partie des plans de la rédemption ? Les spéculations durent des soirées entières. Pour les uns, c'est un acte lâche et inimaginable, pour les autres une démarche politique habile. Personne ne croit que Jakób est *vraiment* devenu un adepte d'Allah.

La plus incongrue et la plus effroyable des choses devient soudain convenable et naturelle quand elle se transforme en composante d'un projet. Izrael le constate, lui qui désormais fait du commerce de bois avec les chrétiens. Il achète des troncs d'arbres ébranchés directement au propriétaire en forêt pour les revendre ailleurs. Grâce aux dons offerts à Ienta, il a pu s'acheter une grande charrette et deux chevaux puissants, une vraie richesse. Parfois, tandis qu'il attend un chargement, il s'accroupit avec les bûcherons pour fumer la pipe. Il aime surtout discuter avec le régisseur du domaine qui, contrairement aux boquillons, possède quelque idée des mystères de la religion. C'est précisément après l'un de ces échanges qu'il réalise que la mort de Jésus, le Messie chrétien, faisait également partie du plan de Dieu. Jésus devait être crucifié parce que autrement la rédemption n'aurait pas pu commencer. Pour bizarre que ce soit, cela reste logique dans un certain sens. Izrael y réfléchit longuement, surpris qu'il est par la similitude du Christ avec Sabbataï Tsevi, qui avait dû se laisser emprisonner, se convertir à l'islam et accepter d'être chassé. Un Messie ça doit tomber au plus bas, sinon ça n'est pas un Messie. Izrael revient de la forêt avec un chargement très lourd, mais le cœur léger.

Les visites des pèlerins dans la cour de Sobla et d'Izrael cessent totalement. À cause des grands froids, mais aussi de la situation générale. Les gens en sont venus à avoir peur des miracles publics; mieux vaut que ceux-ci aient lieu quelque part en secret. Pesełe et Freïna n'espacent pas leurs visites à Ienta pour autant, alors même que Pesełe se prépare au mariage. Ses fiançailles viennent justement d'avoir lieu, le garçon a treize ans, comme elle. Elle l'a vu deux fois et il lui a paru sympathique quoique immature. Sa sœur et elle brodent désormais des nappes parce que Freïna se mariera certainement dans quelques années. Quand il faisait encore bon, Pesełe emportait parfois de la couture chez sa grand-mère – c'est ainsi qu'elle appelle Ienta – pour travailler à côté d'elle.

Elle lui racontait alors toute sorte d'histoires, lui confiait ses projets. Comme quoi, par exemple, elle voudrait vivre dans une ville importante et être une grande dame. Avoir une calèche et des robes bordées de dentelles et un petit sac à main en soie dans lequel elle garderait un mouchoir parfumé – elle ne sait pas très bien ce que l'on y met d'autre. Désormais, il fait trop froid. Ses doigts s'engourdissent tellement qu'ils ne peuvent plus tenir l'aiguille. Les gouttes de rosée sur le corps de Ienta se transforment vite en jolis cristaux de neige. Pesełe l'a découvert, elle en a pris sur son doigt pour aller à la fenêtre, au soleil, avant qu'ils ne fondent. Elle a vu des merveilles pendant un instant, des palais en cristal plus blancs que la neige, avec des vitres, des lustres et des coupes en verre ciselé.

– Tu vois tout ça où ? Dans un flocon de neige ? s'étonne Freïna.

Un jour, pourtant, Freïna aussi en prend un sur le bout de son doigt et le regarde au soleil. Il est magnifique, exceptionnellement grand, comme une petite pièce de monnaie, un *grosz*. Sa beauté cristalline disparaît en une seconde car elle n'est pas de ce monde ; la chaleur humaine a raison d'elle. En un infime instant, il est possible de jeter un regard dans l'autre monde, le supérieur, et de s'assurer de son existence.

Comment est-il possible que le gel n'attaque pas Ienta ? Izrael le vérifie plusieurs fois, au petit matin surtout, quand le froid fait éclater les arbres au-dehors. Mais Ienta est à peine un peu plus que fraîche. Du givre se dépose sur ses cils et sourcils. Soba vient parfois dans la pièce, elle s'emmitoufle dans une peau de mouton et somnole.

– Nous ne pouvons pas t'enterrer, grand-mère, dit Pesełe à Ienta. Mais nous ne pouvons pas te garder ici non plus. D'après papa, les temps sont très incertains, nul ne sait ce qui peut arriver demain.

– Ou s'il y aura un demain, ajoute sa sœur.

– La fin du monde approche. Nous avons peur, déclare Sobla, perdue – il lui semble voir bouger les paupières de grand-mère Ienta, mais oui, c'est certain : elle les entend. Que devons-nous faire ? demande-t-elle. Est-ce l'une de ces situations désespérées dans lesquelles il paraît que tu viens en aide ? Aide-nous, supplie Sobla – qui retient ensuite son souffle pour éviter de rater le moindre signe. Rien.

Sobla a peur. Mieux vaudrait ne pas avoir dans la remise l'aïeule de ce maudit Jakób « enturqué ». Ça va attirer le malheur ! Quand elle avait appris qu'il était emprisonné, elle en avait ressenti une certaine satisfaction. Bien fait pour toi, Jakób, avait-elle pensé, tu en demandais trop. Tu te plaçais toujours sur la plus haute branche, tu voulais toujours être meilleur que les autres. Maintenant, tu vas finir dans un cachot. Mais quand elle avait appris qu'il se trouvait en sécurité à Giurgiu, elle fut toutefois soulagée. Avant, tant de choses semblaient possibles, maintenant la froidure et la noirceur régnaient de nouveau. La lumière s'était retirée derrière la remise, en octobre, pour ne plus parvenir dans la cour, le froid s'était échappé de sous les pierres où il s'était caché à la période estivale.

Avant de s'endormir, Sobla se souvient des récits sur la caverne, cet endroit que s'était choisi Jakób quand il était encore le jeune Jankiełe. Et comment il y avait disparu quand il était un enfant.

Elle était petite alors, elle le connaissait bien, elle en avait toujours peur parce qu'il était violent. Ils jouaient à la guerre : les uns étaient des Turcs, les autres des Moscovites. Un jour, en tant que Turc ou Moscovite, Sobla ne sait plus très bien, il se battit avec une hargne et une fureur telles que, incapable de s'arrêter, il frappa un garçonnet de son épée en bois au point qu'il faillit le tuer. Sobla se souvient encore que, pour cela, il avait été battu jusqu'au sang par son père.

Sous ses paupières closes, elle voit maintenant l'entrée du gouffre – elle n'est jamais allée à l'intérieur. L'endroit l'épouvante, quelque chose d'étrange se passe tout autour, les arbres sont plus verts, un silence terrible règne et l'ail des ours recouvre la terre sous les bouleaux. On le cueille pour le porter aux personnes tombées malades. Il soulage toujours. Nul ne connaît les dimensions de la caverne ; elle s'étendrait des lieues sous terre et aurait la forme d'un *Aleph* gigantesque ; on raconte que toute une ville s'y trouverait. Des gnomes et des êtres boiteux, les *balakaben* gardiens des trésors y vivraient…

Brusquement, Sobla se redresse, la couverture qui recouvrait ses épaules tombe à terre, et elle dit :

– Le gouffre !

Les aventures d'Asher Rubine avec la lumière.
Celles de son grand-père avec le loup

L'année dernière, la nouvelle du tremblement de terre de Lisbonne est parvenue à Lwów. Les informations se propagent lentement. Celles découvertes par Asher dans la brochure illustrée se révèlent effrayantes. Il étudie les estampes tour à tour, à maintes reprises, il en est perturbé au point de ne pas pouvoir cesser de les regarder. Il a devant les yeux des scènes pareilles à celles du Jugement dernier. À vrai dire, penser à autre chose lui est impossible.

Il y est question de monceaux de cadavres et le médecin essaie d'imaginer ce que représentent ces cent mille morts ; c'est plus que le nombre d'habitants de Lwów, il faudrait encore ajouter les bourgs et les villages des environs, convoquer tout le monde, les chrétiens, les Juifs, les Ruthènes et les Arméniens, les enfants, les femmes et les hommes, les vieillards, les animaux, les vaches innocentes, les chiens des chenils. Combien est-ce, cent mille ?

Par la suite, quand il se calme un peu, il songe que ce n'est pourtant rien d'exceptionnel. Personne n'a probablement dressé le compte des victimes de l'ataman Chmielnicki, qui décima des villes et des villages entiers, coupa les têtes des nobles et les abandonna dans les cours des châteaux, ouvrit les ventres des femmes juives. Asher a entendu dire qu'un noble polonais, un Juif et un chien avaient été pendus ensemble. Néanmoins, il n'avait jamais vu pareilles reproductions, où des scènes qui dépassent l'imagination ont donné lieu à des dessins soigneusement gravés sur plaque métallique. Une image s'empare de son esprit : il voit les flots déchaînés qui engloutissent la ville. Une guerre des éléments semble avoir éclaté, la terre se défend de l'eau par le feu, mais la force des vagues est plus puissante ; là où elles passent, aucune vie ne persiste, elles détruisent tout et l'effacent. Les navires ressemblent à des plumes de canard sur un étang ; dans cet Armageddon, les hommes sont presque invisibles, ce qui arrive n'est pas à taille humaine. À une exception près : dans une barque, au premier plan, un homme se tient debout, un notable sans doute car il a un bel habit, et il lève ses mains jointes en un geste de prière vers les cieux.

Asher observe avec une satisfaction mauvaise la posture désespérée de ce petit être, mais aussi la quasi-absence de ciel sur l'estampe, celui-ci a été réduit à un fin liseré au-dessus du champ de bataille. Comment pourrait-il en être autrement?

Asher vit depuis quatre ans à Lwów où il a un cabinet, il soigne les yeux. Avec un lunetier polisseur, il adapte les verres pour les malvoyants. Il a un peu appris à le faire pendant ses études en Italie, mais c'est maintenant qu'il acquiert par lui-même une réelle connaissance du métier. Un livre, qu'il a rapporté de là-bas, l'a particulièrement marqué; il s'y trouve un passage qui exprime le fondement de son apprentissage, en quelque sorte, sa devise: «Et je me suis aperçu, écrit l'auteur – un certain Newton, un Anglais –, que la lumière qui se dirigeait vers l'une des limites du Tableau subissait réellement une Diffraction beaucoup plus importante que celle qui se dirigeait vers l'autre. Ainsi, est-il permis de supposer que la véritable raison de la longueur du Tableau n'est rien d'autre que le fait que la Lumière se compose de Rayons dont la capacité de diffraction diffère et qui ont été transmis en divers points du mur selon leur degré de diffraction possible.»

Le père d'Asher était un kabbaliste qui s'intéressait principalement à la lumière, même s'il était par ailleurs le métayer de deux villages dans la propriété nobiliaire des Radziwiłł en Lituanie. La charge des métairies retombait donc sur sa mère, qui s'en acquittait d'une main de fer. Le hameau où la famille s'était installée et où elle tenait une auberge se trouvait au bord du Niémen. Outre plusieurs fermettes, il y avait aussi un moulin à eau et un petit port avec un entrepôt de marchandises pour les péniches qui partaient ensuite vers Königsberg. L'ensemble était des plus rentables, et, dans la mesure où sa mère avait de grandes compétences administratives, ainsi que le sens des responsabilités, les parents Rubine s'enrichirent davantage avec ces biens, qu'ils exploitaient à titre précaire conformément à l'*Hazokeh*, qu'avec tout autre domaine affermé.

Le père d'Asher devint riche, en comparaison avec les Juifs démunis des environs, et, grâce à cela, et avec l'aide de la Commune juive, il put envoyer à l'étranger un fils doué pour les études en temps voulu ; mais lui vivait humblement, peu intéressé par la nouveauté, l'inutile ou l'excessif. Pour lui, le mieux aurait été que rien ne change jamais. Asher se souvient de ses mains qui étaient gercées dès qu'il effectuait le moindre travail au domaine. Sa peau se craquelait et, là où de la saleté s'immisçait, une petite plaie suppurait. Sa femme y appliquait alors de la graisse d'oie, ce qui faisait qu'ensuite il ne pouvait plus toucher à ses livres. Les relations d'Asher avec son frère étaient semblables à celles de Jacob avec Ésaü, de sorte que finalement l'oncle partit s'installer en Podolie où, par la suite, Asher le retrouva pour diverses raisons et où il se fixa.

Alentour vivaient des Polonais et des Ruthènes, tout le monde aimait l'auberge dirigée par madame Rubine. La demeure était très hospitalière et, pour peu qu'un Juif passât par là, riche ou pauvre, sa mère l'accueillait avec un grand verre de vodka. Sa table était toujours mise et la nourriture copieuse.

Un pope de la petite église orthodoxe voisine fréquentait l'auberge maternelle, c'était un homme indolent qui savait à peine lire et un ivrogne pur jus. Il fut à un cheveu d'envoyer à la mort le père d'Asher et il s'en fallut de peu que l'existence de toute la famille eût pris un cours complètement différent.

Ce pope passait des journées entières à la taverne avec les paysans, sans rien faire sinon embobiner tous ceux qu'il pouvait. Il faisait noter ses consommations, mais ne les réglait jamais. Un jour, grand-père Rubine décida que l'ecclésiastique exagérait et il refusa de lui verser de la vodka. Ce dernier en fut tellement vexé qu'il décida de se venger.

Le père d'Asher achetait souvent, de façon illégale, des peaux de loup à ceux qui braconnaient, paysans, petits nobles ou vagabonds. Ceux qui osaient. La chasse au gibier des forêts était un privilège seigneurial. Une nuit, un chasseur avec lequel les Rubine faisaient affaire de temps à autre frappa à leur porte. Cette fois encore, il déclara avoir une belle pièce dans son sac, qu'il posa à terre. Grand-père demanda à voir la bête morte pour évaluer la qualité de sa fourrure, mais il faisait sombre, il était tard et le contrebandier était pressé, aussi se contenta-t-il de le payer et il mit le sac de côté avant de retourner se coucher.

Il ne fallut pas longtemps pour que l'on tambourinât violemment à la porte : des gardes déboulèrent dans l'auberge. Le sac les intéressa d'emblée. Le père d'Asher pensa qu'il aurait une amende pour avoir acheté un animal de braconnage. Quel ne fut son effroi quand il apparut que la besace contenait une dépouille humaine.

Il fut aussitôt mis aux fers et jeté au cachot. Un procès se prépara car le pope accusait le père d'Asher d'avoir assassiné cet homme de ses propres mains pour recueillir son sang et l'utiliser dans la *matsa,* le pain azyme, chose que l'on imputait souvent aux Juifs. Toute la famille était au désespoir, mais le père d'Asher, qui vénérait les étincelles de lumière jusque dans le noir le plus absolu, n'avoua pas même sous la torture et supplia que l'on interrogeât le chasseur. Ce dernier commença par tout nier, mais, soumis à la question, il révéla avoir trouvé un noyé qu'il avait porté chez le religieux orthodoxe pour que le malheureux fût enterré. Le pope le convainquit alors de porter le corps chez le Juif, ce que le chasseur fit. Il reçut cent coups de verge pour cela. Le père d'Asher fut libéré, mais rien, vraiment rien, n'arriva au pope.

Asher retint la leçon : les gens ont un besoin intense de se sentir meilleurs que les autres. Peu importe qui ils sont, ils doivent trouver quelqu'un qui est moins bien qu'eux. Qui est meilleur, qui est moins bien, cela dépend de nombreuses données aléatoires. Ceux qui ont des yeux clairs pensent avec condescendance à ceux qui en ont de sombres. À leur tour, ces derniers les prennent de haut. Ceux qui habitent près de la forêt se sentent supérieurs à ceux qui habitent au bord des étangs, et inversement. Les paysans toisent les Juifs avec mépris, les Juifs considèrent d'un air hautain les paysans. Les citadins s'estiment supérieurs aux villageois et ceux-ci les tiennent pour moins bien qu'eux.

N'est-ce pas ce qui soude le genre humain? Autrui nous serait-il nécessaire rien que pour nous apporter la joie de lui être supérieur? Et, chose incroyable, ceux qui sembleraient être les plus bas de tous, et donc les pires des pires, trouvent une satisfaction perverse à ce qu'il n'y ait pas moins bien qu'eux et donc à tenir le haut du pavé en la chose.

D'où cela vient-il? songe Asher. Ne pourrait-on réparer l'homme? S'il était une machine, comme disent certains maintenant, il suffirait de déplacer légèrement un petit levier ou de resserrer une vis, et les gens trouveraient un plaisir immense à se traiter en égaux.

La princesse polonaise dans la maison d'Asher Rubine

Un enfant est né dans sa maison, il a pour prénom Samuel. En pensée, Asher l'appelle: «Mon fils.»

Il n'y a pas eu de mariage. Asher fait comme si Gitla était sa servante, elle ne sort pratiquement pas de toute manière, ou seulement pour aller au marché. Asher vit et reçoit sa clientèle rue Ruska, dans le quartier chrétien, mais il aperçoit de ses fenêtres la synagogue Tureï-Zahav. Le samedi après-midi, quand le Shabbat se termine et que l'on récite la prière de *Shmoné Esré* et donc les dix-huit bénédictions, les paroles prononcées avec ferveur parviennent jusqu'à lui.

Il ferme alors sa fenêtre. Il ne comprend presque plus cette langue. Il parle polonais et italien, assez bien allemand. Il songe à apprendre le français. Quand des malades juifs viennent le voir, il s'adresse évidemment à eux en yiddish. Il utilise aussi des termes latins. Dernièrement, il observe une véritable épidémie de cataractes, un patient sur trois en est atteint. Les gens ne font pas attention, ils regardent la lumière directement, et, elle, elle opacifie leur globe oculaire, elle le solidifie comme si c'était le blanc d'un œuf cuit. Aussi Asher a-t-il fait venir d'Allemagne des lunettes spéciales avec des verres teintés et il les porte désormais, ce qui lui donne l'allure d'un aveugle.

Gitla, princesse polonaise, s'occupe à la cuisine. Il voudrait que ses visiteurs la prennent plutôt pour une parente que pour une servante, parce qu'elle n'aime pas le rôle de domestique, elle boude et fait claquer les portes. Asher ne l'a pas même encore touchée alors qu'elle a accouché il y a plusieurs mois déjà. Elle pleurniche dans la chambrette qu'il lui a affectée et elle met rarement le nez dehors ; pourtant, le soleil tel un buvard rutilant a déjà aspiré, jusque dans les recoins, toutes les ombres humides et les tristesses hivernales vermoulues.

Quand Gitla est de meilleure humeur, ce qui est rare, elle se penche au-dessus de l'épaule d'Asher en train de lire. Il sent alors, venant d'elle, cette odeur caractéristique de lait qui l'envoûte. Il espère que la jeune femme se montrera un jour affectueuse avec lui. Seul, il était bien ; désormais, deux personnes étrangères se sont installées auprès de lui ; l'une est imprévisible, l'autre complètement inidentifiable. Toutes deux sont assises sur le bras du fauteuil, l'une mange un radis, l'autre tète un énorme sein blanc.

Asher voit bien que la jeune fille est mélancolique. La grossesse et l'accouchement sont-ils la cause de ses humeurs changeantes ? Quand elle est dans de meilleures dispositions, elle lui emprunte livres et gazettes pour les étudier des journées entières. Elle lit bien l'allemand, un peu moins le polonais, pas du tout le latin. Elle semble connaître l'hébreu, Asher ignore à quel point, il ne demande pas. D'une manière générale, il ne parle guère avec elle. Au départ, il envisageait de la garder jusqu'à la naissance, puis de la confier quelque part quand elle aurait mis l'enfant au monde. Mais maintenant, il n'en est plus si sûr. Elle n'a pas où aller, elle se dit orpheline, ses parents auraient été tués lors d'un pogrome cosaque, mais ils n'étaient pas ses parents de toute manière. En réalité, elle serait la fille naturelle d'un roi de Pologne.

– Et l'enfant? De qui? osa-t-il finalement lui demander.

Elle haussa les épaules et il en fut soulagé; il préférait le silence au mensonge.

Placer une jeune fille avec un enfant n'était pas facile. Il faudrait s'informer à la Commune juive sur l'existence de refuges pour ce genre de cas, avait-il pensé alors.

Désormais, il en est autrement. Asher ne songe plus à une maison d'accueil. Gitla est devenue une aide pour lui et elle s'occupe de la cuisine. Finalement, elle se décide à sortir, son bonnet descendu jusqu'aux yeux, pour filer par les rues d'un pas rapide comme si elle avait peur d'être reconnue. Elle se précipite au marché, achète des légumes et des œufs, beaucoup d'œufs parce qu'elle se nourrit des jaunes écrasés dans du miel. Pour le médecin, elle mijote de bons plats qui lui rappellent ceux dont il se souvient de la maison de ses parents, du bon *kugel*, du *tcholent* dans lequel le bœuf est remplacé par des champignons parce que Gitla ne mange pas de viande. Elle dit: «Les Juifs font aux animaux ce que les Cosaques font aux Juifs.»

Mais Lwów n'est pas une si grande ville et bientôt le secret sera découvert. Le quartier juif se traverse en dix minutes. De la place du marché, on prend la rue Ruska pour tourner dans la Żydowska et ensuite poursuivre d'un pas vif à travers l'invraisemblable vacarme de la Nowa Żydowska, où les maisons se bousculent les unes les autres, avec quantité de remises, d'escaliers, de petites cours intérieures à leur tour remplies de petits ateliers, de blanchisseries et d'échoppes. Les gens s'y connaissent tous et rien n'échappe à leur attention.

Comment les circonstances peuvent réussir l'impossible.
Katarzyna Kossakowska écrit à Mgr Kajetan Sołtyk

À Mgr l'évêque coadjuteur de Kiev, Kajetan Sołtyk

Votre Excellence, daignez prêter une oreille attentive à votre fidèle servante qui se présente à vous non seulement comme une enfant fidèle de

Notre Sainte Église, mais également comme Votre amie en laquelle, Monseigneur, vous pourrez toujours trouver un soutien, y compris en des situations aussi chargées d'effroi que la présente.

La disparition de notre Évêque nous prit tous tellement au dépourvu que, les premiers jours à Czarnokozińce, le silence seul régna. Moi-même, je n'appris pas immédiatement cette mort, car, pour quelque raison, le fait fut gardé en grand secret. On dit que c'était une apoplexie.

Les funérailles ne doivent avoir lieu que le 29 janvier, Votre Excellence en a certainement déjà été informée et il lui reste encore un peu de temps pour les préparatifs au voyage. Elle n'ignore pas qu'après la mort de Mgr Dembowski nos affaires prirent une autre tournure. Les rabbins entrèrent en action presque aussitôt, de même que les conseillers du roi par eux soudoyés, et il fut vite manifeste que nos benjamins n'étaient plus soutenus nulle part ; sans Mgr Dembowski, toute l'affaire sembla s'estomper dans les fumées et l'on s'en désintéressa. Où que j'aille et quoi que je dise à ce propos, je me heurte aussitôt à un mur d'indifférence. Qui plus est, les grands froids si terribles font que chacun s'enferme chez soi, personne ne pointe ne serait-ce que son nez. Notre *Respublica* est à la merci du temps qu'il fait. Peut-être est-ce également la raison pour laquelle on tarde tant avec l'enterrement, de sorte que la neige se tasse et que les routes redeviennent praticables. En ce moment, creuser une tombe serait également impossible.

Je redoute, Excellence, que nos efforts n'aient servi à rien. La violence faite aux talmudistes se retourne maintenant contre les sabbasectateurs. Les communes juives réquisitionnent leurs chaumières dans le meilleur des cas, beaucoup ont été réduites en cendres avec tout ce qu'elles contenaient. Ces malheureux viennent solliciter mon aide, mais que puis-je faire pour eux, seule, à présent que l'Évêque n'est plus ? Je leur donne donc quelques vêtements et un peu d'argent, assez pour prendre les voitures et traverser le Dniestr. Car c'est en foule qu'ils abandonnent tout pour se précipiter vers le sud, vers la Valachie, là où se trouve leur chef. Il m'arrive parfois de les envier, moi aussi j'aimerais aller chercher la chaleur et le soleil. En tout cas, j'ai vu récemment l'un de ces hameaux des antitalmudistes complètement vide, plus une chaumière n'était habitée, et j'en ai été prise de frissons.

Moi aussi, je perdis toute envie d'agir. Je fus légèrement souffrante, sans doute avais-je pris froid au cours du voyage de retour de Rohatyn à Kamieniec, et rien ne parvenait à me réchauffer, pas même le vieil aquavit de mon époux. Les gens disent que Mgr Dembowski a été frappé par un sortilège juif et qu'il en est mort. Un tavernier m'a raconté que les envoûtements s'affrontaient au-dessus de sa tête. L'un le protégeait, l'autre l'attaquait. L'un jeté par ses chers antitalmudistes, l'autre par les rabbins talmudistes. Voilà comment les gens caquettent par ici ; pour ma part, je ne crois pas à la magie juive ou non juive. Tout cela pourtant ne manqua pas de faire germer en moi de l'inquiétude ; au-dessus de nos têtes, des guerres cosmiques, avec des forces volantes s'accumulant comme des nuages, n'auraient-elles pas lieu, alors que, nous, fragiles et incapables de prévoir le lendemain, nous en sommes tellement inconscients ?

Il se dit que le successeur du défunt évêque sera Mgr Łubieński, je le connais bien et il soutiendra notre cause, du moins en ai-je l'espérance.

Je garde grand espoir, Votre Excellence et cher Ami, que nous nous verrons aux funérailles pour lesquelles, ici, tout le monde se prépare déjà comme pour quelque noce. J'ai vu moi-même des troupeaux de bœufs achetés en Valachie auxquels on faisait traverser le Dniestr pour le repas d'enterrement à Kamieniec...

Pompa funebris. 29 janvier de l'an 1758

La dépouille de l'archevêque Mikołaj Dembowski, dont la toilette mortuaire était terminée, fut transférée de son lit complètement défait, témoignage évident de la violence de sa mort, vers une pièce spéciale, sans fenêtres, où les grands froids de l'heure eurent la clémence de la faire patienter jusqu'à l'enterrement. Par la suite, elle gagna une salle d'honneur, se retrouva sur un lit à baldaquin, et là on déposa des bouquets composés des dernières fleurs qui restaient encore dans les jardins, ainsi que de branches de sapin et de genévrier. À partir de ce moment, des religieuses en prière permanente devaient lui tenir compagnie sans interruption aucune.

Pour commencer, toute une batterie de scribes s'attaqua à l'écriture des faire-part, tout un secrétariat fut mis en place : tables placées comme dans un scriptorium conventuel, bouteilles d'encre et un séminariste aux cheveux frisés affecté spécialement qui taillait les plumes d'un air endormi.

L'agitation fait du bien à tout le monde, elle empêche de penser au corps contorsionné de l'évêque et à l'effroi de ses yeux ouverts et rouges, car manifestement son passage de vie à trépas lui demanda tant d'efforts que les capillaires avaient éclaté. On discute nerveusement pour savoir s'il y aura assez de temps pour préparer des funérailles à la hauteur parce que Noël approche et que peu après ce sera carnaval. C'est une époque où l'on festoie, où l'on boit, où l'on se rend visite entre voisins et où l'on passe beaucoup de temps hors de chez soi – tout cela doit être pris en considération. Il est fâcheux que monseigneur soit mort en cette période précédant la Nativité.

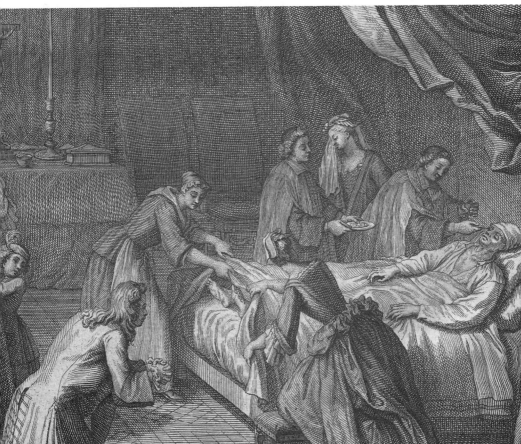

On commande des poèmes en l'honneur du défunt. On commence à écrire des oraisons, on engage des nonnes pour broder les bannières et les chasubles. Les deux meilleurs artistes de Lwów sont chargés de peindre les portraits de Son Excellence qui orneront les cercueils. Les vivants, eux, s'inquiètent de savoir s'ils ont un manteau décent ou si, peut-être, une fourrure serait plus appropriée, car l'hiver est là tout de même, et si leurs chaussures pour cette saison sont en bon état. Ne faudrait-il pas, en outre, commander une nouvelle *chouba* pour leurs épouses, en toile doublée de fourrure et avec un col en renard? Des ceintures turques seraient les bienvenues, et puis, évidemment, des chapkas en fourrure décorées d'une plume et d'un bijou. Il convient d'aller aux funérailles vêtu richement et à l'orientale, à la sarmate, comme l'exige la tradition.

Le père Gaudenty Pikulski n'est pas concerné, il aura sa tenue ecclésiale, soutane et manteau noir en laine doublé de fourrure, long jusqu'à terre. Pour l'instant, ce qui passe entre ses mains, ce sont des devis avec des sommes vertigineuses dont il n'avait pas idée. Le tissu violet pour tapisser les murs de la cathédrale – et encore, le nombre de centaines d'aunes est en discussion, car personne ne sait mesurer exactement la surface à couvrir –, les flambeaux et les bougies, constituent presque la moitié des frais! Tout un groupe de personnes s'occupe de la venue des invités, de leur hébergement, et, un autre, tout aussi nombreux, de la *stypa*, le dîner qui suivra l'enterrement. Des emprunts auprès des Juifs sont déjà lancés pour payer la construction du catafalque dans l'église et les bougies.

Les funérailles de l'évêque seront le point culminant, inattendu et anticipé du carnaval. Cela se fera en grande pompe, *pompa funebris*, avec oraisons, étendards, salves et chœurs.

Un souci intervient: à la lecture du testament, on apprend que Son Excellence souhaitait un enterrement modeste et silencieux. Ses dernières volontés consternent. Comment donc? C'est pourtant Mgr Sołtyk qui a raison quand il déclare qu'aucun évêque polonais ne peut mourir en silence. Une chance que les grands froids soient arrivés et qu'il soit possible de différer la mise en terre, le temps que tout le monde soit informé et puisse planifier sa venue.

Sitôt après la Nativité, le corps de l'archevêque est transporté à Kamieniec par traîneau en grand apparat et solennité. Le long de la route empruntée, des autels sont dressés et des messes dites en dépit du fait qu'il gèle à pierre fendre et que la vapeur qui s'échappe de la bouche des fidèles monte droit au ciel telle une prière. Les paysans observent le cortège pieusement, ils s'agenouillent dans la neige, y compris ceux qui sont orthodoxes, et font d'amples signes de croix répétés. Certaines personnes pensent que c'est un convoi militaire et non pas funèbre.

Le jour de l'enterrement, le cortège, composé des représentants des trois rites catholiques – le romain, l'uniate et l'arménien –, de la noblesse et des dignitaires de l'État, des guildes d'artisans, de l'armée et du petit peuple, se rend à la cathédrale au son des tirs et des salves. Des oraisons funèbres sont prononcées en divers endroits de la ville et le provincial des jésuites est le dernier à parler. Les cérémonies durent jusqu'à vingt-trois heures. Le lendemain, il y a des messes et le corps ne gagne sa tombe qu'à dix-neuf heures. Des flambeaux brûlent dans toute la ville.

Une bonne chose qu'il ait fait si froid : le corps noirci de Mgr Dembowski s'était changé en viande congelée.

Le sang versé et les sangsues affamées

Un soir, tandis qu'Asher appuyé au chambranle observe les femmes qui donnent un bain au petit Samuel, des coups donnés à la porte retentissent. Il ouvre avec réticence à un jeune homme débraillé et couvert de sang qui bafouille moitié en polonais, moitié en yiddish, et qui l'adjure de le suivre pour sauver un Rabbi.

– Elisha ? Quel Elisha ? demande Asher – mais déjà il déroule ses manches et attrape son manteau au crochet. Il prend à la porte la mallette qui s'y trouve toujours, bien garnie, comme il va de soi chez un docteur.

– Elisha Shorr de Rohatyn a été attaqué, battu, on lui a rompu des os, Jésus ! Marie ! bredouille l'homme.

– Et toi, tu es qui ? lui demande Asher alors qu'ils descendent déjà l'escalier – le « Jésus ! Marie ! » l'a surpris.

– Moi, Hryćko, Chaïm, peu importe, soyez pas choqué de ce que vous allez voir, monsieur, tellement y a d'sang, tellement d'sang… On avait des affaires à régler à Lwów…

Il mène Asher à l'angle, dans une petite rue, et ensuite dans une cour sombre où ils descendent un escalier vers une pièce basse de plafond, éclairée par une lampe à huile. Le vieux Shorr est étendu sur un lit ; malgré son visage ensanglanté, le médecin le reconnaît à son haut front dégarni ; il voit auprès de lui l'aîné de ses fils, Szlomo, ainsi qu'Izaak, un peu en retrait, et d'autres personnes encore qu'il ne connaît pas. Tous sont couverts de sang et de bleus. Szlomo se tient l'oreille et des filets de sang coulent entre ses doigts pour se figer en lignes sombres. Asher voudrait demander ce qui est arrivé, mais Elisha émet un râle et le mire se précipite pour le soulever doucement, faute de quoi, inconscient, il s'étoufferait avec son propre sang.

– Donnez-moi plus de lumière, dit-il d'une voix calme et posée – et les fils Shorr se hâtent d'allumer des bougies. De l'eau aussi, chaude, ajoute-t-il.

Quand il retire délicatement la chemise du blessé, il voit sur son torse de petits sacs avec des amulettes sur de fines lanières ; il veut les enlever, mais on l'en empêche, aussi les repousse-t-il un peu vers l'épaule du blessé pour dégager la clavicule brisée et l'immense hématome violacé de la poitrine. Les dents et le nez d'Elisha sont cassés, du sang s'écoule de son sourcil éclaté.

– Il vivra, dit le médecin peut-être un peu vite, mais il veut rassurer les fils et les autres.

Ils se mettent alors à chanter en sourdine, précisément en sourdine, mais Asher ne comprend pas les mots, il devine juste que ce doit être, dans la langue des Sépharades, une prière.

Asher emmène les blessés chez lui, où il a des bandages et des instruments médicaux. L'oreille de Salomon requiert des soins. Gitla regarde par la porte entrebâillée. Le jeune Shorr effleure du regard son visage, mais ne la reconnaît pas, elle a un peu grossi. D'ailleurs, comment lui viendrait-il à l'esprit que la femme du mire est le garde du corps, celle-là même qui, il n'y a pas très longtemps, était aux côtés de Jakób.

Quand, une fois pansés, les blessés s'en vont, Gitla chante entre ses dents la prière sépharade en coupant énergiquement des oignons. Elle le fait de plus en plus fort.

– Gitla! lance Asher, arrête de marmonner ainsi!

– En ville, il se dit que l'évêque s'est transformé en revenant; maintenant, il déambule au pied de son palais et il avoue ses fautes. Je chante une prière défensive. Elle est ancienne, c'est pour ça qu'elle protège bien.

– Eh bien, chacun de nous sera un revenant après sa mort! Arrête de parler comme ça, le petit a peur.

– Quel genre de Juif es-tu pour ne pas croire aux fantômes? dit Gitla qui sourit en essuyant de son tablier les larmes causées par l'oignon.

– Toi non plus, tu n'y crois pas.

– Les Juifs sont contents! C'est un grand miracle, plus grand que ceux qui arrivaient aux temps anciens. De l'évêque, ils disaient que c'était un Haman et, maintenant qu'il est mort, ils peuvent étriper les dissidents. Le vieux Rapaport a promulgué un décret, tu en as entendu parler? Comme quoi tuer un dissident, c'est une *Mitsva*. Tu l'as entendu?

Asher ne dit rien. Il essuie le sang avec de l'étoupe et nettoie ses instruments avec un chiffon avant de les ranger dans sa trousse parce qu'il doit tout de suite aller faire une saignée à un certain Deym, le receveur en chef de la poste, frappé d'apoplexie. Il passe encore par l'appentis où il garde des sangsues en pots. Il choisit les plus petites, les plus affamées, ce Deym est un homme mince, il n'a donc pas trop de sang inutile.

– Ferme la porte derrière moi, dit-il à Gitla. Aux deux targettes.

Octobre est revenu, avec son odeur de feuilles sèches et d'humidité. Asher Rubine aperçoit dans l'obscurité des groupes d'hommes portant des torches allumées. Ils se dirigent vers les lieux où habitent les hérétiques miséreux, au-delà des murs de la ville. On entend des cris. Quelque part dans les faubourgs, un halo de lumière monte, l'une de ces chaumières plus que pauvres, dans laquelle les gens vivent avec leurs bêtes, doit être en train de brûler. L'autodafé frappait récemment le Talmud, maintenant il s'applique au Zohar et aux autres écrits interdits aux Juifs pieux. Asher aperçoit un chariot rempli de jeunes, enthousiastes à l'idée mettre le feu aux livres hérétiques, qui file vers la sortie de la ville, sans doute pour atteindre Gliniany et Busk où les antitalmudistes sont les plus nombreux. Il est bousculé par des gens qui braillent et courent matraques en l'air. Il serre plus fort ses pots de sangsues et presse le pas. Chez son malade, il apprend que celui-ci vient de mourir ; les sangsues resteront sur leur faim.

Mme Elżbieta Drużbacka écrit au révérend père Chmielowski, ou de la perfection des formes imprécises

… je Vous adresse, Très Révérend Père Doyen de Rohatyn, mes volumes où Votre œil vif voudra peut-être trouver plus que l'inconstance du monde ; pour exprimer par le langage l'immensité de celui-ci, on ne peut utiliser de mots par trop clairs, évidents ou univoques, parce que alors le résultat rappelle un croquis à la plume où elle serait transposée en traits noirs sur une surface blanche. Or, paroles et tableaux doivent être souples et ambigus, ils doivent avoir quelque chose de tremblé et porter de nombreuses significations.

Non pas, Très Révérend Père, que je ne tienne en haute estime Vos efforts ; au contraire, le gigantisme de Votre ouvrage m'impressionne grandement. Néanmoins, j'ai le sentiment que Vous prenez conseil auprès des défunts. Ces livres cités et compilés rappellent le pillage des tombes. Les faits, quant à eux, deviennent rapidement caducs et perdent de leur actualité. Est-il possible de décrire notre vie sans tenir compte des faits, en ne s'appuyant que sur ce que l'on voit et ressent, sur des détails, des sentiments ?

Je m'efforce de regarder le monde avec mes propres yeux et de parler avec ma langue et non pas celle d'autrui.

Son Excellence Mgr Załuski s'inquiétait des pertes qu'il ferait en devenant mon éditeur et il m'adressait des lettres imprégnées d'amertume ; or voici la première édition déjà vendue et, comme je l'apprends, la deuxième se prépare. Un peu de tristesse me vient car Son Excellence attend de moi maintenant que je vende mes propres vers par lui édités. Il m'en envoya tantôt cent exemplaires – et comme les piaristes détenteurs de l'imprimerie exigent leur argent, il me somme de les écouler. Je lui écrivis que jamais je n'avais composé mes vers pour en tirer profit mais à des fins de distraction et de réflexion. Je ne veux ni ne saurais m'enrichir sur eux. Comment donc ? Devrais-je tel un marchand quérir une charrette pour y placer mes poèmes et les brader pour un grosz dans les foires ? Ou encore les fourrer de force entre les mains des puissants et attendre leurs faveurs ? Je préfère de loin me livrer au commerce du vin qu'à celui des rimes !

Avez-Vous reçu, Révérend Père, l'envoi que je Vous faisais par des personnes en route pour Lwów ? Il y avait là des pantoufles en feutrine de laine que nous brodâmes cet été – ma fille et mes petites-filles surtout, peu moi-même car j'y vois déjà mal avec mes yeux –, ainsi que des douceurs séchées de notre verger, prunes et poires que j'aime le plus, et un tonnelet de mon propre vin de roses ; prenez-y garde, cher Père Benedykt, car il est fort. Ce paquet contenait surtout un magnifique châle de casimir pour les jours froids en Votre ermitage de Firlej. Je pris également la permission d'y ajouter une modeste plaquette que Vous ne connaissez pas encore, mais, poserait-on sur une balance Votre *Nouvelle Athènes* et mes « tricotages », aucune comparaison ne serait évidemment possible. Ainsi en est-il qu'à deux personnes le même paraît différent. Un tel qui se trouve abandonné pense différemment d'un tel qui l'abandonne. Celui qui possède autrui réfléchit autrement que celui qui est sa possession. Qui est rassasié n'a pas les idées de celui qui a faim. La fille richissime d'un noble rêve d'un carlin de Paris, la pauvre enfant d'un paysan d'une oie pour la viande et les plumes. Ceci fait que j'écris :

Mon pauvre esprit qui ne peut concevoir
Le nombre des étoiles au firmament
Se contente, en forêt, des chênes, des sapins noirs,
Faisant arithmétique de leur dénombrement

Votre vision est d'emblée autre. Vous voudriez la connaissance comme un océan où chacun pourrait puiser. Vous croyez que l'homme instruit, pour avoir tout lu, connaît le monde entier sans bouger de chez lui. Et aussi que le savoir humain est comme un livre, qu'il a ses reliures, ses limites et que donc l'on peut le résumer dans son entier, et qu'alors il deviendra accessible à tous. Pareil but honorable Vous inspire et pour cela je suis Votre lectrice reconnaissante.

Je n'en ai pas moins mes convictions.

Petit est le monde, vivant est l'homme : le ciel est là où se trouve la tête,
Les sens, là où sont les planètes ; l'esprit, là où est le Soleil, les mots pareillement.
Tourne le ciel, le monde divague, l'homme avec lui,
La mort d'est en ouest poursuit le jour avec la nuit.
Si Lune changeante ne nous avait donné les femmes gracieusement,
Le monde ne tiendrait pas sur ses jambes, que resterait-il alors à la tête * ?

Hé, me direz-Vous, voilà qui est imprécis, pur babillage. Vous aurez certainement raison, mais tout cet art d'écrire, Mon bon Ami, pourrait être la perfection des formes imprécises...

Benedykt Chmielowski, le révérend père doyen, écrit à gente dame Elżbieta Drużbacka

Le père Benedykt est assis dans une position curieuse, car Saba, la sœur de Firlejka s'est endormie sur ses genoux. Il doit garder les jambes droites, talons contre la barre transversale de la table, afin que la chienne ne glisse pas à terre. Pour atteindre l'encrier, il lui faut effectuer un arc de cercle au-dessus du bureau et il y parvient. Avec les plumes, qu'il garde sur l'étagère derrière lui, les choses sont plus difficiles ; il se retourne pour saisir la boîte. Le contenu tombe à terre et, dépité, il se dit qu'il lui faudra sans doute attendre le réveil de Saba. Pareille inactivité n'est pourtant pas dans sa nature, aussi commence-t-il à écrire avec sa plume émoussée. Le résultat n'est pas trop mal. Eh bien, soit.

Je vous adresse mes plus vifs compliments et vœux d'excellente santé, Madame, d'autant que, pour ma part, je pris froid aux funérailles de

---

* Écrit anonyme polonais du XVIIIᵉ siècle. (*N.d.T.*)

feu l'Archevêque Dembowski et que, depuis, je reste enfermé chez moi à tousser et cracher, je me garde au chaud. Je sens la vieillesse arriver à grands pas. Il est vrai que la mort de Monseigneur a grandement altéré ma santé car l'homme m'était proche et nous partagions une familiarité aussi grande qu'il est permis à deux serviteurs de l'Église. Je songe que lentement mon heure, elle aussi, arrive, et, n'ayant pas achevé mon ouvrage, je ressens de l'inquiétude et la peur me gagne de ne pas visiter avant ma mort la Bibliothèque des Frères Załuski. J'ai convenu avec Mgr Załuski que je partirai pour Varsovie dès que l'hiver s'adoucira, Son Excellence s'en est réjouie et a promis de me donner l'hospitalité.

Pardonnez-moi, Madame, de m'entretenir si brièvement avec Vous aujourd'hui, mais je crois que la fièvre me dévore et le chien endormi ne m'autorise pas à changer de plume. J'ai fait don des chiots de ma Saba et désormais la maison demeure vide et triste.

J'ai une trouvaille pour Vous, chère Amie, que je Vous livre dans l'espoir de vous occuper à chose plus intéressante que la conduite des affaires domestiques, *et cetera* :

Comment celui qui garde la chambre peut-il voir ce qui se passe au-dehors ?

Qui voudrait observer toutes les actions se déroulant dans la cour sans y aller voir de ses propres yeux, mais en restant couché, doit faire

Fig.7. CAMERA OBSCURA.

régner l'obscurité dans sa chambre, fermer soigneusement toutes les fenêtres pour qu'aucune lumière extérieure n'y pénètre. Ensuite, il lui faut creuser un modeste trou rond – vers la cour directement –, pour y placer un verre de longue-vue ou de besicles qui rende les choses plus grandes qu'elles ne sont. Après avoir accompli cela, il lui faut accrocher dans la pièce sombre, face au trou, une toile dense, fine et blanche ou une grande feuille de papier blanc.

Sur cette toile ou écran, Vous pourriez voir, Ma bonne Amie, tout ce qui arrive dans la cour, un tel passe, un tel s'en va à cheval, tel autre se bat, batifole, emporte ceci ou cela du cellier ou de la cave.

Je l'ai expérimenté aujourd'hui, et il me faut Vous dire que j'y parvins, même si l'image resta floue et qu'il me fut difficile de distinguer grand-chose. Je vous envoie également un présent de grande valeur : les calendriers de Stanisław Duńczewski. L'un est de l'an dernier et il recèle les portraits des rois de Pologne jusqu'à Sigismond Auguste. L'autre, nouveau, de Sigismond Auguste à Auguste II. Vous pourrez en faire des récits à vos petites-filles sans devoir vous fier à la mémoire, toujours incomplète et mitée…

Un invité inattendu arrive chez le père Chmielowski de nuit

Benedykt Chmielowski s'interrompt à mi-phrase, la plume en l'air, car, alors qu'il fait déjà nuit noire, un attelage arrive à son presbytère. Il entend les sabots des chevaux devant chez lui, puis leurs ébrouements impatients. Saba, soudain réveillée, bondit de ses genoux pour filer vers la porte avec un jappement silencieux. Les bruits se dispersent dans le brouillard humide comme les jets de l'arrosoir. Qui cela peut-il être à cette heure ? L'ecclésiastique s'approche de la fenêtre, mais il voit à peine ce qui se passe dans l'obscurité ; il entend la voix de Roszko, somnolente et rétive, puis, l'instant d'après, plusieurs autres, inconnues celles-là. La brume montée de la rivière sature de nouveau la cour, les paroles s'y diffusent, incertaines, s'arrêtent à mi-mots. Le père doyen attend que Roszko aille à la porte, mais lui n'y va pas. Où est donc passée la gouvernante ? Elle s'est endormie alors qu'elle se lavait les pieds dans une cuvette avant d'aller se coucher ; à la lueur de la bougie en train de s'éteindre, le prêtre voit sa tête ballante. Il prend le chandelier et se dirige vers l'entrée. Devant le véhicule se tiennent des silhouettes emmitouflées de pied en cap comme des fantômes. Roszko, endormi, se montre aussi, il a du foin dans sa tignasse.

– Qui va là ? s'enquiert courageusement le prêtre. Qui hante la nuit et trouble le sommeil d'une âme chrétienne ?

L'un des spectres s'approche alors de lui, le plus petit, et aussitôt le prêtre reconnaît le vieux Shorr, alors même qu'il ne distingue pas encore les traits de son visage. Il est tellement surpris de le voir qu'il en a le souffle coupé, les paroles lui manquent. Que font-ils ici la nuit, ces maudits Juifs ? Il garde pourtant assez de présence d'esprit pour ordonner à Roszko de s'en aller, de rentrer chez lui.

Il reconnaît Hryćko, le gamin est devenu un homme ! Elisha Shorr, sans dire un mot, l'entraîne vers le chariot couvert dont, d'un geste, il rejette la toile en arrière. Benedykt Chmielowski voit alors une chose inouïe. La voiture est presque entièrement remplie de livres. Ils sont empaquetés et sanglés par trois ou quatre.

– Sainte Mère de Dieu ! articule le prêtre – et la dernière syllabe, le «ieu» prononcé plus bas, éteint la flamme de la bougie.

Ensuite, sans plus parler, les trois hommes transportent les livres dans le presbytère pour les déposer dans la pièce où le doyen conserve le miel, la cire et du bran de scie pour enfumer les abeilles en été.

Il ne leur demande rien, il veut juste leur proposer un verre de vin chaud, il le garde sur le poêle, et eux sont gelés. Elisha Shorr repousse alors sa capuche, le chanoine découvre son visage couvert de bleus, et, à cette vue, ses mains se mettent à trembler tandis qu'il remplit les verres d'une boisson qui, malheureusement, s'est refroidie.

Après cela, les visiteurs disparaissent.

Le gouffre
aux formes de la lettre *Aleph*

Il faut traverser la partie chrétienne du village, dépasser le croisement qui fait office de place du marché et où se trouve la taverne du frère de Sobla, celle qui propose des liqueurs d'herbes locales – comme électuaires et non comme alcools. Un dépôt de marchandises et une forge sont aussi sur cette placette. Il faut ensuite poursuivre tout droit, dépasser l'église et le presbytère, puis le cimetière catholique, plusieurs maisons blanchies à la chaux de Mazuriens – on appelle ainsi les colons de Pologne – et, plus loin, la petite église orthodoxe, pour arriver au-dessus de la localité et atteindre le gouffre. Les habitants des lieux ont peur de s'y rendre, l'endroit est hanté; au printemps, c'est l'automne; en automne, le printemps; le temps y suit son propre rythme, différent de celui en contrebas. Rares sont les personnes qui savent à quel point la cavité est immense, mais il se dit qu'elle a la forme de la lettre *Aleph*, qu'elle est un immense *Aleph*, un sceau, la première lettre, celle qui est au fondement de l'univers. Il est possible

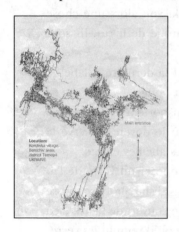

Location:
Korotivka village,
Borschiv area,
district Ternopil
UKRAINE

Main entrance

N

que quelque part, très loin dans le monde, sous terre, se trouvent d'autres lettres, tout l'alphabet créé avec rien, avec de l'air souterrain, des ténèbres, du clapotis d'eaux souterraines. Izrael pense que c'est un grand bonheur de vivre si près de la première lettre et, qui plus est, du cimetière juif avec vue sur la rivière. L'émotion lui coupe toujours le souffle quand, de cette hauteur en surplomb, il regarde le monde. Comme il est beau et cruel à la fois! Un paradoxe directement tiré du Zohar.

Ils transportent Ienta en cachette au petit matin. Quatre hommes et trois femmes. Ils l'ont entourée d'un linceul et couverte de foin pour le cas où des yeux étrangers se montreraient curieux. Par l'étroite entrée du gouffre, les hommes descendent sur des cordages avec la dépouille légère comme si elle était de feuilles sèches. Ils disparaissent un quart d'heure puis reviennent sans le corps. Ils l'ont installé confortablement sur des peaux dans un renfoncement de rochers, dans l'antre de la terre comme ils disent. Il leur a semblé étrange de déplacer un tel cadavre, parce qu'il n'est déjà plus humain, devenu léger tel celui d'un oiseau. Sobla pleure.

Aussi sont-ils soulagés de se retrouver au soleil qui vient de se lever ; ils nettoient leurs pantalons et s'en retournent au village.

Le regard de Ienta les accompagne encore un petit bout de chemin, compte leurs bonnets, puis, lassé, s'en revient, caresse les pointes des herbes qui arrivent à maturité et fait voler les aigrettes des pissenlits.

Le lendemain, Pesełe descend dans la caverne. Elle allume une lampe à huile et, après une vingtaine de mètres, arrive à une haute cavité. La flamme éclaire des parois étranges, comme taillées dans l'onyx, avec nombre de renfoncements et de stalactites. La jeune fille a l'impression d'avoir pénétré dans l'un de ces flocons de neige qui se formaient sur la peau de Ienta. Elle aperçoit la dépouille de son arrière-grand-mère étendue sur un surplomb naturel, elle lui semble plus petite que la veille. La peau est rose pourtant, et le même sourire flotte sur son visage.

– Pardonne-nous, dit Pesełe. Ce n'est que temporaire. Nous te sortirons de là une fois que la sécurité sera revenue.

Elle reste assise un moment à parler de son futur mari qui lui semble être encore un enfant.

17

LES RELIQUATS. MES PROBLÈMES DE CŒUR

Il est écrit dans le *Berakhot* 54 que quatre personnes devraient remercier Dieu : celle qui s'est sortie indemne d'un périple en mer, celle qui est rentrée d'un voyage dans le désert, le malade qui a recouvré la santé et le prisonnier qui a été libéré. J'ai vécu tout cela à moi seul et j'ai à en remercier Dieu, ce que je fais chaque jour. Pour avoir observé à loisir la fragilité extravagante de notre existence, je rends d'autant plus grâce au Très-Haut d'être en bonne santé et de m'être relevé de l'état de faiblesse dans lequel je me trouvais après qu'avec Elisha et Nussen nous eûmes été rossés lors des troubles qui suivirent la disparition de notre protecteur et évêque. Je n'ai aucune résistance à la violence et je redoute la douleur. J'ai étudié pour devenir rabbin et non pugiliste.

À l'auberge, dès que je fus complètement guéri, si l'on excepte la perte irrémédiable de deux dents, j'aidai mes beaux-parents et ma Léa à effectuer des réserves de bonne vodka, de graisse d'oie, de chou, de miel, de beurre et de vêtements chauds ; de mon côté, j'investis en marchandise, en cire plus exactement, puis, avec Mosze de Podhajce, Chaïm et Jeruchim Lipmanowicz, que, depuis des semaines, je rencontrais en secret de mon épouse, nous décidâmes de prendre le même chemin que Jakób. Je ne voudrais pas appeler cela une « fuite », même si cela peut en avoir l'apparence, et c'est d'ailleurs ainsi que Léa le qualifia en hurlant que je lui avais toujours préféré Jakób. Elle ne me comprenait pas, pas plus qu'elle ne comprenait ma mission.

À la même époque, une scission douloureuse eut lieu chez nous, les vrai-croyants : les Shorr semblèrent oublier Jakób, ou avoir perdu foi en lui mais aussi l'espoir qu'il serait notre guide. Avec Krysa de Nadworna, ils partirent en mission pour Salonique chez les adeptes de Barukhia, ceux-là mêmes qui, en leur temps, avaient terriblement malmené Jakób.

Je fais souvent le même rêve, et Reb Mordke m'a toujours dit de prêter atten-tion à ces songes qui reviennent souvent parce qu'ils sont notre lien avec l'infini. J'erre dans une vaste maison où il y a un grand nombre de pièces, de portes et de passages. J'ignore ce que j'y cherche, tout y est vieux et décré-pit, les tentures, autrefois luxueuses, sont délavées et déchirées, les parquets vermoulus.

Ce rêve m'inquiète, je préférerais avoir ceux des Kabbalistes, avec les palais cachés l'un dans l'autre et les couloirs sans fin qui mènent au trône divin. Or, dans le mien, il n'y a que des labyrinthes sans issue couverts de moisissures. Quand, soucieux, j'en parlai à Jakób, il se mit à rire : «Tu as de la chance, moi je rêve d'écuries et de cloaques.»

Cet automne, je reçus une lettre de Léa, elle demandait le divorce. Par la plume du rabbin local, elle m'y accusait d'être devenu un dissident et de l'avoir trompée pour les siècles des siècles. Je pleurai quand il me fallut lui écrire le *Gett*, la lettre de dissolution de notre mariage, mais, à vrai dire, j'en ressentis du soulagement. Nous avions peu de choses en commun, et mes brèves visites chez moi ne suffirent pas à créer entre nous de lien plus fort. Je promis de m'occuper de notre fils et de l'aider, elle, tant qu'elle n'aurait pas refait sa vie, mais elle ne me répondit plus.

Quand je regarde mes notes, je remarque que j'y parle rarement de ma femme, épousée il y a très longtemps, à mon retour de l'école de Besht. Elle m'avait été choisie dans le voisinage, elle était la fille d'un parent de mon père. J'en ai peu parlé parce que je n'ai jamais été particulièrement intéressé par les questions relatives aux femmes et que j'ai toujours considéré mon mariage comme un devoir à l'égard de ma famille et de ma tribu. Quant aux enfants, nous en avons eu cinq, mais un seul survécut, les autres moururent à la naissance. Léa affirmait que c'était à cause de moi, parce que j'étais trop rarement à la maison et que, quand je m'y trouvais, j'étais occupé par autre chose. Pour ma part, je considère avoir fait mon devoir consciencieusement. Dieu s'est pourtant montré avare de progéniture à notre égard, il en faisait une sorte de promesse qu'il retirait aussitôt. Peut-être aurais-je pu donner à Léa de magnifiques enfants sains qui ne meurent pas aussitôt nés. Peut-être aurais-je pu lui apprendre à lire, à bâtir une maison, à diriger mon affaire pour qu'elle n'ait pas à travailler comme une servante. J'ai pris femme mais je m'en suis complètement désintéressé. Telle est la vérité, celle de la faute qui pèse sur moi.

Mosze de Podhajce – à qui je demandai conseil, et c'est un homme très instruit, qui, en sus, s'y connaît en magie – m'a dit que nous traînions des questions douloureuses de nos vies antérieures, dont nous ne pouvions pas nous souvenir, et qu'il fallait nous séparer pour ne pas introduire dans ce monde de souffrance supplémentaire.

Dans ma vie, il y a deux êtres que j'aime intensément et avec constance, Léa et Jakób. Pour mon malheur, ils sont aux antipodes l'un de l'autre, ils ne se supportent pas, il n'est aucune manière de les réconcilier, et, moi, je dois louvoyer entre eux.

J'ignore comment cela se fit, mais au plus fort du malheur, sans mon épouse et sans Jakób, je me retrouvai de nouveau chez Besht, à Międzybóz. J'y parvins comme dans un état second, probablement à la recherche de ce qui avait été ma quête de jeunesse, la sagesse et la capacité à supporter la souffrance.

J'attendis un entretien deux jours sans révéler qui j'étais ni comment je me retrouvais là. Si je l'avais fait, Besht aurait pu ne pas me recevoir, tout le monde savait qu'il s'inquiétait de nous, de ce que nous ne nous tenions pas dans la judaïté comme tout le monde l'attendait.

D'autres usages avaient désormais cours dans la petite localité presque entièrement habitée par des Juifs hassidiques. Il y avait des pérégrins partout, avec des vestes jusqu'aux genoux, de grandes chaussettes montantes pas trop propres et des *shtreïmel* sur la tête. Międzybóz dans son entier semblait très loin de Lwów ou de Cracovie, concentré sur lui-même comme dans un rêve merveilleux. Partout dans ses ruelles, des conversations similaires avaient lieu : sur Dieu, les prénoms, la recherche d'explication du moindre geste, du moindre événement. On n'y savait rien de la vie dans le monde, de la guerre ou du roi. Międzybóż, où je me sentais si bien autrefois, accrut mon désespoir, car tous ces gens étaient comme aveugles et sourds. Je leur enviais de pouvoir se préoccuper en permanence des questions divines – tel aurait aussi été mon désir naturel –, mais cela faisait d'eux des êtres sans défense, pareils aux enfants, alors qu'une nouvelle tempête se profilait à l'horizon. Ils étaient comme des aigrettes de pissenlit, magnifiques et légers.

J'y vis aussi quelques-uns des nôtres qui, à cause de soudaines persécutions après la mort de notre protecteur l'archevêque Dembowski, s'étaient également retrouvés là ; ils furent accueillis sans questions inutiles, alors qu'il était connu que Besht considérait Jakób comme hautement nuisible. Je fus particulièrement heureux de la présence de Lejbko de Glinna, avec lequel je m'étais lié d'amitié en cet endroit des années auparavant, et, quoiqu'il ne fût pas un vrai-croyant, il restait proche à mon cœur.

À Międzybóż, l'on enseignait qu'en tout homme il y avait quelque chose de bien, y compris chez le pire des marauds. Je commençai moi aussi à comprendre que chacun avait son propre intérêt à protéger, bon pour lui, et que ce n'était pas une faute. Rien de mal à cela, les gens veulent le bien pour eux-mêmes. Tandis que je réfléchissais ainsi à ce que chacun désire, je commençai à mieux comprendre : Léa voulait un bon mari et des enfants, et un confort élémentaire, comme avoir un toit et une pitance nourrissante. Elisha Shorr et ses fils voulaient s'élever plus que ce n'était possible pour des Juifs. C'est pourquoi, visant plus haut, ils souhaitaient rejoindre la société chrétienne, parce que, en restant dans la juive, ils devraient accepter ce qu'ils étaient, s'en tenir à ce qu'ils avaient déjà. Krysa était un chef non abouti. Feu l'évêque voulait sans doute servir le roi et l'Église, il cherchait peut-être aussi la gloire. Et Madame Kossakowska, qui nous donna de l'argent pour le voyage, qu'en était-il pour elle ? Voulait-elle avoir le mérite d'aider les pauvres ? Cherchait-elle également la gloire ?

Et que voulait Jakób ? Je répondis aussitôt à ma question :

Jakób n'a nul besoin de désirer quoi que ce soit. Jakób est l'instrument de forces puissantes, je le sais. Son devoir est de détruire l'ordre mauvais.

Besht avait avancé en âge, mais force et clarté irradiaient de sa personne. Ne fût-ce que toucher sa main suscita en moi une émotion tellement grande que je ne pus me retenir de pleurer. Il me parla longtemps, d'égal à égal, et je lui serai reconnaissant jusqu'à la fin de ma vie de ne pas m'avoir rejeté. Il posa finalement la main sur ma tête et dit : « Je t'interdis de désespérer. » Il ne prononça aucune autre parole, comme s'il savait mon habileté en toute discussion, ma capacité à avancer des arguments à l'infini, qui faisaient que je n'avais besoin d'aucune leçon. Mais au moment où je quittais Międzybóż, un jeune *hassid* courut jusqu'à moi pour me glisser un papier plié dans la main. Il y était écrit en hébreu : *Im atah maamin she-ata yakhol lequalquel, taamin sh-atah yakhol letaquen*, « Si tu penses être capable de détruire, pense aussi que tu es capable de reconstruire ». Le mot était de Besht.

COMMENT, À GIURGIU, NOUS POUSSIONS JAKÓB À RENTRER EN POLOGNE

L'hiver 1757, nous arrivâmes tous les quatre chez Jakób à Giurgiu ; munis de lettres patentes obtenues pour nous du roi de Pologne, nous avions pris la route à Hanoukka. Nous allions le voir pour le persuader de rentrer. Sans lui, en effet, notre affaire se diluait étrangement entre les mains de Krysa de Nadworna et d'Elisha Shorr.

Quatre nous étions, tels les évangélistes : Mosze ben Izrael de Nadworna, Jeruchim Lipmanowicz de Czortków, mon frère Chaïm de Busk et moi.

Jakób nous accueillit. Nous étions frigorifiés et épuisés par le voyage parce que l'hiver était rude cette année-là. Qui plus est, nous avions été attaqués en chemin et avions perdu nos chevaux. Mais quand j'avais aperçu le Danube, je fus pris d'une immense émotion comme si j'arrivais au cœur du monde, la clarté me sembla plus forte et j'eus aussitôt plus chaud, malgré la haute neige qui recouvrait tout.

Jakób nous fit nous approcher de lui pour poser nos fronts contre le sien et il nous serra si fort, et nous étions dans une telle proximité que c'était comme si nous faisions un avec lui, nous quatre à ses côtés et lui au centre. Nous respirions d'un même souffle. Nous restâmes ainsi longtemps, je me sentis complètement en union avec eux et je compris que rien n'était terminé, que c'était au contraire le début de notre chemin et que lui, Jakób, nous mènerait plus loin.

Mosze prit alors la parole, en tant que le plus âgé d'entre nous : « Jakób, nous sommes venus te chercher. Tu dois rentrer. »

Quand il sourit, Jakób lève un sourcil. Et là, tandis qu'il répondait à Mosze, il leva également un sourcil, et, moi, je fus gagné par une chaleur inhabituelle : c'était l'émotion de le voir à nouveau, il était à mes yeux si beau dans son entier que sa présence libérait en moi les meilleurs sentiments.

Jakób répondit : « Nous verrons. » Il nous emmena aussitôt faire le tour de sa propriété ; sa famille et ses voisins vinrent à notre rencontre, Jakób jouissait d'un grand respect et les gens n'avaient pas idée de qui il était vraiment.

Comme il s'était bien installé ! Il venait d'acheter une maison, déjà il y emménageait, mais nous nous installâmes encore dans l'ancienne, qui était belle aussi, agencée à la turque avec des murs peints et des sols recouverts de carrelage. Comme c'était l'hiver, de petits poêles transportables étaient disposés partout sous la surveillance de servantes dont nous avions du mal à détacher nos regards, Chaïm surtout, qui aime les femmes plus que tout. Nous allâmes vite voir la nouvelle maison avec vue sur le fleuve, derrière laquelle se trouvaient de vastes étendues de vignes. Tapis déployés et jolis objets turcs remplissaient l'intérieur de l'habitation. Chana avait grossi après la naissance de leur fils, Lejba, appelé également Emanuel, prénom qui signifie « Dieu est avec nous » ; elle était devenue encline à la paresse. Elle passait ses journées sur les ottomanes dans un endroit ou un autre, tandis qu'une nourrice s'occupait de l'enfant. L'épouse de Jakób avait appris à fumer la pipe, et, si elle parlait peu, elle n'en restait pas moins avec nous presque tout le temps, à observer son mari, à surveiller le moindre de ses pas avec le regard qu'ont nos chiens en Podolie. Jakób prenait constamment la petite Awacza dans ses bras, une enfant gentille, calme et obéissante, à laquelle on voyait qu'il était très attaché. Aussi, après avoir fait le tour des choses à notre arrivée et discuté jusque tard dans la nuit, j'étais un peu troublé et je ne savais pas si Jakób essayait de nous faire comprendre que nous devions le laisser tranquille ou s'il avait un autre plan dont nous ne savions rien, et ce que cela voulait dire.

Je ne cacherai pas que, lorsque je posai la tête sur mon oreiller, avant de m'endormir l'image de Léa me revint et je fus pris d'une grande tristesse de la savoir vieillir seule à travailler dur, abîmée par la vie et éternellement triste, comme si les difficultés de son existence l'avaient courbée jusque terre. Je pensai à toutes les personnes et à tous les animaux qui souffrent et je fus secoué par un sanglot, je me mis à prier ardemment pour que la fin de ce monde advienne, ce monde où les gens ne font que se guetter pour s'entre-tuer, se voler, s'humilier ou se violenter. Je compris soudain que je ne retournerai peut-être jamais plus en Podolie, parce que là-bas il n'y avait pas de place pour nous qui voulions aller notre chemin allègrement, libérés de tout fardeau religieux et coutumier. Les routes que nous empruntions changeaient peut-être, souvent je m'y perdais, mais la direction était la bonne.

Le troisième jour, nous avions fait le tour de la situation, envisagé les cabales de Krysa et les silences des Shorr, lu à Jakób les lettres que lui adressaient nos adeptes, et ce fut alors que celui-ci déclara que les Turcs nous avaient bien reçus, qu'ils nous étaient venus en aide sans discuter ; nous devions donc rester à leurs côtés, il n'y avait aucune autre issue. Nous devions chercher la protection des Ottomans.

« Soyez raisonnables. Nous en parlons depuis tant d'années et, quand vient le moment d'agir, vous restez sur votre réserve », dit-il. Ensuite, il baissa tant la voix que nous fûmes contraints de nous pencher vers lui. « Ce sera comme entrer dans de l'eau froide, d'abord le corps résiste puis il s'habitue, et ce qui semblait terriblement étranger devient agréable et familier. » De son côté, il connaissait bien le mufti, avec lequel il était en affaires, et il devait une bonne part de sa richesse à son commerce avec la Sublime Porte.

Ainsi donc, malgré la neige qui restait épaisse, nous partîmes à quatre traîneaux – nous emmenions Chana et la petite Awacza, Herszełe toujours à leur service, et des valets en charge du convoi, avec des cadeaux, du vin et de l'eau-de-vie polonaise de première qualité – pour Roussé, Horoszczuki en polonais, et Rusçuk en turc, où se trouvait le mufti que Jakób connaissait. Une fois arrivé, notre Jakób sortit d'abord s'entretenir avec l'agha local qui était comme un ami, il discuta un peu avec ce dernier pendant que, nous, en gentils invités, nous goûtions aux douceurs. Quand il revint avec son interlocuteur, tous deux étaient satisfaits. Le jour suivant, nous tous qui étions venus, mais aussi d'autres vrai-croyants de Horoszczuki, car les nôtres y étaient assez nombreux, nous nous présentâmes à midi à la mosquée. Nous nous convertîmes tous à l'islam en posant sur nos têtes des turbans verts. Cela ne prit qu'un moment, il nous fallut juste répéter les mots de la *Chahada* : *Ashadu Anna La Ilaha Illa-Llah Wa Ashadu Anna Muhammadan Rasulu-Llah*, «J'atteste qu'il n'y a de divinité que Dieu», et Jakób nous donna à tous de nouveaux prénoms turcs : Kara, Osman, Mehmed, Hasan, et Fatima à son épouse, Aïcha à sa fille, car c'était ceux que portaient la femme adorée et la fille du Prophète. Grâce à cela le chiffre de treize fidèles fut atteint, il était indispensable pour créer notre propre camp comme celui de Barukhia.

Et soudain, voilà que nous n'avions plus rien à craindre! Jakób était devenu pour la deuxième fois notre *hakham*, notre guide. Quant à nous, nous l'avions reconnu comme notre chef en tout, avec une confiance absolue, et à présent nous aurions aimé qu'il reparte de nouveau en Pologne avec nous.

Au retour de Roussé, nous étions tous de bonne humeur et, comme lors d'un *kulig*, une course de traîneaux, nous chantions nos chants à tue-tête jusqu'à nous irriter la gorge. Après cela, je me sentis mieux; mes pensées reprenaient sens. Nous allions vers Dieu avec trois religions, songeai-je, la juive, l'ismaélite et l'édomite. Comme il fut dit. Moi, j'avais traduit depuis longtemps de l'hébreu en turc ma prière préférée, et, quand je la récitai ce soir-là, elle plut à tous et ils allèrent jusqu'à la consigner dans leur nouvelle langue. La voici :

Sous mon habit gris, je n'ai rien que mon âme,
Elle s'y trouve pour un instant, toute chaîne elle brisera.

Les amarres elle rompra, la voile blanche hissera,
Rien ne la retiendra, nul emportement du cœur ne la damnera.

Ainsi, entre vos innombrables ports, elle louvoiera
Envoyez-lui vos gardes-chiourmes, rien ne l'effraiera.

Bâtissez de nouveaux murs, elle les franchira,
Pourtant jamais rien à l'homme juste elle ne refusera.

À travers vos frontières aisément elle passera,
À vos paroles, par de plus sages elle répondra.

Elle méprisera haute naissance, forme pérenne des choses,
Urbanité, éducation, ce que sous ta surveillance tu poses

Et quand son immensité tu commenceras à calculer,
Elle s'arrachera, tu n'arriveras pas à la garder.

Personne ne sait si elle est belle ni à quel point ailée,
Elle était ici l'instant d'avant, déjà elle s'en est allée ;

Aide-moi, ô mon Bon Seigneur, Dieu éternel,
À exprimer cette âme libre en humaines figures.

Ouvre mes humbles lèvres, rends mon langage spirituel
Et à jamais je clamerai combien grande est Ta droiture.

J'avais alors un sentiment de bonheur. Peu après le printemps arriva brusquement un jour, un après-midi pour être exact, où le soleil tapa fort au point de nous brûler l'échine. Nous avions déjà réussi à écouler toutes nos marchandises et nous nous accordions une pause dans notre travail de comptabilité ; le lendemain, je fus réveillé par les oiseaux qui chantaient ; aussitôt après, sans que l'on sache comment, tout devint vert, des brins d'herbe poussèrent entre les pierres de la cour et le tamaris explosa en fleurs. Les chevaux restaient immobiles dans les taches de soleil à se chauffer le dos et à cligner des yeux.

Ma fenêtre donnait sur les vignobles et je fus témoin de tout le processus du retour de la vie après l'hiver, d'un bout à l'autre, des bourgeons aux grappes mûres. En août, il fut déjà possible de les cueillir tellement elles étaient lourdes et gorgées de jus. Je songeai donc : voilà que Dieu me les donne en exemple pour me dire qu'il faut du temps afin qu'une idée naisse, en apparence de rien. Elle attend son heure, elle avance à son rythme. Rien ne peut être accéléré ou contourné. J'écrasais les grains entre mes doigts et je pensais à tout ce que Dieu avait accompli pendant cet intervalle, laissant le vin arriver à maturité, les plantes s'élever de terre et les fruits pousser aux arbres.

Serait dans l'erreur celui qui penserait que nous restâmes à ne rien faire. Le jour, nous écrivions des lettres que nous envoyions dans le monde à nos frères, tantôt en Allemagne, tantôt en Moravie, ou encore à Salonique et Smyrne. Jakób, quant à lui, vivait en bonne intelligence avec le pouvoir local, il rencontrait souvent les Turcs et je participais fréquemment à ces entretiens. Parmi les Ottomans, il y avait aussi des bektachi qui considéraient Jakób comme un des leurs, et lui allait parfois les voir, mais dans ces cas-là il ne voulait pas que nous l'accompagnions.

Pendant notre séjour chez Jakób, nous ne négligions pas nos affaires. De Giurgiu, nous sommes allés plusieurs fois de l'autre côté du fleuve, à Roussé et au-delà, pour acheminer nos marchandises plus avant, à Vidin et à Nikopol où vivait toujours Tov ha-Levi, le beau-père de Jakób.

J'appris à bien connaître cette route le long du Danube ; elle suit parfois la rive, et, d'autres fois, elle s'élève très haut sur les falaises. Elle laisse toujours voir la force énorme des flots, leur authentique puissance. À la fin de l'hiver, quand le Danube se déverse largement, comme c'était le cas cette année-là, on peut penser être arrivé au bord d'une mer. Certaines localités du rivage courent le risque d'être inondées presque à chaque printemps. Pour se protéger de la crue, les gens plantent en bordure du fleuve des arbres dont les imposantes racines boivent l'eau. Ces villages semblent pauvres, avec leurs masures en argile près desquelles sèchent des filets. Les habitants sont petits, basanés, et les femmes vous disent volontiers la bonne aventure. Les gens plus aisés s'installent à distance de l'eau, dans les vignobles ; leurs maisons sont en pierre avec des cours intérieures accueillantes, abritées par une treille de vigne vierge qui protège de la canicule. Dès les beaux jours, ces patios sont le lieu de vie des familles, on y reçoit les invités, on y travaille, discute et boit du vin dans la soirée. Quand, au coucher du soleil, on descend sur la berge du fleuve, l'onde porte souvent un chant lointain, on l'entend sans savoir d'où il vient ni reconnaître sa langue.

À proximité de Lom, la berge s'élève particulièrement haut et, de là, l'impression vous vient de voir la moitié du monde. Nous y faisions toujours une halte pour nourrir les chevaux. Je me rappelle la chaleur des rayons de soleil sur ma peau et je sens toujours l'odeur de la végétation, ce mélange de parfums d'herbes et de plantes aquatiques. Nous achetions du fromage de chèvre, mais aussi des pots de mousse d'aubergine et de poivron cuits sur le feu et bien assaisonnés. Je pense aujourd'hui que, de ma vie, je n'ai rien mangé d'aussi bon. Et c'était autre chose que juste un arrêt pour se restaurer avec de la simple nourriture locale. En ce bref instant, tout s'entremêlait pour n'être qu'un, les limites des choses banales se diluaient au point que j'arrêtais de manger pour fixer, bouche ouverte, l'espace argenté, et alors Jakób ou Jeruchim devaient me donner une tape dans le dos pour me faire revenir sur terre.

Observer le Danube m'apaisait. Je regardais jouer le vent dans les gréements des petits bateaux, osciller les barges amarrées à la rive. En fait, notre vie se déployait entre deux grands fleuves, le Dniestr et le Danube, qui, tels deux joueurs, nous déplaçaient sur le damier de l'étrange jeu de Haya.

Mon âme ne peut pas être détachée de celle de Jakób. Je ne saurais expliquer autrement l'attachement qui me lie à lui. Par le passé, nous avons manifestement dû être une créature unique. Reb Mordke et Isohar en faisaient sans doute également partie. Ce dernier était mort, ce que nous eûmes la tristesse d'apprendre.

Au jour printanier de Pessah, nous nous livrâmes au vieux rituel qui était au commencement du nouveau chemin. Jakób prit un tonnelet sur lequel il fixa neuf bougies, puis il en saisit une dixième avec laquelle il alluma les neuf autres avant de les éteindre. Il fit cela trois fois. Ensuite, il s'assit à côté de son épouse et, nous quatre, nous nous approchâmes chacun à notre tour pour unir à lui notre âme et notre corps et le reconnaître comme notre Maître.

Nous recommençâmes cela encore une fois, mais tous ensemble. Nombreux étaient les nôtres qui attendaient derrière la porte pour procéder à cette union. C'était le rituel *Kaw hamlicho*, autrement dit la «Chaîne royale».

En ce temps-là, Giurgiu se remplissait d'une foule de nos frères qui fuyaient la *Respublica* pour se rendre à Salonique, chez les Dönme, ou s'établir en Valachie, où nous étions. Ils se sentaient perdus, mais étaient décidés à ne plus jamais retourner en Podolie. La maison de Jakób leur était ouverte, à eux qui parfois ignoraient qui il était, car ils parlaient d'un certain Jakób Frank qui serait toujours en Pologne en train de porter des coups aux talmudistes. Jakób prenait un vif plaisir à les écouter et il les interrogeait en faisant durer les choses, avant de leur révéler qu'il était ce Jakób, précisément. Cela voulait juste dire que sa célébrité croissait et que de plus en plus de gens avaient entendu parler de lui. Lui, il n'était sans doute pas vraiment heureux. Chana et nous tous devions supporter ses accès de mauvaise humeur, quand il jurait et convoquait Izrael Osman pour lui ordonner tantôt de partir en mission, tantôt de régler des affaires chez l'agha.

Les voyageurs, accueillis avec hospitalité par Chana, racontaient que, côté turc, la rive du Prut était envahie par une armée de vrai-croyants dans l'attente d'une possibilité de retour chez eux. Ils y restaient dans le froid, la faim et la misère, à regarder de loin la berge polonaise.

En mai, nous arriva une longue lettre très attendue de Moliwda, dans laquelle celui-ci nous rapportait les démarches importantes effectuées tant par lui que par la palatine Kossakowska, mais aussi par d'autres personnalités de la noblesse et par les évêques auprès du roi. Nous recommençâmes donc à envisager un retour en Pologne. Jakób ne disait rien, mais, le soir, je le voyais prendre un livre en polonais et le lire discrètement. Je soupçonnais qu'il apprenait ainsi la langue, mais j'en fus assuré quand, un jour, il me demanda comme par inadvertance:

– Comment se fait-il qu'en polonais, quand il n'y a qu'un chien, c'est *pies*, quand il y en a deux, *psy*, et à partir de cinq, *psów*?

Je ne savais pas l'expliquer.

Nous reçûmes par une voie identique la lettre patente du roi de Pologne. Elle était rédigée dans un style très élevé et j'eus grand-peine à la traduire habilement. J'eus à la lire tant de fois qu'elle se grava dans ma mémoire et qu'il me serait possible d'en réciter des passages choisis, même brusquement réveillé la nuit.

Nos Conseils nous ayant adressé supplique, en leur nom et en celui des Antitalmudistes et prenant parti pour iceux, afin que Nous les placions sous Notre protection royale et que Nous statuions, commandions et expressément enjoignions à toutes personnes, notamment icelles animées de violence malfaisante tels les ci-désignés infidèles Talmudistes, que par lettre patente Notre intention est que les ci-devant nommés Antitalmudistes séjournent librement non seulement dans la voïvodie de Podolie, mais en tout lieu de Notre Royaume et de Nos États, pour conduire leur procès inachevé afin que celui-ci trouve conclusion auprès des plus hauts Tribunaux ecclésiastiques et séculiers du Royaume, aux fins de donner réparation des misères par eux subies et leur permettre ainsi de jouir des privilèges, lois, libertés et aisances accordés aux Juifs par les lois de la Couronne, afin qu'ils puissent en bénéficier en toute sécurité et paix.

À leurs prières qui furent portées avec pertinence et grande justesse à Notre vigilance, Nous accordons une attention favorable, ayant d'abord pris en considération que ces Antitalmudistes rejettent par reniement ce Talmud juif rempli à foison de blasphèmes et nuisible au bien des fidèles de l'Église et de la Patrie, et qui fut condamné à être jeté dans les flammes par les plus Hauts Papes et en certains royaumes, mais également en plusieurs de Nos villes, comme à Kamieniec Podolski par le juste décret émis par Son Excellence feu Mgr Mikołaj Dembowski, et que ces Antitalmudistes rejetant ainsi ce Talmud s'engagent à reconnaître Dieu en Trois Personnes mais en Un seul Être, se rapprochant des enseignements de l'Ancien Testament tirés et conservés...

Nous prenons ainsi sous Notre protection ces Antitalmudistes par cette lettre patente à chacun et à tous, présents et à venir qui la verront, et Nous faisons savoir, plus particulièrement à iceux dont la malfaisance brutale Nous a été dénoncée, qu'il Nous plaît d'assurer le salvus conductus de nos protégés, et qu'en outre Nous ordonnons, voulons et statuons à la charge de toute personne de remédier à leurs souffrances, de les soutenir juridiquement et de répondre à leurs demandes conformément à Notre volonté...

Ainsi par Notre lettre patente obligés, les susdits Antitalmudistes, honorés et soutenus par Nous, en toute sécurité et sans entraves aucune d'iceux dont ils craignaient persécution, pourront en Notre Royaume et Nos États séjourner, faire commerce conformément à l'utilisation des privilèges qui leurs furent accordés, en tout endroit, dans les villages, les bourgs et les villes, et traiter dans les foires toute affaire digne et honnête, ainsi que mener achat ou vente, mais aussi se présenter devant les Tribunaux tant Ecclésiastiques que Séculiers ou Royaux, interpeller ou répondre aux transactions non seulement juridiques, mais également libres et autres, agir selon la loi, l'équité et la justesse, afin qu'eux, mais aussi leurs femmes, leurs enfants et leurs domesticités, leurs biens et leurs possessions, jouissent de la Royale Protection dont Nous les honorons céans, se mènent calmement et raisonnablement, sans donner prétexte à querelle ou conflit, sans utiliser à mauvais escient Notre largesse, mais par préférence portent cette lettre protectrice à la connaissance générale de tous ceux dont ils auraient à craindre quelque persécution ou danger...

Donné à Varsovie, le 11 du mois de juin, l'an de grâce 1758. Et de notre règne 25ᵉ. Signé Auguste, Roi.

Il n'est pas fréquent qu'un roi prenne la défense des persécutés, aussi la joie fut-elle générale et il y eut aussitôt une grande excitation, car tout le monde se mit à faire ses bagages, à régler ses affaires, à se préparer au départ. Les petites places où, le soir, des disputations sans fin avaient lieu jusque-là se vidèrent soudain parce que tous étaient occupés par le prochain voyage, et, déjà, nous apprenions que des milliers de nos adeptes campaient sur les rives du Dniestr et du Prut. Nous rentrions en Pologne.

Informé de la présence de foules sur les bords du Prut, à Perebekowce, Jakób décida de pourvoir généreusement Izrael Osman, qui vivait à Giurgiu et était depuis longtemps dans la religion musulmane, et il dépêcha les migrants de Pologne auprès de ces pauvres cohortes qui se trouvaient là-bas dans une grande désolation, ne sachant pas où aller. Il se faisait grand souci pour ses frères, surtout parce qu'il y avait là-bas plus de mères, d'enfants et de vieillards que d'hommes partis de chez eux à la recherche d'un travail. Ces gens vivaient dans des cabanons en argile élevés à la hâte.

Le deuxième fils de Nussen fut le premier qui arriva de là-bas. Il avait droit à des faveurs spéciales chez Jakób, on l'appelait Smetankes, autrement dit «la crème». Arrivé des berges du Prut, il s'inscrivit dans nos mémoires par sa longue harangue sur les souffrances des vrai-croyants chassés de Pologne. Jakób le pria de s'installer chez lui avec ses camarades, mais comme la maison était trop petite pour une telle assemblée et que ces hommes n'avaient plus envie de s'en retourner, ils campèrent avec nous sous la vigne trémière pour le temps des grandes chaleurs. Mosze Dawidowicz de Podhajce, le kabbaliste, arriva ensuite, et il se lia aussitôt à Jeruchim Lipmanowicz, ce qui ravit grandement Jakób.

Chacune de leurs prises de parole commençait par «Nous *ma'mīnīm*», autrement dit «Nous les croyants», selon l'usage pratiqué à Salonique par ceux qui voulaient insister sur le fait qu'ils vénéraient Sabbataï Tsevi. Chaque jour aux aurores, ils vérifiaient l'état des affaires du monde au moyen de rites divinatoires. Jeruchim insérait régulièrement dans ses phrases: «Il est un temps pour ceci... Il est un temps pour cela...» Le soir, Mosze apercevait une lumière au-dessus de la tête de Jakób, une lumière étrange, légèrement bleutée, froide et comme glacée. Tous pensaient que Jakób devrait retourner en Pologne pour tout diriger. Il devait s'y rendre parce que, déjà, ses coreligionnaires impatients, menés par Krysa resté avec eux, se tournaient vers les vrai-croyants de Salonique pour s'affilier à eux. Par ailleurs, les frères Shorr auraient rencontré Wolf, le fils du célèbre Eybeschutz, pour qu'il prît la tête des antitalmudistes polonais.

«Si tu n'y vas pas, d'autres iront», répétais-je chaque jour à Jakób, car je le connaissais bien. Quand on lui signifiait qu'il pourrait être moins bien qu'un autre, il se fâchait aussitôt et se mobilisait.

Lorsque Mosze de Podhajce parlait, il se penchait en avant, avançait le cou, et, comme il avait la voix haute et puissante, il attirait aussitôt l'attention de tous. Quand il se mettait à raconter, il s'impliquait tellement dans son récit qu'il tendait les bras, poings serrés, secouait la tête, levait les yeux au ciel et tonnait. Il se révéla si bon acteur qu'il n'y avait personne qu'il n'aurait su imiter. Aussi l'invitions-nous souvent à le faire.

Il lui arrivait de me singer et je riais aux larmes en me voyant dans ses gestes tel que j'étais, nerveux, impatient. Il savait même reproduire exactement mon bégaiement. Lui seul, Mosze de Podhajce, avait le droit de parodier Jakób. Il se tendait alors comme une corde, la tête légèrement en avant, les yeux tout ronds pareils à ceux d'un oiseau, le regard perçant et les paupières qui battaient lentement. On aurait pu tenir le pari que son nez avait rallongé. Ensuite, il croisait les mains dans le dos et se mettait à marcher, et il bougeait les pieds avec la même légèreté, à la fois digne et paresseuse. Nous commencions par rire sous cape, puis c'était aux éclats quand il montrait comment Jakób faisait un discours devant les gens.

Jakób lui-même riait et il avait un rire profond qui semblait venir du fond d'un puits. Tout le monde se sentait aussitôt bien, c'était comme si Jakób dressait une tente au-dessus de nous, sous laquelle nous étions en sécurité. Un bon acteur, je le répète, que ce Mosze de Podhajce, et pourtant un rabbin instruit.

Un jour d'août, Osman de Czerniowce arriva à cheval tout essoufflé pour nous annoncer que nos adeptes campant le long du fleuve, encouragés par la lettre de patente royale et par des envoyés du nouvel évêque, avaient traversé à gué le Dniestr avec tous leurs biens, et en chantant. Ils n'avaient pas été importunés, les gardes frontaliers s'étaient contentés d'observer leur joyeux convoi. Osman disait qu'ils s'étaient dirigés vers trois villages relevant des biens épiscopaux, Uściski, Iwanie et Harmackie, où ils avaient des contacts et où certains habitaient. Et ils adressaient à présent des suppliques à Jakób pour qu'il revienne lui aussi.

« Ils t'attendent comme leur rédemption, déclara Osman – et il s'agenouilla. Tu n'imagines pas à quel point ils t'attendent. » Mais Jakób se mit brusquement à rire et à répéter avec satisfaction : *Lustig, unsere Brüder haben einen Platz erhalten*, « Amusant, nos frères se sont trouvé un endroit », ce que je notais aussitôt précisément.

Dès lors, presque chaque jour quelqu'un, le feu aux joues, nous arrivait de Pologne avec de bonnes nouvelles et il devint clair que nous allions rentrer.

Chana le savait déjà, car elle était ombrageuse et me lançait des regards noirs sans dire un mot, comme si c'était moi le coupable du projet de Jakób d'abandonner sa magnifique demeure. Dès la fin des vendanges, qui furent les meilleures depuis bien des années, avec des grains tellement sucrés qu'ils collaient aux doigts, nous partîmes pour Bucarest chercher du soutien auprès des nôtres. Notre collecte fut telle que nous pûmes acheter des chariots, des chevaux, et préparer notre voyage. Par lettre de Pologne, nous apprîmes que tout un village situé sur un domaine de l'évêque nous attendait. Pour la première fois, le nom d'Iwanie fut prononcé.

Il est des choses extérieures et d'autres intérieures. Les extérieures sont les apparences et nous y vivons, dans le dehors, comme des gens en rêve, et nous devons tenir pour réelles les lois de cette semblance alors qu'elles ne sont pas réelles. Quand on vit en un temps donné dans un endroit où prévalent des normes, il faut les respecter sans pourtant jamais oublier que ce ne sont que des règles relatives, car la vérité est autre, et, à quiconque n'est pas préparé à la connaître, celle-ci peut sembler effrayante et terrible et il la maudira le jour où il en prendra connaissance.

Mais moi, je pense que tout homme pressent de tout son être ce qu'il en est vraiment. Au fond, pourtant, il ne veut pas le savoir.

Le père Benedykt sarcle l'ansérine blanche

La *Kabbala Denudata* de 1677, écrite en latin par Christian Knorr von Rosenroth, a été offerte par Elisha Shorr au père doyen de Rohatyn pour le remercier d'avoir sauvé ses livres juifs. D'ailleurs, après la promulgation de la lettre royale, ces volumes ont été retournés à leur propriétaire. L'ecclésiastique en a été grandement soulagé, car, si quelqu'un avait appris ce que lui, curé, conservait au presbytère de Firlej, le scandale eût été d'envergure. Voilà pourquoi Benedykt Chmielowski n'est pas non plus vraiment à l'aise avec ce cadeau. L'ouvrage doit avoir coûté une fortune. Il était entouré de toile et ficelé avec du chanvre. Il lui fut apporté par un valet de ferme qui le lui remit sans un mot et s'en alla.

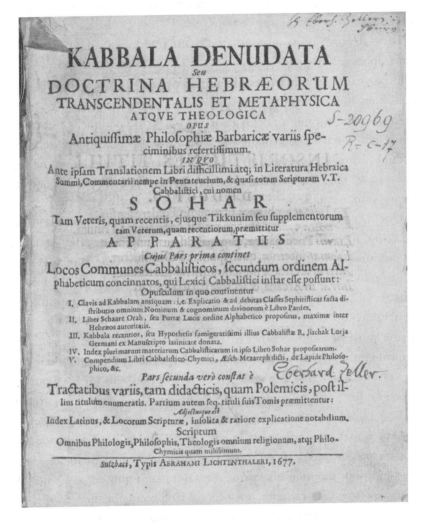

Le père Benedykt le lit les après-midi. Les lettres sont petites, aussi ne peut-il les distinguer qu'en plein jour, près de sa fenêtre. Quand la lumière décline, il repose le volume et ouvre une bouteille. Il garde le vin en bouche tout en observant son jardin, ainsi que les prés inégaux qui s'étendent au-delà de la rivière. Les herbes sont hautes, le vent les agite, elles ondoient, frémissent comme si elles étaient vivantes. Elles rappellent la peau d'un cheval qui se hérisse et tremble quand un bourdon s'y pose. À chaque souffle, les herbes laissent voir leur ventre clair, gris-vert comme le duvet des chiens.

Il est déçu, il ne comprend rien, c'est pourtant du latin, juste du latin, mais cela rappelle plutôt ce qu'écrit Elżbieta Drużbacka. Ainsi, il lit par exemple: «Ma tête est remplie de rosée.» Qu'est-ce que cela peut bien vouloir dire?

La création du monde, elle aussi, est par trop poétique. Chez nous, tchac, tchac, tchac, et en six jours, Dieu a fini de créer le monde, il est comme un maître de maison qui, quand il fait quelque chose, ne tergiverse pas. Or, dans ce livre, c'est compliqué, songe le père Benedykt. Sa vue faiblit et la lecture le fatigue.

Quel livre étrange. Voilà longtemps que Benedykt Chmielowski désirait avoir accès à un vaste savoir, à même d'expliquer le début et la fin, le mouvement des planètes dans le ciel et tous les prodiges, mais là c'est par trop insaisissable pour lui, même les scolastiques latins qu'il apprécie tant ne se seraient pas aventurés à pareilles explications des miracles, ne serait-ce qu'affirmer que Jésus-Christ est l'Adam *kadmon*, la lumière divine pure descendue sur terre. Et là, il est en train de penser à la transmigration des âmes, par exemple. Il lui semble avoir entendu parler de cette hérésie, mais il n'avait jamais réfléchi au sens qu'elle pourrait avoir. Le livre affirme qu'il n'y a rien de mal à ce qu'un bon chrétien croie lui aussi qu'après la mort on renaît sous une autre apparence.

Oui, admet assez volontiers le curé de Firlej, car il est avant tout un homme pragmatique, cela serait une chance de salut supplémentaire. Toute existence sous une nouvelle forme nous donnerait plus de possibilités de nous améliorer, de racheter nos péchés. Une condamnation éternelle à l'enfer permet rarement de rattraper tout le mal que nous avons fait.

Par la suite, il a honte d'avoir pensé cela. Des hérésies juives! Il s'agenouille près de sa fenêtre, sous le tableau de saint Benoît, son saint patron, qu'il prie d'intercéder en sa faveur. Il demande pardon pour sa légèreté d'esprit, pour s'être autorisé pareilles divagations. Mais que faire, l'intercession de saint Benoît ne semble guère efficace, des idées sauvages lui reviennent à l'esprit... Il a toujours eu des problèmes avec l'enfer. Il n'arrive pas à croire à son existence. Les illustrations épouvantables vues dans les livres, et il y en a beaucoup, ne l'aident guère. Or, là, il lit notamment que les âmes qui habitent les corps des païens ayant pratiqué le cannibalisme ne se retrouveront pas directement et à jamais en enfer, parce que ce ne serait pas miséricordieux. Ce n'était pas leur faute s'ils étaient païens et ne connaissaient pas la clarté du christianisme. En revanche, grâce à de nouvelles incarnations, ils auront une chance de s'améliorer et de racheter le mal qu'ils ont accompli. Est-ce que ce n'est pas justice?

Il est tellement excité à cette pensée qu'il s'anime et sort dans son jardin prendre l'air, mais comme toujours, une fois-là, en dépit du crépuscule qui tombe, il se met à arracher les pousses inutiles et, en deux temps, trois mouvements, le voilà à genoux en train de sarcler l'ansérine blanche. Et si cette mauvaise herbe avait aussi son rôle dans cette œuvre immense d'amélioration et si elle aussi était habitée par des âmes confuses? Eh bien? Ou, pire encore: et si lui, le prêtre, était précisément l'instrument de la justice éternelle et punissait en cet instant précis les petites plantes pécheresses? si en désherbant, il leur ôtait la vie?

Le pérégrin

Le soir, un chariot juif bâché d'une toile de chanvre arrive devant le presbytère, mais il ne fait que ralentir pour amorcer un demi-tour et disparaître sur la route de Rohatyn. De son jardin, le père Benedykt aperçoit alors une grande silhouette immobile près de la clôture en osier. Elle porte un long manteau qui descend de ses épaules jusqu'à terre. L'esprit du prêtre est soudain traversé par une pensée terrible: voici la mort venue le chercher. Il se saisit du petit râteau en bois pour aller à sa rencontre d'un pas rapide.

– Qui es-tu? Parle tout de suite! lance-t-il. Moi, je suis un prêtre de la Très Sainte Église catholique et je ne crains pas le diable.

– Je sais, lui répond soudain tout bas une voix masculine – elle est rocailleuse, brisée, comme si son propriétaire ne s'en était pas servi depuis des siècles. Je suis Jan d'Okno. N'ayez pas peur de moi, monsieur le curé. Je suis un brave homme.

— Que fais-tu ici, en ce cas? Le soleil est déjà couché.

— Les Juifs m'ont déposé.

Le père Benedykt avance un peu plus pour essayer de distinguer le visage du visiteur, mais celui-ci garde la tête baissée et une grande capuche le dissimule.

— Ils commencent à exagérer ces Juifs. Pour qui ils me prennent? ronchonne l'ecclésiastique à part lui. Comment cela, «déposé»? Serais-tu des leurs?

— Maintenant, je suis des vôtres, monsieur le curé, répond l'homme.

Sa manière de parler n'est pas nette, un peu nonchalante, mais c'est du polonais avec juste une petite intonation ruthène.

— Tu as faim?

— Pas vraiment, ils me nourrissaient bien.

— Que veux-tu?

— Un refuge.

— Tu n'as pas de foyer à toi?

— Non.

Le doyen de Rohatyn hésite un instant avant de se résigner à dire en guise d'invitation:

— Entre dans la maison. L'air est humide aujourd'hui.

La silhouette se dirige vers la porte d'un pas mal assuré: de toute évidence, l'homme boite. La capuche découvre brièvement un peu d'une joue claire, le visiteur se recouvre aussitôt, mais Benedykt Chmielowski a eu le temps d'apercevoir quelque chose d'inquiétant.

— Regarde-moi, ordonne-t-il.

D'un geste, l'homme rejette la capuche sur son dos. Malgré lui, le prêtre recule et s'écrie:

— Doux Jésus, est-ce que tu es un être humain?

— Ça, j'le sais pas moi-même.

— Et moi, je devrais t'accueillir chez moi?

— À vous d'voir, monsieur le curé.

– Roszko! le prêtre appelle son serviteur à voix basse – sans doute juste pour signifier à ce visage effrayant qu'il n'est pas seul dans sa demeure.

– Vous avez peur de moi, dit le visiteur avec tristesse.

Après un très bref moment d'hésitation, d'un geste le père Benedykt invite l'homme à passer devant lui pour entrer. À vrai dire, son cœur bat à tout rompre et, en plus, comme toujours, Roszko semble avoir disparu.

– Entre, dit-il à l'homme – et celui-ci franchit le seuil.

Le prêtre le suit. À la lumière du chandelier, il en voit davantage : le bas du visage est complètement ravagé par des cicatrices, un peu comme si la peau en avait été enlevée. Entre cette plaie et d'épais cheveux noirs brillent de grands yeux sombres, intenses, juvéniles et dont on pourrait dire qu'ils sont magnifiques. Mais peut-être est-ce juste à cause du contraste.

– Doux Jésus, qu'est-ce qui t'es arrivé ? interroge le prêtre, bouleversé.

Le récit du pèlerin.
Le purgatoire juif

Le père Benedykt s'interroge sur cet être étrange qui dit s'appeler Jan d'Okno. Okno est un village proche de Toki, à des lieues de Firlej. Il ignore à qui celui-ci appartient, Jan ne veut pas le dire. Du propriétaire, il dit «monsieur». Un noble donc, certainement Potocki, tout est aux Potocki dans le coin.

L'homme mange un peu de pain et boit du babeurre. L'ecclésiastique n'a rien d'autre à lui offrir. Après quoi, il lui propose de la vodka, mais le visiteur refuse. Saba, son pelage roux hérissé, le renifle très sérieusement, comme si elle avait conscience d'un mystère. À l'évidence, l'homme dégage des odeurs qui sont inconnues à la chienne, car cela lui prend beaucoup de temps avant que, rassurée, elle ne retourne se coucher près du poêle.

– Je suis un cadavre, dit brusquement le personnage à l'effrayant visage. Un prêtre, ça ne dénonce pas un mort.

– Pour ma part, je fréquente les défunts, répond le prêtre après un temps – et il montre d'un geste de la main les livres, ceux qui traînent sur la table derrière lui. Je suis accoutumé à leurs récits. Rien ne m'étonne. Je peux aller jusqu'à avouer sincèrement que je préfère écouter les morts plutôt que les vivants.

L'homme semble alors se détendre un peu, il retire sa cape juive noire, découvrant ainsi des épaules puissantes sur lesquelles retombent de longs cheveux. Il se met à raconter d'une voix basse, monotone, comme s'il avait longuement répété son récit dans sa tête jusqu'à le connaître par cœur. Il l'offre maintenant au prêtre, telle une poignée de pièces pour le remercier de son hospitalité.

Le père de ce Jan d'Okno était originaire de la région de Jasło, sa mère de Mazurie. Ils étaient venus en Podolie pour s'y installer, en colonisateurs comme on disait, parce que dans leurs familles la terre manquait et qu'il n'y en avait pas assez pour la répartir entre les enfants. Ils s'étaient mariés et avaient reçu un bout de champ à cultiver près de Tarnopol. Mais l'accord avec le noble dont c'était le bien propre stipulait qu'ils allaient d'abord travailler pour eux quinze ans, ce qui était plutôt bien parce que ailleurs ce n'était que dix ans, voire cinq. Ensuite, ils devraient payer en produits et en besognes l'exploitation du lopin. Ils étaient également contraints à divers travaux sans contrepartie, tels l'aide à la moisson, l'entretien des bâtiments, l'écossage des petits pois ou même la lessive. Il y avait toujours quelque chose à faire au château et le temps manquait pour le travail chez soi. Et c'est ainsi que, peu à peu, ils devenaient la propriété du seigneur.

Le père Benedykt se rappela les croix dont la vue le plongeait toujours dans un état d'effroi et un sentiment trouble de culpabilité. Elles se dressaient près des chaumières en guise de *memento mori* des paysans. Ces derniers y enfonçaient un nombre de petits bouts de bois correspondant à celui de leurs années libres de servage. Tous les ans, ils en enlevaient un, jusqu'à ce qu'un jour la croix soit nue, et alors l'addition pour les quelques années de liberté était salée, elle les aliénait avec leur famille.

Okno était renommé pour le tissage des kilims et le père de Jan rêvait de voir son fils apprendre le métier.

Jan, le plus jeune des neuf enfants, était né alors que les parents étaient déjà soumis au servage. Quand il était enfant, ils devaient au noble quatre jours par semaine ; quand il s'est marié, c'était six. Cela voulait aussi dire que toute la famille était contrainte à travailler pour le château. Cultiver leur propre lopin n'était souvent possible qu'en sacrifiant leur dimanche, sans même pouvoir aller à la messe. Les deux sœurs aînées servaient au château, l'une comme cuisinière, l'autre pour y allumer et entretenir le feu. Quand cette dernière fut enceinte, elle fut mariée par le maître dans un village voisin. Ce fut à ce moment-là que Jan tenta de s'enfuir pour la première fois. Il avait entendu dire par des gens sans attaches, qui passaient parfois par le village et s'arrêtaient à la taverne, que s'il réussissait à atteindre la mer qui se trouve dans le Nord il pourrait s'engager sur un navire pour voguer vers d'autres pays où l'on vivait mieux et où l'on était plus riche. Jeune et sans expérience qu'il était, il partit à pied, content et sûr de lui, son balluchon à l'épaule sur un bâton. Il dormait dans les forêts, où il ne mit pas longtemps à remarquer qu'elles étaient pleines de fuyards comme lui. Des valets du maître l'attrapèrent pourtant à quelques lieues de chez lui. Il fut battu jusqu'au sang et mis aux arrêts dans un cachot sous l'étable. Pour quatre mois. Après quoi, il subit encore la peine du carcan et fut fouetté en public. Il aurait dû être content que la sanction fût aussi légère. À la fin, le maître lui ordonna d'épouser une domestique du domaine dont la grossesse se voyait déjà. C'était ainsi que l'on agissait avec les hommes rétifs : famille et enfants les assagissaient. Jan, cela ne le calma pas, il n'aima jamais la jeune femme, l'enfant mourut et, elle, elle s'enfuit du village. Elle serait, paraît-il, devenue une demoiselle galante des troquets de Zbaraż d'abord, puis de Lwów. Jan travailla quelque temps tranquillement et apprit à tisser sur un métier d'emprunt, mais, quand un hiver ses parents moururent l'un après l'autre, il s'habilla chaudement, prit toutes leurs économies, attela le cheval au traîneau et décida de rejoindre la famille de son père près de Jasło. Il connaissait la cruauté du noble, mais, par grands froids, cela prendrait du temps de le rattraper, personne ne se précipiterait à sa poursuite. Il parvint à aller aussi loin que Przemyśl, où la garde l'arrêta et l'emprisonna parce qu'il n'avait aucun document ni ne savait expliquer qui il était et ce qu'il faisait là. Au bout de deux mois, des hommes du noble vinrent le chercher. Ils le jetèrent ficelé comme un porc dans leur traîneau pour le ramener. La route leur prit plusieurs jours parce que la neige recouvrait tout et qu'ils y virent un bon prétexte pour ne pas se presser de rentrer au village. Une fois, ils l'abandonnèrent entravé pour entrer boire dans une auberge. Aux étapes, ils le laissaient dans le traîneau, les gens l'observaient en silence, les yeux pleins d'épouvante. La pensée qu'une chose similaire pouvait leur arriver les effrayait tout particulièrement. Un paysan qui se sauve une nouvelle fois, et qui réussit à aller aussi loin, est un homme mort. Quand il demandait à boire, les gens avaient peur de le secourir. Ce jour-là, des marchands ivres, par plaisanterie plus que par charité envers leur prochain, le libérèrent devant la taverne où les larbins du noble s'étaient enivrés à mort. Mais, de toute manière, Jan n'avait pas la force de fuir. Ses persécuteurs le rattrapèrent, ainsi qu'un autre fuyard, et, ivres qu'ils étaient, les rouèrent de coups au point de leur faire perdre conscience. Craignant la colère de leur maître, ils voulurent les ranimer, mais, persuadés qu'ils les avaient tués, ils les abandonnèrent dans une chênaie après les avoir recouverts de neige pour que leur péché ne fût pas découvert. L'autre fuyard mourut vite. Jan était étendu là, face contre terre, quand par miracle des Juifs voyageant à plusieurs chariots le trouvèrent.

Il se réveilla après quelques jours à Rohatyn, dans l'étable des Shorr, au milieu des animaux, dans l'odeur de leurs corps et de leurs excréments, dans leur chaleur. Autour de lui, on parlait une autre langue, les visages étaient différents, et Jan pensa qu'il était mort, qu'il se trouvait au purgatoire et que, pour une raison ou une autre, c'était un purgatoire juif. Et que désormais il lui faudrait passer là l'éternité à méditer ses petits péchés innocents de paysan en les regrettant amèrement.

Comment des cousins vont faire front commun pour partir à la guerre

– Vous n'êtes pas plus mon oncle que moi votre tante. Je suis une Potocka de naissance, vous pouvez avoir des liens avec mon époux, mais votre lignage m'est inconnu, lui déclare la palatine de Kamieniec qui le fait asseoir.

Elle est plongée dans des papiers qu'elle pose à mesure sur une pile, et ensuite c'est Agnieszka, désormais son inséparable demoiselle de compagnie, qui s'en occupe et sèche l'encre avec du sable.

Quelles sont donc ces affaires qu'elle a à traiter? se demande Moliwda.

– Je veille à nos vastes biens, à tous les comptes, aux radoteries dans la société, aux lettres à écrire, mon époux n'est pas prompt à le faire, dit Katarzyna Kossakowska comme si elle avait lu dans ses pensées – et il en lève le sourcil d'étonnement. Je veille aux intérêts de la famille, j'arrange les mariages, j'informe, je ménage des rencontres, je règle, je rappelle…

Le palatin, son époux, se promène dans la pièce avec un verre de liqueur à la main, sa démarche est cocasse, elle rappelle celle d'un héron, son pied tendu glisse sur le tapis turc. Il aura vite fait d'user ses semelles, pense Moliwda. Kossakowski porte un *żupan* – manteau-robe long, jaune pâle, coupé spécialement pour lui, pour son corps fluet –, et cela lui vaut d'ailleurs une allure élégante.

– C'est toute une institution que ma respectable petite épouse! Le secrétariat royal peut être jaloux, dit-il joyeusement. Elle s'y connaît même quant aux branches de ma famille, ma parenté ne la laisse pas indifférente.

Katarzyna lui lance un regard assassin. Moliwda sait pourtant qu'en dépit des apparences c'est un bon mariage. Autrement dit chacun fait ce qui lui plaît.

Stanisław Kossakowski allume sa pipe et se tourne vers son lointain cousin:

– Pourquoi, cher ami, vous préoccupez-vous d'eux?

– Un mouvement du cœur, répond Moliwda après un long moment de silence – et il se frappe la poitrine comme s'il voulait confirmer qu'il en a bien un, qu'il ne fait pas semblant. Ils me sont proches. Parce qu'ils sont intègres et que leurs intentions sont honnêtes...

– Un Juif intègre... l'interrompt Katarzyna qui le regarde avec ironie. Ils vous paient?

– Je ne le fais pas pour l'argent.

– Il n'y aurait aucun mal à cela, si c'était pour l'argent...

– Non, pas pour l'argent, répète-t-il – pourtant, l'instant d'après, il ajoute: Mais ils paient.

Katarzyna s'appuie au dos de son fauteuil pour étirer ses longues jambes devant elle.

– Ah, je comprends, c'est pour la gloire, pour votre renommée, comme feu l'évêque Dembowski. Vous faites carrière.

– Je ne suis pas d'une nature à faire carrière, vous devez déjà savoir cela. Si j'avais voulu en faire une, je me serais attaché à la chancellerie royale où mon oncle m'avait placé dans ma jeunesse. Aujourd'hui, je serais ministre.

– Prêtez-moi votre pipe, mon ami, je vous prie, dit Katarzyna à son mari en tendant la main. Vous êtes une cervelle brûlée, cousin. En ce cas, à qui dois-je écrire? Et à quoi me référer? Et si vous me présentiez ce Frank?

– Il est à cette heure en pays ottoman, parce que ici on voulait le tuer.

– Qui aurait pu vouloir le tuer? Nous sommes célèbres pour être le pays de la tolérance.

– Les leurs. Ce sont les leurs qui les persécutent. Les leurs, c'est-à-dire d'autres Juifs.

– Pourtant, d'habitude, ils se serrent les coudes, dit la palatine qui ne comprend pas.

Elle bourre sa pipe. Son tabac est enfermé dans un petit sac en cuir brodé.

– Mais pas en la circonstance. Ces sabbasectateurs considèrent qu'il leur faut quitter la religion juive. De ce fait, en Turquie, une grande partie des Juifs se sont déjà convertis à l'islam. Et les Juifs, en pays catholique, voudraient se convertir à la foi locale, eux aussi. Or, pour un Juif orthodoxe, renier sa foi est pire que la mort.

– Mais pourquoi veulent-ils rejoindre l'Église ? demande Stanisław que cette bizarrerie intrigue. Jusque-là les choses étaient claires : un Juif était un Juif, il allait à la synagogue. Un catholique était un catholique, il allait à l'église. Un Ruthène restait un Ruthène, et, pour lui, c'était l'église orthodoxe.

L'instabilité annoncée ne plaît guère au palatin.

– Leur premier Messie dit qu'il faut prendre ce qu'il y a de bon dans chaque confession.

– Et il a bien raison, approuve Katarzyna.

– Comment cela, le premier Messie ? Et le second ? Il y en a un second ? interroge Stanisław Kossakowski perplexe.

Antoni Kossakowski lui explique, mais avec réticence comme s'il savait que son cousin oublierait aussitôt :

– Certains disent qu'il devrait y avoir trois Messies. Il y en a déjà eu un, c'était Sabbataï Tsevi. Ensuite, il y a eu Kohn…

– Je n'ai jamais entendu parler de cela…

– Le troisième viendra bientôt pour les délivrer de toute souffrance.

– Pourquoi, cela va si mal pour eux ? interroge Stanisław.

– Leur vie n'a rien d'enviable. Vous le voyez bien vous-même. Moi aussi je vois à quel point la pauvreté et l'humiliation peuvent affecter l'existence de ces gens et, avant de se voir changés en animaux, ils cherchent une issue. La religion des Juifs est proche de la nôtre, tout comme celle des musulmans, ce sont les mêmes petites pierres d'un jeu de patience, il faut juste les agencer intelligemment. Eux sont très ardents dans la foi. Ils cherchent Dieu avec cœur, ils combattent pour Dieu, ce n'est pas comme nous qui nous contentons de deux Ave et d'une petite séance allongés en croix.

Katarzyna soupire :

– Ce sont nos paysans qui devraient espérer un Messie… Nous aurions bien besoin d'un renouveau de l'esprit chrétien ! Qui de nous prie encore avec ferveur ?

Moliwda se livre alors à un laïus poétique. Il est bon à cela.

– Cela rappelle plutôt un soulèvement, une rébellion. Le papillon qui s'élève vers le ciel au petit matin n'est en rien une chenille reconvertie, révoltée ou rénovée. C'est toujours la même petite bestiole, mais élevée à une autre puissance de l'existence. C'est une chrysalide métamorphosée. L'esprit chrétien est souple, mouvant, adaptable… Nous aussi, cela nous fera du bien de les accueillir.

– Eh bien, eh bien… vous vous posez là comme prédicateur, cousin, déclare Katarzyna – et de l'ironie pointe dans sa voix.

Moliwda joue avec les attaches de son *żupan* tout neuf, une tenue récemment taillée dans un tissu de laine marron, doublé de soie rouge. Il l'a acheté avec l'argent que lui a versé Nahman. La somme n'était pas suffisante pour tout payer; les boutons sont en agate bon marché, froide au toucher.

– Il y a une vieille prédiction dont tout le monde parle actuellement, elle remonterait à nos ancêtres, il y a très, très longtemps…

– Je tends toujours l'oreille quand il s'agit de dictons, intervient Katarzyna en tirant une bouffée avec un plaisir évident et se tournant vers Moliwda – quand elle sourit, elle embellit. «Il y aura ceci, ou pas.» Vous connaissez? «S'il pleut ou vente à la Saint-Protus, à la Saint-Jérôme la pluie vient d'elle-même, ou pas», dit-elle – et elle éclate de rire.

Son mari rit lui aussi. Manifestement, ils ont un sens de l'humour similaire. Au moins un point commun.

Moliwda sourit et poursuit:

– Il devrait en naître un en Pologne qui serait juif de son état. Il abandonnerait sa religion pour la foi chrétienne et entraînerait à sa suite de nombreux Juifs. Ce serait un signe de la proximité du Jugement dernier en Pologne.

Katarzyna Kossakowska retrouve son sérieux.

– Et vous, cher Antoni Kossakowski, vous croyez à cela, au Jugement dernier? Ce jour-là, nous y sommes déjà: personne n'est d'accord avec personne, tout le monde combat tout le monde, le roi est à Dresde, il se soucie à peine des affaires du pays…

– Si vous vouliez bien écrire, madame, à tel ou tel, l'interrompt Moliwda avec un geste de la main vers le petit tas de lettres soigneusement pliées puis scellées par les longs doigts d'Agnieszka, et soutenir ces malheureux qui veulent tant venir à nous, nous innoverions en Europe. Nulle part ailleurs, les conversions n'ont lieu à cette échelle. On parlerait de nous dans les cours royales.

— Je n'ai aucune influence sur le roi, je n'ai pas le bras aussi long! En voilà une idée, s'écrie Katarzyna, choquée.

Un moment plus tard, elle demande calmement:

— On dit qu'ils veulent rejoindre l'Église par intérêt, ils voudraient être accueillis comme néophytes pour vivre ensuite parmi nous. Et en tant que néophytes, ils pourraient aussitôt s'anoblir, il leur suffirait de délier leurs bourses.

— Cela vous surprend, madame? Qu'y a-t-il de mal à ce que quelqu'un veuille vivre mieux? Si vous pouviez voir, madame, leur pauvreté, toutes ces petites villes boueuses, miséreuses, crétinisées...

— Voilà qui est intéressant, je n'en ai jamais rencontré de tels. Moi, je connais les rusés, ceux qui se frottent les mains et ne font que chercher un moyen de vous soutirer le moindre sou, d'allonger la vodka avec de l'eau, de vous vendre du grain corrompu...

— Comment pourriez-vous les connaître, ma mie, alors que vous ne séjournez que sur vos domaines et dans vos propriétés, que vous écrivez des lettres et passez vos soirées en aimable compagnie... lui dit son mari — qui s'interrompt alors qu'il aurait voulu ajouter «de dilettantes».

— De dilettantes, termine-t-elle pour lui.

— Vous avez, madame, des relations étendues, vous connaissez bien les Branicki et vous avez de nombreuses personnes de confiance à la cour. Aucune nation ne peut tolérer pareil désordre, que des Juifs maltraitent des Juifs. Or, le roi, en ne faisant rien, l'autorise. Eux viennent à nous comme des enfants. Des centaines, voire des milliers d'entre eux se trouvent au bord du Dniestr à regarder la berge polonaise avec nostalgie, parce qu'à la suite des troubles et contre toutes les lois ils ont été arrachés à leurs foyers, dépouillés et rossés. Chassés de leur pays, ils se trouvent de l'autre côté de la frontière polono-turque à vivre dans des abris creusés sur la berge du fleuve et à regarder avec tristesse vers ce nord qui leur manque, vers leurs maisons qu'ils voudraient retrouver alors qu'elles sont occupées par les autres Juifs. La terre qu'ils devraient recevoir de nous qui en avons trop…

Moliwda réalise qu'il est sans doute allé trop loin et il interrompt sa tirade.

– Qu'entendez-vous par là ? demande Katarzyna lentement, avec une pointe de suspicion dans la voix.

Antoni sauve la situation :

– L'Église devrait s'occuper d'eux. Vous vivez en bonne intelligence avec Mgr Sołtyk, il se dit que vous êtes son amie de cœur…

– Son amie, tout de suite ! De l'amitié, il en a pour sa bourse, le reste est badinage, dit la palatine méchamment.

Stanisław Kossakowski, lassé, pose son verre vide et se frotte les mains pour se donner de l'énergie.

– Je vous demanderais de m'excuser, il faut que j'aille au chenil. Femka va mettre bas. Elle a frayé avec le corniaud du père doyen et il va falloir noyer les chiots…

– Pas question ! Je vous le défends, monsieur mon mari. Ceux-là auront l'élégance d'Acan et la vivacité d'un chien courant.

– En ce cas, ma mie, ayez la bonté de vous engager à vous occuper de ces bâtards. Moi, je ne m'en chargerai pas, déclare Stanisław, quelque peu froissé que son épouse l'ait traité aussi familièrement devant un tiers.

– Moi, je m'y engage, dit brusquement Agnieszka en rougissant. Que Votre Seigneurie me fasse la grâce de suspendre la sentence.

– Puisque mademoiselle Agnieszka prendra la peine… commence à dire aimablement le palatin.

– Partez, partez, mon ami… ronchonne la palatine – et son mari s'éclipse sans terminer sa phrase.

– Je me suis déjà adressé au nouvel évêque, Mgr Łubieński, poursuit Moliwda. Ils sont plus nombreux qu'il ne vous semble à tous. À Kopyczyńce, à Nadworna. Quant à Rohatyn, Busk ou Glinna, ils y sont la majorité. Si nous étions intelligents, nous les accueillerions.

– Il faut intervenir auprès de Mgr Sołtyk. Quoique vénal, il sait agir. Il n'aime pas les Juifs, il se querelle constamment avec eux. Combien peuvent-ils donner ?

Moliwda se tait, il réfléchit.

– Beaucoup.

– Est-ce que beaucoup ce serait assez pour dégager ses insignes épiscopaux?

– Comment cela? s'inquiète Antoni, effrayé.

– Il les a de nouveau mis en gage. Son Excellence a toujours des dettes de jeu.

– Il se peut, je n'en sais rien. Je vais m'informer. Nous pourrions peut-être envisager une rencontre avec tout le monde, eux, l'évêque, vous, madame, et moi.

– Mgr Sołtyk brigue actuellement l'évêché de Cracovie parce que l'évêque de là-bas est mourant.

Katarzyna se met debout, tend les bras devant elle comme pour s'étirer. Les jointures de ses poignets craquent. Agnieszka lève les yeux de son tambour à broder pour la regarder avec inquiétude.

– Pardonnez-moi, mon cher, mes os sonnent l'annonce de la vieillesse, dit-elle avec un très large sourire. Dites-moi, en quoi croient-ils? Est-il vrai qu'ils n'aspirent qu'en surface au christianisme pour rester juifs au fond de leurs cœurs? Le père Pikulski l'affirme...

Moliwda s'assied mieux sur sa chaise.

– La religion des Juifs traditionnels consiste à obéir aux injonctions de la Torah, à vivre selon les anciens rituels. Ils ne croient guère aux emportements. Pour eux, les prophètes sont intervenus il y a longtemps et, désormais, c'est le temps de l'attente du Messie. Leur Dieu ne se manifeste plus, il fait silence. Les autres, les sabbasectateurs, affirment au contraire que nous vivons à une époque messianique et que partout autour de nous des signes annoncent la venue du Messie. Le premier est déjà venu, c'est ce Sabbataï. Ensuite, il y a eu le deuxième, Kohn, et maintenant le troisième...

– Pikulski dit que, selon certains, ce sera une femme...

– Je vous avouerai, chère madame, que ce à quoi ils croient m'intéresse très secondairement. Ce qui me préoccupe, c'est qu'ils sont souvent traités comme des pestiférés. Quand ce sont des Juifs riches, ils peuvent parvenir jusqu'à des honneurs élevés, comme le conseiller de Brühl, mais les pauvres vivent dans la misère, humiliés par tous. Les Cosaques les traitent plus mal que leurs chiens. Nulle part ailleurs dans le monde, il n'en est ainsi. Je suis allé en Turquie et, là-bas, on leur accorde de meilleures lois que chez nous.

– Et donc ils sont passés à l'islam, conclut Katarzyna sarcastique.

– En Pologne, il en est autrement. Voyez plutôt, ma cousine, la Pologne est un pays où la liberté confessionnelle et la haine religieuse sont à égalité. D'un côté, les Juifs peuvent pratiquer leur religion comme ils l'entendent, ils ont des droits et une juridiction propre. De l'autre côté, la haine à leur encontre est telle que le mot «Juif» lui-même est frappé d'indignité et les bons chrétiens s'en servent comme d'une malédiction.

– Vous dites vrai. L'un et l'autre résultent de la fainéantise, de l'inconscience qui règnent dans le pays, et non pas d'une méchanceté native.

– Chacun se justifie volontiers ainsi. Il est préférable d'être bête et paresseux que mauvais. Celui qui ne met pas le nez hors de son domaine, qui croit dur comme fer à tout ce que raconte un curé ignare, à peine capable d'aligner trois mots et qui ne lit que les calendriers liturgiques, s'imprègne facilement l'esprit de toutes les absurdités et superstitions. J'ai pu m'en persuader chez feu Mgr Dembowski, qui n'avait de cesse de s'émerveiller de *La Nouvelle Athènes*.

Katarzyna Kossakowska le regarde, sidérée.

– Parce que vous reprochez quoi au père Chmielowski et à son *Athènes*? Tout le monde la lit. C'est notre *silva rerum*, nos miscellanées podoliennes. Ne touchez pas à nos livres. Les livres sont innocents.

Antoni Kossakowski se tait, embarrassé. La palatine poursuit:

– Je vous dirai que, d'après moi, les Juifs sont probablement les seuls ici à être de quelque utilité, parce que les nobles ne s'y connaissent en rien et ne veulent s'y connaître en rien, pris qu'ils sont par leurs plaisirs. Mais vos hérétiques, cousin, ils veulent en plus avoir leur terre!

– Ils s'installent également ainsi en pays ottoman. Tout Giurgiu, Vidin ou Roussé, la moitié de Bucarest, la Salonique grecque. Ils y commercent et jouissent de la paix...

– Quand ils se convertissent à l'islam… Est-ce vrai ?

– Madame, ils sont disposés à se faire baptiser !

Katarzyna Kossakowska s'appuie sur ses coudes et approche son visage de celui d'Antoni, comme d'homme à homme, pour le regarder droit dans les yeux.

– Vous êtes qui, Moliwda ?

Celui-ci lui répond sans ciller :

– Je suis leur traducteur.

– C'est vrai que vous avez été chez les starovères…

– C'est vrai, je ne le cache ni n'en ai honte. Mais ils n'étaient pas des starovères. Qu'importe, d'ailleurs ?

– Il importe que vous jouiez dans le même camp, l'hérésie.

– Nombreux sont les chemins qui mènent à Dieu, ce n'est pas à nous d'en juger.

– Bien sûr que si ! Il y a des chemins et des voies sans issue !

– En ce cas, madame, aidez-les à gagner la vraie voie.

Katarzyna recule et fait un grand sourire. Elle se lève, vient près de lui pour le prendre par le bras.

– Et le péché des adamites ? demande-t-elle en baissant la voix et en observant du coin de l'œil Agnieszka – mais la jeune fille, aux aguets telle une souris, tend déjà le cou et l'oreille. Il se dit que leurs pratiques ne sont guère chrétiennes, ajoute-t-elle non sans réarranger subtilement le foulard qui cache son décolleté. D'ailleurs, qu'est-ce que c'est que ce péché des adamites ? Expliquez-moi la chose, mon cousin éclairé.

– C'est tout ce que ceux qui en parlent ne peuvent concevoir.

Moliwda se met en route et contemple le royaume des gens sans attaches

À son retour au pays, tout lui semble étranger et surprenant. Certes, il s'est absenté plusieurs années, mais sa mémoire doit être courte, ou défaillante, car tout diffère de son souvenir. La grisaille des paysages et l'horizon si lointain le surprennent particulièrement. La lumière aussi, elle est plus délicate qu'au sud, plus tendre. La triste lumière polonaise est propice à la mélancolie.

Moliwda commence par se rendre en berline de Lwów à Lublin, où il loue un cheval pour voyager plus à son aise que ballotté dans une caisse étouffante.

À peine a-t-il dépassé les limites de l'octroi de la ville qu'il pénètre dans ce qui lui semble être un autre pays, un univers différent où les gens cessent d'être des planètes qui se déplacent sur des orbites fixes autour de la place centrale, de la maison, du champ ou de l'atelier, pour devenir des flammèches divagantes.

Ce sont ces personnes sans attaches dont Nahman parlait à Moliwda et qui seraient nombreuses à rejoindre les vrai-croyants. Néanmoins, ce qu'il voit, c'est que ce ne sont pas uniquement des Juifs comme il le pensait, et même que ceux-ci sont minoritaires. Il s'agit d'une communauté en soi, différente de celle des villes ou des campagnes, des gens établis. Ce sont des individus qui n'appartiennent à aucun domaine nobiliaire ni à aucune commune. Ce sont des nomades en tout genre, des vagabonds, des malandrins guillerets, des pérégrins de toute sorte. À l'évidence, ils se caractérisent par leur refus d'une vie calme et sédentaire, c'est comme s'ils avaient des fourmis dans les jambes, ils ne supportent pas d'être enfermés entre quatre murs. De prime abord, on peut se dire : c'est leur faute, ils aiment la vie qu'ils mènent. Pourtant, Moliwda, du haut de sa monture, les regarde avec compassion et songe que la plupart d'entre eux rêveraient d'avoir un lit à soi, une écuelle, une vie stable et casanière, mais le destin fit qu'ils durent prendre la route. Tel est son cas à lui aussi.

Juste après les limites de la ville, ils restent assis en bordure de chemin comme s'ils devaient se reposer après une visite pénible dans un endroit habité, se secouer de son air puant, de ses détritus qui leur collent aux semelles, de la saleté et du bruit de la cohue humaine. Les vendeurs ambulants comptent l'argent gagné. Ils ont posé sur le côté leur balle déjà dégarnie de marchandises, mais ils lancent encore des regards de sous leurs chapeaux pour s'assurer qu'un amateur de ce qui reste ne s'avance pas sur le chemin. Ce sont souvent des Écossais venus de leur lointain pays, ils portent toute leur boutique attachée à leurs épaules : des rubans en soie joliment tissés, des peignes en corne, des images pieuses, de la pommade pour les cheveux, des colliers en verre, des miroirs dans un cadre de bois. Ils parlent une langue bizarre, parfois il est vraiment difficile de les comprendre, mais le langage des objets est universellement compréhensible.

À côté, un marchand d'images se repose, un homme à longue barbe et chapeau tressé à large bord. Des tableaux de saints sont accrochés à son chevalet en bois qu'il retient sur son dos par des lanières. Il a retiré le lourd bagage de ses épaules pour se sustenter avec ce que lui ont donné les paysans en guise de paiement : du fromage blanc gras et du pain de seigle humide dans lequel il mord et qui se transforme en boule de pâte dans la bouche. Quel festin ! Dans sa besace en cuir, il doit avoir également des petites bouteilles avec de l'eau bénite, des sachets de sable de ce désert dans lequel Jésus pria pendant quarante jours et d'autres choses miraculeuses à la vue desquelles les yeux de ses clients s'écarquillent d'émotion. Moliwda s'en souvient du temps de son enfance.

Au quotidien, le marchand d'images se présente comme un homme pieux qui ne vend des tableaux que par hasard. En saint homme, il élève alors un peu la voix afin de rappeler celle du prêtre en chaire, parle sur un ton chantant comme s'il récitait les Saintes Écritures, prononce de temps à autre des mots latins qui font sens ou pas, et cela fait grande impression sur les paysans de toute manière. Il porte au cou une grande croix en bois qui pèse son poids, aussi vient-il de l'appuyer contre un arbre et il y a accroché ses guêtres pour les aérer. Quand il veut vendre ses tableaux, il choisit l'une des maisons les plus cossues du village et s'y rend dans une sorte d'extase en insistant sur le fait que le tableau a choisi cette demeure, et le mur aussi, celui de la pièce où il veut être accroché, celle des jours de fête. Il est difficile pour le paysan d'opposer un refus à une image pieuse, il sort alors de sa cachette son argent économisé à grand-peine et paie.

La taverne se trouve plus loin, elle est petite, biscornue, blanchie à la hâte, mais avec un auvent au-dessus de l'entrée et des planches sur des piquets qui font office de bancs. Les gueux s'y assoient, trop pauvres pour aller à l'intérieur se commander à manger, ils comptent sur la charité de ceux qui auront déjà calmé leur faim, seront de meilleure humeur et auront le cœur plus sensible.

Moliwda descend de son cheval, quoiqu'il n'ait pas encore couvert une grande distance depuis Lublin. Aussitôt, deux mendiants foncent vers lui en se lamentant. Il leur offre du tabac et fume lui aussi ; ils le remercient, ravis. Il apprend que tous les deux sont originaires du même hameau : leurs familles ont du mal à les entretenir, aussi, chaque année au printemps, ils partent mendier puis retournent chez eux pour passer l'hiver. S'est jointe à eux une vieillarde à demi aveugle qui se rend seule à Częstochowa, à ce qu'elle dit, mais, quand on y regarde de plus près, on aperçoit sous son tablier des petits sachets avec des herbes, des chapelets de graines et diverses médecines. C'est certainement une de ces guérisseuses qui s'y entendent à arrêter une hémorragie, aider à l'accouchement, mais aussi, quand on les paie, à faire passer une grossesse. Elle ne se vante guère de son savoir et l'on ne saurait s'en étonner. Il y a peu, en Grande-Pologne, une de ses semblables périt sur le bûcher, et, l'année dernière, plusieurs furent emprisonnées à Lublin.

Deux hommes sont installés dans la taverne. Apparemment, ils auraient été faits prisonniers par les Turcs. Ils sont munis d'une attestation de l'Église selon laquelle ils viendraient d'être libérés, aussi toute personne qui en prend connaissance se voit priée de les aider par compassion chrétienne pour leur pénible destin. Ils n'ont pourtant pas du tout l'air malheureux ou souffrants. Ils sont gras et joyeux, d'autant que leur première vodka agit déjà alors qu'ils s'apprêtent à commander la suivante. Ils devaient être bien, chez l'Ottoman. La tenancière, une veuve juive ingénieuse et criarde, leur sert une écuelle de kacha avec de l'oignon frit au beurre et ne peut s'empêcher de les interroger : « C'était comment, là-bas ? » Tout l'ébahit et elle porte à chaque fois les mains sur ses joues d'étonnement. Moliwda mange lui aussi le même plat, boit du babeurre et s'achète une chopine de vodka pour la route. Au moment où il remonte à cheval, il remarque aussitôt une certaine agitation ; ce sont des montreurs d'ours qui se dirigent vers Lublin. Ces gens font toujours beaucoup de bruit afin que le plus grand nombre possible de personnes s'attroupent autour d'eux pour assister à l'humiliation de l'animal crasseux et probablement malade. Allez savoir pourquoi, ce spectacle donne aux badauds une étrange satisfaction. Là, ils sont en train de piquer l'ours avec des bâtons. Le pauvre, songe Moliwda, mais il comprend la gaieté des traîne-savates : « Un animal tellement fort qui a une vie pire que la mienne ! » Canaille sans cervelle !

Sur les routes, il y a aussi toujours un grand nombre de femmes sans attaches, car lorsqu'une fille est belle et jeune, ou juste jeune, les hommes l'entourent immédiatement, et, quand ils l'entourent, le plus vieux métier du monde n'est pas loin. Certaines de ces puterelles sont des nobles en fuite parce qu'elles sont tombées enceintes, et, ce qui est plus grave, d'un paysan ou d'un valet. La honte pour la famille était telle qu'il valait mieux abandonner l'enfant ou compter sur la miséricorde de parents éloignés pour le petit que d'affronter le malheur. Par une nuit noire, elles quittaient donc le manoir en mélèze avec l'acquiescement silencieux de leurs parents outrés et fâchés, avec pour seule autre solution le couvent. Si un fleuve, un pont, un gué les arrêtait, elles tombaient entre les griffes des bateliers toujours ivres, et ensuite tout homme rencontré exigeait d'elles la même chose pour le moindre service, une nuit dans une auberge, un bout de chemin en berline. La déchéance est aussi aisée que cela.

Moliwda voudrait lui aussi bénéficier de leurs services, mais il a peur de leurs maladies et de la saleté, et puis il faudrait au moins une pièce fermée. Il attendra Varsovie.

Moliwda devient l'émissaire d'une affaire difficile

À Varsovie, il s'installe les premiers jours chez son frère, le prêtre. En dépit de la pauvreté de sa bourse de curé, celui-ci l'aide un peu à se vêtir et à s'équiper. Après tant d'années, ce frère lui semble pourtant être un étranger sans aucun relief, comme privé de toute réalité. Les deux premières soirées, ils les passent à boire pour dissiper la froideur imprévue qui s'est immiscée dans leur relation au cours de quelque vingt années de séparation. Son frère lui parle de la vie dans la capitale polonaise et ce ne sont que des bavardages sans suite. Très vite, le curé est ivre et alors les jérémiades commencent: il reproche à Antoni d'être parti, de l'avoir abandonné à un oncle qui avait la main lourde, il dit ne sentir aucune inclination pour la prêtrise, trouver pénible de vivre seul, éprouver chaque jour que l'église dans laquelle il entre est trop grande pour lui. Moliwda lui donne alors quelques tapes dans le dos avec compassion, comme il le ferait pour consoler un inconnu rencontré dans une auberge.

Moliwda cherche le moyen d'accéder au magnat Branicki, mais l'aristocrate est à la chasse, en voyage. Il sollicite une rencontre avec Mgr Załuski, guette la duchesse Jabłonowska qui séjourne justement dans la capitale. Il cherche également à retrouver d'anciennes relations, celles qu'il avait vingt-cinq ans plus tôt, mais ce n'est guère aisé. Il passe donc les soirées avec son frère. Il n'y a pas vraiment de sujets de conversation avec quelqu'un que l'on n'a pas vu depuis si longtemps, qui est faible, creux et uniquement préoccupé de ses bondieuseries. Pour finir, Moliwda a l'impression qu'à Varsovie tout le monde est creux et centré sur soi-même. Chacun veut faire croire qu'il est quelqu'un qu'il n'est pas. La ville elle aussi fait semblant d'être autre, plus grande, plus belle, plus vaste, alors qu'elle n'est qu'une bourgade aux rues boueuses. Toutes les marchandises y sont tellement chères qu'on ne peut que les regarder, tout est importé. Les chapeaux viennent d'Angleterre, les vestes à la mode française de Paris, les habits à la mode polonaise de Turquie. Et la ville en soi, horrible, froide, étendue, reste truffée de terrains vides où le vent s'en donne à cœur joie. Des hôtels particuliers y sont construits comme cela, à même le sable, dans la boue, et, ensuite, on peut voir des serviteurs transporter des dames depuis leur fiacre jusqu'au trottoir en bois pour qu'elles ne sombrent pas dans la gadoue avec leurs gros manteaux à capeline doublés de fourrure.

Tout cela fatigue Moliwda. Pour l'heure, il passe son temps en compagnie de personnes peu exigeantes. Le vin coule à flots et il peut raconter des histoires invraisemblables, surtout quand il a beaucoup bu. Il parle du calme plat en mer ou, au contraire, de la terrible tempête qui le rejeta complètement nu sur une île grecque où il fut trouvé par des femmes... Par la suite, il oublie, et, quand on lui demande de répéter son récit dans une autre compagnie, il ne se souvient plus des détails, de ce qu'il a dit, ni dans quel sens il a développé ses aventures. Évidemment, il ne s'éloigne pas trop du mont Athos, il tourne toujours autour de la Sainte Montagne et des îlots de la mer Égée grâce auxquels il serait possible d'atteindre Istanbul ou Rhodes en sautant de l'un à l'autre à pas de géants.

Quant à son nom de Moliwda, car c'est ainsi que désormais il se fait appeler, il raconte diverses histoires qui, à Varsovie surtout, font grande impression. Il dit par exemple être le roi d'une petite île de la mer Égée, dont le nom est précisément Moliwda. Celle où il s'est retrouvé complètement nu et où des femmes l'ont découvert. Elles étaient sœurs et appartenaient à une noble famille turque. Il leur invente jusqu'à des prénoms: Zimelda et Édina. Elles l'enivrèrent et le séduisirent. Il fut marié aux deux, car telle était la coutume de l'endroit, puis, après la mort de leur père, qui advint vite, il fut le seul monarque de l'île. Il gouverna quinze ans, eut six fils, et ce fut à eux qu'il laissa le petit royaume, mais, quand le temps viendra, il les invitera tous à Varsovie.

L'assemblée applaudit, amusée. Le vin coule de nouveau.

Quand il se retrouve parmi des gens plus instruits, il modifie les points saillants de sa légende et explique que, du fait de son étrangeté, le hasard voulut qu'il fût choisi roi dans cette île, et qu'il en profita amplement pendant des années à sa grande satisfaction. Arrivé à ce point, il décrit les usages avec suffisamment de différences pour susciter l'intérêt de ses auditeurs. Il explique par exemple que son nom lui fut donné par des marchands chinois rencontrés à Smyrne, où ceux-ci faisaient commerce de soie et de laque. Ils l'auraient appelé *Moli Hua*, Fleur de Jasmin. Quand il dit cela, il voit toujours un sourire narquois apparaître sur les lèvres de ses auditeurs, du moins des plus malveillants. Rien ne fait moins penser à une fleur de jasmin que Moliwda.

Il raconte autre chose encore quand il commence à se faire tard, quand l'intimité s'installe à mesure que le vin coule. À Varsovie, les gens s'amusent jusqu'au petit matin et les femmes aiment batifoler, elles ne sont pas du tout pudibondes comme il pourrait sembler au premier regard quand elles prennent toutes leur pose d'aristocrates. Moliwda en est parfois surpris : il serait inimaginable, chez les Turques ou les Valaques, où les femmes sont tenues éloignées, à l'écart des hommes, qu'elles lutinent aussi librement en présence de leurs époux, qui font de même dans un autre coin de la pièce. Il est fréquent d'entendre – et plus l'on monte dans la société, plus cela arrive – que le père d'un enfant n'est pas celui qui passe pour tel, mais un ami de la famille, un invité de marque, un cousin influent. Personne ne s'en étonne ni ne le condamne. Bien au contraire, surtout si le père est un homme d'influence qui occupe une position très en vue. Tout Varsovie rapporte par exemple que le prince Nicolas Repnine en personne est le géniteur d'un enfant Czartoryski, ce dont le prince Czartoryski semble être des plus satisfaits.

Finalement, fin novembre, Moliwda a l'honneur d'être reçu en audience par Mgr Sołtyk, lequel brigue à la cour royale l'évêché de Cracovie.

Il se retrouve en face d'un homme absolument mièvre, dont les yeux sombres, inexpressifs, se vrillent dans les siens pour découvrir jusqu'où il pourrait se révéler utile. Des joues déjà un peu flasques ajoutent du sérieux à l'homme d'Église. A-t-on jamais vu un évêque maigre ? En cas de ver solitaire, peut-être.

Moliwda lui présente l'affaire des antitalmudistes, mais sans verser dans la quête de charité, sans supplier que l'on se penche sur leur sort, il ne tente pas de lui fendre le cœur avec de belles paroles. Il cherche un moment une approche appropriée et finit par dire :

– Votre Excellence aurait un grand atout en main. Plusieurs centaines, voire plusieurs milliers de Juifs qui passeraient à l'Église, à la seule vraie foi. Et il se trouve que beaucoup d'entre eux sont riches.

– Je pensai que c'étaient des traîne-misère.

– Des riches les suivront également. Ils lutteront pour avoir un statut de noble et, cela, cela vaut d'emblée des montagnes d'or. Selon la législation de la *Respublica* polonaise, un néophyte peut faire des démarches d'anoblissement sans entraves aucune.

– Ce serait la fin du monde...

Moliwda observe l'évêque qui semble pris d'inquiétude. Son visage reste de marbre, mais sa main droite est prise d'un étrange mouvement, apparemment inconscient. Trois de ses doigts, le pouce, l'index et le majeur se frottent nerveusement.

– Et leur Frank, c'est qui? Un rustre, *ignorantes*... Ce serait ainsi qu'il se présente.

– Il dit cela. Il se désigne lui-même comme un *amaretse*, un rustre. En hébreu, c'est *Am haaretz*...

– Vous connaissez l'hébreu?

– Quelque peu. Je comprends ce que dit Jakób Frank. Il n'est pas fruste. Il a été correctement instruit par les siens, il connaît le Zohar, la Bible et la Loi mosaïque. Il peut avoir du mal à exprimer un certain nombre de choses en polonais ou en latin, mais c'est un homme instruit. Et rusé. Quand il décide quelque chose, il y parvient. Avec l'aide d'une personne ou d'une autre...

– Vous êtes également ainsi, sieur Kossakowski, déclare Mgr Sołtyk avec une soudaine perspicacité.

De l'utilité et de l'inutilité de la vérité, mais aussi des tirs de mortiers comme moyen de communication

En cette année 1758, Mgr Kajetan Sołtyk passe beaucoup de temps à Varsovie. Un séjour plaisant pour lui, la capitale polonaise fourmille en distractions et agréments. L'automne est arrivé, tout le monde revient en ville de sa propriété à la campagne, on peut dire que la saison a commencé. Son Excellence a l'esprit occupé de plusieurs choses. La première et la plus importante est son attente, l'attente joyeuse de sa nomination comme évêque de Cracovie. Les cartes ont été distribuées, se répète-t-il, et cela signifie peu ou prou que son investiture sera effective à la mort de son ami le pauvre et maladif Mgr Andrzej Załuski, frère de Mgr Józef Załuski. *A priori*, tout semble convenu entre les trois ecclésiastiques. Andrzej sait qu'il va bientôt mourir, il est serein face à la mort et, en bon chrétien qui a vécu sa vie dans la sainteté, il a déjà rédigé des lettres au roi dans lesquelles il recommande la candidature de Sołtyk. Depuis quelques jours pourtant, il est inconscient et les questions terrestres l'indiffèrent.

En revanche, Mgr Sołtyk leur porte le plus grand intérêt. Il a déjà commandé de nouveaux habits chez les tailleurs juifs et de nouvelles chaussures hivernales. Il passe ses soirées avec des amis, fréquente l'Opéra et répond favorablement aux invitations à dîner. Malheureusement, après s'être fait reconduire chez lui, il lui arrive souvent de se changer pour rejoindre, selon sa vieille habitude, une auberge à l'octroi de la ville où il joue aux cartes. Et il en éprouve ensuite d'indicibles regrets. Depuis peu, il parvient à ne plus jouer que de petites sommes pour ne pas accroître son immense dette, ce qui augmente sérieusement l'idée favorable qu'il a de sa propre valeur. Ah, si les gens n'avaient que cette petite faiblesse!

Une amie de Załuski arrive également à Varsovie, c'est Katarzyna Kossakowska, une femme particulièrement rouée; Sołtyk ne l'aime guère, mais il la respecte et il en a même un peu peur. Elle est porteuse d'une vraie mission et s'efforce d'y impliquer chacun. Dans la capitale, elle cherche du soutien pour les hérétiques juifs. Et elle se rallie vite des personnes à même de convaincre le roi de promulguer une lettre de patente qui protégerait ces malheureux ayant à cœur de rejoindre la religion chrétienne. Le sujet devient à la mode dans les salons, aux dîners et dans les couloirs de l'Opéra. Tout le monde parle des «puritains juifs». Certains le font avec émotion, d'autres avec une ironie froide, hautaine et très polonaise. Mgr Sołtyk reçoit un présent inattendu de la palatine Kossakowska, une chaîne en argent plaqué or avec une lourde croix, en argent également, sertie de pierres précieuses. Un objet rare et de prix.

Kajetan Sołtyk s'impliquerait davantage dans la cause, n'était son attente de poste. Car il a des rivaux. Dès que Mgr Andrzej Załuski mourra à Cracovie, il lui faudra agir rapidement, être le premier à se présenter chez le roi et y faire bonne impression. Une chance que le monarque soit présentement dans la capitale, loin de sa ville de Dresde et de sa Saxe que le roi de Prusse, Frédéric II, est justement en train de ravager. À Varsovie, la sécurité est plus grande.

Quel immense mérite ce serait devant Dieu que d'amener tous ces gens, ces hérétiques juifs, au sein de l'Église. Le monde n'a jamais rien connu de tel, une chose pareille ne peut arriver que dans la Pologne catholique. On entendrait parler de nous dans le monde entier, songe l'évêque.

Au long de cette attente qui dure depuis octobre, il a élaboré un plan inouï. Des canonniers engagés pour la circonstance ont été placés par lui, avec de petits mortiers, toutes les quelques lieues le long de la voie qui mène de Cracovie à Varsovie. Dès que son homme à la cour de l'évêque de Cracovie apprendra que Mgr Andrzej Załuski est mort, il le fera savoir au premier canonnier qui tirera un coup en direction de Varsovie. Son signal sera relayé par le soldat suivant, puis le troisième et ainsi de suite, en chaîne jusqu'à la capitale, de sorte que par cet insolite moyen de communication Sołtyk sera le premier à l'apprendre, avant même que n'arrivent les lettres officielles des émissaires. L'idée lui en a été soufflée par Mgr Józef Załuski, qui l'avait trouvée dans un livre et qui comprenait l'impatience de son ami.

Józef aimerait se rendre à Cracovie auprès de son frère mourant, mais, en ce mois de décembre étrangement chaud, les rivières débordent et de nombreuses routes ne sont plus praticables, aussi est-il également condamné à attendre la nouvelle *via* la chaîne des mortiers mise en place par Kajetan Sołtyk.

On parle en ville d'une lettre du pape au sujet des sempiternelles accusations, certes plus rares dernièrement, portées contre les Juifs selon lesquelles ceux-ci utiliseraient du sang chrétien. La position de Rome est claire et inébranlable : ces accusations sont inventées de toutes pièces, sans fondement aucun. Mgr Sołtyk en ressent une étrange amertume qu'il confie à ses amis, Katarzyna Kossakowska et Mgr Józef Załuski, lors d'un dîner.

– J'ai personnellement recueilli des aveux. J'ai été témoin au procès dans son ensemble.

– Je serais curieuse de savoir ce que vous raconteriez sous la torture, Excellence, grimace la palatine.

Załuski est lui aussi au fait de l'histoire, dans la mesure où Sołtyk lui avait décrit dans les détails l'affaire de Markowa Wolica il y a quelques années.

– Je voudrais soulever ce sujet terrible dans un travail savant, finit-il par dire. J'étudie à cette fin toutes les sources auxquelles j'ai accès à la bibliothèque. Il y en a beaucoup qui en traitent dans le monde entier. Ah, si les questions relatives à ma charge d'évêque ne me prenaient pas autant de temps…

Il se plongerait volontiers à fond dans les études sans quitter sa bibliothèque. Il fait soudain grise mine. Son visage est mobile, chacune de ses émotions y apparaît. Il déclare :

– Quel dommage que, désormais, il faille tout écrire en français plutôt que dans notre sainte langue latine. Cela me rebute également parce que je n'use pas du français à la perfection. Or, là, il faut *parler, parler** … dit-il en cherchant à railler une langue qu'il n'aime guère.

– … gorge sèche, dit Kossakowska pour clore.

Aussitôt un serviteur approche pour remplir leurs verres.

– Je peux juste résumer mes convictions, dit Załuski en observant attentivement son collègue – mais celui-ci, occupé à nettoyer des os de lapin de leur viande, semble ne pas écouter.

Aussi monseigneur se tourne-t-il vers la palatine qui a fini de manger et s'impatiente car elle voudrait allumer sa pipe.

– Je me suis fondé sur une étude en profondeur des sources, mais avant tout sur une réflexion à partir de celles-ci, dans la mesure où des faits rapportés sans analyse pertinente, lus fréquemment, nous induisent en erreur.

---

* En français dans le texte. *(N.d.T.)*

Il s'interrompt un instant comme s'il cherchait à se rappeler ces faits. Finalement, il déclare :

– Je suis arrivé à la conclusion que tout le malentendu est venu d'une simple erreur de termes ou plutôt de lettres hébraïques. Le mot hébreu *d-a-m*, dit-il en le traçant du doigt sur la table, signifie à la fois « argent » et « sang », ce qui a pu prêter à confusion dans la mesure où nous disons que les Juifs sont avides d'argent, autrement dit de sang. Ce que l'imagination populaire compléta et cela donna « de sang chrétien ». Toute l'histoire viendrait de là. Il pourrait aussi y avoir une autre raison : lors du mariage, on tend aux mariés une boisson de vin et de myrte appelée *h-a-d-a-s*, alors que chez eux le sang se dit *h-a-d-a-m*, d'où peut-être ces accusations. *Hadam-hadas*, c'est presque pareil, vous saisissez, madame ? Notre nonce a raison.

Mgr Sołtyk jette sur la table des osselets de lapin pas tout à fait nettoyés de leur chair et repousse brutalement son assiette.

– Votre Excellence me ridiculise, moi et mon témoignage, énonce-t-il avec un calme surprenant et un ton très formel.

La palatine se penche vers eux, vers ces deux hommes corpulents avec des serviettes d'une blancheur éclatante sous leur menton et des joues empourprées par le vin.

– Chercher la vérité pour la vérité est sans intérêt, dit-elle. La vérité en soi est toujours compliquée. L'important est de savoir à quoi cette vérité peut nous être utile.

Puis, sans plus se préoccuper de l'étiquette, elle allume sa pipe tant désirée.

À l'aube, la triste nouvelle tant attendue par Mgr Sołtyk de la mort d'Andrzej Załuski, l'évêque de Cracovie, arrive enfin, transmise par la chaîne des tirs de mortiers. À midi Kajetan Sołtyk se présente chez le roi. Ceci se passe le 16 décembre 1758.

Katarzyna Kossakowska, la palatine de Kamieniec, écrit à Mgr Łubieński, évêque de Lwów et sénateur de la *Respublica*

Katarzyna ne se déplace jamais sans sa fidèle Agnieszka et chacun sait que sans celle-ci rien ne peut arriver. Dernièrement, le palatin lui-même prend rendez-vous avec son épouse par l'intermédiaire de la demoiselle de compagnie. Agnieszka est sérieuse et peu loquace. Stanisław Kossakowski l'appelle le «mystère ambulant» ou la «pucelle d'Orléans». Pourtant, auprès d'elle sa femme s'adoucit, sa méchanceté dont les piques l'atteignaient par trop souvent s'émousse. Désormais, ils dînent à trois et, il doit l'admettre, depuis qu'Agnieszka a pris en main la direction des cuisines, les repas sont meilleurs. Les deux femmes vont jusqu'à dormir dans la même chambre. Grand bien leur fasse à ces femelles, se dit-il.

Agnieszka est en train de dénouer les cheveux de sa maîtresse et amie devant le miroir pour les brosser et faire de nouvelles tresses avant la nuit.

– Je perds des cheveux, dit la palatine. Je suis déjà presque chauve.

– Qu'allez-vous raconter là, madame ! Vous les avez toujours eus peu épais mais résistants.

– Non, je suis déjà presque chauve. Ne sois pas sotte, ne me mens pas… La belle chose que les cheveux ! Je porte des coiffes de toute manière.

Agnieszka lisse patiemment les fins cheveux avec une brosse en soies de sanglier. Katarzyna ferme les yeux. Soudain, elle sursaute au point que la servante se fige, la main en l'air au-dessus de sa tête.

– Une lettre encore, très chère, dit-elle. J'avais oublié.

– Oh que non, madame. Le travail est terminé pour aujourd'hui, répond Agnieszka qui recommence à brosser.

Katarzyna la saisit aussitôt par la taille pour la faire asseoir sur ses genoux. La jeune fille souriante se laisse faire. La palatine l'embrasse dans le cou.

– Une seule petite lettre à ce vaniteux évêque tristounet.

– D'accord, mais dans l'alcôve et avec le bouillon.

– Tu es une vraie petite coquine, toi, tu sais! dit Katarzyna qui, avant de relâcher son étreinte, caresse Agnieszka entre les omoplates comme elle le ferait avec son chien.

Ensuite, assise dans son lit, appuyée à de gros coussins, disparaissant presque derrière les dentelles de son bonnet, elle dicte:

De retour en Podolie, je m'empresse de me rappeler à Votre Excellence pour La saluer chaleureusement et La féliciter de tout cœur pour Son Installation dans l'évêché de Lwów après le terrible malheur qui frappa Son prédécesseur, feu Mgr Mikołaj Dembowski.

Je souhaite également recommander pleinement à Monseigneur un lointain parent de mon époux, un dénommé Antoni Kossakowski, lequel, après de nombreuses années de pérégrinations, vient de revenir dans les bras de la *Respublica* polonaise et s'est adressé à moi avec une pétition me demandant d'intercéder en qualité de parente. Ce Kossakowski-là possède grand talent pour la connaissance de toutes langues orientales, et particulièrement de l'hébreu. Je ne doute pas que la respectable attention de Votre Excellence s'est déjà tournée vers ces malheureux Juifs qui, tels des aveugles, cherchent la vraie foi et se dirigent à tâtons vers l'unique lumière qu'est la religion chrétienne, comme je l'ai entendu dire ici à Kamieniec où tout le monde en débat. Nous avons réussi à obtenir le soutien du roi pour ces puritains et je leur suis de tout cœur favorable, ceci également du fait que, depuis longtemps, je les observe, ces enfants de Moïse, et je vois la difficulté de leur vie ici, ce dont ils étaient en quelque sorte coupables eux-mêmes en restant agrippés à leurs préjugés juifs. Si Votre Excellence daignait écrire un mot, je Lui en serais d'une reconnaissance infinie, mais je ne voudrais par trop L'incommoder et La fatiguer. Je m'apprête à partir pour Lwów prochainement, dès que le temps se sera fait plus clément, et je nourris l'espoir que je trouverai Votre Excellence en parfaite santé. Que Votre Excellence daigne se souvenir qu'Elle est toujours grandement la bienvenue chez nous, à Kamieniec, où mon époux est le plus fréquemment visible, et à Busk, où je séjourne volontiers.

Le père Gaudenty Pikulski écrit à Mgr Łubieński, évêque de Lwów et sénateur

J'informe Votre Excellence qu'en Son absence de Lwów, je suis déjà parvenu à collecter des informations sur le protégé de Madame la Palatine. Il s'avère notamment que Monsieur Moliwda – son nom viendrait d'une île en mer Égée qui serait sa propriété, mais ceci reste impossible à vérifier – passa une partie de sa vie turbulente en Valachie, où il était le supérieur ou, comme ils disent, l'ancien de la commune, probablement de bogomiles, également appelés chez nous les *chłysty*. Il ne s'agit pourtant de personne d'autre que d'Antoni Kossakowski, du blason Corvinus, le fils de Remigian Kossakowski, gonfalonier des hussards, cinquième personnage par ordre de rang en Lituanie, et de Madame, née Kamieńska, originaire de Samogitie. On le tint pour disparu pendant vingt-quatre ans. Ce n'est que maintenant qu'il réapparaît en Pologne sous le nom de « Moliwda ».

Concernant cette hérésie bogomile qui se développe depuis de nombreuses années parmi les fidèles de l'Église orthodoxe, je sais uniquement que ses adeptes considèrent que le monde n'a pas été créé par le Dieu vivant, mais par son méchant frère, Satanael. De ce fait, le mal et la mort règnent sur le monde. Ce Satanael révolté façonna le monde en glaise, mais ne sut pas lui insuffler la vie, aussi demanda-t-il au Bon Dieu de le faire. Ce dernier gratifia d'une âme toutes les créatures et c'est pourquoi, selon le bogomilisme, la matière est mauvaise alors que l'esprit est bon, et le Messie devrait bientôt venir une nouvelle fois. Certains pensent que ce sera sous l'aspect d'une femme. Les fidèles de ces sectes sont des paysans valaques, mais aussi parfois des Cosaques qui ont fui chez les Turcs, voire des paysans ruthènes, des pérégrins et des individus de basse souche, les plus pauvres. J'appris encore qu'une supposée Mère de Dieu, qu'ils choisissent par élection, jouerait chez eux un rôle important. Ce doit toujours être une jeune fille pure et d'une beauté absolue. Ils ne consomment pas de viande ni ne boivent de vin ou de vodka – ce qui me surprend, car l'on me fit savoir de Varsovie que le sieur Moliwda ne dédaignait pas la dive bouteille, mais ce peut aussi être la preuve qu'il rompit avec cette secte –, et ils méprisent le sacrement du mariage, considérant les enfants nés au sein d'une union consacrée comme maudits. En revanche, ils croient en l'amour spirituel entre les êtres humains et, dans ces cas-là, la fréquentation des corps est sanctifiée. En groupe, y compris.

Notre Sainte Église universelle condamne pareille terrible hérésie sans scrupule aucun, mais elle est trop grande et trop puissante pour se soucier de semblables aberrations. Le salut de l'âme des fidèles fut pour elle de tout temps plus important. Voilà pourquoi c'est avec un authentique souci que je rapporte à Votre Excellence mes suspicions. Est-ce qu'un homme complètement dévoué à des idées hérétiques venant en aide à d'autres hérétiques peut être digne de confiance ? Notre chère *Respublica* polonaise, qui se maintient dans sa grandeur uniquement grâce à notre foi commune dans l'Église universelle et catholique, est en permanence menacée d'un danger d'éclatement. La pression des autres religions s'exerce sur nous tant de l'Est que de l'Ouest, aussi devrions-nous tous rester particulièrement vigilants. En tant que moine, je me sens particulièrement contraint à pareille vigilance.

Pour autant, je passerai sous silence certaines questions importantes dans notre affaire commune. Ce Kossakowski-Moliwda est excellent en plusieurs langues, il connaît particulièrement bien le turc et l'hébreu, mais aussi le grec, le ruthène et, bien entendu, le latin et le français. Il possède une vaste connaissance de l'Orient, s'y entend en plusieurs sciences, de même qu'il compose des poésies. Ces talents, qui lui permirent sans doute de subsister dans sa vie aventureuse, pourraient également nous être utiles pour peu que nous puissions avoir la certitude de sa pleine loyauté à la cause...

Antoni Moliwda-Kossakowski écrit à Mgr Łubieński, évêque de Lwów

Je suis ravi de pouvoir rendre compte de ma première mission à Votre Excellence, dans l'espoir que mes observations jetteront quelque modeste lumière sur la question hautement complexe des antitalmudistes, d'autant plus malaisée à comprendre par nous chrétiens que nous n'arrivons pas à percer avec notre clair entendement les mystères tortueux et obscurs de la foi juive ni à pénétrer pleinement le ténébreux esprit juif. Votre Excellence daigna m'envoyer suivre de près l'affaire de Jakób Lejbowicz Frank et de ses adeptes, mais, étant donné que le célèbre Jakób Frank ne se trouve pas en Pologne, et qu'en tant que citoyen turc il reste sous la protection de la Sublime Porte et séjourne certainement en sa maison de Giurgiu, je me rendis à Satanów où eut lieu un procès juif contre les antitalmudistes dont je me fis l'observateur une journée.

La petite ville est belle, assez propre et claire, située sur une haute falaise. La gigantesque synagogue la domine et c'est autour d'elle que se concentre le quartier juif, quelques dizaines de maisons qui descendent jusqu'à la place du marché où des marchands juifs assurent le commerce de Satanów. Dans cette synagogue aux dimensions imposantes, les Juifs talmudistes organisèrent le jugement des dissidents. De nombreuses personnes intéressées y assistèrent, il n'y avait pas là que des israélites, mais également des chrétiens curieux. J'ai même aperçu quelques nobles du voisinage, lesquels partirent toutefois assez vite, lassés par la langue yiddish qu'il ne pouvaient comprendre.

Je dois reconnaître à regret et faire savoir à Votre Excellence que ce que je vis ne rappelait aucunement un procès, mais était une attaque de rabbins furieux contre des petits commerçants effrayés qui n'avaient rien fait à personne et qui, terrorisés, disaient ce qui leur passait par la tête, de sorte qu'ils se discréditaient non seulement eux-mêmes, mais compromettaient leurs coreligionnaires. La haine des accusateurs était tellement grande que je craignis pour la vie des accusés et qu'il fallut l'intervention des serviteurs du noble du lieu, des valets cosaques très forts, pour empêcher la foule de faire cruellement justice elle-même. On accusa les hommes de pratiques adultères, ce qui fit que des épouses quittèrent leurs maris, faute de quoi elles auraient été assimilées à des filles de mauvaise vie. Nombreux furent ceux à qui tout fut confisqué et qui se retrouvèrent complètement démunis. Il n'y a aucune pitié pour ces gens-là quand ce sont les leurs qui s'en prennent à eux, et notre système ne sait aucunement les en protéger. Il y a déjà une première victime, un certain Libera de Brzeżany, battu à mort pour avoir voulu prendre la parole au nom de Jakób Frank. On ne devait manifestement pas encore savoir que ces gens de Frank sont sous la protection du roi en personne.

Je comprends la colère de Votre Excellence à cause de cette excommunication appelée *herem* en hébreu, et je la partage. On peut ne pas croire au fonctionnement mystérieux de la malédiction et à ses puissances diaboliques, mais j'ai vu de mes yeux comment elle agit en ce bas monde, elle exclut certaines personnes de la protection des lois, ce qui met en péril leurs biens, leur santé et jusqu'à leur vie.

En Pologne, sur les terres habitées par notre gent chrétienne, les parcelles de vérité qui nous parviennent doivent être conquises au prix de grands efforts. Avec nous vivent pourtant des millions d'êtres appartenant au plus ancien de tous les peuples civilisés, le peuple juif, qui depuis des siècles, des profondeurs de ses synagogues, ne cesse d'élever vers le ciel des lamentations auxquelles rien au monde ne ressemble. C'est le cri de la solitude et de l'abandon par Dieu. S'il est quelque chose qui est en mesure de faire descendre sur terre la vérité des cieux, ne sont-ce pas ces plaintes dans lesquelles les hommes concentrent et expriment toute leur vie ?

Il est paradoxal que ces individus aient besoin d'être protégés non par leurs coreligionnaires, mais par nous, qui sommes leurs frères cadets dans la foi. Nombreux sont ceux, parmi eux, qui viennent à nous avec cette confiance avec laquelle les petits enfants allaient à Jésus-Christ, Notre-Seigneur.

Aussi, j'adresse une prière à Votre Excellence pour qu'Elle réfléchisse à la possibilité de recevoir une nouvelle fois ces gens et qu'ils soient, de la sorte, entendus par l'Église catholique, mais aussi de convoquer à une disputation leurs accusateurs, les rabbins de Satanów, Lwów, Brody et Łuck, de même que tous ceux qui leur firent de très graves reproches et, conséquemment, jetèrent sur eux la malédiction. Nous ne craignons aucunement les malédictions juives, pas plus que leurs autres superstitions. En revanche, nous voulons prendre la défense des opprimés et leur donner le droit légitime de s'exprimer dans l'affaire les concernant.

Moliwda termine sa lettre par une grande boucle élégante avant de la couvrir de sable fin. Tandis que l'encre sèche, il commence à rédiger de sa petite écriture une autre missive, en turc celle-ci. Elle commence par «Jakób».

Les couteaux et les fourchettes

Chana, la jeune épouse de Jakób, aime avoir de l'ordre dans ses bagages, elle sait où se trouvent les châles, les chaussures, les huiles ou les crèmes pour les boutons. Elle aime en dresser la liste de son écriture régulière, sans fioritures, car elle sent alors qu'elle domine le monde telle une reine. Rien de pire que le désordre et le chaos. Chana attend que l'encre soit sèche, elle caresse du bout de son index la pointe de la plume. Ses doigts sont fuselés, minces, avec de beaux ongles, bien que Chana ait du mal à ne pas les ronger.

Elle est en train d'inventorier ce qu'ils emporteront en Pologne dans deux mois, quand Jakób s'y sera déjà installé et qu'il fera plus chaud. Ils partiront à deux chariots et sept cavaliers. Elle sera dans l'une des voitures avec Awacza, Emanuel et une jeune fille, la nounou Lisia. Dans l'autre, les servantes voyageront avec les bagages empilés en pyramide et fixés par des cordes. Son frère, Chaïm, fera la route à cheval avec des camarades pour protéger ce convoi féminin.

Ses seins lourds de lait lui pèsent. Dès qu'elle pense à sa poitrine ou à l'enfant, des gouttes de lait sortent d'elles-mêmes pour tacher son léger corsage, comme si elles n'en pouvaient plus d'attendre les petites lèvres du poupon. Son ventre ne s'est pas encore complètement résorbé, elle a beaucoup grossi pendant sa deuxième grossesse, le garçonnet est pourtant né petit. Comme on l'apprit vite, il vint au monde le jour où Jakób traversait le Dniestr avec tous ses compagnons pour gagner la Pologne, et c'est pourquoi il ordonna par lettre de donner à l'enfant le prénom d'Emanuel.

Chana se lève pour prendre son fils dans ses bras, puis se rassied en le posant sur son ventre toujours rebondi. Le sein semble écraser la tête de l'enfant. Le visage du petit est beau, d'un teint bis, ses paupières sont bleues comme des pétales de fleur. Awacza observe sa mère et son frère d'un coin de la pièce où, boudeuse, elle fait semblant de jouer, alors qu'en fait elle ne les quitte pas des yeux. Elle aussi voudrait téter, mais Chana repousse sa fille comme une mouche agaçante: «Tu es trop grande!»

Chana est confiante. Chaque soir avant de se coucher elle récite le *kriat chema al amita* pour se protéger des méchants pressentiments, des cauchemars et des mauvais esprits qui peuvent la menacer – tout particulièrement maintenant, affaiblie qu'elle a été par l'accouchement – ainsi que ses enfants. Elle s'adresse aux quatre anges comme à de gentils voisins amis pour qu'ils veillent sur sa maison quand elle dort. Ses pensées filent à demi-mot, les anges convoqués prennent corps même si elle cherche à ne pas se les imaginer. Leurs silhouettes s'allongent, frémissent comme les flammes des bougies, et juste avant de plonger dans les profondeurs du sommeil, Chana voit avec surprise qu'ils ressemblent à des couteaux, des fourchettes et des cuillères, ceux dont Jakób lui a parlé et qui sont en argent et plaqué or. Ils se dressent au-dessus d'elle comme pour monter la garde, à moins qu'ils ne soient prêts à la découper en morceaux pour la manger.

18

Comment Iwanie, petit village sur le Dniestr, devient une république

Iwanie se trouve à proximité de la faille au fond de laquelle coule le Dniestr. Le village s'étale sur le haut plateau de la rive orientale, de telle manière qu'il fait penser à un plat dangereusement posé au bord de la table. Un mouvement imprudent et il tombera.

Iwanie est traversé en son milieu par une petite rivière sur laquelle, toutes les quelques dizaines de mètres, sont construits des barrages primitifs qui créent des mares, de petits étangs: jadis on y élevait des canards et des oies. Quelques petites plumes blanches traînent encore, mais l'endroit s'est complètement dépeuplé à la dernière épidémie. Ce n'est que depuis le mois d'août qu'avec le soutien financier des Shorr et l'accord gracieux de l'évêque, sur le domaine duquel le village est situé, que les vrai-croyants s'y installent. Après la promulgation de la lettre de patente, ils ont commencé à arriver du sud, de Turquie, en chariot ou à pied, mais aussi du nord, des hameaux de Podolie. Pour la plupart chassés de Pologne, ils avaient campé à la frontière côté ottoman et, quand ils purent enfin rentrer, ils découvrirent qu'ils n'avaient plus de chez soi. Quelqu'un d'autre avait pris leur travail, leur maison avait été dévastée, d'autres personnes s'y étaient installées et il leur aurait fallu reconquérir leurs droits de propriété par la force ou devant un tribunal. Certains avaient tout perdu, en particulier ceux qui vivaient du commerce, possédaient des boutiques et beaucoup de marchandises. Ils n'avaient désormais plus rien. Il en était ainsi pour Szlomo de Nadworna et son épouse Wittel. À Nadworna et Kopyczyńce, leurs ateliers produisaient de gros édredons en duvet, les *pierzyna*. Les femmes y venaient tout l'hiver pour déchiqueter les plumes en plumules ; Wittel gérait tout cela car, par nature, elle était rapide et vive. Ensuite, on remplissait et cousait les chauds édredons ; les commandes venaient de la cour des nobles et des palais tant les *pierzyna* étaient appréciées pour leur duvet léger qui sentait bon dans son enveloppe en damas turc rose aux magnifiques dessins. À cause des troubles, tout s'était comme envolé. Le vent avait dispersé les plumes à travers toute la Podolie, le damas avait été piétiné ou volé, le toit de leur demeure avait brûlé et celle-ci n'était plus habitable.

Dans le paysage blanc et noir de l'hiver apparaissent de petites maisons à la toiture faite avec les roseaux du fleuve. Un chemin serpente entre elles, descend vers des cours inégales, pleines de trous, où agonisent des charrues, des râteaux et des tessons de pots abandonnés.

Osman de Czerniowce y dirige tout maintenant, c'est lui qui ordonne de placer des gardes à l'orée du village pour qu'aucun étranger ne vienne y rôder. Parfois, des chariots bloquent l'entrée, le piétinement des chevaux laisse des marques dans la terre gelée.

Quiconque arrive au village commence par aller voir Osman, auquel il confie tout son argent et ses objets précieux. Osman est l'intendant, il a un coffre en fer fermé à clef où il garde leur richesse commune. Son épouse, Hawa, la sœur aînée de Jakób, répartit les présents des vrai-croyants de toute la Podolie et l'Ottomanie : il y a des vêtements, des chaussures, des outils de travail, des casseroles, du verre et même des jouets pour les enfants. C'est elle qui désigne les hommes pour le travail du lendemain. Ceux-là iront en charrette chez un paysan chercher des oignons, ceux-là du chou.

La communauté possède ses vaches et une centaine de poules. Elle vient d'acquérir ces dernières : on entend les bruits de construction des poulaillers, les coups de marteau qui fixent les perchoirs en bois. Derrière les maisons, il y a de magnifiques petits jardins, mais ils ne contiennent pas grand-chose parce que les vrai-croyants sont arrivés trop tard, en août. Une vigne grimpait vers les toits, sauvage, non taillée, les grains de ses grappes étaient petits et sucrés. Les nouveaux arrivants trouvèrent aussi quelques citrouilles Il y avait également beaucoup de prunes, petites, noires et sucrées. Les pommiers ployaient sous leurs fruits. Maintenant, après les premières froidures, tout s'est grisé pour faire place au théâtre hivernal où les fruits blessissent.

Durant tout l'automne, des gens sont arrivés chaque jour, principalement de Valachie et de l'Empire ottoman, de Czerniowce, Jassy voire Bucarest. Ceci à l'initiative d'Osman, c'est lui qui fait venir ses frères dans la foi et, en premier lieu, ceux qui sont déjà passés à l'islam pour devenir les sujets du sultan. Ils diffèrent juste un peu des Juifs locaux, ceux de Podolie, ils sont plus bronzés, plus vifs, leurs chants semblent plus entraînants et ils sont plus prompts à danser. À Iwanie, les langues se croisent dans la diversité des habits et des couvre-chefs. Certains portent le turban, tels Osman et sa grande famille, d'autres un *shtreïmel* à fourrure, d'autres des fez turcs, et d'autres encore, ceux du Nord, des bonnets carrés. Les enfants se familiarisent les uns avec les autres, les petits Turcs courent avec les petits Podoliens autour des étangs ou sur la glace quand il gèle. La place manque. Pour l'heure, tous les nouveaux venus sont confinés dans de petites pièces avec leurs enfants et leurs biens. Et ils ont froid! En fait, la seule chose qui leur manque, c'est le bois pour le feu. À l'aube, les petites vitres des fenêtres sont couvertes de givre qui imite naïvement le printemps avec ses feuilles, ses branches de fougères, ses boutons de fleurs.

Chaïm Kopyczyniecki et Osman attribuent les chaumières aux arrivants. Hawa, qui veille à les nourrir, leur distribue également les couvertures et la vaisselle, elle leur montre où se trouve la cuisine et où il est possible de se laver – il y a même un *mikveh* au bout du village. Elle leur explique qu'ici la cuisine se fait en commun et que les repas se prennent ensemble. Il en est de même pour le travail, les femmes se chargent de la couture, les hommes de la réparation des bâtiments et du bois de chauffage. Seuls les enfants et les vieillards ont droit au lait.

Les femmes cousent donc, cuisinent, lessivent et nourrissent les petits. Un enfant vient déjà de naître, un petit garçon auquel on a donné le prénom de Jakub. Dès le matin, les hommes se mettent en quête d'argent, ils s'occupent du commerce et des affaires. Le soir, ils tiennent conseil. Quelques adolescents sont chargés des services postaux d'Iwanie, ils prennent un cheval, s'il le faut, pour porter les envois à Kamieniec ou passer clandestinement la frontière turque et atteindre Czerniowce. De là, le courrier part plus loin.

La veille, l'autre Chaïm, celui de Busk, le frère de Nahman, a apporté un troupeau de chèvres qu'il a équitablement réparties entre les chaumières. La joie est grande parce que le lait pour les enfants manquait. Les femmes les plus jeunes, préposées aux cuisines, confient leurs petits aux soins des aînées qui, dans l'une des maisons, ont créé ce qu'elles appellent le *Kindergarten*, le jardin d'enfants.

C'est la fin novembre et à Iwanie tous attendent l'arrivée de Jakób. Des guetteurs ont été envoyés du côté turc. Les jeunes garçons se tiennent sur la haute berge du fleuve et surveillent les gués. Un silence cérémonieux règne dans le village, tout est prêt depuis la veille. La maison de Jakób étincelle de propreté. Des tapis sont étalés sur le pauvre sol en terre battue. Des petits rideaux d'une blancheur de neige sont accrochés aux fenêtres.

Enfin des sifflements et des cris montent du côté du fleuve. Le voilà! À l'entrée du village, Osman de Czerniowce, joyeux et solennel, attend les hôtes. Quand il les aperçoit, il entonne d'une belle voix puissante: *Dio mio Barukhia...*, et la foule émue, impatiente, se met à chanter. Le cortège qui apparaît à l'angle ressemble à un régiment turc. Au centre se trouve un chariot et c'est là que les regards s'efforcent de distinguer Jakób, mais celui-ci est le cavalier de tête, sur un cheval gris. Il porte un turban et un manteau bleu doublé de fourrure à larges manches, il a une longue barbe noire qui le vieillit. Quand il met pied à terre, il colle d'abord son front contre celui d'Osman puis contre celui de Chaïm, et, enfin, il pose les mains sur la tête de leurs épouses. Osman le guide vers la plus grande maison; la cour a été nettoyée, des branches de pin parent l'entrée. Mais Jakób montre de la main une dépendance, une vieille construction en terre glaise, et dit qu'il veut habiter seul, peu importe où, ce peut être une remise.

– Tu es un *hakham*, lui dit Chaïm. Comment pourrais-tu vivre seul et dans une masure?

Jakób insiste pourtant.

– Je vais dormir dans la remise, je suis un rustre.

Osman ne comprend pas très bien, mais, obéissant, il fait nettoyer la grange.

Les manches de la sainte chemise de Sabbataï Tsevi

Wittel a de grosses boucles couleur feuille d'automne, elle est grande, elle a de l'allure. Elle porte haut la tête et elle s'est personnellement désignée pour servir Jakób. Gracieuse, elle se faufile entre les maisons, le rouge aux joues, la plaisanterie aux lèvres. Elle a la langue bien acérée. Comme le logis de Jakób se trouve dans la cour de la ferme qu'elle occupe avec son mari, Wittel assure la garde rapprochée du Maître, le temps que Chana, son épouse légitime, le rejoigne avec ses enfants. Pour l'instant, elle en a le monopole. Les gens le sollicitent en permanence, l'importunent, et, elle, elle les repousse, elle interdit l'accès à la grange, elle lui installe des poêles de chauffage turcs. Quand les gens s'attroupent pour regarder la demeure du Maître, Wittel vient battre des couvertures sur la palissade et obture de son corps le portillon d'entrée.

– Le Maître se repose. Le Maître prie. Le Maître fait descendre sa bénédiction sur Iwanie.

Dans la journée tout le monde travaille et il est fréquent de voir également Jakób, la chemise grande ouverte – il n'a jamais froid –, couper du bois avec d'amples mouvements des bras ou décharger une charrette et porter des sacs de farine. Ce n'est qu'au crépuscule que l'on se réunit pour suivre son enseignement. Jadis, les femmes et les hommes le faisaient séparément, mais, à Iwanie, le Maître a immédiatement introduit d'autres usages. Désormais, la formation s'adresse à tous les adultes. Les aînés s'assoient sur les bancs, les jeunes sur une botte de paille, les uns à côté des autres. Le début des séances est toujours le moment le meilleur, car Jakób commence par des choses drôles – d'où des éclats de rire. Il aime les plaisanteries grivoises. Il raconte :

– Dans ma jeunesse, je suis arrivé dans un village où l'on n'avait jamais vu de Juif. Je suis descendu dans une auberge où les servantes et les valets se retrouvaient. Les jouvencelles y filaient la laine et les gars leur racontaient des histoires. Quand l'un d'eux m'a vu, il s'est aussitôt mis à m'insulter et à se railler de moi. Il a commencé à raconter qu'une fois le Dieu juif marchait avec le Dieu chrétien et que le chrétien lui a mis sur la gueule. Tout le monde en a été grandement amusé et se mit à rire comme si la plaisanterie était excellente, alors qu'elle ne l'était pas. Sur quoi, je leur ai raconté la fois où Mahomet marchait avec saint Pierre. Mahomet dit à Pierre : « J'ai très envie de te foutre à la turque. » Pierre ne voulait pas, mais Mahomet était costaud, ce dernier l'attacha à un arbre et fit ce qu'il avait à faire. Pierre brailla très fort qu'il avait mal au derrière, qu'il l'accueillerait comme un saint au paradis pour peu qu'il arrête. À entendre mon petit récit, les donzelles et les valets de ferme n'étaient pas fiers, ils baissèrent les yeux, et, ensuite, le plus bagarreur me dit, conciliant : « Tu sais quoi, on fait la paix entre nous. Nous, on va plus dire du mal de ton Dieu, et, toi, t'en dis pas du nôtre. Et laisse saint Pierre tranquille. »

Les hommes ricanent, les femmes baissent les yeux, mais ils apprécient que Jakób, un saint homme et un savant, se montre si familier et ne fasse pas le fier, qu'il habite une petite grange et porte des vêtements simples. Ils l'aiment pour cela. Surtout les femmes. Les vrai-croyantes sont sûres d'elles et bruyantes. Elles se plaisent à badiner et sont ravies de ce que raconte Jakób, qu'il faut oublier les usages turcs qui les contraignaient à rester chez elles. Il dit que les femmes sont aussi utiles à Iwanie que les hommes, les uns et les autres différemment, mais qu'elles sont tout autant nécessaires.

Jakób enseigne également que, désormais, plus rien n'appartiendra uniquement à une personne, que plus rien ne sera en propre. En revanche, si quelqu'un a besoin de quoi que ce soit, qu'il le demande à celui qui l'a et il l'aura. Ou s'il lui manque ceci ou cela, des chaussures qu'il a usées, une chemise qui s'est déchirée, qu'il aille voir l'intendant Osman ou Hawa, et il sera soulagé de son souci.

– Sans argent? lance l'une des femmes.

D'autres lui répondent aussitôt:

– Pour tes beaux yeux…

Éclats de rire.

Tous ne comprennent pas qu'ils doivent remettre tout ce qui est à eux. Jeruchim et Chaïm de Varsovie affirment que cela ne tiendra pas, que les hommes sont par nature avides, qu'ils voudront trop, marchanderont ce qu'ils auront reçu. En revanche, d'autres tels Nahman et Mosze auraient vu, paraît-il, comment fonctionne pareille communauté. Ils soutiennent Jakób. Nahman applaudit grandement à cette idée. On peut fréquemment le voir aller dans les chaumières et argumenter:

– Il en était ainsi dans le monde avant la Loi. Tout était en commun, tout bien appartenait à tous et chacun avait suffisamment, le «tu ne voleras pas» et le «tu ne commettras pas l'adultère» n'existaient pas. Ces gens vous auraient demandé ce que «voler» veut dire. Ou encore qu'est-ce que l'«adultère»? Or, nous, désormais, nous devrions vivre précisément comme eux autrefois, parce que nous ne sommes plus sous la contrainte de l'ancienne Loi. Trois Messies sont venus: Sabbataï, Kohn et maintenant Jakób. Il est le plus grand, il nous a sauvés. Nous devrions être heureux que ce soit arrivé à notre génération. La vieille loi n'est plus en vigueur.

À la Hanoukka, Jakób distribue des morceaux de la chemise de Sabbataï Tsevi comme reliques. Pour tout Iwanie, l'événement est d'importance! C'est celle-là même que le premier Messie avait lancée au fils de Halewi. Elisha Shorr en avait récemment racheté deux manches entières à la petite-fille de ce dernier pour une somme importante à Cracovie. Les fragments de toile, pas plus grands que le plus petit des ongles, se retrouvent désormais dans les amulettes, les petites boîtes en bois de merisier, les boursettes de cuir ou les minuscules sachets suspendus au cou. Ce qui reste du vêtement est déposé dans la caisse d'Osman de manière à pourvoir tous ceux qui rejoindront les habitants d'Iwanie par la suite.

Comment agit le toucher de Jakób

Mosze de Podhajce, qui sait tout, est assis au milieu des femmes occupées à filer la laine à l'endroit le plus chaud. Des volutes de fumée montent jusqu'aux solives.

– Vous connaissez tous cette prière qui parle d'*Elohi* quand il rencontra *Ahturvi*, le démon de la maladie, dit Mosze. C'est celui qui a l'habitude de s'installer dans les membres des gens et de les faire ainsi tomber malades. *Elohi* lui dit alors : « De même que tu ne peux pas boire toute la mer, tu ne peux pas faire encore plus de mal à l'homme. » Jakób, notre Maître, est comme *Elohi*, il parle avec le démon de la maladie. Il suffit qu'il le regarde d'un œil sévère et *Ahturvi* file sans demander son reste.

Cela semble convaincant. En permanence, il y a quelqu'un à la porte de la grange de Jakób, et, quand Wittel le laisse passer, il se présente devant le Maître. Celui-ci pose les mains sur sa tête et fait glisser son pouce sur le front dans un sens et dans l'autre. Parfois, il souffle au visage du malade. Le soulagement arrive presque toujours. Les adeptes affirment que Jakób a des mains chaudes qui font fondre toutes les maladies, toutes les douleurs.

La célébrité de Jakób se propage rapidement dans la région et des paysans finissent également par venir à Iwanie, chez les « gadoueux » comme ils disent. Ils regardent avec suspicion ces métis ni juifs ni tsiganes. À eux aussi le Maître accorde l'imposition des mains. Ils laissent en échange des œufs, des poules, des pommes, du sarrasin. Hawa range tout cela scrupuleusement dans son cellier avant de le distribuer équitablement. Chaque enfant reçoit un œuf pour le Shabbat. Oui, Hawa dit « Shabbat », alors que Jakób a interdit de respecter le jour du Shabbat.

Cela fait drôle, mais, de toute manière, ils comptent le temps d'un jour du Shabbat à l'autre.

En février, une chose étrange arrive, un authentique miracle, rares sont pourtant ceux qui en sont informés. Le Maître a interdit d'en parler. Chaïm l'a vu de ses propres yeux. Une jeune fille de Podolie fut transportée à Iwanie déjà très atteinte ; à son arrivée, elle était en train de mourir. Son père poussait des hurlements terribles, s'arrachait les poils de la barbe et se désespérait, car c'était sa fille adorée. On envoya chercher Jakób dans sa grange et il arriva, se contentant de leur crier de faire silence. Ensuite, il s'enferma un moment avec la jeune fille, et quand il en sortit elle était guérie. Il ordonna qu'on la vête en blanc.

– Qu'as-tu fait avec elle ? voulut savoir Szlomo, le mari de Wittel.

– J'ai eu affaire avec elle et elle a guéri, répondit Jakób qui ne voulait plus revenir sur le sujet.

Szlomo, qui est un homme d'expérience, poli et sérieux, ne comprit pas immédiatement ce qu'il venait d'entendre. Il en fut bouleversé. Le soir, comme s'il avait perçu son désarroi, Jakób lui sourit et l'attira à lui par la nuque comme le ferait une jeune fille avec un garçon. Il lui souffla dans les yeux et lui ordonna de n'en parler à personne. Après cela, il ne s'occupa plus de Szlomo. Celui-ci s'en ouvrit pourtant à sa femme, et celle-ci jura de garder le secret. Nul ne sait comme cela se fit, mais en quelques jours tout le monde était au courant. Les mots sont comme des lézards, ils savent s'échapper de n'importe quel emprisonnement.

Ce dont causent les femmes en plumant les poules

Premièrement, de ce que le visage du Jacob biblique servit de modèle à Dieu quand il créa des anges à visage humain.

Deuxièmement, que la lune a le visage de Jakób.

Troisièmement, qu'il est possible de louer un homme pour concevoir des enfants avec lui quand avec le mari on n'y arrive pas.

Elles se souviennent d'un récit de la Bible. Celui d'Issachar, fils de Jacob et de Léa. Léa obtint que Jacob couche avec elle et, ensuite, elle lui donna un fils. Elle le négocia contre une mandragore que son fils Ruben avait trouvée dans le désert et que la stérile Rachel convoitait. Quand Rachel mangea cette mandragore, elle donna à Jacob un fils prénommé Joseph. Tout est dans les Écritures.

Quatrièmement, qu'il est possible de tomber enceinte de Jakób sans qu'il vous touche, pas même du petit doigt.

Cinquièmement, que, quand Dieu créa les anges, ceux-ci ouvrirent aussitôt la bouche pour Le glorifier. Quand Dieu créa Adam, les anges demandèrent aussitôt : « Est-ce l'homme que nous devons honorer ? » Dieu répondit : « Non, celui-ci est un voleur, il me volera le fruit de l'arbre. » Quand naquit Noé, les anges demandèrent donc à Dieu avec ardeur : « Est-ce l'homme dont nous devons vanter les mérites jusques aux cieux ? » Dieu répliqua pourtant, très impatienté : « Non, celui-là n'est qu'un simple ivrogne. » Quand naquit Abraham, ils le questionnèrent de nouveau, mais Dieu, ombrageux, leur rétorqua : « Celui-ci n'est pas né circoncis, il aura à se convertir à ma foi. » Quand naquit Isaac, les anges demandèrent à Dieu, toujours avec espoir : « Est-ce celui-là ? – Non, répondit-Il mécontent, celui-là aime son fils aîné qui me hait. » Mais quand naquit Jakób et qu'ils posèrent leur question pour la énième fois, ils entendirent : « Oui, c'est lui. »

Des hommes en train de bâtir une grange interrompent leur travail pour écouter, debout à la porte, ce que racontent les femmes. Des plumes blanches atterrissent bientôt sur leurs têtes, d'un geste brusque quelqu'un les a fait s'envoler d'un panier.

Qui sera dans le cercle féminin

– Va avec lui, dit à Wittel son mari. Tu lui plais tout particulièrement. Sa bénédiction sera sur toi.

Mais Wittel se montre réticente.

— Comment pourrais-je coucher avec lui, alors que je suis ta femme ? C'est un péché.

Szlomo la regarde avec tendresse, comme il regarderait une enfant.

— Tu penses à l'ancienne, à croire que tu n'as rien compris à ce qui se passe ici. Il n'y a pas de péché. Mari ou pas mari, quelle importance ! Le temps du salut est arrivé, le péché ne nous concerne pas. Jakób œuvre pour nous tous et c'est toi qu'il veut. Toi, tu es la plus belle de toutes.

Wittel persiste, renfrognée.

— Je ne suis pas la plus belle, tu le sais parfaitement. Il y a tellement de jeunes filles ici que toi-même tu ne sais plus à qui faire de l'œil. Et toi ? Tu ferais quoi ?

— Moi ? Si j'étais à ta place, Wittel, je ne me poserais pas de question, j'irais aussitôt dans son lit.

Wittel accueille cette autorisation avec soulagement. Ces derniers jours, elle n'arrivait plus à penser à autre chose. Les femmes qui ont été avec Jakób affirment qu'il a deux pénis. Ou, plus exactement, que, quand il le veut, il en a deux. Quand il ne le veut pas, il se contente d'un. Bientôt, Wittel est en mesure de confirmer ou d'infirmer le fait.

En avril, Jakób envoie un chariot chercher Chana, et Wittel ne va plus le voir toutes les nuits. On parle de Chana en disant « Sa Grandeur ». En l'honneur de « Sa Grandeur », les femmes fondent la graisse d'oie et, plusieurs jours durant, elles cuisent des petits pains qu'elles déposent dans le cellier de Hawa.

Wittel aurait préféré que cela arrive par hasard, malheureusement elle ne peut s'en empêcher et écoute à la porte Jakób et Chana faire l'amour. Cela produit chez elle une étrange sensation dans le ventre, elle ne comprend pas de quoi ils parlent parce qu'ils le font en turc. Cela l'excite d'entendre Jakób parler le turc. La prochaine fois, elle lui demandera de s'adresser à elle dans cette langue. Cette prochaine fois arrive vite parce qu'un mois plus tard, en mai, Chana, boudeuse et mécontente, s'en retourne en Turquie.

Dès le mois de décembre, le Maître réunit tous les adultes. Ils font cercle et attendent longtemps dans un silence absolu. Jakób leur a interdit toute conversation et personne n'ose prendre la parole. Ensuite, il ordonne aux hommes de se placer le long du mur de droite. Il choisit alors sept des femmes, comme le fit Sabbataï, le premier Messie.

Il commence par Wittel, qu'il prend par la main et à laquelle il donne le prénom d'Ewa. Étant la première, elle ne comprend pas de quoi il retourne, elle rougit, passe nerveusement d'un pied sur l'autre, perd toute assurance. Les joues en feu, elle obéit comme une enfant. Jakób la place à sa droite. Ensuite, il choisit Wajgełe, la toute jeune femme que vient d'épouser Nahman de Busk, à laquelle il donne le prénom de Sara. Celle-là le suit comme si elle montait à l'échafaud, elle est triste, elle baisse la tête, lance des regards à son mari et attend ce qui va suivre. Jakób la fait se mettre derrière Wittel. À sa suite, il place encore Ewa, l'épouse de Jakub Majorek, à laquelle il assigne le prénom de Rebeka. Puis il regarde longtemps les femmes qui, elles, baissent les yeux, et, finalement, il tend la main à la magnifique Sprynełe, treize ans, la toute jeune belle-fille d'Elisha Shorr, épouse de son plus jeune fils, Wolf. Elle, il la prénomme Berszawa. Après cela, il s'occupe du côté gauche: la première est l'épouse d'Izaak Shorr, qu'il nomme Rachel, puis celle de Chaïm de Nadworna, qui aura pour prénom Léa. La dernière est Uchla de Lanckoruń, et, elle, il l'appelle Afisza Sulamitka.

Dans la mesure où tous ces prénoms sont ceux d'épouses de patriarches, les femmes choisies se tiennent droites, elles sont émues et silencieuses. Leurs époux également gardent le silence. Soudain, Wajgełe, la femme de Nahman, se met à pleurer. L'heure n'est pas aux larmes, mais tout le monde comprend.

À Iwanie, le regard ombrageux de Chana perçoit les détails

Dans les chaumières, les gens dorment les uns à côté des autres, sur des couchettes pourries, assemblées n'importe comment, ou bien à même le sol. Pour toute literie, ils ont une gerbe de vieille paille. Leur couche est un grabat. Rares sont ceux qui ont un lit correct avec des draps de lin. La maison des Shorr est la plus cossue.

Tout le monde est sale, couvert de poux. Jusqu'à Jakób, et ceci parce qu'il fraie avec les souillons du lieu. Chana s'en doute. En fait, elle le sait parfaitement.

Ce n'est pas du tout une communauté, mais un méli-mélo, une foule hétéroclite. Certaines personnes sont incapables d'en comprendre d'autres, ainsi en est-il par exemple de ceux qui parlent le turc ou le ladino au quotidien, comme Chana, sans connaître le yiddish local.

Il y a des malades et des infirmes. Personne ne les soigne, l'imposition des mains ne soulage pas de tout. Dès le premier jour, Chana fut de nouveau témoin de la mort d'un enfant, de toux cette fois, il étouffa.

Parmi ces gens, il y a beaucoup de femmes seules, les unes veuves, les autres *agunot*, dont le mari a disparu, mais qui ne peuvent se remarier tant qu'il ne sera pas prouvé qu'il est mort, et d'autres encore. Certaines ne sont pas du tout des Juives, à ce qu'il semble à Chana. Elles se vendent pour une bouchée de pain ou pour la permission de demeurer là. À Iwanie, on ferme les yeux sur le fait que tout le monde couche avec tout le monde, on accorde même à ceci un sens particulier. Chana ne comprend pas pourquoi les hommes tiennent tellement aux relations sexuelles – ce n'est tout de même pas si extraordinaire. Après son deuxième accouchement, elle en a perdu toute envie. L'odeur des autres femmes sur la peau de son mari la gêne.

Désormais, Jakób apparaît comme complètement différent à Chana. Il a d'abord semblé heureux de la voir arriver, mais ils n'ont eu de relations intimes que deux fois. Il a autre chose en tête, ou peut-être une autre femme. Cette Wittel tourne autour de lui et jette à Chana des regards noirs. Jakób préfère passer son temps avec quiconque plutôt qu'avec son épouse. Il l'écoute avec distraction, s'intéresse surtout à Awacza, qu'il emmène partout avec lui. Il la porte sur ses épaules et la petite fait semblant de monter un grand chameau. Chana reste à la maison pour allaiter. À Iwanie, elle redoute de voir son bébé contracter une maladie.

Le petit Emanuel est toujours souffrant. Les vents iwaniens ne lui font pas du bien, non plus que la fin de l'hiver qui s'éternise en avant-printemps. La nourrice turque ne cesse de se plaindre à Chana, lui disant qu'elle ne veut pas rester là, que tout la dégoûte et qu'elle va bientôt en perdre son lait.

Chez eux à Nikopol, c'est déjà le printemps, alors qu'ici les premières pousses vertes pointent difficilement à travers les herbages pourris.

Le père de Chana, avec son calme songeur, manque à la jeune femme. Sa mère morte quand elle n'était encore qu'une enfant, également. Chaque fois qu'elle pense à elle, elle est prise d'une peur panique de mourir.

La visite de Moliwda à Iwanie

Moliwda quitte Varsovie pour Lwów quand, après une nouvelle débâcle, les routes sont prises de nouveau par un gel à pierre fendre et redeviennent carrossables. Après sa rencontre avec l'archevêque Łubieński, il reçoit l'équipement destiné à son voyage à Iwanie d'un certain père Zwierzchowski, nommé pour traiter la question des antitalmudistes. Il lui remet un coffre plein de catéchismes et de brochures édifiantes. Avec des rosaires et des médailles aussi. Moliwda a l'impression d'être l'un de ces vendeurs des rues chargés d'objets de piété. Une statue de la Vierge en bois de tilleul, taillée un peu grossièrement et aux couleurs trop vives, se trouve emballée séparément dans de l'étoupe. C'est un cadeau et un souvenir de madame la palatine Kossakowska pour madame Frank.

Moliwda atteint Iwanie le 9 mars 1759. Dès son arrivée, il est pris d'une immense émotion tant il lui semble revoir son propre village de la proximité de Craiova, géré à l'identique, juste un peu plus froid et, par le fait même, moins douillet. La même ambiance y règne, celle d'une fête permanente que le temps lui-même favorise par un gel léger et un soleil froid, haut dans le ciel, qui projette sur terre une gerbe de rayons secs et acérés. Le monde paraît sortir d'une grande lessive. Les gens tracent leur chemin dans la neige virginale, de sorte qu'il est possible de suivre leurs itinéraires. Moliwda a l'impression que l'on vit plus honnêtement dans la neige, que tout y est plus concret, chaque commandement paraît plus contraignant et chaque principe plus impératif. Les gens qui accueillent Moliwda semblent rayonnants et heureux malgré le froid, malgré la brièveté du jour. Des enfants avec des chiots dans les bras accourent vers son chariot, des femmes au visage rosi par le travail s'en approchent, ainsi que des hommes souriants, piqués par la curiosité. La fumée des cheminées monte droit au ciel comme si l'offrande faite en ce lieu était acceptée inconditionnellement.

Jakób accueille Moliwda avec les honneurs, mais, une fois dans la petite chaumière, quand ils se retrouvent seuls, il fait quitter au corps trapu de Moliwda sa fourrure en loup, le serre longuement dans ses bras et lui tapote le dos tout en répétant en polonais: «Eh bien, te voilà revenu.»

Tout le monde est là, les frères Shorr, mais sans leur père, car le Vieux n'arrive pas à se remettre de son agression; Iehuda Krysa, avec son frère et son beau-frère; Nahman, qui vient d'épouser une fillette – en prendre une aussi jeune, c'est de la barbarie, songe Moliwda; Mosze, dans des effluves de fumée; l'autre Mosze, le kabbaliste, avec sa famille. Tous sont là. Ils s'entassent dans la petite pièce dont les vitres sont couvertes d'un givre aux jolis dessins.

Pour le banquet d'accueil, Jakób s'installe au centre de la table, sous la fenêtre. Derrière lui, celle-ci forme un cadre pareil à celui d'un tableau. Jakób est assis sur un fond de nuit noire. Ils se donnent la main, se regardent tour à tour, se saluent tous du regard une fois de plus comme s'ils ne s'étaient pas vus depuis des siècles. Vient ensuite la prière solennelle, et Moliwda, qui la connaît par cœur, n'hésite qu'un instant avant de la réciter lui aussi. Après cela, tout le monde parle beaucoup, dans le plus grand chaos et en plusieurs langues. Le turc fluide de Moliwda lui gagne la confiance de l'entourage méfiant d'Osman qui, tout en ayant l'allure et la conduite des Turcs, boit autant que les Juifs de Podolie. Jakób se montre bruyant et de bonne humeur, il mange avec un appétit qui fait plaisir à voir. Il vante la qualité des mets et raconte des anecdotes qui provoquent des éclats de rire.

Un jour, Moliwda s'était demandé s'il arrivait à Jakób d'avoir peur et il s'était dit que ce dernier ne connaissait pas ce sentiment, qu'il en était naturellement privé. Cela lui donnait de la force, les gens le percevaient intuitivement, et cette absence de crainte devenait contagieuse. Or, dans la mesure où les Juifs ont peur en permanence, songe Moliwda, peur de la noblesse polonaise, des Cosaques, de l'injustice, de la faim et du froid, et où ils vivent dans une grande incertitude, Jakób est pour eux une bénédiction. L'absence de peur est pareille à une auréole qui vous réchauffe, qui assure à votre petite âme glacée et effrayée un peu de chaleur. Bénis soient ceux qui ne connaissent pas la peur. Et même si Jakób répète souvent qu'ils sont dans l'Abîme, cela fait du bien d'y être avec lui. Quand il disparaît ne serait-ce qu'un instant, les conversations se délitent, elles perdent de leur allant. Sa seule présence induit de l'ordre et les regards convergent vers lui comme vers une flamme. Il en est ainsi maintenant, Jakób est un feu dans la nuit. Quand ils se mettent à danser, il est déjà tard, les hommes seuls d'abord, en cercle, comme en transes. Quand les hommes fatigués reviennent à la table, deux danseuses arrivent. L'une d'elles restera avec Moliwda pour la nuit.

Au cours de la soirée, Moliwda lit avec solennité à l'assemblée la lettre qu'au nom des frères valaques, turcs et polonais, il a concoctée pour le roi de Pologne quelques jours plus tôt :

Jakób Józef Frank, qui quitta avec femme, enfants et plus de soixante personnes les pays turcs et valaques, sauvant de justesse sa vie après avoir perdu des biens importants, connaissant juste sa langue natale et quelques autres orientales, sans la connaissance des usages du Noble Royaume de Pologne, sans aucun moyen d'y vivre avec son peuple qui, ô combien nombreux, aspire à la vraie foi, sollicite auprès de Votre Altesse Royale un endroit où vivre et un moyen de nourrir les siens...

Ici, Moliwda se racle la gorge et s'interrompt un instant ; un doute lui vient à l'esprit et il se demande si ce n'est pas insolent. Quel intérêt peut avoir le roi à leur venir en aide, alors que ses sujets, ceux nés dans la foi chrétienne, les paysans, les foules de mendiants, d'orphelins, d'invalides en auraient grand besoin ?

... un lieu où nous pourrions désormais nous installer tranquillement, parce que nous sommes en grand danger et ne pouvons nous trouver avec les talmudistes, une gent teigneuse qui ne parle pas de nous autrement qu'en disant que nous sommes des renégats, adeptes d'une chienne de foi, etc.

Dans l'irrespect des droits accordés par Votre Altesse Royale, ils nous persécutent, nous battent et nous dévalisent partout, comme cela fut récemment le cas en Podolie, sous le nez de Votre Altesse Royale...

Moliwda entend un sanglot vite rejoint par d'autres au fond de la salle.

... Nous supplions Votre Altesse Royale de nommer une commission à Kamieniec et à Lwów qui nous fera restituer nos biens, nos femmes et nos enfants, et fera respecter le décret de Kamieniec. Que Votre Altesse Royale daigne le faire par une lettre publique afin que nos frères dont l'aspiration à la foi est aussi ardente que la nôtre n'aient plus à se cacher et puissent avouer celle-ci sans peur, et que les nobles de leur région leur viennent en aide pour embrasser la Sainte Foi, et que, dans le cas où les talmudistes voudraient leur infliger des tourments, nos frères puissent venir nous rejoindre en un lieu sûr.

Ses auditeurs aiment son style fleuri. Moliwda, très content de lui, reste à demi allongé sur les tapis de l'isba la plus vaste, occupée par Jakób depuis l'arrivée de Chana et que celle-ci arrange à la mode turque. C'est plutôt étrange, à cause de la neige et de la tempête au-dehors. Les petites fenêtres sont presque recouvertes de fine neige agglutinée. Dès que la porte s'ouvre, des rafales de poudre blanche pénètrent dans cet intérieur qui sent le *cahvé* et la réglisse. Or, à peine quelques jours plus tôt, on aurait pu croire le printemps arrivé.

– Je vais rester un peu chez vous, dit Moliwda. On y est comme à Smyrne.

C'est vrai qu'il se sent mieux parmi ces Juifs qu'à Varsovie, où l'on ne sait même pas servir le *cahvé*: on en verse trop, il est dilué, cela donne des aigreurs d'estomac et de la nervosité. Là, on reste assis à terre ou sur des tabourets bancals près de petites tables où l'on sert des tasses minuscules de *cahvé*. Comme pour des lutins. On y propose aussi du bon vin hongrois.

Chana entre, elle le salue chaleureusement, elle lui donne dans les bras la fille de Jakób, la petite Awacza-Ewa. L'enfant est silencieuse, calme. Elle est intimidée par la grande barbe rousse de Moliwda. Elle le regarde sans ciller, avec attention, comme si elle l'examinait pour savoir qui il est.

– Et voilà, elle est fascinée par son oncle, plaisante Jakób.

Le soir pourtant, une fois qu'ils ne restent qu'à cinq avec Osman, Chaïm de Varsovie et Nahman, tandis qu'ils ouvrent un troisième flacon de vin, Jakób pointe le doigt vers Moliwda et dit:

– Tu as vu ma fille. Sache qu'elle est reine.

Ils acquiescent tous, mais telle n'est pas l'approbation que souhaite Jakób.

– Ne pense pas, Moliwda, que je l'appelle reine à cause de sa beauté – un moment de silence. Non, elle est vraiment reine. Vous ne savez pas à quel point elle est une grande reine.

Le soir suivant, alors qu'un petit groupe de frères se réunit après le dîner, Moliwda, avant de s'enivrer, leur rend compte de ses démarches auprès de l'archevêque Władysław Łubieński. Ils sont sur la bonne voie, même si Son Excellence se demande s'ils aspirent à rejoindre l'Église de tout leur cœur. Moliwda s'apprête à rédiger une lettre que Krysa et Salomon Shorr lui enverront en leurs noms pour lui donner l'impression que de nombreux groupes demandent le baptême.

– Tu es très rusé, Moliwda, lui dit Nahman de Busk en lui tapant dans le dos.

Ils se moquent tous de ce Nahman parce qu'il s'est marié pour la seconde fois, que sa très jeune épouse le suit partout et que lui semble effrayé par ce mariage.

Soudain, Moliwda se met à rire.

– Tu vois, nous les Polonais, nous n'avons jamais eu nos sauvages, alors que les Français ou les Anglais ont leurs «indigènes». Notre noblesse voudrait faire de vous ses *Bushmen* qu'elle accueillerait en son sein.

À l'évidence, le vin de Giurgiu, arrivé dans les charrettes avec Chana, fait déjà son effet. Chacun parle plus fort que son voisin.

– ... c'est pour ça que, dans notre dos, tu rendais des visites à Mgr Dembowski? lance Salomon Shorr à Krysa, furieux, en l'attrapant par son foulard malpropre. C'est pour ça que tu complotais avec lui, pour avoir des bénéfices pour ton propre compte, non? Regardez-le! C'est pour ça que tu rentrais seul à Czarnokozińce, pour prendre les lettres épiscopales dans lesquelles il t'aurait donné un sauf-conduit. Il te l'avait promis, n'est-ce pas?

– Oui, il m'avait promis que nous aurions notre indépendance au sein du Royaume de Pologne. Il n'était pas question de baptême. Et c'est à ça qu'on devrait se tenir. Avec sa mort, tout est foutu, et, vous, idiots que vous êtes, vous vous jetez sur le baptême comme des papillons de nuit. Il n'a jamais été question de baptême! répond Krysa qui se libère de la poigne de Salomon et tape du poing dans une poutre. Et c'est alors que quelqu'un a envoyé des gredins qui m'ont battu, me laissant presque mort.

– Tu es un misérable, Krysa, lui lance Salomon Shorr avant de sortir dans la tempête.

Par la porte ouverte un instant, la neige pénètre à l'intérieur pour fondre aussitôt sur le sol couvert d'aiguilles de pin.

– Je suis d'accord avec Krysa, dit Jeruchim.

D'autres acquiescent également. Avec le baptême, rien ne presse. Sur quoi, Moliwda intervient:

– Tu as raison, Krysa, à ceci près qu'ici, en Pologne, personne ne laissera accorder aux Juifs les pleins droits. Ou tu deviendras catholique ou tu continueras à n'être rien. En ce moment, les magnats te feront la grâce de te soutenir avec leur or parce que tu t'opposes à d'autres Juifs, mais, si tu voulais juste te poser quelque part en marge avec ta foi, ils ne te laisseraient pas tranquille. Tant qu'ils ne te verront pas étendu dans une église les bras en croix. Imaginer qu'il peut en être autrement est une erreur. Avant vous, les antitalmudistes, il y a eu des dissidents chrétiens, les antitrinitariens, des gens tout à fait pacifiques et bien plus proches d'eux que vous ne l'êtes. Ils ont été persécutés jusqu'à être finalement chassés. Leurs biens ont été confisqués et eux furent tués ou expulsés.

Moliwda dit cela d'une voix sépulcrale. Krysa s'écrie de nouveau :

– Vous voudriez vous précipiter dans la gueule du loup, ce Léviathan...

– Moliwda a raison. Pour nous, il n'y a pas d'autre issue que le baptême, déclare Nahman. Du moins, un baptême pour faire semblant, ajoute-t-il tout bas – et il jette un regard incertain à Moliwda qui vient d'allumer sa pipe et tire une bouffée dont la fumée lui voile le visage un instant.

– Si ce n'est que pour faire semblant, ils n'arrêteront pas de vous surveiller. Préparez-vous-y.

Un silence plus long s'installe.

– Vous avez une autre approche de la copulation. Il n'y a chez vous aucun mal à ce qu'un mari couche avec sa femme, rien de honteux, dit-il déjà ivre quand Jakób et lui restent seuls, accroupis, blottis dans des peaux de mouton parce que dans la chaumière le froid s'infiltre à travers les carreaux disjoints.

Désormais, Jakób ne boit plus guère.

– Moi, ça me plaît, vu que c'est humain. Quand les gens fraient les uns avec les autres, ça les rapproche.

– Dans la mesure où toi tu peux coucher avec les femmes des autres alors que les autres ne couchent pas avec ta femme, il est clair que c'est toi le chef, dit Moliwda. Comme chez les lions.

La comparaison doit plaire à Jakób, il sourit mystérieusement et bourre sa pipe, après quoi il se lève et s'éclipse. Il met longtemps à revenir. Il est comme cela, imprévisible, on ne sait jamais ce qu'il va faire. Quand il réapparaît, Moliwda, presque complètement ivre, s'obstine à poursuivre sur le sujet :

– Que tu leur indiques qui couche avec qui, que tu les obliges à le faire les bougies allumées et que tu le fasses avec eux, j'en comprends la raison. Cela pourrait se faire discrètement, dans le noir, chacun avec qui il voudrait... Mais en les pliant à tes pratiques, tu les brises, et tu crées des attaches tellement fortes entre eux qu'ils seront dès lors plus proches les uns des autres que les membres d'une famille. Ils auront un secret commun, se connaîtront mieux que n'importe qui, et, toi, tu sais parfaitement que l'âme humaine est encline à l'amour, à la tendresse, à l'attachement. Il n'y a rien de plus puissant au monde. De cela, ils ne parleront pas, parce qu'il leur faut à la vérité une raison pour garder le silence et un sujet sur lequel se taire.

Jakób se couche sur le dos dans le lit et aspire une fumée dont l'odeur rappelle aussitôt à Moliwda les nuits de Giurgiu.

– Et puis, il y a les enfants. Cela donne des enfants communs. Comment savoir si la jeunette qui est venue te voir hier ne mettra pas bientôt un enfant au monde ? De qui sera-t-il ? De son mari ou de toi ? Cela aussi vous unit très fort, puisque vous êtes tous pères. La plus jeune des fillettes de Salomon, de qui est-elle ?

Jakób lève la tête pour dévisager un moment Moliwda, son regard est moins acéré, il est devenu trouble.

– Ferme-la. Ce n'est pas ton affaire.

– Ah oui, ce n'est pas mon affaire, mais quand il s'agit d'obtenir un village de l'évêque, c'est mon affaire, fait Moliwda qui prend aussi une pipe. C'est bien pensé. L'enfant est à la mère, et donc à son mari. C'est la meilleure invention de l'humanité. Ainsi, les femmes sont seules à avoir accès à la vérité qui excite tant de gens.

Cette nuit-là, ils se couchent dans un état d'ivresse avancé, là où ils sont ils n'ont pas envie d'affronter la tempête qui hurle entre les maisons, de chercher le chemin vers leur propre lit. Moliwda se tourne vers Jakób mais ne sait pas si celui-ci dort déjà ou l'écoute. Bien qu'il ait les paupières baissées, la lumière des petites lampes se reflète dans un liseré vitreux sous ses cils. Moliwda a l'impression de parler à Jakób alors qu'il ne parle peut-être que dans ses pensées.

– Tu disais toujours qu'elle était soit enceinte, soit en couches. Ces longues grossesses et ces couches épuisantes faisaient qu'elle était inaccessible, mais tu as été finalement contraint de la laisser sortir du gynécée. La loi que tu imposes aux autres doit s'appliquer également à toi. Tu comprends cela ?

Jakób ne réagit pas, allongé sur le dos, le nez pointé vers le plafond.

– Je vous ai vus échanger des regards pendant le voyage, toi et elle. C'était elle qui te suppliait, ses yeux te disaient: «non». Je me trompe? Dans ton regard aussi se lisait un «non». Mais à présent, cela doit signifier quelque chose de plus. J'attends, j'exige cette justice que vous appliquez aux vôtres. Je suis également l'un des vôtres, désormais. Et j'exige d'avoir ta Chana.

Silence.

– Tu as ici toutes les femmes que tu veux, elles sont toutes à toi, comme tous les hommes, corps et âme. Je comprends que vous êtes plus qu'un groupe d'individus qui poursuivent le même but, plus qu'une famille, parce que vous vous êtes liés les uns aux autres par le péché absolu qu'une famille ne peut pas connaître. Vous êtes unis non seulement par le sang, mais aussi par la salive et la semence. Ce lien est très puissant, il rend les gens plus proches que tout. Il en était ainsi chez nous, à Craiova. Pourquoi devrions-nous nous soumettre à des lois que nous ne respectons pas, à des lois incompatibles avec la religion de la nature.

Moliwda donne un coup dans l'épaule de Jakób, qui soupire.

– Tu libères tes gens pour qu'ils s'unissent entre eux, mais pas comme ils le voudraient, pas en suivant le simple appel de la nature. C'est toi qui leur indiques comment, parce que pour eux *la nature, c'est toi.*

Moliwda bredouille les dernières phrases. Il voit que Jakób dort, aussi se tait-il, déçu par son absence de réaction. Le visage de Jakób est détendu et calme, sans doute n'a-t-il rien entendu, sinon il ne pourrait pas sourire ainsi dans son sommeil. Il vient à l'esprit de Moliwda que, quoique jeune et à la barbe impeccable, toujours noire, sans un poil gris, il est tel un patriarche. La folie d'Iwanie doit probablement le gagner lui aussi parce qu'il aperçoit une auréole autour de la tête de Jakób, cette luminosité dont lui parla avec émotion Nahman qui se fait maintenant appeler Jakóbowski. La pensée soudaine de l'embrasser sur la bouche lui traverse l'esprit. Il hésite un instant, puis frôle de ses doigts les lèvres du dormeur, mais cela ne le réveille pas. Jakób claque la langue et se tourne sur le côté.

Au matin, il faut déblayer la neige devant la porte pour pouvoir sortir.

La grâce divine qui des ténèbres crie vers la lumière

Le lendemain, Jakób presse Moliwda de se mettre au travail. Dans la chaumière de Nahman, une pièce est dédiée à son activité. Moliwda l'appelle le «bureau».

Ils vont écrire de nouvelles suppliques pour mener l'assaut dans les secrétariats épiscopaux et royaux. Moliwda avale une cuillère de miel arrosée de bière pour soulager son estomac. Avant que les autres n'arrivent, Jakób lui demande:

– Dis-moi, Moliwda, c'est quoi ton intérêt chez nous? Tu joues à quoi?

– Je n'ai aucun intérêt chez vous.

– Nous te payons, pourtant.

– Je prends l'argent pour mes besoins personnels, pour avoir de quoi manger et m'habiller parce que je suis aussi démuni qu'un saint turc. J'ai trop couru le monde, Jakób, pour ne pas vous comprendre. Les autres sont autant des étrangers pour moi que pour toi, même si je suis des leurs, répond-il avant d'avaler une cuillerée de sa mixture et d'ajouter: Mais pourtant pas des leurs.

– Tu es bizarre, Moliwda, c'est comme si tu étais brisé en deux. Je n'arrive pas à te comprendre. Dès que je te situe, tu brouilles les cartes. Dans la mer, il y aurait comme ça des animaux qui, lorsqu'on veut les attraper, projettent de l'encre.

– Les poulpes.

– Tu es comme ça, toi.

– Quand j'en aurai assez, je vous quitterai.

– Krysa dit que tu es un espion.

– Krysa est un traître.

– Qui es-tu, toi, monsieur le duc Kossakowski?

– Je suis le roi d'une île de la mer Égée, le monarque de sujets paisibles, l'ignorerais-tu?

Phrase après phrase, les deux hommes rédigent une nouvelle supplique adressée à Mgr Łubieński, l'archevêque de Lwów.

— Mais pas un mot de trop, insiste Moliwda prudent, nous ne savons pas comment il est. Il peut nous être défavorable. On dit de lui qu'il est cupide et vain.

Ce qui est certain, pourtant, c'est qu'il faut envoyer des suppliques, les faire suivre l'une après l'autre. Elles doivent être mesurées et rondement tournées pour agir comme les gouttelettes qui tombent et creusent patiemment le roc.

Moliwda devient songeur, il regarde le plafond.

— Il faut tout décrire à partir du commencement. De Kamieniec. Du décret de l'évêque.

C'est ce qu'ils font. Ils se présentent sous un éclairage favorable et noble, décrivent tellement longuement leurs bonnes intentions que tous commencent à y croire.

— « Ce qu'apprenant, nos adversaires, dans leur combat constant contre l'esprit de sagesse, levèrent la main sur nous et nous accusèrent de crimes inouïs auprès de l'évêque », propose d'écrire Moliwda.

Ils hochent la tête. Nahman voudrait intervenir.

— Il faudrait peut-être mettre qu'ils levèrent la main sur nous et « surtout sur Dieu lui-même » ?

— Qu'est-ce que cela voudrait dire ? demande Moliwda. Que vient faire Dieu là-dedans ?

— Pour dire que nous sommes du côté de Dieu.

— Que Dieu est de notre côté, résume Salomon Shorr.

Moliwda n'aime pas trop, mais il inscrit « la main sur Dieu » comme le veut Nahman. Après un moment, il leur lit ce qu'il a écrit :

Comment cela se fit-il, d'où Dieu nous donna-t-Il la force et l'espoir pour que nous, êtres faibles, privés de tout soutien, ne connaissant pas la langue polonaise, nous ayons justement exposé nos thèses ? Il en est pareillement aujourd'hui parce que nous sommes arrivés à la certitude de notre désir de demander le Saint Baptême. Nous croyons que Jésus-Christ, né de la Vierge Marie, vrai Dieu fait homme que nos ancêtres supplicièrent sur le bois de la Croix, est le vrai Messie annoncé par les prophètes et les Pères de l'Église. Nous croyons en lui avec nos lèvres, notre cœur et toute notre âme, et nous professons notre foi.

Les termes de la déclaration de foi claquent lourdement, avec précision. Anczel, le jeune gendre de Mosze, se met à rire nerveusement, le regard de Jakób l'arrête.

Ce n'est qu'ensuite que Moliwda rédige le début :

Les Juifs des pays hongrois, turc, moldave, valaque et autres, par leur émissaire fidèle à Israël, en l'Écriture Divine et celle des Saints Prophètes versé, ayant levé les mains au ciel dont le secours vient habituellement dans les larmes des félicités séculaires, adressent à Vôtre Très Respectable et Honorée Personne, les plus sincères vœux de santé, de paix durable et de bénédictions de l'Esprit Divin.

Il ne doit y avoir que Nahman qui comprend le style alambiqué et fleuri de Moliwda. Il claque la langue d'admiration et tente maladroitement de traduire ses phrases tortueuses en yiddish et en turc.

— Est-ce que c'est vraiment du polonais ? s'assure Salomon Shorr. Maintenant il faut absolument écrire que nous demandons une disputation pour… pour…

— Pour quoi ? demande Moliwda. À quoi servirait cette disputation ? À quoi ?

— Pour que tout soit clair, qu'il n'y ait rien de dissimulé, dit Salomon. Pour que justice soit faite, le mieux est quand cela se passe en public, parce que ainsi les gens s'en souviennent.

— Encore et encore, fait Moliwda en effectuant un mouvement circulaire du bras comme s'il faisait tourner des cercles invisibles. Et quoi encore ?

Salomon voudrait ajouter quelque chose, mais par nature il est courtois. À l'évidence, quelque chose lui reste en travers de la gorge. Jakób observe la scène, recule en s'appuyant au dos de sa chaise. C'est alors que Haïkele, l'épouse de Salomon qui leur apportait justement des figues et des noix, prend la parole.

– C'est aussi une question de vengeance, dit-elle en posant les coupelles sur la table. Pour avoir agressé Rabbi Elisha, pour nous avoir dévalisés, pour toutes les persécutions que nous avons subies, pour avoir été chassés des villes, pour les épouses qui ont dû quitter leur mari et ont été traitées comme des puterelles, pour l'anathème jeté à Jakób et à nous tous.

– Elle a raison, dit Jakób qui se taisait jusque-là.

Ils hochent la tête. Oui, il s'agit de vengeance. Haïkele ajoute :

– C'est une guerre. Nous partons à la guerre.

– Cette femme a raison, dit Moliwda qui trempe aussitôt sa plume.

Ce n'est ni la faim, ni d'avoir été chassé de chez nous, ni de voir nos biens dispersés qui nous poussent à quitter nos anciens usages pour nous unir à la Sainte Église romaine, parce que, docilement plongés dans notre infortune, nous avons longtemps patienté dans la tristesse en voyant les malheurs de nos frères, ceux chassés et ceux mourant jusqu'à ce jour de faim, sans jamais être remarqués. Or, singulièrement, la grâce divine nous appelle de nos ténèbres à la lumière. Nous ne pouvons donc pas être désobéissants, comme nos pères l'ont été, à Dieu. Nous nous plaçons avec enthousiasme sous l'étendard de la Sainte Croix et nous sollicitons un terrain sur lequel nous pourrons pour la seconde fois jouter avec les ennemis de la vérité. Nous désirons montrer à partir des saints livres, devant tous, la venue au monde du Dieu fait homme, sa souffrance pour la gent humaine, la nécessité de notre union à tous en Dieu, ainsi que prouver combien mécréants sont nos adversaires, comme immense est leur absence de foi…

Ils finissent par faire une pause pour le déjeuner.

Moliwda se remet à boire au cours des soirées. Le vin acheminé de Giurgiu est limpide, il sent les taillis d'oliviers et le melon. Jakób ne prend part ni aux discussions ni à la rédaction des suppliques. Il est occupé par les travaux au village et, comme il le dit, il enseigne, ce qui équivaut à rester assis auprès des femmes en train de réduire les plumes en plumules et à leur raconter des histoires. C'est ainsi qu'il est perçu :

pur, n'intervenant dans rien, dans aucune phrase, aucune lettre. Il saisit par le col quiconque s'apprête à le saluer bien bas. Il ne veut pas. Nous sommes tous égaux, dit-il. Et cela fascine ces malheureux.

Évidemment qu'ils ne sont pas égaux, songe Moliwda. Dans son village bogomile, on n'était pas égaux non plus. Les gens avaient des talents physiques, psychiques ou spirituels. Il y a, selon la nomenclature grecque, ceux qui privilégient le *soma*, d'autres la *psychè*, d'autres encore le *pneuma*. L'égalité est par nature sujette à caution, quelle que soit la manière légitime de la rechercher. Certaines personnes sont plutôt attachées à l'élément terrestre, elles sont lourdes, dépendantes des sens et non créatives. Elles sont sans doute surtout vouées à obéir. D'autres vivent par leur cœur, leurs émotions, les emportements de leur âme. D'autres sont en contact avec l'esprit le plus sublimé, loin du corps, elles sont libres d'affects, immenses à l'intérieur de soi. C'est à ces dernières que Dieu a accès.

Pourtant, dans la mesure où tous ces êtres vivent ensemble, ils doivent avoir les mêmes droits.

Moliwda aime bien se trouver à Iwanie où, à vrai dire, il n'a pas beaucoup de travail hormis l'écriture qui occupe ses matinées. Il resterait bien avec les vrai-croyants, ferait semblant d'être l'un d'eux, se fondrait au milieu des barbes et des tenues, des multiples jupes plissées des femmes, de leurs cheveux parfumés. Il se ferait volontiers baptiser une nouvelle fois et il reviendrait peut-être à la foi par un autre chemin, avec eux, par un autre côté, par la porte des cuisines, qui ne mène pas directement aux salons et aux tapis, mais où des légumes abîmés restent dans les cageots, où le sol est gluant de graisse et où il faut poser des questions gênantes et grossières. Demander par exemple : qui était ce Sauveur qui se laissa tuer d'une manière aussi cruelle ? qui l'avait envoyé ? pourquoi faut-il sauver un monde créé par Dieu ? «Pourquoi les choses vont-elles si mal alors qu'elles pourraient aller si bien ?» songe Moliwda, citant ainsi en lui-même les mots de ce bon et naïf Nahman, et cela le fait sourire.

Il sait déjà que beaucoup des antitalmudistes pensent qu'après avoir été baptisés ils seront immortels. Qu'ils ne mourront pas. Peut-être ont-ils raison, eux qui forment cette foule composite. Chaque matin, ces enfants sales avec de la gale entre les doigts, ces femmes qui dissimulent sous un bonnet la plique affectant leurs cheveux se mettent docilement en file avec les hommes amaigris pour recevoir leur ration de nourriture ; le soir, ils iront enfin dormir, le ventre plein. Peut-être sont-ils précisément inspirés par un souffle saint, une sainte exhalaison, cette grande luminosité différente du monde, étrangère au monde tout comme eux lui sont étrangers, faite d'une autre substance, si tant est que la lumière puisse être appelée substance. Ce serait elle qui choisirait précisément des êtres comme eux, innocents car libérés du carcan des dogmes, des prescriptions, et vraiment purs et ingénus tant qu'ils n'auront pas créé les leurs propres.

Supplique adressée à Mgr Łubieński, archevêque de Lwów

Il leur faut plusieurs longues journées pour décider de ce qui suit :

1. Les prédictions de tous les prophètes concernant la venue du Messie se sont déjà réalisées.
2. Le Messie est le Dieu véritable, il a pour nom Adonaï, il s'est fait homme et a souffert pour notre salut et le rachat de nos péchés.
3. Depuis la venue du véritable Messie, les sacrifices et les cérémonies ont cessé.
4. Chaque homme doit obéissance à l'Alliance du Messie, car en elle se trouve le salut.
5. La Sainte Croix est l'expression de la Sainte-Trinité et le signe du Messie.
6. Nul ne peut accéder autrement à la foi du Christ Roi que par le baptême.

Quand les six premiers principes sont soumis au vote, Krysa est opposé au baptême, mais, en voyant les mains levées, il comprend qu'il n'y a plus rien à faire. Il agite violemment le bras, puis reste assis, tête basse, les coudes sur les genoux, le regard fixé au sol où la boue apportée du dehors par les chaussures est difficilement épongée par la sciure.

– Reprenez vos esprits ! Vous faites une grave erreur.

La laideur de son visage n'empêche pas Krysa d'être un bon orateur et il développe devant l'assemblée une vision tellement déplorable de la situation que certains commencent à se ranger à son avis. Selon lui, lentement mais inexorablement, leur avenir rappellera la vie du paysan. Dans l'après-midi, une fois qu'ils ont mangé, que leurs corps réchauffés se font gourds et qu'en sus, derrière les petites croisées, le crépuscule qui tombe, métallique telle la lame du couteau, semble disposé à durer une éternité, l'argument porte.

Krysa parvient donc à faire notifier par écrit, en quelques phrases, leurs conditions pour recevoir le baptême.

Le baptême n'aura pas lieu avant l'Épiphanie de 1760. Ils ne seront pas contraints à se raser la barbe où à couper leurs papillotes. Ils pourront utiliser leurs deux prénoms, le chrétien et le juif. Ils porteront leurs vêtements juifs. Ils ne se marieront qu'entre eux. On ne les obligera pas à manger du porc. Outre le dimanche, ils pourront également respecter le jour du Shabbat. Ils conserveront leurs livres hébreux, le Zohar en particulier.

Cela les rassure. Ils n'écoutent pas Krysa plus longtemps. D'autant qu'Elisha Shorr et Haya viennent d'arriver.

Le vieux Shorr soulève à peine les pieds, il s'appuie sur sa fille pour marcher. Il n'a aucune blessure visible, mais on voit pourtant qu'il se relève d'un traumatisme. Il ne rappelle plus en rien le vieillard rubicond, plein de vitalité, qu'il était un an plus tôt.

On ne sait comment est venue la question soulevée à l'instant, si elle est liée à l'arrivée d'Elisha et de Haya ou si elle couvait, inexprimée, dernière de la liste. Étrangement, on ne saurait même dire qui a été le premier à l'exprimer, à dire qu'il leur fallait régler définitivement leur compte à leurs ennemis. En disant «ennemis», ils pensent à Rapaport, Mendel, Szmulewicz et tous les rabbins, ceux de Satanów, Jasło, Mohylew, mais aussi à leurs femmes qui crachent sur les vrai-croyants dans les rues et jettent des pierres à leurs épouses.

Ils connaissent parfaitement cet ennemi, il appartient au proche entourage, ce qui en fait un ennemi d'autant plus grand. Quand on connaît bien son adversaire, on sait comment le blesser, où porter les coups. Un savoir dont on peut soi-même pâtir. Dans pareil combat entre personnes qui se connaissent réside un étrange plaisir vicieux, car c'est comme si l'on se frappait soi-même tout en cherchant à éviter les coups. En tout cas, quand cette idée est formulée, sans que l'on sache par qui d'abord, le silence s'installe et tous y réfléchissent sans parler. Ils ne savent que dire. Il s'agirait d'ajouter un septième point à la supplique :

Le Talmud enseigne que du sang chrétien est nécessaire et que quiconque croit au Talmud doit en exiger.

– Il n'y a rien de tel dans le Talmud, dit Nahman, le visage sombre.
– Il y a tout dans les textes, rétorque Jakób.
Ils signent la supplique en silence. Les derniers arrivés déposent également leurs signatures, ce sont : Aron ben Szmul de Czerniowce, Meyer ben Dawid de Szegirt, venu avec toute sa famille, et Anczel, qui riait si nerveusement. Moliwda portera la supplique et, quand l'archevêque en sera d'accord, une délégation officielle ira le voir ensuite.

Après que tout fut signé, Nahman ajouta son grain de sel pour convaincre Moliwda d'ajouter une phrase de sa belle écriture à grandes boucles :

Nous attendons ce jour comme une eau avidement désirée, celui où la sainte lettre *Aleph* jusque-là repliée se redressera pour unir et bénir les quatre coins du monde.

La dernière nuit, Tanna, une jeune fille remarquée par Moliwda, vient le voir. Un bref instant, il croit que c'est Chana, on pourrait dire qu'elle lui ressemble étonnamment, elle aussi a de larges hanches et un ventre plat. Elle est un peu intimidée et lui aussi. Il lui fait de la place à côté de lui, elle s'étend doucement, les mains sur le visage. Il se met à lui caresser le dos, sa peau est douce comme de la soie.

– Tu as déjà un promis? lui demande-t-il en turc car la jeune fille a l'air d'une Valaque.

– J'en avais un, mais il est resté là-bas.

– Tu vas en prendre un autre?

– Je ne sais pas.

– Et moi, tu me veux?

– Je te veux.

Il repousse délicatement les mains de son visage et elle l'entoure de ses bras pour se coller à lui de tout son corps.

Où il est dit que le divin et le péché sont durablement unis

– Pourquoi le Jacob de la Bible est-il important pour vous? demande Moliwda à Nahman qui le reconduit à cheval sur la route de Kamieniec. Je ne comprends pas.

Nahman lui livre une explication tortueuse. Moliwda est obligé de la passer au tamis de sa propre langue parce qu'ils discutent un peu en hébreu, un peu en polonais. En hébreu, tout est compliqué parce que toujours polysémique. Mais ce que dit Nahman en polonais, d'une voix chantante comme s'il récitait des ouvrages de mémoire, est également difficile à comprendre. Les mots leur manquent pour débattre de pareilles questions. La langue polonaise y est peu habile, elle ne connaît rien à la théologie. Voilà pourquoi, en Pologne, toute hérésie est aussi superficielle que nulle. À vrai dire, dans cette langue, aucune hérésie ne peut être élaborée. Par nature, la langue polonaise obéit à l'orthodoxie quelle qu'elle soit.

– C'était pourtant une bénédiction obtenue par la ruse et le vol, ajoute Moliwda.

– Justement. Jacob s'est personnellement opposé à la Loi et il a trompé son père. Il a quitté la légalité et c'est pour cela qu'il est devenu un héros.

Moliwda reste un moment silencieux.

– Par la suite, Jacob, devenu patriarche, veilla lui-même au respect de la Loi. C'est pervers : quand cela te sert, tu es contre la loi, et quand tu as besoin de la Loi pour atteindre tes objectifs, tu es pour... dit-il enfin – et il se met à rire.

– C'est vrai. Tu te souviens que Jacob ne permit pas à Rachel d'emporter la statuette, le *teraphim* ? lui répond Nahman.

– Pourquoi ?

– Là-dessus, Jacob fit une erreur. Au lieu de reconnaître la divinité contenue dans le *teraphim*, il préféra l'exclure parce qu'elle était dans une idole, autrement dit il ne permit pas d'unir à notre foi la sainteté qui se manifestait sous une forme étrangère. Rachel, quant à elle, comprenait que la divinité est présente jusque dans les fétiches.

– Les femmes sont parfois plus intelligentes.

– Elles s'en tiennent moins à la lettre.

– Haya Shorr aussi ?

– Elle n'est pas vraiment une femme, répond Nahman avec sérieux.

Moliwda se met à rire et dit :

– Je la voulais elle aussi, mais Jakób ne me l'a pas accordée.

Nahman se tait. Ils longent le Dniestr, ses méandres se déploient à leur droite, tour à tour le fleuve apparaît pour disparaître de nouveau. De loin, ils aperçoivent déjà les grandes bâtisses de Chocim et d'Okopie.

– Jakób est un escroc, lance Moliwda, provocateur – mais Nahman fait comme s'il n'avait pas entendu.

Il ne parle que quand, à l'horizon, apparaissent les formes massives de la forteresse et la petite ville à ses pieds.

– Sais-tu que Baal Shem Tov est né là-bas, à Okopie ? dit Nahman.

– Qui c'est, celui-là ?

Nahman, surpris par pareille ignorance, lance juste :

– Un grand sage.

Ils quittent la route principale par prudence, même si sur cette plaine à peine vallonée il n'est possible de se cacher nulle part.

– Je te respecte beaucoup, Moliwda. Surtout parce que tu es un homme bon. Jakób t'aime. Tu nous aides comme aucune autre personne.

Il y a seulement que j'ignore pourquoi tu le fais. Qu'est-ce que cela t'apporte?

– Du profit.

– À moi, cela pourrait suffir, mais toi tu penses différemment. Il se peut que tu ne nous comprennes pas. Tu dis noir-blanc, bien-mal, femme-homme. Tout cela n'est pas aussi simple. Nous, nous ne croyons plus à cette affirmation des vieux kabbalistes selon laquelle si on collectait toutes les parcelles de lumière dans l'obscurité, elles s'uniraient en un *tikkoun* messianique pour transformer en mieux le monde. Nous, nous avons passé la frontière. Le divin et le péché sont durablement unis. Sabbataï disait qu'après la Torah de-Bria, la Torah du monde créé, viendrait la Torah de-'Atzilut. Jakób et nous tous pensons que ces deux Torah se sont entremêlées et que la seule possibilité est de les transgresser toutes les deux. L'enjeu est de quitter le point où nous divisions tout en bien et mal, lumière et ténèbres. Il s'agit d'abandonner ces divisions simplistes pour nous ouvrir à un nouvel ordre. Nous ignorons ce qui est au-delà de ce point, c'est comme si nous jouions notre va-tout sur une seule carte pour faire un pas dans le noir. Nous avançons dans le noir.

Quand Moliwda regarde Nahman, cet homme pas très grand avec des taches de rousseur, qui accélère son débit quand il parle au point que cela le fait bégayer, il s'étonne que toute son intelligence ait été employée à approfondir des questions aussi dépourvues d'utilité. Nahman connaît par cœur des passages entiers de livres, des volumes complets peut-être, et, quand il le faut, il ferme les yeux et récite avec rapidité et passion, de sorte que Moliwda ne comprend rien. Nahman a passé des semaines sur des paradoxes, sur des commentaires de commentaires ou un mot obscur dans une phrase. Il est capable de prier durant des heures, plié en deux. En revanche, il ne sait rien de l'astronomie ou de la géographie, ou juste ce qu'il a entendu au cours de ses voyages. Il ignore tout des régimes politiques, des gouvernements, il ne connaît d'autres philosophes que ses kabbalistes. Entendant le nom de Descartes, il peut croire que l'on parle d'un jeu. Et pourtant, Nahman émeut Moliwda! Y a-t-il homme plus ardent et plus naïf que le rabbin de Busk, Nahman Szmulowicz, Nahman ben Samuel?

Où il est question de Dieu

– Tu sais bien, Moliwda, que je ne peux pas tout te dire. Je suis contraint au silence, déclare brusquement Nahman, dont le cheval marque un arrêt, la tête baissée comme si cet aveu l'emplissait de tristesse. Tu crois que nous allons vers Édom parce que nous sommes misérables et avides d'honneurs…

– Ce serait compréhensible, répond Moliwda, qui serre les flancs de son cheval pour le stopper. Humain. Rien de mal à cela…

– C'est ce qui peut vous sembler à vous, chrétiens, et, nous, nous voulons que vous le pensiez. Vous ne comprenez pas les autres raisons. Vous êtes sans profondeur, la surface vous suffit, le dogme de l'Église, une chapelle, et vous ne cherchez pas plus loin.

– Quelles autres raisons chercher?

– Que nous sommes en Dieu et que c'est le *tikkoun*. Que nous sauvons le monde.

Moliwda sourit, son cheval se met à tourner en rond. Le regard du cavalier balaie le vaste espace vallonné. À l'horizon, la forteresse du mont de la Sainte-Trinité se dresse en majesté. Le ciel blanc et laiteux blesse les yeux du cavalier.

– Comment cela, vous sauvez le monde? demande-t-il.

– Parce qu'il est mal fait. Tous nos sages, de Nathan de Gaza à Miguel Cardoso, disaient que le Dieu de Moïse, le créateur du monde, n'est qu'un Petit Dieu, le substitut de l'Autre, l'Immense auquel notre monde est complètement étranger et indifférent. Le créateur s'en est allé. Notre exil consiste en ce que nous devons tous prier un Dieu qui n'est pas dans la Torah.

Moliwda est mal à l'aise, le ton de Nahman s'est fait funèbre.

– Qu'est-ce qui te prend aujourd'hui? demande-t-il en partant de l'avant – mais Nahman ne le suit pas, aussi fait-il demi-tour.

– Ce Dieu est un Dieu… commence Nahman – mais Moliwda cabre son cheval et part au galop, lançant uniquement derrière lui un: «Tais-toi!»

Il ne s'arrête que là où la route se divise : une piste va vers Kamieniec, une autre vers Lwów. Il se retourne et voit la silhouette de Nahman, pensif, ballotté par son cheval qui marche au pas très exactement sur la ligne d'horizon et rappelle un funambule endormi.

« Le meunier *broye* le grain en farine »

La lettre annonçant à Moliwda sa nomination auprès de l'archevêque Władysław Łubieński au poste de *mareschalcus curiae*, chef de la cour avec le droit de juger et punir les courtisans, trouve celui-ci à Kamieniec, chez le palatin, son soi-disant cousin Kossakowski, auquel il rend visite à son retour d'Iwanie, surtout intéressé par un bon bain, des vêtements propres, des livres et les derniers potins. Katarzyna n'est pas là ; à son habitude, elle court les routes. Avec son mari, toute conversation ayant quelque intérêt est exclue, il ne parle que de ses chiens et de la chasse. Après plusieurs verres de vin hongrois, il propose à Antoni de sortir pour aller dans un endroit où l'on trouve les meilleures demoiselles galantes. Moliwda décline l'invitation, il se sent rassasié après son passage à Iwanie. Le soir, ils jouent aux cartes avec Jerzy Marcin Lubomirski, le bruyant commandant de la garnison qui concentre toute l'attention sur lui, quand on annonce à Moliwda qu'un émissaire vient d'arriver de Lwów avec un courrier à son attention.

La nouvelle est de celles qui font l'effet d'une bombe. Il ne s'y attendait pas. Tandis qu'à table il lit la lettre, son visage témoigne toujours de son incommensurable surprise, mais son cousin le palatin a tout compris, lui :

– Ah, mais c'est ma merveilleuse petite épouse qui vous a fait nommer, afin d'avoir un homme à elle auprès du primat de Pologne ! Et lui, ce Łubieński, il est déjà nommé primat. Comment ? Vous ne le saviez pas ?

Le prince Lubomirski envoie chercher chez lui une caisse de très bon vin et des musiciens tsiganes. La partie de cartes est abandonnée. Moliwda, par trop bouleversé, se projette en pensée vers les jours inouïs qui l'attendent. Allez savoir pourquoi, il se remémore la journée sur le mont Athos où, sous l'énorme voûte céleste, la tête pleine du chant monotone des cigales, il concentrait son attention sur les itinéraires suivis par un hanneton. Et voilà où il était arrivé !

Le lendemain matin, rasé de près et vêtu d'habits somptueux, il se présente chez Mgr Łubieński, à Lwów.

On l'installe au palais épiscopal où tout est propret et agréable. Il sort immédiatement en ville pour acquérir, à la boutique d'un Arménien, une belle ceinture turque finement tressée avec des couleurs cha-toyantes et aussi le long manteau-robe à petits boutons porté par la noblesse polonaise. Il aurait voulu un *żupan* céruléen, toutefois il opte pour un léger bleu fumé, la teinte de l'eau sombre, pour des raisons pratiques. Il visite la cathédrale de Lwów, mais il y a vite froid, aussi retourne-t-il à sa chambre pour y étaler ses documents. Il écrira des lettres. Avant cela, pourtant, il se livre au travail quotidien qu'il s'est imposé pour ne pas oublier son grec : il traduit Pythagore. Quelques lignes chaque matin, sinon il s'abêtirait sous cet immense ciel polonais, inamical et glacial.

« Les insouciants sont pareils aux marmites vides. Saisis par leurs anses, ils sont des plus faciles à régenter. » Ou bien : « L'homme intelligent doit quitter ce monde comme on part d'un festin. » Ou encore : « Le temps transforme l'absinthe elle-même en miel sucré. » « Les circonstances et la nécessité font souvent que l'on place ses ennemis au-dessus de ses amis. » Moliwda a l'intention d'insérer ces citations sages et expressives dans les lettres du primat.

Pour l'heure, un mire pose des ventouses à Władysław Łubieński. Monseigneur a pris froid à son retour de Varsovie, où il était resté deux mois, et il tousse. Des tentures ont été tirées autour de son lit. Le père Pikulski se tient à proximité ; par l'interstice entre les rideaux, il fixe la chair du corps massif de l'archevêque que supplicient les mains fines du médecin.

Gaudenty Pikulski a l'impression manifeste que tout cela a déjà eu lieu, qu'il a déjà assisté à cette scène, qu'il a adressé des paroles identiques à feu Mgr Dembowski, qu'il est pareillement resté à ses côtés, comme un serviteur devant son maître, pour tenter de le mettre en garde. Pourquoi la hiérarchie de l'Église est-elle aussi naïve, songe-t-il, et son regard se pose sur les motifs turcs fantaisie des rideaux.

– Votre Excellence ne devrait pas donner son agrément à pareilles exigences arrogantes qui créeraient un précédent à l'échelle du monde.

Seul un gémissement lui parvient de derrière le paravent.

– Ils n'ont pas réussi à légaliser leur secte au sein de leur religion juive, aussi tentent-ils une nouvelle mystification.

Il attend une réaction qui ne vient pas, il poursuit donc :

– Que signifie qu'ils veuillent conserver certaines de leurs habitudes et leurs tenues ? Que signifie « respecter le jour du Shabbat » ? Ou leurs barbes, leurs coiffures ? D'ailleurs les talmudistes eux-mêmes refusent que les sabbasectateurs s'habillent à la juive, parce que pour eux ils ne sont plus des Juifs. Ils ne sont plus rien, ils ne font plus partie de rien, comme des chiens sans collier. La pire des solutions pour nous serait de nous charger de ces hérétiques, alors même que nous venons de nous défaire d'une autre secte.

– À qui songez-vous ? demande une voix faible de l'autre côté du rideau.

– Je parle de ces malheureux antitrinitariens, répond le père Pikulski qui pense déjà à autre chose.

– Un baptême est un baptême. Un baptême de pareille envergure plairait à Rome. Ah, ça oui, cela plairait… dit l'archevêque de sa voix éraillée.

– Sans conditions préalables. Nous devons exiger d'eux une conversion inconditionnelle et au plus vite, le mieux serait immédiatement après la disputation que nous projetons pour le printemps, comme le sait Votre Excellence, quand le temps se réchauffera. Et sans aucun « mais ». Que Votre Excellence veuille bien garder en mémoire que c'est nous qui dictons les conditions. Leur meneur, sa femme et ses enfants doivent prendre le baptême en premier. Et ceci en aussi grande cérémonie et pompe que faire se pourra, pour que tout le monde l'apprenne et que tout le monde le voie. Sans discussion aucune.

Quand Moliwda arrive, il voit qu'un médecin ausculte l'archevêque. Ce grand Juif au regard sombre a sorti de sa mallette des verres qu'il place devant les yeux de Son Excellence.

– Je vais porter des lunettes, je lis avec difficulté, dit Władysław Łubieński. Vous avez joliment écrit tout cela, monsieur Kossakowski. Tout est déjà prévu, à ce que je vois. Vos efforts pour amener ces gens au sein de l'Église sont significatifs et remarqués. À partir de maintenant, vous serez en charge d'eux, mais sous ma conduite.

– Mon mérite est infime, car ces brebis égarées sont animées d'un désir intense, répond Moliwda avec modestie.

– Ne me jetez pas de poudre aux yeux avec vos brebis égarées, monsieur...

– Que voit Votre Excellence, maintenant? Peut-elle lire ces lettres? demande le Juif qui tient en main une feuille de papier portant l'inscription maladroite: «LE MEUNIER BROYE LE GRAIN EN FARINE».

– «Le meunier broie le grain en farine.» Je vois bien, très bien, un vrai miracle, dit l'archevêque.

– Nous savons parfaitement tous les deux que, pour chacun, il vaut mieux être dans le camp du plus fort, reprend Moliwda.

Une autre lentille convient sans doute parfaitement, elle aussi, car l'archevêque pousse des petits cris d'aise:

– Avec celle-là, c'est encore mieux, oh oui, celle-là. Oh, comme je vois bien! Chaque poil de ta barbe rousse, Asher!

Tandis que le médecin referme sa mallette et sort, Mgr Łubieński se tourne vers Moliwda.

– Pour ce qui est de ces accusations ancestrales, connues dans le monde entier, selon lesquelles les Juifs ont besoin de sang chrétien pour leur *matsa*... Mgr Sołtyk saura le démontrer, n'est-ce pas? dit-il avec un grand sourire. Pour moi, c'est comme jouer avec une lame sans manche...

– Ce sont eux qui l'auront voulu. Je pense que ce sera leur vengeance.

– Le pape a clairement interdit pareille accusation concernant le sang... Mais si ce sont eux qui le disent... Il doit y avoir une raison.

– Il me semble que personne n'y croit.

– Et Mgr Sołtyk? Il y croit? Moi, je ne sais rien là-dessus. Je sais juste qu'il faut négocier au mieux de nos intérêts, par tous les moyens. C'est du bon travail, monsieur Kossakowski.

Le lendemain, Moliwda part directement pour la résidence du primat, à Łowicz, où il doit prendre ses nouvelles fonctions. Il est dans un état d'esprit inconnu de lui jusque-là, il plane presque. Le dégel a commencé et les routes sont peu praticables, les sabots des chevaux glissent sur les mottes de terre encore gelées. En fin d'après-midi, quand le crépuscule tombe, l'eau des ornières gèle et le ciel gris anthracite se reflète dans les minces plaques de glace. Moliwda voyage seul, à cheval, de temps en temps il rejoint d'autres voyageurs pour les quitter après une nuit au relais. Il attrape des poux quelque part.

Lublin passé, il est attaqué par des gueux avec des bâtons; il les éloigne en moulinant de son épée et en hurlant comme un damné, mais, à partir de là, il voyage en groupe jusqu'à Łowicz, qu'il atteint après douze jours. Il se met presque immédiatement au travail.

La chancellerie du primat est déjà à la tâche. L'une des premières affaires dont elle doit s'occuper est la supplique des «puritains» juifs, comme dit Mgr Łubieński, celle-là même que Moliwda rédigea naguère à Iwanie. De toute évidence, ce sera également à lui d'y répondre maintenant. Il commence par en faire faire plusieurs copies pour la transmettre plus loin, au nonce apostolique Niccolò Serra, à la chancellerie royale, aux archives.

Une fois le primat à Łowicz, Moliwda tente doucement d'aborder le sujet avec lui, mais monseigneur est entièrement accaparé par l'organisation de son palais, qui n'est plus ce qu'il était. Il a perdu de sa splendeur de jadis, du temps où le primat-régent Teodor Potocki y résidait lors de l'interrègne.

Là, ce sont par exemple les coffres de livres de Mgr Łubieński qui viennent d'arriver de Lwów. Il les regarde distraitement.

– Vous devriez vous assurer de la raison pour laquelle ils veulent tellement se faire baptiser. Leurs motivations sont-elles réellement désintéressées et quelle serait l'ampleur de cette conversion, dit-il l'esprit ailleurs.

– Uniquement à Lwów, il y a au moins quarante familles, les autres viennent non seulement de notre *Respublica* de Pologne, mais également de Hongrie et de Valachie, ce sont des personnes parmi les plus instruites et les plus éclairées, ment Moliwda.

– Et combien sont-ils ?

– À Kamieniec, il se disait qu'ils étaient en tout dans les cinq mille, mais maintenant, selon des informations récentes, il semblerait que ce soit trois fois plus.

– Quinze mille, répète le primat admiratif en saisissant le premier volume venu qu'il ouvre et feuillette négligemment. *La Nouvelle Athènes*, dit-il.

IV. Le Livre de la Comète

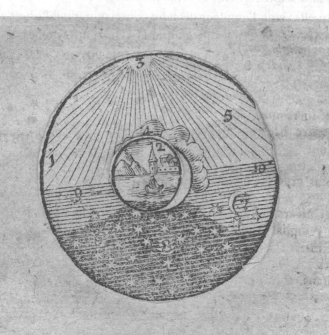

Cælum I n. 2.	Niebo 1	
rotátur,	się obraca,	
& ambit	i obchodzi (okrąża)	
terram, 2	źiemię, 2	terra, f. 1. źiemia,
in medio ſtantem	w ſzrodku ſtoiące,	medius, a, um, ſzrodek,
		prout

Le ciel I
tourne
et fait le tour (contourne)
de la Terre 2
au centre placée,

19

Une comète
annonce toujours la fin du monde
et fait paraître la *Shekhina*

En l'an 1759, le 13 mars, une comète apparaît dans le ciel, et soudain, comme si elles obéissaient à son ordre, les neiges fondent et leurs eaux coulent jusqu'au Dniestr, qui déborde. Étoile inquiétante dont la clarté intense bouleverse l'ordre du ciel, elle reste en suspension au-dessus du vaste monde humide pendant de nombreux jours.

Elle est visible de partout. On la voit même de Chine.

En Silésie, les soldats qui soignent leurs blessures après le combat la regardent, mais aussi, à Hambourg, les marins qui dessoûlent à l'aube sur le pavé, devant les tavernes, mais aussi les bergers qui mènent leurs moutons pour l'été dans les alpages, les Grecs qui cueillent des olives et les pèlerins ayant une coquille Saint-Jacques cousue à leur chapeau. Les femmes qui vont accoucher d'un instant à l'autre l'observent avec anxiété, tout comme les familles qui, entassées à bord de fragiles esquifs, traversent l'océan en quête d'une nouvelle vie.

La comète évoque une faux prête à s'abattre sur les hommes, une lame coupante, luisante, sur le point de couper des millions de têtes, non seulement celles d'Iwanie, tournées vers ciel, celles des villes de Lwów ou de Cracovie, mais également celles des nobles, voire des monarques. Il ne fait aucun doute qu'il s'agit là d'un signe de la fin des temps, l'annonce est faite, les anges vont bientôt se mettre à rouler le monde comme on roule un tapis. Fin de la représentation. À l'horizon, des cohortes d'archanges se préparent déjà. Qui tend l'oreille entend le tintement de leurs armes. Tout cela est la marque de la mission de Jakób, ainsi que de tous ceux qui le suivent sur son chemin difficile. Ceux qui hésitaient encore, qui n'étaient pas sûrs, doivent admettre désormais que le ciel participe à leur marche. En ces jours, à Iwanie, il devient clair pour tout le monde que la comète est un trou foré dans le firmament à travers lequel la lumière divine ruisselle en direction les hommes et par lequel Dieu observe le monde.

Les sages, quant à eux, pensent que c'est par là que descend la *Shekhina*.

Le fait peut paraître étrange et inouï, mais la comète n'impressionne nullement Ienta. À observer les choses de là où elle le fait, des questions infimes, humaines, semblent plus attirantes, elles sont la trame du monde. La comète? Juste un filament aveuglant, unique.

Ienta voit par exemple qu'Iwanie bénéficie d'un statut particulier dans la *scala naturæ*, la grande chaîne de la vie. Le village n'est pas tout à fait sur terre, pas tout à fait réel. Les chaumières sont voûtées comme des êtres vivants, elles sont pareilles aux anciens aurochs qui, le museau au sol, réchauffent de leurs souffles la terre gelée. Des fenêtres s'échappe une lumière jaune, une lumière semblable à celle d'un soleil assombri, mais beaucoup plus intense que celle des chandelles. Les gens se tiennent par la main un moment, puis mangent dans un même bol et partagent leur pain. Le gruau fume, les pères en nourrissent avec tendresse leurs enfants assis sur leurs genoux.

Des messagers sur des chevaux fatigués portent les lettres de la capitale polonaise vers ses provinces éloignées, des péniches lourdement chargées de blé voguent ensommeillées vers Gdańsk – la Vistule n'a pas été prise par les glaces cette année –, leurs bateliers se remettent de leur beuverie de la veille. Les domaines nobiliaires dressent leurs comptes, les chiffres demeurent pourtant à l'état de signes sur le papier, ils ne se transforment pas en argent parce qu'il est toujours préférable de payer autrui en farine ou en vodka qu'en monnaie sonnante. Les paysannes balaient la terre battue, les enfants jouent avec les osselets restés du festin qui suivit le tue-cochon, ils les jettent sur le sol jonché de copeaux pour prédire, par leur disposition, si l'hiver se terminera bientôt. Les cigognes reviendront-elles vite? À Lwów, sur la Grand-Place, le marché se prépare, on entend les coups de marteaux qui assemblent les planches en échoppes. L'horizon se trouve quelque part au-delà de Lublin, au-delà de Cracovie, sur le Dniestr, sur le Prut.

Les paroles prononcées à Iwanie, des paroles grandes et fortes, altèrent les frontières de l'univers au-delà desquelles se trouve une réalité absolument différente, qu'il n'est de langue pour exprimer. Elle est comme de la soie brodée en cinquante-six couleurs par rapport à de la toile grise: incomparable! À Ienta, qui observe de là où aucun être humain ne pourrait regarder, cela rappelle une fissure dans laquelle tout serait moelleux et visqueux, charnu aussi, avec de multiples versants et des dimensions diverses, et où le temps n'existerait pas. Chaleur, dorures, clarté, douceur. Un corps vivant insolite, dévoilé par une blessure ouverte. De la pulpe juteuse qui sort par une entaille de la peau.

Voilà très précisément comment la *Shekhina* se montre au monde.

Jakób en parle de plus en plus souvent, son nom tombe d'abord rarement, mais ensuite cette nouvelle présence puissante à Iwanie gagne rapidement du terrain.

– La Demoiselle marche devant Dieu, constate Jakób à la fin d'une longue soirée d'hiver.

Minuit a sonné, les poêles tiédissent, le froid se glisse dans la pièce par les fentes comme le font les souris.

– La Demoiselle est le portail de Dieu, continue Jakób, et il n'est possible d'aller à Dieu que par elle, poursuit-il, l'écorce précède le fruit.

On l'appelle la Demoiselle Éternelle, la Reine des Cieux, la Dame Secourable.

– Nous allons nous cacher sous ses ailes, précisément, enseigne Jakób. Chacun la verra à sa manière.

– Jusque-là, vous pensiez que le Messie serait un homme, déclare-t-il par un matin d'hiver glacial, alors que cela ne peut être en aucune façon, parce que au fondement de toute chose se trouve la Demoiselle. Elle sera le véritable Sauveur. Elle dirigera tous les mondes parce que toutes les armes ont été déposées entre ses mains. David et le premier Messie sont venus pour montrer le chemin qui mène à elle, mais ils n'ont achevé aucune chose. Aussi terminerai-je à leur place.

À ces paroles, Jakób allume sa longue chibouque dont la braise envoie une subtile et douce lueur dans ses yeux, qui disparaît ensuite sous ses paupières baissées.

– Nos aïeux ne savaient pas du tout ce qu'ils cherchaient. Rares, sans doute, étaient ceux qui avaient conscience de chercher une Jeune Femme dans les textes et les écrits savants. Tout repose sur elle. Jacob trouva Rachel près du puits, Moïse vit la Demoiselle quand il vint à la source.

Lejbko de Glinna
et la fatale odeur de vase

Lejbko, le nouveau rabbin de Glinna, un veuf qui vient non seulement d'enterrer sa femme mais aussi son enfant, se retrouve à Iwanie au printemps. Il y a été appelé par Nahman, avec lequel il avait suivi l'enseignement des *hassidim* des années plus tôt. Nahman et lui se conduisent quelque peu bruyamment pour souligner ainsi leur attachement mutuel. À ce qu'il semble, pourtant, il y a davantage de choses pour les séparer que pour les réunir. La taille d'abord : Lejbko a grandi, ce qui n'est pas le cas de Nahman. Ils font penser à un peuplier et à un genévrier. Quand ils marchent côte à côte, les gens sourient malgré eux en les apercevant. Nahman est un enthousiaste, tandis que Lejbko de Glinna affiche à Iwanie une tristesse réservée, nimbée de crainte, car l'endroit l'effraie malgré tout. Il écoute les paroles de Frank et observe la manière dont les gens réagissent. Les personnes assises à proximité de l'orateur ne le quittent pas des yeux, aucun de ses mouvements ne leur échappe ; celles qui se trouvent à l'arrière n'entendent ni ne voient plus grand-chose dans la faible lumière des rares lampes, mais quand tombe le mot « Messie » un soupir traverse la pièce, à moins que ce ne soit un gémissement.

Lejbko de Glinna, vu qu'il a un parent à la Commune juive de Lwów, leur apporte la nouvelle selon laquelle les Juifs talmudistes de toute la Podolie auraient adressé une lettre à Jakub Emden d'Altona pour lui demander conseil. Lejbko dit aussi que les rabbins auraient envoyé une délégation à la plus haute instance de l'Église catholique, à Rome même, au pape.

Lejbko, que déjà l'on surnomme ironiquement « monsieur Gliniański » à Iwanie, parce qu'il se donne une allure de noble polonais et lève le nez avec une arrogance toute polonaise, reste assis au centre de la pièce, satisfait de l'intérêt qui lui est porté. Il parle brièvement et attend de voir l'effet que font ses paroles.

Il remarque que les nouvelles inquiètent l'assemblée. Elle reste silencieuse, hormis des toussotements ici ou là. La grange, transformée en une sorte de salle de réunion avec un brasier au milieu, devient un navire voguant dans l'obscurité sur des eaux tumultueuses. Et le danger guette de tous côtés! Étrange certitude que tous partagent, ils sont persuadés qu'au dehors tout le monde leur veut du mal. Les minces parois du navire, de cette arche iwanienne, ne sont pas en mesure de faire barrage aux paroles murmurées par les ennemis, à leurs complots, à leurs accusations et calomnies.

Jakób, le Maître qui ressent toutes les émotions mieux que quiconque, entonne de sa forte voix de basse un chant joyeux:

> *Forsa damus para verti,*
> *Seihut grandi asser verti.*

Ce qui, dans la langue des Sépharades, veut dire:

> *Donne-nous la force de le voir*
> *Et le bonheur immense de le servir.*

Et voilà que tous chantent *para verti*, toute la grange, les voix s'unissent, Lejbko de Glinna et sa mauvaise nouvelle cessent d'exister.

Nahman et sa jeune épouse Wajgełe, surnommée la Fourmi, ont accueilli Lejbko dans leur chaumière. Alors qu'il fait semblant de dormir, il les entend souvent se disputer parce que Wajgełe veut retourner à Busk. La jeune femme est très mince, elle a souvent de la fièvre et elle tousse.

Le fait de devoir prendre la foi de Jésus de Nazareth «pour la façade» et se montrer plus chrétien que les chrétiens semble malhonnête à Lejbko. De l'escroquerie. Il aime avoir à vivre religieusement, humblement, ne pas parler beaucoup, penser librement. La vérité doit être dans le cœur, pas sur la langue. Mais se convertir au catholicisme!

Nahman s'efforce de dissiper ses craintes: se convertir ne veut pas dire devenir. Ainsi, il n'est pas permis d'épouser des chrétiennes, par exemple, pas plus que d'avoir des maîtresses parmi elles, parce que, si Señor Santo Barukhia répétait: «Béni soit celui qui a autorisé toute chose interdite», il disait également que la fille d'un Dieu étranger est interdite.

Lejbko de Glinna se montre pourtant réfractaire à tous ces arguments. Il est ainsi, il ne s'approche jamais de trop près, préfère rester sur le côté, comme en ce moment même, le voilà qui n'écoute pas l'enseignement donné, mais prend du repos appuyé à un arbre, au chambranle d'une porte, juste comme si, sur le point de sortir, il s'était arrêté un instant. Il observe. Deux années se sont écoulées depuis la disparition de sa femme, et maintenant, lui, rabbin vivant seul dans le pauvre Glinna, voici qu'il est troublé par une chrétienne, une femme plus âgée que lui, gouvernante des enfants d'un domaine proche de Busk. Il l'a rencontrée par hasard. Elle était assise au bord de la rivière à tremper ses pieds. Elle était nue. Quand elle a vu Lejbko, elle a juste dit: «Approche.»

Lui, il arracha un brin d'herbe qu'il porta à sa bouche, persuadé – comme toujours quand il devient nerveux – que cela lui donnerait de l'assurance. Il sait maintenant qu'il aurait dû tourner les talons et disparaître de la vue de cette petite goy, mais il n'arrivait pas à détacher son regard de ses cuisses blanches et un tel désir s'empara de lui qu'il en perdit l'esprit. Il était d'autant plus excité que des roseaux hauts comme des murs les dissimulaient, lui et la jeune femme, et que les marécages sentaient la décomposition et la vase. La moindre parcelle de l'air caniculaire semblait avoir gonflé pour être pleine et juteuse comme une cerise, prête à éclater et laisser se répandre le jus sur la peau. L'orage était imminent.

Lejbko s'accroupit timidement près de la femme, remarqua qu'elle n'était plus de prime jeunesse, ses seins lourds et blancs ployaient, son ventre quelque peu rebondi autour du nombril était traversé par le trait fin laissé par la ceinture de sa jupe. Lejbko voulait dire quelque chose, mais ne trouvait aucune parole polonaise appropriée en pareille circonstance. Qu'aurait-il pu dire, d'ailleurs? Cependant, la main de la jeune femme se tendait déjà vers lui, glissait sur son mollet, sa cuisse, frôlait son entrejambe, touchait ses mains et son visage où les doigts jouèrent avec sa barbe. Puis, lentement, d'un mouvement naturel, la femme se coucha sur le dos et écarta les jambes. À vrai dire, Lejbko ne pense pas qu'il puisse y avoir quelqu'un qui, à sa place, s'en serait allé. Il connut un plaisir bref et inouï, puis la femme et lui restèrent allongés, toujours sans dire mot. Elle lui caressait le dos, leurs corps échauffés étaient collés par la sueur.

Ils se donnèrent rendez-vous encore plusieurs fois au même endroit, mais quand arriva l'automne et qu'il fit froid, la femme ne revint plus, à la faveur de quoi Lejbko ne commit plus ce péché terrible. Ce dont il lui fut reconnaissant. En revanche, il se trouva gagné par un désir inassouvi et un immense regret qui ne lui permettaient plus de se concentrer sur quoi que ce soit. Il prit conscience qu'il était malheureux.

Ce fut alors qu'il rencontra Nahman, avec lequel il avait séjourné chez Besht des années plus tôt. Ils se jetèrent dans les bras l'un de l'autre. Nahman l'invita à Iwanie, où Lejbko allait pouvoir tout comprendre d'emblée. À quoi bon rester dans une maison vide? Le rabbin Lejbko de Glinna n'était pas tellement enthousiaste. En chargeant son cheval, Nahman lui dit:

– Ne viens pas à Iwanie, puisque tu ne veux pas. Mais considère ta méfiance.

Oui, voilà ce qu'il lui dit. Étudie ta méfiance. Le rabbin de Glinna en fut immensément troublé. Il resta appuyé au chambranle de sa porte, un brin d'herbe entre les dents, indifférent en apparence alors que profondément bouleversé.

Début avril, il part à pied pour Iwanie et un grand enthousiasme le gagne peu à peu, et il ne veut même pas s'avouer à quel point il tient désormais à se trouver près de l'homme au fez turc.

Pendant ce temps, à Busk, au château de la duchesse Jabłonowska où arrive quelques mois plus tard la palatine Kossakowska, un petit scandale éclate. La gouvernante des jeunes Jabłonowski, une femme déjà dans la quarantaine, connaît des faiblesses, une sorte d'œdème abdominal, et pour finir de terribles douleurs, au point que l'on fait venir un médecin. Celui-ci, au lieu de lui faire une saignée, demande que l'on fasse bouillir de l'eau car cette femme accouche! La duchesse Jabłonowska en fait une crise de nerfs, il ne lui serait jamais venu à l'esprit que Barbara... Oui, les mots lui manquent! À un âge pareil, qui plus est!

Cette coureuse a au moins la décence de mourir trois jours après ses couches, ce qui arrive souvent aux parturientes aussi âgées. Leur temps est révolu! Reste la petite fille, minuscule mais en parfaite santé, que la duchesse s'apprête à confier aux paysans du village et à la parrainer de loin. Tout prend pourtant une tournure différente quand la palatine débarque à Busk. Katarzyna Kossakowska, n'ayant pas d'enfant, songe à fonder un orphelinat avec le soutien de Mgr Sołtyk, mais il y a toujours plus urgent. Elle demande donc à sa sœur de garder un peu la petite au château, le temps que la crèche soit créée.

– En quoi te dérangera-t-elle, ma chère bienfaitrice? Dans ta vaste cour, tu ne remarqueras même pas qu'il y a une petite personne de plus.

– L'enfant d'un déshonneur… Je ne sais même pas avec qui.

– Qu'est-ce qu'elle y peut?

À vrai dire, il n'est pas nécessaire de trop insister auprès de la duchesse, la fillette est jolie et tellement silencieuse. On la baptise le lundi de Pâques.

Où il est question des Actes contraires, du silence d'or et d'autres jeux à Iwanie

Un envoyé de confiance apporte une lettre de Moliwda au moment où la comète commence à disparaître lentement. Il se sèche près du feu de la bruine qui tombe au-dehors et raconte que, dans toute la Podolie, ce corps céleste provoque une grande inquiétude, et que de nombreuses personnes pensent qu'il annonce une grande épidémie et des pogromes de l'importance de ceux perpétrés au temps de l'ataman Bohdan Chmielnicki. Une famine aussi. Et que la guerre avec Frédéric II de Prusse arrivera jusque dans les confins orientaux de la *Respublica*. Il est clair pour tous que la fin des temps est amorcée.

Quand Jakób entre dans la pièce, Nahman lui tend la lettre sans un mot, l'air grave, impénétrable. Jakób ne sait pas la lire, aussi la donne-t-il à Haya, mais, elle, elle a du mal avec l'écriture en boucles, et la missive passe de main en main pour revenir dans celles de Nahman. Celui-ci se met à la lire et, sur son visage, apparaît un large sourire aussi insolent que matois. Il dit que le primat Łubieński a accepté leurs demandes. La disputation aura lieu en été, le baptême ensuite.

Voilà longtemps que la nouvelle est attendue, espérée, mais elle est également l'annonce d'un avenir imprévisible. Quand Nahman le leur dit, le silence s'installe.

Faire le premier pas n'est pas facile. On leur a tellement appris comment se conduire que c'est gravé dans leurs têtes à jamais. Pourtant ils doivent tout effacer, annuler les faux commandements des tables de Moïse qui les emprisonnent comme des animaux en cage. Ne fais pas ci, ne fais pas ça, ceci est interdit. Les frontières du monde sans rédemption sont faites d'interdits.

– C'est-à-dire qu'il faut sortir de soi, se placer à côté de soi-même, explique ensuite Nahman à Wajgełe. La situation rappelle celle d'un abcès douloureux qu'il faut percer pour en faire sortir le pus. Le plus difficile est d'en prendre la décision et de faire le premier geste, ensuite, quand c'est lancé, tout devient très naturel. C'est un acte de foi, un plongeon la tête la première dans l'eau sans s'inquiéter de ce qu'il y a en dessous. Ensuite, on remonte à la surface totalement neuf. Ou encore, c'est comme quelqu'un qui part vers des pays lointains pour ensuite en revenir et s'apercevoir que tout ce qui lui semblait naturel, allant de soi, n'était que local et bizarre, et que, désormais, il s'est approprié et comprend ce qui lui paraissait étranger et bizarre.

Nahman sait ce qui importe le plus à sa jeune épouse. Tout le monde s'en inquiète, tout le monde s'interroge sur les relations intimes entre hommes et femmes, comme si c'était le plus important. Non pas les vertus, non pas les déchirements de la conscience relatifs aux choses supérieures, mais juste la sexualité. Cela déçoit grandement Nahman – les hommes ne sont pas très différents des animaux. Parlez-leur de copuler, de tout ce qui se trouve sous la ceinture, et leurs joues s'enflamment.

– Y a-t-il quelque chose de mal à ce qu'un être humain s'unisse à un autre? La copulation, n'est-ce pas bien? Il faut s'y adonner sans réfléchir pour qu'au bout du compte advienne le plaisir, qui est la bénédiction de l'acte. Sans plaisir, c'est bien aussi, voire mieux, parce que l'on a conscience de traverser le Dniestr pour gagner un pays libre. Imagine cela quand l'envie te prendra.

– Je ne veux pas, dit Wajgełe.

Nahman soupire : les femmes ont toujours plus de problèmes avec cela. Manifestement, elles s'accrochent davantage aux anciennes lois ; par nature, ne sont-elles pas plus volages et plus confuses ? Jakób dit qu'il en est avec elles comme avec les esclaves qui ne savent rien de leur liberté – or, elles sont les esclaves du monde à une plus vaste échelle –, on ne leur a pas appris à être libres.

Les aînés, qui sont déjà habitués à avoir leur libre arbitre, le pratiquent comme le *mikveh* auparavant. Leur corps et leur cœur y aspirent d'eux-mêmes, et, quand arrive l'extinction des bougies, c'est une fête. Parce que s'unir c'est bien, il n'y a aucun mal à s'accoupler. Entre les personnes dont les corps se sont déversés l'un dans l'autre se crée un nouveau lien, une relation particulière, subtile et indéfinie, parce qu'il n'y a pas de mots pour bien exprimer le caractère de la chose. Il arrive qu'ensuite s'instaure une proximité entre ces gens comme entre frères et sœurs, qu'ils s'attirent mutuellement, mais il est également possible, et cela arrive, qu'ils se sentent gênés l'un envers l'autre et doivent s'apprivoiser. Il peut se trouver aussi que certains ne puissent plus se regarder en face, et alors nul ne sait ce que les choses deviendront entre eux.,

En général, les gens ont plus ou moins d'inclination réciproque, et cela les pousse plus ou moins l'un vers l'autre. Ces questions sont très compliquées, c'est pourquoi ce sont les femmes qui s'en occupent en finesse. Mieux que les hommes, elles parviennent à deviner le pourquoi... Par exemple, pourquoi Wittel s'est toujours montrée très réservée face à Nahman ou pourquoi Nahman a toujours été attiré par Haya Shorr ? Pourquoi, entre la jeune Jachne de Busk et Izaak Shorr, une grande amitié est née alors qu'ils ont déjà des conjoints ?

Ce qui était interdit jusque-là devient non seulement autorisé, mais imposé.

Chacun sait que Jakób prend sur lui les Actes contraires les plus lourds, mais aussi que, ce faisant, il acquiert une force particulière. Qui l'aide en cela reçoit son onction.

La force la plus grande ne vient pourtant pas des actes physiques, mais des mots. Le monde a été créé par la parole et ses fondements sont verbaux. Le plus grand Acte contraire, l'Acte exceptionnel, reste de prononcer le Nom ineffable de Dieu, *Shem ha-Meforash*.

Jakób le fera bientôt en présence de ceux qui lui sont les plus proches : les deux cercles de femmes et d'hommes élus.

Dernièrement, ils mangeaient du pain non casher et du porc, quand une femme eut des convulsions. Ce n'était pas à cause de la viande – la viande est innocente –, mais parce qu'elle ne supportait pas de le faire.

– Ce n'était pas une transgression simple. C'était quelque chose de particulier. *Maasim zarim*, Acte idolâtre, Acte contraire, dit Jakób – il prononce ces mots comme s'il mastiquait un morceau de porc tendineux.

– Quel est le sens de ces Actes contraires ? demande quelqu'un de manifestement inattentif.

Jakób reprend donc du début.

– Nous devons piétiner toutes les lois car elles ne sont plus contraignantes. Par ailleurs, elles doivent être écrasées pour que de nouvelles règles apparaissent. Les anciennes s'appliquaient aux temps anciens, au monde qui ne fut pas sauvé.

Après avoir prononcé ces paroles, il prend le bras des deux personnes les plus proches de lui et un cercle se forme aussitôt. Là-dessus, à leur habitude, tous se mettent à chanter.

Jakób joue à faire des grimaces avec les enfants. Ceux-ci adorent. Juste après le déjeuner pris en commun, l'après-midi est dévolu aux enfants. Les plus jeunes sont accompagnés de leurs mères, et celles-ci, à peine plus âgées semblerait-il, aiment aussi ce jeu. Elles aussi grignent et se mettent en lice pour savoir qui fera la plus vilaine mimique. Les visages enfantins sont difficiles à enlaidir, mais celui de Jakób sait se métamorphoser. Quand il mime des monstres et des chimères ou imite des *balakaben* boiteux, cris et piaillements se font entendre. Une fois ceux-ci retombés, Jakób demande aux enfants de s'asseoir autour de lui et il leur raconte des histoires compliquées. Avec des princesses dans des montagnes de verre, des rustres et des princes. Des aventures sur les mers et de méchants sorciers qui transforment les hommes en animaux. Il remet souvent la fin du conte au lendemain, ce qui fait que toute la jeunesse d'Iwanie ne parle plus que de ce qui va se passer le jour d'après. Le héros arrivera-t-il à se libérer du corps d'âne dans lequel il a été enfermé par une femme jalouse?

En avril, comme le temps se réchauffe, l'activité a lieu dans le pré. Jakób raconte un jour à Nahman que, quand il était petit et vivait à Czerniowce, un fou était passé par là et tous les enfants le poursuivaient en l'imitant, en mimant ses gestes, sa colère, ses grimaces terribles, et en répétant ses paroles. Quand le fou disparut, quand il partit pour une autre ville, les enfants continuèrent à l'imiter, non sans enrichir leur répertoire gestuel pour parfaire la folie du forcené. C'était comme une contagion, parce qu'à la fin tous les enfants de Czerniowce se conduisaient ainsi, tant les petits Juifs que les petits Polonais, Allemands ou Ruthènes, au point que les parents inquiets se saisirent des fouets accrochés aux murs et eux seuls parvinrent à éradiquer la folie des esprits. Les adultes avaient tort, parce que c'était une excellente distraction.

Désormais, lui, Jakób, se livre à des singeries pour que les enfants les copient. On peut voir sa haute silhouette marcher en tête avec des gestes bizarres, tandis que les petits le suivent. Ils lancent leurs jambes en avant ou sautent en l'air tous les quelques pas et agitent les bras. Ils longent en file indienne les étangs où, après l'hiver, l'eau s'est purifiée et tremble, inquiète, en reflétant le ciel. Des adultes se joignent à la farandole. Le vieux Mosze de Podhajce – un veuf à qui l'on vient de promettre en mariage Malka de Lanckoruń, à peine âgée de quinze ans, et qui a ainsi repris de la vigueur – se joint au cortège à la suite de sa future. Cela encourage les autres à en faire autant, parce que Mosze est un sage, il sait donc ce qu'il fait, il ne craint pas le ridicule. À juste titre ou non, nous cherchons le ridicule, n'est-il pas de notre côté? songe Nahman en entrant dans la danse. Il saute à pieds joints, rebondit comme un ballon et veut entraîner avec lui Wajgełe, si délicate, si fine, mais celle-ci se détourne, boudeuse, encore trop proche de l'enfance pour jouer à l'enfant. Wittel, en revanche, ne se fait pas prier, elle se saisit énergiquement de la main de Nahman, ses seins généreux tressautent d'une façon très drôle. Elle est suivie par d'autres femmes qui délaissent la lessive qu'elles accrochaient sur des cordes, arrêtent de donner le sein, de traire les vaches ou de battre leur literie. Voyant cela, leurs époux arrêtent de couper du bois et laissent la hache plantée dans le billot. Le coq prévu pour le bouillon du soir se voit gracié pour un temps. Jeruchim descend de son échelle, alors qu'il réparait le toit de chaume, pour prendre par la main Haya, qui rit. Jakób mène la folle farandole entre les maisons, par-dessus une palissade effondrée, en traversant une grange ouverte de part et d'autre, pour aller sur les digues entre les étangs. Quiconque voit cela s'arrête, surpris, ou rejoint aussitôt l'équipée, jusqu'à ce que tous reviennent au point de départ, échauffés, les joues rouges, épuisés d'avoir ri et crié. Ils sont très nombreux, bien plus qu'au départ. Quasiment toute la communauté en est. Si un étranger était présent à Iwanie à ce moment-là, il penserait que c'est un village de déments.

Le soir, les aînés se réunissent dans la plus grande chaumière. Debout, épaule contre épaule, en alternant un homme et une femme, ils commencent par chanter, puis prient en se balançant et en se soutenant par les épaules. Après cela, Jakób leur délivre son enseignement, il leur narre ses historiettes, comme il dit. Nahman s'efforce de les garder en mémoire avec précision, puis, dès qu'il rentre chez lui, il les consigne par écrit malgré l'interdiction que lui en a faite Jakób. Cela lui prend beaucoup de temps et c'est pourquoi il manque toujours de sommeil.

L'histoire des deux tables

Ceci est un récit que tous les habitants d'Iwanie connaissent par cœur.

Au moment où les Juifs devaient quitter l'Égypte, le monde était déjà prêt à être sauvé, tout était préparé tant en bas qu'en haut. C'était impressionnant parce que le vent cessa de souffler; les feuilles dans les arbres étaient immobiles et les nuages glissaient dans le ciel avec une telle lenteur que seuls les plus patients des hommes pouvaient percevoir leur mouvement. Il en allait de même pour l'eau, devenue dense comme de la crème, alors qu'au contraire la terre s'était faite instable, molle, de sorte que fréquemment les pieds s'y enfonçaient jusqu'aux chevilles. Aucun oiseau ne chantait, aucune abeille ne volait, la mer était étale, les gens ne disaient rien, le silence était tel que l'on entendait battre le cœur des animaux, y compris celui des plus petits.

Tout s'était arrêté dans l'expectative de la nouvelle Loi et l'ensemble des regards se tournait vers Moïse qui gravissait le mont Sinaï pour la recevoir des mains de Dieu. Et c'est ce qui arriva: Dieu grava personnellement la Loi sur deux tables en pierre de manière à ce qu'elle soit visible aux yeux des hommes et compréhensible pour tout esprit humain. C'était la Torah de-'Atzilut.

Tandis que Moïse s'absentait, son peuple céda pourtant aux tentations et s'adonna au péché. Lorsqu'il redescendit du mont Sinaï, Moïse vit de loin ce qui s'était passé et il songea: «Je les ai quittés si peu de temps et ils n'ont pas su persévérer dans la vertu. Ils ne sont pas dignes d'une loi aussi généreuse et compréhensive que celle que Dieu leur destinait.» Dans son désespoir immense, il brisa les tables. Tombées à terre, elles éclatèrent en mille morceaux jusqu'à devenir poussière. Se leva alors un vent terrible qui jeta Moïse contre une falaise, agita l'eau, les nuages, et pétrifia la terre. Moïse comprit que son peuple n'était pas mûr pour la Loi de liberté du monde sauvé. Il passa une journée et une nuit assis, appuyé contre un rocher, à observer d'en haut les feux qui brûlaient dans le campement, à écouter les voix, les tambours, la musique et les pleurs des enfants. Ce fut alors que Samael vint le trouver sous l'apparence d'un ange pour lui dicter des commandements qui, dès lors, allaient assujettir le peuple de Dieu.

Afin d'éviter que quiconque ait connaissance de la vraie Loi de liberté, Samael ramassa tous les morceaux de la Torah de-'Atzilut jusqu'au dernier pour les disperser entre de nombreuses religions du monde. Quand le Messie viendrait, il lui faudrait entrer au royaume de Samael pour collecter les fragments des Tables et livrer à nouveau la nouvelle Loi dans son ultime révélation.

– En quoi consistait cette Loi disparue ? demande Wajgełe à Nahman, alors qu'ils se mettent au lit.

– Dans la mesure où elle a été dispersée, qui pourrait le savoir aujourd'hui ? répond-il prudemment. Elle était bonne. Elle respectait les gens.

Mais Wajgełe est têtue.

– Elle était à l'opposé de celle qui est aujourd'hui en vigueur ? « Tu ne commettras pas l'adultère », c'est « Tu commettras l'adultère » ? « Tu ne tueras pas », c'est « Tu tueras » ?

– Ce n'est pas si simple.

– Tu me réponds toujours : « Ce n'est pas si simple, pas si simple… » réplique-t-elle en l'imitant.

Elle enfile des bas de laine sur ses maigres jambes.

– Parce que les gens voudraient des explications simples ! Il faut tout simplifier pour eux et, dans la mesure où il est impossible de l'écrire, tout devient idiot… comme ceci et comme cela, noir, blanc, sarclé à la binette. La simplification est dangereuse.

– Je veux comprendre tout ça, moi, et je n'y arrive pas.

– Wajgełe, le temps viendra, pour moi comme pour toi. C'est une grâce. Depuis la venue de Sabbataï Tsevi, la vieille Loi mosaïque, celle qui vient de Samael, n'est plus en vigueur. C'est également ainsi que s'explique la conversion de notre maître Sabbataï à l'islam. Il a vu qu'Israël ne servait plus le Dieu de vérité en appliquant la Loi mosaïque. C'est pourquoi notre Maître abandonna la Torah en faveur du Din Islam…

– Comment tu t'y retrouves dans tout ça, Nahman ? Ça t'apporte quoi ? Est-ce que la vérité n'est pas simple ? articule Wajgełe qui s'endort.

– … et nous allons vers Édom. Dieu nous destine à de tels actes.

Wajgełe reste silencieuse.

– Wajgełe ?

Seule la respiration régulière de la jeune femme répond.

Nahman descend du lit en faisant attention à ne pas réveiller son épouse. Il allume une petite lampe devant laquelle il dispose une planchette pour empêcher que la lumière ne soit vue du dehors, par la fenêtre. Il va écrire. Il jette seulement une couverture sur son dos et commence.

LES RELIQUATS.
HUIT MOIS DE LA COMMUNAUTÉ DE DIEU À IWANIE

Dans l'*En Sof*, autrement dit au sein de l'Infini, à la source divine, existe le bien absolu qui est l'origine et le commencement de la perfection et du bien dans le monde. Il est la plénitude, or celle-ci ne nécessite aucun changement, elle est noble et immobile, il n'y a aucun mouvement en elle. Pour nous qui regardons du bas de la création, de loin, cette immobilité semble de l'inertie, elle est donc mauvaise, et cependant la perfection exclut le mouvement, tout acte créateur, tout changement, et donc l'unique possibilité pour nous d'être libres. C'est pour cela qu'on affirme que dans les profondeurs du bien absolu se cachent les racines du mal, négation de tout miracle, de tout mouvement, de tout possible ou de ce qui pourrait encore arriver.

Aussi, pour nous êtres humains, le bien est une chose différente de ce qu'il est pour Dieu. Pour nous, le bien est une tension entre la perfection de Dieu et son retrait, de sorte que puisse apparaître le monde. Pour nous, le bien est l'absence de Dieu là où Il pourrait être.

Nahman frotte ses doigts glacés. Il ne peut pas arrêter d'écrire, les phrases assaillent son esprit:

Quand les vases se sont brisés et que le monde est apparu, celui-ci s'éleva aussitôt de là où il était tombé, s'agrégeant de bas en haut, du moins parfait au plus parfait. Le monde grimpe de plus en plus haut, il s'améliore, acquiert de nouvelles parcelles de bien qu'il ajoute aux précédentes, il organise les étincelles libérées de la gangue de la matière pour en faire de la force et de la clarté. C'est le *tikkoun*, le processus de réparation auquel l'homme peut contribuer. Cette démarche d'élévation doit dépasser la loi existante pour en créer une nouvelle afin de pouvoir à nouveau dépasser celle-ci. Rien n'est donné une fois pour toutes dans ce monde d'enveloppes inertes. Qui ne se meut pas vers le haut stagne. Autrement dit il chute.

Cette dernière phrase calme Nahman. Il s'étire et regarde Wajgełe endormie. L'émotion le gagne.

Alors que nous traversions le Dniestr, cette fois gaillardement et ouvertement, puisque nous avions en main la lettre royale qui faisait de nous des hommes libres en Pologne, je songeais que tout se configurait selon le modèle de ces fragments de pierre qui, pour être chacun d'une couleur différente, ne laissent voir aucun lien entre eux ni aucune cohérence lorsqu'ils sont dispersés, tandis que, disposés selon un certain ordre, ils dévoilent à l'évidence une image claire et harmonieuse.

Iwanie devait nous être donné pour que nous y créions une grande famille qui se perpétuera durant des années et, dussions-nous être de nouveau dispersés, dussions-nous disparaître dans le vaste monde, ces liens iwaniens resteront à jamais. Parce que, ici, à Iwanie, nous sommes devenus libres.

Si nous recevions de la terre en propre pour toute notre vie et celle de nos enfants, comme dit Jakób, si nous pouvions vivre selon nos lois sans déranger personne, nous n'aurions plus peur de la mort. Quand un homme possède un bout de terre, il devient immortel.

À Wilno, il y avait un sage, il s'appelait Joshua Heshel Zoref et il enseignait que, selon la gématrie, une identité numérique existait entre le mot *Polin* – autrement dit la Pologne, en yiddish – et le prénom biblique du petit-fils d'Ésaü, Tsepho. L'ange protecteur d'Ezawa et de sa famille, c'est Samael, qui est également le protecteur de la Pologne. Il serait justifié d'appeler la Pologne royaume d'Édom. Le prénom Tsepho se compose des mêmes lettres hébraïques que *Tsafon*, le Nord, et celles-ci ont la même valeur que *Polin-Lita*, autrement dit Pologne-Lituanie. Comme chacun sait, Jérémie 1,14 dit que, lorsque viendra le salut, ce sera par le pays du Nord, c'est-à-dire le Royaume de Pologne et de Lituanie, la *Respublica*.

Édom, la montagne de Séir, est le pays d'Ésaü, mais ici et maintenant, dans les ténèbres du monde, Édom veut dire Pologne. Partir pour l'Édom, c'est venir en Pologne. Voilà qui est clair. Là, nous passerons à la religion de l'Édom. Elisha Shorr l'annonçait déjà à Smyrne et moi également. Désormais, tout cela s'accomplit, mais cela ne se ferait pas sans Jakób.

Quand je le regarde, je vois qu'il est de ces personnes qui naissent avec quelque chose que je ne sais nommer et qui fait que toutes les autres leur témoignent de la considération et les respectent. Je ne sais pas ce que c'est. Est-ce une attitude corporelle, un front porté haut, un regard perçant, une démarche ? Ou bien encore l'esprit qu'elles dégagent ? L'ange qui les accompagne ? Il suffit que Jakób pénètre quelque part, dans la plus vilaine des granges ou le salon le plus luxueux, pour que tous les regards se tournent vers lui avec une expression de satisfaction et de considération, alors qu'il n'a encore rien fait ni rien dit.

J'ai maintes fois attentivement observé le visage du Maître, y compris pendant son sommeil. Je l'ai déjà écrit, ce visage n'est pas ce que l'on appelle beau, mais il lui arrive de l'être. Ce visage n'est pas non plus laid, mais il peut être effrayant. Ses yeux savent être doux et tristes comme ceux d'un enfant. Ils savent aussi avoir un regard dur comme celui des prédateurs qui fixent leur proie. Il y a alors en eux une dérision, une moquerie qui vous glacent les sangs. Je ne saurais dire leur couleur précise parce qu'elle aussi change. Ils sont parfois noirs, sans iris, impénétrables. D'autres fois, ils prennent une teinte mordorée, deviennent pareils à la bière brune. Un jour, je remarquai que, dans leur essence la plus profonde, ils étaient jaunes comme ceux du chat et que ce n'était qu'un semblant d'ombre de douceur qui les fonçait pour autrui.

Je m'autorise à parler ainsi de Jakób parce que je l'aime. Étant celui qui l'aime, je lui accorde plus de droits et de privilèges qu'à n'importe qui. Je n'en ai pas moins peur d'être victime d'un amour aveugle, exagéré et malsain, ainsi qu'on le voit chez cet Herszełe qui, s'il le pouvait, se coucherait à ses pieds comme un chien.

DE LA DUALITÉ, TRINITÉ ET QUADRITÉ

À Iwanie, nous menons de nombreuses études sur la Trinité et il me semble être parvenu à saisir son sens.

Quel serait l'essentiel de notre devoir si ce n'était d'établir un équilibre entre l'unité de Dieu et la pluralité du monde créé par Lui. Quant à nous-mêmes, êtres humains, ne sommes-nous pas abandonnés dans cet « entre-deux »,

entre l'Un et le monde des divisions. Cet « entre-deux » incommensurable possède un point critique étrange : la Dualité. Elle est la première expérience de l'être humain pensant, celle où il remarque l'abîme qui s'ouvre entre lui et le reste du monde. C'est un « Deux » douloureux, une fracture fondamentale du monde créé qui est source des oppositions et de tous les dualismes. Ceci et cela. Moi et toi. La droite et la gauche. *Sitra 'ahra*, et donc l'autre versant, le côté gauche, les forces démoniaques matérialisées par les vases brisés qui ne retinrent pas la lumière tandis qu'ils éclataient. *Shevirat ha-kelim* est précisément cette dualité. Il se peut que s'il n'y avait pas ce Deux dans le monde, celui-ci serait complètement différent, même s'il est difficile de se le figurer. Jakób, lui, saurait sans doute. Une fois, nous avons peiné jusqu'à la nuit sur cette question, mais nos têtes pensent déjà dans ce rythme : deux, deux, deux.

La Trinité est sainte, pareille à une épouse sage, elle concilie les contradictions. La Dualité, pareille à une jeune biche, saute au-dessus d'elle. La Trinité est sainte parce qu'elle apprivoise le mal. Parce qu'elle doit œuvrer en permanence pour préserver l'équilibre qu'elle perturbe par ailleurs, elle est vacillante, aussi n'est-ce que la Quadrité qui parvient à une plus grande sainteté et perfection, qui restitue les proportions divines. Ce n'est pas pour rien que le nom de Dieu se compose de quatre lettres et que toutes les forces vives du monde ont ainsi été établies par Lui – Jeruchim me confia un jour que les animaux aussi savaient compter jusque quatre ! –, et tout ce qui est important au monde doit être quadruple.

Une fois, Mosze alla prendre aux cuisines de la pâte à brioche, il l'apporta et se mit à modeler une forme. Nous riions de lui, surtout Jakób, car rien ne s'accordait aussi peu avec Mosze que les activités culinaires.

« Qu'est-ce que c'est ? » nous demanda-t-il en montrant son ouvrage.

Sur la table, nous vîmes que la pâte formait la lettre *Aleph* et c'est ce que nous répondîmes d'une même voix. Mosze saisit alors les bouts de la sainte lettre pour la redresser par quelques gestes simples.

« Et cela, qu'est-ce ? » demanda-t-il de nouveau.

C'était une croix.

Il se trouve que la sainte lettre correspond aux prémices de la croix, à sa forme initiale, affirma Mosze. Si elle était une plante vivante, elle pousserait pour devenir croix. Un grand mystère réside dans la croix parce que Dieu est unique en trois personnes. À la Trinité de Dieu, nous ajoutons la *Shekhina*, la lumière miraculeuse.

Pareille connaissance n'était pourtant pas destinée à tous. Les personnes qui étaient réunies avec nous à Iwanie étaient d'origines et d'expériences tellement différentes que nous étions unanimement d'avis de ne pas leur dévoiler ce saint savoir, afin qu'elles ne le comprennent pas de travers. Quand elles m'interrogeaient sur la Trinité, je portais la main à mon front, touchais ma peau et disais : « Le Dieu d'Abraham, d'Isaac et de Jacob. »

Il y avait également des conversations que nous menions seuls, entre nous, en petit comité, quand nous avions fini de rédiger le courrier – nos doigts étaient tachés d'encre, nos yeux tellement fatigués qu'ils se reposaient en fixant la danse des flammes des bougies. À voix basse, parce que les parois des chaumières d'Iwanie n'étaient guère épaisses, Moliwda nous parlait alors des croyances de ses bogomiles, comme il les appelait, et, nous, nous constations avec étonnement que nous avions beaucoup de points communs avec eux, comme si leur chemin et celui que nous suivions n'en avaient été qu'un seul au départ, pour se diviser ensuite et peut-être redevenir unique plus tard, exactement comme les deux routes d'Iwanie.

Est-ce que la vie en soi n'est pas étrangère à ce monde ? Est-ce que, nous, nous ne lui sommes pas étrangers, ainsi que notre Dieu ? N'est-ce pas à cause de cela que nous paraissons si différents, lointains, effrayants et insolites à ceux qui appartiennent vraiment à ce monde ? Pourtant, ce monde est tout aussi bizarre et impénétrable, avec ses lois et ses usages incompréhensibles pour l'étranger, car celui-ci arrive de loin, de l'extérieur. Il doit supporter le destin de l'aubain solitaire et sans défense, complètement déconcertant. Nous sommes, nous, les étrangers des étrangers, les Juifs des Juifs. Toujours en manque d'un chez-soi !

Comme nous ne connaissons pas les chemins de ce monde, nous nous y déplaçons démunis, à tâtons, sachant juste que nous sommes étrangers.

Moliwda disait que dès l'instant où, nous, les étrangers vivant parmi les autres, nous nous habituerons à goûter aux charmes de ce monde nous oublierons aussitôt d'où nous venons et quelle est notre origine. Notre misère s'achèvera alors, mais au prix de l'oubli de notre propre nature et ce sera le moment le plus douloureux de notre destin, le destin des étrangers. Nous devons donc nous rappeler notre statut d'étranger et veiller à en choyer le souvenir comme celui d'un élément des plus chers. Identifier le monde comme celui de notre exil, identifier ses lois comme étrangères, appartenant à d'autres...

Le jour point quand Nahman termine d'écrire. L'instant d'après, un coq chante sous sa fenêtre d'une manière tellement dramatique que Nahman sursaute comme s'il était lui-même un démon nocturne redoutant la lumière. Il se glisse dans les draps chauds et reste longtemps étendu sur le dos sans pouvoir trouver le sommeil. Des paroles polonaises s'imposent à son esprit, s'agglutinent en phrases et, sans savoir comment, Nahman récite en pensée sa prière sur l'âme, mais cette fois en polonais. Comme la veille il y avait eu des Tsiganes à Iwanie, eux aussi se bousculent dans sa tête et bondissent sur ses phrases avec leur grand charroi :

Tel le navigateur qui hante les abîmes
Marins, ou la horde des Tsiganes
Les chemins perdus, mon âme
Personne ne l'atteindra au-dedans

Ne l'enfermera dans l'air métallique
Ou la bourse du cœur ou l'unique
Institution qui sait habituellement
Ce qui viendra et quel est le moment

Ou ce qu'accorde la naissance.
Elle change parce qu'elle ne change pas,
Mon âme dans ses effluences.

Oui, mon bon Seigneur, elle le veut,
Mon âme part à Ta rencontre.
Accorde-lui auprès de Toi un havre heureux.

Nahman ignore à quel moment il s'endort.

De l'extinction des bougies

Dans la nuit du 14 au 15 juillet, alors que la date de la nouvelle disputation est fixée, femmes et hommes se réunissent dans une chaumière, allument des bougies et ferment méticuleusement les volets. Avec des gestes lents, ils se dévêtent entièrement, certains plient avec soin leurs habits en pile, comme s'ils allaient au *mikveh*. Tous s'agenouillent à même le plancher et Jakób se saisit d'une croix qu'il dépose sur un banc. Il embrasse une petite statuette, un *teraphim* apporté par Haya, et le place à côté de la croix avant de se relever pour allumer une grande bougie. Il se met ensuite à tourner autour du banc, nu, poilu, avec le sexe qui ballotte entre ses cuisses. La lueur incertaine de la flamme révèle dans la pénombre les corps gris-orangé des autres, leurs têtes dorées baissées sur leurs poitrines.

Les corps sont très concrets, on voit la hernie de Mosze et le ventre de Wittel, distendu par ses nombreuses grossesses. Tous s'observent du coin de l'œil tandis que Jakób décrit des cercles en marmonnant la prière : « Au nom du grand premier Messie… dans l'idée de la vie qu'apporte la lumière des lumières… » Difficile de se concentrer sur ce qu'il dit alors que s'est dévoilé sous ce faible éclairage diaphane un monde tout autre. Une femme rit nerveusement, Jakób s'arrête puis, avec colère, il éteint la bougie d'un souffle. À partir de là, tout se déroule dans le noir. Pour ce qu'ils doivent faire, l'obscurité est une bénédiction.

Quelques jours plus tard, Jakób leur fait former un cercle, appelé « cénacle », et rester ainsi debout tout le mardi, tout le mercredi et le jeudi jusqu'à midi. Jour et nuit, en groupe et en cercle. L'épouse d'Izaak est autorisée à partir parce que, après quelques heures, elle défaille et doit s'allonger. Les autres restent. Il leur est interdit de parler. Le temps est caniculaire, on croirait presque entendre les gouttes de sueur qui tombent de leurs visages.

Un homme qui ne possède pas son propre lopin de terre n'est pas un homme.

– S'il se trouve quelque part un cimetière plus beau que celui de Satanów, j'irai à Lwów pieds nus, déclare Hawa, l'épouse de Chaïm.

Il n'y a pas de raison particulière de parler de la mort et il serait inconvenant de juger d'une terre d'après ses cimetières; celui-là n'en est pas moins vraiment splendide et tous le confirment. La façon dont il descend vers la rivière est admirable.

– Avec celui de Korolówka, ajoute Peseŀe qui est à Iwanie avec sa famille depuis mai. Disons que c'est le deuxième par ordre de beauté.

– Mais le nôtre, à Satanów, aux portes de la ville, est plus grand, continue Hawa. De là, on voit la moitié du monde. En contrebas, au bord de la rivière, il y a un moulin entouré d'eau où s'ébattent des canards et des oies…

Ce moulin, son père en a la gérance, et un jour il leur reviendra selon la loi de *Hazaka*, qui permet d'hériter du droit au louage. Le bourg est situé sur une hauteur et deux choses sautent aux yeux immédiatement: le petit château déjà très abîmé qui s'élève près de la route, pour que Sa Seigneurie puisse contrôler qui arrive et comment, et la synagogue, plus haut, telle une forteresse. Elle est de style turc, et même si les anti-talmudistes ne la fréquentent plus depuis longtemps, Hawa ne saurait mentir, elle est exceptionnelle. Depuis la route, il faut emprunter une sente abrupte et tortueuse pour atteindre le bourg: on passe alors devant le lieu de culte juif, impossible de faire autrement. Dans la petite localité, il y a une place où chaque semaine se tient un marché, toujours le lundi.

Autour de celle-ci, comme partout, alternent les éventaires chrétiens et juifs et, parfois en été, arméniens ou turcs.

La terre, ils devraient la recevoir sur les domaines épiscopaux, uniquement de l'Église. Qui donnerait gratuitement de la terre aux Juifs? Le roi? suggère quelqu'un. Là où le Zbrucz se jette dans le Dniestr, c'est le plus beau coin.

– Qui donnerait aux Juifs un emplacement près des cours d'eau? doute quelqu'un.

– Juste un peu… avec un coin de forêt et une petite rivière, ne serait-ce que comme la Strypa, pour pouvoir aménager des étangs à poissons et élever nos propres carpes, rêve Hawa.

– Mais qui offrira aux Juifs une richesse pareille? dit de nouveau celui qui doute.

– Nous ne sommes plus des Juifs! Oui ou non, est-ce que nous sommes encore des Juifs?

– Nous resterons toujours des Juifs, mais des Juifs libres.

Ce serait merveilleux de vivre ainsi à son gré, sans qu'il faille se justifier de rien, ne pas avoir de maître, ne plus craindre les Cosaques, être en bonnes relations avec l'Église, cultiver la terre, commercer, avoir des enfants, avoir son propre verger et son magasin, même tout petit. Cultiver un jardin derrière la maison, ramasser les légumes.

– Tu as vu la synagogue à Husiatyń? demande à Hawa le vieux Lewiński, qui est sourd. Tu ne l'as pas vue? Oh la la! Tu n'as rien vu alors! C'est la plus grande et la plus belle de toutes.

Par la fenêtre, on entend jouer bruyamment les enfants. Ils font semblant de se battre, armés de bâtons et de vieilles tiges d'angélique en guise d'arquebuses. Les enfants juifs jouent avec les enfants chrétiens du village voisin qui viennent par curiosité à Iwanie. Ils se sont déjà partagé les rôles sans se soucier de leurs appartenances respectives. Les uns sont des Tatares, les autres des Moscovites. Dans la bataille à coups de bâton et de roseau toutes les différences disparaissent.

Le mot *masztalerz,* ou l'apprentissage de la langue polonaise

Le mot *masztalerz* amuse beaucoup Jakób.

Les après-midi, ils apprennent le polonais en groupe, femmes et hommes ensemble. Chaïm de Varsovie et l'autre Chaïm, plus jeune, celui de chez les Shorr, le leur enseignent. Ils commencent par des choses simples : « table », « couteau », « cuillère », « assiette », « gobelet ». Ils disent : « donne-moi un couteau », « prends ce gobelet », « donne une assiette ».

En polonais, « assiette » se dit *talerz* et « prends l'assiette » devient *masz talerz.* Or, étrangement, le verbe et le substantif accolés désignent un « palefrenier », celui qui soigne les chevaux, et Jakób, qui connaissait le mot *masztalerz,* s'amuse beaucoup de cette homonymie. Au cours du dîner, il tend à Nahman une assiette et dit :

– *Masz talerz.*

Tous ceux qui savent ce dont il s'agit éclatent de rire. Pas Nahman.

Jakób a reçu des Shorr le livre polonais dans lequel il apprend à lire désormais. Wittel l'aidait au début, mais elle ne sait pas très bien lire en polonais non plus ; un enseignant a donc été engagé. C'est le jeune précepteur d'un domaine voisin. Il vient un jour sur deux. Ils lisent des textes sur les animaux. Le premier passage que Jakób parvient à lire seul parle des animaux qui se trouvaient dans l'arche de Noé :

Les Animaux *ex putri materia,* autrement dit se multipliant dans le pourrissement, n'en faisaient pas partie, car ceux-ci, tels les Vermisseaux ou les Puces, auraient-ils disparu, peuvent toujours *genuus suum reparare* *. Partout où quelque chose se corrompt, disparaît, aussitôt la vermine éclôt. L'Auteur Nierembergius affirme dans son *Histoire Naturelle* que DIEU n'a pas créé ces Animaux, mais que la corruption ou la putréfaction est leur Mère.

Difficile de comprendre ce dont il s'agit quand on lit en polonais. Une langue bizarre.

* (lat.) : Se renouveler. *(N.d.A.)*

Les nouveaux prénoms

Tout comme il avait commencé par élire sept femmes, quelque temps plus tard Jakób désigne douze hommes de confiance. Il leur demande de se choisir des prénoms parmi ceux des apôtres de l'Évangile, lequel, à Iwanie, est lu chaque soir.

Il prend d'abord Nahman qu'il place à sa droite et, désormais, Nahman sera Piotr. Après cela, il place à sa gauche Mosze qui sera le second Piotr. Viennent ensuite Osman de Czerniowce et son fils qui s'appelleront Jakub Major et Jakub Minor. Puis, dans une position spéciale, plutôt centrale, il place Salomon Shorr qui utilise déjà le prénom de Franciszek et le nom de Wołowski. Derrière lui, il y a Krysa qui a opté pour Bartłomiej. De l'autre côté se range Elisha Shorr, appelé désormais Łukasz Wołowski, avec Jehuda Shorr, devenu Jan Wołowski, et Chaïm de Varsovie, appelé maintenant Mateusz. Il y a encore Herszełe, devenu le second Jan, ainsi que Mosze de Podhajce, devenu Tomasz, et Chaïm de Busk, le frère de Nahman, qui s'appelle maintenant Paweł.

Salomon Shorr, autrement dit Franciszek Wołowski, l'aîné des fils d'Elisha, prodigue à tous un enseignement sur les prénoms. «Que chacun songe à un nouveau prénom, chrétien cette fois.» Il énumère les douze apôtres en comptant sur ses doigts, mais lui se fait appeler Franciszek.

– Qui était Franciszek? lui demande-t-on.

– Ce prénom me plaisait entre tous, répond-il. Vous aussi, choisissez-vous un nouveau prénom avec soin et sans hâte. Ne vous attachez pas à vos nouveaux prénoms. Pas plus qu'à la Pologne ou à la langue polonaise qu'il faut pourtant parler. À n'en pas douter, le prénom apparaît avant même la naissance de chacun. Les sonorités qui le composent correspondent à une certaine harmonie de l'univers. Et ce prénom est le véritable prénom. En revanche, celui que nous portons dans la rue, au marché, dans le haquet sur un chemin boueux, et par lequel les autres nous interpellent, celui-là est juste accessoire. Il a l'utilité d'un vêtement de travail enfilé pour accomplir une besogne. Inutile de s'y attacher. On le porte et on s'en défait, comme de tout. Tantôt l'un, tantôt l'autre.

Wittel est ennuyée. Elle finit par interroger Jakób :

– Il faut tout de même bien penser à soi au moyen d'un prénom ? Il faut pouvoir dire « moi, Wittel » ou « moi, Jakób ». Alors comment s'appeler pour soi-même ?

Jakób lui répond que, pour sa part, il a immédiatement pensé à lui-même en tant que « Jakób », il s'est toujours appelé « Jakób » dans ses pensées. Pas un Jacob *quelconque*, mais le Jakób, l'unique.

– Celui qui a vu l'échelle en rêve… suppose Wittel.

Jakób la détrompe :

– Non, pas du tout ! Celui qui se revêtit d'une peau de bête pour se glisser sous la paume de son père et être pris pour l'autre fils, le bien-aimé Ésaü.

Ienta observe tout cela d'en haut, elle voit les prénoms prendre leurs distances par rapport aux personnes qui les portent. Pour l'heure, nul ne s'en rend compte, chacun s'adresse à l'autre comme avant, avec confiance : Chaïm, Sprynełe, Léa. Ces prénoms ont pourtant déjà perdu de leur éclat, ils ont terni, ils sont pareils à la peau du serpent dont la vie se retire avant la mue. Il en est ainsi avec le prénom « Pesełe », il glisse de la jeune fille telle une chemise trop ample, tandis que, par en dessous, se forme le prénom « Helena », dont la finesse est celle d'une jeune peau quasi transparente sur une brûlure.

« Wajgełe » a perdu de sa sonorité et ne convient plus guère à la jeune fille menue, maigre mais forte, à la peau toujours brûlante et sèche, qui porte justement sur ses épaules une palanche avec de l'eau. Deux seaux pleins. Le prénom « Wajgełe » est en quelque sorte devenu inapproprié. Il en est de même pour le prénom « Nahman », qui semble trop grand pour son époux et rappelle une vieille cape.

Nahman fut d'ailleurs le premier à se faire appeler « Piotr », en s'adjoignant le nom de Jakóbowski, ce qui en polonais veut dire « Pierre de chez Jacob ». Piotr Jakóbowski.

Cette desquamation des prénoms dans l'herbe d'Iwanie pourrait provoquer de l'inquiétude, comme toujours lorsque l'on est en présence de choses qui ne servent qu'une fois, d'existences qui passent, s'évaporent, mais, parallèlement, Ienta voit nombre de choses qui se répètent. Elle-même se répète. La caverne se répète. Le grand fleuve et son passage à gué se répètent comme se répètent la neige, les traces laissées par les traîneaux, qui, parallèles, marquent d'un double signe inquiétant le vaste espace découvert. La tache jaunâtre et déplaisante se répète sur la neige. Les plumes d'oie dans l'herbe, également. Parfois, elles s'accrochent aux vêtements des hommes pour les accompagner dans leur errance.

Quand Pinkas descend aux enfers à la recherche de sa fille

Pinkas prend part aux réunions du conseil en tant que secrétaire du rabbin Rapaport de Lwów, il écoute attentivement les discussions sans en perdre le moindre mot. L'audace de prendre la parole lui vient rarement, il craint que sa voix ne tremble, qu'il ne puisse maîtriser ses larmes. Pas plus ses prières ardentes que la poule sacrifiée avec laquelle son épouse tenta un désenvoûtement, au cas où, n'y remédièrent. La poule fut donnée à des miséreux avec toute la poussière et la saleté dont avait été couverte l'âme de Pinkas.

Pour le père de Gitla, il était évident que quitter la vraie foi pour prendre la nouvelle par le baptême était le pire qui pouvait arriver à un vrai Juif ou à un Juif tout court. *En parler* était déjà un péché terrible. Pinkas n'osait imaginer ce que pouvait être l'acte lui-même, ce devait être comme mourir, voire pire! Se noyer dans une grande eau, être mort et pourtant rester vivant – juste assez pour connaître la honte.

C'est pourquoi, quand il rédige les documents et que sa plume tombe sur le mot *shemad*, qui veut dire «conversion» en hébreu, sa main refuse de l'écrire, elle se crispe devant les lettres *shin, mem* et *daleth*, comme si celles-ci n'étaient pas des lettres innocentes, mais des maléfices. Par ailleurs, cela lui rappelle l'histoire d'un autre dissident, Néhémia Hayon, qui fit grand bruit quand Pinkas était jeune. Lui aussi avait adopté les idées de

Sabbataï Tsevi, puis, banni par les siens, il avait erré dans toute l'Europe, chassé de partout. Les portes se fermaient devant lui en claquant. Il paraît que, lorsqu'il arriva à Vienne, malade et épuisé, les Juifs viennois lui fermèrent également leurs portes et qu'il ne se trouva personne pour oser lui offrir ne fût-ce qu'un gobelet d'eau. Il se serait alors assis dans une cour, à même le sol, et il aurait pleuré sans avouer qu'il était juif, tellement il avait honte, et, aux passants qui lui demandaient ce qui lui arrivait, il aurait dit qu'il était turc. Aussi vaste qu'est l'Europe, aucun sabbataïste ne pouvait espérer d'un Juif honnête qu'il l'accueille, lui donne un repas ou juste une bonne parole. Rien. À l'époque, ces schismatiques étaient peu nombreux. Aujourd'hui, il s'en trouvait dans chaque ville.

Dernièrement, lors d'une réunion du conseil, Pinkas avait pu entendre ce que disaient les rabbins sur le livre que ces dissidents tenaient pour sacré. Bien que «disaient» soit un peu excessif: «lâchaient à demi-mot» ou «bredouillaient» serait plus exact. Chargé de mettre par écrit la séance, Pinkas ne put en cet instant que tendre l'oreille, parce qu'il lui fut interdit de consigner leurs paroles à propos de cet ouvrage diabolique. Le rabbin Rapaport, ce saint homme, affirma juste qu'il suffisait de lire deux ou trois paragraphes pour que les poils se hérissent sur tout le corps, tant ce texte maudit comporte de sacrilèges, de blasphèmes, et tant il est un outrage au monde. Tout y est sens dessus dessous. Personne n'a jamais rien vu de semblable. Chaque mot de ce texte répugnant devrait être éradiqué avec soin.

Pinkas longe d'un petit pas rapide le mur lépreux d'un immeuble jusqu'à un endroit où l'on peut louer un chariot. Le mur recouvert de chaux laisse sur sa manche une trace blanchâtre. Quelqu'un lui a rapporté qu'il aurait récemment vu Gitla au marché. Elle était habillée comme une servante et avait un panier à la main. Peut-être n'était-ce pas sa fille, mais une personne qui lui ressemblait beaucoup. Depuis, quand Pinkas termine son travail chez le rabbin Rapaport, il ne rentre pas directement chez lui, mais arpente les rues de Lwów en dévisageant les femmes au point que certaines le prennent pour un vieux satyre.

Chemin faisant, il tombe sur un groupe de marchands âgés, des connaissances à lui, qui, inclinés les uns vers les autres, le visage en proie à l'émotion, discutent en élevant la voix. Il les rejoint pour entendre de nouveau ce qui agite la ville depuis la veille.

Deux Juifs de Kamieniec Podolski se seraient déguisés en paysans, puis, armés de piques, auraient tenté de s'emparer de la fille d'un des leurs. Elle avait épousé Lejba Abramowicz et était prête à se convertir avec son enfant. Mari et femme auraient été rossés. Auraient-ils dû la tuer, c'eût été préférable que de la laisser se faire baptiser.

Aussi Pinkas a-t-il du mal à comprendre pourquoi les rabbins, dans leur discussion, se mettent à défendre une tout autre attitude. Ils se réfèrent en cela à une certaine lettre dans laquelle il est dit qu'il faut se couper de ces dissidents, s'en défaire comme d'un membre attaqué par la gangrène, les expulser à jamais de la sainte communauté, les maudire et, finalement, faire en sorte qu'ils sombrent dans l'oubli... Que leurs noms soient oubliés. Il connaît cette lettre par cœur pour l'avoir recopiée des centaines de fois :

Abraham ha-Kohen de Zamość à Jakub Emden d'Altona

La sainte communauté de Lublin ne paya que trop cher le remède pour soigner le monde atteint de peste. Nos sages, réunis à Konstantynów pour en aviser, jugèrent qu'il n'est d'autre recours que d'utiliser la ruse pour contraindre au baptême ceux qui sont contaminés, étant donné qu'il est écrit : « Les hommes vivront séparément. » Que cette épidémie soit à jamais écartée des enfants d'Israël. Grâce à Dieu, certains se sont déjà fait baptiser, et, parmi eux, ce maudit Elisha Shorr, que son nom soit effacé des mémoires ! Quant à ceux qui n'ont pas encore pris le baptême, qui portent toujours l'habit juif et viennent également aux prières à la synagogue, nous les surveillerons de près, et, dès que nous découvrirons chez eux des intentions cachées, nous en infor-merons les autorités chrétiennes. À cette fin, nous avons d'ores et déjà envoyé à Lwów notre émissaire auprès du nonce apostolique, auquel il demandera audience pour lui rendre compte avant l'arrivée de cette secte de malfaiteurs. Dieu veuille qu'il soit possible de jeter en prison ces êtres nuisibles, ces chiens, ces schismatiques qui œuvrent contre Lui, de jeter l'anathème sur eux comme nous l'avons fait sur ce Mosze de Podhajce, il y a quelques années, et leur maudit meneur, Jakób Frank.

Au plus profond de lui, Pinkas est convaincu que l'ancienne tradition des pères a raison de couvrir d'une chape de silence tout ce qui a trait à Sabbataï Tsevi, d'interdire que l'on en parle tant en bien qu'en mal. Aucune bénédiction, aucune malédiction. Une chose dont on ne parle plus cesse d'exister. Il médite cette sagesse assis dans le chariot bâché, secoué de toutes parts. Telle est la force de la parole : là où elle fait défaut, le monde disparaît. Aux côtés de Pinkas sont installées deux paysannes endimanchées qui semblent se rendre à une noce et deux Juifs plus âgés, un couple. Ils le sollicitent timidement, mais Pinkas n'est pas disposé à discuter.

À quoi bon parler ? Vouloir se débarrasser de quelqu'un en ce monde ne nécessite ni épée ni violence. Il suffit de faire silence sur lui, de ne plus jamais prononcer son nom. Ainsi sombrera-t-il à jamais dans l'oubli. Quant à ceux qui poseraient des questions sur lui, il faut les menacer de *herem*.

Pinkas s'arrête à Borszczów, chez le rabbin auprès duquel il est missionné par Rabbi Rapaport. Il apporte une sacoche d'écrits et de lettres. Celle concernant les schismatiques également. Elle est lue devant tous les membres de la commune, le soir, dans un local étroit où les chandelles qui fument font voler de minuscules parcelles de suie jusqu'au plafond.

Le lendemain, Pinkas se rend au *mikveh* du lieu. Il y a là une cabane aux fenêtres obturées par des planches et au toit affaissé. L'intérieur est divisé en deux parties, l'une noire de suie où un préposé aux bains squelettique, tout aussi noir, jette dans le feu des bûches de hêtre pour chauffer l'eau dans la cuve, l'autre avec deux baignoires placées dans la pénombre pour les femmes. Plus loin, un réservoir d'une capacité de quarante seaux est creusé dans le sol. Les restes d'innombrables bougies délimitent son périmètre. Une couche inégale de cire et de suif entoure le bassin d'un liseré glissant, parfumé et plein de bouts de mèches noires. Pinkas plonge dans l'eau tiède soixante-douze fois, puis il s'accroupit de manière à avoir de l'eau jusqu'au menton. Il observe le nuage poivre et sel de sa barbe qui flotte à la surface. Qu'il soit fait que je la retrouve, songe-t-il, et, en pensée, il répète : «Que je la retrouve, la retrouve, saine et entière, je lui pardonnerai, que je la retrouve, cette enfant, cette enfant à l'âme douce, qu'il soit fait que je la retrouve. »

Cette prière hachée, pleine d'inquiétude, secrète car nul ne connaît les intentions de Pinkas, dure longtemps. Il réalise qu'il se fait tard quand il commence à trembler. Le préposé anguleux et sale a disparu, le feu sous la cuve s'est complètement éteint. Pinkas est seul au *mikveh*. Il s'essuie avec une serviette en toile râpeuse jusqu'à en avoir la peau endolorie. Le lendemain, confiant dans l'aide de Dieu, il fait croire qu'il rentre à Lwów mais loue un charretier avec son tombereau pour se diriger vers Iwanie.

Plus il en approche, plus la circulation est importante. Il voit des voitures chargées d'outils, une charrette avec des sacs de farine sous une bâche et un grand panier de noix auprès duquel deux hommes conversent sans prêter attention à quiconque. Il voit une famille venue des environs de Kamieniec avec tous ses biens et de nombreux enfants sur un chariot. Ce sont eux, songe-t-il. Il n'a que répugnance pour ces gens, ils lui semblent crasseux, avec leurs capes, leurs hautes chaussettes. Certains s'habillent à la manière des Juifs hassidiques, d'autres comme les paysans en longue chemise-manteau. Ô combien il a dû pécher pour que sa fille les ait rejoints !

– Tu es qui toi ? lui demande sans aménité un gaillard près d'un portail de planches décorées avec soin de branches de pin.

Les aiguilles sont tombées et les tiges nues évoquent un cheval de frise tout en épines.

– Je suis juif comme toi, répond calmement Pinkas.

– D'où ça ?

– De Lwów.

– Qu'est-ce tu nous veux ?

– Je cherche ma fille Gitla... Grande... dit Pinkas – mais il ne sait pas comment la décrire.

– Tu es des nôtres ? Un vrai-croyant ?

Pinkas ne sait que répondre, il se débat avec lui-même avant de finir par dire :

– Non.

Le gaillard ressent sans doute du respect pour cet homme d'un certain âge bien habillé. Il lui dit d'attendre et, un long moment plus tard, il revient avec une femme. Elle porte un tablier clair, des clefs accrochées à sa jupe aux fronces nombreuses et sur la tête un bonnet comme en portent les chrétiennes. Elle est concentrée et attentive.

– Gitla, dit Pinkas – et, sans qu'il le veuille, sa voix se fait suppliante : Elle est partie l'an dernier quand est venu… commence-t-il – mais il ne sait pas comment l'appeler, lui. Il s'est rendu dans les villages. Elle a été vue à Busk. Grande, jeune.

– Je vous connais, remarque la femme.

– Je suis Pinkas Abramowicz de Lwów, son père.

– Oui, je sais maintenant qui vous êtes. Votre Gitla n'est pas là. Je ne l'ai pas vue depuis un an.

Hawa a envie d'ajouter un mot déplaisant. Elle a envie de cracher aux pieds de Pinkas. De lui dire par exemple : «Peut-être que les Turcs se la font?» Mais elle voit que l'homme se délite, sa poitrine s'affaisse et il rapetisse. Il lui rappelle son père. Elle lui dit d'attendre et part chercher de quoi lui donner à manger, mais à son retour le vieil homme n'est plus là.

Antoni Moliwda-Kossakowski écrit à Katarzyna Kossakowska

À Łowicz, Moliwda s'assied à sa table et trempe sa plume dans l'encre. Il fait aussitôt un gros pâté ; or, pour lui, un pâté est toujours un avertissement. Il le saupoudre de sable puis le gratte avec soin de la pointe d'un couteau. Cela lui prend un moment, puis il commence à écrire.

Madame Ma Puissante Bienfaitrice,

Vous aurez, Madame, d'immenses mérites au ciel pour vos démarches en faveur des antitalmudistes qui arrivent déjà en grand nombre à Lwów et, tels des Tsiganes, installent leurs campements à même la terre dans les faubourgs tant ils désirent la nouvelle foi. Vous, Ma Bienfaitrice, en personne sagace, à l'esprit vif, vous savez pourtant parfaitement que ce n'est pas uniquement inspiré chez eux par l'amour de la Croix, mais également par d'autres motifs, sans doute moins élevés, mais très humains et compréhensibles.

Il m'a été rapporté ici qu'ils ont encore rédigé une supplique et il est heureux que, par miracle, elle ait dû passer par mes mains. Quand je jetai un œil aux signatures, je vis que cette pétition avait été élaborée par Salomon ben Elisha Shorr de Rohatyn et Iehuda ben Nussen, autrement dit Krysa de Nadworna.

Le sang me monta à la tête tandis que je lisais. Mais que voulaient-ils donc?

Ils commencent par se plaindre d'être à l'étroit dans les villages de l'évêque de Kamieniec, de vivre d'aumônes et du soutien de leurs frères de Hongrie, de n'avoir rien à manger ni aucun travail. Ensuite, et je cite: «Nous exigeons de pouvoir nous installer à Busk et Gliniany, localités situées au centre de la *gens* des vrai-croyants, où nous chercherons des moyens dignes d'obtenir de la nourriture par le commerce ou autre travail manuel pour autant qu'il n'offense pas Dieu. Nous n'envisageons guère qu'un des nôtres prenne une auberge pour gagner son pain en favorisant dans son troquet l'ivrognerie et l'exténuation du sang chrétien comme en étaient coutumiers les talmudistes.»

En outre, ils posent aussi comme condition de pouvoir continuer à vivre dans leur communauté après leur baptême, de ne pas couper leurs papillotes, de respecter le Shabbat mais aussi le Jour du Seigneur, et de garder leurs prénoms juifs à côté de leurs nouveaux prénoms chrétiens, de ne pas manger de porc, de se marier uniquement entre eux et de conserver leurs saints livres, principalement le Zohar.

Comment aurais-je pu montrer cette lettre au Primat? Qui plus est, ils ont fait imprimer des copies de la supplique et l'ont traduite en de nombreuses langues. Je référai donc l'affaire dans les grandes lignes à Monseigneur sans lui lire la missive, ce sur quoi il me donna sa réponse, que je tiens pour définitive: «Qu'importe de les écouter. La disputation, c'est entendu, mais sitôt après aura lieu le baptême. Sans condition. Après le baptême, on verra comment ils vivent, quels chrétiens ils sont. Qu'ils ne tardent plus. »

Il serait bon, Madame, si vous le pouviez, dans la mesure où vous êtes dans la proximité d'Iwanie, de mettre en garde Jakób, pour qu'en autorisant pareils brusques retournements il ne compromette pas la chance qui lui est ici offerte ainsi qu'à ses gens, et il serait bon de lui faire quelque réprimande.

Il me faut encore vous inviter à vous méfier de Mgr Sołtyk. Le bruit court qu'il aurait fait des dettes phénoménales au point de se trouver en position délicate et vulnérable à diverses influences. Pour ces raisons, il est enclin à accepter les présents, ce qui est commun en Pologne. La *Respublica* tient par les petits cadeaux, tout un chacun en offre à quiconque dont il souhaite la protection, l'aide et le soutien. Vous êtes, Madame, la mieux placée pour le savoir. Les épis qui montent le plus haut sont les moins farineux. Il en est de même des hommes qui s'élèvent au-dessus des autres par vanité et fierté, ce sont des têtes vides, dotées de peu d'esprit, de mérite ou d'habileté. Aussi dois-je vous avertir que les intentions de Mgr Sołtyk sont tressées de divers rubans, certains magnifiques de pureté, d'autres souillés par la boue et pourris. Il m'a été rapporté qu'à Varsovie il avait rencontré notre banquier royal…

Katarzyna Kossakowska
à Antoni Moliwda-Kossakowski

… ne me dites pas de mal de notre bon Mgr Kajetan car il est dévoué à la cause présente. Je sais qu'il mène de nombreuses affaires simultanément, tel un joueur finaud, et je n'ai pas à lui témoigner de sympathie particulière, mais il serait dangereux de lui dévoiler que nos esprits sont supérieurs au sien, qu'il tient pour infaillible. Cueillons chez lui ce qu'il a de meilleur.

Il est un autre enthousiaste que je suis parvenue à nous rallier, Monsieur le Duc Jabłonowski, l'époux de ma chère Amie. Or, comme Monsieur le Duc est plus que méthodique, il imagina aussitôt une grande idée sociale, à savoir que sur ses domaines fût créé un petit État juif dont il serait le protecteur, et il s'est tant enflammé pour ce projet qu'il parcourt actuellement les demeures nobiliaires pour convaincre chacun. Pour ma part, ce projet me plairait s'il n'était que Monsieur Jabłonowski est d'un caractère chimérique et instable, quand semblable création réclamerait de nombreuses démarches et finasseries. Le Duc a lu que le Paraguay, un pays d'Amérique, aurait été fondé avec des sauvages pareillement miséreux, et cela le fascine tant qu'il ne cesse d'en parler depuis quelque temps. Je lui demande de quoi la noblesse y vit et le Duc me répond qu'il n'y a point de nobles et que tous les hommes y sont égaux en possession comme devant Dieu. Ce n'est donc pas pour moi !

Monsieur le Duc Jabłonowski est connu pour la haute opinion qu'il a de lui-même. Il marche d'un pas majestueux, le nez levé, le regard hautain, de sorte qu'il est fréquent de le voir trébucher. Sa chance est d'avoir l'épouse qu'il a, sage et raisonnable, et qui le traite comme un grand enfant dont elle daigne ignorer les caprices farfelus. J'ai personnellement vu chez lui un grand tableau représentant la Sainte Vierge devant laquelle il s'est fait peindre en train d'ôter son chapeau, mais la Mère de Dieu l'arrête en lui disant : « *Couvrez-vous, mon cousin**. »

Notre cause est désormais partagée par le prince Jerzy Marcin Lubomirski, qui accepte de prendre sur ses terres cent cinquante convertis et, paraît-il, de leur offrir l'hospitalité – étant connu pour sa grande générosité (d'aucuns diraient sa prodigalité). Il est devenu un grand défenseur de l'affaire, tout comme Mgr Załuski...

La croix et la danse dans l'abîme

L'après-midi de ce même jour de mars arrivent de Kamieniec une croix, présent de l'évêque, et une lettre d'invitation.

Jakób tient d'abord conseil avec Rabbi Mojsze, puis, assez bouleversé, ordonne que tous se réunissent au crépuscule dans la grande salle. Il y arrive le dernier, endimanché dans ses robes turques, avec son haut fez

---

* En français dans le texte. (*N.d.T.*)

sur la tête qui lui donne l'air encore plus grand. Les femmes se rangent en file et lui se place au centre avec la croix.

– Le monde est marqué du sceau de la croix, déclare Jakób.

Il pose d'abord la croix sur sa tête et reste longtemps silencieux. Ensuite, il se met à marcher dans la pièce, dans un sens puis dans l'autre, les femmes derrière lui. Les hommes, eux aussi, se rangent à la queue leu leu, et chacun appuie ses épaules contre le dos de celui qui le précède, pour suivre Jakób et les femmes en chantant. Après quoi, comme s'il avait repris ses esprits, Jakób se saisit de la croix par le ruban qui y est attaché et aussitôt la lance d'un côté et de l'autre, de sorte que ses compagnons sont contraints de bondir en arrière pour l'éviter. Mais ils l'attrapent aussi au vol, d'instinct, car nul ne sait si cette croix est menaçante ou amicale, et à les voir la tenir un instant puis la rendre à Jakób, l'un après l'autre, cela rappelle un jeu. Finalement, Rabbi Mojsze, qui se tient immédiatement derrière Jakób, les regroupe tous et leur dit de se prendre par le bras, de se soutenir. Jakób se met alors à psalmodier de sa voix puissante une prière connue : «*Forsa damus para verti, seihut grandi asser verti.*» Tous répètent à sa suite, y compris ceux qui prennent ces paroles pour un sortilège qui, à n'en pas douter, les protègera du mal. Et ils dansent ainsi cramponnés les uns aux autres, de plus en plus vite, jusqu'à ce que le déplacement d'air éteigne toutes les lampes. Il n'en reste qu'une, accrochée en hauteur, dont la lumière n'éclaire plus que le sommet de leur tête. On dirait qu'ils dansent au fond d'un abîme ténébreux.

20

Ce que voit Ienta sous la voûte de la cathédrale de Lwów le 17 juillet de l'an 1759

Le billet ne coûte guère, à peine six groszy polonais, il n'est pas un obstacle à l'entrée de la populace dans la cathédrale de Lwów. Le bâtiment est gigantesque, mais tous les curieux ne pourront pas y trouver place. Tous ceux qui campent dans le faubourg de Halicz l'auraient pourtant souhaité, notamment ces masses de sabbasectateurs et de Juifs miséreux, mais aussi les Juifs locaux, les petits commerçants, les vendeuses à la sauvette et les jeunes. Néanmoins, il en reste aussi beaucoup qui ne possèdent pas même ces six groszy et les auraient-ils trouvés par quelque miracle qu'ils auraient préféré les dépenser pour s'acheter du pain.

Autour de la cathédrale, l'ordre est maintenu par la garnison de Lwów. Grâce à la décision judicieuse du père administrateur général concernant les billets, il y a de la place à l'intérieur et les bourgeois de la ville sont en train de s'y installer, alors que s'y trouvent déjà des nobles venus spécialement de plus loin, comme Szymon Łabęcki, le staroste de Rohatyn, avec son épouse Pelagia Potocka, auprès desquels est assis Benedykt Chmielowski, curé de Firlej et doyen de Rohatyn, et plus loin Stanisław Kossakowski, le palatin de Kamieniec, avec son épouse Katarzyna Potocka, et bien d'autres personnalités importantes de la région.

Il y a également beaucoup de Juifs – un spectacle peu habituel dans une église catholique – et des jeunes de toutes origines venus par pure curiosité juvénile.

À l'avant, aux premiers rangs, sont assis des théologiens de divers ordres, mais aussi des prêtres et des dignitaires de l'Église. Derrière eux s'installe le bas clergé. Dans les bancs placés sur deux rangées au centre, en demi-cercle, il y a à droite les antitalmudistes, un petit groupe d'environ dix personnes, car les autres, à les en croire, n'auraient pas pu pas venir d'Iwanie par manque de chariots. Iehuda Krysa et Salomon sont debout devant les autres. Le visage vif de Krysa barré par sa cicatrice attire les regards. Salomon, grand, svelte, en manteau de prix, inspire le respect. Face à eux, les talmudistes sont en tout point semblables les uns aux autres avec leurs barbes et leurs amples vêtements de couleur noire. Asher, qui se tient debout à proximité de l'entrée, remarque qu'ils sont d'une génération plus âgés que leurs adversaires. Ils ont déjà désigné trois personnes pour la disputation du jour : Nutka, rabbin de Bohorodczany, Rapaport, rabbin de Lwów, et Dawid, rabbin de Stanisławów. Asher se hisse sur la pointe des pieds pour chercher du regard Jakób Frank. Il voudrait enfin l'apercevoir, mais il ne voit personne qui pourrait lui correspondre.

Au centre, sur une estrade, est installé l'administrateur de Lwów en personne, le père Gaudenty Pikulski – nerveux et dégoulinant de sueur dans sa soutane d'un magnifique violet –, mais aussi les dignitaires de la Couronne et, parmi eux, le prince *fidei commissum* Zamoyski, les margraves Wielopolski, Lanckoroński et Ostroróg, tous en élégants *kontusz*, ces sur-manteaux à plis retenus par une ceinture turque, avec de larges manches ouvertes jusqu'aux coudes et rejetées dans le dos pour laisser voir les *żupan* en soie de couleurs vives eux aussi.

Ienta les regarde du sommet de la voûte, elle voit une mer de têtes, de petits crânes, de chapeaux, de bonnets et de turbans. Cela lui rappelle une poussée de champignons, de ces armilles qui apparaissent en colonies et se ressemblent toutes, mais aussi de girolles aux chapeaux fantaisie, de bolets solitaires, ancrés en terre par leur pied puissant. Ienta effectue ensuite un mouvement rapide et son regard descend vers un christ à demi nu sur une croix, elle emprunte alors les yeux de ce visage en bois pour observer l'assemblée.

Elle voit des hommes s'efforçant de garder leur sérieux et leur calme alors qu'il est manifeste qu'ils sont loin d'être sereins. Sauf peut-être celui qui se trouve au centre, celui aux vêtements les plus hauts en couleur : il pense à une femme qui est restée dans son lit, ou plus exactement au corps de celle-ci, très précisément à un endroit odorant et humide de son corps. Les deux autres, à côté de lui, ont également la tête ailleurs, loin de la cathédrale. L'un est auprès de ses ruches. Les abeilles les ont quittées pour s'installer dans un tilleul : parviendra-t-il à récupérer l'essaim ? L'autre parcourt en pensée ses comptes, les colonnes se confondent et il ne cesse de reprendre par le début. Tous trois sont coiffés à la mode sarmate de chapkas décorées d'une grande pierre précieuse et d'une plume de paon. Les couleurs de leurs tenues rappellent celles des perroquets, elles sont joyeuses et sans doute est-ce à cause de cela que ces trois personnages plissent le front et froncent sévèrement le sourcil – pour contrebalancer par la sévérité de leurs visages les teintes exubérantes de leurs vêtements. Ces trois-là sont les plus augustes.

Sur la gauche, les jouteurs sont des lactaires, leurs coiffes rappellent ces champignons. Les lactaires prendraient bien la poudre d'escampette. Ils se trouvent là sous la menace d'une amende ou d'une peine de prison. D'emblée, ils ont perdu, leurs arguments ne seront ni compris ni même entendu jusqu'au bout. Ceux qui ont été placés à droite sont des armilles, leurs tenues misérables sont d'un gris marron sombre, ils restent entre eux, se serrent les uns aux autres, debout, et leur groupe ondoie. À chaque instant, l'un d'eux se fraie un passage pour sortir, puis il revient avec des documents à la main. Obstination et colère les animent, mais ils s'attendent à être les triomphateurs. Ils déplaisent à Ienta. Pourtant, parmi eux, elle reconnaît des parents, ce qui d'ailleurs n'a plus désormais grande importance. Si elle voulait s'interroger sur la question de sa parenté avec eux, elle verrait en effet qu'il y a partout des membres de sa famille, aussi bien ici que là-bas, à l'extérieur de la cathédrale et dans toute la ville et dans les petits villages qui ont poussé autour de la ville.

Après les paroles d'accueil et la lecture de la longue liste des titres, le maître d'œuvre de la disputation, le père Gaudenty Mikulski, prend la parole. Il parle avec une certaine nervosité, mais une citation de l'Évangile lui apporte un ancrage dans la mer de mots. Une fois soutenu par les Saintes Écritures, il se met à discourir avec assurance, sans accroc, voire avec inspiration. Il présente les antitalmudistes comme étant des moutons égarés qui, après une longue errance, retrouvent leur berger, lequel accepte de se pencher vers eux. Après cela s'avance Antoni Moliwda-Kossakowski, le noble porte-parole des antitalmudistes, ainsi que le présente le secrétaire. De taille élevée, avec un petit ventre légèrement proéminent, cet homme à la calvitie naissante, au regard bleu délavé, ne fait guère impression de prime abord, mais quand il commence à parler il retient l'attention de tous et le silence se fait. Sa voix est puissante, sonore, chaleureuse, et il la module si joliment qu'elle va droit au cœur des auditeurs. Ses paroles sont *belles*, quoique assez complexes, et comme il les prononce avec beaucoup de conviction les gens se fient davantage à leur mélodie qu'à leur sens. Moliwda s'adresse immédiatement à tous les Juifs qu'il appelle à se convertir. À la fin de chaque phrase, il laisse un temps pour qu'elle reste suspendue plus longtemps sous la voûte. Et, en effet, chacune d'elles plane, pareille à la bourre des peupliers, dans l'immense espace de la cathédrale.

– Ce ne sont ni l'esprit de vengeance, ni la colère, ni le désir de répondre au mal par le mal qui nous ont inspirés de nous présenter ici face à vous. Ce ne sont pas eux non plus qui nous ont fait supplier Dieu, le Créateur des cœurs raisonnables, d'être rassemblés en ce lieu. Nous ne sommes pas ici pour en appeler au jugement divin, au jugement juste, mais pour que les cœurs s'attendrissent et que la loi divine soit reconnue…

Tel est, tout au long, le discours de Moliwda : pathétique et élevé. La foule est émue, Ienta observe le mouvement répétitif des mouchoirs qui se portent aux yeux à chaque instant et elle connaît ces émotions. Parce que, en effet, ces antitalmudistes, ceux qui sont assis contre le mur, semblent si pitoyables et indigents face aux rabbins avec leurs longs manteaux et leurs coiffes de fourrure malgré l'été. On dirait des

enfants chassés de chez eux, des agneaux perdus, des voyageurs étrangers, fatigués et misérables qui frappent à la porte. Ils sont Juifs en
apparence, mais pourtant persécutés par leurs propres frères, maudits,
chassés de partout. Dans leur accablement, leurs âmes sombres, telles
des graines ayant germé dans une cave, cherchent d'instinct la lumière
et se tordent vers elle, les pauvres. Comment ne pas les accueillir au
sein de la chrétienté, la nôtre, la vaste communauté des catholiques ?

Ils ont l'air honnête, ce Jeruchim de Jezierzany, ce Iehuda de Nadworna
appelé Krysa, ce Mosze Dawidowicz de Podhajce. Ce sont eux qui vont
parler. Ensuite viennent Hirsz de Lanckoruń, le gendre d'Elisha Shorr,
l'époux de Haya, laquelle est debout près du mur, et enfin Elisha Shorr
de Rohatyn, accompagné de ses fils parmi lesquels Salomon est celui qui
se remarque le plus avec ses cheveux frisés et son manteau de couleur
vive. Plus loin, ce sont Nussen Aronowicz Lwowczyk, qui est vêtu à la
turque, et Szyla de Lanckoruń, ils constituent une sorte de secrétariat.
Devant eux, les papiers s'empilent, il y a un encrier et toute sorte de
matériel d'écriture. Tout au fond, à une table séparée sont assis Nahman
de Busk et Moliwda, les traducteurs. Nahman est habillé à la turque,
couleurs foncées et simplicité. Menu, il se frotte les mains avec nervosité.
Moliwda, lui, transpire dans son élégant habit sombre.

Derrière eux s'entasse et sue la foule bigarrée des épouses, sœurs,
mères et frères intimidés.

Du côté gauche, les bancs des talmudistes ne sont pas aussi chargés.
Un peu plus d'une dizaine de rabbins y sont installés. Vénérables et
dignes, aux vêtements cossus, ils se distinguent difficilement les uns
des autres, si ce n'est peut-être par leurs barbes plus ou moins longues
ou fournies. L'œil de Ienta distingue pourtant le rabbin Rapaport de
Lwów, Mendel de Satanów, Lejba de Międzybóż et Berk de Jasło. Jos
Krzemieniecki, le rabbin de Mohylew, est assis au bord du banc et il se
balance d'avant en arrière les yeux fermés, l'esprit ailleurs.

Débute la lecture, point par point, du manifeste imprimé pour la circonstance. Quand arrive la discussion de la première thèse, l'assemblée
comprend immédiatement qu'elle sera privée de ce qu'elle attendait. Des
complexités apparaissent, il est en outre difficile d'écouter les discours

des rabbins parce qu'il faut les traduire, cela dure d'autant plus que l'interprète est de piètre qualité. Rapaport est le seul à se risquer à parler polonais, mais le résultat est d'un effet déplorable, car l'accent chantant qui lui vient du yiddish le rend cocasse, un peu comme s'il vendait des œufs au marché : il en perd toute autorité. L'assemblée se met à marmonner, à s'agiter, pas seulement ceux qui sont debout dans la cathédrale, mais aussi les nobles qui occupent les bancs, se chuchotent à l'oreille ou laissent planer leur regard dans les voûtes d'où Ienta les observe.

Après quelques heures, le père Mikulski décide d'ajourner les débats et de reporter au lendemain la discussion sur le fait de savoir si le Messie est déjà venu, comme le croient les chrétiens, ou s'il doit encore venir, comme le voudraient les Juifs.

Le bonheur familial d'Asher

Quand Asher rentre chez lui, il fait déjà nuit.

– Et alors? Il était là? Il s'est montré? lui demande Gitla dès la porte sur un ton apparemment indifférent, un peu comme si elle s'inquiétait du ramoneur qui devait venir nettoyer le poêle.

Asher sait que Jakób est en quelque sorte toujours présent dans son foyer, même si Gitla n'en parle quasiment jamais. Et ce n'est pas juste à cause de l'enfant, son fils, Samuel. Jakób Frank est pareil à la petite plante qui végète dans la cuisine, sur l'appui de la fenêtre, et que Gitla arrose toujours. Asher pense que c'est ce que font les personnes abandonnées. Jusqu'à ce qu'un jour la plante se dessèche.

Il jette un œil dans la pièce où, sur un tapis usé, le petit Samuel joue. Gitla est enceinte, c'est pourquoi elle est aussi nerveuse. Elle ne voulait pas de cette grossesse, mais il lui était difficile de s'en protéger. Elle avait lu quelque part qu'en France l'on faisait des capuchons en boyau de mouton pour *cuirasser la pique* masculine, la semence restait alors dans le fourreau et la femme n'enfantait pas. Elle aimerait en avoir et les distribuer à toutes les femmes au marché hebdomadaire afin qu'elles couchent avec leurs maris sans plus tomber enceinte. Le malheur vient de cette multiplication débridée, de cette reproduction pareille à celle des vers dans la viande putride, répète-t-elle souvent en déambulant dans la maison avec son ventre rebondi, ce qui est à la fois cocasse et triste. Les gens sont trop nombreux, les villes sont puantes et sales, l'eau pure manque, répète-t-elle. Une grimace de dégoût tord son joli visage. Et ces femmes éternellement enflées, éternellement enceinte, en train d'accoucher ou d'allaiter! Il n'y aurait pas tant de malheur chez les Juifs si les Juives n'étaient pas si souvent enceintes. À quoi bon tous ces enfants?

Quand elle parle, Gitla gesticule, ses cheveux noirs et denses, coupés à hauteur de ses épaules, s'agitent également très fort. Chez elle, elle ne se couvre pas la tête. Asher la regarde avec amour. Il se dit que, s'il arrivait quelque chose à Gitla ou à Samuel, il en mourrait.

– Est-ce à cette fin que le corps de la femme livre ses meilleures substances, répète-t-elle fréquemment, pour créer en lui un être nouveau? Après quoi celui-ci meurt et tout s'avère avoir été inutile! C'est très mal conçu! À coup sûr, il n'y a là-dessous aucune intelligence, ni pratique ni d'aucune autre sorte!

Asher Rubine aime Gitla, aussi l'écoute-t-il attentivement et cherche à la comprendre. Peu à peu, il partage son point de vue. Il a décidé que le jour où elle est apparue dans sa vie est à commémorer comme une grande fête personnelle. Chaque année, il la célèbre en silence, seul avec lui-même.

Il s'installe dans le divan, Samuel joue à ses pieds avec deux roues reliées par un axe que son papa a fabriquées pour lui. Sur le ventre déjà imposant de Gitla, un livre est posé, n'est-ce pas trop lourd? Asher s'avance pour le prendre et le mettre de côté, mais Gitla le repose aussitôt sur elle.

– J'ai vu des connaissances de Rohatyn, dit Asher.

– Ils ont tous dû vieillir, répond Gitla en regardant par la fenêtre ouverte.

– Ils étaient tous accablés. Cela finira mal. Quand te mettras-tu à sortir normalement de la maison?

– Je ne sais pas, dit Gitla. Quand j'aurai accouché.

– Toute cette disputation n'est pas pour le public. Ils rivalisent de connaissances. Ils lisent des pages entières dans les livres, après quoi ils les traduisent, cela s'éternise et tout le monde s'ennuie. Personne ne comprend.

Gitla repose son livre sur le divan pour s'étirer le dos.

– Je mangerais bien des noix, dit-elle – et aussitôt après elle saisit le visage d'Asher entre ses deux paumes pour le regarder droit dans les yeux. Asher… commence-t-elle à dire – mais elle ne termine pas.

Le septième point de la disputation

Nous sommes le lundi 10 septembre 1759 ou encore le 18 du mois d'Ellul de l'an juif 5519. Les gens arrivent lentement, ils s'attardent encore devant la cathédrale, ce sera de nouveau la canicule. Les paysans vendent des petites quetsches sucrées de Hongrie et des noix de Valachie. Il est également possible d'acheter de la pastèque découpée en quartiers posés sur de grandes feuilles.

Les orateurs de la disputation entrent par une porte latérale pour prendre leurs places, mais il y a davantage de monde aujourd'hui parce que les antitalmudistes sont à leur tour venus en grand nombre – telles les abeilles autour de leur reine – pour entourer leur Frank qui a enfin daigné se montrer. Se présentent aussi les rabbins des communes juives environnantes, ainsi que des sages juifs éminents et Rabbi Rapaport en personne, voûté et comme toujours vêtu de son long manteau dans lequel il aura certainement trop chaud. Parallèlement, on laisse pénétrer dans la cathédrale les curieux, ceux qui ont acquis des billets, mais pour eux aussi la place manque bientôt. Les retardataires restent donc sous le porche et n'entendent pas grand-chose de ce qui se passe à l'intérieur.

À quatorze heures, Gaudenty Mikulski, le père administrateur, ouvre la réunion en appelant les antitalmudistes à apporter les preuves de leur septième thèse. Il est nerveux, il étale devant lui ses documents et l'on voit que ses mains tremblent. Il jette un œil sur le texte, commence à parler. Au début, c'est assez laborieux, il bégaie, se répète, mais ensuite il se lance :

— L'utilisation de sang chrétien est attestée parmi la populace talmudiste non seulement dans le Royaume de Pologne, mais également dans les pays étrangers. Nombreuses sont les affaires survenues, tant ailleurs qu'ici en Pologne et en Lituanie, au cours desquelles les talmudistes versèrent cruellement le sang chrétien innocent et furent condamnés à mort par décret pour ces actes impies. Néanmoins, ils niaient toujours avec entêtement, ils voulaient s'innocenter aux yeux du monde en clamant que les chrétiens les accusaient à tort.

La tension brise sa voix, il doit boire une gorgée d'eau avant de poursuivre :

— Nous, nous prenons pourtant Dieu à témoin, Lui qui voit tout et qui viendra juger les vivants et les morts, pour porter à la connaissance du monde le forfait de ces talmudistes. Nous ne le faisons ni par colère ni par vengeance, mais par amour pour la sainte foi, et, aujourd'hui nous jugerons cette affaire.

Parcourue par un murmure, la foule dense ondoie. Krysa traduit en hébreu les paroles du prêtre et, cette fois, le groupe des rabbins s'agite. L'un d'eux, apparemment le rabbin de Satanów, se lève pour insulter ses adversaires, mais il est retenu et calmé par les siens.

Désormais, le protocole veut que Krysa s'exprime, puis que Moliwda le traduise en lisant une feuille et en expliquant, mais rien n'est clair.

— Le livre de lois appelé *Orah hayim meginey eretz**, ce qui veut dire «Règles de vie ou Chemin des Vivants, Défenseurs de la terre», dont l'auteur est le rabbin Dawid, dit : *Mitsva lehazer ahar yayin adom zekher la-dam*, ce qui signifie : «C'est un commandement que de chercher du vin rouge, souvenir du sang.» Sitôt après, ce même auteur ajoute : *Od remez zekher la-dam Paro' be-choḥato et beney Israel*, qui veut dire : «Je fais ici un clin d'œil au souvenir du sang, parce que Pharaon mettait à mort les enfants mâles des Hébreux.» Plus bas, on trouve la phrase : *Ve-ha-yehudim nimne'ou milekah yayin adom mipney alilot chekurim*, autrement dit : «Les

---

* Commentaire du *Choulhan 'Aroukh* de Yossef Karo (1564) par Yechaya ben Yehouda, écrit à Berlin au XVIIIᵉ siècle. *(N.d.T.)*

Juifs se sont abstenus de prendre du vin rouge à cause des accusations mensongères des calomniateurs. »

Le rabbin de Satanów se lève de nouveau pour dire quelque chose d'une voix irritée, mais personne ne le traduit et donc les gens ne l'écoutent guère. Le père Mikulski le fait taire :

– Le temps de la défense viendra. Là, il faut écouter les arguments de l'autre parti.

Maintenant Krysa, traduit par Moliwda, cherche à prouver d'une façon tortueuse que le Talmud exige du sang chrétien parce que les rabbins traduisent les paroles *yayin adom* par « vin rouge », tandis qu'avec l'écriture hébraïque les mêmes lettres – *aleph, daleth, vav, mem* – servent à écrire le mot *adom*, et donc « rouge », comme le mot *adym*, et donc « chrétien ». Les deux mots diffèrent seulement par la présence ou non de deux petits points sous la première lettre, *aleph*, points que l'on nomme séguiel et koumets, qui font que l'on peut lire soit *adom*, soit *adym*.

– Par ailleurs, il faut savoir, poursuit Krysa – et Moliwda le traduit magnifiquement –, que le livre *Orah hayim meginey eretz*, où l'injonction est donnée aux rabbins de chercher du vin rouge pour la Pâque, livre ces deux mots sans aucunement marquer la lettre *aleph*, ce qui crée une ambiguïté de sens. Les rabbins peuvent donc les expliquer au peuple comme *yayin adom*, autrement dit « vin rouge », et les comprendre eux comme *yayin adym*, et donc « sang chrétien », le vin n'étant alors qu'une allégorie du sang.

Lorsque Moliwda prononce ces derniers mots en polonais, il serait difficile de dire s'il traduit ou s'il improvise un commentaire. Ses yeux sont fixés sur les feuilles de papier, il a perdu son éloquence et son charme.

– Qu'est-ce que vous faites ? lance quelqu'un dans la foule – en polonais d'abord, avant de le répéter en yiddish : Qu'est-ce que vous faites ?

Krysa poursuit à propos du « vin rouge » qui serait le « souvenir du sang ».

– Que les talmudistes nous disent de quel sang se souvenir ! s'écrie Krysa en pointant le doigt vers les rabbins assis en face de lui. Et pourquoi ce «clin d'œil»? Qu'est-ce que c'est que ce clignement? À quelle fin? leur hurle-t-il – et son visage devient cramoisi.

Un silence sépulcral tombe sur la cathédrale. Krysa reprend son souffle et dit tout bas avec satisfaction :

– Manifestement, il fallait que le secret soit gardé par les rabbins tandis que le peuple devait comprendre que cela voulait juste dire «vin rouge».

À présent, c'est Mosze de Podhajce qui, poussé par ses compagnons, se lève. Ses mains tremblent.

– Pour les fêtes de Pâque, la Pessah, une cérémonie talmudique a été inventée, à laquelle tous sont contraints de participer. Le premier soir, un verre de vin est placé sur la table et chaque commensal y trempe son petit doigt de la main droite, après quoi il fait tomber à terre les gouttes de vin en énumérant les dix plaies d'Égypte : 1. *dam*, le sang ; 2. *tzefarde'a*, les grenouilles ; 3. *kinim*, les poux ; 4. *a'rov*, les bêtes féroces ; 5. *dever*, la peste ; 6. *shehin*, les furoncles ; 7. *barad*, la grêle ; 8. *arbeh*, les sauterelles ; 9. *hochekh*, les ténèbres ; 10. *makath bekhorot*, la mort des premiers-nés. Cette cérémonie est décrite dans un livre dont l'auteur, le rabbin Juda, désigne ces plaies par trois mots hébreux : *detsakh, 'adach, be-ahav*, qui se composent des premières lettres de chacun des dix mots. Les rabbins laissent entendre aux gens simples que ces lettres ne désignent que les dix plaies. Nous, en revanche, nous avons découvert un secret dans ces premiers mots – Krysa montre de nouveau du doigt les rabbins –, un secret que ceux-là gardent pour eux et dissimulent au peuple. Nous, nous pouvons montrer que, si l'on glisse d'autres termes sous ces lettres initiales, autre chose apparaît : *Dam tserukhin kilouni al dèrekh sheyeâssu be-otho ich hakhamim byrushalyim*, ce qui veut dire : «Le sang est nécessaire à tous de la manière dont les sages en usèrent avec cet homme à Jérusalem.»

Le silence tombe, les gens se regardent, il est clair qu'il est impossible de comprendre quoi que ce soit. Des murmures montent, des commentaires se font à mi-voix. Certaines personnes, les plus impatientes et les plus déçues, sortent à grand bruit pour respirer un peu, car, en dépit de la forte chaleur, l'air est meilleur au-dehors que dans l'église. Mosze de Podhajce, que rien ne rebute, poursuit :

– Je vous dirai encore que dans le livre *Orah hayim*, au point 460 sur la cuisson du *Matsot* pour la première nuit de la Pessah, il est écrit: *Eyn leshon Mitsvat matsa vay-lo oyssin otho alyedey akum ve-lo alyedey herech, choté ve-qatan*, ce qui veut dire: «Il ne convient pas de pétrir la *Matsot* de la *Mitzvah* ou de la faire cuire devant un non-juif, ou un sourd, ou un idiot, ou un enfant.» Les autres jours, par contre, il est possible de pétrir la pâte devant tout un chacun comme il est écrit. Que les talmudistes nous disent pourquoi ce premier pain sans levain ne doit pas être pétri ou cuit devant un non-juif, un sourd, un idiot ou un enfant! Nous savons ce qu'ils répondront! Pour que la pâte ne se corrompe pas. Nous leur demanderons alors pourquoi elle devrait se corrompre? Ils répondront parce que ces gens-là la feraient fermenter. Comme s'il était impossible de protéger cette pâte! Et comment ces gens pourraient-ils la corrompre, cette pâte? La vérité est que du sang chrétien est ajouté au *Matsot* de la Pessah, et c'est pour cela qu'il ne doit pas y avoir de témoins tandis qu'on le pétrit.

Mosze se calme après avoir quasiment hurlé les derniers mots. Face à lui, le rabbin de Jasło se prend la tête entre les mains et commence à se balancer. Pinkas s'est d'abord agité en écoutant le discours de Mosze, puis le sang lui monte à la tête, il se lève et force le passage pour aller vers le devant, on l'attrape par les pans de son manteau et par les manches pour l'arrêter.

– Que fais-tu Mosze? crie Pinkas. Tu souilles ton propre nid! Mosze, nous nous connaissons, nous avons fréquenté la même yeshivah! Mosze, ressaisis-toi!

Déjà les soldats de la garnison s'avancent avec des airs martiaux vers le secrétaire du rabbin Rapaport et celui-ci recule. Mosze se conduit comme s'il n'avait rien vu. Il poursuit:

– Il reste un troisième point. Dans l'Ancien Testament, le sang, tant celui du bétail que celui des oiseaux, est strictement interdit, et les Juifs ne sauraient l'utiliser ni pour manger ni pour boire. Pourtant, le livre du Rambam, tome deux, chapitre six, dit: *Dam ha-adom eynn ḥayavin alav*, ce qui signifie que tout sang nous est interdit, mais que, lorsqu'il s'agit de sang humain, c'est autorisé. Dans le livre *Massekhet Ketoubot*, chapitre soixante, il est écrit: «Le sang de ceux qui marchent sur deux jambes est pur.» Qu'ils nous disent à qui est ce sang pur? Ce n'est pas celui des oiseaux pour le moins! Il y a un grand nombre de tels passages, à la formulation dépourvue de clarté, et ceci uniquement pour cacher l'intention véritable. Nous avons découvert la vérité. Pour la suite, avec les fréquents meurtres d'enfants innocents, on peut aisément la deviner.

Quand Mosze en termine, un grand chahut emplit la cathédrale; et comme le crépuscule tombe, le père Mikulski clôture la session et demande aux rabbins de préparer leur réponse pour dans trois jours. Il appelle toutes les personnes présentes à rester calme. La garde arrive, mais les gens se dispersent à peu près tranquillement. Ce que nul ne sait, c'est quand et comment tous les rabbins quittent la cathédrale.

Un signe secret du doigt et un autre de l'œil

Le 13 septembre de l'an 1759, autrement dit le 21 du mois d'Eloul de l'an juif, devant une foule de curieux pareillement dense, le rabbin de Lwów, Chaim Kohen Rapaport, se lève pour parler au nom de ses coreligionnaires et, dans sa longue dissertation, il qualifie l'ensemble des accusations d'actes de méchanceté, de vengeance et d'agression caractérisée. Il affirme que tous les reproches sont sans fondement et contraires aux lois de la nature.

De grosses gouttes martèlent le toit de la cathédrale: enfin, la pluie tant attendue.

Rapaport parle en polonais, lentement et avec application comme s'il avait appris son texte par cœur. Pour conforter ses dires, il se réfère aux Saintes Écritures et aux opinions sur les Juifs exprimées par Huig de Groot et les savants chrétiens. D'une voix basse et très calme, il assure que le Talmud ne préconise rien de mal pour les chrétiens. Il termine par un effet de manche où il en appelle à la grâce et à la protection du père administrateur Gaudenty Mikulski, afin que ce dernier daigne entendre, du plus profond de sa sagesse, les accusations des antitalmudistes à propos du sang chrétien comme étant de leur part une manœuvre hargneuse et chargée de mauvaises intentions.

Maintenant son secrétaire lui tend un tas de feuillets et Rapaport se met à lire en hébreu. Après un certain nombre de phrases, Białowolski donne lecture de la traduction polonaise. Il est dit, pour ce qui est de la question du vin rouge, que le Talmud enjoint aux Juifs de boire à la Pessah quatre doses de vin et que, dans les Saintes Écritures, le vin rouge est considéré comme étant le meilleur, et c'est donc lui qu'il faut utiliser. Pour le cas où le vin blanc serait meilleur, il est autorisé de boire du blanc. Cela se pratique en souvenir de ce sang des enfants d'Israël que fit couler Pharaon ; et si les Saintes Écritures ne le stipulent pas précisément, la tradition n'en est pas moins attestée. Cela se fait également en souvenir de l'agneau immolé en Égypte pour la Pâque. Son sang répandu sur la porte signalait à l'ange de la mort les maisons des Hébreux pour qu'il en épargne les premiers-nés. Le terme «clin d'œil» ne se trouve nullement dans le Talmud et, manifestement, les antitalmudistes ont mal appris l'hébreu. Tout aussi déplorable s'avère le rapprochement des termes *adom* et *adym*, ce dernier ne désignant pas un chrétien mais un Égyptien.

Le commentaire selon lequel les trois mots *dejcah*, *ejdash* et *bejhav*, formés des lettres initiales des dix plaies, devraient signifier ce qu'indiquent les antitalmudistes est sans fondement. Ces termes furent uniquement composés pour faciliter la mémorisation des dix plaies, et non pour désigner le sang chrétien. Cela s'appelle la mnémotechnique, autrement dit la science pour mieux retenir.

Le *Matsot* cuit pour Pessah est surveillé afin qu'il ne fermente pas par inadvertance, car les Saintes Écritures interdisent de consommer du pain levé. Quant au livre *Orah hayim*, il n'interdit pas de pétrir devant l'étranger, le sourd, l'idiot ou le gentil, mais de faire pétrir et cuire la pâte par l'étranger, le sourd, l'idiot ou le gentil. Ainsi, une fois de plus, les antitalmudistes explicitent mal ce passage du Talmud et ils sont dans le faux quand ils disent qu'il en est ainsi à cause du sang chrétien. Pour ce qui est de l'assertion selon laquelle le livre du Rambam «autorise à consommer le sang de l'homme », elle est erronée car cet ouvrage affirme le contraire et les antitalmudistes auraient grand besoin de prendre des cours d'hébreu.

Comme la cathédrale se retrouve plongée dans une grande obscurité, à peine troublée par la lumière des bougies, le père Mikulski ordonne d'interrompre les débats et repousse la séance au cours de laquelle le verdict tombera.

Katarzyna Kossakowska
écrit à Mgr Kajetan Sołtyk

… Mon flair, qui rarement se trompe, me dit que Votre Excellence se détacherait de notre affaire pour en avoir actuellement de plus importantes en sa nouvelle capitale épiscopale. Pour ma part, je me crois obstinée et je me permettrai d'incommoder Votre Excellence avec cette cause précieuse à mon cœur. S'entrelacent en moi des affects maternels, tant nos puritains me rappellent des orphelins, et d'autres paternels, parce que je mesure le bien qui découlerait de l'abandon de leur foi erronée pour passer sous les ailes de notre Église polonaise !

Tout comme au préalable nos puritains, les rabbins déposèrent également par écrit leur défense devant le consistoire. Sur les personnes présentes, elle ne fit pas aussi grande impression que les accusations. On la trouva très faible, dépourvue de sens correct et ne fournissant nulle réponse appropriée. On attira surtout l'attention sur le fait que les rabbins défendaient le Talmud soit par des citations prises dans les Saintes Écritures, soit par des dénégations catégoriques. Finalement, il en alla de petites choses comme par exemple de savoir si un certain rabbin Dawid avait fait secrètement un clin d'œil ou un signe du doigt dans son Talmud, ou encore pourquoi les talmudistes devaient consommer du vin rouge. Peu importe. Personne n'écoutait.

La vérité est que, nous tous réunis là-bas, nous nous étions déjà fait une opinion. Aussi avons-nous accueilli avec une immense satisfaction le verdict. Le père administrateur Gaudenty Mikulski annonça à l'assemblée que, pour ce qui était des six premières thèses, les talmudistes étaient considérés comme convaincus et battus par nos puritains. Pour ce qui était de la septième thèse, celle touchant au sang chrétien, sur le conseil écrit du nonce apostolique Niccolò Serra, le consistoire se la réservait pour un examen plus attentif et n'avait pas pris de décision définitive. J'estime que cela est juste. L'affaire en soi était délicate, les passions trop grandes, et donc la sentence du pouvoir religieux établissant la justesse des accusations de nos protégés, et par là même l'exactitude de suspicions séculaires, pouvait avoir les pires conséquences pour les Juifs. Malgré un certain désappointement du public à ce propos, tout le monde prit connaissance du verdict et rentra chez soi.

J'informe donc Votre Excellence que la question du baptême est réglée et que la date a d'ores et déjà été fixée pour celui de Jakób Frank, ce qui m'a grandement réjouie.

Qu'a-t-il à nous offrir ? Énormément ! Il dit – et je le sais par mon cousin, Moliwda-Kossakowski – que, s'il avait de bonnes conditions de vie dans notre *Respublica*, il serait suivi dans sa conversion par une vingtaine de milliers d'individus de Pologne et de Lituanie, mais aussi de Valachie, de Moldavie, de Hongrie, voire de Turquie. Par ailleurs, il argumente avec sagesse que tout ce peuple ignorant de nos usages polonais ne saurait être éparpillé, parce que alors, tels les moutons que l'on sépare du reste du troupeau, il dépérirait et disparaîtrait, aussi doit-il être installé en communauté.

Moi, je supplie Votre Grandeur à genoux de préparer le terrain à ces baptêmes dans la capitale et de soutenir notre cause de Son autorité.

Quant à moi, ici, sur place, je veillerai au soutien des notables et des habitants de Lwów. Il s'agit d'appuis financiers ou matériels quels qu'ils soient pour cette énorme masse de miséreux juifs qui campent dans les rues. J'assure Votre Excellence que cela rappelle les cohortes de Tsiganes et qu'à plus longue échéance la ville ne pourra supporter ces campements de rues. Malheureusement, outre le manque de nourriture, il est des nécessités physiologiques de loin moins agréables, et ceci devient lentement un problème. Il est déjà difficile de traverser le faubourg de Halicz sans se couvrir le nez, la canicule est de nouveau là, ce qui rend ces relents encore plus déplaisants. Quoique ces sabbasectateurs semblent très bien organisés, je me demande s'il ne faudrait pas leur attribuer un endroit où séjourner hors de la ville, question pour laquelle je m'en remets à Vous, Monseigneur, ainsi qu'à Son Excellence Mgr Załuski, et je fais porter une lettre en ce sens à notre Primat. Pour ma part, je songe à céder temporairement mon manoir de Wojsławice à la famille Frank et à ses proches collaborateurs, tant qu'il ne se trouvera pas un lieu définitif pour eux. Il faudrait néanmoins en réparer le toit et y aménager quelques agréments...

Les soucis du père Chmielowski

L'année de la comète est pour le père Benedykt celle des ennuis. Il pensait trouver refuge pour ses vieux jours dans sa cure, entouré de roses trémières et de cressonnette – elle soulage ses articulations –, et là lui viennent des bouleversements, des tumultes. S'ajoutent à cela ce fuyard et l'animosité de Roszko à son égard. Le doyen garde chez lui le paysan en fuite, celui à l'affreux visage, et il n'a nulle intention de le livrer aux autorités. Il le devrait, pourtant. Cet homme est bon, doux et tellement malheureux qu'à sa vue seule le cœur du prêtre se serre et le contraint à réfléchir sérieusement à la miséricorde et à la bonté divine. Roszko, quant à lui, est cassant avec le fuyard et Benedykt Chmielowski craint qu'il ne bavarde. Il sait que son serviteur est jaloux, aussi a-t-il dû être plus aimable avec lui et le payer un grosz de plus que jusque-là, mais Roszko n'en reste pas moins renfrogné. Alors qu'il passe quelques jours à Lwów, il s'inquiète de ce que les deux hommes ne se sautent à la gorge. Il ne fait pourtant aucune allusion à cela dans sa lettre à Mme Drużbacka, alors qu'elle, si elle était sur place, lui conseillerait peut-être quelque chose d'intelligent. Ses lettres à Elżbieta Drużbacka, écrites de temps à autre, lui apportent beaucoup de plaisir, car il a l'impression qu'enfin quelqu'un l'*écoute*, et ceci non pas en des matières savantes mais humaines. Parfois, il les compose dans sa tête pendant des journées, comme en ce moment alors qu'il est assis, tout à fait somnolent, à la messe du matin chez les bernardins. Au lieu de prier, il songe à ce qu'il pourrait écrire. Peut-être :

… Mon affaire avec Monsieur Jabłonowski va se retrouver en justice. Je serai mon propre défenseur et c'est pourquoi je rédige actuellement ma plaidoirie dans laquelle je m'efforcerai de prouver que les livres et le savoir qu'ils contiennent sont à tout le monde. Ils n'appartiennent à personne, mais, de même que le ciel, l'air, le parfum des fleurs ou la beauté de l'arc-en-ciel, ils sont le bien de tous. Peut-on voler à quelqu'un le savoir qu'il tient lui-même d'autres livres ?

Maintenant qu'il se trouve à Lwów, le père Benedykt est tombé en pleine disputation. L'évêque est occupé, toute la ville est en alerte, personne n'est en mesure de prêter l'oreille aux affaires de l'auteur de *La Nouvelle Athènes*. Il est donc descendu chez les bernardins, il se rend aux débats, prend des notes qu'il reporte petit à petit dans sa lettre pour Mme Drużbacka.

… Vous me demandez, Madame, si je l'ai vu de mes propres yeux, je vous demanderai pour ma part aimablement si vous réussiriez à rester debout ou même assise à une place autant de temps que je l'ai fait. Soyez assurée que ces débats étaient ennuyeux et tous ne s'intéressaient qu'à une chose : est-ce que les Juifs ont besoin de sang chrétien ?

Le père Gaudenty Pikulski, bernardin savant du couvent de Lwów, professeur de théologie et homme rompu à la langue hébraïque, a accompli un grand travail. Avec le père Awedyk, il consigna toute la disputation de Lwów, à laquelle il ajouta le savoir que nous avons aujourd'hui par les livres et diverses sources. Ce bernardin instruit disséqua en détail, avec une érudition manifeste, la question du meurtre rituel.

Soutenant pleinement l'accusation de ces antitalmudistes, il s'efforça de conforter leurs preuves par des arguments nouveaux empruntés notamment au manuscrit d'un certain Serafinowicz, rabbin de Breść Litewski, qui se fit baptiser à Żółkwia en 1710 et, après un aveu public de meurtre rituel accompli personnellement par deux fois en Lituanie, qui décrivit les vilenies et sacrilèges que les Juifs perpètrent au long de l'année en suivant l'ordre de leurs fêtes. Ces secrets des talmudistes, dévoilés par ce même

Serafinowicz, étaient déjà déposés à l'imprimerie, mais les Juifs les rachetèrent et les brûlèrent. Les sacrifices d'enfants chrétiens et la collecte de leur sang commencèrent une vingtaine d'années après la mort du Christ, pour la raison que je vous livre ici, ma Bonne Amie, par une citation des pères Pikulski et Awedyk, afin que vous ne pensiez pas que j'invente :

« Quand, après l'éclosion de la sainte foi chrétienne, les chrétiens s'opposèrent aux Juifs et les agonirent, les Juifs tinrent conseil sur le moyen d'adoucir les chrétiens pour rendre leurs cœurs plus miséricordieux envers eux. Ils se rendirent alors auprès du rabbin de Jérusalem, le plus âgé, qui avait pour nom Rawasze. Ce dernier essaya de tous les procédés naturels et contraires à la nature pour modérer l'acharnement intense contre les Juifs. N'y parvenant pas, il finit par recourir au livre de Rambam, le plus célèbre des sages juifs. Dans cet ouvrage, il trouva qu'aucune chose nocive ne peut être endiguée si ce n'est par l'application sympathique d'une autre chose de cette nature, ce que le rabbin susnommé expliqua aux Juifs, leur disant que la flamme de l'acharnement chrétien contre eux ne pourrait être éteinte que par le sang versé de ces mêmes chrétiens. À dater de ce temps, ils capturèrent les enfants chrétiens pour les assassiner cruellement afin que, par leur sang, les chrétiens soient rendus cléments et miséricordieux à leur égard, et ils s'en firent une loi, comme le décrit clairement et longuement le Talmud, dans leur livre *Zivhey lev*, "Les Sacrifices du cœur". »

Moi, cette affaire m'a profondément bouleversé, et, si je n'avais pas lu ces sources écrites *de mes propres yeux*, mon esprit se refuserait à agréer cette vérité. Tout serait paraît-il consigné dans leurs livres, mais tandis que chez eux l'on écrit d'ordinaire avec des points, autrement dit des accents, qui sont au nombre de neuf dans la langue hébraïque comme l'affirme le père Pikulski, les talmuds sont en revanche imprimés sans points. Eh bien, à cause de cela, le Talmud comporte beaucoup de termes polysémiques que les rabbins comprennent mais expliquent différemment aux gens du commun quand il leur faut garder un secret.

Cela m'effraie plus que vous ne l'imaginez, ma bonne Amie. Je vais m'en retourner à mon village de Firlej avec un grand effroi, parce que, si des choses pareilles arrivent dans le monde, comment pouvons-nous y faire face avec notre esprit ? Les livres savants ne peuvent tout de même pas mentir !

Qui pourrait, en ces circonstances, donner foi aux talmudistes ? ne cessé-je de me demander. Si ceux-ci avaient l'habitude de mentir dans les choses banales pour tromper les catholiques, alors jusqu'où pouvaient-ils aller dans une question aussi essentielle ? Ce besoin de sang chrétien serait un grand secret chez les rabbins eux-mêmes. Chez les simples Juifs dénués d'instruction, il y a incertitude, mais pourtant l'affaire est certaine puisque tant de fois prouvée par des témoignages et sévèrement punie par décret...

Pinkas ne comprend pas quel péché il aurait commis

Il a pourtant respecté tous les commandements, accompli de bonnes actions, prié plus que d'autres. Qu'a bien pu faire également le rabbin Rapaport, un saint qui est le bien personnifié ? Et qu'ont donc fait tous les Juifs de Podolie pour que s'abatte sur eux un malheur pareil avec tous ces renégats ?

Quoique grisonnant, Pinkas n'est pas encore vieux. En cet instant, il reste assis à sa table, la chemise débraillée, voûté, sans pouvoir lire, alors qu'il voudrait fuir entre les rangées de signes qui créent des associations familières – mais il n'y parvient pas, son esprit rebondit sur les lettres saintes comme un ballon !

Son épouse entre avec une chandelle, elle est déjà prête à se coucher, elle porte une chemise qui descend jusqu'à terre et un foulard blanc sur la tête. Soucieuse, elle regarde son mari, puis s'assied à ses côtés et colle la joue sur son épaule. Pinkas sent son corps délicat, fragile, et il se met à pleurer.

Les rabbins ont ordonné de rester chez soi, de fermer les volets et de tirer les rideaux pour le temps de la présence des impies à Lwów. S'il est impossible de différer, s'il faut absolument sortir, en ce cas il convient d'éviter de croiser leurs regards. Il n'est pas permis que les yeux de ce Frank, de ce chien bâtard, rencontrent ceux d'un Juif honnête. Le regard doit être rivé à terre, au ras des murs, du caniveau, pour qu'il ne file pas par inadvertance vers le haut, vers les visages démoniaques de ces pécheurs.

Demain, Pinkas se rend en délégation à Varsovie, chez le nonce apostolique. À cette fin, il regroupe les derniers documents. Cette disputation corrompt les esprits, elle pousse à la haine, elle suscite des troubles. Le septième point accuse les Juifs d'utiliser du sang chrétien, alors que ceux-ci possèdent un écrit du pape lui-même qui affirme que pareilles accusations doivent être reléguées aux oubliettes. La secte de ce Frank accomplit des rites mystérieux qu'il serait aisé d'imputer à tous les Juifs pour les accabler. Le rabbin Rapaport déclare très justement: «Ils ne sont plus des Juifs et nous ne sommes plus astreints en rien à nous conduire envers eux comme envers des Juifs. Ils sont comme cette populace bigarrée, cette foule abâtardie qui rejoignit les enfants de Moïse alors qu'ils fuyaient l'Égypte, des corniauds et des prostituées, des freluquets et des voleurs, des types suspects et des fous. Voilà ce qu'ils sont!»

Rapaport soutiendra cela à Konstantynów, où doivent se réunir tous les rabbins du territoire polonais, parce qu'il n'y a plus d'autre manière de se libérer de ces impies que de les pousser à se convertir au christianisme, et donc payer de sa personne pour que ces chiens se fassent baptiser. Beaucoup d'argent est déjà collecté à cette fin et diverses pressions sont exercées pour hâter réellement au plus vite le baptême de ces apostats. En dépit de la chandelle qui charbonne, Pinkas s'efforce d'additionner les sommes répertoriées dans un tableau pareil à ceux dressés dans les boutiques. Le nom et le titre à gauche, le montant du don à droite.

Soudain, des coups à la porte se font entendre et Pinkas pâlit. Il se dit: ça commence! Des yeux, il ordonne à sa femme de s'enfermer dans la chambre à coucher. L'un de leurs jumeaux se met à pleurer. Pinkas s'approche de l'entrée pour écouter, son cœur bat à tout rompre, sa bouche est sèche. Il entend d'abord un grattement d'ongles, puis une voix :

– Ouvrez mon oncle.

– Qui est-ce ? demande-t-il en chuchotant.

La voix répond :

– C'est moi, Lejbko.

– Quel Lejbko ?

– Eh bien, Lejbko, le fils de Natan, de Glinna. Votre neveu.

– Tu es seul ?

– Seul.

Pinkas ouvre lentement la porte, le jeune homme se glisse à l'intérieur par l'étroit entrebâillement. Pinkas le regarde avec incrédulité, puis, soulagé, il le serre contre lui. Lejbko est grand, costaud, bien bâti, et son oncle lui arrive à peine aux épaules. Il le prend par la taille et ils restent ainsi un moment jusqu'à ce que Lejbko se racle la gorge, embarrassé.

– J'ai vu Gitla, dit-il.

Pinkas le lâche et recule.

– J'ai vu Gitla ce matin. Elle aidait ce médecin à soigner les malades dans le faubourg de Halicz.

Pinkas porte ses mains à son cœur.

– Ici, à Lwów ?

– C'est bien cela, à Lwów.

Pinkas conduit son neveu dans la cuisine pour le faire asseoir à table. Il lui verse de la vodka et en boit un verre lui aussi, mais, peu habitué à l'alcool, il s'ébroue avec dégoût. Il sort du fromage. Lejbko raconte :

– Tous ceux qui sont arrivés à Lwów se sont installés dans les rues, ils ont avec eux des petits enfants, ceux-ci tombent malades. Cet Asher, le mire juif de Rohatyn, les soigne, et les autorités de la ville l'ont sans doute engagé pour cela.

Lejbko a de grands beaux yeux d'une couleur rare, une sorte de céladon. Il sourit à son oncle soucieux. Par la porte entrouverte, la femme de Pinkas en chemise de nuit jette un œil.

– Et il faut que vous le sachiez, mon oncle, Gitla a un enfant.

La marée humaine
qui inonde les rues de Lwów

Les charrettes sont tellement pleines, tellement chargées, que des passagers doivent descendre quand elles ont à gravir la moindre pente. Les pieds soulèvent de la poussière, car septembre est sec, caniculaire, l'herbe qui borde les routes est roussie par le soleil. La plupart des gens arrivent pourtant à pied, ils se reposent toutes les quelques lieues à l'ombre des noyers, où les adultes comme les enfants cherchent dans les feuilles sèches les noix grosses comme la moitié du poing.

Aux croisements tels que celui-ci, les pèlerins qui arrivent de diverses directions se mêlent et se saluent chaleureusement. La plupart d'entre eux sont des miséreux, des petits colporteurs ou artisans, de ceux qui gagnent de leurs mains le pain de leur famille, comme camelots, ferblantiers, rémouleurs ou ravaudeurs. Les hommes, voûtés sous le poids de l'éventaire qu'ils transportent de l'aube au couchant, dépenaillés, couverts de poussière et fatigués, échangent des nouvelles et s'offrent mutuellement leur nourriture très simple. Il n'est besoin que d'eau et d'un morceau de pain pour tenir jusqu'au grand événement. Pour qui raisonne ainsi, peu de choses manquent. Il n'est pas même nécessaire de manger tous les jours. À quoi bon les peignes, les cruches en terre, les couteaux aiguisés, alors que le monde est sur le point de changer. Tout sera différent, même si nul ne sait en quoi. C'est de cela que tous parlent.

Les chariots sont chargés de femmes et d'enfants. Des berceaux ont été attachés aux charrettes et, durant les arrêts, on les suspend à un arbre pour y déposer avec soulagement les nourrissons, tant les bras sont engourdis de les porter. Les enfants plus grands, pieds nus, visage sale, abrutis par la chaleur, somnolent dans les jupes de leurs mères, sur un coussin de paille recouvert d'une toile sale.

Dans certains villages, d'autres Juifs viennent à leur rencontre pour leur cracher aux pieds et les enfants de toute veine, la polonaise, la ruthène ou la juive, crient derrière eux:

– Traîne-savates! Trinité! Trinité!

Le soir venu, ils ne demandent pas à être hébergés mais s'installent au bord de l'eau, à l'orée des cultures, sous un mur chauffé par la canicule du jour. Les femmes accrochent les berceaux, étendent les langes, allument le feu, tandis que les hommes vont au village chercher de la nourriture, non sans ramasser en chemin les pommes ou les prunes tombées à terre, gorgées de soleil, qui attirent par leur chair suave, relâchée, les guêpes et les bourdons.

Ienta voit le ciel s'ouvrir au-dessus d'eux en rêve, leur sommeil est étrangement léger. Tout est sacré et semble prêt pour le Shabbat, spécialement lavé et repassé. Comme si, désormais, il fallait marcher droit et poser les pieds avec attention. Peut-être que Celui qui les regarde se secouera enfin de Son engourdissement, qui se prolonge depuis des milliers d'années? Or, sous le regard de Dieu, tout devient singulier et signifiant. Ainsi, par exemple, les enfants trouvent une croix en métal enfoncée dans un arbre si profondément qu'il est impossible de la retirer de l'écorce ayant poussé autour d'elle. Les nuages prennent des formes inhabituelles, celles d'animaux bibliques sans doute, peut-être de ces lions que personne n'a jamais vus nulle part et dont nul ne sait à quoi ils ressemblent. Ou encore apparaît la nuée qui ressemble à ce poisson qui avala Jonas, elle vogue maintenant à l'horizon. Quelqu'un a même vu sur un petit cumulus, à côté, Jonas lui-même, déjà recraché par la baleine, tordu comme un trognon. Parfois, c'est l'arche bleue de Noé qui les accompagne. Immense, elle glisse au firmament, et Noé s'y active pour nourrir pendant cent cinquante jours ses animaux. Regardez! Regardez sur le toit de l'arche, qui est-ce? Un hôte malvenu, le géant Og, qui, lorsque les eaux du Déluge arrivèrent, s'accrocha à l'arche.

Ils disent: «Nous ne mourrons pas. Le baptême nous sauvera de la mort. Mais ce sera comment? Est-ce que nous cesserons de vieillir? Est-ce que nous nous arrêterons à un âge donné pour rester ainsi à jamais? Il paraît que chacun de nous aura trente ans. Les vieux s'en réjouissent, les jeunes en sont effrayés. On dit que c'est le meilleur âge, celui où la santé, la sagesse et l'expérience s'entrelacent en harmonie pour s'équilibrer.» Mais comment ça, ne pas mourir? Avoir beaucoup de temps pour tout, amasser plein d'argent, bâtir sa maison, voyager un peu ici et là, parce qu'il n'est tout même pas possible de passer toute l'éternité au même endroit.

Jusque-là, tout se dégradait, le monde n'était fait que de carences, il manquait ceci, il n'y avait pas de cela. Pourquoi était-ce ainsi? Ne pourrait-il y avoir toute chose en abondance, avec de la chaleur, de la nourriture, un toit au-dessus de la tête de chacun, et qui plus est de la beauté? Qui cela gênerait-il? Pourquoi ce monde défaillant a-t-il été créé? Rien n'est pérenne, tout disparaît avant qu'il ait été possible de bien le regarder. Pourquoi en est-il ainsi, ne pourrait-il y avoir plus de temps, plus de réflexion?

Ce n'est que lorsque nous serons dignes d'être de nouveau créés que du Bon Vrai Dieu nous recevrons une nouvelle âme pleine et entière. L'homme sera alors éternel comme Dieu.

Les Majorkowicz

Voici Srol Majorkowicz et son épouse Bejla. Bejla est assise dans un tombereau avec sa benjamine Sima sur les genoux. Elle somnole, sa tête retombe régulièrement sur sa poitrine. Elle semble malade. Des rougeurs marquent ses joues émaciées, elle tousse. Des mèches grisonnantes s'échappent de son foulard en lin de couleur indéfinie dont les pointes s'effilochent. Ses filles plus âgées marchent derrière la charrette avec leur père. Elia a sept ans, elle est aussi mince et menue que sa mère. Ses cheveux sombres tressés en nattes, elle les a attachés avec un bout de tissu, une guenille, et elle va pieds nus. À côté d'elle, Freïna, treize ans, promet de devenir une belle jeune femme. Elle est grande, elle a des cheveux clairs bouclés et des yeux noirs, elle donne la main à sa sœur Masia, d'un an sa cadette, qui boite parce qu'elle est née avec une hanche luxée. Peut-être est-ce pour cela qu'elle n'a pas grandi. Elle a le teint bistre, comme embrumé, un peu comme si la fumée de leur modeste hutte de Busk l'avait imprégné; elle sortait rarement de chez eux, honteuse de son infirmité. Les gens disent néanmoins que de toutes les demoiselles Majorkowicz, celle-là est la plus intelligente. Elle refuse de dormir dans le même lit que ses sœurs ; chaque soir, elle déplie son humble couchage à même le sol, un petit matelas de paille. Elle se couvre d'un édredon que son père avait cousu avec des chutes en des temps meilleurs.

Srol tient par la main Miriam, la pipelette qui a onze ans, sa préférée. Elle n'arrête pas, mais ce qu'elle dit est intelligent. Il déplore sincèrement qu'elle ne soit pas née garçon, parce que alors elle serait devenue rabbin, à coup sûr.

Derrière eux tous marche Estera, elle est l'aînée et, d'ores et déjà, elle a endossé les obligations de leur mère. Pas très grande, maigre, au beau visage menu de belette, elle est renfermée. Elle était la promise d'un gars de Jezierzany, Srol avait déjà versé l'argent de la dot difficilement mis de côté par ces temps de misère. Il y a quatre ans, hélas, le promis est mort du typhus et son père n'a pas rendu l'argent. Srol est en procès avec lui. Il se fait du souci pour Estera, sans dot désormais. Qui pourrait bien vouloir d'elle qui vient d'une famille aussi indigente ? Ce sera miracle si Srol Majorkowicz trouve un mari pour ses filles. Il a quarante-deux ans, mais l'allure d'un vieillard au visage fripé, buriné, avec des yeux sombres, caverneux, dans lesquels une ombre s'est glissée, et une barbe emmêlée, négligée. Le Dieu des Juifs lui est contraire à l'évidence, sinon pourquoi n'aurait-il eu que des filles ? Quels péchés a-t-il commis pour n'avoir que des filles ? Y aurait-il un ancêtre oublié dont il devrait racheter les fautes ? Srol est persuadé que ce Dieu n'est pas celui qu'il faudrait. Qu'il y en a un autre, le vrai, qui est meilleur que ce gestionnaire et régisseur de la Terre. Le vrai Dieu peut être prié par l'intermédiaire de Kohn avec des chants ou en faisant confiance à Jakób.

Avec les siens, Srol était à Iwanie depuis avril. S'il n'y avait eu les braves gens de ce village, sa famille serait sans doute morte de faim. Iwanie leur a sauvé la vie, Bejla se sent mieux maintenant et elle ne tousse plus autant. Srol croit fermement que, lorsqu'ils se seront fait baptiser, les choses iront aussi bien pour eux que pour les chrétiens. Ils recevront un lopin de terre, Bejla aura des légumes dans son potager, et lui, Srol, tissera des kilims parce que cela il sait bien le faire. Pour ses vieux jours, ses filles, qu'il aura mariées, le prendront chez elles. Srol n'a pas d'autres rêves.

Nahman et son habit de bonnes actions

Alors que Nahman prononce un discours à la cathédrale de Lwów, sa toute jeune épouse Wajgełe met au monde une fillette à Iwanie. L'enfant est grande et en bonne santé, Nahman est soulagé. De son premier mariage, il a déjà un fils, Aronek, qui est resté à Busk avec Léa, laquelle ne s'est toujours pas remariée. On dit d'elle que son âme se serait enténébrée, que son cœur serait troublé. Nahman a ainsi deux enfants et, en un sens, il peut dire qu'il a accompli son devoir. Il considère la naissance de sa fille comme un signe majeur, une approbation divine qu'ils sont sur la bonne voie. Désormais, Nahman n'a plus besoin d'avoir commerce avec les femmes.

Ce soir pourtant, tandis qu'ils quittent la cathédrale où le septième point de la disputation était débattu, l'enthousiasme qui l'animait ces derniers jours disparaît. Ce n'était pas tant de l'enthousiasme, d'ailleurs, qu'une ténacité pleine d'espoir. Une joyeuse opiniâtreté. L'excitation du commerçant qui prend des risques pour gagner une fortune, du joueur qui mise tout sur une seule carte. Nahman était étrangement excité, il transpirait au cours des joutes, et là il sent émaner de lui une odeur de musc comme s'il s'était battu, comme s'il avait affronté quelqu'un. Il voudrait rester seul, mais ils sont en groupe. Jakób est descendu chez Łabęcki et c'est là qu'ils vont. Ils commandent beaucoup de vodka et du poisson séché en accompagnement. C'est pourquoi, ce soir-là, Nahman ne note que quelques phrases :

Au cours de la vie terrestre, avec leurs bonnes actions, les âmes se tissent un *Mitsvot*, un habit à porter après leur mort dans le monde supérieur. Les tenues des hommes mauvais sont pleines de trous.

J'imagine souvent à quoi ressemblera la mienne. Beaucoup de gens y pensent aussi et ils se voient certainement mieux que s'ils se regardaient à travers les yeux de quelqu'un d'autre. Ils imaginent un vêtement propre et décent, et peut-être beau en sus, autrement dit harmonieux.

Or, moi, je sais déjà que, reflété par les miroirs célestes, je ne me plairai pas.

Sitôt après, Jakób entre dans sa chambre avec entrain comme à son habitude pour l'emmener chez lui. Ils vont faire la fête.

Quand commencent les baptêmes, Nahman envoie chercher Wajgełe et sa fillette. Il les attend à la porte de la ville, regarde dans chaque chariot qui arrive jusqu'à ce qu'il les trouve : avec Wajgełe, il y a sa mère et sa sœur. L'enfant est dans un panier, un lange léger la couvre. Nahman retire rapidement celui-ci du visage du bébé dans la crainte que la fillette ne s'étouffe. Elle a une petite tête fripée et tient ses poings fermés près de sa bouche. Ils sont de la taille d'une noix. Wajgełe, le rose aux joues, gorgée de lait, contente, pose un regard triomphant sur son mari. Jamais encore Nahman ne l'avait vue ainsi.

Le caractère luxueux de la chambre de Nahman échappe à la jeune mère. Elle étend les couches sur le dos sculpté des chaises. Ils dorment dans le grand lit, l'enfant entre eux, et Nahman sent que désormais tout ira dans la bonne direction, qu'il y a eu un renversement de situation. Que le septième point de la disputation était nécessaire, lui aussi. Il dit à Wajgełe :

– Ton nom sera Zofia.

Pour la fillette, il choisit Ryfka, diminutif de Rebecca, prénom de la mère du Jacob de la Bible. Ce sera son ancien prénom secret. Celui qu'elle recevra au baptême, ce sera Agnieszka. Nahman inscrit Wajgełe au cours de catéchisme avec les autres femmes, mais elle est tellement concentrée sur son enfant que rien d'autre ne l'intéresse. C'est tout juste si elle sait faire le signe de la croix.

Les comptes du père Mikulski et la foire aux prénoms chrétiens

La charge de l'entretien des nouveaux arrivants qui campent dans les rues de Lwów est revenue au père Mikulski. Il dépense trente-cinq ducats par semaine pour eux. Heureusement que c'est sa nièce, une femme à peine plus jeune que lui, organisée et vive d'esprit, qui gère d'une main de fer les dépenses de sa cour et celles qu'occasionnent les néophytes, ainsi qu'il s'efforce de les appeler pour éviter le terme d'apostats. Au marché tout le monde la connaît. Quand elle commande de la nourriture fraîche, personne n'ose marchander avec elle. La ville, de son côté, fait également ce qu'elle peut et des particuliers apportent aussi leur aide. On peut voir des paysans partager ce qui pousse dans leur potager. Voilà que ce fermier avec sa casquette carrée surmontée d'une plume, sa cape brune, est arrivé avec une pleine charrette de pommes vertes qu'il distribue maintenant directement dans les tabliers des femmes et les bonnets des hommes. Quelqu'un est venu avec un tombereau de pastèques et plusieurs paniers de concombres. Les couvents féminins reçoivent des femmes avec leurs filles, elles leur assurent le vivre et le couvert. Pour les religieuses, c'est un grand défi, les petites sœurs ne mesurent pas leurs efforts, même s'il en est qui crachent sur ces Juives. Les monastères masculins nourrissent plusieurs dizaines d'hommes. Ils offrent généralement de la soupe de pois avec du pain.

Juste avant le baptême, une sorte de foire aux prénoms chrétiens se crée à Lwów, le plus coté est *Marianna*. Il est adopté en l'honneur de Maria-Anna Brühl, l'épouse du Premier ministre du roi, qui soutient généreusement les antitalmudistes. Il se dit aussi que ce prénom est particulièrement astucieux, parce que en soi il renvoie à Marie, la mère du Christ, et à Anne, sa grand-mère. En outre, il a de belles sonorités, celles d'une comptine pour enfants: Maria-Anna, Marianna... Aussi un grand nombre de jeunes filles et de jeunes femmes veulent-elles devenir Marianna.

Les filles de Srol Majorkowicz de Busk se sont déjà réparti leurs prénoms. Sima devient Wiktoria, Elia Salomea, Freïna Róża, Masia Tekla et

Miriam Maria. Estera met longtemps à s'en choisir un ; pour finir, elle se résigne à prendre le premier venu. Ce sera Teresa.

Ainsi se constitue quelque chose comme deux versions de la même personne. Chacun a désormais son sosie au prénom différent, chacun est double. Srol Majorkowicz, fils de Majork et Masia de Korolówka, devient Mikołaj Piotrowski. Sa femme Bejla sera Barbara Piotrowska.

On sait déjà que certains baptisés recevront les noms de leur parrain. Mosze de Podhajce, qui connaît bien dame Pelagia Łabęcka et qui a fait diverses affaires avec son mari, aura droit au nom de celui-ci. Et comme ce rabbin intelligent et vigoureux ne manque ni d'imagination ni de toupet, et qu'il connaît mieux que personne la Kabbale, il comprend la force qu'ont les noms et les prénoms. Il s'octroie celui de l'apôtre Thomas le Sceptique. Il s'appellera Tomasz Podhajecki-Łabęcki. Dawid et Salomon, ses deux fils adolescents, deviennent Józef Bonawentura et Kazimierz Szymon Łabęcki.

Tous les nobles n'ont pourtant pas le même enthousiasme à l'idée de donner leur nom. Monsieur Dzieduszycki, par exemple, n'est pas aussi enclin que monsieur Łabęcki à galvauder le sien. Il sera le parrain du vieux Hirsz, le Reb Sabbataï de Lanckoruń, et de son épouse, Haya Shorr. Les cheveux de cette dernière ont blanchi. De sous son bonnet sortent des boucles grises, son visage est pâle, terni, mais son exceptionnelle beauté persiste. Est-ce que cet aristocrate prétentieux, vêtu d'un habit anglais comme personne n'en a encore jamais vu en Podolie et dans lequel il a l'air d'un héron, sait qu'il parraine une prophétesse ?

– Prenez-vous donc quelque chose de simple, de facile, au lieu de vous empêtrer avec mon nom. Puisque vous êtes roux, dit Dzieduszycki à Hirsz, choisissez Roudnicki, cela sonne pas mal, non ? Ou encore, puisque vous êtes de Lanckoruń, ce peut-être Lanckoruński ! On dirait le nom d'un prince.

Haya et son mari hésitent entre devenir les Roudnicki ou les Lanckoruński et, en fait, cela leur est indifférent. Aucun de deux noms ne semble être pour le vieux Hirsz, tel qu'il est là, debout dans son vêtement marron, avec son bonnet en fourrure qu'il ne retire pas même l'été, sa longue barbe et cette espèce d'ombre sur le visage. Il n'est pas très heureux.

À la bourse des prénoms, Franciszek est bien noté, un homme baptisé sur trois le prend. On dit que c'est en l'honneur de Franciszek Rzewuski, qui accepta d'être le parrain de Jakób Frank lui-même et fut généreux en monnaie sonnante et trébuchante. Ce n'est pourtant pas exact. Comme le découvrirent les prêtres chargés des baptêmes et le toujours suspicieux père Gaudenty Mikulski, la vraie raison de la popularité de ce prénom, celui du bienheureux d'Assise, tenait à ce que «Franciszek» ressemble à «Frank», le nom du chef des antitalmudistes.

Dans le faubourg de Halicz, c'est vendredi soir. Le soleil, qui se couche encore tard, inonde les toitures des maisons d'une couleur orangée et les gens assis par petits groupes commencent à ressentir un malaise. Il se fait un étrange silence, un silence gêné. La foule encore bruyante dans la demi-heure précédente autour des brasiers de la veille, entre les paniers et les couettes entassés sur les méchantes carrioles en rotin auxquels quelques chèvres étaient attachées, se tait. L'atmosphère se densifie. Tout le monde a le regard fixé au sol, les doigts jouent nerveusement avec les franges des châles.

Un homme entonne le *Chema Israël*, mais ses compagnons le font aussitôt taire.

La reine du Shabbat passe au-dessus de leurs têtes sans même les frôler pour se rendre directement au quartier juif situé de l'autre côté de la ville de Lwów.

Ce qui arrive au père Benedykt Chmielowski à Lwów

– Est-ce que vous me reconnaissez, monsieur le curé? demande un jeune homme au père Chmielowski qui vient juste d'arriver à Lwów.

Le prêtre le dévisage attentivement, ne le reconnaît guère; non, il ne le reconnaît pas, mais a la désagréable impression d'avoir déjà rencontré ce garçon. Oh la la, sa mémoire lui donne du souci! Qui cela peut-il bien être? Il a le nom sur le bout de la langue, mais la barbe et les vêtements juifs le perturbent.

– J'ai traduit pour vous quand vous êtes venu chez les Shorr, il y a quelques années de ça.

Le curé de Firlej agite la tête – non, il ne se rappelle pas.

– Je suis Hryćko. De Rohatyn... dit le garçon avec un léger accent ruthène.

Tout à coup, le prêtre se souvient du jeune traducteur. Il ne comprend pourtant pas une chose.

– Comment se fait-il, mon enfant? dit-il, incrédule – il regarde ce visage au large sourire, une dent manque sur le devant, mais il y a aussi ces pantalons et cette cape. Jésus, Marie! Pourquoi es-tu habillé à la juive?

Hryćko détourne les yeux, il regarde les toits au loin, sans doute regrette-t-il d'avoir interpellé le prêtre dans un élan spontané. Il voudrait raconter tout ce qui s'est passé dans sa vie, mais, en même temps, il a peur.

– Tu es toujours chez les Shorr? l'interroge l'ecclésiastique.

– Oh, Shorr est un grand monsieur! Un savant. De l'argent, il en a... répond Hryćko – et il fait un geste de la main comme si la somme dépassait toute possibilité humaine d'être comptée. Qu'est-ce qu'il y a de bizarre là-dedans, monsieur le curé, vu que, pour mon frère et moi, il est comme notre père?

– Bonté divine! Que tu es bête! lance le prêtre non sans vérifier alentour, effrayé, si quelqu'un les observe. (Hé oui, toute la ville peut les voir.) Aurais-tu mangé du persil des marais? Il n'aurait pas dû vous accueillir, vous, des âmes chrétiennes, mais déclarer que vous étiez orphelins, et alors vous auriez rejoint les pupilles. Quand cela se saura!... Moi, cela ne devrait pas me regarder étant donné que vous êtes des orthodoxes, mais tout de même vous êtes des chrétiens!

– Oui, et on se serait retrouvés dans un asile d'église, répond Hryćko, fâché – et aussitôt il rive les yeux sur le prêtre. Mais monsieur le curé, vous n'allez pas parler de nous, n'est-ce pas? À quoi bon, hein? Nous, on est bien avec eux. Mon frère apprend à lire et à écrire. Il fait la cuisine avec les femmes. C'est un *fejgele*, ajoute-t-il avec un pouffement.

Le prêtre lève le sourcil, il ne comprend pas. Une jeune fille sort de la foule pour s'avancer vers Hryćko, mais elle voit qu'il parle avec un prêtre, aussi recule-t-elle effrayée. Elle est jeune, mince, dans une grossesse déjà avancée.

Indéniablement, une Juive.

– Jésus, Marie... Tu n'es pas juste un larbin des Juifs, mais aussi un mari? Sainte Mère de Dieu! Un péché pareil se paie de la vie! s'exclame-t-il.

Il ne sait plus que dire tant ces révélations le consternent. L'habile jeune homme tire profit de son ahurissement pour poursuivre à mi-voix, presque au creux de l'oreille:

– Nous, nous faisons commerce avec les Turcs maintenant, nous allons par le Dniestr en Moldavie et en Valachie. Les affaires ne vont pas trop mal... la vodka surtout. Même si, de l'autre côté du fleuve, le royaume du Turc est musulman, il y a tout de même beaucoup de chrétiens, ils nous achètent de la bonne vodka. D'ailleurs, dans leur livre *Al-Qur'an*, il est écrit qu'il est interdit de boire du vin. Du vin! Pas un mot sur la vodka, explique Hryćko.

– Et tu sais que c'est un péché mortel? Que tu sois juif... dit le père Benedykt qui reprend enfin ses esprits – puis, il se penche à l'oreille du garçon pour murmurer rapidement: Tu peux te retrouver devant le tribunal, fils.

Hryćko sourit et le prêtre a l'impression que c'est un sourire particulièrement idiot.

– Mais vous n'allez pas en parler, monsieur le curé, c'est comme à confesse.

– Jésus, Marie... répète le prêtre, tellement nerveux qu'il sent des picotements dans tout son visage.

– N'en parlez pas, monsieur le curé. À Rohatyn, j'ai toujours été chez les Shorr, depuis le déluge. Les gens ont oublié quoi et qu'est-ce. À quoi bon en parler? Maintenant, nous allons tous ensemble vers Jésus-Christ et la Sainte Demoiselle...

Brusquement, le père Benedykt Chmielowski se rappelle pourquoi il y a toutes ces foules et il comprend la situation paradoxale du garçon à la dent manquante. C'est qu'ils se font tous baptiser désormais! Hryćko aurait dû rester ce qu'il était, à sa place, et eux seraient venus à lui. Il tente de le dire maladroitement à son jeune interlocuteur, mais celui-ci lui répond mystérieusement:

– Ce n'est pas pareil.

Et il disparaît dans la foule.

Le père Benedykt Chmielowski a choisi un mauvais moment pour venir à Lwów régler ses affaires.

Des chariots pleins de Juifs arrivent de partout, des enfants chrétiens courent derrière eux en braillant, les habitants de Lwów s'arrêtent dans les rues pour regarder avec étonnement ce qui se passe. Il se fait bousculer par une bourgeoise qui, en guise d'explication et d'excuse, veut lui baiser la main, mais ne vise pas juste dans sa précipitation et ne fait que lui lancer en s'éloignant: «Ils vont baptiser les Juifs!», comme si c'était censé justifier son excitation et sa hâte.

– Les sabbasectateurs! lancent des voix isolées, mais elles s'emmêlent avec ce mot difficile qui, mis en branle, passe de bouche en bouche jusqu'à ce que ses rugosités s'adoucissent et se lissent.

Quelqu'un tente un «*sabchienkoviens*», mais cela ne prend pas non plus. Comment scander un mot pareil? Comment le crier? Il revient donc à travers la foule, plus lisse et plus simple, telle une pierre avec laquelle l'eau aurait joué pendant des années: «*Porcochiens, porcochiens!*» crie-t-on déjà de ce côté de la rue tandis que de l'autre l'on lance: «Traîne-savates!» Les hommes qui marchent au milieu de cette double haie d'insultes, parce que ces mots ont été forgés pour en être, semblent les entendre mais sans en comprendre le sens injurieux. Peut-être ne s'y retrouvent-ils pas dans ce polonais scandé.

Le père Benedykt n'arrive pas à s'ôter Hryćko de l'esprit, et sa mémoire vertigineuse, qui engrange tout ce qu'elle rencontre, tout ce que les yeux voient et les oreilles entendent, remonte au temps lointain, au début du siècle lorsque Radziwiłł – le magnat Karol Radziwiłł, si Benedykt se souvient bien – fit interdiction par décret aux Juifs d'employer des chrétiens. En outre, tous les couples mixtes furent à jamais proscrits. Cela fit qu'il y eut de grands scandales quand, en 1716 ou 1717 – Benedykt effectuait alors son noviciat chez les jésuites –, il s'avéra que deux chrétiennes avaient pris la religion des Juifs et s'étaient installées dans les quartiers juifs de la ville. L'une d'elles, déjà veuve, était la fille d'un certain Ochryd, pope de Witebsk, et, cela Benedykt s'en souvient parfaitement, elle défendait sa conversion avec un acharnement immense sans vouloir aucunement s'en repentir. L'autre était une jeune fille de Leżajsk qui était passée au judaïsme par amour et avait suivi son compagnon. Quand les deux malheureuses furent arrêtées, la plus âgée fut brûlée sur un bûcher et la plus jeune eut la tête tranchée à l'épée. Ainsi finirent ces malheureuses. Le prêtre se souvient que, pour les maris de ces femmes, la peine fut bien moins lourde. Chacun d'eux reçut cent coups de verge, dut payer les frais du procès et fut contraint à offrir de la cire et du suif aux églises. De nos jours, personne ne punirait plus cela de la peine de mort, songe le père Benedykt, mais le scandale serait grand. D'un autre côté, qui s'intéresserait à un orphelin comme ce Hryćko ? Pour l'immortalité de son âme, ne vaudrait-il pas mieux que quelqu'un le dénonce ? L'idée est abjecte et l'ecclésiastique la chasse aussitôt. Les comptes sont créditeurs : il en est un parti de l'autre côté, tandis que, sous peu, des centaines voire des milliers passeront de celui-ci.

Puisqu'il n'arrive pas à être reçu par l'évêque pour ses affaires, Benedykt Chmielowski aimerait profiter de son séjour à Lwów pour faire imprimer un peu de ses récits afin de les envoyer à ses amis, tout particulièrement à Mgr Załuski, et, bien sûr, à Mme Drużbacka, afin qu'ils évoquent aimablement son modeste nom. Il a réuni les plus intéressants, ainsi que quelques poèmes, dont l'un spécialement pour elle, mais cela le gêne de porter cela à l'imprimerie des jésuites où fut imprimée sa *Nouvelle Athènes*, il y a plusieurs années, aussi a-t-il choisi le petit atelier de Golczewski. Il se trouve justement devant sa modeste vitrine et fait semblant de lire les brochures exposées tout en réfléchissant à ce qu'il va dire une fois entré.

La foule cherche l'ombre sous les portails, il n'y a plus la moindre place, il fait très chaud, aussi le père Chmielowski recule-t-il jusqu'à la cour d'une maison à deux étages avec une façade sombre. Il s'assure que son sac est intact, que les documents qui attestent de son innocence s'y trouvent toujours. Il se rappelle que c'est aujourd'hui le 25 août 1759 : on célèbre la Saint-Louis, le roi de France, et c'était un roi qui aimait la paix. Benedykt commence à croire qu'en ce jour il parviendra à régler son propre problème en toute sérénité.

C'est alors que de la place du marché lui parvient un bruit pareil au soupir d'une foule. De son petit pas, soufflant péniblement, il sort au soleil et parvient presque à atteindre la rue. Il voit maintenant ce qui fascine les badauds : un carrosse tiré par six chevaux, chaque paire de robe différente, entouré de douze cavaliers richement vêtus à la turque, fait le tour de la place pour revenir vers le faubourg de Halicz où se sont installés les Juifs avec leurs chariots. Là-bas, le curé de Firlej remarque une tente turque, colorée, avec un toit à rayures, entourée de Juifs. Soudain, il sent que lui vient une véritable illumination quant à la manière de résoudre la question de Jan d'Okno, le paysan en fuite. Le vieux Shorr lui doit encore quelque chose pour les livres mis à l'abri dans ses celliers. Il quitte rapidement la foule excitée qui ondoie et, pour la première fois, il sourit à tous ceux qui le croisent.

À l'enseigne de l'imprimerie Paweł Józef Golczewski, typographe, ayant privilège de Son Altesse Royale

À Lwów, les bourgeoises arméniennes se distinguent des polonaises par la taille de leur coiffe. Les marchandes arméniennes en ont d'énormes qui encadrent le visage d'un plissé vert et cernent le front d'un ruban. Les

Polonaises portent des bonnets blancs, amidonnés et pas aussi grands. En revanche, elles attirent le regard par leur col, ou plus exactement leur collerette godronnée de sous laquelle émergent en sus deux ou trois rangs de perles de corail.

Katarzyna Deym, épouse du directeur de la poste royale de Lwów, porte également une coiffe polonaise et une fraise. Pas de collier pourtant, car elle est endeuillée. Elle traverse justement, à grand pas comme elle en a l'habitude, le faubourg de Halicz et ne cesse de s'étonner de cette foule immense de noir vêtue et qui marmonne dans sa langue, une langue étrangère. Des Juifs. Les femmes ont des enfants dans les bras ou accrochés à leurs jupes, les hommes amaigris discutent avec véhémence par petits groupes et la canicule commence à se déverser sur leurs têtes. Là où il reste encore un carré de sol libre, ils s'assoient à même l'herbe pour manger. Des bourgeoises distribuent de leurs paniers des miches de pain, des cornichons en saumure, des boules de fromage. Les mouches d'août, celles qui sont si insolentes, si acharnées, volettent au-dessus de tout cela, se posent sur la nourriture, cherchent le coin des yeux. Des gamins portent deux paniers de grosses noix.

Mme Deym regarde tout cela avec déplaisir, jusqu'au moment où sa servante Marta lui apporte la nouvelle que ce sont des Juifs qui sont venus se faire baptiser. Ce qui se passe alors, c'est comme si Katarzyna Deym retirait des lunettes qu'elle ignorait avoir jamais chaussées. Soudain, l'émotion s'empare d'elle : « Sainte Mère de Dieu ! ils viennent se faire baptiser ! Ceux qui annoncent la fin des temps sont dans le vrai ! On en est arrivé à ce que les plus grands ennemis de Jésus-Christ vont se faire baptiser ! Leur obstination pécheresse a faibli, ils ont compris qu'il n'y a pas de salut hors de la sainte Église, et maintenant, en enfants contrits, ils nous rejoignent. S'ils ont encore une allure différente, bizarre dans leurs capes, avec leurs barbes jusqu'à la taille, bientôt ils seront comme nous. »

Mme Deym observe une famille, rien que des filles ; une mère avec un nourrisson descend maladroitement d'un tombereau et le charretier la presse parce qu'il doit faire demi-tour pour aller chercher d'autres personnes dans les faubourgs. Le balluchon qu'elle avait sur le dos tombe, des chiffons délavés et un rang unique de perles, petites, d'un rouge assombri, s'en déversent. La femme les ramasse, honteuse, comme si elle venait juste de dévoiler aux yeux du monde ses secrets les plus intimes. Mme Deym la dépasse et voici qu'accourt soudain vers elle un petit garçon de six ou sept ans, il la regarde avec des yeux rieurs et, très content de lui, lui lance : « Béni soit Jésus-Christ ! » Mme Deym répond par automatisme : « Pour les siècles des siècles, amen. » Aussitôt, elle serre la main sur son cœur et des larmes lui viennent. Elle s'accroupit vers le garçonnet, lui saisit les poignets, et lui, petit chenapan, toujours tout sourire, il la regarde droit dans ses yeux humides.

– Comment t'appelles-tu ?

Le garçonnet répond dans un polonais un peu hésitant :

– Hilelek.

– Joli prénom.

– Après, je m'appelle Wojciech Majewski.

Mme Deym ne peut plus s'empêcher de pleurer.

– Tu mangerais un bretzel ?

– Oui, un bretzel.

Ensuite, dans l'atelier de feu son beau-frère, sous la magnifique enseigne en fer forgé, elle raconte l'incident à sa sœur, Mme Golczewska.

– … un petit Juif et il me dit « béni soit Jésus-Christ », tu as déjà vu des miracles pareils ?

Mme Deym, en proie à la plus grande émotion, a de nouveau des larmes qui lui montent aux yeux. Depuis la mort de son mari, elle pleure souvent, chaque jour, tout lui semble d'une tristesse insupportable et elle en veut au monde entier. Au-delà de ce chagrin, il y a de la colère qui se transforme étonnamment vite en apitoiement et, brusquement, Mme Deym, confrontée à l'immensité des malheurs du monde, lâche prise pour pleurer à tout bout de champ. Les deux sœurs sont veuves, mais Mme Golczewska le supporte mieux parce qu'elle a repris en main l'atelier typographique de son mari, une petite imprimerie en fait ; elle y réalise de modestes travaux sur commande et cherche à rivaliser avec l'imprimerie des jésuites. Occupée avec un prêtre, elle n'écoute sa sœur que d'une oreille.

– Regarde cela, ma chère, regarde! lui dit Mme Deym en lui tendant l'appel du Primat Łubieński – de mauvaise facture quant à l'impression, il faut l'avouer –, où ce dernier incite les nobles et les bourgeois à devenir les parrains des antitalmudistes.

– Antitalmudistes, répète-t-elle avec sérieux – et sa sœur ajoute: *Porcochiens.*

Le père Chlebowski s'entête à vouloir faire imprimer une vingtaine de pages de ses récits. Mme Golczewska ne veut pas le contrarier, mais cela lui coûtera cher parce qu'il ne veut que quelques exemplaires, aussi lui explique-t-elle qu'il vaudrait mieux en produire davantage, ce qui ferait baisser le coût par pièce. Le prêtre est embarrassé, il n'arrive pas à se décider, il explique qu'il s'agit juste d'un cadeau de fête et qu'il n'a pas besoin de beaucoup de copies. Ce n'est que pour une personne de toute façon.

– En ce cas, monsieur le curé, pourquoi ne l'écririez-vous pas à la main, de votre belle écriture? Avec une encre couleur amarante ou couleur or?

L'ecclésiastique déclare que seuls les caractères imprimés donnent du sérieux aux mots.

– La parole écrite à la main est *mâchonnée*; imprimée, elle parle fermement, avec netteté, explique-t-il.

Mme Golczewska, la typographe, l'abandonne à ses pensées pour se tourner de nouveau vers sa sœur.

Il ne doit pas y avoir deux sœurs aussi dissemblables dans toute la Podolie. Mme Deym est grande et bien en chair, elle a la peau claire et les yeux bleus. Mme Golczewska, quant à elle, est petite avec des cheveux sombres aux mèches grisonnantes qui s'échappent de sa coiffe, alors qu'elle n'a guère plus de la quarantaine. Mme Deym est plus riche, elle est donc convenablement vêtue d'une robe *salopka* à capuche et pèlerine densément plissée qui a nécessité sept toises de soie noire et qui repose sur de nombreux jupons amidonnés. Sur la *salopka,* elle a jeté une légère *jupka,* un gilet en toile sans manches, noire également, car après tout son veuvage est récent. Sa coiffe est blanche comme neige. Avec son tablier sali par l'encre d'imprimerie, Mme Golczewska, plus chétive, a l'air d'être la servante de sa sœur. Elles s'entendent pourtant parfaitement toutes les deux, sans même avoir à se parler. Elles lisent l'appel du Primat et se jettent de temps à autre un regard éloquent.

Mgr Łubieński écrit que chaque parrain doit doter son filleul d'un vêtement polonais adéquat, subvenir à son entretien jusqu'au baptême et tant que son protégé ne s'en retournera pas dans ses foyers, mais aussi veiller sur lui. Les deux sœurs se connaissent si bien, elles ont surmonté tant de difficultés ensemble qu'elles n'ont nul besoin de débattre longuement de cette affaire.

Après une longue hésitation, le prêtre se décide enfin pour un plus grand nombre d'exemplaires. D'un ton péremptoire, il rappelle en outre que le titre doit être en gras et qu'il ne s'agit pas de lésiner sur la place qu'il prendra. Ainsi que la date, et le lieu, c'est important : *Leopolis, Augustus 1759.*

Les justes proportions

Pinkas ne peut s'empêcher d'aller en ville. Le voilà qui rase d'un pas vif les murs des bâtiments, dans l'étroite bande d'ombre, et jette des regards en catimini au carrosse qui s'arrête justement sur la place. Aussitôt, la foule l'entoure. Pinkas a peur de regarder le passager, mais, quand il s'oblige enfin à lever les yeux, c'est comme s'il aspirait le spectacle quasiment sans respirer, avide des moindres détails alors que chacun d'eux accroît sa souffrance.

L'homme qui descend de voiture est grand et de belle prestance, un haut couvre-chef turc, qui semble être une composante de sa silhouette, augmente encore sa taille. Des cheveux sombres et ondulés s'échappent du fez et adoucissent quelque peu les traits modérément expressifs d'un visage harmonieux. Le regard est un peu insolent – du moins à ce qu'il semble à Pinkas – et légèrement tourné vers le haut, de sorte que l'on aperçoit le blanc des yeux comme si l'homme allait s'évanouir. Il parcourt du regard les gens qui entourent le carrosse, le sommet des têtes de la foule assemblée. Pinkas voit le mouvement de ses lèvres pulpeuses aux lignes agréables. L'individu dit quelque chose aux gens, rit, et alors ses dents blanches et régulières lancent des éclats. Son visage donne l'impression d'être jeune et sa sombre barbe de dissimuler une jeunesse plus grande encore, peut-être a-t-il même des fossettes aux joues. Il a l'allure d'un chef mais aussi l'air d'un enfant. Désormais, Pinkas comprend qu'il peut plaire aux femmes, mais pas uniquement, aux hommes aussi, et à tout le monde parce qu'il a beaucoup de charme. Et Pinkas le déteste encore plus à cause de tout cela! Quand Jakób Frank se redresse, les autres lui arrivent à la barbe. Son manteau turc, d'un bleu vert paré d'applications violines, augmente encore la largeur de sa puissante carrure. Le brocart brille au soleil. Le personnage a l'air d'un paon parmi les poules, d'un rubis sur des pierres. Pinkas est surpris, sidéré, il ne s'attendait pas à ce que ce Frank lui fasse pareille impression et il ne supporte vraiment pas que l'homme lui plaise autant!

Eh bien, se dit le secrétaire du rabbin, il doit être bien futile pour s'être paré d'autant d'or. Idiot en plus, certainement, pour accorder pareille importance à un carrosse. Pourtant, on parle de lui en termes de «Brillant Jakób». Il arrive que le beau soit associé aux œuvres du mal pour tromper le regard et abuser les foules.

Quand ce Frank marche, les gens se reculent pour lui céder le passage, ils retiennent leur souffle. Certaines personnes, les timides, tendent le bras pour le toucher.

Pinkas réfléchit pour se rappeler comment il se l'imaginait. Il ne s'en souvient pas. Les taches céruléennes et violines saturent son cerveau. Il a la nausée. Rien n'y fait, même quand il se détourne de la vision de Jakób Frank en train de marcher fièrement dans la foule ravie, pour cracher avec un dégoût feint, elles restent incrustées dans sa tête.

Tard le soir, presque à minuit – il ne trouve pas le sommeil –, il décide de calmer ses esprits en rédigeant un rapport à l'intention du *Kahal*. Que le Conseil joigne ensuite le document aux autres! Une parole écrite reste, tandis que les couleurs, seraient-elles des plus criardes, pâlissent. Une parole écrite est sacrée et, à la fin des fins, chaque lettre s'en retournera auprès de Dieu, rien ne sera oublié. Qu'est-ce qu'un tableau? Juste un vide coloré. Serait-il de la plus riche et de la plus intense des palettes, il disparaîtra comme la fumée.

Cette pensée redonne des forces à Pinkas et, soudain, à ce qui lui semble, elle ramène les choses à de justes proportions. Qu'est-ce qu'avoir de l'allure, de la beauté, une belle voix? Tout cela n'est qu'une parure. Tout paraît différent dans la lumière violente du soleil, mais l'obscurité nocturne dissipe les couleurs et permet de mieux voir ce qui est dissimulé.

Pinkas inscrit d'un trait les premiers mots: «J'ai vu de mes yeux...» Désormais, il s'efforce d'être équitable, d'oublier le manteau et le carrosse, il va jusqu'à imaginer Jakób nu et il s'y tient. Il voit des jambes maigres, arquées, une cage thoracique enfoncée, parsemée de poils rares, mais aussi une épaule plus haute que l'autre, semble-t-il. Il trempe sa plume dans l'encre et la tient un moment au-dessus de la feuille jusqu'à ce qu'apparaisse une goutte noire, dangereusement grosse. Il la secoue alors dans l'encrier puis écrit:

Une silhouette plutôt pitoyable, bancale, un visage laid, banal. Un nez de travers, sans doute à la suite d'un coup. Ses cheveux étaient ébouriffés, ternes, et ses dents noires.

En écrivant «dents noires», Pinkas passe une frontière invisible et imperceptible, mais dans son acharnement il ne s'en rend absolument pas compte.

Il ne rappelait aucunement un être humain, mais un démon ou un animal. Il se déplaçait avec brusquerie et ses gestes n'avaient aucune grâce.

Pinkas trempe de nouveau sa plume et devient songeur en la tenant en l'air – qu'est-ce que cette habitude qui, à l'évidence, promet un pâté, mais non –, la plume fond sur la feuille pour se mettre à la gratter avec virulence :

On a prétendu qu'il parlait plusieurs langues, mais à la vérité il ne savait s'exprimer dignement dans aucune d'elles pour dire ou écrire une chose sensée. C'est pourquoi, quand il s'exprimait à voix haute, le son était désagréable à l'oreille, criard et piaillard, et seuls ceux qui le connaissaient bien pouvaient vraiment comprendre ce dont il était question. Qui plus est, nulle part il n'a bénéficié d'une formation appropriée, il ne sait que ce qu'il a entendu ici ou là, et donc ses connaissances sont très lacunaires. Il répète surtout ce que disent les contes, ceux qu'on récite aux enfants, mais ses adeptes croient à ses fables comme un seul homme.

Pinkas a l'impression d'avoir vu non pas un homme, mais un monstre à trois têtes.

Le baptême

Le 12 septembre 1759, après une messe solennelle, Jakób Frank se fait baptiser et prend le prénom de Józef. Le célébrant est Mgr Samuel Głowiński de Głowno, évêque de Lwów. Les parrain et marraine sont le quasi-trentenaire Franciszek Rzewuski, élégant, vêtu à la française, et Maria-Anna Brühl. Jakób Frank baisse la tête, l'eau bénite mouille ses cheveux et coule sur son visage.

Aussitôt derrière lui vient Krysa, habillé selon l'usage de la noblesse polonaise, et, dans ce nouveau vêtement, son visage asymétrique acquiert une certaine dignité. Il est désormais Bartłomiej Walenty Krysiński, ses parrain et marraine sont Mgr Szeptycki, l'évêque uniate de Lwów, et Mme Miączyńska, l'épouse du voïvode de Czernichów.

Tout un groupe vient à la suite de Krysa-Krysiński et, régulièrement, quelqu'un s'avance vers l'autel. Les parrains et marraines en riches tenues de cérémonies se succèdent également. L'orgue joue, la haute et magnifique voûte en arêtes de la cathédrale semble encore plus élevée : là-haut, entre les arcs-boutants abrupts, il y a le ciel où tous les baptisés iront désormais à coup sûr un jour. L'odeur âcre des grandes fleurs dont est décoré l'autel, mêlée à celle de l'encens, est grandiose, c'est comme si les meilleurs parfums orientaux avaient été répandus dans l'église.

Arrivent maintenant de sveltes jeunes gens aux cheveux coupés à la manière de ceux des pages, ce sont Paweł, Jan et Antoni, les neveux de Jakób Frank. Le quatrième garçon, celui qui chiffonne son bonnet nerveusement entre ses doigts, est le fils de Chaïm de Jezierzany, devenu Jerzierzański, prénom Ignacy. Le silence s'installe un moment parce que l'orgue se tait et que l'organiste, fatigué, feuillette les partitions à la recherche du chant suivant. L'église est tellement silencieuse que l'on entend le bruissement des pages. Puis, la musique éclate de nouveau, solennelle, pathétique, et voici que Franciszek Wołowski – récemment encore Salomon Shorr, fils d'Elisha –, avec son fils de sept ans, Wojciech, s'avance jusqu'à l'autel. Ils sont suivis de leur père et grand-père, le doyen des hommes de Frank, Elisha Shorr, âgé de soixante et quelques années, digne vieillard soutenu par ses deux belles-filles, Rozalia et Róża ; il ne s'est jamais remis de son agression. Vient ensuite la jolie épouse valaque de Chaïm Turczynek, devenu Kapliński, Barbara qui, consciente de sa beauté, se laisse admirer par les curieux. À l'évidence, ces personnes qui baissent la tête sous le toucher des doigts humides de l'évêque sont une grande famille, vaste comme la frondaison d'un arbre.

C'est ce que pense le père Gaudenty Mikulski, qui les observe en cherchant des preuves de parenté dans leur allure, leur posture. Une importante famille que l'on pourrait appeler valoco-turco-podolienne est en train d'être baptisée. Ses membres, désormais correctement habillés, ont en eux quelque chose de nouveau, une dignité et une assurance qu'hier encore ils ne possédaient pas, quand Mikulski les voyait dans les rues de Lwów. Il se sent soudain effrayé par leur nouvelle attitude. Dans un moment, ils vont tendre la main pour recevoir des titres de noblesse, puisqu'un Juif qui se convertit peut prétendre à un titre nobiliaire. Pour peu qu'il verse une belle somme. Le prêtre est gagné par le doute et même l'effroi de laisser entrer des étrangers aux visages impénétrables et aux intentions aussi peu claires que complexes. Il lui semble que toute la rue se déverse dans la cathédrale pour s'approcher de l'autel, qu'il en sera ainsi jusqu'au soir sans que l'on voie la fin du cortège.

Ce n'est pourtant pas vrai que tous sont là. Tel n'est pas le cas de Nahman, par exemple. Il est assis à côté de sa petite fille tombée brusquement malade. Elle a une diarrhée et une forte fièvre. Wajgełe voulait lui faire boire du lait de force, mais ce fut sans résultat. Les traits du petit visage se creusèrent et la fillette mourut à l'aube du 18 septembre. Nahman décida de lui-même qu'il fallait garder le secret de cette disparition. La nuit suivante la petite eut un enterrement rapide.

La barbe rasée de Jakób
et le nouveau visage ainsi révélé

Chana Frank, qui vient justement d'arriver d'Iwanie pour le baptême, ne reconnaît pas son mari, elle le regarde comme si le visage de celui-ci venait de naître. Il est pâle, la peau autour de sa bouche est fine, plus claire que celle du front et des joues, ses lèvres sont sombres, celle du bas est à peine retroussée, son menton est mou, discrètement divisé en deux. Chana ne remarque que maintenant le grain de beauté à gauche, sous l'oreille droite, une sorte de marque. Jakób sourit et, dès lors, ses dents blanches concentrent l'attention. C'est un homme complètement différent. Wittel, qui l'a rasé, se retire avec la bassine remplie de mousse.

– Dis quelque chose, le prie Chana. Je te reconnaîtrai à ta voix.

Jakób éclate de rire en rejetant à son habitude la tête en arrière.

Chana est bouleversée. Elle a devant elle Jakób-le-petit-garçon, un homme nouveau, nu en quelque sorte, avec toute son intériorité exposée, vulnérable. Elle le frôle légèrement de la main et découvre une surprenante douceur de peau. Chana en ressent une angoisse confuse, mauvaise, et elle ne peut s'empêcher de fondre en sanglots.

Les visages devraient rester dissimulés, être dans l'ombre, songe-t-elle, tout comme les actes, tout comme les paroles.

21

Comment, en automne 1759, un fléau frappe Lwów

Récemment encore, on pensait que l'épidémie venait d'une malheureuse configuration des planètes, songe Asher. Il se déshabille et, une fois nu, se demande ce qu'il doit faire de ses vêtements. Les jeter? S'ils sont imprégnés des miasmes de ses patients, ceux-ci pourraient se propager chez lui. Rien ne serait pire que de faire entrer la pestilence chez soi!

Le temps a brusquement changé à Lwów; de sec et caniculaire, il est devenu humide et doux. Partout où il se trouve un peu de terre ou d'humus, des champignons apparaissent. Un brouillard dense comme de la crème s'installe dans la ville chaque matin et il faut la circulation des rues pour l'agiter et le disloquer.

Aujourd'hui, Asher a constaté quatre décès et visité des malades; il sait qu'il y en aura davantage. Les symptômes sont identiques chez tous: une diarrhée, des maux de ventre et une faiblesse croissante.

Il leur conseille de boire de grandes quantités d'eau fraîche ou, mieux encore, d'infusions, mais, dans la mesure où ces gens campent dans les rues, ils n'ont pas où faire bouillir l'eau. Aussi est-ce la raison pour laquelle les malades sont les plus nombreux parmi les Juifs «néophytes». C'est aussi pourquoi ceux-ci ont hâte d'être baptisés, ils sont persuadés qu'après le baptême le mal ne les frappera pas et que la mort les épargnera. Aujourd'hui, Asher en a vu plusieurs qui étaient déjà contaminés, deux n'étaient que des enfants, tous avaient la face hippocratique : traits marqués, yeux cernés et rides. La vie doit avoir du volume, puisque, quand elle s'en va, le corps de l'homme rappelle une feuille sèche. Ensuite, du faubourg de Halicz, Asher avait marché, traversé la Grand-Place et vu à quel point la ville s'était repliée sur elle-même ; les volets étaient clos, les rues vides, la foire n'aurait sans doute pas lieu, à moins que ne viennent des paysans de villages non encore informés de l'épidémie. Tous les citadins encore en bonne santé, et qui ont où aller, quittent Lwów.

Asher Rubine tente d'imaginer comment la maladie passe d'une personne à l'autre. Elle doit avoir la texture d'un brouillard dense et insaisissable, d'une touffeur, d'une vapeur corrosive. Introduits dans le corps par l'air aspiré, ces miasmes enflamment le sang et le contaminent. C'est pourquoi, appelé dans une maison bourgeoise où la maîtresse de maison était tombée malade, Asher est resté près de la fenêtre par laquelle le vent entrait, tandis que la malade se trouvait là par où il sortait. La famille exigea que le mire fît une saignée, mais il refusa ; cela affaiblissait certaines personnes, en particulier les femmes, même s'il en résultait une réduction de l'élément vicié.

Asher a également entendu parler des infusoires, sortes d'animalcules qui s'accrochent le plus volontiers à des choses comme les fourrures, le chanvre, la soie, la laine ou les plumes, s'envolent au moindre mouvement, puis passent dans le sang avec la respiration pour l'empoisonner. Leur force dépend de la qualité de l'air – quand il est pur, ils éclatent et disparaissent. À la question : combien de temps peut vivre un infusoire ? les médecins répondent que, collés à des choses remisées dans un cachot, cela peut aller jusqu'à quinze années ; dans des pièces bien aérées jusqu'à trente jours. De même dans l'homme, pas plus de quarante jours. Pourtant, les gens s'accordent à l'unisson pour voir la raison principale du fléau dans la colère de Dieu, en châtiment de leurs péchés. Tous le pensent, les Juifs, les chrétiens, les Turcs. La colère de Dieu. Salomon Wolff, le médecin de Berlin avec lequel Asher correspond, affirme qu'un fléau n'est jamais apparu spontanément en Europe, mais qu'il est toujours venu d'autres régions du monde, que sa source se trouve en Égypte, et que, de là, il gagne habituellement Istanbul pour se diffuser sur le Vieux Continent. Ce sont donc probablement ces Juifs valaques venus se faire baptiser qui ont amené cette calamité à Lwów. Du moins est-ce ce qui se dit.

Désormais, tout le monde attend l'hiver comme le salut parce que le gel nuit à la corruption et que, de ce fait, la maladie disparaît complètement ou décline sensiblement.

Asher ne permet pas à Gitla de sortir de la maison; elle doit rester avec Samuel à l'intérieur, les rideaux tirés.

Un soir, deux hommes se présentent chez Asher, l'un âgé, l'autre jeune. L'aîné est vêtu d'un long manteau noir et coiffé d'un bonnet. Sa barbe s'étale majestueusement sur un ventre quelque peu rondouillet. Il a un visage triste, son regard bleu, perspicace, est vrillé sur Asher. Le cadet, qui l'accompagne sans doute pour souligner sa dignité, est grand et costaud. Il a des yeux d'un vert particulièrement clair et un teint pâle. Debout à la porte, le plus âgé pousse un soupir éloquent.

– Sauf votre respect, docteur, dit-il en yiddish, vous devez être en possession d'une chose qui ne vous appartient probablement pas.

– Voilà qui est surprenant, répond Rubine, je ne me rappelle en aucune façon m'être approprié quoi que ce fût.

– Je suis Pinkas ben Zelik de Kozów, rabbin. Voici mon neveu, Lejbko. Nous sommes venus chercher Gitla, ma fille.

Asher se tait, complètement abasourdi. Il lui faut un moment pour retrouver sa voix et ses esprits.

– Et ce serait la *chose* dont vous parlez? Il s'agit d'un être vivant, pas d'une *chose*.

– Ce n'est qu'une façon de parler, répond Pinkas, conciliant – et son regard plonge au-delà d'Asher, vers le fond de la maison. Nous pourrions peut-être entrer pour échanger quelques mots?

Asher les laisse passer à contrecœur.

– Quand on est médecin, on ne voit que le malheur humain, lui dit Pinkas, son presque beau-père, quand, le lendemain, Asher est de nouveau à l'hôpital auprès des malades. Alors que la vie est une force puissante, et, nous, nous sommes de son côté. Ce qui est fait est fait.

Pinkas se conduit comme s'il était là par hasard. Il a le bas du visage couvert d'un bout de toile blanche supposé le protéger des miasmes. La pestilence règne, l'endroit est plutôt un mouroir qu'un lieu de soins. Les malades sont désormais étendus à même le sol parce que l'hospice est petit.

Asher se tait.

Pinkas parle au-dessus de sa tête comme s'il ne s'adressait pas à lui.

– La Commune de Vienne a besoin d'un médecin, d'un de ces mires qui s'y connaissent pour ce qui est des yeux. Elle organise un hôpital juif. Asher Rubine pourrait emmener son épouse… dit Pinkas qui s'interrompt un instant – avant de reprendre : Emmener les enfants aussi, pour partir d'ici. Tout serait oublié. Le mariage se ferait et tout serait réparé.

Un moment plus tard, il ajoute sur un ton d'encouragement à la conversation :

– Tout cela à cause de ces chiens d'infidèles.

Sa voix se fait rocailleuse quand il dit « chiens d'infidèles » et, malgré lui, Asher lève les yeux pour le regarder.

– Partez. Nous en reparlerons. Ne touchez à rien. Je dois voir un malade.

La mort est rapide et généreuse. D'abord, un mal de tête puis des nausées et un ventre douloureux, ensuite une diarrhée qui ne s'arrête plus. Le corps se dessèche, le malade décline à vue d'œil, ses forces l'abandonnent et il perd finalement conscience. Cela dure deux, trois jours avant que la fin n'arrive. L'enfant est mort d'abord, puis ses frères et sœurs, sa mère et, à la fin, le père. Asher avait assisté à tout cela. Ce fut ainsi que cela commença. Par eux, d'autres de ces arrivants furent contaminés.

Les gens chez lesquels il est appelé à cause d'un abcès apparu chez le maître de maison, des Juifs pieux, le regardent d'un air entendu quand ils l'interrogent sur la situation en ville, ils sont fiers en un sens que, chez eux, ce ne soit qu'une affaire d'abcès. La femme avec son bonnet de travers lève un sourcil qui dit tout : c'est la malédiction, un *herem* puissant jeté à ces renégats. Et il agit ! Dieu punit ces traîtres qui salissent leur propre nid, ces apostats, ces démons !

– Son succès ne pouvait pas durer longtemps, tout cela ce sont des forces sataniques. D'où lui vient cet or, ces attelages à plusieurs chevaux, ces visons ? Maintenant, Dieu le punit de façon exemplaire. Les renégats meurent atteints par le fléau, l'un après l'autre. C'est une punition, marmonne-t-elle.

Asher se détourne d'elle pour diriger son regard vers les rideaux de la fenêtre, ils sont délavés, couverts de poussière au point que le motif en est presque invisible, ils ont la couleur de la poussière. Il repense à Pinkas, son presque beau-père, et il se demande ce que cela donnerait si la haine pouvait se convertir en fléau. Est-ce ainsi qu'agit le *herem* ? Asher voit souvent des hommes maudits devenir rapidement vulnérables, faibles et tomber malades ; puis, quand la malédiction est levée, ils guérissent.

Il préférerait pourtant se laisser infecter plutôt que de croire à pareilles sornettes. Asher sait que l'eau est responsable : un seul puits corrompu suffit à décimer toute une ville. Les malades y boivent, ensuite leurs excréments contaminés se diffusent dans d'autres conduites d'eau. Asher est allé à l'hôtel de ville exposer ses observations : cela doit être en lien avec les puits et l'eau. On lui donna raison, à lui le Juif, on ordonna de fermer les puits et, de fait, l'épidémie faiblit un peu. Après quoi, elle explosa avec une force décuplée, elle s'était manifestement propagée à d'autres sources. Il était impossible de fermer tous les points d'eau de Lwów. La seule chose à espérer est que, pour quelque raison, une partie de la population résiste à la calamité. Certaines personnes sont malades brièvement et sur un mode bénin pour retrouver ensuite spontanément la santé. D'autres ne sont nullement atteintes, comme si elles étaient intouchables.

Dans cette confusion sinistre, Asher aperçoit enfin l'Élu, il peut enfin l'observer à loisir. Depuis qu'il est arrivé à Lwów, fin août, on le voit souvent, tantôt dans son riche carrosse, tantôt marchant parmi ses adeptes miséreux qui dorment à la belle étoile. À l'évidence, il n'a pas peur. En dépit du temps chaud, il porte son haut fez et un manteau turc d'une couleur magnifique, pareille à celle d'un étang ou de ce verre dont on fait les flacons pour les médecines. Il a l'air d'une grande libellule verte qui volette d'un endroit à un autre. Quand il s'approche des alités, pose ses mains sur leur front et ferme les yeux, le médecin s'écarte sans un mot. Les malades sont aux anges, pour autant qu'ils sont encore conscients. Récemment, l'un des Juifs atteints se rendit à l'église de lui-même pour demander le baptême. Il fut baptisé en hâte et son état s'améliora aussitôt. En tout cas, c'est ce qui se dit dans le faubourg de Halicz. À proximité de la synagogue, on affirme tout à fait autre chose, autrement dit qu'il serait mort immédiatement.

Asher se doit d'admettre que ce Frank est bel homme. Peut-être que son fils Samuel aura un jour pareille allure. Le médecin n'aurait rien contre. La force de cet homme ne réside pourtant pas dans sa beauté. Asher connaît un certain nombre de gens semblables, de nombreux magnats en sont également dotés. Biens nés, ils ont en eux une assurance inexplicable, si ce n'est par un point de gravité intérieur qui fait qu'ils se sentent maîtres en toute situation.

Depuis que cet étranger est en ville, Gitla est perturbée. Elle s'habille, mais finalement ne sort pas de sa maison. Elle se tient un moment à la porte puis se déshabille et reste. Quand Asher rentre, il la voit étendue sur le sofa. Son ventre est déjà gros, rond et dur. Tout son corps semble un peu gonflé, lourd. Elle est toujours de mauvaise humeur et affirme qu'elle va mourir en couches. Elle est en colère contre Asher ; sans lui et sans cette grossesse, elle retournerait chez son père ou auprès de ce Frank. Ainsi allongée dans la pénombre, elle réfléchit sans doute aux variantes possibles non réalisées de sa vie.

Dans la seconde moitié d'octobre, le temps fraîchit, mais l'épidémie, loin de passer, reprend de la vigueur. Le faubourg de Halicz s'est vidé, on a trouvé de la place pour les pérégrins aux environs, dans les couvents et les fermes seigneuriales. Chaque jour, il y a des baptêmes dans la cathédrale et les églises de Lwów. Désormais, il y a même la queue. Dès que quelqu'un décède, ses proches vont aussitôt se faire baptiser.

Quand la mort continue de frapper alors qu'ils sont déjà baptisés, Jakób cesse de se montrer dans les rues pour soigner par imposition de ses mains aux longs doigts. On dit qu'il est parti pour Varsovie voir le roi, négocier de la terre pour les convertis. On dit aussi qu'il a eu peur de la contagion, ou encore qu'il a fui en Turquie.

Telles sont les pensées d'Asher en songeant aux décès de la veille. La famille des Majorkowicz, par exemple. Dans son hôpital, en deux jours, sont morts la mère, le père et quatre de leurs filles. La cinquième agonise, elle est exténuée au point de ne plus rappeler un enfant humain mais une forme ténébreuse d'esprit ou de spectre. La sixième, l'aînée, qui a dix-sept ans, aurait vu ses cheveux blanchir de désespoir.

Les Majorkowicz ont eu un enterrement comme il faut, chrétien, avec des cercueils en bois et une place au cimetière payée par la ville. On les a enterrés avec leurs nouveaux noms chrétiens, auxquels ils n'ont pas eu le temps de s'habituer : Mikołaj Piotrowski, Barbara Piotrowska, et leurs filles Wiktoria, Róża, Tekla et Maria. Asher s'oblige à garder en mémoire Srol Majorkowicz, Bejla Majorkowiczowa, ainsi que Sima, Freïna, Masia et Miriam.

C'est précisément après l'enterrement de ces Majorkowicz qu'il se trouve dans son antichambre à retirer lentement ses vêtements. Il les met en boule avant d'ordonner à la servante de les brûler. La mort s'accroche peut-être aux boutons, aux coutures des pantalons ou bien au col. Il entre complément nu dans la pièce où se trouve Gitla. Elle le regarde surprise et éclate de rire. Il ne lui dit rien.

Il retournera pourtant sauver la petite fille maigre, la deuxième fille des Majorkowicz, Elia, qui maintenant s'appelle Salomea Piotrowska. Asher la retient à l'hôpital et la nourrit correctement, d'abord avec l'eau de cuisson du riz. Par la suite, il achète de la volaille, ordonne qu'on la fasse cuire au bouillon et fourre de ses doigts des morceaux de viande dans la petite bouche, lentement, petit bout par petit bout. La fillette retrouve le sourire quand elle le voit.

Asher écrit également une lettre au staroste Łabęcki et une autre à sa femme. Deux jours plus tard, la réponse de Rohatyn arrive, demandant qu'il leur amène la petite Salomea.

Pourquoi ne s'est-il pas adressé à Rapaport, à la Commune juive ? Certes, il y avait songé. Après réflexion, pourtant, il avait estimé que la petite Salomea serait mieux au palais des Łabęcki qu'au domicile du riche Rapaport, pour autant, ce dont le médecin doute, que ce dernier eût accepté de l'accueillir. Un Juif, riche et puissant aujourd'hui, peut être pauvre et vulnérable demain, voilà ce qu'Asher avait appris au cours de son existence.

Après Hanoukka et le Nouvel An chrétien, début janvier, Gitla met au monde deux filles. En mars, quand fondent les dernières neiges, Asher Rubine et Gitla Pinkas emballent toutes leurs affaires et partent pour Vienne avec leurs enfants.

Ce que Moliwda écrit à sa cousine Katarzyna Kossakowska

Très Chère Amie, ma Bienfaitrice et Cousine éclairée,

Il est heureux que vous soyez partie d'ici rapidement, car le fléau s'en donne à cœur joie pour de bon et l'on voit déjà les traces de Madame la Mort qui sévit dans les rues de Lwów. Le plus pénible demeure sa préférence pour Vos protégés, dans la mesure où nombreux sont parmi eux les pauvres et les mal nourris. Malgré l'approvisionnement assuré par le père Mikulski et la bonne volonté de nombreuses personnes à l'âme noble, ils restent dans le besoin, d'où leur propension à succomber au mal.

Mes valises sont faites également et, dans quelques jours, je mènerai Jakób et son entourage à Varsovie, où j'espère pouvoir vous rencontrer aussitôt, ô ma Bienfaitrice, pour discuter des détails de notre action. Je vous rends mille grâces, ma Cousine, pour le généreux dédommagement de mon travail que vous êtes parvenue à collecter pour moi auprès d'autres personnes d'importance. Je crois comprendre que les plus grandes largesses viennent de Monsieur Jabłonowski. J'ai pour lui un grand respect et une immense gratitude, sans être néanmoins convaincu par son idée d'un Paraguay à proximité de Busk. Vos protégés, Madame, sont loin d'être aussi paisibles que les Indiens. Ils professent également une religion plus ancienne que la nôtre, ils ont des coutumes et des écrits plus vieux. Toute révérence gardée, Monsieur Jabłonowski aurait dû venir à Iwanie ou encore passer quelque temps avec ces gens au faubourg de Halicz.

Je ne prendrai pas sur moi de vous décrire toute l'affaire, car j'en suis par trop accablé. Après la mort de la fillette de Nahman, devenu Piotr Jakóbowski – elle fut l'une des premières victimes du fléau –, le bruit courut aussitôt que c'était une nouvelle malédiction jetée par les Juifs à ceux qui ne partageaient pas leur foi. Et cette extrême célérité avec laquelle le mal agit ! L'eau abandonne le malade comme si elle disparaissait en lui, sa peau se fripe, ses traits se creusent jusqu'à lui donner un air féroce. Il s'affaiblit en deux jours et meurt. Nahman-Jakóbowski est un homme complètement brisé, il sombre dans sa Kabbale pour s'y livrer à des calculs qu'il ne cesse de refaire avec l'espoir de trouver une explication à son malheur.

Le froid gagne et, à Lwów, on ne sait plus que faire de ces malades et de tous ceux qui vivent dans les rues. De nouveaux moyens seraient nécessaires, des vêtements et de la nourriture, car le père Mikulski, en tant qu'intendant de cette entreprise, ne s'en sort plus.

Les médecins ont demandé que soit exigé des arrivants un document attestant qu'ils viennent de régions non atteintes par l'épidémie, et qu'en cas de suspicion l'on « aère » ces personnes hors de la ville pendant six semaines et qu'il y ait un nombre suffisant de physiciens, de barbiers et de soignants particuliers pour les malades, de brancardiers et de fossoyeurs sur les lieux de pestilence. Les mires ont également insisté pour que ceux qui ont été en contact avec les individus atteints portent un signe, en l'occurrence une croix blanche sur la poitrine et sur le dos. Il faudrait aussi une réserve d'argent pour la nourriture et les médicaments des miséreux. Les chiens et les chats qui vont de maison en maison devraient être écartés de la ville, il faudrait surveiller l'apparition du fléau dans chaque foyer, construire hors de la cité un grand nombre de petites maisons en planches pour les malades et les personnes suspectées de l'être. Quant aux marchandises douteuses, elles devraient être éventées dans des remises prévues à cet effet. Mais comme toujours chez nous, rien ne se concrétise jamais.

Vous, Gente Dame Éclairée, vous saurez quoi faire pour assurer à ces gens des conditions dignes. Nombreux sont parmi eux ceux qui, pour venir se faire baptiser, ont vendu tous leurs biens, et ils espèrent désormais tout de notre mansuétude.

Katarzyna Kossakowska ose inquiéter les puissants de ce monde

À Jan Klemens Janicki, Ministre des Armées de la Couronne, le 14 décembre 1759

Je suis immensément reconnaissante à Votre Grandeur de l'hospitalité qu'elle m'accorda alors que je venais de nouveau d'avoir parcouru grand chemin. Votre propriété de Mościska est très belle et confortable, je la garderai longtemps en mémoire. Vous avez, Monsieur, assuré Votre Servante que Vous étiez favorable à tous ses projets, aussi je m'adresse à Vous pour Vous prier de réfléchir à la situation que j'ai déjà évoquée devant Votre Grandeur. Il s'agirait, par quelque action commune, que, nous, les mieux nés et de familles toutes parentes, mais aussi conformément à la devise française « *noblesse oblige* * », nous apportions aide et soutien à ces pauvres néophytes, ces puritains dont ici, en Podolie, le déferlement est considérable. Votre Grandeur aura certainement entendu qu'ils sont actuellement en route pour Varsovie, où ils souhaiteraient une audience auprès du roi (je doute qu'ils l'obtiennent), mais aussi recevoir un territoire sur ses terres où s'installer. Notre idée serait de les accueillir sur nos domaines, ce qui relèverait également de la miséricorde chrétienne et nous gagnerait de nouvelles âmes par le fait même.

* En français dans le texte. *(N.d.T.)*

Par une lettre séparée, portée par Kalicki, j'ai informé Votre Grandeur de ce qui s'était passé ici avec la diétine...

À Eustachy Potocki, Mon Estimé Frère, Général d'artillerie du Grand-Duché de Lituanie, le 14 décembre 1759

Par courrier me parvient l'obligation que Votre Grandeur me fait de Lui envoyer le portrait de notre père, ce dont je m'acquitterais très volontiers s'il se trouvait quelque occasion, parce que les messageries ne donnent aucune certitude d'acheminement.

Je renouvelle l'interrogation que portait ma lettre précédente quant à la décision de Mon Estimé Frère concernant un domaine pour les néophytes.

La connaissance que Vous avez de moi et de toute ma vie Vous permet de savoir que je ne suis aucunement prompte à m'attendrir sur les aléas de la vie humaine et que je suis plutôt dure. Je sais que l'on peut chercher en vain l'honnête homme, fût-ce à la loupe. Dans le cas présent, je perçois néanmoins qu'il y va de notre devoir d'aider ces gens : ils sont dans la pire des situations, elle est plus mauvaise que la condition de nos paysans, car, chassés par les leurs, ils sont comme des gueux, leurs biens leur ont souvent été confisqués et ils n'ont aucun endroit sur terre qui serait à eux. Qui plus est, sans bien connaître notre langue, ils sont complètement démunis. La raison pour laquelle ils restent ainsi ensemble se trouve là. Les répartirions-nous dans nos domaines qu'ils pourraient vivre en chrétiens, s'occuper d'artisanat ou de commerce sans déranger personne, et ce serait notre acte de foi de les apprivoiser et de les accueillir sous les ailes de Notre Sainte Mère l'Église.

À Pelagia Potocka, Palatine de Lwów, le 17 décembre 1759

Je ne voudrais pas fatiguer et incommoder Votre Grâce et ma Bienfaitrice avec ces choses qui sont plus que passées de mode, comme de souhaiter, ce qui se faisait pendant des siècles et ne se fait plus aucunement, que tout le monde s'aimât et se voulût du bien. Pour ma part, peu soucieuse d'être à la mode, mais me voulant honnête et sincère, je prie Dieu dont la Nativité est proche de Vous accorder, Madame, la santé et de longues années de vie. Je Vous souhaite plus de choses encore, comme la prospérité, mais en cela je ne suis d'aucun secours.

Vous avez certainement entendu dire qu'un nouveau défi, non pas dans l'air du temps mais de la miséricorde, nous était fait d'accueillir chez nous des jeunes filles néophytes, autrefois juives et désormais chrétiennes. Madame la Staroste Łabęcka a ainsi pris chez elle une petite jeunette. Pour ma part, si je n'étais sans cesse en mouvement, j'y songerais également. Un tel acte d'accueil donne à ces enfants l'espoir d'une vie meilleure et d'une éducation appropriée pour une femme. La fillette est très vive, elle a déjà un précepteur et elle apprend le polonais et le français simultanément. La vie de Madame Łabęcka a aussitôt retrouvé des couleurs, le bénéfice est donc réciproque.

Les ducats piétinés et la migration des grues perturbée par un couteau

La veille du départ pour Varsovie, Jakób demande aux hommes et aux femmes de se réunir, ceux de son cercle d'élus. Ils l'attendent depuis une heure quand il arrive vêtu à la turque et avec une Chana aussi élégante que cérémonieuse. Tout le groupe part d'un pas rapide vers le Haut Château, les passants curieux se retournent pour les regarder. Jakób, penché vers l'avant, file en tête à grandes enjambées, de sorte que le vieux Reb Mordke doit vraiment faire un effort pour suivre le groupe ; il finit par rester à la traîne, avec Herszełe. Chana ne se plaint pas d'abîmer complètement ses chaussures brodées, elle marche juste derrière son mari, elle soulève uniquement les pans de son long manteau et regarde où elle pose les pieds. Jakób sait ce qu'il fait.

Étrange journée, l'air est doux et lisse, ils ont l'impression de se déplacer entre des voiles de mousseline. Il règne une odeur étrangement inquiétante, elle est suave, corrompue, comme provenant d'une chose oubliée qui se couvrit de moisissures. Certains d'entre eux portent de petits masques, mais plus ils grimpent et plus ils sont prompts à les retirer.

Pour tous, il est clair que le fléau est un élément de la guerre, qu'il leur a été envoyé par leurs ennemis. Ceux dont la foi est faible mourront. Ceux qui croient fortement en Jakób ne mourront jamais, pour peu qu'ils ne doutent pas. Lorsqu'ils se sont suffisamment éloignés de la ville, ils ralentissent et commencent à parler, surtout ceux restés à la traîne. Ils bavardent à qui mieux mieux, certains se sont saisis de bâtons pour s'y appuyer; plus ils sont haut plus ils parlent librement, les espions ne les rejoindront pas, personne ne les écoutera, plus de secrétaires curieux, de catéchistes, de dames dévouées à la cause. Ils disent:

– Moliwda et la vieille Kossakowska vont solliciter une audience du roi à Varsovie, maintenant...

– Que Dieu les conduisent...

– Quand cela arrivera, nous confirmerons nos titres de noblesse...

– Mais nous allons demander des terres royales, pas celles appartenant aux magnats...

– Madame Kossakowska n'en est pas encore informée...

– Pas question de brûler les ponts derrière nous. Pourquoi devrait-elle le savoir...

– Le roi nous accordera des terres. Un domaine royal, c'est mieux qu'un seigneurial ou épiscopal. Mais est-ce certain?...

– C'est qui, ce roi?

– Le roi a le sens de l'honneur, sa parole est comme de l'or...

– À Busk, nous en aurons de cette terre...

– À Satanów...

– Rohatyn est à nous...

– Peu importe où, pourvu qu'on en ait...

Ils sont arrivés au sommet et, de là, ils voient toute la ville, les arbres sont déjà presque entièrement rouge et jaune, comme si une grande main avait mis le feu au monde. La lumière est dorée, couleur miel, lourde, elle se déverse par vagues chaudes vers le bas pour couvrir de clinquant les toits de Lwów. Pourtant, vue de haut, la ville ressemble à une croûte sur la peau, à une cicatrice rugueuse. De loin, on n'entend rien de son brouhaha, elle semble innocente, alors qu'on y enterre présentement les morts, on y lave à grands seaux d'eau le pavé contaminé. Soudain, le vent apporte une odeur de feu de bois. Jakób se tait, et ils restent ainsi sans que personne n'ose parler.

Jakób fait alors une chose étrange.

Il enfonce un couteau dans le sol et lève la tête vers les cieux. À son exemple, tous regardent en l'air. Le vol en V des grues cendrées qui passent au-dessus de leurs têtes se défait, se rompt en deux endroits tel un collier de perles, les oiseaux se dispersent, font demi-tour, s'emmêlent, se heurtent et se mettent à tournoyer de façon chaotique, très haut au-dessus d'eux. C'est pénible à voir. Chana se cache le visage. Les autres fixent Jakób, surpris et étonnés.

— Voyez maintenant, leur dit-il alors qu'il retire le couteau de terre.

Les grues tournent encore un moment de façon désordonnée, mais reforment vite leur V, qui, l'instant d'après, amorce une grande boucle, puis une autre plus vaste encore, avant de reprendre leur route vers le sud. Jakób dit alors :

— Ce que vous avez vu signifie que, si vous veniez à oublier qui je suis et qui vous êtes, alors malheur à vous !

Jakób fait allumer un feu, et, une fois qu'ils se sont rassemblés autour de lui, sans regards étrangers, sans espions, ils se mettent à parler tous en même temps. Ils s'emmêlent dans leurs nouveaux prénoms. Quand Salomon s'adresse à Nahman à l'ancienne, Jakób lui donne un coup sur l'épaule. Les prénoms juifs doivent disparaître désormais, il ne faut se servir que des chrétiens, que personne ne se trompe !

— Tu es qui, toi ? demande-t-il à Chaïm de Varsovie qui est à son côté.

— Mateusz Matuszewski, lui répond Chaïm avec tristesse, comme accablé.

— Et voici son épouse Ewa. Il n'y a plus de Wittel, ajoute de lui-même Nahman Jakóbowski.

Jakób demande ainsi à chacun de répéter sa nouvelle identité plusieurs fois. À plusieurs reprises les nouveaux prénoms font le tour du cercle.

Tous les hommes présents sont dans leur trentaine, dans la force de l'âge, bien habillés avec des manteaux doublés de feutre ou de fourrure, silhouettes barbues coiffées de chapkas en fourrure alors que l'hiver est encore loin. Certaines femmes portent des bonnets pareils à ceux des bourgeoises, d'autres, dont Chana, gardent encore un turban coloré. Si quelqu'un les observait à distance comme le font habituellement les espions de toute engeance, il ne saurait pas à quelle fin ce groupe s'est réuni au sommet du mont, au-dessus de la ville de Lwów. Ni pourquoi chacun répète son prénom.

Jakób se promène parmi eux avec un gros bâton ramassé à terre. Il les partage en deux groupes. Dans le premier se retrouve Reb Mordke, désormais appelé Piotr l'Ancien parce qu'il est le plus âgé, vient ensuite Herszełe, l'autre favori de Jakób, désormais appelé Jan. À côté, il y a Nahman, maintenant Piotr Jakóbowski, et Chaïm de Busk, devenu Paweł Pawłowski. Le Maître prend également dans ce groupe Icek Minkowicer, appelé maintenant Tadeusz Minkowiecki, ainsi que Jeruchim Lipmanowicz, désormais Dembowski. Demain, ils partiront avec Jakób à Varsovie.

Le temps de son absence, Chana et les enfants seront placés sous la protection de Mme Kossakowska. Demain, un attelage viendra les chercher. Lejbko Hirsz de Satanów, désormais Józef Zwierzchowski, et son épouse Anna les accompagneront. Le nom de ces derniers leur a été donné par le prêtre qui les a baptisés ; il est difficile à prononcer. Jakub Szymonowicz, appelé maintenant Szymanowski, les deux Shorr-Wołowski, ainsi que Reb Shajes, toujours Rabinowicz parce qu'il ne s'est pas encore fait baptiser, restent également.

Les deux groupes se jettent des regards en dessous, mais cela ne dure pas car Jakób leur demande de fouiller leurs poches à la recherche de pièces de monnaie. Il en prend une à chacun, ne choisissant que les gros ducats en or jusqu'à ce qu'il en ait douze. Il les pose soigneusement en pile dans l'herbe sèche avant de marcher dessus en les enfonçant presque dans la terre avec sa chaussure. Ensuite, il les regroupe de nouveau et les écrase encore. Ils l'observent tous en silence et retiennent leur souffle. Car qu'est-ce que cela peut vouloir dire ? Que veut-il leur faire comprendre ? Maintenant, ils doivent à leur tour s'approcher pour écraser les ducats en les enfonçant dans la terre.

Franciszek, autrement dit Salomon, vient voir Jakób le soir pour lui reprocher de n'avoir pris aucun Shorr pour aller à Varsovie.

– Quelle en est la raison ? Nous y avons des affaires, nous aurions pu être d'une aide certaine. Moi, désormais, en tant que catholique anobli, je suis dans une position complètement différente. J'ai la tête sur les épaules.

– Ta noblesse ne m'impressionne pas. Tu as versé combien pour ça ? lui demande Jakób non sans méchanceté.

– Je suis à tes côtés depuis le commencement, le plus fidèle des plus fidèles, et maintenant tu me rejettes ?

– Il le faut, répond Jakób – et sur son visage, comme souvent, se dessine un grand sourire chaleureux. Je ne te rejette pas, mon cher frère, je te laisse le pouvoir ici sur ce que nous avons déjà accompli. Tu es mon second, tu dois avoir l'œil sur tout notre peuple entassé comme de la volaille dans les granges et les poulaillers en ce moment. C'est toi le responsable ici.

– Mais toi, tu vas voir le roi... Tu ne m'emmènes pas, ni moi ni mes frères. Pourquoi ?

– Cette expédition est risquée, je m'en charge donc.

– C'est pourtant moi, avec mes frères et mon père, quand tu étais en Turquie...

– J'y étais parce que sinon ils m'auraient tué.

– Tu te pavanes maintenant, et pourtant tu n'étais pas à la cathédrale avec nous ! explose Salomon – ce qui ne lui ressemble guère, car c'est un homme habituellement maître de lui.

Jakób fait un pas en avant pour prendre Salomon-Franciszek Shorr-Wołowski dans ses bras, mais celui-ci esquive son geste et sort. La porte claque, rebondit contre le chambranle et tangue encore longtemps sur ses gonds rouillés en grinçant.

Une heure plus tard, Jakób appelle chez lui Herszełe, autrement dit Jan. Il lui dit d'apporter du vin et de la viande grillée. Devant sa porte, Nahman Jakóbowski, venu discuter avec Jakób, tombe sur Chana. Elle lui dit que la Maître a mis ses tefillins et qu'il se livre avec Herszełe à une activité secrète appelée transfert de la Torah aux latrines.

– Avec Jan, la corrige gentiment Nahman.

Les Reliquats. Chez Radziwiłł

Tout être vivant n'a-t-il pas une mission, qui est unique, impossible à dupliquer, totalement spécifique et qu'il est le seul à pouvoir réaliser? Ne s'en trouve-t-il pas responsable sa vie durant, sans jamais pouvoir la perdre de vue? J'ai toujours pensé cela, mais les jours qui suivirent notre acte de Lwów me parurent d'une telle brutalité que, longtemps, je ne fus pas en mesure non seulement de l'écrire, mais ne serait-ce que d'y mettre bon ordre dans mon esprit. Maintenant encore, alors que je commence à prier, seules des lamentations me viennent, des larmes me montent aux yeux, et, même si le temps passe, ma souffrance ne s'atténue guère. Reb Mordke est mort. La vie de Herszełe s'en est allée. Ma fillette à peine née n'est plus de ce monde.

Si ma petite Agnieszka était devenue un être humain accompli et heureux, je ne serais certainement pas ainsi au désespoir. Si Reb Mordke avait eu le bonheur de voir les temps bénis de la rédemption, je ne m'attristerais pas autant. Si Herszełe s'était fatigué de la vie pour avoir tout expérimenté, je ne le pleurerais pas. Je fus la première personne confrontée au fléau parce qu'il m'a atteint personnellement en frappant mon enfant longtemps attendue. J'étais pourtant un élu! Comment était-ce possible?

Avant que nous ne nous mettions en route, il y eut une petite cérémonie, pas vraiment aussi joyeuse qu'elle aurait pu l'être, puisque du fait de la calamité qui sévissait Jakób avait instauré un jeûne. Elle était en l'honneur de notre vieux Reb de Podhajce, notre immense faiseur de miracle et savant, car il avait pris pour épouse Teresa, auparavant Estera Majorkowicz, une jeune fille rendue orpheline par l'épidémie. Son geste était celui d'un homme bon, d'autant que la sœur de Teresa, qui avait survécu également, avait été adoptée par monsieur Łabęcki, le parrain de Reb Mordke, et ainsi les deux sœurs avaient-elles désormais le même patronyme : Łabęcki. Le jeûne fut levé pour cette unique soirée, mais cela resta néanmoins modeste : un peu de vin, de pain et de bouillon gras. La mariée ne cessait de pleurer.

Lors de la noce, Jakób annonça qu'il partait pour Varsovie, il bénit ensuite le jeune couple et fit cela de telle manière que tout le monde vit qu'il nous était supérieur en tout et prenait sur lui notre trouble, notre souffrance et notre colère. Les frères Wołowski, assis avec Walenty Krysiński, le fils de Nussen, avaient un air particulièrement renfrogné, parce qu'ils devaient rester à Lwów, et je sentais une tension à cette table de noce, une lutte invisible comme si au-dessus de la tête des commensaux, de la mariée amaigrie qui avait échappé à la mort de justesse et du vieux jeune marié, se livrait une bataille pour la gouvernance des âmes. Dans tout cela, c'était surtout la peur qui dominait ; or, à l'évidence, quand il y a de la peur, les gens se sautent à la gorge pour rendre l'autre responsable de tout le mal qui arrive.

Quelques jours plus tard, nous étions en chemin, et il est écrit à juste titre dans le Zohar, v. 31, que quatre choses affaiblissent l'homme : la faim, les voyages, le jeûne et le pouvoir. Oui, nous nous sommes laissé affaiblir. Mais cette fois nous ne risquions pas d'avoir faim en voyage, car nous avons été accueillis chez les nobles polonais ou dans les cures des paroisses catholiques en Juifs convertis, aimables et bons, presque comme des criminels amendés, et nous, dans notre lancée, nous nous prêtions volontiers à ce jeu.

Nous avons quitté Lwów pour Varsovie le 2 novembre avec trois berlines accompagnées de plusieurs des nôtres à cheval, dont Moliwda en tant que guide et protecteur. Partout où nous arrivions, il nous présentait de sa belle élocution, pas toujours comme nous l'aurions souhaité. Dès le deuxième jour, pourtant, nous nous sentions déjà exactement comme Moliwda nous décrivait et je pense en ce moment même que je n'ai jamais réussi à savoir si cet Antoni Moliwda parlait sérieusement ou plaisantait.

Quand nous arrivâmes à Krasnystaw, où nous avons loué toute l'auberge pour la nuit, Moliwda déclara qu'un grand seigneur polonais voulait rencontrer Jakób et que sa gloire en tant que grand sage était parvenue jusqu'à lui. Ce monsieur, un sage également, viendrait nous trouver là. Aussi, en dépit de sa fatigue, Jakób ne retira pas ses vêtements de voyage, mais jeta sur ses épaules un manteau doublé de fourrure et alla se réchauffer les mains au-dessus du feu parce que en cours de journée il avait commencé à pleuvoir et un froid transperçant arrivait de l'est, des marécages de Polésie. Nous nous installâmes dans la pièce la plus grande, sur des matelas étendus les uns à côté des autres qui sentaient bon le foin de l'année. Il faisait sombre, la fumée était partout. L'aubergiste, un chrétien, avait entassé toute sa famille dans une petite chambre et interdit aux enfants de sortir tant il nous tenait pour des hôtes de qualité, ne voyant nullement des Juifs en nous. Ses petits, couverts de morve, nous observaient néanmoins par les fentes des portes de mauvaise facture. Pourtant, quand le soir précoce d'hiver tomba, ils disparurent, probablement terrassés par le sommeil.

Ce ne fut que vers minuit qu'Icek Minkowicer, qui montait la garde, vint nous dire qu'une calèche venait de s'arrêter. Jakób s'installa sur un banc comme si c'était un trône, les pans de son manteau tombaient librement de ses épaules, laissant voir la fourrure.

Or, ne voilà-t-il pas que ce fut d'abord un Juif en kippa, de petite taille, grassouillet mais sûr de lui, voire arrogant, qui entra. Deux grands paysans armés restèrent à la porte derrière lui. Il ne disait rien, ce Juif, il balayait des yeux la pièce, et, quand, au bout d'un long moment, il aperçut finalement Jakób, il le salua d'un signe de tête.

«Tu es qui, toi?» demandai-je, ne supportant plus le silence.

«Szymon», répondit cet homme. Sa voix était profonde, elle ne correspondait nullement aux rondeurs de sa silhouette.

Il s'en retourna vers la porte pour revenir avec un vieux Juif petit et fripé qui avait l'air d'être un rabbin. Il était minuscule. Sous son bonnet en fourrure brillaient des yeux sombres au regard perçant. Il marcha droit sur Jakób qui, surpris, se leva, et le petit homme le prit dans ses bras comme s'ils étaient de bons amis. Il jeta juste un coup d'œil plein de suspicion à Moliwda, debout dans un coin de la pièce, un gobelet de vin à la main.

« C'est Marcin Mikołaj Radziwiłł », déclara celui qui se nommait Szymon sans ajouter de titre.

Le silence dura un moment, nous restions tous immobiles, surpris par la visite mais aussi par l'attitude chaleureuse d'un invité de pareille qualité. Nous avions entendu parler de ce magnat qui s'était spontanément converti à la foi juive alors même que les Juifs le traitaient avec suspicion, étant donné qu'il avait un harem chez lui et qu'il se livrait à des actes bizarres. Jakób était lui aussi frappé par le comportement du prince Radziwiłł, mais à son habitude il ne le montra pas, il lui rendit volontiers ses embrassades et le pria de s'asseoir à ses côtés. On apporta des bougies et les visages des deux hommes furent bien éclairés. La lumière des flammes se dispersait en une multitude de petites taches sur le visage raviné du magnat. Szymon, tel un chien de garde, se posta à la porte, aux aguets, il ordonna aux paysans de surveiller les abords de l'auberge. La conversation dévoila vite les raisons d'une telle prudence.

Radziwiłł était aux arrêts domiciliaires, comme il le déclara lui-même. Pour être favorable aux Juifs, affirma-t-il. Il était venu là incognito après avoir entendu qu'un personnage aussi remarquable et instruit allait passer par Krasnystaw. Lui-même y séjournait exceptionnellement car il était assigné à Słuck. Il se pencha ensuite vers Jakób pour chuchoter longuement et lentement, comme s'il récitait.

J'observais l'expression du visage de Jakób, il avait baissé les paupières et ne laissait rien voir. De ce que je pus saisir du coin de l'oreille, le magnat parlait en hébreu, mais ce n'était que du charabia comme s'il avait appris par cœur des bouts de phrases ici ou là. Pour moi qui ne pouvais tout entendre, cela n'avait guère de sens. Il pouvait néanmoins sembler que le grand magnat faisait part à Jakób de secrets importants et je pense que Jakób voulait que tous nous croyions à l'existence de ceux-ci.

Quand il a affaire à un interlocuteur de marque, Jakób change. Il est enclin à beaucoup pardonner à un individu de haute naissance, son visage se fait juvénile, innocent. Jakób devient aimable, semble soumis comme un chien qui s'abaisse devant plus grand et plus fort que lui. Au début, cela m'exaspérait vraiment. Quiconque connaît Jakób sait pourtant que c'est un jeu et qu'il s'en amuse.

Nul n'y échappe, les gens se conduisent différemment selon que la personne à qui ils ont affaire leur est supérieure ou inférieure. Le monde entier fonctionne ainsi et pareille perception de la hiérarchie est profondément gravée en l'homme. Personnellement, cela m'a toujours agacé et, pour peu que Jakób veuille m'écouter, je lui conseillais plutôt de se montrer rigide et inaccessible sans jamais courber le dos. J'ai entendu Moliwda lui dire un jour : « La plupart de ces grands nobles sont des imbéciles. »

De même qu'après cette rencontre il lui raconta que Radziwiłł avait gardé sa femme et ses enfants au pain sec et à l'eau, prisonniers dans une pièce, pendant des années, jusqu'à ce que sa famille se révolte et obtienne du roi qu'il soit considéré comme fou. Telle était la raison pour laquelle le prince était aux arrêts domiciliaires à Słuck. Il avait, paraît-il, chez lui tout un harem de jeunettes, des jeunes filles enlevées ou des esclaves achetées aux Turcs. Les paysans alentour affirmaient qu'il leur ponctionnait du sang pour le distiller afin d'en obtenir un philtre de jeunesse éternelle. Si la chose était vraie, celui-ci n'agissait guère parce que cet homme avait l'air plus vieux qu'il n'était sans doute. Il avait l'âme chargée d'un grand nombre de péchés, il attaquait les voyageurs, dépouillait les domaines des nobles avoisinants, agissait comme pris d'une folie inexplicable, alors qu'à le regarder il était difficile de voir pareil bandit en lui. Certes, son visage était laid, mais ce n'est pas la preuve d'une âme affreuse.

L'aubergiste servit de la vodka et de la nourriture, mais notre hôte refusa d'y toucher, affirmant que, maintes fois, on avait tenté de l'empoisonner. Il nous dit de ne pas le prendre pour nous, car il y avait partout des méchants qui étaient habiles à se faire passer pour de bonnes personnes. Il resta en notre compagnie jusqu'à l'aube ; certains d'entre nous, d'abord surpris de le voir, s'en étaient remis et somnolaient, tandis que lui se vantait de connaître plusieurs langues, dont couramment l'hébreu à l'écrit et l'oral. Il déclara également qu'il se serait déjà officiellement converti à la religion juive s'il n'avait eu si peur de le faire.

« À Wilno, dit-il, il y a tout juste dix ans qu'un apostat a été brûlé sur le bûcher. C'était cet idiot de Walenty Potocki qui, à Amsterdam, en toute bonne foi avait adhéré de tout cœur à la religion mosaïque, puis, à son retour en Pologne, ne voulut plus revenir au sein de l'Église. Il fut soumis à la torture et finalement brûlé. J'ai personnellement vu sa tombe à Wilno. J'ai vu les Juifs l'entourer de respect, mais personne ne lui rendra la vie.»

«Radziwiłł ne nous sera d'aucune utilité», déclara Jakób une fois celui-ci parti. Il s'étira et poussa un bâillement bruyant.

Nous nous endormîmes la tête posée sur la table et quand le soleil se leva il fut temps de repartir pour Lublin.

Les tristes événements de Lublin

Deux jours plus tard, alors que nous pénétrions dans le faubourg de Lublin appelé Kalinowszczyzna, une grêle de pierres déferla sur nous. La force de l'attaque était telle que les cailloux fissuraient les parois et les portes des berlines et transperçaient les toits. Comme j'étais assis à côté de Jakób, je le protégeai spontanément de mon corps. Mal m'en prit car j'eus à subir non pas tant la chute des pierres que les remontrances de Jakób qui me repoussa avec colère. Une chance que notre voiture fût entourée par huit cavaliers armés qui, eux aussi tirés de leur somnolence, sortirent leurs épées pour tenter de repousser cette milice paysanne. Néanmoins, de derrière les maisons et par toutes les rues déboulaient sans cesse de nouveaux gaillards armés de fourches et de bâtons, il y avait même une vigoureuse bonne femme qui prenait des poignées de boue dans son panier pour les jeter sur le carrosse avec adresse. Débuta alors une véritable bataille, quoique chaotique. Ces Juifs des faubourgs firent plus de bruit que de mal. Ce n'était qu'un ramassis de rustauds – qui finirent par s'égailler à la vue des soldats de la garde venus à notre secours grâce à Moliwda et Krysa qui, au galop, avaient couru chercher de l'aide en ville.

Je fus pris d'une profonde tristesse. Notre fatigue de la nuit précédente et cette attaque au cours de laquelle nombre d'entre nous furent blessés – j'eus l'arcade sourcilière fendue et une grosse bosse à la tête, depuis j'ai souvent la migraine – nous accablèrent tous profondément et tel fut notre état en entrant à Lublin. Le pire devait pourtant advenir le soir, une fois que nous fûmes installés dans le palais du voïvode grâce aux démarches de Moliwda et de Madame Kossakowska. En effet, Reb Mordke tomba malade et l'on voyait chez lui les mêmes signes que ceux des contaminés de Lwów. Nous l'installâmes dans une chambre à part, mais il refusait de rester alité et nous éconduisait en affirmant qu'il ne pouvait pas être souffrant. Dès que l'un de nous tentait de s'éloigner de lui, Jakób l'obligeait à se rasseoir près du malade dont lui-même s'occupait en lui faisant boire de l'eau; le vieillard s'affaiblissait pourtant à vue d'œil.

Herszełe, qui avait les gestes et la délicatesse d'une femme pour s'occuper d'autrui, le soignait avec dévouement. Moi, je courais partout à travers la ville en quête de bouillon et de blanc de poulet. Reb Mordke, quoique faible, désirait ardemment voir Lublin – c'était là qu'il avait étudié quand il était jeune et il en avait gardé de nombreux souvenirs. Avec Herszełe, nous l'avons donc sorti, nous l'avons promené lentement par les ruelles en le soutenant pour aller jusqu'au cimetière juif où reposait son maître d'antan. Tandis que nous marchions entre les tombes, Reb Mordke nous indiqua un magnifique tombeau de facture récente. «Voilà ce qui me plaît, dit-il, je voudrais en avoir un pareil.»

Nous l'avons alors grondé en riant, nous lui avons dit que l'heure n'était pas venue de rêver à sa tombe. N'étions-nous pas hors du cercle des lois de la mort? Ainsi pérorait Herszełe avec flamme, tout en ayant les larmes aux yeux. Comme beaucoup des nôtres, il était convaincu de cela; pour ma part, je n'y ai jamais cru, c'est la seule chose que je peux dire. Mais, après tout, peut-être que si, tout autant que les autres. Tout s'estompe dans ma mémoire désormais. Sur le chemin du retour, nous portions déjà quasiment Reb Mordke, incapable de marcher.

En cette nuit à Lublin, nous demeurâmes auprès du vieillard dans le palais humide, sale et à l'abandon du voïvode. La moiteur fissurait le crépi, le vent s'engouffrait par les fenêtres disjointes. Nous courions chercher de l'eau bouillie aux cuisines, mais la diarrhée sanglante ne cessait guère et Reb Mordke dépérissait à vue d'œil. Il demanda que nous lui allumions une pipe, mais il n'arriva plus à la fumer, il la tenait entre ses paumes et la braise déclinante réchauffait ses doigts de plus en plus glacés. Tout le monde observait Jakób du coin de l'œil dans l'attente de ce qu'il allait dire. Reb Mordke lui-même le regardait plein d'espoir, pour voir comment il allait lui épargner de mourir, à lui Mordekhaï ben Elie Margalit. Reb Mordke n'était-il pas le plus fidèle adepte de Jakób depuis des années, depuis l'époque de Smyrne l'ensoleillée, de Salonique aux senteurs marines? Un homme comme lui, déjà baptisé, ne pouvait pas mourir!

La deuxième nuit, Jakób sortit seul dans la cour mouillée. Il fut absent deux heures environ, rentra complètement frigorifié, pâle, et s'effondra sur son lit. J'étais à ses côtés.

«Tu étais passé où? Reb Mordke se meurt!» lui dis-je avec reproche.

«Je ne pouvais pas la vaincre», répondit-il comme pour lui-même – mais moi je l'entendis parfaitement. Tout comme Icek Minkowski, qui, l'instant d'avant, pensait déjà sérieusement que Jakób s'était fait enlever.

«De qui parles-tu? lui criai-je. Avec qui luttais-tu? Qui était-ce? Les gardes du palais sont partout...»

«Tu le sais parfaitement, toi...» me répondit-il – et un frisson glacé me parcourut le dos.

Au petit matin de cette même nuit, Reb Mordke mourut. Nous restâmes assis autour de lui jusqu'à midi, complètement abasourdis. Herszełe commença par rire étrangement, il déclara que c'était à cela que cela ressemblait, on mourait d'abord pour revivre ensuite. Qu'il fallait un moment pour que la mort se concrétise, sans quoi personne ne croirait à la rédemption. C'était possible, car on n'aurait pu savoir autrement que quelqu'un était immortel. J'étais en colère et je lui lançai: «Ce que tu peux être sot!» Je regrette infiniment de lui avoir dit cela, maintenant. Il n'était pas sot du tout. Moi aussi, j'étais persuadé que ce n'était pas pour de vrai, qu'il allait se passer quelque chose d'exceptionnel, que le temps que nous vivions était unique, tout comme nous l'étions. Et puis il y avait Jakób qui ne tenait pas debout, qui vacillait, la sueur perlait sur son visage, ses paupières étaient mi-closes et ses yeux avaient une lueur sombre. Il ne parlait pratiquement pas et je réalisai qu'au-dessus de nous des forces puissantes, les unes ténébreuses, les autres des plus lumineuses, s'affrontaient comme lorsque, dans un ciel d'orage, les nuages noirs repoussent l'azur et couvrent le soleil. Il me semblait déjà entendre le grand craquement, son bruit grave et lugubre. Je tournai soudain les yeux dans la direction de cette rumeur et je nous vis assis en cercle à pleurer accablés autour du catafalque de Reb Mordke. Nous étions pareils à ces figurines en mie de pain que Haya déplaçait sur ses tablettes, nous étions risibles et effrayants.

Contre la mort, nous n'avions pas gagné, pas cette fois.

Le troisième jour fut celui des funérailles en grande cérémonie. Conformément à la coutume catholique, nous avons sorti le cercueil ouvert pour le placer sur une charrette richement décorée. La nouvelle ayant couru par la ville que le défunt était un grand sage juif qui s'était converti à la croix, une énorme procession se mit en place avec des guildes, des trompettes, des moines et une populace curieuse de l'enterrement d'un apostat en terre consacrée. Les gens pleuraient beaucoup, allez savoir pourquoi puisqu'ils ne connaissaient pas le défunt ni ne savaient vraiment qui il était. Quand, dans l'église fortifiée, l'évêque local prononça son sermon, toute l'assemblée pleura car le mot « vanité » revint un grand nombre de fois, or il est sans doute pire que le mot « mort ». Moi aussi, je pleurais, pris de désespoir, d'une tristesse très ancienne, et ce ne fut qu'alors que je pus pleurer ma petite fille et tous mes morts.

Je me rappelle que Herszełe était à côté de moi et qu'il me demanda ce que signifiait ce terme polonais de « vanité ». Il est beau, me dit-il.

C'est quand tous les efforts sont vains, quand on bâtit sur du sable, quand on veut prendre de l'eau avec une passoire, quand l'argent durement gagné se trouve être faux. Telle fut l'explication que je lui donnai.

Le temps était nuageux et brumeux au moment où nous sortions de l'église. Le vent soulevait des feuilles jaunes et boueuses qui nous attaquaient telles d'étranges chauves-souris. Et moi, toujours si attentif aux signes que Dieu nous envoie, je ne compris pas alors ce qu'Il voulait nous dire! Je voyais le visage en larmes de Jakób et cela me fit un tel effet que mes jambes se dérobèrent sous moi, m'empêchant de marcher. Je ne l'avais jamais vu pleurer.

Après l'enterrement, sur le chemin du retour, Jakób nous enjoignit de nous saisir des longs pans de son vêtement turc pour nous y accrocher comme si c'étaient des ailes. Nous le fîmes. Pareils à des aveugles, malgré notre tristesse et la pluie qui nous cinglait, nous nous appliquâmes à les tenir. Nous nous agrippions à ce manteau de Jakób, chacun de nous voulait l'avoir en mains ne serait-ce qu'un instant, et donc nous alternâmes tout au long du chemin qui allait du cimetière au palais. Les gens nous cédaient le passage, à nous qui étions bizarres comme des insectes, à nous qui avions le visage mouillé de larmes. C'est qui ? murmurait-on, tandis que par les étroites ruelles de la ville nous nous dirigions vers la demeure du voïvode en nous tenant au manteau de Jakób. Plus ils étaient étonnés, plus ils nous regardaient étrangement, et mieux c'était. Nous nous distancions d'eux par notre désespoir et notre deuil. Nous étions de nouveau différents. C'était ce qu'il fallait. Être étranger à quelque chose d'attirant, à quoi l'on pourrait prendre goût, qui apparaît comme une douceur. Il est alors bon de ne pas comprendre la langue, de ne pas connaître les usages et de glisser tel un esprit entre ces Autres qui vous sont lointains et indistincts. Une sagesse particulière s'éveille alors en vous, elle vous permet de deviner, de saisir au vol des questions qui ne sont en rien évidentes. Vous viennent également une acuité et une certaine vivacité d'esprit. L'être qui est un étranger gagne un nouveau point de vue, il devient *nolens volens* un sage. Qui nous a tous persuadés que rester entre soi, parmi les siens, est si bien et si merveilleux ? Seul l'étranger comprend vraiment ce qu'est le monde.

Le jour qui suivit l'enterrement de Reb Mordke, Herszełe mourut. Aussi silencieusement et rapidement qu'un lapin. Jakób s'enferma dans sa chambre pendant deux jours sans en sortir. Nous ne savions que faire. J'allais gratter à sa porte pour le supplier de me laisser au moins entendre sa voix. Je savais qu'il aimait particulièrement Herszełe, il l'adorait, alors que c'était juste un simple et brave garçon.

Au cours des funérailles, Jakób alla directement à l'autel pour s'y agenouiller et entonner soudain à pleine gorge *Signor Mostro abascharo*, autrement dit

« Notre-Seigneur descend », le chant des temps d'effroi. Aussitôt se joignirent à la sienne nos voix puissantes tandis que nous nous agenouillions derrière lui. Un sanglot interrompit les dernières paroles, aussi quelqu'un, ce devait être Matuszewski, entama notre chant sacré, *Igadel* :

> « Le Messie révélera la magnificence de Ton Royaume
> À Ton pauvre peuple, abattu et humilié,
> Tu régneras pour les siècles des siècles, Toi notre Refuge ».

« *Non aj otro commemetu* », c'est-à-dire « Il n'est personne hormis Toi », ajouta Jakób dans l'ancienne langue ladino.

Nos voix chargées de désespoir emplissaient l'église, montaient jusqu'aux voûtes et en revenaient maintes fois, comme si toute une armée chantait dans cette langue étrange que personne, en ces lieux, ne pouvait connaître et dans laquelle résonnaient des sonorités qui n'étaient pas de ce monde. Je me rappelai Smyrne, le port, l'air marin, je sentis des épices dont, dans cette enceinte de Lublin, personne n'avait jamais entendu parler. L'église elle-même semblait figée d'étonnement et les flammes des bougies cessèrent d'osciller. Un moine, qui, l'instant d'avant, arrangeait les fleurs d'un autel latéral, se tenait à présent debout devant une colonne en nous fixant avec l'expression de qui voit des fantômes. À tout hasard, il se signa discrètement.

À la fin, nous avons prié en yiddish tous ensemble, si fort que les petites vitres colorées des vitraux semblaient en frémir, et ceci pour que Dieu nous tendît sa main secourable au pays étranger d'Ésaü, à nous les enfants de Jacob égarés dans le brouillard, la pluie et ce terrible automne de 1759 qui devait être suivi d'un hiver pire encore. Je le compris ce soir-là. Nous faisions notre premier pas dans le vide.

Le jour d'après l'enterrement, Jakób et Moliwda partirent pour Varsovie, et nous, tous les autres, nous restâmes à Lublin parce que Krysa avait porté plainte pour avoir été agressé et frappé, il demandait une réparation importante à la Commune juive locale. Dans la mesure où tout le monde était de notre côté, le jugement devait être rapide, le verdict favorable. Pour ma part, cela ne m'intéressait guère. Je me rendais dans les églises de Lublin, je m'asseyais sur un banc et je réfléchissais.

Je songeais surtout à la question de la *Shekhina*. Je sentais que, en cette heure terrible, c'était elle qui émergeait des ténèbres, se débattait dans les gangues mortes et me livrait des signes, je me souvins de mon voyage avec Reb Mordke à Istanbul. Elle, la Présence divine, était venue dans le monde misérable, Elle, Être inimaginable et n'ayant aucune forme mais qui pourtant existait dans la matière, Diamant dans un bloc de charbon noir. Je me rappelai tout, car c'était Reb Mordke qui m'avait initié aux mystères de la *Shekhina*. C'était lui qui m'avait conduit en divers lieux sacrés, il n'avait pas de ces préjugés si fréquents chez les Juifs. À notre arrivée à Istanbul, le deuxième jour, nous entrâmes dans Sainte-Sophie, la grande basilique de la Marie des chrétiens, la mère de Jésus, dont Reb Mordke me dit qu'elle était proche de la *Shekhina*. J'en fus déconcerté. À cette époque-là, jamais je ne serais entré de moi-même dans une église chrétienne, et d'ailleurs, alors même que celle-ci était devenue une mosquée, je n'y étais pas à l'aise et j'aurais volontiers évité cette étape de ma formation. Mes yeux n'étaient pas accoutumés aux peintures. Quand, sur un mur, je vis un grand portrait de femme qui, en outre, me fixait avec insistance, je me sentis oppressé comme cela ne m'était jamais arrivé et mon cœur se mit à battre la chamade, de sorte que je voulus sortir, mais Reb Mordke m'attrapa par la main et m'en empêcha. Nous restâmes assis sur le sol froid, près du mur portant des inscriptions en grec, gravées sans doute des siècles plus tôt, et je repris peu à peu mes esprits. Mon souffle s'apaisa et je pus enfin regarder cette merveille.

Très haut, sur la voûte de la coupole, au-dessus de nos têtes, une femme sort de la paroi, elle est gigantesque. Sur ses genoux, elle tient un enfant comme si c'était un fruit. Ce n'est pourtant pas l'enfant qui est important. L'aimable visage de Marie est dépourvu d'affects humains à l'exception d'un seul, celui qui est à la base de tout : l'amour inconditionnel. Moi, je sais cela, dit-elle sans remuer les lèvres. Moi, je sais tout cela et je le vois, et rien n'échappe à ma compréhension. Je suis ici depuis le début du monde, présence cachée jusque dans la plus petite particule de la matière, dans la pierre, le coquillage, l'aile de l'insecte, la feuille de l'arbre et la goutte d'eau. Fais éclater un tronc d'arbre et j'y serai, brise un rocher et tu m'y trouveras.

Voilà ce que semblait dire cette immense personne.

Il me sembla que cette figure majestueuse me révélait une vérité évidente, mais à l'époque je ne pouvais encore la comprendre.

L'auberge sur la rive droite de la Vistule

Moliwda et Jakób observent Varsovie depuis Praga, sur l'autre rive de la Vistule. Haut sur la berge d'en face, Varsovie leur apparaît comme un agrégat de ruches d'une couleur rouille virant au bronze et au brun, avec les murs et les toits de ses bâtiments serrés les uns contre les autres. Le rempart de brique rouge est complètement effondré en plusieurs endroits où des arbrisseaux ont spontanément pris racine. Au-dessus de la cité dominent les clochers des églises, celui en flèche de la collégiale Saint-Jean, celui à bulbe de l'église des jésuites, celui de Saint-Martin, en bâtière de brique, rue Piwna, et au bout, côté fleuve, la haute tour Marszałkowska des anciennes fortifications. Moliwda montre chaque

clocher d'un geste de la main comme s'il faisait le tour du propriétaire. Il indique aussi le château royal avec son horloge au beffroi et, en contrebas, ses jardins magnifiquement agencés que recouvre une fine couche de neige. L'escarpement et la ville sont une sorte d'anomalie surgie sur la plaine définitivement plate et horizontale.

Le crépuscule tombe déjà et le bac ne partira plus pour la rive gauche. Les deux compagnons se trouvent donc une auberge près de l'eau, basse de plafond et enfumée. Ils sont habillés comme des personnes d'importance et exigent une chambre propre avec des lits séparés, aussi l'aubergiste les traite-t-il avec déférence. Pour le dîner, ils commandent du poulet grillé et du sarrasin aux lardons, mais aussi du fromage et des cornichons en saumure que Jakób ne trouve pas bons et ne mange pas. Il est étrangement silencieux et concentré. Son visage rasé de près laisse voir la fossette du menton ; les cernes permanents sous ses yeux sont désormais particulièrement soulignés par le teint clair du bas de sa figure. Le tenancier le prend pour un Turc, ou peut-être un député, car il est coiffé d'un haut bonnet en fourrure.

La vodka consommée voile déjà le regard de Moliwda. Il n'a pas l'habitude de cette forte eau-de-vie mazovienne. Il tend la main à travers la table pour frôler du doigt la joue de Jakób. Manifestement, il n'en finit pas de s'étonner de ce visage glabre. Jakób, surpris, lève les yeux sans cesser de mastiquer. Ils discutent en turc et se sentent ainsi en sécurité.

– Ne t'inquiète pas, le roi te recevra, lui dit Moliwda. Mgr Sołtyk lui a écrit, de nombreuses personnes sont intervenues en ta faveur.

Jakób lui reverse de la vodka, lui ne boit guère.

– La Virago – c'est ainsi qu'ils appellent la palatine Kossakowska – t'offre le logis et les domestiques pour le temps de ton séjour. Tu feras venir Chana, tout va s'arranger, poursuit Moliwda.

Ainsi cherche-t-il à le rassurer, alors qu'au fond de lui il a l'impression d'encourager Jakób à se jeter dans la gueule du loup. Surtout aujourd'hui, en revoyant cette ville prétentieuse et pitoyable à la fois.

Lui aussi se sent taraudé par une sorte d'inquiétude. Mais que pourrait-il leur arriver de pire que le fléau de Lwów ou les enterrements de Lublin ?

– Je ne veux pas me faire une position, répond Jakób, maussade. Je veux qu'ils me donnent une terre et le pouvoir sur celle-ci...

Moliwda comprend que Jakób exige beaucoup. Il change de sujet.

– Et si on se prenait une fille ? dit-il pour calmer le jeu. Une pour nous deux, on se la culbutera tous les deux, propose-t-il sans grande conviction.

Mais Jakób fait un signe de dénégation de la tête. Avec le cure-dent en argent qu'il a toujours sur lui, il enlève les bouts de viande coincés entre ses dents.

– Quand la réponse tarde autant, j'ai tendance à croire qu'on ne veut pas me recevoir.

– Tu t'imagines quoi, c'est ça la chancellerie du roi. Des demandes comme la tienne, ils en ont des centaines. Le roi ne lit pas attentivement tout son courrier, il est inondé de missives et de pétitions. J'ai un bon ami, là-bas. Il mettra ta lettre sur le haut de la pile. Nous devons attendre.

Moliwda reprend de la viande, il brandit une cuisse de poulet comme une épée d'enfant, il la pointe vers Jakób pour jouer. Il se met à imiter son ami en utilisant les tournures et l'accent des Juifs quand ils parlent polonais.

– Je dire alors à ta place : Nous venus confiants à la religion catholique, nous mettre notre destin entre les mains de Votre Sérénissime Altesse avec immense confiance, convaincus qu'Elle n'abandonnera pas ses plus humbles serviteurs dans le besoin...

– Arrête, lui intime Jakób.

Moliwda se tait. Jakób se verse un verre de vodka qu'il avale d'un trait. Ses yeux commencent à briller et, peu à peu, sa mauvaise humeur fond comme de la neige dans une pièce chaude. Moliwda s'assoit à côté de lui pour poser une main sur son épaule. Il suit son regard et voit deux jeunes filles, l'une semble une demoiselle de compagnie, l'autre, plus blanche de peau, pourrait appartenir à la noblesse. À l'évidence, ce sont des puterelles de qualité, et elles leur jettent des regards furtifs et curieux, les prenant sans doute pour des seigneurs venus d'au-delà des mers. Ou pour des députés en voyage. Moliwda, émoustillé, leur lance une œillade, mais Jakób le retient; il y a beaucoup d'espions dans les lieux de ce genre, qui sait ce qui pourrait arriver. Il faut savoir se tenir.

Ils dorment dans la même chambre, chacun dans un lit, ou plutôt un grabat. Tout habillés. Jakób a étalé une chemise sous sa tête pour ne pas être en contact avec le tissu rugueux du matelas. Moliwda s'endort, mais il est aussitôt réveillé par du bruit au rez-de-chaussée où les gens continuent à s'amuser. Il entend les vociférations des ivrognes, et celles de l'aubergiste qui doit tenter de mettre à la porte les importuns. Il regarde vers le lit de Jakób, mais celui-ci est vide. Inquiet, il s'assied, et là, près de la fenêtre, il voit son ami en train de se balancer d'avant en arrière, en murmurant pour lui-même, en marmonnant. Moliwda se recouche et, sur le point de s'endormir, il réalise que, pour la première fois, il voit Jakób prier pour lui-même et non pour le spectacle. À l'orée des songes, il s'en étonne; jusque-là, il était convaincu que le Maître ne croyait guère à ce qu'il professait devant ses adeptes, pas plus aux divinités trinitaires ou quadritaires qu'à l'alliance des Messies, ou même au Messie. Quelle est cette part de notre cœur qui a la foi et quelle est celle qui est certaine que rien n'est vrai? se demande-t-il, somnolent, puis une dernière pensée lui vient avant qu'il ne sombre dans le sommeil: «Il est difficile de se fuir soi-même.»

Les événements de Varsovie et le nonce apostolique

À Varsovie, la première chose que fait Jakób est de louer une calèche tirée par trois chevaux. Il parcourt la capitale polonaise en conduisant lui-même. Les chevaux sont attelés bizarrement, l'un devant l'autre, et cela attire l'attention. Tout le monde dans la rue s'arrête pour regarder. Près de la *Żelazna Brama*, la Porte de Fer du Jardin saxon, Jakób choisit un petit hôtel particulier avec une remise, une écurie et sept pièces meublées pour pouvoir y loger tous ceux qui arriveront de Lublin. Le mobilier tapissé de tissu damassé est beau et propre, il y a plusieurs miroirs, des coffres et des divans. De hauts poêles en céramique, également. En homme de qualité, Jakób fait aussitôt mettre des draps propres au grand lit, à l'étage. Avec l'aide de Moliwda, il engage un laquais, une cuisinière et une jeune fille chargée de l'entretien des poêles et du ménage.

L'entregent de la palatine Kossakowska prouve déjà son efficacité : le magnat Branicki est le premier à inviter Jakób et Moliwda, après quoi toute la bonne société veut accueillir dans ses salons le néophyte et le puritain. Chez les Jabłonowski, Jakób fait un ravage dans sa tenue turque bariolée. Les autres convives, vêtus à la française, observent à travers leurs besicles ce personnage bizarre, au visage grêlé, mais qui est pourtant bel homme. La curiosité fait rapidement place à de la sympathie. En Pologne, on est toujours plus attiré par ce qui vient d'ailleurs que de chez soi, aussi complimente-t-on cet habit exotique dans lequel l'hôte s'affiche. Les messieurs soulignent avec satisfaction qu'ils voient en lui non pas tant un Juif qu'un Turc ou un Perse, et ceci est supposé être une marque de bonne volonté de leurs grandeurs. Un moment d'hilarité survient quand le petit chien de la duchesse Anna lève la patte pour arroser les magnifiques chaussures jaunes de l'invité. La duchesse y voit une manifestation de grande sympathie, canine cette fois, et tout le monde se réjouit de ce bon augure. Après les Jabłonowski, ce sont les Potocki qui reçoivent les deux compagnons, amicalement eux aussi, et, à partir de là, toutes les grandes maisons se transmettent tour à tour ce divertissement.

Jakób parle peu, il cultive le mystère. Il s'efforce de répondre aux questions des curieux, et Moliwda embellit ses paroles de telle sorte que Jakób passe pour un homme raisonnable et sérieux. Parfois, il rapporte une anecdote, et alors Moliwda en peaufine merveilleusement les détails. Il doit atténuer le ton hâbleur de Jakób, qui ne conviendrait pas dans les salons où la mode est à l'humilité. Par contre, la vantardise de Jakób plaît beaucoup dans les troquets des faubourgs, où tous deux atterrissent parfois après une soirée d'Opéra ennuyeuse.

Vient le tour de Niccolò Serra, le nonce apostolique, de les recevoir.

Ce vieil homme soigné aux cheveux tout blancs les observe avec une expression absolument impénétrable. Quand ils parlent, il hoche légèrement la tête comme s'il était absolument d'accord avec eux. Jakób se laisse presque prendre par cette politesse et cette amabilité, mais Moliwda sait que l'homme est un fin matois dont on ne sait jamais ce qu'il pense. C'est ce que l'on enseigne à ces ecclésiastiques : rester calme, prendre son temps, observer attentivement, peser les arguments. Jakob parle en turc, Moliwda le traduit en latin. À une petite table séparée, un très beau jeune séminariste note tout avec indifférence.

– Jakób, ce Jakób Frank ici présent, commence Moliwda après les quelques mots de son ami, quitta les pays ottomans avec son épouse, ses enfants et ses soixante frères, abandonnant ainsi toute possession, sans connaître d'autre langue que celles de l'Orient, inutiles ici, aussi dois-je lui servir de traducteur… tant était grand leur désir d'embrasser la foi chrétienne. Or, par ici, ils ne connaissent aucun usage, ils ont du mal à pourvoir à leurs besoins, ils vivent de l'aumône des bonnes gens…

Moliwda remarque le regard quelque peu ironique du nonce, aussi ajoute-t-il :

– Ce dont il dispose ici lui vient de la générosité de notre noblesse. En outre, leur fervente communauté subit de nombreuses persécutions de la part des talmudistes, comme récemment à Lublin où une attaque sanglante eut lieu contre ces voyageurs paisibles. Le pire est que ces êtres n'ont pas où se réfugier, sinon en acceptant l'hospitalité qui leur est faite, ils dépendent du bon vouloir d'autrui en permanence.

Jakób hoche la tête comme s'il comprenait tout. Peut-être est-ce le cas, d'ailleurs.

– Nous avons été chassés de partout pendant tant de siècles, nous avons souffert d'une incertitude permanente pendant tant de siècles, jamais nous n'avons pu prendre racine en hommes sages. Et quand on n'a pas de racines, on n'est personne, ajoute Moliwda de lui-même. Juste une poussière volatile. Il a fallu que nous venions dans la *Respublica* polonaise pour y trouver asile, défendus par les édits royaux et l'attitude protectrice de l'Église...

Là-dessus, Moliwda jette un regard rapide à Jakób, qui, apparemment, suit avec attention sa traduction.

– Quelle ne serait la satisfaction que Dieu ressentirait, poursuit-il, si désormais l'on autorisait cette poignée d'hommes à s'établir sur un territoire qui serait le leur, eux qui ne souhaitent rien tant que de vivre en bonne harmonie avec les autres. Ce serait comme si la boucle se refermait et que tout revenait à l'ordre ancien. Quels ne seraient les mérites de la Pologne auprès de Dieu, plus grands que ceux du reste du monde, si peu favorable aux Juifs.

Moliwda ne réalise pas qu'en traduisant les propos de Jakób il passe du « eux » au « nous ». En fait, il a déjà répété tout cela tant de fois que ses phrases en sont belles et bien tournées au point de paraître suspectes. Tous ces propos sont par trop évidents, quasi ennuyeux. Qui donc pourrait penser autrement ?

– ... Voilà pourquoi, au vu et au su de tous, nous renouvelons notre prière de nous attribuer un territoire indépendant non loin de la frontière polono-ottomane.

– *Di formar un intera popolazione, in sito prossimo allo stato Ottomano*, répète spontanément en italien le jeune séminariste d'une beauté inouïe – et il s'arrête le feu aux joues.

Après un temps de silence, le nonce attire leur attention sur le fait que certains magnats inviteraient volontiers sur leurs terres ce « petit peuple de Dieu », mais à cela Jakób répond par la voix de Moliwda :

– Nous aurions peur de nous retrouver assujettis comme le sont les malheureux habitants des villages en Pologne...

– ... *miseri abitatori della campagna*... entend-on murmurer le séminariste qui, manifestement, s'aide ainsi dans son compte rendu.

– C'est pourquoi Jakób Frank, au nom de ses adeptes, supplie (*implora*) qu'un endroit séparé leur soit attribué, le mieux serait une localité dans son entier (*une luogo particolare*), avec l'assurance qu'une fois qu'ils y seraient tous ensemble (*uniti*) ils pourraient devenir industrieux sans plus déranger leurs persécuteurs.

Le nonce s'anime alors poliment pour leur dire que le grand chancelier de la Couronne, avec lequel il s'est entretenu, se montre favorable à leur installation sur un domaine royal, ils deviendraient alors sujets royaux. L'Église, quant à elle, est disposée à les accueillir dans les villes sous juridiction épiscopale.

Moliwda laisse échapper un profond soupir de soulagement, mais Jakób ne cille pas le moins du monde à cette bonne nouvelle.

Après cela, la conversation passe au baptême, pour que celui-ci soit absolument répété avec faste et à la vue du monde. Qu'il ait lieu une fois encore, en grande pompe, devant le roi. Qui sait, peut-être qu'un très haut personnage acceptera d'être parrain?

L'audience est terminée. Le nonce retrouve son masque d'amabilité. Il est pâle comme s'il n'était pas sorti depuis longtemps de ce palais luxueux. À bien y regarder, on voit que ses mains tremblent. Jakób traverse les couloirs de la résidence avec assurance, il fait claquer ses gants dans sa paume. Moliwda trotte derrière lui, silencieux. Des secrétaires ecclésiastiques se collent aux murs pour les laisser passer.

Les deux compagnons ne respirent à leur aise qu'une fois dans la calèche. Et comme autrefois à Smyrne quand il était content, Jakób attire à lui le visage de Moliwda pour l'embrasser sur la bouche.

Devant leur hôtel particulier, Nahman-Piotr Jakóbowski et Jeruchim Dembowski les attendent.

Jakób les salue d'une manière nouvelle, plutôt bizarre, jamais remarquée auparavant par Moliwda: il porte la main à ses lèvres puis la pose sur son cœur. Et eux, avec confiance comme toujours, répètent son geste et, l'instant d'après, on dirait qu'ils l'utilisent depuis toujours! Ils se bousculent pour avoir des détails de l'entretien avec le nonce, mais Jakób les dépasse pour disparaître dans l'entrée. Moliwda, tel son porte-parole, le suit en leur disant:

– Il a convaincu le nonce sans difficulté. Il lui a parlé comme à un enfant.

C'est ce qu'ils voulaient entendre, Moliwda le sait. Il voit la forte impression que ses paroles ont sur eux. Il précède Jakób afin de lui ouvrir toutes les portes, Nahman et Jeruchim marchent derrière eux. Il lui semble qu'est revenu ce qu'ils avaient connu jadis : le plaisir de la compagnie de Jakób, dont l'incroyable auréole, invisible pour des yeux humains, vous réchauffe.

Katarzyna et son activité à Varsovie

Katarzyna Kossakowska circule dans une modeste petite calèche, elle est toujours vêtue de sombre, avec des couleurs marron et des gris qu'elle apprécie particulièrement ; une grande croix pend toujours à son cou. Quand elle arrive devant un hôtel particulier, elle franchit la distance qui sépare la voiture de l'entrée de son grand pas en se penchant en avant. Elle parvient à visiter quatre, voire cinq maisons nobles par jour sans se soucier du froid, sans s'inquiéter d'avoir une tenue peu appropriée. Aux laquais devant la porte, elle lance juste : « La palatine Kossakowska », avant de se diriger en manteau vers les salons. Agnieszka la suit et tente de calmer les serviteurs bouleversés. Depuis leur arrivée à Varsovie, Moliwda les accompagne fréquemment, Katarzyna le présente comme son cousin très éclairé. Dernièrement, il l'aide à faire des emplettes, car elle s'apprête à rentrer chez elle pour les fêtes de fin d'année. Dans un magasin rue Krakowskie Przedmieście où l'on vend des marchandises importées de Vienne, une demi-journée s'écoule à choisir des poupées.

Moliwda lui raconte la mort de Reb Mordke et de Herszełe.

– Chana Frank en est-elle informée ? interroge Kossakowska en regardant sous les larges jupes d'élégantes poupées pour s'assurer qu'elles ont des culottes longues bordées de dentelles. Peut-être ne faudrait-il pas le lui dire, surtout que je sais qu'elle attend à nouveau un enfant. À peine la touche-t-il, et hop, elle est enceinte ! Étant donné la rareté de leurs rencontres, cela tient du miracle !

Préparant son manoir de Wojsławice pour accueillir Chana, voici que la palatine, habituellement avare, devient dépensière. Elle entraîne Moliwda rue Miodowa où l'on vend de magnifiques céramiques, des merveilles chinoises tellement fines que l'on voit la lumière à travers les tasses. Elles sont toutes décorées de paysages délicats – Mme Kossakowska voudrait les acheter pour la nouvelle maison. Moliwda tente de l'en dissuader, pareille fragilité ne résistera à aucun voyage, mais il finit par se taire parce qu'il se rend compte que, pour la palatine, Chana et tous les «puritains», comme elle les appelle, sont d'une certaine manière devenus ses enfants. Des enfants difficiles qui lui donnent du souci, mais ce sont les siens. Voilà pourquoi, au lieu de rester à Varsovie pour assister au second baptême, fastueux et en présence du roi, elle préfère rentrer en Podolie. Quand elle a vu Frank pour la dernière fois, elle lui a dit de faire ce qu'il avait à faire tandis qu'elle s'occuperait de ceux qui étaient restés là-bas. La petite ville de Wojsławice est la propriété de sa cousine et amie Marianna Potocka, c'est une localité cossue avec une grande foire et une place centrale pavée. Le manoir appartenant à Mme Kossakowska a été confié à un régisseur local et il est déjà prêt, les murs sont repeints, les réparations faites. L'entourage moins proche de Chana pourra habiter dans les corps de ferme attenants jusqu'à ce que Jakób obtienne une terre où s'installer définitivement.

– De quoi vivront-ils? demande Moliwda avec une certaine présence d'esprit tandis qu'il regarde le vendeur emballer chaque tasse dans du papier de soie avant de la placer dans de l'étoupe.

– Du soutien qu'ils recevront et de ce qu'ils possèdent. D'ailleurs, l'hiver n'empêche pas le commerce en tout genre. Au printemps, ils recevront des graines et pourront semer.

Moliwda fait la grimace.

– Je vois.

– Il y a là-bas toutes ces foires, ces boutiques...

– Tout est déjà investi par d'autres Juifs depuis des dizaines d'années, si ce n'est depuis des siècles. On ne peut pas lâcher ainsi des gens au milieu d'autres et attendre pour voir ce qui va se passer.

– On verra bien, dit Mme Kossakowska qui paie, satisfaite.

Moliwda est consterné en découvrant le prix des porcelaines.

Ils retournent à la calèche en marchant dans la neige souillée par le crottin de cheval.

Tandis qu'il range les paquets dans le véhicule, Moliwda déplore que, de tous les antitalmudistes, seul Jakób soit présentable dans un salon. Il est aussi catastrophé par les sommes d'argent que ce dernier dépense dans la capitale, une opulence et un luxe qui dérangent. Mme Kossakowska confirme :

– À quoi bon un carrosse à six chevaux ? À quoi bon ces manteaux longs doublés de fourrure, ces chapkas, ces bijoux ? Nous autres, nous cherchons à les présenter comme des gens humbles mais très dignes, et celui-là s'exhibe ainsi à toute la ville. Vous en avez parlé avec lui ?

– Oui, mais il ne veut rien entendre, répond Moliwda, très sombre, tandis qu'il aide Katarzyna Kossakowska à monter dans la calèche.

Ils se saluent et elle part. Moliwda se retrouve seul sur Krakowskie Przedmieście. Le vent souffle par la rue Kozia et soulève les pans de son *kontusz* d'hiver. Le froid est si pénétrant qu'on se croirait à Saint-Pétersbourg.

Moliwda se rappelle avoir oublié d'informer la palatine que Jakób ne reçoit aucune lettre de Podolie. Le sceau de celle de Chana, qui est arrivée aujourd'hui, est endommagé.

Tout est prêt pour le second baptême officiel. Il est prévu dans la chapelle royale du Palais de Saxe. Une messe solennelle avec chœur, célébrée par l'évêque de Kiev, Mgr Józef Załuski en personne, le précédera. Le roi n'y assistera probablement pas, occupé qu'il est à Dresde. Tant mieux, d'ailleurs ! À quoi bon ce roi ? Varsovie vivait parfaitement bien sans lui !

Katarzyna Kossakowska écrit à son cousin

Mon Cher Cousin, les céramiques sont à bon port. Une seule tasse a perdu son anse, rien de plus. Vous nous manquez beaucoup ici, Mon Cousin, parce que nous n'avons aucune nouvelle depuis longtemps, Dame Frank surtout, elle se morfond et vous prie de transmettre par coursier une réponse de son époux à sa lettre. Pour l'heure, elle est mon invitée avec sa fille, ainsi que deux servantes, et nous attendons avec impatience de savoir ce que vous avez décidé. Le pire, c'est qu'on pourrait croire que vous avez tous sombré dans quelque abîme, parce que, pour m'être renseignée, je sais que nos amis convertis et leurs familles sont également sans la moindre nouvelle de Varsovie. Est-ce cet hiver odieux ou un fléau qui aurait eu raison de la poste polonaise ? Nous gardons pourtant tous ici l'espoir que ce ne sont que vos nombreuses occupations dans la capitale qui sont cause de ce silence.

Je sais par ailleurs qu'il ne faut plutôt pas compter sur une audience chez le roi. Pour ma part, mes malles déjà bouclées, je vous rejoindrai dès que le froid sera moins grand, autrement dit je me mettrai en route à peu près au mois de mars, parce que actuellement la salive des chevaux gèle à leurs lèvres. Pour l'heure, en raison du froid et d'une certaine paresse hivernale, je vous laisse tout sur les bras, Mon Cousin, sachant que vous n'êtes nullement timoré et que vous saurez éviter les tentations de la capitale.

Je cherche à convaincre M. de Branicki et M. de Potocki de joindre leurs noms aux listes d'adoption pour qu'ils s'impliquent dans notre affaire. Je sais néanmoins que le Grand Hetman de la Couronne est d'une manière générale très défavorable aux Juifs et plus encore aux apostats en tout genre. Ce qui indispose le plus la société, ce sont leurs ambitions nobiliaires. Je me suis laissé dire que la famille Wołowski avait été anoblie, tout comme, me semble-t-il, ce Krysiński, celui à la balafre – il m'écrit souvent, lui. Il est vrai que j'en ressens moi aussi un inconfort moral, parce que, tout de même, à peine ont-ils été reçus dans notre monde que les voilà déjà prompts à gouverner, avec le droit de participer aux débats des diétines ! Nos Maisons eurent à œuvrer pendant des générations pour acquérir leurs titres et nos aïeux les méritèrent hautement par leur dévouement à la Patrie. Et ces « néophytes », eux, eh bien, ils ont jeté une poignée d'or sur la table ! D'autant qu'il est des plus inconvenant qu'un noble soit à la tête d'une brasserie en ville, comme c'est le cas de l'un de ces Wołowski, et quelqu'un devrait le lui dire. Ma cousine Potocka me l'a écrit dans une lettre où elle m'invitait à la noce de son fils qui se marie en janvier. C'est aussi l'une des raisons pour lesquelles je n'envisage pas de me rendre à Varsovie avant le printemps. Je suis déjà trop âgée pour faire des allers et retours par ces grands froids.

À cette lettre, j'en joins deux autres de dame Chana pour le respectable Jakób, ainsi que des dessins de la petite Ewa. Demandez, mon Cousin, à son honoré époux de lui écrire, ne serait-ce qu'un mot, parce qu'il ne restera bientôt plus rien de ses beaux yeux sombres à force de larmes tellement il lui manque. C'est une femme exotique, elle n'est coutumière ni de nos manoirs glacés ni de notre nourriture...

Ce que l'on servit à la veillée de Noël chez Mme Kossakowska

Une hostie en forme d'étoile est suspendue au-dessus de la table mise pour la veillée de Noël. Deux potages sont servis, l'un au lait et aux amandes, l'autre aux champignons. Il y a aussi du hareng à l'huile avec de la ciboulette et de l'ail haché, des petits pois et du blé au miel, du sarrasin aux champignons et des *pierogis* fumants.

Dans un coin de la pièce, une gerbe de blé est posée avec, accrochée dessus, une étoile en papier doré.

Les hôtes se présentent mutuellement leurs vœux. Tous se tournent avec une grande tendresse vers Chana, lui disent quelque chose dans un polonais chantant, ils sont tantôt sérieux, tantôt rieurs. La petite Awatcha semble effrayée, sans doute est-ce pour cela qu'elle ne lâche pas la jupe de sa mère. Chana remet le petit Emanuel à sa nourrice, la proprette et très convenable Zwierzchowska. Le petit garçon se débat pour rester avec sa mère, mais il est trop petit pour prendre part au dîner cérémonieux de la veillée. La nounou disparaît avec lui dans les pièces de l'immense palais des Kossakowski. Chana ne comprend malheureusement pas grand-chose des paroles qui lui sont adressées. Elle hoche la tête et sourit vaguement. Le regard curieux des convives, déçus par son silence, glisse – avec avidité, croit percevoir Chana – vers sa fillette de cinq ans qui, vêtue comme une princesse, observe avec méfiance tous ces gens qui s'adressent à elle en gazouillant.

– Je n'ai encore jamais vu une petite personne avec de si grands yeux, déclare le palatin. Ce doit être un ange ou une fée des bois!

Il est vrai que l'enfant est incroyablement belle. Apparemment sérieuse, mais sauvage, elle semble tout droit venue de l'opulence païenne, arabe. Chana l'habille comme une dame. Elle porte une robe couleur d'azur ornée de dentelle blanche sur des jupons amidonnés, des collants blancs et des chaussures en satin bleu marine brodées de perles. Impensable qu'ainsi chaussée elle atteigne la calèche en marchant sur la neige. Il faudra la porter. Avant que tout le monde ne s'assoie à table, le maître de maison la met debout sur un tabouret pour que chacun puisse l'admirer.

– Fais une révérence, Ewunia, lui dit Mme Kossakowska. Allons, fais comme je t'ai appris!

Awatcha reste immobile, aussi rigide qu'une poupée. Les invités, quelque peu déçus, la laissent tranquille et prennent leur place à table.

Assise à côté de sa mère, la petite regarde ses jupons, arrange doucement un liseré de tulle. Elle refuse de manger. Quelques *pierogis* ont été déposés dans son assiette, mais ils sont déjà froids.

Entre les vœux et l'installation à table, le silence se fait – jusqu'à ce que le palatin dise quelque chose de très drôle qui fait rire tout le monde, sauf Chana. L'interprète, un Arménien parlant le turc récemment engagé, lui traduit la plaisanterie, mais il le fait d'une manière tellement chaotique que Chana n'en saisit absolument pas le sens.

Elle reste assise toute raide, les yeux fixés sur Katarzyna Kossakowska. Les plats servis la dégoûtent, bien qu'ils aient l'air appétissants et qu'elle ait faim. Qui les a préparés et de quelle façon? Comment avaler ces *pierogis* à la choucroute et aux champignons? Jakób lui a demandé de ne pas faire de caprices et de manger comme tout le monde, mais ces ravioles lui donnent du souci, il lui est impossible de les avaler avec ce chou pourri et, en plus, ces champignons! Et que dire de ces *kluski*, sorte de gnocchis pâlots à la couleur nauséeuse qui, saupoudrés de pavot, semblent subir une invasion de vermine!

Chana s'anime quand on apporte la carpe, elle n'est pas en gelée mais rôtie. Le fumet du poisson emplit la pièce et Chana en a l'eau à la bouche. Elle ne sait pas si elle doit attendre qu'on la serve ou se servir seule.

– Conduisez-vous comme une dame, lui a dit récemment Mme Kossakowska. Ne vous embarrassez pas. Vous serez ce que vous estimez être. Et vous, vous estimez que vous êtes une dame, n'est-ce pas? Vous êtes l'épouse de Jakób Frank, pas celle de n'importe qui, vous comprenez? Les personnes de votre rang n'ont pas à s'embarrasser de politesses. Portez haut le front. Ainsi!

À ces mots, Katarzyna leva la tête et tapota l'arrière-train de Chana.

À présent, Katarzyna l'invite à goûter aux mets de jeûne de la veillée. Quand elle parle d'elle, elle dit Madame Frank, mais elle s'adresse à Chana en disant «ma chère». La jeune femme la regarde avec confiance avant d'abandonner les *pierogis* pour prendre de la carpe. Voilà, elle s'en sert une part immense avec de la peau grillée. La palatine, surprise, en a les paupières qui frémissent, mais les autres convives, occupés par la conversation, ne remarquent rien. Chana Frank, contente d'elle-même, lance un bref regard à Katarzyna. Qui est donc cette femme bruyante et impérieuse qui dirige tout? se demande-t-elle. Elle parle très haut d'une voix rauque, elle coupe la parole à chacun comme si, outre les domaines et les privilèges qui sont siens, elle bénéficiait seule du droit de s'exprimer. Elle porte une robe d'un gris sombre garnie d'une dentelle noire qui s'effiloche à un endroit. Agnieszka s'est montrée négligente avec sa toilette. Le fil qui pendouille provoque en Chana le même dégoût que les plats servis. Le même que lui inspire cette Kossakowska avec son Agnieszka et son époux boiteux et bossu.

Comment elle, la fille de Tov ha-Levi, s'est-elle retrouvée dans cette prison saturée d'amabilité gluante, d'apartés dans les coins et de paroles chuchotées dont elle ne comprend rien? Chana s'efforce de refouler ses pensées coléreuses au plus profond d'elle-même, de les enfermer dans un endroit spécial où elles s'agitent comme un animal en cage. Elle ne leur permet pas de s'extérioriser, du moins pas pour l'heure. Pour l'heure, elle est dépendante de Kossakowska, et il est possible, d'ailleurs, qu'elle ait un peu d'affection pour elle. Il n'en demeure pas moins qu'elle ressent de la répulsion au plus infime contact avec la palatine, alors que celle-ci n'a de cesse de la tapoter et de l'effleurer. Chana a été coupée de tout ce qu'elle connaissait. Ne lui restent que Zwierzchowska et Pawłowska. Elle pense à elles en ce moment, sans leurs prénoms. Dans sa tête sont restés leurs prénoms juifs. Les autres membres de sa communauté attendent toujours à Lwów. Chana ne sait pas bien communiquer en polonais, elle cherche toujours ses mots, cette langue fait son désespoir. Jamais elle ne la maîtrisera! Que se passe-t-il avec Jakób, pourquoi n'a-t-elle aucune nouvelle de lui? Où est passé Moliwda? S'il était là, elle se sentirait plus rassurée. Où est tout son entourage, pourquoi l'a-t-on éloigné d'elle? Elle préférerait se trouver dans la chaumière enfumée d'Iwanie plutôt qu'au château de Katarzyna Kossakowska!

Au dessert, l'on sert du *sernik*, un gâteau au fromage, avec du massepain et un millefeuille au citron et aux noix. De sa petite main, Awatcha fait des réserves, elle prend des sucreries sur la table qu'elle fourre dans la poche de sa robe bleue. La mère et la fille les mangeront pendant la nuit, quand elles seront seules.

Ici, elles dorment blotties l'une contre l'autre. Les menottes de la fillette caressent les joues de sa mère quand la petite la voit pleurer. Chana se serre contre cette enfant aux grands yeux, la saisit comme le fait un insecte d'un brin d'herbe flottant sur l'eau, elle s'agrippe au petit corps fragile, et ensuite toutes deux voguent ainsi à travers la nuit. Elle sort également souvent Emanuel de son berceau pour le nourrir au sein à volonté, car elle a toujours du lait. Mais Kossakowska se mêle aussi de cela. Elle estime que les nourrices sont faites pour ces choses. Chana, elle, trouve répugnante celle que la palatine a engagée pour elle, avec sa peau blanche, ses cheveux clairs et ses grosses jambes. Les gros seins roses écrasent Emanuel, Chana craint qu'un jour cette fille de la campagne ne l'étouffe.

Et voilà, tandis qu'elle y pense à cette table de fête, qu'une tache de lait apparaît sur sa robe. Chana la dissimule discrètement sous son châle turc.

Awatcha et les deux poupées

Pour la petite Awatcha, cette soirée ne ressemblera à aucune autre jusque-là, elle effacera toutes les précédentes, qui ne s'apparenteront plus guère qu'à un lambeau de brume que le temps étire.

Après le dîner, Mme Kossakowska l'emmène dans une pièce voisine où elle lui demande de fermer les yeux. Elle la dirige vers un endroit où elle lui dit de regarder. Deux magnifiques poupées sont assises devant Awatcha. L'une est brune, vêtue de couleur turquoise, l'autre est blonde, dans une élégante tenue céladon. La fillette les observe sans dire mot, le rouge lui monte aux joues.

– Choisis celle que tu préfères, lui chuchote Mme Kossakowska à l'oreille, l'une d'elles est à toi.

Awatcha se balance d'une jambe sur l'autre. Elle distingue le moindre détail des vêtements de chacune des poupées, mais n'arrive pas à choisir. Elle cherche l'aide de sa mère, mais celle-ci sourit et hausse les épaules, le vin et l'occasion de pouvoir enfin fumer une chibouque avec Katarzyna Kossakowska l'ont détendue.

Cela dure un moment. Les femmes se mettent à encourager la fillette et à rire. Elles s'amusent du sérieux de l'enfant qui n'arrive pas à se décider. Awatcha les entend dire que les poupées sont de Vienne, qu'elles sont de la meilleure facture, que leur corps est en peau de chèvre, leur visage en papier mâché, et qu'elles sont rembourrées à la sciure. Pourtant elle ne parvient pas à choisir.

Des larmes lui viennent. Accablée par son indécision, elle se jette dans les jupes de sa mère pour y sangloter très fort.

– Que se passe-t-il ? Mais que se passe-t-il ? l'interroge Chana dans leur langue, en turc.

– Rien, rien du tout, répond Ewa en polonais.

Elle voudrait disparaître dans les plis souples de la robe de sa mère, s'y accroupir et attendre que le pire soit passé. Le monde est trop vaste, avec trop d'obligations pour la petite Ewunia. Jamais auparavant elle ne s'était sentie aussi malheureuse. Il lui semble que quelque chose lui oppresse le cœur et elle pleure, mais pas comme lorsqu'elle s'écorche un genou, cette fois elle pleure jusqu'au tréfonds de son être. Sa mère lui caresse la tête, mais ce geste ne lui apporte aucun soulagement. Awatcha sent qu'un abîme la sépare de Chana et qu'il lui sera désormais difficile de revenir dans le giron maternel comme si de rien n'était.

Elle n'a confiance que dans ce monsieur bizarre, de toute laideur, qui, le matin de Noël, lui apporte un chiot au pelage roux et hirsute, indéniablement plus beau que ces poupées viennoises.

La poupée pour Salomea Łabęcka. Les récits du père Chmielowski sur la bibliothèque et le baptême solennel

Les fêtes passées, Katarzyna Kossakowska rend visite à ses voisins accompagnée de son époux. Ce faisant, elle remplit la mission qu'elle s'est donnée de transférer à Wojsławice ses «puritains» entassés dans les fermes et d'installer ceux qui n'y tiendront pas sur des biens seigneuriaux jusqu'au printemps. Agnieszka l'accompagne avec un sac rempli de liqueurs pour le palatin qui se plaint d'avoir mal partout, un coffret où se trouve le nécessaire pour la correspondance et deux grands manteaux longs doublés de fourrure. Les lettres lui sont dictées dans la voiture, Agnieszka les mémorise puis les couche sur le papier aux arrêts. En pensée, la palatine appelle ses protégés les «apostats», mais elle veille à ne jamais utiliser ce terme, pas plus à l'écrit qu'à l'oral, tant il pourrait être mal perçu. Elle préfère parler des «puritains», le mot est arrivé de France ou d'Angleterre, comme vient de le lui rappeler le staroste Łabęcki, et, désormais, tout le monde l'emploie. Il est bien connoté, il suggère agréablement à l'oreille que ces gens sont purs.

Katarzyna Kossakowska transporte dans ses bagages un cadeau magnifique: une poupée. Celle-ci est habillée avec l'élégance des dames à la cour de l'empereur. Elle a des cheveux couleur chanvre avec des anglaises et porte un gracieux bonnet de dentelle. Dans la berline – la neige a fondu et le traîneau a été remisé –, la palatine vient de la sortir de sa boîte pour la tenir sur ses genoux et s'adresser à elle en gazouillant, comme le font les adultes quand ils se penchent vers un enfant. Tout cela pour amuser son mari. Celui-ci ne se déride pas pour autant, il est sombre aujourd'hui, furieux d'être traîné par sa femme chez ses voisins. Comme il a déjà été dit, il a ses douleurs, il souffre depuis longtemps d'arthrite. Il resterait volontiers chez lui, ferait venir ses chiens dans ses appartements, ce que son épouse lui interdit formellement. Rohatyn est loin, il n'apprécie guère le staroste Szymon Łabęcki, trop instruit à son goût, et trop enclin à jouer au Français. Le palatin, lui, s'habille à la polonaise, en *kontusz* hivernal, sur-manteau en laine et fourrure.

Chez les Łabęcki, la fillette se prénomme Salomea. Pour l'heure, elle se tait, elle n'a pas encore prononcé le moindre mot, alors qu'elle a une gouvernante polonaise. Elle reste volontiers assise à broder. On lui a appris à faire une petite génuflexion et à baisser les yeux quand un adulte s'adresse à elle. Elle porte une robe rose et un ruban amarante dans ses cheveux noirs. Elle est gracile et très belle. Mme Łabęcka déplore qu'elle ne sourie jamais. Tous l'observent donc attentivement au moment où elle reçoit la poupée. Après un instant d'hésitation, elle tend les bras pour saisir la poupée, la blottit contre elle et fourre son visage dans les cheveux couleur de lin. Le staroste la regarde avec une sorte de fierté, puis l'oublie rapidement. La fillette disparaît avec son cadeau telle une volute de poussière.

Au déjeuner d'apparat, qui va imperceptiblement se transformer en dîner et, peu s'en faut, en petit déjeuner, est présent Benedykt Chmielowski, le père doyen de Rohatyn. Katarzyna Kossakowska le salue chaleureusement, mais ne paraît pas le reconnaître, et, le pauvre, cela semble lui faire de la peine.

– À Rohatyn, je volai à votre secours, Madame... dit-il humblement tandis que Łabęcki lance qu'il est un écrivain célèbre.

– Ah, se souvient la palatine, c'est ce brave et courageux prêtre qui m'extirpa du carrosse brisé et de la foule pour m'abriter sous votre toit ! L'auteur de *La Nouvelle Athènes* que j'ai lue du début à la fin, s'exclame-t-elle en tapant vigoureusement l'ecclésiastique dans le dos et en le faisant asseoir à côté d'elle.

Le curé de Firlej rougit et cherche à se dégager – cette femme avec ses manières viriles l'effraie –, mais il finit par s'installer auprès d'elle et, peu à peu, sa timidité le quitte, indéniablement aidé en cela par le tokay. Il a perdu de son allure, il a un air amaigri et fatigué, ses dents aussi ont dû souffrir, parce que le poulet de son assiette lui donne du mal. En revanche, il mange les légumes cuits et les tendres terrines de gibier dont il ne cesse de se resservir. Du pain blanc, il ne prend que la mie, tandis qu'il fait un petit tas bien rangé de la croûte qu'il jette régulièrement, en douce, au chien à pelage bouclé des Łabęcki assis sous la table et qui ressemble tout à fait à sa mère, ce qui émeut vraiment le prêtre. Benedykt est content d'avoir fait entrer un chiot de sa chienne dans une telle Maison. Plus encore, il lui semble que, de la sorte, lui aussi fait un peu partie de la parenté des Łabęcki.

– Il m'est venu aux oreilles que vous rentrez de Varsovie, mon bon père, lui lance Katarzyna Kossakowska.

Il rougit légèrement, ce qui fait rajeunir son visage.

– Voilà quelque temps déjà que le très éclairé évêque Załuski m'avait invité, et s'il savait que je suis ici en votre compagnie, Madame, il m'ordonnerait de vous adresser ses hommages varsoviens, parce qu'il ne me parlait de vous qu'en termes élogieux…

– Comme tout le monde, l'interrompt Łabęcki, non sans un soupçon d'ironie.

Benedykt poursuit:

– En soi, Varsovie ne m'intéressait pas, juste la bibliothèque. La ville n'est qu'une ville, chacun le voit. Tout y est comme partout, les toits, les églises et les gens sont semblables. Un peu comme Lwów, avec seulement davantage de places désertes où le vent est plus mordant. Pour ma part, c'est la vaste collection de livres qui m'attira et, dans la mesure où je suis déjà affaibli et que je n'ai plus guère de santé… dit-il – et cela l'émeut, aussi saisit-il son verre pour boire une longue lampée de vin avant de reprendre. Je n'en dormais plus à force de songer à la bibliothèque des Załuski, et cela m'empêche encore de trouver le sommeil… Quel gigantisme… Plusieurs dizaines de milliers… ils ne savent pas eux-mêmes combien ils ont de livres.

Le père Benedykt résidait au couvent et, chaque jour, il devait marcher un moment dans l'air glacial jusqu'à la bibliothèque, où il était autorisé à fureter entre les étagères. Il avait le projet de prendre des notes, car il n'avait pas encore terminé son travail, mais l'incroyable quantité d'ouvrages eut sur lui une action déprimante. En fait, durant son séjour de près d'un mois, il ne fit qu'aller à la bibliothèque pour tenter de comprendre l'ordre qui y régnait, mais il constata avec une nervosité croissante qu'il n'y en avait aucun.

– Certains livres y sont classés par auteur, mais, un peu plus loin, selon l'«olphabet», alphabétiquement. Plus loin encore, les ouvrages d'une acquisition ont été conservés ensemble, tandis que d'autres, qui, par leur format, ne tenaient pas sur les rayonnages, sont placés sur de plus grandes étagères, à moins qu'on ne les ait couchés comme des malades, déclare-t-il, outré. Or, les livres sont pareils aux soldats, ils doivent rester bien droits, l'un à côté de l'autre. Ils sont l'armée du savoir humain!

– Bien dit! commente Łabęcki.

Le père Benedykt pense qu'un escadron de bibliothécaires devrait se mobiliser pour agir selon les règles militaires, établir une hiérarchie, diviser les livres en régiments, leur attribuer des grades selon leur valeur et leur rareté, les regrouper, les soigner enfin, recoller ou recoudre ceux qui sont souffrants ou endommagés. Quelle belle entreprise ce serait, et ô combien d'importance! Que ferions-nous sans les livres?

Ce qui exaspère surtout le père doyen, c'est que cette bibliothèque soit publique, ouverte autrement dit. Il n'arrive pas à comprendre comment chacun peut venir prendre un livre et l'emporter chez lui. Pour lui, c'est de la folie pure, encore une de ces idées venues d'Europe occidentale, de France, et qui vaudra plus de dégradations aux collections qu'elle n'apportera de bénéfices aux gens. Il a pu observer que, chez les Załuski, il suffit pour emprunter un livre de remplir une misérable fiche qui, déposée dans un tiroir, peut disparaître ou s'égarer, ce que font toujours les bouts de papier. Qui plus est, quand arrive un personnage de quelque dignité, on lui prête l'ouvrage sur sa bonne mine, sans oser lui glisser la fiche à signer. Il n'y a aucun registre des livres empruntés pour savoir chez qui et où ils se trouvent. Après avoir expliqué cela, le père Benedykt se prend la tête entre les mains d'un geste théâtral.

– Les livres vous préoccupent plus que les hommes, révérend père, lui dit Mme Kossakowska, la bouche pleine.

– Permettez-moi de vous contredire, Madame. Nullement. J'ai examiné notre capitale et le peuple qui y vit.

– Et qu'en avez-vous pensé? s'enquiert poliment, en français, le staroste Łabęcki.

L'ecclésiastique est troublé par le français, il n'a pas compris. Mademoiselle Agnieszka lui souffle la traduction dans un murmure, mais il a tout de même rougi.

– Je suis surtout étonné que les gens veuillent s'entasser ainsi dans de petits logements, dans des rues étroites, alors qu'à la campagne ils pourraient vivre plus luxueusement et respirer le bon air à satiété.

– Sainte vérité! Rien ne vaut la campagne, soupire Mme Kossakowska.

Le père Benedykt enchaîne en racontant que Mgr Załuski l'emmena au baptême des néophytes les plus importants dans la chapelle royale du Palais de Saxe. La palatine s'anime alors grandement:

– Ça alors! Vous y étiez? Et vous ne le dites que maintenant!

– J'étais debout au fond et il me fallait guigner à travers la foule pour apercevoir quelque chose. C'était le second baptême de ce Frank auquel j'assistais, le premier était à Lwów.

Le père Benedykt raconte ensuite qu'un murmure parcourut les fidèles réunis dans la chapelle quand la mitre de Mgr Załuski tomba à terre alors qu'il s'inclinait au-dessus du baptisé, ce que beaucoup prirent pour un mauvais présage.

– Mais quel sens y avait-il à baptiser deux fois? Voilà pourquoi la mitre est tombée, déclare le maître de maison.

– Mme Brühl était la marraine, n'est-ce pas? Comment était-elle? interroge la palatine. Elle est toujours aussi grosse?

Le père Benedykt réfléchit un instant.

– Comme une femme d'un âge déjà certain. Que puis-je vous dire ?
Je ne garde aucun souvenir des femmes.

– Est-ce qu'elle a dit quelque chose ? À quoi ressemblait-elle, que
portait-elle ? Elle était habillée à la polonaise ou, peut-être, à la mode
française ?... Juste cela.

Le prêtre tente de se souvenir, son regard fouille l'espace comme si
la vision de Mme Brühl y était suspendue.

– Pardonnez-moi, Madame, je n'en ai aucun souvenir. En revanche,
je me rappelle que Votre Ami, Mgr Sołtyk, assistait au baptême de
deux adjoints de ce Frank dont l'un s'appelle Jakóbowski et l'autre
Matuszewski. Avec Mme la duchesse Lubomirska.

– En voilà une nouvelle ! s'écrie Mme Kossakowska en se frottant
les mains. C'est dans des cas pareils que je sens que je vis ! J'ai réussi
à convaincre Mgr Sołtyk d'être le parrain de ces néophytes ! Et aussi
la duchesse Lubomirska, alors qu'elle a tendance à éviter ce genre
d'exhibition.

La participation de personnes d'un rang aussi élevé gagne son époux
à la cause.

– Cela me rappelle qu'ici, en Podolie, nous avons à baptiser encore
beaucoup de monde, déclare le palatin Kossakowski qui jusque-là était
resté silencieux.

– Seigneur Dieu miséricordieux, combien ne sont-ils pas ! s'exclame
son épouse. Mais qui est ce grand Juif au terrible visage que vous avez
baptisé récemment, mon père ? demande-t-elle. Il serait muet, c'est vrai ?
Qu'est-il arrivé à sa figure ?

Le curé de Firlej semble se troubler légèrement.

– Un pauvre homme... On me l'a demandé, j'ai donc accepté. Il serait
originaire de Valachie, un orphelin, il travaillait comme charretier pour
les Shorr, maintenant il m'aide chez moi...

– Quand vous le meniez au baptistère, un grand silence s'est fait
dans l'église. C'est comme si ces Juifs l'avaient modelé en terre glaise.

Quand enfin tout le monde se lève de table, il fait nuit noire. Le père
Chmielowski pense à son cocher, Roszko. Il s'inquiète de savoir si, aux
cuisines, on lui a donné quelque chose de chaud à manger, s'il ne s'est

pas transformé en glaçon. On le rassure et il reste encore pour fumer une pipe. Le staroste Łabęcki offre toujours du tabac de première qualité, acheté chez les Shorr de Rohatyn qui ont la meilleure marchandise de Podolie. Plus personne ne s'étonne que Katarzyna Kossakowska fume, elle n'est pas une femme tout court, mais Mme Kossakowska justement. Elle a le droit.

Les 18 et 19 janvier, encouragé par son épouse, Stanisław Kossakowski conduit au baptême des «puritains». Sa première filleule est la boiteuse Anna Adamowska, précédemment Cibora, épouse de Matys de Zbryź. Les témoins de la scène où le parrain et la filleule, boiteux tous les deux, avancent vers l'autel en claudiquant se demandent qui les a assortis ainsi. Comment ne pas rire à ce spectacle? Mais peut-être est-ce mieux ainsi, l'infirme soutient l'infirme. Il semble pourtant que le palatin, quant à lui, ne soit pas très à l'aise.

Le lendemain, il conduit au baptême Anna, une fillette de dix ans, l'enfant des Zwierzchowski déjà baptisés qui, à l'origine, s'appelaient Hirsz de Satanów, Lejbko et Hawa son épouse. La petite est belle et sage. Katarzyna Kossakowska lui a offert une robe blanche, modeste mais en bonne toile, et des chaussures crème en peau véritable. Stanisław Kossakowski a attribué une certaine somme à son éducation. Le couple avait même songé à la prendre à demeure, car elle est intelligente et calme, mais les parents s'y opposèrent. Ils remercièrent poliment pour tant de bonté et emmenèrent l'enfant chez eux.

Les parents se tiennent présentement dans l'église, intimidés, avec en mémoire la sensation de leur propre front mouillé d'eau bénite, dont le prêtre ne fut pas avare. Lecture est donnée à voix haute de leurs noms remarquables. Ils regardent le petit ange conduit par le comte Stanisław Kossakowski en tenue d'apparat. Le père de la fillette, Josephus Bartholomeus Zwierzchowski, comme il sera inscrit dans le registre de baptême, a trente-cinq ans, son épouse à peine vingt-trois et elle est de nouveau enceinte. La petite Anna est leur seul enfant resté en vie. Tous les autres sont morts du fléau de Lwów.

Le père Gaudenty Pikulski, bernardin, interroge des naïfs

Il leur ouvre la porte en personne, ils viennent le voir à son invitation. Ils ont commencé par patienter longuement devant le bureau du couvent lwowien, l'attente a consommé ce qui restait de l'assurance avec laquelle ils étaient arrivés. Tant mieux, cela rendra les choses plus aisées pour le prêtre. Il les voit souvent, ces temps derniers. Ils prient avec ferveur à la messe de la cathédrale de Lwów et ils attirent l'attention, en dépit des nouveaux habits qu'ils ont achetés pour remplacer leurs lourdes capes et leurs pantalons courts. Ils ressemblent à des êtres humains désormais, se dit Gaudenty Pikulski qui leur indique obligeamment une place à la table tout en observant avec curiosité Salomon Shorr qui a rasé sa barbe. La peau ainsi mise à nu est claire, presque blanche, le visage s'en trouve divisé en deux parties : celle du haut, sombre, bronzée, et celle du bas, enfantine ou, songe le bernardin, comme « sortie d'une cave ». L'homme en lequel a mué Salomon Shorr, qui désormais s'appelle Franciszek Wołowski, est mince, grand, avec un visage allongé, agréable, des yeux sombres, expressifs, et des sourcils marqués. Ses longs cheveux, déjà discrètement saupoudrés de gris, descendent sur ses épaules et créent un contraste cocasse avec le nouveau *żupan*, d'une couleur miel aux reflets marron-vert, retenu à sa taille svelte par une ceinture ottomane rouge.

Ils viennent à lui d'eux-mêmes, mais le père ne cache pas pour autant qu'il les y a encouragés en leur disant qu'en toutes circonstances s'ils voulaient avouer quelque chose… Il s'est donc adjoint deux secrétaires qui, se tenant prêts avec leur collection de plumes d'oie taillées, attendent un signe de sa part.

Ils commencent par dire que le Maître est déjà certainement à Varsovie où il rencontrera le roi. Puis ils se regardent et celui qui a dit « le Maître » se reprend en ajoutant : Jakób Frank. Ces paroles sont prononcées avec une certaine solennité, un peu comme si Jakób Frank était un ambassadeur étranger bénéficiant de droits particuliers. Le père Pikulski cherche à paraître sympathique :

– Nous avons beaucoup entendu parler de votre décision de vous convertir à la chrétienté, mais aussi du fait que celle-ci fut prise il y a déjà longtemps, et votre ferveur est connue, elle suscite des larmes d'émotion chez les bourgeois de Lwów et parmi notre noblesse...

Des serviteurs entrent pour offrir des fruits confits, de simples pommes et des poires séchées, des raisins secs et des figues, que le père Pikulski a veillé à se procurer. Le tout aux frais de l'Église. Ils ne savent pas ce qu'ils doivent faire et regardent Salomon-Franciszek Wołowski qui, lui, tend la main le plus naturellement du monde pour prendre un raisin sec.

– ... Pour beaucoup d'entre vous, c'est une vie complètement différente, et, qui plus est, ceux dont les affaires marchent bien sont immédiatement anoblis. Comme vous, monsieur Wołowski, n'est-ce pas?

– En effet, répond Franciszek en avalant une douceur.

– Précisément.

Le père Pikulski voudrait que ce soit eux qui parlent. Il pousse les assiettes vers eux pour les mettre à l'aise, d'autant que les plumes des deux secrétaires, pareilles à des nuages de grêle juste avant la tempête, sont déjà en attente au-dessus des feuilles de papier.

Le vieux qui, du coin de l'œil, surveille attentivement le père Pikulski comme s'il lisait dans les pensées de ce dernier, c'est Józef de Satanów, il a des yeux d'un bleu très clair enfoncés dans un visage sombre et sinistre. «Protège-moi, Seigneur Jésus, de tout envoûtement», prie le bernardin en pensée, et, ce faisant, il parvient à contenir le frémissement de sa lèvre et à ne rien laisser voir de son malaise. Après cela, il s'adresse à tout le groupe:

– Félicitez votre peuple pour sa sagesse, son discernement et l'ardeur de son cœur. Vous voilà accueillis, mais une immense curiosité continue à nous animer, comment tout cela est-il arrivé? Quel chemin avez-vous suivi pour arriver à la vraie foi?

Ce sont surtout les deux frères Shorr, Rohatyński et Wołowski, qui parlent, parce que ce sont eux qui connaissent le mieux la langue. Leur polonais est correct, quoique encore hésitant et peu respectueux de la grammaire. Il serait intéressant de savoir qui le leur a enseigné, songe Pikulski. Les quatre autres visiteurs n'interviennent que de temps à autre, ils n'ont pas encore été baptisés, ce qui les prive d'assurance : Jakub Tyśmienicki, Józef de Satanów, le vieillissime Jakub Szymonowicz et Lejbka Rabinowicz saisissent poliment du bout des doigts les délicieuses figues et dattes pour les porter à leurs bouches.

– Celui qui étudie le Zohar y trouve de nombreuses mentions du mystère de la Sainte-Trinité et, à partir de là, cette question le travaille. Il en a été ainsi avec nous. La Trinité renferme une grande vérité, nos cœurs et nos esprits lui sont acquis. Dieu n'est pas une personne unique, mais se manifeste d'une manière divine, incompréhensible, en trois entités. Chez nous, il en est également ainsi et donc la Trinité ne nous est en rien inconnue.

– Cela nous allait parfaitement, intervient Salomon, autrement dit Franciszek Wołowski. Rien de nouveau pour nous, il y a trois révélations, trois rois, trois jours, trois épées…

Pikulski l'observe dans l'espoir qu'il en dira plus, quand bien même il ne s'attend pas à entendre tout ce qu'il voudrait savoir.

On vient précisément d'apporter les petits poêles turcs où rougeoie le charbon de bois et tous sont occupés à suivre les gestes du serviteur qui les dispose sur le sol.

– Quand Jakób Frank est arrivé de Turquie en 1755, il apporta avec lui la nouvelle de la Trinité et il sut parfaitement la transmettre aux autres, étant donné qu'il était un connaisseur de la Kabbale. C'est alors, tandis qu'il parcourait la Podolie, que je me mis également à les persuader que Dieu était en trois personnes, déclare Franciszek Wołowski en pointant son doigt vers sa poitrine.

Il raconte ensuite que Jakób en parla d'abord à quelques élus, en aparté, leur disant que c'était la religion chrétienne qui exprimait le mieux ce savoir sur la Trinité et que c'était pour cela que cette religion était vraie. Jakób leur avait alors confié, et à eux seuls, que lorsqu'il reviendrait en Pologne pour la deuxième fois ils devraient tous se faire baptiser et se convertir à la foi chrétienne, mais il leur avait demandé de garder le secret jusqu'à son retour. Ce fut ce qu'ils firent parce que ce projet leur plaisait beaucoup et qu'ils s'y préparaient peu à peu d'eux-mêmes, en apprenant la langue polonaise et les principes de la foi. Ils savaient pourtant aussi que ce ne serait pas simple, que les rabbins ne l'accepteraient pas volontiers et qu'il leur faudrait endurer beaucoup de souffrances, et ce fut le cas. Tous soupirent et reprennent une datte.

Pikulski se demande s'ils sont naïfs à ce point ou s'ils font semblant de l'être, mais il n'est pas en mesure de sonder leurs pensées.

– Et votre chef, Jakób, comment est-il pour que vous ayez une telle confiance en lui?

Ils se regardent comme s'ils communiquaient avec les yeux pour décider qui va parler. Finalement, Wołowski commence, mais Paweł Rohatyński l'interrompt:

– Dès que le Maître... enfin, Jakób Frank, est arrivé à Rohatyn, on voyait une lumière au-dessus de sa tête, dit-il – et il regarde Wołowski.

Celui-ci hésite à le confirmer, mais ni le père Pikulski ni sans doute les plumes en suspens au-dessus des feuilles de papier ne leur permettront de s'interrompre en un point pareil.

– De la lumière? demande le bernardin d'une voix douce pleine d'innocence.

– De la lumière, dit Wołowski. Cette clarté ressemblait à une étoile, claire et pure. Ensuite, elle s'est allongée d'un demi-coude à peu près pour se maintenir au-dessus de Jakób assez longtemps, et moi je me frottais les yeux pour vérifier que je ne rêvais pas.

Il s'arrête pour voir l'effet que font ses paroles. Et justement, l'un des secrétaires reste bouche bée sans rien écrire. Pikulski se racle la gorge bruyamment et la plume retrouve le papier.

– Il y a plus, ajoute Jakub Tyśmienicki, excité. Quand Jakób allait se rendre à Lanckoruń, où eurent lieu les incidents que l'on sait, il nous annonça dès Brześć qu'à Lanckoruń nous rencontrerions de l'adversité et serions mis aux arrêts. Ce qui fut exactement le cas...

– Comment faut-il comprendre cela? interroge le bernardin d'une voix neutre.

Ils se mettent à parler à qui mieux mieux, abandonnent le polonais pour passer à leur langue, de petits miracles de ce Jakób Frank reviennent également à l'esprit de ceux qui jusque-là restaient silencieux. Ils racontent Iwanie, où Jakób savait guérir, et où souvent il était capable de répondre aux pensées les plus secrètes, inexprimées, des frères et des sœurs. Et lorsqu'ils lui reconnaissaient une puissance plus importante que celle dont un homme ordinaire peut disposer, il niait et disait qu'il était le plus misérable d'entre eux. Quand Jakub Tyśmienicki en parle, des larmes lui viennent, il les essuie d'un revers de manche. Le regard bleu pâle de Józef s'humidifie également un instant.

Pikulski comprend qu'ils *aiment* ce Jakób, qu'ils sont unis à cet odieux apostat par un lien mystérieux et aveugle qui, chez lui, moine et prêtre, suscite de la répugnance. Normalement, là où les liens sont très forts, il y a aussi un interstice pour de la révolte. Et soudain, il sent dans l'air quelque chose de tel qu'il a peur de poser la question suivante. Que pourrait-elle être, en effet ? C'est alors que Franciszek Wołowski relate avec émotion comment Jakób leur expliqua la nécessité de se convertir au christianisme, comment il passa des nuits à citer les Saintes Écritures, comment il trouvait les versets pertinents qu'ils apprenaient par cœur. Ensuite, Franciszek ajoute que rares sont ceux qui savent cela, car Jakób ne le révéla qu'aux élus. Le silence tombe. Le père Pikulski sent dans l'air une odeur de sueur masculine, violente, musquée. Il ne saurait dire si c'est la sienne qui s'échappe de sa soutane boutonnée jusqu'au cou ou la leur.

Il est sûr de les avoir piégés, coincés, ils ne peuvent tout de même pas être bêtes au point de ne pas savoir ce qu'ils font. Avant de partir, ils lui disent que la fin du monde est déjà proche et qu'il n'y aura qu'une Bergerie et qu'un Berger pour tous les hommes du monde. Que chacun doit se préparer.

Le père Gaudenty Pikulski écrit à Mgr le Primat Łubieński

Ce même jour, à la nuit tombée, alors que tout le monde dormait et que la ville de Lwów semblait un endroit désert dans la plaine uniforme de Podolie, Gaudenty Pikulski posait son sceau sur la transcription de l'entretien et achevait sa lettre. À l'aube, un envoyé spécial partirait pour Varsovie. Étrangement, le bernardin n'a aucune envie de dormir, un peu comme s'il était tombé sur une source invisible d'énergie qui allait le sustenter désormais, un petit point brûlant en plein cœur de la nuit.

J'adresse à Votre Excellence, par courrier spécial, mon rapport sur l'interrogatoire des antitalmudistes que j'ai mené hier, et j'ose croire que Votre Excellence y trouvera nombre de sujets intéressants qui confirmeront les doutes que je m'étais permis d'évoquer dans ma lettre précédente.

Il est également d'autres sources par lesquelles je me suis efforcé d'apprendre le plus précisément possible à qui nous avons affaire en disant «antitalmudistes». Parallèlement, avec le père Kleczewski et le père Awedyk, nous avons tenté de faire une synthèse tous les aveux et informations des nombreux interrogatoires, mais à cette étape cela semble absolument impossible. Très probablement, le groupe des convertis juifs n'est pas uniforme en soi et ceux-ci viennent de diverses sectes, ce dont témoignent leurs opinions qui souvent s'excluent mutuellement.

Le mieux est d'interroger des gens simples, non instruits, car c'est alors qu'apparaît leur système, débarrassé de toutes les fioritures sophistes ; quant à la foi chrétienne récemment acquise, elle apparaît n'être qu'un saupoudrage, comme du sucre glace sur une pâtisserie. Ainsi, les uns croient qu'il y a trois Messies : Sabbataï Tsevi, Barukhia et, le troisième, ce Frank lui-même. Ils croient également que le vrai Messie doit avoir connu toutes les religions, raison pour laquelle ce Sabbataï Tsevi coiffa le turban vert des musulmans et que Frank, quant à lui, doit passer par notre Sainte Église catholique. Certains n'en sont guère convaincus. Ils disent que, lorsque Sabbataï Tsevi se présenta devant le sultan, il n'était pas lui-même mais une entité vide, et que c'est elle qui s'est convertie à l'islam : une conversion dénuée de toute signification, car elle n'était qu'un faux-semblant.

Il est clair que tous ceux qui se font baptiser ne viennent pas de la même branche et que chacun d'eux a ses croyances. Ce qui les a réunis, c'est l'anathème juif prononcé contre tous les adeptes de Sabbataï Tsevi en 1756 : mis au ban de toutes les Communes juives, ils devinrent tous, bon gré mal gré, des «antitalmudistes». Les uns sont persuadés que s'ils sont désireux d'un authentique salut, il leur faut embrasser le christianisme ; d'autres pensent que le baptême en soi ne consiste pas à être sauvé par Notre Seigneur Jésus-Christ, mais à recevoir la protection d'une institution religieuse sous les ailes de laquelle ils se placeront, étant donné qu'il est impossible de ne dépendre d'aucune. Frank, dit-on, appellerait ces derniers les « apostats simples » et ne les comptabiliserait pas dans son camp. La plupart des délégués qui, au nombre de treize, prirent part à la disputation de Lwów viennent de cette foule composite.

Je voudrais insister sur l'exceptionnel attachement des néophytes à leur chef. Tout ce qu'il leur dit est sacré et ils l'acceptent sans réserve. Quand l'un d'eux commet une faute, le Maître, comme ils l'appellent, lui assigne une sanction corporelle et alors, d'un commun accord, ils appliquent la peine.

Je parvins à leur faire dire qu'ils croyaient que l'Antéchrist était né en pays ottoman et que Frank l'avait vu personnellement. Il accomplira bientôt des miracles et persécutera la religion catholique. Il y a aussi que, pour eux, les paroles de l'Évangile selon lesquelles le Christ descendrait du ciel en Messie ne sont pas claires. Parce que, disent-ils, il est peut-être déjà dans ce monde, dans un corps humain. Avec cela, j'eus l'impression que, s'ils ne veulent pas le dire clairement, ils croient néanmoins que le Messie se cache en la personne de ce Frank. Je souhaiterais attirer l'attention de Votre Excellence et des prochains inquisiteurs sur ce point.

J'appris également que le village en Valachie où Jakób Frank rendit visite au Sieur Moliwda, est très probablement une communauté de bogomiles ou de pauliciens, ou de quelque autre secte qui offense notre sainte foi. Leur connaissance de la religion de Mahomet ne provient pas non plus d'une source unique, elle est tout aussi sectaire, issue de l'enseignement du bektachisme largement présent chez les officiers des armées de janissaires gagnés au mysticisme.

Pour ce qui est de la question de Votre Excellence, s'il est vrai qu'ils disent être plusieurs milliers, je pense qu'en comptant prudemment on peut dire qu'ils sont entre cinq et quinze mille en Podolie. Tous les adeptes de ce Sabbataï Tsevi ne seront pourtant pas enclins à se faire baptiser – tant s'en faut – et seule une minorité le fera, celle qui de toute manière ne sera plus acceptée dans sa Commune et qui n'a pas d'autre choix qu'entrer en chrétienté, semblable en cela aux chiens chassés de la cour qui se réfugient sous n'importe quel toit. Je ne pense pas que nombreux sont parmi eux ceux qui avaient le cœur pur et se sont fait baptiser dans la foi du vrai salut en Notre Seigneur Jésus-Christ.

Je voudrais également rapporter à Votre Excellence que, étant donné qu'à Lwów dure une épidémie, le peuple affirme que c'est une punition divine qui frappe les apostats, et l'enthousiasme à se faire baptiser semble s'être atténué. Il est vrai que nombreux sont les convertis que la maladie atteignit avant comme après le baptême. Certains parmi eux croyaient que le baptême leur apporterait l'immortalité non pas spirituelle mais physique, ici sur terre, ce qui témoigne du caractère superficiel de leur connaissance de la religion catholique, mais aussi de l'immensité de leur naïveté.

J'adresse à Votre Excellence une grande prière qui serait que Monseigneur le Primat de Pologne daigne lire le présent compte rendu afin de nous indiquer selon son cœur et sa sagesse ce que nous devons faire. Dans la mesure où une partie de la compagnie de Frank, ceux qui s'appellent entre eux la *Havurah*, autrement dit « fraternité », s'est déjà rendue à la suite de leur chef à Varsovie, il conviendrait de veiller diligemment à ce que ces hommes, par leurs opinions troubles de la chrétienté, leur toupet et leurs ambitions endurcies, n'accomplissent aucune vilenie à l'égard de l'Église Notre Sainte Mère.

Le père Pikulski termine d'écrire ce courrier et en commence un autre quand, après un moment, il revient à sa lettre pour y ajouter:

Ce serait un acte de peu de foi si je pensais qu'une bande d'escrocs pareils était en mesure de nuire à la Sainte Église catholique...

La grande tenue nobiliaire en bleu et rouge

Moliwda a passé commande chez un couturier polonais – oui, c'est ainsi que s'appellent désormais ceux qui taillent des tenues polonaises plutôt qu'à la dernière mode française ou allemande : un *żupan* en soie et un *kontusz* d'hiver en grosse toile doublé d'une fourrure bien souple. Il doit encore compléter ce vêtement par la commande d'une ceinture qui coûtera une petite fortune. Il est déjà allé la choisir, plusieurs lui plaisaient. À Varsovie, elles sont trois fois plus chères qu'à Istanbul. S'il avait le sens des affaires, il en importerait.

Il se regarde dans le miroir, le gros *kontusz* ajoute de l'ampleur à son ventre. C'est parfait, ainsi il a l'allure d'un noble. Il se demande ce qui chez lui a bien pu séduire Mgr Łubieński pour que ce dernier l'élève à pareille dignité, ce ne peut être ni cette bedaine ni son apparence générale. Il a perdu la moitié de ses cheveux et ceux qui lui restent ont la couleur délavée des herbes sèches. Ces dernières années, son visage s'est arrondi, ses yeux ont pâli encore un peu plus. Sa barbe et ses moustaches ont poussé dans tous les sens et rappellent des tortillons de vieille paille. Il ne sied pas que le secrétaire du Primat ait une pareille touffe sous le nez. Il ne fait pas de doute que ce sont les talents d'orateur de Moliwda, démontrés à la disputation de Lwów, et son attitude positive envers les néophytes qui plurent à monseigneur. Sa connaissance des langues également. La recommandation de Mgr Sołtyk eut également son importance, car ce ne pouvait être celle de sa cousine Kossakowska, que le primat n'aime guère.

Ce même jour, Moliwda reçoit deux lettres urgentes et pour la même affaire. Toutes deux l'alertent. L'une est une convocation de la commission ecclésiastique pour « entendre rapidement les antitalmudistes », l'autre vient de Krysa. Ce dernier lui écrit en turc que Jakób a disparu telle une pierre dans l'eau profonde. Il s'en est allé en carrosse pour ne plus revenir. Le véhicule a été retrouvé à proximité de sa demeure, mais vide. Personne n'a rien vu.

Moliwda demande au Primat la permission de quitter Łowicz pour la capitale. Les affaires à y traiter pour Mgr Łubieński se sont accumulées et voilà en sus cette commission ecclésiastique. Quand le bel attelage anglais se met en route, il avale une grande gorgée d'alcool dont il a emporté une pleine flasque pour se réchauffer, pour que son estomac fonctionne mieux, pour que ses idées s'éclaircissent, et pour calmer son inquiétude – parce que Moliwda sent venir le souffle de vents contraires, de ceux qui peuvent l'emporter lui aussi, alors qu'il vient à peine de se raccrocher à un fétu de paille, qui fluctue mais lui permet de ne pas sombrer. Quand il arrive à Varsovie sans avoir dormi ni s'être reposé, il a mal à la tête et peine à garder les yeux ouverts tant le soleil de la capitale est cruel. Le froid est intense, mais il y a peu de neige et la boue a gelé en grosses mottes recouvertes de givre, les flaques sont devenues des plaques de glace sur lesquelles il est facile de glisser. Dans un état de semi-conscience, Moliwda rencontre Franciszek Wołowski qui lui apprend que Jakób est emprisonné chez les bernardins.

– Comment cela «emprisonné»? demande-t-il, incrédule. Qu'est-ce que vous êtes allés raconter sur son compte?

Wołowski hausse les épaules, plein d'impuissance, et ses yeux s'emplissent de larmes. Moliwda est peu à peu pris d'effroi.

– C'est la fin, lâche-t-il.

Sans un mot de plus, il dépasse Wołowski qui reste seul debout dans la rue défoncée, il marche droit devant lui sur les flaques glacées. Au risque de tomber. Wołowski retrouve apparemment ses esprits et court derrière lui pour l'inviter chez lui.

Le crépuscule hivernal tombe vite, c'est désagréable. Moliwda sait qu'il devrait se rendre en tout premier lieu chez Mgr Załuski – il serait actuellement à Varsovie – pour solliciter son aide plutôt que chez les Juifs néophytes. Il devrait se mettre à la recherche de Mgr Sołtyk, mais il est trop tard pour cela maintenant, et lui, pas rasé, se ressentant de la fatigue du voyage, regarde avec envie la porte ouverte de la demeure de Wołowski d'où s'échappe de la chaleur et une odeur de propre. Il se laisse donc prendre par le coude par Franciszek qui le fait entrer.

Nous sommes le 27 janvier 1760.

Ce qui se passa à Varsovie quand Jakób disparut

Dans le quartier de Nowe Miasto, où Salomon Shorr devenu Franciszek Wołowski vient d'ouvrir avec ses frères une petite boutique de tabac, il y a de la circulation. Le petit logement où se sont installés les tenanciers se trouve au-dessus de la boutique. Une chance que le gel ait durci la terre, ainsi est-il possible de passer dans les rues fangeuses, défoncées et pleines de flaques.

Moliwda entre dans le vestibule, puis dans la pièce de jour, il s'assied sur une chaise toute neuve et regarde l'horloge au tic-tac régulier, elle occupe une place de choix dans cet espace. L'instant d'après, la porte s'ouvre devant Marianna Wołowska – hier encore Haïkele –, suivie des enfants, les trois plus jeunes, ceux qui n'assistent pas encore aux leçons. Elle s'essuie les mains dans le tablier qui recouvre sa robe sombre, on voit qu'elle travaillait. Elle semble fatiguée et soucieuse. Quelque part dans le fond de l'appartement, on entend un piano. Marianna saisit les mains de Moliwda quand il se lève pour la saluer, et elle l'invite à se rasseoir. Il se sent gêné d'avoir oublié les enfants, il aurait pu au moins leur acheter un sachet de merises confites.

– Pour commencer, il a juste disparu, dit Marianna. Nous pensions qu'il s'était attardé chez un hôte accueillant et nous ne nous sommes pas inquiétés, les premiers jours. Après quoi, Salomon et Jakóbowski sont allés chez lui où ils ont trouvé Kazimierz, le laquais qu'il avait engagé, qui était au désespoir parce que Jakób avait été enlevé. Quelqu'un avait uniquement envoyé prendre des vêtements chauds pour lui. «Qui cela?» avons-nous demandé. «Des hommes en armes, plusieurs», répondit le serviteur. Dès lors, Salomon, à peine arrivé de Lwów, s'est habillé avec élégance pour sillonner la ville et interroger les gens, mais il n'a rien appris. La peur s'est alors emparée de nous, parce que depuis que Salomon est revenu de Lwów tout va de travers.

Marianna prend sur ses genoux son garçonnet et cherche un mouchoir dans sa manche pour s'essuyer les yeux et aussi nettoyer le nez du petit. Franciszek sort chercher Jeruchim Dembowski et d'autres encore qui vivent à proximité.

– Comment te prénommes-tu? demande distraitement Moliwda au garçon.

– Franciszek, répond l'enfant.

– Comme papa?

– Comme papa.

– Tout ça a commencé avec cet interrogatoire à Lwów. Une bonne chose que vous soyez venu, mieux vaut que nos hommes ne baragouinent pas en polonais, poursuit Marianna.

– Vous le parlez très bien, Marianna…

– Il aurait peut-être mieux valu que ce soit nous, les femmes, qu'ils interrogent, dit-elle avec un sourire amer. Haya leur en aurait fait voir! Avec Hirsz, son mari, je veux dire Rudnicki, elle a acheté une maison à Leszno, ils vont y emménager au printemps.

– Haya va bien?

Marianna lui jette un regard affolé.

– Toujours pareille à elle-même… Le pire est que maintenant ils vous prennent seul à ces interrogatoires. Ils ont convoqué Jakóbowski, dit-elle – et elle se tait un moment avant d'ajouter: Nahman est un mystique et un kabbaliste… Il va dire des bêtises.

– Justement, qu'est-ce qu'il leur a raconté?

– On n'en sait rien. Salomon a dit que, quand ils ont été interrogés ensemble, Nahman-Jakóbowski avait très peur.

– D'être emprisonné, lui aussi?

Moliwda prend brusquement Haïkele par les mains et se rapproche d'elle. Il lui chuchote à l'oreille:

– Moi aussi, j'ai peur. Je suis dans la même charrette que vous et je vois bien que c'est dangereux. Dis à ton mari qu'il est un imbécile de vouloir régler vos petits comptes puants… Vous vouliez vous débarrasser de lui et qu'est-ce que vous êtes allés raconter? Quoi?

Marianna se dégage pour pleurer dans son mouchoir. Les enfants la regardent, effrayés. Elle se tourne vers la porte et crie:

– Basia, prends les petits! Nous avons tous peur, dit-elle. Toi aussi, tu peux avoir peur, parce que tu connais nos secrets, et tu es quasiment des nôtres!

En disant cela, elle lève ses yeux vert-marron embués de larmes vers Moliwda et celui-ci perçoit brièvement un semblant de menace dans sa voix.

Crachez sur ce feu

L'interrogatoire des adeptes varsoviens de Jakób Frank a lieu sans qu'ils soient incarcérés. Jeruchim, autrement dit Jędrzej Dembowski, sûr de lui et habile orateur, ainsi que Jan, le plus jeune des Wołowski, parlent pour tout le groupe. Ils s'expriment en yiddish, mais cette fois Moliwda n'est plus que l'interprète en second. Il reste donc assis à la table avec une plume et du papier devant lui. Un certain Bielski traduit tout à fait habilement. Moliwda est parvenu à leur souffler qu'ils ne devaient raconter que des choses très générales, et ceci de façon polie et agréable.

Mais eux s'enfoncent de plus en plus! Quand ils commencent à parler des miracles que Jakób aurait accomplis partout, Moliwda, silencieux, se mord les lèvres et baisse le regard sur la feuille de papier vierge dont la vue l'apaise. Pourquoi font-ils cela?

Moliwda perçoit le changement d'attitude du Tribunal, qui au départ était amicale: une crispation physique gagne les inquisiteurs et ce qui n'était qu'un simple entretien devient une véritable affaire, les voix se font plus graves, les questions plus incisives, plus suspicieuses, ceux que l'on questionne échangent des murmures nerveux, le secrétaire feuillette son agenda, et, se dit Moliwda pris de panique, ils vont fixer une nouvelle date et rien ne sera terminé en deux temps, trois mouvements, comme ils l'avaient envisagé.

Inconsciemment, il éloigne d'eux sa chaise, la place un peu plus loin, près du poêle, et il se tourne pour être assis un peu de côté.

Salomon, c'est-à-dire Franciszek Wołowski, qui est un commerçant, voire un homme qui sait prendre des risques, gérer tant ses gens que ses finances, se transforme en petit garçon devant les juges, sa lèvre inférieure tremblote, il est sur le point de fondre en sanglots. Jeruchim, lui, joue au rustre fanfaron et ouvert alors qu'il ne l'est pas, Moliwda le sait parfaitement. Il raconte comment ils ont l'habitude de prier et le Tribunal souhaite alors qu'ils chantent ce cantique mystérieux dont ils ne veulent pas ou ne savent pas expliquer le sens. Ils se lancent des regards incertains, chuchotent entrent eux, et il est clair qu'ils veulent cacher quelque chose et se défiler. Matuszewski intervient, il est pâle comme si un décret de mort avait déjà été prononcé à son encontre. C'est lui qui sera le chef de chœur, il lève la main et, après des chuchotis, pareils à des élèves, à des gamins immatures, ils entament le chant d'*Igadel* devant le Tribunal du Consistoire de Varsovie. Et ils chantent de tout leur cœur, sans égard pour la solennité des lieux. Moliwda baisse les yeux.

Il a tant de fois écouté ce chant, il s'y est parfois joint, c'est vrai ; mais là, dans l'intérieur chauffé du tribunal ecclésial, où les relents d'humidité rivalisent avec l'odeur de soude à briquer les plaques de poêle, où le gel a tracé, durant la nuit, des guirlandes de feuilles et de brindilles glacées, les paroles d'*Igadel* ont une résonance absurde, tout est décalé. À Łowicz, Moliwda occupe un poste auprès de la plus haute instance catholique de Pologne, auprès du primat de la *Respublica*, il a réussi, il est rentré au pays, chez les siens, toutes ses fautes ont été oubliées et il a été de nouveau accueilli parmi les gens respectables, alors pourquoi devrait-il se préoccuper des paroles de ce chant, les a-t-il jamais comprises d'ailleurs ?

Au moment où sortent les prévenus, ils croisent Jakób que l'on amène. Ils se collent tous contre le mur et blêmissent. Jakób porte des vêtements d'apparat, son haut bonnet, un manteau avec un col. Tel un roi que l'on convoierait. Son visage est pourtant étrangement figé. Il regarde Wołowski qui se met à pleurer et lui dit en hébreu:

– Crachez sur ce feu!

Un océan d'interrogations
qui briserait le plus puissant des navires

Moliwda va traduire. Grâce au soutien de Mgr Załuski, il a réussi à s'imposer comme interprète. Il regarde la ganse dont est bordé son dernier *kontusz*. Il s'est habillé de neuf, mais il remarque maintenant que c'est trop voyant, trop élégant. Il le regrette.

La commission attend déjà, elle se compose de trois ecclésiastiques et de deux secrétaires laïques. À la porte, côté couloir, des hommes en armes restent postés. Quel décorum, songe Moliwda. On pourrait croire qu'ils interrogeront un grand usurpateur. Outre le père directeur, au rôle majeur ici, il y a le père Szembek, chanoine de Gniezno, un certain père Pruchnicki, greffier du Consistoire, et le père Śliwicki, un jésuite qui est l'inquisiteur. Ils chuchotent entre eux, mais Moliwda n'entend pas ce qu'ils se disent.

La porte finit par s'ouvrir et les gardes font entrer Jakób. Un regard suffit à Moliwda pour s'inquiéter: Jakób semble changé, comme enflé, la fatigue marque les traits de son visage, ils sont affaissés. Aurait-il été frappé? Soudain, le cœur de Moliwda bat plus fort comme s'il venait de courir, sa gorge s'assèche, ses mains tremblent. Jakób ne le regarde pas. Toutes les idées et les tournures qu'il avait préparées pour pallier les bêtises de Jakób sont inutiles. Discrètement, il essuie ses mains moites dans les pans de son *kontusz*, il sent déjà la sueur couler sous ses aisselles. Oui, ils l'ont frappé, c'est certain. Jakób est sombre, il leur jette à tous un regard torve. Finalement, ses yeux rencontrent ceux de Moliwda et celui-ci se contraint de toutes ses forces à baisser lentement les paupières pour lui signifier que tout ira bien, qu'il peut être tranquille.

Lecture donnée du préambule officiel et à des attendus de l'interrogatoire, la première question tombe, Moliwda la traduit en turc. Il le fait avec précision, sans rien ajouter, sans rien retirer. Les ecclésiastiques demandent à Jakób où il est né, où il a grandi et où il a vécu au long de sa vie. Sa femme, le nombre de ses enfants et les biens matériels qu'il possède les intéressent aussi.

Jakób ne veut pas s'asseoir, il reste debout quand il répond. Sa voix calme et profonde ainsi que le caractère chantant de la langue turque font leur effet sur ses auditeurs. Qu'est-ce que cet homme a en commun avec eux? songe Moliwda. Il traduit la réponse de Jakób phrase après phrase. Jakób dit qu'il est né à Korolówka en Podolie, qu'il a ensuite vécu à Czerniowce, où son père était rabbin. Il a beaucoup déménagé, il a habité Bucarest et d'autres endroits de Valachie. Il a une épouse et des enfants.

– À quel signe reconnaissait-on ceux qui voulaient rejoindre la foi chrétienne?

Jakób fixe le plafond, puis soupire. Il se tait. Ensuite, il demande à Moliwda de répéter la question, mais persiste à ne pas répondre. Finalement, il pose les yeux sur son ami et semble ne s'adresser qu'à celui-ci, qui, de son côté s'efforce de contrôler le moindre frémissement de son visage.

– Le signe par lequel je reconnais les vrais croyants est que je vois de la lumière au-dessus de leurs têtes. Tous n'en ont pas.

Moliwda traduit cela par:

– Selon la promesse de Notre Seigneur, le signe par lequel je discerne ceux qui abordent la foi du Christ avec sincérité, c'est une lueur ayant la forme d'une bougie que je vois sur leur tête.

Le Tribunal demande des éclaircissements. Qui a cette lumière, qui ne l'a pas?

Jakób est réticent à répondre, il hésite une fois sur un prénom, mais Moliwda traduit avec fluidité, il explique que, pour ce qui est de certains Juifs, y compris lorsqu'ils insistaient pour que Jakób les intégrât, y compris lorsqu'ils voulaient lui donner beaucoup d'argent pour cela, il refusait car il n'apercevait pas la flamme. En fait, il savait déjà qui était sincère et qui avait des intentions suspectes.

On lui demande alors des détails sur son premier séjour en Pologne. Quand Jakób reste trop vague, ils le questionnent sur le nom des localités, sur celui des gens qui l'ont accueilli. Cela dure, ils attendent que les secrétaires aient tout consigné. Jakób s'épuise à ce rythme bureaucratique, il se fait donner une chaise et s'assied.

Moliwda traduit le compte rendu d'événements auxquels il lui est parfois arrivé de participer, mais il préférerait ne pas le rappeler; d'ailleurs ce n'est pas utile, personne ne le lui demande. Il prie en pensée pour que Jakób n'en trahisse rien. Quand ce dernier raconte son séjour à Nikopol et Giurgiu, c'est sans la moindre allusion à Moliwda, qu'il ne regarde même pas. Le Tribunal pensera raisonnablement qu'ils ne se connaissent guère, qu'ils se sont rencontrés à Lwów pour des besoins d'interprétariat, ainsi que Moliwda l'avait écrit dans sa déclaration.

Une petite pause est décidée au cours de laquelle on apporte de l'eau et des gobelets. On change d'interrogateur, maintenant ce sera le jésuite.

– Est-ce que le prévenu croit en Dieu dans sa Sainte-Trinité? Est-ce qu'il croit qu'Il est Un en Trois Personnes? Et est-ce qu'il croit en Jésus-Christ, vrai Dieu fait homme, Messie présent dans les Saintes Écritures, et ceci selon la profession de foi de saint Athanase? Est-il prêt à le jurer?

On remet à Jakób le texte du Credo en latin, Jakób ne sait pas le lire, aussi répète-t-il, phrase après phrase, à la suite de Moliwda: «Je crois en un seul Dieu...» Moliwda rajoute de lui-même *de tout mon cœur*. Après cela, on demande à Jakób de signer la page du Credo.

Une nouvelle question tombe alors:

– À quels endroits des Saintes Écritures l'accusé a-t-il essayé de comprendre le mystère de la Sainte-Trinité?

En retour, une discrète entente, que personne ne remarque, s'instaure entre le prévenu et son interprète. Moliwda l'avait un jour instruit de ces passages, Jakób s'en souvient parfaitement. Manifestement, cet enseignement lui sert. Il cite la Genèse 1,26 : « Faisons l'homme à notre image, comme notre ressemblance », la Genèse 18,3 où Abraham parle à trois hommes comme s'ils n'étaient qu'un : « Quand il les vit, il courut au-devant d'eux, depuis l'entrée de sa tente, et se prosterna en terre. Et il dit : Seigneur, si j'ai trouvé grâce à tes yeux… » Ensuite, il passe aux Psaumes pour indiquer un vers du psaume 110 : « Oracle de Yahvé à mon Seigneur : Siège à ma droite. » Après quoi, Jakób s'y perd, il a avec lui ses livres en hébreu, dont il tourne les pages, mais il finit par dire qu'il est fatigué et qu'il aurait besoin de plus de temps pour retrouver les passages appropriés.

On lui pose donc la question suivante :

– Où dans les Écritures est-il dit que le Messie est venu et qu'il est Jésus-Christ né de la Vierge Marie, crucifié il y a 1 727 ans de cela ?

Jakób se tait un long moment, jusqu'à ce qu'ils lui intiment l'ordre de répondre. Il déclare alors que ce fut longtemps clair pour lui, à l'époque où il enseignait. Depuis son baptême, pourtant, il a perdu cette clarté d'esprit et il n'a plus à savoir certaines choses parce que, désormais, ce sont les prêtres qui sont des guides pour lui et les siens.

Moliwda est parfois surpris par la vivacité d'esprit de Jakób. La réponse plaît aux ecclésiastiques.

– Quels sont ces endroits des Saintes Écritures où il a trouvé et avec lesquels il a prouvé aux autres que le Messie, Jésus-Christ, est le vrai Dieu créateur de toute chose et à l'égal du Père ?

Jakób fouille dans ses grimoires, mais ne trouve pas le passage. Il se frotte le front et finit par dire :

– Isaïe : « Il Lui sera donné le nom d'Emanuel. »

L'inquisiteur Śliwicki ne lâche pas le morceau aussi aisément. Il continue à insister sur la question du Messie.

– Qu'entend le prévenu en disant que le Christ reviendra ? Où reviendra-t-il ? De quoi cela aura-t-il l'air ? Que signifie qu'il viendra juger les vivants et les morts ? Est-il vrai que le prévenu aurait soutenu que le Messie était déjà dans ce monde, dans le corps d'un être humain, et qu'il se manifestera brusquement un jour tel l'éclair ?

La voix de Śliwicki est calme, comme s'il parlait de choses banales et sans grande importance, mais, ensuite, Moliwda sent que le silence se densifie et que tous attendent ce que dira Jakób. Quand il lui traduit la question, il ajoute un tout petit mot: «Gare.»

Jakób comprend le message, il parle lentement, avec prudence. Moliwda traduit avec la même lenteur après avoir attendu la fin de chaque phrase et retourné plusieurs fois chaque mot en pensée.

– Je n'ai jamais considéré que le Messie renaîtrait dans un corps humain et je n'ai jamais enseigné cela. Ni qu'il viendrait en roi immensément riche pour instaurer des tribunaux parmi les hommes. Quant à son invisibilité en ce monde, je faisais référence à sa présence réelle dans le pain et le vin consacrés. Tout cela, je le compris seul, à la perfection, dans l'église de Podhajce.

Moliwda pousse un soupir de soulagement, mais de manière à ce que personne ne le remarque. Il sent que, sous le *kontusz*, son élégant et léger *żupan* est trempé de sueur aux aisselles et dans le dos.

Le père Szembek intervient:

– Est-ce que l'inculpé connaît le Nouveau Testament? Et si oui, en quelle langue?

Jakób répond que non, qu'il ne l'a jamais lu. Ce n'est qu'à Lwów et ici à Varsovie qu'il a eu un peu accès à l'Évangile de saint Luc.

Le père Szembek voudrait savoir pourquoi Jakób porta le turban et fréquenta les mosquées. Pourquoi il obtint ce sauf-conduit de la Porte lui permettant de s'installer comme s'il était un nouveau mahométan. Est-il vrai qu'il s'était converti l'Islam?

Moliwda se sent sur le point de défaillir: ainsi, ils sont parfaitement informés de tout. Il aurait été idiot de ne pas s'y attendre.

Jakób répond immédiatement après avoir compris la question. Par la bouche de Moliwda, il dit:

– Si je considérais que la religion de Mahomet est la meilleure, je ne me serais pas tourné vers le catholicisme.

Moliwda poursuit en expliquant que les Juifs talmudistes avaient monté la Porte contre Jakób et versé des bakchichs pour que les Turcs s'emparent de lui.

– Persécuté, il me fallut prendre cette religion, mais je ne le fis qu'en surface. Dans mon cœur, je ne la considérai pas un instant comme authentique.

– Pourquoi, en ce cas, dans la supplique adressée au sultan, avez-vous écrit que vous étiez pauvre et persécuté, alors que vous nous dites que vous étiez riche et aviez une demeure avec des vignobles et d'autres propriétés ?

Le triomphe pointe dans la voix de l'inquisiteur, il vient de prendre le prévenu en flagrant délit de mensonge, mais Jakób ne voit aucune sournoiserie à son histoire. Il répond de façon distraite qu'il se présenta ainsi au sultan sur les conseils de l'administrateur de la ville de Giurgiu, un Turc qui voyait ainsi une possibilité de gagner de l'argent. Quel mal y a-t-il à cela ? semble dire son ton de voix.

Le père Szembek fouille dans sa paperasse et y trouve manifestement un élément intéressant, car il se lance avant que le jésuite ne recommence à poser ses questions.

– L'une des personnes interrogées, un certain Nahman, devenu Jakóbowski Piotr, affirme qu'à Salonique vous lui avez montré l'Antéchrist. Est-ce que vous y croyiez ?

Par la bouche de Moliwda, Jakób répond :

– Jamais je n'y ai cru. Tout le monde disait que c'était l'Antéchrist, alors j'en parlais également, mais comme d'une curiosité.

Le jésuite revient au cœur du problème.

– Avez-vous parlé du Jugement dernier comme étant proche ? Comment sauriez-vous cela ?

Moliwda entend Jakób répondre :

– Oui, le Jugement dernier est proche, cette certitude est inscrite dans les Écritures chrétiennes, même si nous ignorons quand cela doit arriver, mais c'est proche.

Et il le traduit par :

– Pour éveiller les autres à la foi, je citais les paroles du prophète Osée, 3. J'expliquais que nous, les Juifs, n'avions eu ni prêtre ni autel pendant si longtemps que, désormais, nous, fils d'Israël, nous nous convertissions à Dieu et cherchions la foi du Messie, fils de David.

Convertis à la foi chrétienne, nous avions désormais des prêtres et des autels, c'était donc les derniers jours selon le prophète Osée.

– Savait-il que certains de ses élèves le tenaient pour le Messie? Est-il vrai qu'assis sur une chaise à boire du *cahvé* il permettait que d'autres lui rendent un culte en pleurant et en chantant? Que lui-même ait dit: «Mon Très Saint Père»? Pourquoi permettait-il, sans s'en défendre, que ses élèves l'appellent Père et Maître?

Le père Śliwicki se fait de plus en plus agressif, sans pour autant jamais hausser la voix; il pose ses questions sur un ton qui laisse supposer que, l'instant d'après, il lèvera le voile pour révéler au monde une vérité atroce. La tension monte dans la salle. Il demande maintenant pourquoi Jakób s'est choisi douze disciples. Jakób répond qu'il n'y en avait pas douze mais quatorze et que deux sont morts.

– Et pourquoi se sont-ils tous choisi des prénoms d'apôtres au baptême? Serait-ce parce que, pour eux, Frank occupe la place de Notre Sauveur Jésus-Christ?

Jakób répond qu'il n'en est rien, qu'ils ont pris les prénoms qu'ils voulaient. Et qu'il y a d'ailleurs un Franciszek parmi eux. Ce que Moliwda traduit par:

– Dieu m'en garde! C'est juste qu'ils ne connaissent pas d'autres prénoms chrétiens. D'ailleurs, il se trouve parmi eux deux François.

– Sait-il que certains de ses adeptes ont aperçu une lumière au-dessus de sa tête? Que sait-il à ce sujet?

Jakób répond que c'est la première fois qu'il entend cela et qu'il ne sait pas de quoi il s'agit.

Maintenant, c'est de nouveau le père Szembek qui pose des questions:

– A-t-il prédit son emprisonnement à Lanckoruń et Kopyczyńce, la venue de sa femme en Podolie, la mort de l'enfant de Piotr Jakóbowski, mais aussi celle de deux autres personnes de la famille d'Eliasz Wołowski, voire son arrestation présente, comme en ont témoigné les prévenus entendus avant lui?

Il vient à l'esprit de Moliwda que Jakób cherche à se diminuer comme s'il avait soudain réalisé que sa personnalité était trop imposante, qu'elle attirait par trop l'attention. Tout comme il jouait au puissant en fanfaronnant, il opte imperceptiblement et de façon naturelle pour un nouveau rôle, celui d'un prévenu insignifiant, sage, docile, enclin à collaborer, sans crocs, sans griffes. Bref, un agneau. Moliwda le connaît assez pour savoir que Jakób est plus vif d'esprit que tous les hommes réunis dans ce tribunal. Eux le prennent pour un idiot, tout comme l'avaient fait les Juifs lorsqu'il prenait un malin plaisir à feindre une certaine médiocrité, à se cacher sous des dehors de rustre. Quand était-ce? Quand avait-il déclaré savoir à peine lire?

Moliwda traduit sa réponse presque littéralement:

– Oui, j'avais prédit l'arrestation de Lanckoruń, mais pas celle de Kopyczyńce. Pour ce qui est de mon épouse, j'avais juste évalué le temps nécessaire à mon émissaire pour arriver jusqu'à elle, celui qu'il faudrait pour faire les bagages et celui du voyage. De ce fait, je tombai juste sur le mercredi. L'enfant de Jakóbowski était né faible et malade. Quant à avoir prédit la mort de quelque autre membre de la famille des Wołowski de Rohatyn, je n'en ai nul souvenir. C'est une grande famille, il y meurt tout le temps quelqu'un. Il est vrai que je priais au-dessus d'un livre quand, soudain, j'ai dit tout haut: «Dans deux semaines.» J'ignore pourquoi j'ai dit cela, mais ceux qui m'ont entendu l'ont aussitôt associé à mon emprisonnement chez les bernardins. J'avoue également que, quand quelqu'un de sincèrement attiré par la foi devait venir, mon nez me grattait du côté droit, et, quand ce n'était pas sincère, à la narine gauche. Oui, je pressentais les choses!

La très respectable commission juridique rit discrètement. Le père Szembek, le père Pruchnicki, le secrétaire et le père directeur. Seul le jésuite s'abstient, mais il est connu, se dit Moliwda, que ceux-là n'ont aucun sens de l'humour.

Śliwicki demande sérieusement:

– Pourquoi lorsque des malades viennent le voir, Jakób pratique-t-il des désenvoûtements en leur touchant le front du doigt et en chuchotant des incantations? Qu'entend-il par là?

La gaieté de la commission a quelque peu détendu Jakób. Moliwda s'attend donc à ce qu'il joue au faible et au fort à la fois, de manière à ce que rien ne soit clair, à ce que chacun ait l'impression que ses explications sont contradictoires et troubles.

– Par envoûtement, j'entends qu'une personne jette un mauvais regard sur une autre. J'ai désenvoûté tous ceux qui en avaient besoin.

Là-dessus, pour se dévaloriser, Jakób cite les prénoms de ceux qui sont morts. Il déclare :

– Je l'ai fait pour Werszek, qui était déjà baptisé et qui est décédé ici à Varsovie, mais aussi pour Reb Mordke, de son nom Mordekhaï ben Elie Margalit, qui mourut sur place, à Lublin. Cela ne les aida pas.

Les inquisiteurs passent à Iwanie, cette époque-là les intéresse particulièrement.

– Est-il vrai, demandent-ils, qu'à Iwanie Jakób avait interdit que quiconque possédât la moindre chose en propre, qu'à l'arrivée chacun devait tout déposer pour l'usage de tous ? Mais aussi que, selon lui, lorsque plusieurs personnes se querellent pour finalement se réconcilier autour d'une idée, celle-ci vient de Dieu ? Où Jakób allait-il chercher des idées pareilles ?

Jakób est fatigué – midi est passé, il n'a bu que de l'eau depuis l'aube, l'air de la pièce fermée est étouffant –, il dit qu'il n'en a pas la moindre idée. Il se frotte le front.

– Est-il vrai qu'il aurait interdit de confier les enfants à leurs parrain et marraine ou à des catholiques pieux pour qu'ils les éduquent et qu'il aurait ordonné à tous les siens de rester ensemble ? Est-ce vrai ? demande le père Szembek qui lit une feuille.

À l'évidence, il a des comptes rendus d'auditions très précis.

– Est-il vrai, interroge-t-il encore, que ses émules remplacent le nom de Jésus par celui de Jakób dans leurs exemplaires du Nouveau Testament ?

Jakób nie d'une phrase brève. Il reste tête baissée. Il se rend.

L'interrogatoire terminé, Moliwda salue un père Śliwicki d'une froideur inouïe et un père Szembek silencieux, puis il passe à côté de Jakób sans un regard.

Il sait qu'il ne sera plus convié aux interrogatoires, les prêtres ne lui font pas confiance.

Il sort dans l'air glacial de Varsovie. Un vent agressif soulève les pans de son *kontusz*, aussi les saisit-il pour s'en entourer étroitement avant de se diriger vers la rue Długa, mais il comprend soudain qu'il redoute d'aller chez les Wołowski et il fait demi-tour pour rejoindre d'un pas lent les limites de l'octroi, près de l'église des Trois-Croix. C'est très exactement là que le gagne une vague ténébreuse et gluante de culpabilité. Il ne lui reste donc rien d'autre à faire qu'à entrer dans une petite auberge juive pour boire tout en se vantant de sa connaissance de l'hébreu devant la tenancière.

Au matin, on lui apporte une lettre de la chancellerie du primat: il est convoqué pour midi. Il se verse un seau d'eau froide sur la tête, se rince la bouche avec de l'eau vinaigrée. Debout face à la fenêtre, il essaie de prier, mais il est tellement nerveux qu'il n'arrive pas à atteindre cet endroit d'où, habituellement, il se projette vers les hauteurs tel un petit caillou lancé vers le ciel. Un plafond le bloque, il sent cela clairement. Il sait ce qui va arriver et il se demande s'ils l'autoriseront à repartir. Il jette un dernier regard à ses modestes bagages.

Au palais du primat, un prêtre lambda accueille Moliwda, sans même se présenter. Il le mène en silence dans une petite salle où il n'y a qu'une table et deux chaises, ainsi qu'une énorme croix accrochée au mur avec un maigre Jésus crucifié. L'ecclésiastique s'assied devant lui, pose ses mains l'une sur l'autre et parle d'une voix aimable, sans s'adresser à quiconque en particulier, pour dire que le passé de M. Antoni Kossakowski, dit Moliwda, est bien connu de l'Église, notamment le temps impie qu'il passa dans la colonie des hérétiques en Valachie. L'activité des philipponiens n'est pas ignorée non plus et elle provoque un immense dégoût chez les vrais catholiques. Notre *Respublica* n'est pas un pays où pareils dépravés sont acceptés, et tous les hérétiques de la vraie foi devraient se trouver un autre lieu de vie. Rien n'est ignoré non plus des péchés de jeunesse de M. Kossakowski, l'Église a une mémoire éternelle, elle n'oublie jamais rien. Le prêtre parle encore et encore, comme s'il se vantait de ce qu'il sait, or son savoir est immense. Ensuite, il ouvre un tiroir dont il sort plusieurs feuillets et une bouteille d'encre. Il quitte la pièce un moment pour aller chercher une plume dont, du bout du doigt, il vérifie si elle est bien taillée. Il fait allusion d'un mot à Łowicz. Moliwda est tellement accablé qu'il n'entend plus rien. Dans sa tête résonnent toujours les mots du religieux – «magie», «inceste», «pratiques contraires à la nature»… – et il se sent écrasé par un poids énorme.

Enfin, le prêtre lui dit d'écrire. Tout ce qu'il sait de Jakób Frank et que d'autres pourraient ignorer. Il indique qu'il a tout son temps. Moliwda écrit.

23

Comment l'on chasse
chez Hieronim Florian Radziwiłł

Jusqu'au 2 février, jour de la Chandeleur, une ambiance festive règne dans le pays. Les tenues de bal, les robes plissées, les *żupan* en soie, les soutanes élégantes sont mis à aérer dans l'air froid. Même chez les paysans, on sort des coffres les habits de fête gansés de rubans et magnifiquement brodés. Les celliers sont pleins de pots de miel et de saindoux, les cornichons trempent silencieusement dans la saumure des gros tonneaux obscurs pour ne s'animer qu'entre les mains de quelque impatient, glisser pour s'en échapper et tomber directement à terre. Des chapelets de saucisses, des jambons fumés et des carrés de lard pendent à des barres où tel autre petit malin s'en coupe un bout en douce. Autant d'animaux confiants, nourris dans des étables et des porcheries douillettes, qui ignoraient à un mois de Noël qu'ils ne vivraient pas jusque-là. Les souris s'en donnent à cœur joie dans les sacs de noix, les chats paresseux et gras à cette époque de l'année les surveillent, mais les affrontements sont rares; les souris sont trop malignes. L'odeur des pommes et des prunes séchées remplit les maisons. Par les portes ouvertes sur la nuit glaciale, la musique se répand pareille aux volutes du souffle des hommes.

Le primat Łubieński, homme en soi vain et infantile, invité par le magnat Radziwiłł à la chasse, se fait accompagner de l'un de ses secrétaires,

Antoni Kossakowski, appelé Moliwda. Avec le conseiller Młodzianowski, ils sont installés dans la berline, car Sa Grandeur ne s'interrompt jamais dans son travail. Moliwda n'a aucun respect pour cet homme qu'il n'aime pas, il n'a déjà vu que trop de choses au palais épiscopal de Łowicz. Il s'efforce de prendre quelques notes, mais la voiture qui cahote sur les ornières gelées l'en empêche.

Les trois hommes se taisent un long moment tandis que le primat observe par la fenêtre un *kulig*, longue course de traîneaux bruyants et joyeux, venant dans l'autre sens. Finalement, Moliwda trouve le courage de dire:

– Excellence, pourrais-je vous supplier de me dispenser...

La berline passe justement sur un pont de bois et cela rappelle un tremblement de terre.

– Oui, je sais ce que tu veux, dit le primat – et il s'interrompt.

Après un moment qui semble une éternité à Moliwda, il ajoute:

– Tu as peur. Je ne vois pas ce qu'il y a de mal à ce que tu aies été leur interprète. C'est peut-être très bien, d'ailleurs, au moins tu en a appris davantage sur eux. Tu sais, monsieur Kossakowski, il se dit à ton propos des choses étranges. On dit que tu aurais pas mal roulé ta bosse. Tu aurais été un personnage important chez les hérétiques, c'est vrai?

– Excellence, ce n'étaient que des facéties de jeunesse. J'étais un trompe-la-mort, mais, avec le temps, je suis devenu quelqu'un qui a du plomb dans la cervelle. Quant aux hérétiques, ce sont des ragots. Je connais nombre d'autres histoires, mais, quant aux hérétiques, aucune.

– Eh bien, raconte-nous une de tes histoires, le voyage nous paraîtra moins long, dit le primat tout en appuyant la tête contre le dossier rembourré.

Moliwda songe un moment que le temps est peut-être venu de raconter l'histoire de sa vie pour se débarrasser d'un fardeau qu'il porte depuis trop longtemps et, par cette journée de grand froid, de commencer une vie nouvelle. Il est conscient de devoir son poste à l'influence et aux relations de Katarzyna Kossakowska. Elle n'aime pas Mgr Łubieński, elle le tient pour un ennemi des intérêts de la Pologne et un être sans honneur. Elle a placé son cousin auprès de lui pour avoir une personne de confiance dans le camp ennemi. En contrepartie, elle s'est engagée à étouffer les rumeurs qui planent autour de Moliwda telle une auréole.

Non, Moliwda ne divulguera jamais à ces deux hommes ce qui l'a mené là où il se trouve aujourd'hui. Il leur raconte donc une tempête en mer qu'il a connue avec des compagnons de fortune et qui était telle que tous durent s'attacher aux mâts pour ne pas être emportés par les vagues… Comment les flots l'ont rejeté sur la rive où le trouva une belle princesse, la fille du roi de l'île. Comment il fut emprisonné dans une caverne où, avec un long bâton, on lui descendait la nourriture dans un grand panier, car sa barbe rousse faisait peur…

À l'évidence, Mgr Łubieński n'a certainement jamais vu aucune mer, ni plage, ni princesse, et probablement aucune caverne, car son imagination ne lui permet pas de suivre le cours du récit, la lassitude le gagne, il somnole. Moliwda s'apaise. Trop vite, indéniablement.

Le soir, à l'étape, une fois qu'ils ont dîné, le primat lui demande de parler des philipponiens et des bogomiles. Sans échappatoire possible, Moliwda le fait avec réticence, juste dans les grandes lignes.

– On en apprend tous les jours! s'exclame Sa Grandeur. Pour savoir à quoi l'on croit, voilà qu'il faut s'intéresser aux hérésies, déclare-t-il pour résumer le laïus de Moliwda – et il affiche le sourire satisfait d'un enfant qui a tourné une belle phrase.

Hieronim Florian Radziwiłł se préparait depuis des mois à cette journée. Sur ses terres en Lituanie, des centaines de paysans attrapèrent toutes sortes de bêtes: des renards, des sangliers, des loups, des ours, des élans et des biches, pour les mettre dans de grandes cages et les transporter en traîneaux jusqu'à Varsovie. Sur les berges de la Vistule, il fit planter un vaste champ de petits sapins et ainsi fut créée une forêt artificielle, quadrillée de chemins en ligne droite. Au milieu du bois, il fit élever une élégante construction de deux étages – tendue de toile verte à l'extérieur, tapissée de peaux de renard noir à l'intérieur – pour les invités d'honneur et les amis du roi Auguste II. Plus loin, derrière une palissade, on installa des tribunes pour les spectateurs.

Le roi, avec ses fils et sa cour, au sein de laquelle le primat Łubieński se pavane parmi d'autres personnages vêtus de pourpre, pénètre dans la bâtisse tandis que la noblesse et les courtisans s'installent dans les tribunes pour tout bien voir. Le ministre Brühl et son épouse arrivent légèrement en retard, au moment même où la battue commence. Dans l'air vif, tout le monde est joyeux, l'hydromel et le vin chauffés avec des épices que distribuent généreusement les serviteurs n'y sont pas pour rien. Moliwda observe le roi à la dérobée, il le voit pour la première fois. Frédéric-Auguste de Saxe est grand, gros, plein d'assurance, le teint rosi par le froid. Le bas de son visage royal, mou et rasé de près, semble d'une peau aussi fine que celle d'un gros nourrisson. À ses côtés, ses fils ont l'air de mauviettes. La tête renversée en arrière, le roi boit en engloutissant d'un trait le godet, puis, à la manière polonaise, en disperse les dernières gouttes sur le sol en agitant la main. Moliwda n'arrive pas à détacher les yeux de son délicat menton blanc qui frémit.

Au signal d'une trompette, le gibier est lâché. Les animaux frigorifiés, abrutis, immobilisés depuis trop longtemps, plus morts que vifs, restent à côté de leurs cages sans savoir ce qu'ils devraient fuir. C'est alors qu'on leur envoie les chiens et un tumulte épouvantable s'ensuit: les loups se jettent sur les élans, les ours sur les sangliers, les chiens sur les ours, tout cela au vu du roi qui, quant à lui, tire.

Moliwda se fraie un chemin vers l'arrière, vers les tables où sont posés les amuse-gueules, et demande une vodka. On lui verse un verre, puis un autre et un autre encore. Quand le spectacle se termine, il a son compte et se montre donc trop enclin à bavarder. Tout le monde dit que le roi était ravi de cette distraction à un point qui dépasse toutes les espérances, et que cela vaudra à M. Radziwiłł des faveurs. Comme Auguste le Fort ne séjourne pas souvent à Varsovie, c'est d'autant plus appréciable. Un gros noble, en bonnet de fourrure paré d'une plume, à l'accent étranger, raconte à Moliwda que M. Radziwiłł est un homme avec de l'imagination: il aurait pour habitude de propulser les animaux en l'air comme des boulets de canon avec une machine spécialement construite à cette fin, et ils sont tirés en vol. Il en fut ainsi à Słuck, en 1755, année mémorable pour la rigueur de son hiver, on y tira sur des renards «volants». Pour les sangliers, on constitua spécialement une double rangée d'arbres au bout de laquelle se trouvait une fosse remplie d'eau. On poussa les sangliers vers ce couloir, on les fit poursuivre par les chiens et, tandis qu'ils fuyaient terrorisés, ils tombaient dans l'eau où, maladroits à la nage, ils étaient une cible facile pour les tireurs. Cela mettait en grande joie les invités, une joie que le narrateur devait partager.

Ici, l'après-midi, ils avaient eu une autre réjouissance. Tous les veneurs, déjà bien imbibés, s'étaient regroupés autour d'une arène spéciale où on lâcha des marcassins sur le dos desquels des chats étaient fixés comme s'ils étaient leurs cavaliers. Une meute de chiens fut lancée sur eux. Tout cela amusa grandement la compagnie, de sorte qu'elle fut d'humeur joyeuse pour le bal qui clôturait la chasse.

Moliwda rentre seul. Son Excellence le primat de la *Respublica* s'attarde chez le magnat Radziwiłł. Son secrétaire, quant à lui, doit régler des questions importantes pour l'Église. Il passe par Varsovie où il va prendre des lettres pour Łowicz, il n'y reste que trois heures. Il ne remarque même pas à quoi ressemble la capitale en cette sinistre journée d'hiver. Il ne regarde pas. Oh, il est possible que du coin de l'œil il aperçoive les rues larges et boueuses, il faut y faire attention au crottin de cheval qui fume dans la fraîcheur de cet air insolite, qui semble tellement étranger à Moliwda qu'il ne pourrait le respirer trop longuement. Cela sent la steppe glaciale, le vent. Il se rend compte qu'il est recroquevillé sur lui-même. Est-ce à cause du froid ou de l'alcool ingurgité qu'il halète plus qu'il ne respire ? Dans l'après-midi, il part pour Łowicz. Il voyage à cheval sans faire de halte.

Hors de Varsovie, le ciel est gris et bas, l'horizon vaste et plat. Il semble que la terre ne pourra plus soutenir longtemps le poids du ciel. La route défoncée par le trafic est couverte d'une neige humide qui commence à geler. La journée est avancée, le soir va tomber, aussi devant l'auberge, les montures sont de plus en plus nombreuses. L'odeur du pissat, du crottin et de la sueur des chevaux se mélange à celle qui s'échappe de la cheminée biscornue et surtout à celle qui jaillit de la porte ouverte. Deux femmes en jupes rouges et en courtes vestes de mouton retourné, enfilées sur des corsages blancs de jour de fête, s'y tiennent debout et observent attentivement toutes les personnes qui entrent ; elles cherchent quelqu'un, manifestement. L'une d'elles, la plus jeune et la plus rondelette, repousse les avances insistantes d'un homme déjà ivre en longue tenue grise.

L'auberge est une construction en rondins blanchis au lait de chaux, basse, avec quelques petites fenêtres et un toit de chaume. Sur un banc près de la palissade, des vieilles sont assises, elles viennent là par ennui, pour voir ce qui se passe dans le grand monde. Emmitouflées dans de grands châles à carreaux en laine, le nez rouge de froid, elles restent silencieuses à observer attentivement et sans aménité toute personne qui arrive. Parfois, elles commentent d'un demi-mot un petit incident. Soudain, les deux femmes en vestes de mouton aperçoivent quelqu'un ; tumulte et cris s'ensuivent. Est-ce le mari ivre de l'une d'elles ou peut-être son fiancé qui se serait enfui ? L'homme cherche à leur échapper, mais, vite assagi, il se laisse emmener vers le village. La neige glacée s'effrite sous les sabots des chevaux qui regardent eux aussi l'entrée enfumée de l'auberge avec espoir, mais de celle-ci ne leur parviennent que les sons étouffés d'instruments de musique. Les sonorités les plus mélancoliques du monde, songe Moliwda, la musique entendue de loin, écharpée par les murs en bois, le brouhaha des hommes, le grincement de la glace, jusqu'à être réduite aux frappements sourds et solitaires du tambour. D'ici peu, les cloches lointaines de la ville les rejoindront pour inonder toute la région d'un désespoir insupportable.

LES RELIQUATS. LES TROIS CHEMINS DU RÉCIT. RACONTER EST UN ACTE

Depuis plusieurs jours, Nahman, autrement dit Piotr Jakóbowski, est assis à écrire dans sa petite chambre. Le logement qu'il a loué avec sa jeune épouse dans le quartier varsovien de Solec est épouvantablement froid et loin de tout. Wajgełe ne s'est pas remise de la mort de son enfant, elle reste silencieuse des journées entières. Personne ne leur rend visite et eux ne vont voir personne. Le crépuscule tombe vite, il est couleur rouille. Jakóbowski récupère la cire pour en façonner de nouvelles bougies. Les feuillets couverts de son écriture s'éparpillent à terre.

... s'épanche. Chaque situation me semble infinie quand je tente de la décrire, d'impuissance ma plume me tombe des mains. La description d'une situation n'épuise jamais celle-ci complètement, il reste toujours quelque chose qui lui échappe. Quand j'écris, chaque détail me renvoie à un autre et à un autre encore, à un signe ou un geste, et je dois faire des choix en permanence pour décider quel fil suivre dans le récit de l'histoire, où arrêter mon regard intérieur, ce sens si puissant qui sait faire émerger des scènes révolues.

Ainsi donc, tandis que j'écris, je me trouve à chaque instant à une croisée de chemins tel cet idiot d'Iwan dans les contes que nous narrait si volontiers Jakób à Iwanie. Et j'ai devant les yeux ces embranchements, ces routes qui se séparent et dont l'une, la plus simple, celle du milieu, est pour les sots, l'autre, sur la droite, pour les prétentieux, et la troisième pour les téméraires, voire les suicidaires, tant elle sera pleine d'embûches, de ravines, de mauvais sorts et de fatidiques concours de circonstances.

Il m'arrive parfois de choisir naturellement la route droite, celle du milieu, et, naïvement, j'oublie le caractère compliqué de ce que je décris, je fais confiance à ce qu'on nomme «faits», «événements», comme si je me les racontais à moi-même, comme si mes yeux étaient les seuls à les voir, comme si aucune hésitation ni incertitude n'existaient et que les choses étaient telles qu'elles semblent être (y compris lorsque nous ne les regardons pas, et, de cela, nous discutions si vivement à Smyrne avec Moliwda). J'écris alors: «Jakób a dit», comme si ce n'étaient pas mes oreilles qui l'avaient entendu, mais celles de Dieu: Jakób a dit cela, il en était ainsi. Je décris l'endroit comme s'il apparaissait à autrui pareillement qu'à moi, comme s'il *était* ainsi. Je fais confiance à ma mémoire et, en notant ce qui me vient d'elle, du faible instrument qu'elle est, je fais un marteau qui doit forger une cloche. En suivant cette voie, je crois que ce que je décris est vraiment arrivé, sans le moindre doute. Et même, qu'il ne fut jamais envisageable qu'autre chose arrivât!

La route rectiligne du milieu est trompeuse.

Quand pareil doute m'assaille, je choisis celle de droite. Désormais, au contraire, je suis seul tant à la barre que dans la barque, je me concentre donc sur ma propre perception du monde, comme si celui que j'avais sous les yeux n'existait pas, mais était créé par mes sens. Contrairement à ce que m'enseigna Reb Mordke, j'entretiens ma propre flamme, je souffle sur la braise de mon moi, qu'il conviendrait pourtant d'oublier et dont il faudrait faire voler au vent les cendres. Or, je l'attise pour en faire un grand feu. Et cela donne quoi ? Moi, moi et encore moi, l'état déplorable d'un prisonnier enfermé fortuitement dans un labyrinthe de miroirs, comme ceux que, parfois, les Tsiganes proposent de visiter contre un peu d'argent. Je parle alors davantage de moi que de Jakób, ses paroles et ses actes sont passés au tamis de ma médiocrité tortueuse.

La route de droite est vraiment pitoyable.

Aussi, par désespoir, mais avec une certaine espérance, je me précipite à gauche, ce en quoi je répète le choix d'Iwan l'Idiot, et, à son exemple, je me laisse diriger par le hasard et les voix de mes collaborateurs. Toute personne qui ne le ferait pas, qui n'accorderait pas sa confiance à des voix extérieures, succomberait à la folie de cette route de gauche et serait immédiatement victime du chaos. Quand je me tiens pour une chose minuscule ballottée par des forces puissantes, une barque que les flots agitent – comme lorsque avec Jakób nous voguions vers Smyrne –, quand j'abandonne l'idée d'avoir la moindre force et que je me mets avec confiance entre les mains d'autrui, ou me place sous l'emprise d'une chose, alors je deviens vraiment cet idiot d'Iwan. Et pourtant, c'est lui qui séduit les princesses et conquiert les royaumes du monde, c'est lui qui prend place dans le monde des puissants !

C'est ainsi que moi aussi je me laisse abuser par ma propre Main et ma propre Tête, par les Voix, les Esprits des Morts, par Dieu, la Grande Demoiselle, les Lettres, les *sephirot*. Je vais de phrase en phrase tel un aveugle qui suit une cordelette, alors que j'ignore ce qui se trouve au bout, je persévère sans demander le prix que j'aurai à payer et, d'autant plus, sans m'inquiéter de savoir s'il y aura une récompense. Mon amie est cette minute, cette heure amplifiée, ce temps le plus précieux, quand, de nulle part, me vient la faculté d'écrire avec aisance et que tout me semble merveilleusement *exprimable*. Quel état serein ! Je me sens alors en sécurité, le monde entier est mon berceau dans lequel elle, la *Shekhina*, m'a déposé et au-dessus duquel elle se penche telle une mère sur son nouveau-né.

Pour emprunter le chemin de gauche, il faut en être digne, comprendre ce que répétait Reb Mordke quand il disait que le monde attend d'être raconté, qu'il n'existe vraiment que quand il s'épanouit pleinement. Mais aussi que raconter le monde, c'est le transformer.

Voilà pourquoi Dieu créa les lettres de l'alphabet, pour que nous ayons la possibilité de lui raconter Sa Création. Reb Mordke riait toujours sous cape en disant cela. «Dieu est un aveugle. Tu l'ignorais? disait-il. Il nous a créés pour que nous soyons ses guides, ses cinq sens.» Reb riait à en tousser à cause de la fumée.

Le 17 février 1760, ils m'ont convoqué pour un interrogatoire et je pensais que j'allais disparaître comme avait disparu Jakób. Je ne dormis pas de la nuit, je ne savais pas comment me vêtir pour cette inquisition, c'était comme si, depuis que Jakób nous avait abandonnés, mon corps aspirait à porter nos anciens habits de Juifs. Je me souviens être sorti habillé à la juive, dans mes vieux vêtements, puis être revenu sur mes pas pour enfiler la tenue neutre en laine noire que nous portions ici; elle n'est ni nôtre ni étrangère, elle est courte, et j'eus immédiatement froid aux mollets.

Un vieil imbécile de Juif déguisé en jeune seigneur, disait le regard de Wajgełe. Son visage exprimait ses doutes – son mépris aussi peut-être –, ses joues étaient rouges, de près on pouvait y voir le maillage des veines. Ses lèvres, jadis si pulpeuses, si joyeuses, étaient désormais figées en une grimace d'insatisfaction. Wajgełe sait que tout le mal qui est arrivé est arrivé par ma faute.

En marchant avec Matuszewski qui m'accompagnait au Tribunal, je me disais que je n'avais jamais vu de ville comme cette Varsovie. Des rues larges et plutôt vides, des mottes de boue gelée formant des murets impossibles à franchir, sauf peut-être en sautant par-dessus, des silhouettes humaines rappelant des balluchons, la tête scellée dans leur col de fourrure. Au milieu de tout cela, des carrosses au vernis brillant avec le chiffre ornemental de leurs propriétaires, leurs armoiries, plumes et médaillons. Vanité des vanités dans cet univers de glace. Je tremblais de froid, mes yeux larmoyaient sans que je sache si c'était à cause de ma nervosité ou de la bise.

C'était tôt le matin, aussi des charrettes de bois de chauffage attelées à des chevaux lourds et lents stationnaient aux porches des immeubles, tandis que des paysans chaudement emmitouflés portaient les fagots liés d'une corde à l'intérieur pour les déposer en tas. Un Arménien bien habillé ouvrait sa boutique, qui était pourvue d'une vitrine : j'y découvris mon reflet et cela me fit mal de me voir aussi pitoyable. Qui étais-je et que m'était-il arrivé ? Où devais-je aller et pour dire quoi ? Qu'allait-on me demander et en quelle langue allais-je répondre ?

Soudain, il me sembla que tout ce décor, dont j'avais pu croire un instant, jadis, qu'il s'agissait de l'univers entier, avait pâli et vieilli au point que personne ne s'y laisserait plus prendre. Illusion particulièrement imparfaite, horrible et bancale. Nous vivions dans le jeu de Haya, nous étions les figurines en pain de mie modelées par ses doigts agiles. Nous nous déplacions dans les cercles tracés sur la tablette où nous nous rencontrions pour être l'un pour l'autre un devoir et un défi. Désormais, nous nous approchions du point décisif, encore un lancement de dés et nous gagnerions ou perdrions tout.

Qui Jakób deviendra-t-il quand le jeu lui permettra de gagner en ces circonstances ? Il sera l'un de ces hommes sûrs d'eux, prétentieux, que l'on voit sillonner les rues de cette ville septentrionale en carrosse. Il vivra comme eux une existence vide et indolente. En proie à la honte, le souffle divin l'abandonnera dans un soupir chargé de déception, discrètement, sans l'éclat avec lequel il était entré en lui. Ou encore, il s'échappera de son corps telle une flatulence ou un sanglot. Jakób, mon bien-aimé Jakób, deviendra un apostat digne de pitié, et, finalement, ses enfants obtiendront un titre de noblesse moyennant finance. Le chemin que nous avons parcouru perdra tout sens. Nous resterons captifs de ce lieu d'étape, comme des prisonniers. D'une simple halte en chemin, nous essaierons de nous convaincre qu'elle répond à nos immenses objectifs.

Comment parler pour ne pas dire ? De quelle vigilance fallait-il que je m'arme pour ne pas me laisser abuser par le jeu, par les belles paroles ?

Cela nous l'avions appris, c'était Jakób qui nous l'avait enseigné.

Je m'étais bien préparé. J'avais laissé chez Marianna Wołowska mon argent et plusieurs choses de prix pour mon fils, j'avais mis de l'ordre dans mes livres et soigneusement ficelé mes écrits. Dieu m'est témoin que je n'avais pas peur, je ressentais même plutôt la solennité de l'heure, car je savais dès le départ, dès que j'eus élaboré mon plan, que j'agissais bien et que je le faisais pour Jakób, quand bien même il me maudirait ensuite pour cela et ne me permettrait plus jamais de me présenter devant lui.

J'en fus de plus en plus assuré, mais cela me tourmentait beaucoup, je ne pouvais pas dormir la nuit tant l'afflux de souvenirs m'échauffait le sang. Il me sembla que la soudaine notoriété dont Jakób jouissait l'avait changé à en être méconnaissable, qu'il s'était mis à se soucier davantage de ses tenues et de son attelage que de l'immense pensée qu'il devait transmettre aux hommes. Il se préoccupait d'emplettes et de parfums. Il préférait un coiffeur chrétien pour lui raser la barbe et lui couper les cheveux, il se nouait un foulard parfumé autour du cou qu'il appelait sa lavallière. Le soir, nos femmes lui massaient les mains avec des huiles car il se plaignait d'avoir la peau gercée par le froid. Il courait les filles et leur offrait des cadeaux avec l'argent de notre caisse commune, ce qui nous agaçait déjà à Iwanie, Osman et moi. Chez Jakób, le changement était intervenu quand il commença à être reçu chez les évêques pour marchander avec eux, avec l'aide de Moliwda. Cela rappelait son négoce au comptoir de Craiova, ou à Izmir quand il allait à des rendez-vous avec une perle ou une pierre précieuse pour les vendre. Je l'avais maintes fois accompagné et je sais que ce n'était en rien différent du commerce présent. Là-bas, il s'asseyait à table, sortait le bijou d'une pochette en soie, le posait sur la feutrine et ne manquait pas, en outre, de disposer les bougies de manière à ce que l'éclairage de la marchandise fût des meilleurs pour en faire ressortir la beauté. Désormais, ici, la marchandise, c'était nous.

Tandis que je marchais dans la ville glacée, je me rappelai cette soirée particulière à Salonique. Pour la première fois alors, le souffle était entré en Jakób, qui n'avait cessé de transpirer, les yeux pleins d'effroi. L'air autour de nous s'était tellement densifié que j'avais l'impression que nous nous déplacions avec plus de lenteur, que nous parlions avec plus de lenteur, que nous étions comme englués dans du miel. Tout était *vrai* alors, tellement vrai que le monde entier était endolori, car on percevait combien il était maladroit et éloigné de Dieu.

Et là-bas, jeunes et inexperts, nous étions à notre place : Dieu nous parlait.

Tandis qu'ici, maintenant, tout était devenu *factice*, toute la ville n'était que panneaux peints, comme dans les chapiteaux de foire où l'on dresse un décor pour les marionnettes. Et nous, nous avions changé comme si l'on nous avait jeté un mauvais sort !

Je marchais dans les rues et j'avais l'impression que le monde entier me regardait, et je savais que je devais accomplir ce que j'avais projeté pour sauver tant Jakób que nous tous et notre route vers la rédemption. Ici, dans ce plat pays, elle avait commencé à tournoyer de façon inquiétante, à faire des retours sur elle-même et à s'égarer.

Je pense qu'une autre personne, parmi les nôtres, savait ce que je voulais faire. C'était Haya, désormais Rudnicka ou Lanckorońska, j'ai du mal à retenir tous ces nouveaux noms. Je sentais clairement qu'elle me soutenait, que, fût-ce de loin, elle était avec moi et comprenait parfaitement mes intentions.

On commença par lire les déclarations de Jakób. Cela dura longtemps et c'était en polonais, donc nous ne comprenions pas tout. Dans la langue administrative, les réponses de Jakób avaient une résonance artificielle et fallacieuse. Ensuite, l'un des prêtres nous conseilla solennellement de ne pas écouter les « balivernes » de Jakób Frank, de ne pas croire à ses récits sur le prophète Élie et sur d'autres questions qu'il ne voulait pas énumérer pour ne pas leur accorder plus d'importance.

Six prévenus, des hommes adultes, étaient sermonnés par cet ecclésiastique chétif... Finalement, celui-ci traça une croix au-dessus de nous et ce fut alors que je sentis que j'étais Judas, qu'il me fallait prendre en main l'affaire qui répugnait aux autres.

Je me présentai le premier à l'interrogatoire. Je devais exposer la vérité à nos persécuteurs en sachant pertinemment ce qui allait arriver. Le Messie devait être emprisonné et persécuté. C'était écrit et il devait en être ainsi. Le Messie devait tomber très bas, au plus bas de tous les possibles.

Ils commencèrent par Smyrne. Je parlais avec réticence, ils devaient me tirer les vers du nez, mais cela faisait partie de mon plan. Je jouais à celui qui aime se vanter, ils me prenaient pour un idiot prétentieux. Mais je disais la vérité. Je serais incapable de mentir sur cette question. Sur d'autres, sans problème. Le mensonge est utile dans les affaires, mais en la circonstance il était exclu. Je m'efforçais d'en dire le moins possible, mais de manière à faire impression sur eux. Je n'en disais pas trop pour nous protéger, nous. Je parlais du *Ruah ha-Kodesh*, de la descente du Souffle saint, de la lumière que nous pouvions voir régulièrement au-dessus de la tête de Jakób, de sa prédiction des décès, de l'auréole, de l'Antéchrist que Jakób rencontra à Salonique, de la proximité de la fin des temps. Ils étaient polis et finirent par ne plus poser de questions. Je parlais concrètement des faits, y compris quand j'en vins aux questions relatives à la chair, aucune ne me fit hésiter. On entendait uniquement ma voix et le grincement des plumes.

Quand j'en terminai, je sortis de la salle et croisai Salomon sur le seuil. Nous échangeâmes seulement un bref regard. Je ressentis un grand soulagement, mais aussi une tristesse tellement immense que, dans la rue, je m'assis à terre, contre le mur, et je sanglotai. Je ne repris mes esprits que quand un passant me jeta une pièce.

Chana, décide dans ton cœur

Chana envoie régulièrement vérifier si un courrier n'est pas arrivé.

Il n'en est pas arrivé.

Elle ne reçoit aucune aide de nulle part et son opposition à sa bienfaitrice est désormais dénuée de sens. Mme Kossakowska lui a déjà préparé une robe, des chaussures, de même que pour la petite Awacza. Le baptême est annoncé pour le 19 février.

Chana a écrit à son père à Giurgiu, dès que la nouvelle de l'incarcération de Jakób lui est parvenue. Elle a employé des mots simples, dit que le Tribunal des évêques, après avoir interrogé son mari, et peut-être surtout les adeptes de ce dernier, considère Jakób coupable de se faire passer pour le Messie. Le plus haut dignitaire de l'Église polonaise, autrement dit le primat, a déjà émis une sentence condamnant son mari à la prison à vie dans la forteresse de Częstochowa, ce que personne ne peut plus contester.

Moi, tout cela me semble fou. Parce que s'il était un hérétique pareil, pourquoi le garderaient-ils dans ce sanctuaire, le plus saint de tous ? À proximité de leurs *teraphim* les plus sacrés ? Je ne peux pas le comprendre et je n'y tiens pas. Père, que dois-je faire ?

La réponse arriva après deux semaines, autrement dit aussi vite que faire se pouvait. Ainsi donc, il y avait du courrier, sauf qu'il n'y avait rien de Jakób. Elle lut la lettre de son père quand elle fut seule, tournée vers le mur, en larmes. Il y était écrit:

Chana, décide dans ton cœur ce que tu peux ou ne peux pas faire parce que tu t'exposeras et tu exposeras tes enfants. Sois, comme je te l'ai enseigné, le plus intelligent des animaux qui voit ce que les autres ne remarquent pas, entend ce que les autres ne perçoivent pas. Depuis ton enfance, tu m'impressionnes par ta sagesse.

Plus loin, son père l'assurait qu'elle serait toujours accueillie chez lui à bras ouverts.

Chana garde pourtant en mémoire la première phrase de la lettre: « Chana, décide dans ton cœur. »

Elle ressent le poids de ces mots dans son corps, sous sa poitrine, du côté gauche.

Chana a vingt-deux ans, deux enfants, elle a maigri, elle s'est fanée. Elle n'a plus que la peau et les os. Par l'intermédiaire d'un traducteur, elle cherche à temporiser avec Mme Kossakowska, mais il semble que la messe est dite. Chana est libre alors qu'elle se sent prisonnière. Elle regarde par la fenêtre le paysage d'un blanc grisâtre, le verger dénudé, misérable, stérile, et elle comprend que, même si elle fuyait de chez la palatine, ce verger, ces champs, le réseau peu fourni des routes et les gués des rivières à traverser, voire le ciel et la terre, seraient sa prison. Heureusement que Wittel Matuszewska et Pesełe Pawłowska sont avec elle. Mme Kossakowska traite l'une comme une secrétaire et l'autre comme une femme de chambre, elle les houspille comme elle le fait avec ses propres servantes.

Dès le matin du 19 février, Chana attend en habit de cérémonie comme si elle devait être jetée en pâture au dragon. Or, c'est un mardi, un jour banal, froid et sombre. Les serviteurs vaquent à leurs occupations dans la résidence, les bonnes allument les poêles en faïence, elles rient et s'interpellent. Les petites grilles en métal claquent. Le froid est humide et gluant, il empeste la cendre. Awacza pleurniche, elle doit avoir de la fièvre, elle sent l'inquiétude de sa mère, elle la surveille par-dessus sa poupée en bois qu'elle habille et déshabille. Celle qu'elle a reçue pour Noël est assise sur son lit et la fillette ne la touche pratiquement pas.

Chana regarde par la fenêtre. Le carrosse de la palatine, couleur crème avec le blason des Potocki sur ses portes, arrive déjà, c'est celui qui plaît tellement à Awacza qu'elle voudrait ne faire que circuler avec. Chana en détourne les yeux. Elle se frictionne les épaules parce que la belle robe offerte par Mme Kossakowska pour le baptême a des manches en voile fin. Chana cherche dans son coffre le châle turc rouge sombre, bien chaud, pour s'en entourer. Il sent la maison de Giurgiu, le bois craquelé par le soleil et les raisins secs. Les yeux de Chana s'emplissent aussitôt de larmes et elle se détourne brusquement de sa fille pour que celle-ci ne voie pas que sa mère pleure. Ses compagnes en larmes vont venir la chercher et elle devra descendre avec elles. Aussi cherche-t-elle à prier rapidement : *Dio mio Barukhia, Notre Seigneur, Demoiselle lumineuse...* Elle ignore ce qu'elle devrait dire dans une telle prière. Que lui avait recommandé son père ? Elle se rappelle les paroles incompréhensibles, l'une après l'autre. Son cœur se met à battre très fort et elle sait qu'elle doit faire quelque chose. Immédiatement.

Quand les portes s'ouvrent, Chana tombe à terre, évanouie, et du sang coule de son nez. Ses compagnes accourent vers elle en criant et tentent de la ranimer.

La prière a été entendue. Le baptême doit être reporté.

Plumbum 1 n. 2.	Ołow 1	mollis, c. 3. e, n. 3. miękki,
eſt molle et grave	ieſt miękki i ciężki.	a, e.
		gravis, c. 3. e, n. 3. ciężki,
		a, e.
Ferrum 2 n. 2.	Zelazo 2	durus, a, um, twardy, a, e.
eſt durum;	twarde,	durior, c. 3. us, n. 3.
et dúrïor	á ieſzcze twardſza	twardſzy, a, e.
chalybs, 3 m. 3.	ſtal. 3	

Faci-

Le plomb I
est mou et lourd
Le fer 2
est dur,
Mais le métal l'est
plus encore. 3

24

De la machine messianique
et de son fonctionnement

L'un des avantages de l'état dans lequel se trouve Ienta est notamment que, désormais, elle comprend comment fonctionne la machine messianique. Ienta voit le monde par en haut, il est obscur, tout juste est-il piqué d'étincelles minuscules – ce sont les maisons des hommes. À l'ouest du firmament, la lueur déclinante du soleil souligne l'univers d'un trait rouge. L'onde d'une rivière lance des reflets métalliques le long d'une route sombre et sinueuse sur laquelle se déplace un véhicule, petit point à peine visible. Quand il traverse un pont de bois, le martèlement sourd est emporté par les flots dans l'air dense et ténébreux ; plus loin se trouve un moulin. La machine messianique est comme ce moulin au bord de la rivière. L'eau sombre fait tourner sa grande roue à un rythme continu sans se soucier du temps qu'il fait, lentement, systématiquement. À côté d'elle, l'homme semble n'être d'aucune importance, ses gestes sont fortuits et chaotiques. L'homme se démène, la machine agit. Le mouvement de la roue transfère sa puissance aux meules de pierre qui écrasent les grains. Tout ce qui tombe entre elles est réduit en poudre.

Devenir libre exige également de terribles sacrifices. Le Messie, lui, doit descendre au plus bas, jusqu'aux mécanismes dénués de passion du monde où furent enfermées les étincelles de sainteté dispersées dans les ténèbres. Là où l'opacité est la plus grande et l'humiliation portée à son comble. Il y collectera les étincelles de lumière, et, là où il passera, l'obscurité qu'il laissera derrière lui sera plus intense encore. Dieu l'a envoyé des hauteurs dans la déchéance, dans l'abîme du monde, là où de puissants serpents se railleront de lui en lui demandant méchamment : « Où est ton Dieu, maintenant ? Que lui est-il arrivé ? Pourquoi ne vient-il pas à ton secours ? » Le Messie devra rester sourd à ces quolibets odieux, poser le pied sur ces serpents, accomplir les pires des actes, oublier qui il est, devenir un rustre et un idiot, adhérer à toutes les fausses religions, se faire baptiser et coiffer le turban. Il devra annuler tous les interdits et rendre caduque toute obligation.

Le père de Ienta, qui vit de ses propres yeux le premier d'entre eux, c'est-à-dire Sabbataï Tsevi, apporta le Messie chez lui sur ses lèvres pour le transmettre à sa fille adorée. Le Messie est plus qu'une silhouette et une personne, c'est un élément qui coule dans le sang, qui habite le souffle, il est la pensée humaine la plus précieuse et la plus chère, celle qui assure l'existence de la rédemption. Voilà pourquoi il faut cultiver cette pensée telle une plante des plus délicates, l'entourer d'attentions, l'arroser de larmes, la sortir au soleil le jour, la mettre à l'abri dans une pièce chaude la nuit.

Comment par une nuit de février 1760 Jakób arrive à Częstochowa

Ils entrent dans Częstochowa par la route de Varsovie. Les roues de la voiture tressautent sur les dos-d'ânes glissants. Les chevaux des six hommes en armes doivent passer devant pour rester sur la piste étroite et ne pas tomber dans la boue collante. Le crépuscule tombe et, à la brune, les dernières couleurs s'estompent, la blancheur se trouble et se grise, le gris vire au noir, le noir disparaît dans l'abîme qui s'ouvre devant les yeux des hommes. Il est partout, derrière le moindre objet de ce monde.

La petite ville de la rive gauche de la Warta se tourne avec dévotion vers le monastère sur les hauteurs. Elle est formée de quelques dizaines de maisons basses, laides et humides, disposées autour d'une place rectangulaire et le long de plusieurs ruelles. La place est presque vide, son pavé inégal et bombé a légèrement gelé, il semble recouvert d'un glaçage luisant. La foire de la veille a laissé derrière elle du crottin de cheval, du foin écrasé et des détritus qui n'ont toujours pas été collectés. La plupart des habitations ont des portes à deux battants protégées par une barre de fer, ce qui indique que l'on y pratique un commerce, mais il est difficile de deviner lequel.

Le convoi double quatre femmes, des paysannes emmitouflées dans leurs châles de laine à carreaux d'où émergent un tablier et un bonnet plus clairs. Un homme ivre, dans une longue tunique de paysan dépenaillée, vacille et se retient au chambranle d'une échoppe vide. Sur la place, le convoi tourne à droite dans la rue qui mène au monastère. Dès qu'ils pénètrent dans l'espace ouvert, le bâtiment apparaît aussitôt, sa haute tour telle une flèche menaçante pointée vers le ciel. Le long de la route, des arbres sont plantés, des tilleuls qui, dénudés en cette saison, semblent répondre à cet élancement du donjon comme le feraient des sopranes en dialogue avec une basse puissante.

Soudain se fait entendre un chant inégal, haché, celui d'un groupe de pèlerins qui, d'un pas soutenu, se dirige vers la ville. Il semble n'être d'abord que simple bruit, brouhaha, mais, progressivement, des paroles s'en détachent, ainsi que des timbres distincts et haut perchés de femmes qu'accompagnent tout bas deux ou trois voix d'hommes. « Sous Ta protection, nous nous plaçons, Sainte Mère de Dieu… »

Ces pèlerins tardifs les croisent et la route est de nouveau vide. Plus ils approchent du monastère, plus ils voient précisément que c'est une place forte, une citadelle trapue, quadrangulaire, bien accrochée à sa colline. Derrière, très près de l'horizon, apparaît brusquement une bande de ciel rouge sang.

Jakób avait demandé à son escorte de le libérer de ses chaînes, ce qui fut fait dès qu'ils quittèrent Varsovie. Un officier du rang de capitaine se trouve dans le fourgon avec lui. Il avait commencé par observer son prisonnier avec une insistance provocatrice, mais Jakób ne réagit pas à ce regard, fixant le sien sur la petite fenêtre dont il fallut ensuite tirer les rideaux à cause du vent. Le soldat chercha à lui parler, mais Jakób l'ignora. Finalement, la seule manifestation de quelque proximité entre eux eut lieu quand son gardien lui offrit du tabac et que des volutes de fumée s'élevèrent de leurs deux pipes.

Les hommes en armes ne savent pas très bien qui est ce prisonnier. Aussi, à toutes fins utiles, ils veillent à rester extrêmement prudents, même si l'individu n'a pas l'air de quelqu'un qui voudrait s'enfuir. Il est pâle, probablement malade, avec de grandes ombres sous les yeux et une joue violacée. Plutôt faible, il vacille et il tousse. Quand, à un arrêt, il veut uriner, son cuisinier doit l'aider en le tenant par les épaules. Il reste assis, blotti dans un coin de la voiture, il tremble. Kazimierz, le cuistot qui est aussi son laquais, lui remet tout le temps en place sa *chouba*, le long manteau en fourrure dont il est couvert.

La nuit est déjà tombée quand ils pénètrent dans la cour du monastère, et là tout est vide. Le portail leur a été ouvert par un vieux déguenillé qui a aussitôt disparu. Les chevaux fatigués s'immobilisent, se transforment en ombres massives dont s'élève de la buée. Au bout d'un long moment, il y a un grincement de porte, des voix aussi, puis des moines apparaissent avec des torches. Ils affichent un air surpris, confus, comme s'ils avaient été pris en flagrant délit de quelque faute. Ils conduisent Jakób et Kazimierz dans une antichambre vide, avec juste deux bancs en bois, et seul Jakób s'assied. Les deux hommes attendent longuement parce que c'est l'heure de l'office. Par-delà les murs, on entend des voix masculines qui chantent des hymnes religieuses, tantôt elles semblent puissantes au point de traverser aisément les murs, tantôt elles faiblissent, puis vient un silence comme si les chanteurs ourdissaient quelque complot, et de nouveau le chant reprend. Cela se répète ainsi plusieurs fois. Le capitaine bâille. Cela sent la pierre humide, la roche moussue et vaguement l'encens – rien que l'odeur de ce monastère.

L'abbé est surpris par l'état de Jakób. Il garde les mains dans les manches jointes, tachées d'encre sur le bord, de son habit en laine claire. La lecture de la lettre de Varsovie lui prend un temps particulièrement long, il trouve manifestement entre les lignes l'espace pour réfléchir à la façon de gérer tout cela. Il s'était imaginé un hérétique récalcitrant dont, pour une raison ou une autre, il était impossible de régler le compte plus radicalement, plus simplement, aussi avait-il prévu pour lui un cachot du couvent jamais utilisé auparavant, du moins pour autant qu'il s'en souvient. Or, dans la lettre, il est clairement question d'«internement» et non pas d'«emprisonnement». D'ailleurs, cet homme aux mains entravées par des chaînes ne fait en rien penser à un malfaiteur ou à un hérétique, son habit tout à fait convenable signale plutôt un étranger, tel un Arménien en voyage ou un hospodar de Valachie qui se serait égaré de nuit en ce saint lieu. L'abbé interroge du regard le capitaine, puis porte les yeux sur Kazimierz complètement effrayé.

– C'est son cuisinier, dit l'officier – et ce sont les premières paroles prononcées dans cette pièce.

Le prieur se nomme Ksawery Rotter, il n'est en fonction que depuis quatre mois et il ne sait pas ce qu'il doit faire. Cette joue bleuie… L'aurait-on frappé? voudrait-il demander. À juste titre sans doute, certains tourments corporels sont parfois indispensables. Il ne voudrait aucunement remettre la chose en question, mais le fait en soi lui est déplaisant. La violence lui répugne. Il cherche à voir le visage de cet homme, mais ce dernier garde la tête baissée. Le prieur soupire et ordonne de mettre les modestes bagages de son hôte dans la salle des officiers que personne n'utilise, près de la tour. Frère Grzegorz y portera tout de suite un sommier, de l'eau chaude, et peut-être aussi un repas s'il reste de la nourriture en cuisine.

Le jour suivant, Ksawery Rotter vient voir le prisonnier, mais ils n'arrivent pas à se parler. Le laquais essaie de traduire, mais, comme lui-même parle un polonais déplorable, le prieur ignore si cet étrange détenu arrive à saisir ses bonnes intentions. Abattu, il ne répond que par « oui » et « non », aussi le moine ne cherche-t-il pas à l'entretenir plus avant et s'éloigne avec soulagement. Une fois revenu chez lui, il jette encore un œil à la lettre étalée sur sa table.

L'homme que nous confions aux soins maternels de l'Église, et mettons sous la curatelle du monastère de Jasna Góra, n'est pas dangereux au sens où le serait un criminel du commun ; bien au contraire, Révérend Abbé, il vous semblera calme et bon, quoique différent et tout autre que les personnes que vous avez l'habitude de côtoyer… Lui, Juif né en Podolie, fut néanmoins élevé en des pays étrangers ottomans, il adopta complètement leurs langue et usages…

Suit succinctement l'histoire du prisonnier et, pour finir, une formulation redoutable qui provoque une crampe abdominale désagréable chez le prieur : « Il se prenait pour le Messie. » La lettre conclut :

Par conséquent, nous déconseillons toute proximité de relation avec lui. Pour son internement, il conviendrait de l'isoler au mieux et de le traiter comme un résident spécial. Le temps de sa détention est sans échéance prévue et il n'est aucune circonstance susceptible de modifier ceci.

Cette dernière phrase plonge le prieur dans un effroi inattendu.

À quoi ressemble la prison de Jakób

C'est une pièce qui jouxte la tour. À vrai dire, elle fait corps avec le mur des remparts et elle est dotée d'une étroite petite fenêtre. Les moines y ont placé un grabat – semblable aux leurs, paraît-il –, un matelas bourré de foin frais, une petite table et un banc. Il y a aussi un pot de chambre en porcelaine, ébréché de façon inimaginable – au point qu'on pourrait s'y blesser. Dans l'après-midi, une seconde paillasse est ajoutée pour Kazimierz. Ce dernier renifle et pleure alternativement en défaisant leurs bagages et en sortant leurs maigres vivres, mais il est exclu qu'on le laisse entrer dans la cuisine conventuelle. On le dirige vers une autre, celles des serviteurs, et voilà le feu sur lequel il peut cuisiner.

Jakób a de la fièvre plusieurs jours durant, il ne se lève plus. C'est pourquoi Kazimierz exige des pères paulins de la viande d'oie fraîche et emprunte à l'office une marmite, son maître et lui n'ayant emporté aucun ustensile de Varsovie. La viande cuit sur un fourneau primitif puis, toute la journée, le laquais nourrit Jakób avec le bouillon, une petite gorgée après l'autre. Le prieur leur procure du pain et un vieux fromage qui s'effrite. Il porte intérêt à la santé de son prisonnier, aussi ajoute-t-il une bouteille d'eau-de-vie très forte qu'il conseille de lui faire boire avec de l'eau bouillante parce que ainsi elle réchauffe. Cet alcool, ce sera pourtant Kazimierz qui le boira. Ne doit-il pas être en bonne forme pour s'occuper de son maître ? se dira-t-il pour se justifier à ses propres yeux. D'ailleurs, Jakób n'en veut pas, il ne se nourrit que du bouillon et cela lui fait du bien. Un jour, au petit matin, Kazimierz se réveille alors que les moines se rendent à l'office en traînant des pieds. Une faible lueur pénètre dans la pièce par la petite fenêtre et il remarque que Jakób ne dort pas : il a les yeux ouverts et regarde son laquais comme s'il ne le voyait pas. Un frisson parcourt le serviteur.

Les gardes surveillent les faits et gestes de Kazimierz toute la journée. Ce sont d'étranges geôliers, vieux et infirmes, l'un d'eux a perdu une jambe, il a une béquille de bois, mais il est en uniforme et porte un mousquet à l'épaule. Il se conduit comme un authentique soldat, il gonfle la poitrine alors que ses boutonnières sont effilochées et que les coutures de ses manches lâchent. Une blague à tabac pendouille à son cou.

— C'est quoi ces militaires ? demande Kazimierz avec une moue de dégoût.

Il les craint, pourtant. Il n'a pas manqué de remarquer qu'il est possible de s'entendre avec eux pour toute chose moyennant tabac. Aussi, la mort dans l'âme, il leur donne le sien contre une marmite et de quoi la faire chauffer.

L'un de ces briscards, presque édenté, dans un uniforme usé fermé jusqu'au cou, s'assied un jour à côté de lui pour l'entreprendre.

– C'est qui ton maître, mon gars?

Il ne sait que répondre, mais, comme l'homme vient de lui fournir une grille à poser sur le feu, il se sent obligé de dire quelque chose.

– C'est un grand monsieur.

– Ça, on le voit bien que c'est un grand monsieur, mais pourquoi qu'on le boucle ici?

Le cuistot se contente de hausser les épaules. Ça, lui non plus n'en sait rien. Tous l'observent, il sent leurs regards sur lui.

L'édenté, qui est aussi le plus avide d'argent, s'appelle Roch. Il lui tient compagnie des heures durant tandis qu'il cuisine à ciel ouvert. Le bois mouillé fume terriblement.

– Qu'est-ce tu fricasses, mon gars? l'interroge Roch en bourrant sa pipe. Le fumet me tord les boyaux…

Kazimierz répond que son maître aime la cuisine turque et ses condiments.

– Tout est épicé, dit-il en lui montrant de petits piments secs dans le creux de sa main.

– Où t'as appris la cuisine turque? demande le vieux briscard avec un semblant d'indifférence – mais quand il apprend que Kazimierz a fait ses classes dans les cuisines ottomanes et valaques, il ne manque pas de le faire savoir à toute la garnison avant la fin du jour.

Le soir, les soldats qui ne sont pas de garde descendent en ville se réchauffer avec la bière la moins chère, la plus coupée d'eau, et papoter. Certains y ont leur famille, mais ils se comptent sur les doigts d'une main. Les autres sont des célibataires, de vieux hommes usés par les combats, à la maigre solde et vivant de la pitance que leur donnent les pères paulins. Parfois, quand arrive un pèlerinage d'importance conduit par un noble, ils n'hésitent pas à tendre la main pour demander l'aumône, tout en tenant leur arme de l'autre.

À Pâques, après de nombreuses requêtes et prières, Jakób parvient à obtenir l'autorisation de sortir marcher sur les remparts. Une fois par semaine. Dès lors, tous les briscards attendent sa sortie dominicale. Le voilà! C'est le prophète juif avec sa silhouette sombre et voûtée! Il marche dans un sens puis dans l'autre, il fait demi-tour avec une certaine brusquerie pour se précipiter en sens inverse, y rebondir sur une paroi invisible et repartir. Comme un balancier. On pourrait régler sur lui les montres. Roch le fait justement, il remonte celle qu'il a reçue de cet apostat. De sa vie, c'est l'objet le plus précieux qu'il ait eu et il regrette que ce soit arrivé si tard. S'il l'avait reçu vingt ans plus tôt... Il s'imagine entrant en uniforme d'apparat dans une auberge remplie de compagnons d'armes. Désormais, il est assuré d'avoir un enterrement convenable en échange de cette montre offerte par Jakób, avec un cercueil en bois et une salve d'honneur.

Il observe tranquillement le prisonnier, sans compassion aucune, habitué à ce que le destin humain soit imprévisible, et, pour lui, le soldat Roch, c'est un coup du sort favorable. Les adeptes de ce prophète-apostat fourniront leur Maître en bonne nourriture et lui feront parvenir de l'argent, alors que c'est formellement prohibé. De nombreuses choses ne sont pas autorisées au monastère, et pourtant aucune ne manquera, ni le vin de Valachie ou de Hongrie, ni la vodka, ni le tabac que l'on laissera passer en fermant les yeux. Les interdits sont inopérants en toutes circonstances. En fait, ils fonctionnent au début, mais ensuite la nature humaine leur donne un coup de griffe. De son long doigt, elle creuse un trou, petit d'abord, puis, faute de résistance, elle l'agrandit jusqu'à ce que l'orifice soit plus grand que la matière autour. Ainsi en est-il avec tous les interdits. Par exemple, le prieur ne manqua pas de condamner la mendicité à l'entrée de l'église. Les vieux soldats arrêtèrent, mais, après quelques jours, sans qu'il y ait désobéissance avérée, une main se tendit un bref instant vers les pèlerins. D'autres mains se joignirent à elle, il y en eut de plus en plus, accompagnées d'un marmonnement: «À votre bon cœur...»

Les flagellants

En quelques jours la chaleur revient et, aussitôt, les gueux du monastère, arrivés de toute la région, se massent aux portes. Certains sautent sur leur jambe unique en agitant de façon déplaisante le moignon de l'autre, ce membre honteux et comme gonflé. D'autres montrent aux pèlerins leur cavité oculaire dont l'œil fut arraché par les Cosaques. Ils s'accompagnent de longs chants mélancoliques dont les paroles, à force d'être répétées par des bouches édentées, se sont usées à en être indistinctes. Leurs cheveux, qui n'ont pas été coupés depuis longtemps, sont emmêlés. Ils portent des vêtements en loques, leurs pieds sont entourés de chiffons gris et troués. Ils tendent une main osseuse pour demander l'aumône et il faudrait avoir de pleines poches de pièces pour en donner une à chacun.

Jakób est assis tout contre sa petite fenêtre, le visage au soleil. Pareille à un mouchoir brillant, la tache de lumière projetée en a juste la taille. Roch s'assied sur le mur d'en face pour profiter lui aussi des rayons printaniers précoces, il en bénéficie plus que le prisonnier. Il a enlevé ses chaussures inconfortables, retiré ses jambières, et, maintenant, ses pieds blancs aux ongles noirs pointent vers le ciel clair. Il sort du tabac dont il bourre avec soin sa pipe.

– Hé, dis donc, le prophète juif, t'es toujours en vie, là-bas? lance-t-il vers la fenêtre.

Jakób, surpris, ouvre les yeux. Il sourit amicalement.

– Il y en a qui disent que t'es une sorte d'hérétique, pas un Luther, mais un Luther juif, qu'il vaut mieux garder ses distances avec toi.

Jakób ne comprend pas. Il voit l'autre allumer sa pipe et il lui est douloureux de ne pouvoir en faire autant. Roch doit sans doute sentir son regard, parce qu'il tend sa pipe vers lui, mais il ne peut évidemment pas la lui passer, plusieurs mètres séparent les deux hommes.

– Tout le monde voudrait pouvoir fumer, ronchonne le soldat pour lui-même.

Quelque temps plus tard, il porte à Jakób un petit sac avec du tabac et une pipe très simple comme en possèdent les paysans. Il la pose sur la marche en pierre et s'en va en boitillant.

Durant le carême, chaque vendredi, des pénitents viennent au monastère. Ils montent de la ville en procession. À leur tête, l'un d'eux porte une grande croix avec un Jésus tellement réaliste qu'à sa seule vue le sang se fige dans les veines. Tous sont vêtus de sacs en grosse toile rose, découpés dans le dos afin qu'ils puissent mieux se flageller. Cette ouverture peut être dissimulée par un rabat. Ils sont coiffés de cagoules pointues avec des trous pour les oreilles et les yeux, cela les fait ressembler à des bêtes ou à des fantômes. Chaque fois que les pénitents de tête et de fin de cortège heurtent le sol de leurs cannes noires, les autres se couchent à même le sol, prient, puis soulèvent leur rabat dorsal pour se flageller. Ils le font avec des disciplines en cuir ou en fil de fer, au bout desquelles sont toujours fixées des étoiles métalliques à pointes acérées vouées à déchirer les chairs. Quand l'une d'elles s'accroche à la peau, un jet de sang asperge souvent les badauds.

Le Vendredi saint, le monastère bourdonne de monde. Dès l'aube, à l'ouverture des portes, des vagues d'une foule grise et brune l'assaillent comme si la terre grisâtre à peine revenue à elle après l'hiver, encore partiellement gelée, expulsait ces gens tels des bulbes à demi pourris. Ce sont surtout des paysans en pantalon de feutre et tunique dont la couleur ne peut être traduite en mots, les cheveux en broussaille. Ils sont accompagnés de leurs épouses qui portent des grosses jupes plissées, des châles, des petits tabliers retenus à la ceinture. Elles ont certainement des tenues de fête rangées chez elles, mais, le Vendredi saint, il faut sortir au grand jour toute la misère et la laideur du monde. Or, il y en a tant qu'un simple cœur humain ne saurait le supporter sans l'aide de ce corps sur la Croix qui prend sur lui toute la souffrance de la création.

Pour preuve que ce temps est particulier, on peut voir, dans la cohue, des possédés qui crient avec des voix effrayantes ou des fous qui parlent plusieurs langues à la fois, de sorte qu'il est impossible de les comprendre. On aperçoit aussi des exorcistes, des prêtres défroqués en soutanes déchirées, avec leurs sacs remplis de reliques qu'ils posent sur la tête des possédés pour en expulser les démons.

Ce jour-là, le prieur autorise Jakób à sortir sur les remparts sous l'œil attentif de Roch ; il pourra ainsi observer cette brumeuse marée humaine. Sans doute Ksawery Rotter pense-t-il que cela impressionnera son prisonnier et qu'ainsi il amendera son âme trop peu catholique.

Les yeux de Jakób ne s'adaptent qu'au bout d'un moment à la lumière et au bouquet de couleurs printanières. Son regard caresse le mouvement de la foule et s'en rassasie, il semble à Jakób que celle-ci fermente, fait des bulles comme une pâte à levain. Il dévore les détails avec avidité. Depuis des semaines, il devait se contenter des pierres du mur et du petit fragment de monde visible par sa fenêtre. Maintenant, des remparts, il voit l'ensemble du sanctuaire, la tour, les gigantesques bâtiments du monastère, les murailles qui l'entourent de partout. Son regard finit par glisser sur la tête des pèlerins, les toits conventuels et les murs, vers un premier panorama, celui d'un terrain légèrement ondoyant, gris et triste qui s'étire jusqu'à l'horizon parsemé de villages et de bourgs dont le plus grand est Częstochowa. Roch lui explique, un peu avec des mots et un peu avec des gestes, que le nom vient de ce que le sanctuaire qui s'y trouve se cache volontiers aux yeux des pécheurs – *Często* voulant dire «souvent», *chować* «cacher» – et qu'il faut le chercher d'un regard aiguisé pour l'apercevoir entre les vallonnements.

La sainte image qui dissimule
et ne dévoile pas

Pour la première fois ce jour-là, Jakób est autorisé à rejoindre le rassemblement près du tableau. Il est effrayé non pas par la sainte image, mais par la foule. Elle est celle de pèlerins émus, transpirants, au visage fraîchement rasé, aux cheveux tirés, de paysannes en tenue criarde multicolore, de bourgeoises avec le rouge aux joues, et de leurs époux dans leur plus beau costume et en chaussures de cuir jaune. Qu'a-t-il à voir avec eux? Il les dépasse pour la plupart d'une tête, il les regarde et ils lui semblent être des étrangers à un degré effrayants.

La chapelle est couverte de peintures et d'ex-voto. On vient juste d'expliquer à Jakób que ce sont des dons faits au couvent; ils ont généralement la forme de la partie du corps que la Madone a guérie. Il y a aussi des jambes de bois et des béquilles abandonnées après une guérison miraculeuse, et des milliers de cœurs, foies, poumons, pieds ou mains en argent, or ou cuivre, tels les morceaux d'êtres démembrés que la sainte image reconstituera et guérira.

L'assemblée reste silencieuse, on entend juste un toussotement ici ou là qui, sous la voûte, ajoute à la gravité des lieux. Le cri inarticulé d'un possédé qui ne supporte plus l'attente s'élève.

Soudain, des clochettes tintent, puis vient un battement de tambours tellement fort que Jakób se couvre les oreilles. Comme s'ils venaient d'être frappés d'un coup brusque, les gens tombent à genoux avec bruits et soupirs, puis s'allongent visage au sol pour ceux qui en ont la place, les autres se contentent de se recroqueviller, rappelant alors une motte de terre. Déjà les trompettes sonnent de façon effrayante, on dirait des chofars juifs, l'air frémit, le tintamarre est terrible. Une chose étrange se fige dans l'air, elle fait se serrer les cœurs, apparemment sous l'emprise de la peur, mais ce n'en est pas, c'est quelque chose de plus important et cela gagne Jakób, qui lui aussi s'allonge visage contre terre, là où l'instant d'avant piétinaient les chaussures sales des paysans. Tandis que le bruit semble s'atténuer, la crampe au cœur qui l'avait soudain plié en deux devient plus supportable. Maintenant, Dieu devrait passer sur les corps qui recouvrent complètement le damier de l'église. Jakób ne sent pourtant que l'odeur du crottin, probablement introduit avec les godillots et coincé dans les interstices des dalles, ainsi que l'humidité omniprésente à cette époque de l'année, particulièrement désagréable quand elle se mêle à la laine et aux transpirations.

Il relève les yeux et voit que le volet décoratif laisse presque voir le tableau. Jakób s'attend à en voir jaillir une lumière aveuglante, insupportable pour les yeux humains, mais il n'aperçoit que deux formes obscures sur une tache argentée. Il lui faut un moment pour comprendre que ce sont des visages, ceux d'une femme et d'un enfant. Ils sont sombres, insondables, comme s'ils émergeaient des plus profondes ténèbres.

Kazimierz allume une chandelle de suif, il en a reçu dans un colis. Elle éclaire mieux que les lampes à huile fournies par les moines.

Jakób reste assis, la joue collée contre le mur. Kazimierz se charge de nettoyer le plat à barbe. De petits poils y flottent, il vient de raser son maître. Jakób a les cheveux en bataille, mais il ne se les laisse pas brosser. Kazimierz se dit que, si ça continue, son maître ressemblera bientôt aux vieux briscards qui le gardent, à la tignasse en broussaille pleine de plique. Jakób parle autant pour lui que pour son serviteur qui s'apprête à préparer le dîner. Il est parvenu à se procurer un peu de bonne viande au marché – avant les fêtes de Pâques, les échoppes se sont remplies de marchandises. Son maître voulait du porc. Il en aura. Kazimierz renverse la bassine de fer pour en faire une sorte de socle. La viande a mariné depuis le matin. Jakób joue avec un clou, puis il s'en sert pour dessiner quelque chose sur le mur.

– Sais-tu, Kazimierz, que cette fuite d'Égypte n'a pas été un salut absolu parce que celui qui les a rachetés était un homme, et que le vrai salut viendra d'une Demoiselle ?

– Quelle Demoiselle? demande Kazimierz, distrait, en plaçant la viande sur la grille.

– C'est clair. Clair parce que tiré de toutes ces historiettes et paraboles, ces embrouilles, nettoyé de la poussière des mots. Tu as vu le tableau où rayonne le visage noir de la Vierge de Jasna Góra, la *Shekhina*?

– Comment qu'un visage noir y pourrait rayonner? fait remarquer Kazimierz, très pragmatique.

La viande grille, il lui faut surveiller la braise pour qu'elle rougeoie mais ne monte pas en flammes.

– Si tu ne sais pas cela, tu ne sais rien, lance Jakób, agacé. David et Sabbataï étaient secrètement des femmes. Il n'y aura pas de salut si ce n'est par la femme. Je le sais maintenant et c'est pourquoi je suis là. Depuis le début du monde, c'est à moi et à moi seul que la Vierge a été confiée pour que je veille sur elle.

Kazimierz ne comprend pas vraiment. Il retourne les morceaux de viande, les arrose soigneusement de graisse. Jakób reste pourtant insensible aux bonnes odeurs et poursuit:

– Ici les gens s'efforcent de la peindre pour ne pas l'oublier, alors qu'elle doit se cacher dans les abîmes. Sa vue leur manque. Mais ce n'est pas le vrai visage de la Madone, parce que chacun la voit différemment, nous avons des sens imparfaits et cela vient de là. Mais elle va nous apparaître chaque jour avec de plus en plus de précision et se révéler à nous jusqu'au moindre détail – Jakób se tait un instant comme s'il réfléchissait à ce qu'il doit dire ou pas. La Madone a de nombreuses apparences. Elle se montre également sous l'aspect d'une biche, l'*Ayelet Ahavim*.

– Comment ça? Sous la forme d'un animal? s'étonne Kazimierz, plus occupé par la viande que par la conversation.

– Elle m'a été donnée pour que j'en prenne soin ici, en exil.

– C'est prêt, monsieur, dit Kazimierz, concentré sur son plat dont il présente les meilleurs morceaux dans la petite assiette en étain.

Jakób tend la main, peu intéressé. Kazimierz observe la viande avec réserve.

– Je suis pas très convaincu par c'te cochonnaille, dit-il, elle est pas pareille, trop molle.

Sur ce, quelqu'un frappe à la porte. Les deux hommes se regardent, inquiets.

– Qui est là? demande Kazimierz.

– C'est moi, Roch.

– Qu'il entre, dit Jakób la bouche pleine.

La tête du garde apparaît dans l'entrebâillement.

– C'est que c'est Vendredi saint. Vous êtes devenus fous? Ça sent dans tout le couvent. Honte à vous!

Kazimierz jette une couverture sur le plat de viande.

– Donne-lui ce qu'il faut et qu'il s'en aille, murmure Jakób avant de retourner gratter le mur avec le clou.

Mais Kazimierz, effrayé, veut s'expliquer:

– Et comment qu'on peut savoir ce qu'il faut manger le Vendredi saint? Nous, dans la nouvelle religion, on n'a pas encore eu de Vendredi saint, alors faut nous éclairer.

– Juste, répond Roch, c'est pas votre faute. La viande, on la mange pas avant dimanche. Demain, il faut que t'aies des œufs à faire bénir. D'ailleurs, peut-être que les moines vont vous inviter au petit déjeuner de Pâques. Nous, ils nous invitent tous les ans.

Un instant avant de se coucher, Kazimierz approche la chandelle du mur. Il y voit une inscription en hébreu et s'étonne. En effet, il est écrit: פרת משה רבנו, « coccinelle », *parat moshe rabenu*. Il regarde, surpris, puis hausse les épaules et souffle la chandelle.

Une lettre en polonais

Chana reçoit une lettre de son époux, mais ne sait pas la lire, elle est écrite en polonais. Nahman, autrement dit Jakóbowski, le fait pour elle et il se met à pleurer. Tous le regardent surpris, tous, c'est-à-dire Chana avec Matuszewski et Wittel, qui sont là eux aussi. La vue de Jakóbowski, en larmes penché sur la lettre provoque chez eux une sorte de répugnance. Il a vieilli, l'emprisonnement de Jakób l'a complètement terrassé, tout comme le fait que la *Havurah*, paraissant avoir oublié que chacun de ses membres a ajouté son grain de sel dans les dépositions à charge, considère que le traître ce fut lui. Sur le sommet de son crâne, ses cheveux se sont raréfiés dernièrement, laissant apparaître une peau rose couverte de taches de rousseur. Son dos est secoué par un sanglot.

Il ne faut pas vous inquiéter pour moi, je suis entre les bonnes mains des pères paulins et je ne manque de rien. S'il m'était néanmoins possible, Madame, de Vous demander des jambières chaudes (Jakóbowski fond en larmes au mot «jambière», justement), un peu de linge, le mieux serait en laine, mais également un *żupan* en laine, voire deux, pour pouvoir en changer. Une fourrure à étendre sur ma couche, aussi. Kazimierz, quant à lui, aurait l'usage d'un service pour les repas et d'une marmite pour cuisiner, et d'autres ustensiles du genre selon Votre considération. Je solliciterais encore quelque livre en langue polonaise pour pouvoir m'instruire. Mais aussi du papier, de l'encre et des plumes...

Le sceau du couvent figure sur la lettre.

Elle est lue maintes fois avant d'être recopiée et confiée à Jakóbowski pour qu'il la porte chez les Wołowski. Peu après, à Varsovie, tous la connaissent, toute la *Havurah*, tous les leurs. La lettre part également à Kamieniec Podolski chez Mme Kossakowska, et, bien sûr, Nahman Jakóbowski la remet en secret à Moliwda qui la lit en cachette et la brûle. Tous apprennent ainsi clairement la merveilleuse nouvelle : Jakób, leur Maître, est en vie. Le pire n'est pas arrivé et, désormais, tous ces mois où ils étaient dans l'incertitude semblent avoir été un temps de souffle retenu et de silence. Un vent frais vient de se lever et, comme tout se passe aux environs de Pâques, ils fêtent cela comme une résurrection. Oui, le Maître est ressuscité, il est sorti des ténèbres pareil à de la lumière qui aurait plongé dans de l'eau ténébreuse et remonterait en surface.

La visite au couvent

Salomon Shorr, devenu Franciszek Łukasz Wołowski, part en hâte pour Częstochowa afin d'y arriver avant les autres. Nous sommes début mai. En quelques jours, les champs sont devenus verts et leurs étendues sont piquées du jaune des pissenlits. Il voyage à cheval, uniquement le jour et par les voies principales. Il est modestement habillé et il serait difficile de dire si c'est à la chrétienne ou à la juive. Il s'est rasé, mais a gardé ses cheveux longs qu'il porte maintenant noués en catogan. Il est vêtu d'une veste en toile hollandaise, de culottes qui lui couvrent les genoux et il porte des bottes. En dépit du temps chaud et agréable, il ne supporte pas d'être nu-tête, aussi s'est-il coiffé d'un bonnet en mouton retourné.

Juste avant Częstochowa il rencontre une connaissance, un jeune homme, encore adolescent, qui marche au bord du chemin, un balluchon à l'épaule. Il frappe de son bâton les têtes jaunes des fleurs de pissenlit. Ses vêtements sont assez négligés. Salomon Wołowski reconnaît à sa plus grande surprise Kazimierz, le petit cuistot de Jakób.

– Que fais-tu là, Kazimierz ? Où vas-tu comme cela ? Ne devrais-tu pas être en train de servir ton maître, n'est-ce pas l'heure du repas ?

Le garçon s'immobilise. Quand il reconnaît Franciszek, il se jette sur lui pour l'embrasser avec effusion.

– Je veux pas y retourner, finit-il par dire. C'est une prison.

– Parce que tu ne savais pas que vous alliez en prison ?

– Mais moi ? Pourquoi moi ? Pourquoi je devrais me condamner tout seul à la prison ? Je comprends pas ! Le Maître a ses humeurs en plus, il m'a frappé plusieurs fois, dernièrement il m'a attrapé par les cheveux. Une fois, il mange rien, après ça il veut des raretés. Et…

Kazimierz s'interrompt. Salomon devine de quoi il est question et il ne l'interroge pas. Il sait qu'il doit jouer en finesse.

Il descend de son cheval, s'assied avec le laquais dans l'herbe sous un arbre qui se couvre déjà de petites feuilles. Il sort du fromage sec, du pain et une bouteille de vin. Kazimierz la regarde avec gourmandise. Il a soif et faim. Tandis qu'ils mangent, leurs regards à tous deux se portent vers la ville de Częstochowa. Dans l'air chaud du printemps leur parvient le son des cloches du monastère. Salomon Wołowski s'impatiente.

– Alors, c'est comment là-bas ? Je pourrais le voir ?

– Il a le droit de rencontrer personne.

– Mais s'il faut soudoyer quelqu'un, c'est qui ?

Kazimierz réfléchit longuement, un peu comme s'il se délectait d'être en possession d'une information aussi importante.

– Aucun des frères n'acceptera… Les briscards, oui. Mais ils n'ont pas un pouvoir comme ça.

– Je voudrais lui parler au moins par la fenêtre. C'est possible ? Est-ce qu'il a une fenêtre qui donne hors du monastère ?

Kazimierz se tait pour passer en revue dans sa tête les fenêtres du couvent.

– Y en a une que ce serait possible. Mais y faudrait tout de même qu'ils vous laissent entrer dans l'enceinte.

– J'entrerai tout seul au monastère en tant que pèlerin.

– Juste. Après, allez voir les briscards. Causez avec un qui s'appelle Roch. Achetez pour lui du tabac et de la vodka. Si y vous prennent pour un ami généreux, y vous aideront.

Salomon regarde la sacoche en toile de Kazimierz.

– Tu transportes quoi ?

– Le courrier du Maître.

– Montre !

Le garçon obéit et sort quatre lettres. Salomon voit les feuilles soigneusement pliées et munies du sceau que Jakób s'était fait faire à Varsovie. Les destinataires sont indiqués d'une belle écriture avec des boucles.

– Qui les lui rédige en polonais?

– Frère Grzegorz, un jeune. Il lui apprend à écrire et à parler.

Il y en a une pour Józefa Scholastyka Frank, c'est-à-dire pour Chana. Une pour Jeruchim, c'est-à-dire Jędrzej Dembowski. La plus épaisse est pour Katarzyna Kossakowska et la quatrième pour Antoni Kossakowski-Moliwda.

– Rien pour moi, dit Salomon – sans que ce soit une affirmation ou une question.

Il apprend ensuite d'autres choses inquiétantes. Jakób ne se serait pas levé de son lit de tout le mois de février, et, quand il y eut de grands froids, qu'il fut impossible de chauffer suffisamment sa cellule, il tomba malade avec une fièvre terrible, au point que l'un des paulins venait le voir pour lui faire des saignées. Kazimierz répète à plusieurs reprises qu'il redoutait que le Maître ne mourût et qu'il ne restât seul pour accompagner son agonie. Ensuite, tout le mois de mars, Jakób demeura très affaibli, Kazimierz le nourrissait avec du bouillon de poule. Pour les poules, on le laissait sortir afin d'aller en acheter au magasin de Szmul à Częstochowa – il y dépensa tout l'argent de son maître pour cette nourriture et dut y mettre du sien. Les pères paulins se préoccupent peu de leur prisonnier. Sauf un, le père Marcin, celui qui peint l'église à l'intérieur ; il lui parle, mais le Maître ne comprend pas grand-chose de ce qu'il dit. Le Maître passe beaucoup de temps à l'église. Il se prosterne allongé en croix par terre, devant le saint tableau, quand il n'y a pas de pèlerins, et donc surtout la nuit, ce qui fait qu'après, dans la journée, il dort. D'après Kazimierz, vu l'humidité et l'absence de soleil, Jakób ne tiendra pas longtemps. Une chose encore, il est devenu très colérique. Kazimierz l'a également entendu parler tout seul.

– À qui voudrais-tu qu'il parle? Pas à toi, tout de même, marmonne Salomon Wołowski.

Wołowski cherche à voir Jakób. Il s'est loué une chambre en ville chez un chrétien qui l'observe avec suspicion, mais, bien payé, ne pose pas trop de questions. Il se rend au monastère chaque jour pour obtenir une audience du prieur. Quand, au bout de cinq jours, il y parvient enfin, le prieur ne l'autorise qu'à faire parvenir un colis, et encore après inspection. Pour les lettres, uniquement celles écrites en polonais ou en latin et sous réserve qu'elles aient passé par la censure du prieur. Tels sont les ordres. Les visites ne sont pas autorisées. L'audience ne dure qu'un moment.

Finalement, Roch, soudoyé par Salomon, l'introduit derrière les murs du monastère, de nuit, quand tout le monde dort. Il lui dit de se placer sous une petite fenêtre de la tour qui laisse passer une faible lumière. Roch entre dans le bâtiment et, un moment plus tard, la tête de Jakób apparaît à ladite fenêtre. Wołowski l'aperçoit vaguement.

– Salomon ? interroge le Maître.

– Oui, c'est moi.

– Quelles nouvelles m'apportes-tu ? J'ai reçu le colis.

Salomon Wołowski a tellement de choses à dire qu'il ne sait pas par quoi commencer.

– Nous nous sommes tous installés à Varsovie. Ta femme vit encore chez une matrone dans la banlieue, à Kobyłka, elle est baptisée.

– Les enfants vont comment ?

– Bien, ils sont en bonne santé. Juste tristes, comme nous tous.

– Alors pourquoi vous m'avez jeté ici ?

– Comment ça ?

– Pourquoi Chana ne m'a-t-elle pas écrit ?

– Ils ne peuvent pas tout t'écrire… les lettres sont lues en chemin. Ici et à Varsovie. Sans compter que maintenant Dembowski Jeruchim se prend pour le chef. Son frère Jan aussi. Ils veulent diriger et donner des ordres.

– Et Krysa ? Il est fort, lui.

– Depuis ton emprisonnement, Krysa ne nous connaît plus. Il change de trottoir dans la rue. Il est perdu…

– Je vous écris dans mes lettres ce que vous devez faire…

– Mais cela ne suffit pas, tu dois nommer quelqu'un à ta place…

– Je suis là et je peux vous le dire tout seul…

– Cela ne marche pas. Il faut quelqu'un…

– Qui a l'argent? demande Jakób.

– Osman Czerniawski en conserve une partie, le reste est chez mon frère, Jan.

– Que Matuszewski se joigne à lui, qu'ils prennent les rênes à deux.

– Nomme-moi, moi. Tu me connais bien et tu sais que j'en ai la force et les capacités.

Jakób reste silencieux un moment avant de demander:

– Qui m'a trahi?

– On s'est laissé avoir par pure bêtise, mais on ne te voulait que du bien. Pour ma part, je n'ai pas dit un mot contre toi.

– Vous êtes des pleutres! Je devrais vous cracher dessus.

– Crache, dit Salomon tout bas. Nahman Jakóbowski est celui qui a le plus parlé. Il t'a trahi alors qu'il était le plus proche de toi. Tu savais pourtant qu'il était faible, peut-être qu'il est bon dans les disputations, mais pour ce qui est du reste c'est un faible. Il a trahi. Il a fait la poule.

– La poule est un animal intelligent, elle sait ce qu'il faut faire et quand le faire. Dis-lui que je ne veux plus jamais le voir.

Salomon Wołowski prend son courage à deux mains pour dire:

– Fais-moi une lettre, je prendrai ta place tant que tu ne seras pas sorti. J'aurai une poigne de fer en les surveillant. Pour l'heure, on se réunit chez Jeruchim. Il fait des affaires, il emploie les nôtres. Il y en a beaucoup à Kobyłka, nombreux sont ceux qui se sont installés sur les terres de Mgr Załuski, mais nous sommes tous malheureux et nous nous sentons abandonnés. Nous pleurons après toi tous les jours, Jakób.

– Pleurez. Essayez d'intervenir chez le roi avec l'aide de Moliwda.

– Il reste à Łowicz chez le primat…

– Démarchez le primat, en ce cas!

– Moliwda n'est plus à nos côtés. Il s'est fâché. Y a plus rien à attendre de sa part.

Jakób se tait un long moment.

– Et toi, tu vis où ?

– Moi, à Varsovie, mes affaires vont bien. Tout le monde voudrait vivre à Varsovie, on peut y faire éduquer ses enfants. Ton Awacza a deux professeurs payés par Kossakowska. Elle apprend le français aussi… Nous voudrions la prendre chez nous, Marianna et moi.

Une lumière s'allume dans une cour voisine et Roch apparaît pour saisir Wołowski par les revers de sa veste noire et le pousser vers le portail.

– C'est fini, maintenant. Fini.

– Je vais attendre jusqu'à demain soir, écris-moi une lettre pour notre *Havurah*, je la porterai, Roch me la donnera. Écris dans notre langue. Nomme-moi ton remplaçant. Tu me fais confiance, tout de même.

– Je ne fais plus confiance à personne, maintenant, dit Jakób – et sa tête disparaît.

Voilà tout ce qu'apporte à Salomon Wołowski sa visite à Jakób. Le jour suivant, il va voir le tableau de la Vierge noire. Il est six heures, le soleil se lève, le temps s'annonce beau, le ciel a une jolie couleur rose, une brume argentée monte des champs et l'humidité qui sent le lis des marais flotte jusqu'au couvent. Salomon est au milieu des gens, dans la foule encore ensommeillée. Quand les trompettes sonnent, tous s'agenouillent ou s'allongent le visage posé sur le sol froid. Il en fait de même et sent la fraîcheur du dallage sur son front. Au son des trompettes, le volet argenté se soulève lentement. De loin, Salomon aperçoit un petit rectangle avec, à peine visible, une silhouette au visage sombre. À côté de lui, une femme se met à sangloter et ce sanglot gagne presque toute l'assemblée. Dans cette foule, Wołowski est pris d'une émotion similaire, encore accrue par le parfum envoûtant des fleurs de mai, l'odeur de la sueur humaine, des hardes et de la poussière. Ensuite, il passe la matinée à convaincre Kazimierz de travailler encore un peu pour le Maître, du moins tant que quelqu'un d'autre ne viendra pas le relever. Dans l'après-midi, Roch lui glisse une lettre rédigée en hébreu, pliée en cube comme un paquet de tabac. Sitôt après, Salomon Franciszek Wołowski quitte le monastère, non sans avoir laissé de l'argent à Kazimierz et fait parvenir au prieur un don important.

Upupa dicit

Quelques jours plus tard arrive au monastère une caisse avec des affaires pour Jakób. Il ignore qui l'a apportée. Elle reste d'abord toute une journée chez le prieur, où son contenu est vérifié en détail. Les moines inspectent les vêtements, le châle turc, les chaussures en cuir doublées de fourrure, le linge en fine toile, les figues séchées, les dattes, la couverture de laine, l'édredon recouvert de damas jaune. Il y a aussi du papier pour écrire et des plumes de qualité comme le prieur n'en a jamais vu. Il s'interroge longuement sur ces marchandises, ne sachant pas s'il doit autoriser de tels raffinements au prisonnier. A priori, ce n'est pas un simple détenu, mais un luxe pareil dans un couvent où les pères vivent si modestement, ne serait-ce pas excessif? Aussi Ksawery Rotter va-t-il plusieurs fois à la caisse pour prendre entre ses mains le châle en fine laine, sans fioritures à vrai dire, mais tellement délicate qu'elle fait penser à de la soie. Et ces figues! Quand le prieur se retrouve seul un moment, il en prend une dans sa bouche – juste pour vérifier, se dit-il à lui-même –, il la garde longtemps, jusqu'à ce que la salive abonde et l'emporte avec son goût jusqu'à son estomac, inondant son corps de plaisir tant la douceur suave est inouïe. Comme ces figues sont bonnes, fleurant bon le soleil, et non pas dures comme celles que le couvent acheta récemment en petite quantité chez un marchand juif qui tient une boutique d'épices aux abords de la ville.

Le prieur trouve également deux livres, qu'il saisit avec méfiance, suspectant des traités hérétiques qu'il ne laissera jamais passer. Quand il les ouvre, il constate avec surprise que le premier est en polonais et, qui plus est, rédigé par un ecclésiastique. Il n'a jamais entendu le nom de l'auteur, Benedykt Chmielowski, mais c'est compréhensible, il n'a pas le temps de lire des écrits laïques, or c'est un ouvrage pour le peuple, ni un livre pieux, ni un livre de prières. Le second est une magnifique édition illustrée de l'*Orbis sensualium pictus* de Comenius, dans laquelle chaque terme est en quatre langues et permet donc d'étudier celles-ci. Or, comme le prisonnier lui a déjà demandé lui-même plusieurs fois d'apprendre le polonais, et que la nonciature l'a également suggéré, eh bien, qu'il l'apprenne avec Comenius et à partir de cette *Nouvelle Athènes*. En feuilletant le premier volume, Ksawery Rotter lit avec intérêt une page ouverte au hasard.

C'est intéressant, se dit-il, cela peut toujours servir. Pareilles informations ne se trouvent pas dans les textes conventuels. Jusqu'alors, il ignorait que la huppe puputait, *Upupa dicit.*

☆ (6) ☆		
Cornix f. 3. cornicatur, Wrona kracze,	á á	
Ovis f. 3. balat, Baran beczy,	bé é	
Cicada f. 1. stridet, Konik ćwierka,	ci ci	
Upupa f. 1. dicit, Dudek duda,	du du	
Infans c. 3. ejulat, Dziecie się kwili,	é é é	
Ventus m. 2. flat, Wiatr wieie (dmie)	fi fi	
Anser m. 3. gingrit, Gęś gęga.	ga ga	
Os, *oris* n. 3. halat, Usta chuhaią. (poziewaią)	há há	
Mus, muris, m. 3. mintrat, (mintrit) Mysz piszczy.	i i i	
Anas f. 3. tetrinnit, Kaczka kwaka.	kha kha	
Lupus m. 2. ululat Wilk wyie.	lu ulu	
Ursus, m. 2. múrmurat, Niedzwiedź mamrże, mruczy.	mum mum	

La corneille graille
Le bouc béguète
La cigale stridule
La huppe pupute
L'enfant vagit
Le vent mugit
L'oie cacarde
La bouche bâille
La souris chicote
Le canard cancane
Le loup hurle
L'ours gronde

Comment Jakób apprend à lire.
De l'origine des Polonais

Les cours auront lieu dans la salle du chef de la garde, que celui-ci prête à la demande du prieur. On y apporte des tables et deux tabourets, une carafe d'eau et deux gobelets militaires. Un étroit grabat et un banc s'y trouvent déjà. Des crochets sur lesquels on suspend les vêtements hérissent le mur de pierre. Deux petites fenêtres laissent passer un peu de lumière et il y fait toujours froid. Il faut sortir toutes les heures pour se réchauffer.

Le frère Grzegorz, un moine d'âge moyen, doux et patient, est chargé de l'enseignement. Les fautes les plus graves de Jakób, les mots qu'il déforme, lui font monter le rouge aux joues. Est-ce parce qu'il étouffe sa colère ou parce qu'il ressent de la honte? Les leçons ont commencé par le salut religieux aussi difficile à prononcer qu'à écrire *Szczęść Boże**. Ensuite, ils écrivirent le Notre Père, pour enfin passer à des conversations banales. Dans la mesure où le couvent manque de livres en polonais et que le latin n'est ici d'aucune utilité, Jakób apporte au moine celui qu'on lui a fait parvenir, *La Nouvelle Athènes* de Benedykt Chmielowski. Le frère Grzegorz en est devenu un fervent lecteur et, depuis, il l'emprunte en cachette à Jakób, sans doute avec un sentiment de culpabilité, aussi est-ce sous prétexte de préparer les textes à lire avec son élève.

Les cours ont lieu chaque jour après la messe du matin, à laquelle Jakób peut participer. Dans la tour à l'air saturé de puanteur humide, le frère Grzegorz apporte l'odeur de l'encens et de l'huile rance qui sert à diluer la peinture. Il a souvent les doigts tachés parce que de grands tableaux sont en cours d'élaboration dans la chapelle et qu'il aide à mélanger les teintes.

— Comment allez-vous, monsieur? commence-t-il toujours par dire en s'installant sur le tabouret et en étalant les feuilles de papier devant lui.

— Pas plus mal, répond Jakób. J'attends frère Grzegorz avec impatience.

---

* Dieu vous bénisse. *(N.d.T.)*

Prononcer pareil prénom ne lui vient pas facilement, mais dès le mois de mai, il le fait presque à la perfection, y compris en le déclinant correctement après avoir été maintes fois repris par le moine.

Leur étude commence par le chapitre dixième, «Le Royaume de Pologne».

En Sarmatie, la Perle précieuse semble être le ROYAUME DE POLOGNE, la plus célèbre de toutes les Nations Slaves. Le nom de Pologne vient de *pole*, le champ où les Polonais aimaient à vivre et à mourir; ou encore de *Polo Arctico*, qui est l'étoile Polaire vers laquelle est porté le Royaume de Pologne, tout comme l'Espagne tire son nom d'*Hesperia*, l'étoile Occidentale *Hesperus*. D'aucuns pensent que ce nom fut donné aux Polonais à cause du Château de Pole *olim*** aux frontières de la Poméranie. Il y a aussi l'avis de certains Auteurs selon lesquels les Polonais, comme descendants de leur ancêtre Lech, devraient encore s'appeler Postléchites. Paprocki, quant à lui, raisonne ingénieusement en écrivant que sous Mieczysław Ier, quand les Polonais adhéraient à la Sainte Foi et allaient au baptême *in coetus*, les prêtres de Bohême conviés leur disaient: «Vous déjà être plongés dans l'eau? *Id est tu iam baptizatus?*» Alors ceux qui l'étaient répondaient: «Plongés ici nous», et cela devint vite «Ploninou», «Poloni» ou même «Polany», qui veut dire «ondoyé» et donna «Polonais», nom qui fut donné aux Polonais *in nomen gloriosum*.

Jakób ânonne longtemps le texte, trébuche sur les tournures latines qu'il note à part sur une feuille, sans doute pour un usage ultérieur.

– Moi aussi, je suis «*polany, baptizatus*», dit-il au frère Grzegorz qui lève alors les yeux de son livre.

---

* (lat.) Autrefois considéré comme célèbre. *(N.d.A.)*

Comment Jan Wołowski et Mateusz Matuszewski sont les suivants à venir en novembre 1760 à Częstochowa

Tous les deux ont une allure de noble polonais. Surtout Jan Wołowski, qui est celui des frères Wołowski à s'être laissé pousser la plus grande moustache et c'est elle qui lui ajoute en respectabilité. Vêtus de *kontusz* d'hiver doublés de fourrure, coiffés de bonnets également en fourrure, ils semblent riches et pleins d'assurance. Les gardes les considèrent avec déférence. Ils ont pris des chambres en bas, au village, non loin du monastère. De leurs fenêtres, ils aperçoivent la paroi abrupte de l'enceinte. Après deux jours d'attente, de négociations et de subornations diverses, ils ont enfin accès à Jakób. À leur vue, celui-ci éclate de rire.

Ils sont surpris. Ils ne s'y attendaient pas.

Jakób cesse de rire et se détourne d'eux. Ils se précipitent vers lui pour se jeter à ses pieds, genou à terre. Wołowski avait préparé tout un laïus, mais là il n'arrive plus à dire un mot. Mateusz parvient juste à balbutier :

– Jakób...

Jakób finit néanmoins par se tourner vers eux pour leur tendre les mains. Ils les lui embrassent, après quoi il permet à ses visiteurs de se relever. Tous les trois pleurent alors et célèbrent ces larmes pures, meilleures que n'importe quelles paroles d'accueil ! Ensuite, Jakób presse ses compagnons contre sa poitrine comme s'ils étaient des gamins qui avaient fait des bêtises, il les serre, leur prend la tête, leur donne des tapes sur la nuque qui font tomber leurs bonnets décorés par une plume, et les deux émissaires deviennent des enfants tout en sueur, heureux d'avoir retrouvé le chemin de leur maison.

Leur visite dure trois jours. À vrai dire, ils ne sortent pas de la pièce dans la tour ou seulement pour les nécessités du corps. Ils ont apporté avec eux des malles et des sacs. Du vin, des fruits secs, rien que des douceurs. Un officier a vérifié le tout personnellement et – bien disposé après avoir reçu un dessous-de-table – il n'a pas refusé de laisser passer ces présents, car enfin Noël, ce temps de miséricorde pour les prisonniers, est si proche. Dans un grand sac, il y a pour Jakób un édredon en duvet et des châles en laine, des pantoufles en cuir pour le pavement froid et même un petit tapis. Plusieurs paires de chaussettes, du linge marqué du monogramme «J. F.», brodé par les femmes Wołowski, du papier pour écrire et des livres... Ils déposent le tout d'abord sur la table, puis, quand il n'y a plus de place, par terre. Jakób est surtout intéressé par ce qui se trouve dans plusieurs pots; c'est du beurre, de la graisse d'oie et du miel. Des sachets de toile renferment des petits pains au pavot et des gâteaux sucrés.

Les chandelles restent allumées longtemps dans la nuit, ce qui ne laisse pas Roch tranquille, il ne peut pas s'empêcher d'aller voir ce qui se passe, tous les prétextes lui sont bons. Ainsi, il glisse la tête par la porte pour demander s'ils n'ont pas besoin d'eau bouillante ou d'une chaufferette avec des braises, les leurs ne se seraient-elles pas éteintes? Oui, ils voudraient de l'eau bouillante. Quand il leur en apporte deux pleins brocs, ils l'oublient et elle refroidit. La dernière nuit, ils restent dans la chambre de la tour et, au petit matin, l'on entend des voix excitées et, semblerait-il, des chants. Ensuite, le silence revient. Tous les trois sont à l'office de matines.

Wołowski et Matuszewski quittent Częstochowa le 16 novembre par une magnifique journée ensoleillée et chaude. Ils emportent une cassette de lettres et des listes de commandes. Ils laissent aux gardes un tonneau de bière acheté en ville et aux officiers des chibouques avec le meilleur des tabacs, sans compter l'or qu'ils leur ont glissé en arrivant. En somme, ils font une excellente impression.

Dès ce même mois, Wołowski et Matuszewski partent pour la région de Lublin afin de voir le domaine de Wojsławice, où Mme Kossakowska leur prépare une résidence. Avant de s'y installer, ils devront tous, leur groupe dans son entier, migrer à Zamość, étant donné que cette ville est proche de Wojsławice, pour y attendre le *fidei commissum* sous la protection de Jakub Zamoyski.

Elżbieta Drużbacka écrit au père Benedykt Chmielowski, doyen de Rohatyn, Tarnów, fêtes de la Nativité 1760

Ma main ne refuse plus de tenir la plume comme elle le fit jusqu'il y a peu, il m'est donc possible de Vous féliciter, Monsieur, pour le titre de chanoine que l'on vous promet pour l'an prochain, en la mille sept cent soixantième année anniversaire de la naissance de Notre-Seigneur, je Vous souhaite toute Sa Bénédiction, puissiez-vous bénéficier chaque jour de Sa Grâce.

Je vous informe succinctement, Mon bon Ami – pour ne pas m'étendre excessivement sur une affaire ô combien douloureuse et fatiguer mon cœur endolori –, de la mort de Marianna, ma fille bien-aimée, le mois dernier, de cette épidémie venue ici de l'est. Avant cela, le fléau emporta de ce monde six de mes petites-filles, l'une après l'autre. J'eus donc à connaître ce destin terrible qui contraint un parent à vivre plus longtemps que son enfant et un aïeul que sa descendance, ce qui paraît contraire à l'ordre de la nature en général et dénué de tout sens en particulier. Ma propre mort, qui, jusque-là, se terrait au loin, dans les coulisses, déguisée et maquillée, laissa désormais tomber ses parures de bal et je la trouve me faisant face avec toute sa prestance. Elle ne me fait peur ni ne me donne à souffrir. Il me semble juste que les mois et les années vont maintenant de travers, car pourquoi une vieille a-t-elle le droit de durer alors que les jeunes herbes furent coupées ? Je crains donc de geindre ou de sangloter, puisqu'il ne sied point que moi, créature, j'aie l'audace de discuter avec le Créateur du tracé des frontières que Lui, Notre Seigneur, fixe, aussi me trouvé-je tel un arbre dont l'écorce a été retirée : sans perception aucune. Je devrais m'en aller et ce ne serait une perte pour personne ni une grande douleur pour quiconque... Les mots me manquent et mes pensées s'effilochent...

Le lourd cœur en or d'Elżbieta Drużbacka offert à la Madone Noire

Elle écrit sur un bout de papier : « Si Tu es Miséricordieuse, redonne-leur la vie », saupoudre celui-ci de sable et attend que l'encre sèche avant d'en faire un petit rouleau étroit. Elle le tient à la main tandis qu'elle entre dans la chapelle, et, comme c'est l'hiver et qu'il n'y a guère trop de pèlerins, elle la traverse par le milieu pour s'avancer aussi loin que le permettent les barrières. Sur sa gauche pleurniche un soldat aux cheveux en broussaille rappelant une touffe de chanvre. Privé d'une jambe, il ne peut même pas s'agenouiller. Son uniforme est usé, les boutons d'origine ont été remplacés par d'autres depuis belle lurette, les galons arrachés, sans doute troqués contre autre chose. Derrière lui, une bonne femme engoncée dans des châles est avec une fillette au visage déformé par une protubérance pourpre, elle a un œil pratiquement caché par cette poussée de chair sauvage. Elżbieta s'agenouille à côté d'elles pour prier devant le tableau voilé.

Elle a fait fondre tous ses bijoux pour les transformer en un grand cœur, elle ne savait pas comment exprimer sa souffrance autrement. C'est qu'elle a désormais un trou dans la poitrine, elle ne cesse d'y penser tant l'endroit lui fait mal, tant la douleur est irradiante. Elżbieta Drużbacka a donc fait faire une prothèse dorée, une « béquille » pour son cœur. Elle dépose l'ex-voto au couvent, les moines l'accrochent avec tous les autres. Sans qu'elle sache pourquoi, la vue de son cœur qui rejoint tous les autres, grands et petits, lui apporte le plus grand des soulagements, plus intense que ses prières, les yeux fixés sur le visage sombre et imperméable de la Madone. Il y a tellement de souffrance exprimée en ces lieux que celle d'Elżbieta Drużbacka devient une goutte dans la mer de larmes qui y ont été déversées. Une larme humaine n'est qu'une infime composante du ruisseau qui se déverse dans la rivière, laquelle, à son tour, en rejoint une plus grande, jusqu'à ce qu'enfin les flots d'un immense fleuve se jettent dans la mer pour se dissoudre à l'horizon. Dans ces cœurs accrochés autour de la Madone, Elżbieta voit autant de femmes qui perdirent, qui perdent ou qui perdront leurs enfants et petits-enfants. En un sens, la vie est une perte permanente. Nos conquêtes, nos enrichissements sont la plus grande des illusions. En réalité, nous sommes au *summum* de notre richesse à notre naissance, ensuite nous ne faisons que nous délester de tout. Voilà ce que représente la Madone : la plénitude du commencement, l'unité divine, celle du monde et de Dieu avec nous, une plénitude qui doit disparaître. Il en reste un tableau plat, la tache sombre d'un visage, une vision, une illusion. La croix est le signe de la vie, de la souffrance, rien de plus. Voilà comment Elżbieta Drużbacka s'explique tout ce qui arrive.

La nuit, dans la maison du pèlerin où elle a loué une modeste chambre, elle ne peut pas dormir. Elle ne dort plus depuis deux mois, elle ne sombre que dans de brèves torpeurs. Au cours de l'une d'elles, elle rêve de sa mère, ce qui est étrange parce qu'elle n'en a pas rêvé depuis une vingtaine d'années. Elle comprend donc cela comme l'annonce de sa propre mort. Elle est assise sur les genoux de sa mère, elle ne voit pas son visage. Elle n'aperçoit que les motifs compliqués de sa robe, une sorte de labyrinthe.

Quand le matin suivant, avant l'aube, elle retourne à l'église, son regard est attiré par un homme grand, de belle prestance, dans une tenue turque – un caftan sombre boutonné jusqu'au cou –, et tête nue. Il porte une moustache touffue et de longs cheveux saupoudrés de gris.

D'abord, il prie avec ardeur à genoux, ses lèvres remuent en silence, ses paupières baissées, aux longs cils, frémissent. Ensuite, il s'allonge en croix sur le sol froid, au centre, devant la barrière qui protège le saint tableau.

Elżbieta se trouve une place dans la nef, près du mur, elle s'agenouille avec difficulté parce que la douleur qui monte de ses genoux traverse tout son vieux corps fluet. Dans la chapelle quasiment vide, chaque raclement contre le sol, chaque soupir est amplifié jusqu'à devenir un mugissement ou un sifflement qui se répercute sous la voûte aussi longtemps que l'un des chants entonnés de temps à autre par les moines du haut du chœur ne la couvre :

Ave Regina coelorum,
Ave Domina Angelorum:
Salve radix, salve porta,
Ex qua Mundo lux est orta.

Elżbieta Drużbacka cherche une faille dans le mur, un interstice entre les plaques de marbre dont il est couvert, où elle pourrait glisser son rouleau de papier. Comment celui-ci pourrait-il arriver jusqu'à Dieu, si ce n'est à travers les lèvres de pierre du temple? Le marbre est lisse, les scellements impitoyablement soigneux. Finalement, le feuillet peut être glissé dans une fente peu profonde, mais Elżbieta sait qu'il n'y restera pas longtemps. Très probablement, il en tombera bientôt et les foules de pèlerins le piétineront.

Dans l'après-midi du même jour, Elżbieta rencontre de nouveau l'homme de haute taille au visage grêlé. Elle sait maintenant de qui il s'agit. Elle l'attrape par la manche, et lui la regarde étonné, son regard est doux et aimable.

– Vous êtes, monsieur, le prophète juif emprisonné ici? dit-elle sans ambages en levant la tête, car elle lui arrive à peine à la poitrine.

Il comprend et opine du chef. Son visage ne change pas, il est sombre et laid.

– Vous avez accompli des miracles, monsieur, vous avez guéri des hommes, me suis-je laissé dire.

Pas un muscle de Jakób ne frémit.

– Moi, ma fille est morte, ainsi que six de mes petits-enfants, dit-elle tout en ouvrant sa main pour compter sur ses doigts. Un, deux, trois, quatre, cinq, six… Savez-vous s'il est possible de faire revenir un mort à la vie? Il paraît que cela arrive. Les prophètes savent le faire. Et vous, y êtes-vous jamais arrivé, ne serait-ce qu'avec un pauvre chien?

25

Ienta dort sous les ailes de la cigogne

Pesełe, qui a été baptisée, épouse son cousin du même nom pour s'appeler désormais Marianna Pawłowska. La noce est célébrée à Varsovie en automne 1760, à la triste époque où le Maître est aux arrêts à Częstochowa et où eux tous, les membres de la *Havurah*, mordent la poussière, incertains du lendemain et pleins d'effroi. Pourtant, son père, Izrael devenu Paweł – de son nom Pawłowski également, puisque toute la famille adopta le même patronyme –, pense qu'il faut continuer à vivre, à se marier et à donner naissance aux enfants. C'est inévitable. La vie est une force, elle est comme le flot puissant d'une inondation, il est impossible de s'y opposer. Telles sont ses paroles, tandis qu'avec ses maigres moyens il monte un atelier où il coud de magnifiques porte-monnaie et des ceintures en cuir importé de Turquie.

Le modeste mariage a lieu à l'église du quartier de Leszno, tôt le matin. Le prêtre les a longuement instruits sur la célébration, mais autant Pesełe que son fiancé, que sa mère Sobla, devenue Helena, ou son père, Paweł Pawłowski, mais aussi tous les témoins et invités sont mal à l'aise, un peu comme s'ils n'avaient pas appris assez précisément le pas d'une danse alors que le moment était venu de danser.

Pesełe en a les larmes aux yeux tant elle est nerveuse, ce que l'officiant attribue à l'émotion d'une jeune mariée, et il lui sourit comme à une enfant. Si les usages le permettaient, il lui caresserait la tête.

Des tables ont été installées dans l'appartement qu'on a vidé de tous les autres meubles. La nourriture est prête. Les invités, fatigués par la longue messe dans l'église glacée, voudraient se réchauffer. Tandis qu'ils mangent, Paweł Pawłowski verse de la vodka dans les verres pour que chacun puisse être revigoré et se sente à l'aise, car tous ceux qui sont assis autour des tables se trouvent confrontés à quelque chose qui leur est étranger et, pour l'heure, perçu comme déplaisant. Ils le vivent pour la première fois, mais il est flagrant que, désormais, cela se répétera. C'est comme s'ils étaient installés autour d'un grand vide pour le manger avec des cuillères, comme si les tables recouvertes de nappes blanches étaient un néant absolu dont ils célébreraient la blême froideur. Cet étrange sentiment dure le temps des deux premiers plats et de plusieurs verres de vodka. Après cela, les rideaux des fenêtres sont tirés, les tables poussées contre les murs, et Franciszek Wołowski avec le père de la mariée célèbrent un second mariage selon leur propre rite. Les mains cherchent les mains, les nerfs s'apaisent une fois qu'on est en cercle, se tenant les uns les autres, et que s'élève vers le plafond de Leszno une prière dans la langue que Pesełe et son jeune époux ne connaissent déjà plus; elle est chuchotée, mystérieuse et séculaire.

Pesełe-Marianna baisse la tête comme tous les autres, ses pensées s'envolent au loin, vers Ienta restée dans la caverne près de Korolówka. Elle n'arrive pas à en libérer son esprit. Ont-ils bien fait en déposant ce corps si frêle dans la profondeur du gouffre, apparemment à contre-courant du temps, jusqu'au sombre commencement? Qu'auraient-ils pu faire d'autre? Avant de partir, Pesełe porta à Ienta des noix et des fleurs. Elle la recouvrit d'une couverture qu'elle avait préparée pour son mariage, mais elle s'était dit que, puisque Ienta devait rester dans la grotte, elle pourrait participer à la noce par le biais de cette couverture. Celle-ci est en damas rose surpiqué de fil de soie blanc, avec des franges de même couleur. Marianna y a brodé un oiseau, une cigogne avec un serpent dans le bec – elle se tient debout sur une patte comme celles qui viennent se poser sur les berges, à Korolówka, et déambulent avec sérieux à travers les herbes. Pesełe a embrassé son arrière-grand-mère, dont la joue était toute fraîche comme à l'habitude. En guise d'au revoir, elle lui a dit : « Le Seigneur te recouvrira de ses plumes, Ienta. Sous Ses ailes, tu seras en sécurité, comme il est écrit dans le psaume 91. » Pesełe savait parfaitement que Ienta apprécierait la cigogne avec le serpent au bec. Ses grandes ailes puissantes, ses pattes rouges, son duvet, son pas très digne.

Maintenant, tandis que se déroule la seconde célébration, la mariée aux deux prénoms, Pesełe et Marianna, pense également à sa sœur qui n'en a qu'un, Freïna, qui est restée à Korolówka avec son mari et ses enfants, celle qu'elle aime le plus parmi toute sa fratrie. Elle se promet d'aller la voir de nouveau dès le printemps, de le faire chaque année, elle le jure sur sa propre tête.

Ienta qui voit cela de sous l'aile de la cigogne, d'en haut comme toujours, sait déjà qu'elle ne pourra pas honorer sa promesse.

De l'aune à laquelle Ienta mesure les tombes

Le regard de Ienta se porte également sur Częstochowa, petite ville blottie contre la colline où règne la Madone. Ienta ne voit pourtant que les toits, ceux réguliers du monastère de Jasna Góra, qui viennent d'être refaits avec des tuiles neuves et, plus bas, ceux misérables des cahutes et des chaumières couvertes de bardeaux.

Le ciel est celui de septembre, froid et lointain, le soleil vire lentement à l'orange et les femmes juives de Częstochowa se donnent rendez-vous sur la route du cimetière juif où elles se réunissent maintenant ; les plus âgées, en grosses jupes, se concertent à mi-voix, s'attendent les unes les autres.

En ces jours terribles entre Roch ha-shana et Yom Kippour a lieu le *Kvorîm mestn*, l'arpentage des tombes. Les femmes parcourent les cimetières avec un cordon qu'elles rouleront en boule pour ensuite l'utiliser par petits bouts comme mèches de chandelles. Certaines s'en servent aussi pour les prédictions. Chacune d'elles marmonne une prière, elles ressemblent à des sorcières dans leurs larges jupes plissées auxquelles s'accrochent les épines des buissons de mûres et qui bruissent entre les feuilles sèches et jaunes.

Ienta, elle aussi, arpentait autrefois les tombes, persuadée que tel était le devoir de toute femme, qu'elle devait s'assurer de la place qui restait pour les morts – et s'il y en avait encore, avant que de nouveaux vivants viennent au monde. Une sorte de comptabilité à la charge des femmes; d'ailleurs, pour ce qui est de compter, elles sont toujours les meilleures.

Mais pourquoi mesurer les sépultures et les cimetières, alors qu'il n'y a pas de morts dans les tombeaux? Ienta ne le sait que maintenant, jadis elle a noyé dans le suif des milliers de mèches. Les caveaux nous sont complètement inutiles, parce que les morts les ignorent et qu'ils traînent dans l'univers: ils sont partout. Ienta les voit en permanence comme à travers du verre, puisque, le voudrait-elle le plus intensément, elle ne peut pas les rejoindre. Où sont-ils? C'est difficile à dire. Ils regardent le monde à travers de petites vitres en quelque sorte et ils en attendent toujours quelque chose. Ienta cherche à comprendre ce que signifient leurs grimaces, leurs gestes, et, finalement, elle sait: les défunts voudraient qu'on parle d'eux, c'est de cela qu'ils sont avides, c'est cela qui les nourrit. Ils veulent l'attention des vivants.

Ienta remarque une chose encore, et c'est que cette attention est injustement répartie. On parle beaucoup des uns, on prononce de nombreuses paroles à leur propos. Il en est d'autres dont on ne parle pas du tout, pas un seul petit mot, rien. Ceux-là s'effacent, s'écartent de la vitre, disparaissent dans le fond. Il en est des quantités, des millions qui sont complètement oubliés, personne ne sait qu'ils ont vécu sur cette terre. Il ne reste rien d'eux et c'est pourquoi ils se détachent plus vite et s'en vont. Peut-être n'est-ce pas plus mal ainsi. Ienta s'en irait volontiers, elle aussi, si elle le pouvait. Si la parole puissante qu'elle a avalée ne la retenait pas. Il n'en reste plus ni le bout de papier ni la ficelle, tout s'est dissous et les plus infimes parcelles de lumière ont été absorbées par la substance. N'est restée que la parole résistante comme la pierre par laquelle Elisha Shorr lia Ienta avec insouciance.

Le vieux Shorr lui aussi s'en est allé récemment, Ienta l'a vu filer à côté d'elle – le grand sage, le père de cinq fils et d'une fille, le grand-père d'une multitude de petits-enfants, est désormais une nuée laiteuse. Elle a aussi aperçu un petit garçon, il s'est éclipsé avec la même rapidité. C'était le petit Emanuel, le fils de Jakób et de Chana, il n'avait qu'un an.

La lettre portant cette nouvelle est transmise à Jakób par Kazimierz, à l'insu des gardiens. Chana l'a rédigée en turc, en termes vagues, comme pour couvrir un grand secret. Mais peut-être était-ce la honte de ce qui leur arrivait. Ne devaient-ils pas ne pas mourir? Jakób la lit plusieurs fois. À chaque fois, il se lève pour tourner en rond dans la pièce. Un petit bout de papier tombe du pli, il est découpé n'importe comment, un animal y est peint en rouge. Un chien, apparemment, ébouriffé. Au-dessous, il est écrit «Rutka». Jakób devine que cela vient de sa fille et ce n'est qu'à ce moment-là que sa gorge se serre et que des larmes inondent ses yeux. Mais il ne pleure pas.

La lettre de Nahman Jakóbowski au Maître à Częstochowa

Ce n'est que la lettre suivante qui déstabilise Jakób. Dès les premiers mots, le ton l'exaspère, il entend la voix de Nahman, larmoyante, aussi pleurnicharde que les gémissements d'un chien. Si Nahman était en face de lui, il le giflerait pour voir couler le sang de son nez. Une bonne chose qu'il ne l'ait pas autorisé à venir sous sa fenêtre quand il est arrivé à Częstochowa!

... Jakób, je m'appelle pourtant Piotr Jakóbowski, maintenant, et cela prouve à quel point je suis à Toi. Mon cœur fut pratiquement brisé d'avoir été si proche de Toi sans avoir la possibilité de Te voir ni de T'entendre. Je devais me consoler avec l'idée que Tu étais si près et que nous respirions le même air, je m'approchai de ce haut rempart qui sépare Ta prison de la ville. Elle me parut être un véritable mur des Lamentations. J'appris avec tristesse que Tu avais été gravement malade et j'imagine la solitude que Tu dois supporter en ces lieux alors que Tu n'es point coutumier du manque de monde autour de Toi.

Tu sais que je T'aime plus que tout et que je suis prêt à tout Te sacrifier. Si je prononçai quelque parole qui T'était contraire, ce n'était pas par mauvaise volonté, mais à cause du sens profond de Ta mission, de notre vocation qui occupe entièrement mon esprit. J'avoue également la peur qui m'a jeté à terre avec force. Tu sais à quel point je suis misérable, même si ce n'est pas en raison de ma faiblesse que Tu fis de moi Ton bras droit, mais pour mes qualités que j'oserais Te rappeler si je n'avais pas eu à Te laisser.

Jakób jette la lettre avec colère et crache. La voix de Nahman se tait dans sa tête, mais pas pour longtemps. Il ramasse la lettre et reprend sa lecture :

Ainsi, beaucoup d'entre nous qui nous sommes maintenant abrités, pour certains dans la capitale, pour d'autres sous les ailes des puissants, nous essayons de vivre et de pourvoir à nos besoins par nos propres moyens, confiants en Ton retour rapide, et, de chaque jour, nous espérons qu'il est celui où Tu reviens…

Tu nous as Toi-même expliqué un jour à Iwanie qu'il y a deux sortes de personnes. Des unes, Tu as dit que ce sont les noires, qu'elles croient que le monde est tel qu'il est, mauvais et injuste, et qu'il faut savoir s'y adapter, entrer dans son jeu et devenir comme lui. Pour ce qui est des autres, Tu affirmais qu'elles sont les lumineuses, elles croient que le monde est mauvais et terrible, mais qu'il est toujours possible de le changer. Sans s'identifier à lui, mais au contraire en lui étant étranger pour le contraindre à se soumettre, à changer pour devenir meilleur. Je m'en suis souvenu quand je me trouvai sous ce haut rempart. Il me semble, Jakób, que je fais partie des premiers. J'ai perdu le désir de vivre, sans Ta présence à mes côtés. Je crois aussi que d'autres, parmi nous, ont réagi comme moi à Ta disparition.

Nous ne voyons que maintenant à quel point Ton absence nous est pénible. Que Dieu nous juge, nous pensions que nous T'avions tué.

J'arrive directement de Varsovie où nombre d'entre nous se sont installés dans un état total d'abrutissement, ne sachant pas ce qui T'était arrivé. Au départ, beaucoup, dont moi, suivirent Ta Chana à Kobyłka, un hameau sur les terres de Mgr Załuski, non loin de Varsovie, qui nous fut attribué grâce à l'intercession de Mme Kossakowska. Néanmoins, c'était sinistre, nous y étions à l'étroit, la maison de l'évêque était à l'abandon et ses serviteurs nous voyaient d'un mauvais œil, de sorte que, peu à peu, avec la proximité de Varsovie, certains essayèrent seuls de trouver dans la capitale des points d'attache pour ne pas rester inactifs en ne faisant que vivre de l'aumône de l'évêque, ballottés d'une maison étrangère à l'autre. Ceux qui auraient voulu rentrer en Podolie, comme les Rudnicki, se ravisèrent aussitôt. Hirsz, je veux dire Rudnicki, partit vérifier si ce serait possible, mais il comprit vite, et nous également, qu'il n'y avait plus rien pour nous là-bas et que nous ne pouvions pas rentrer dans nos villages et nos maisons. Tout avait disparu. Tu avais raison de dire que nous faisions un pas dans le vide en allant au baptême. Nous l'avons fait et nous étions désormais en pleine chute, dans les airs, ne sachant ni où nous tomberions ni quand la descente se terminerait et comment. Allions-nous nous écraser ou en réchapper ? Serions-nous sains et saufs ou brisés ?

Premièrement, ce furent des accusations. Qui a dit quoi et quand. Nos paroles furent utilisées contre Toi, mais nous n'étions pas innocents. Après notre baptême, beaucoup d'entre nous s'agrippèrent à la nouvelle vie comme à un trésor. Nous changeâmes nos tenues et cachâmes nos usages au plus profond de nos armoires pour faire semblant d'être ce que nous n'étions nullement. Krysa fit cela. Devenu Krysiński, il entra dans une famille chrétienne en épousant une catholique et il n'est même plus en affaires avec nous. Nous devînmes des étrangers de nouveau parce que, serions-nous dans les meilleurs vêtements, avec une croix sur la poitrine, rasés de près et sages, dès que nous ouvrons la bouche nous sommes identifiés à notre accent comme différents. En fuyant notre étrangeté méprisée et raillée, nous ne devînmes rien d'autre que des pantins parmi les hommes.

Nous devenons peu à peu égoïstes, indifférents, et même si nous restons entre nous dans notre Fraternité, notre *Havurah*, nos questions existentielles sont devenues les plus importantes : comment survivre, comment nous débrouiller dans cette guerre, comment nourrir nos enfants et leur assurer un toit. Beaucoup d'entre nous sont prêts à prendre n'importe quel travail, mais c'est impossible parce que nous ne savons ni si nous resterons ici, ni ce que Notre Bienfaitrice Kossakowska imaginera pour nous, ni si cela vaut la peine de demeurer à ses côtés. Ceux qui possèdent de l'or se débrouillent, les Wołowski, par exemple, investissent déjà à Varsovie, mais les autres, les démunis, avec lesquels Tu nous ordonnais de partager à Iwanie, doivent maintenant quémander cette aide. Si pareille situation se prolonge, notre Fraternité se désagrégera comme une poignée de sable sur laquelle on soufflerait.

Notre position est indéniablement meilleure que quand nous étions de simples Juifs. Les Wołowski et d'autres convertis anoblis se portent le mieux, mais beaucoup d'entre nous n'ont pas l'argent du dessous-de-table indispensable pour financer leur anoblissement. Franciszek tient avec son frère une brasserie dans le quartier de Leszno. Désormais, elle leur apporte de plus grands revenus parce qu'ils se sont trouvé de nouveaux clients. Smetankes de chez Nussen vient justement d'ouvrir un magasin d'objets de cuir avec de la marchandise de Turquie et j'ai vu de mes yeux de belles dames qui achetaient chez lui des gants. Il va s'en sortir. Ses proches parents également, les Rudnicki ou les Lanckoroński, je ne sais plus comment ils s'appellent au bout du compte. Le mari de Haya se fait pourtant vieux et souffrant. Haya est une grande dame, et, nous, ici, nous nous efforçons de veiller sur elle, mais elle n'est pas faite pour cette errance. Heureusement qu'elle a des filles intelligentes et efficaces.

Les Wołowski ont immédiatement mis leurs enfants dans des écoles conventuelles, ils veulent faire d'eux non pas des marchands, mais des officiers et des juristes. Ils cherchent à en convaincre d'autres, parmi nous, d'en faire autant, mais tout le monde n'est pas en mesure de pourvoir à des dépenses pareilles. Tout comme Tu l'avais ordonné, nous marions nos enfants entre eux et c'est ainsi que Franciszek Wołowski vient de marier son fils Jędrzej avec la fille de son frère Jan, je ne me souviens plus du prénom de cette jeune fille. Pour l'heure, ce mariage s'est fait selon notre usage, parce que, d'après la loi polonaise, ces jeunes gens sont encore mineurs et en tant que tels ne peuvent pas encore s'unir.

Chana sollicite en permanence d'obtenir le droit de Te voir, ses lettres T'arrivent, et donc Tu le sais. Une aide considérable lui est apportée par la Virago, autrement dit Kossakowska, qui promit de lui obtenir une audience chez le roi en personne; mais quand le roi viendra à Varsovie, cela nous ne le savons pas.

Je m'efforce de consoler Chana de la mort d'Emanuel, mais elle ne m'aime pas. Elle reste avec les Zwierzchowski et ce sont eux qui prennent particulièrement soin d'Awacza. La Virago Kossakowska s'occupe de Chana comme de sa fille. Elle prévoit de l'installer sur ses terres, de lui offrir un toit et une rente, ainsi qu'une bonne éducation à Awacza. La petite reçoit, de sa part, tout ce qu'elle désire. Tu n'as pas à T'inquiéter pour elle, c'est une fillette intelligente et, vu que Dieu Te reprit Ton fils unique, elle sera Ta consolation. Elle a désormais un précepteur qui lui apprend à jouer du piano.

Puisqu'il est possible de Te faire parvenir des lettres, je vais T'envoyer un coursier de Varsovie tous les dix jours. J'ose croire que cette offense va disparaître de Ton cœur, que Ta blessure va guérir, parce que nous sommes tous de pauvres sots, propulsés dans quelque chose que nous ne sommes pas en mesure de comprendre; Tu en es seul capable intellectuellement.

Pour en terminer, je Te dirai que je comprends ce qui est arrivé: Toi, Tu devais être emprisonné pour que toutes les prophéties s'accomplissent. Le Messie doit tomber aussi bas que faire se peut. Quand je Te vis alors qu'on Te faisait sortir, le visage couvert de bleus, quand Tu as dit « crachez sur ce feu! », je compris que c'était ce qui devait arriver et que la machine du salut tournait sur les bons rouages telle une horloge qui mesure les éons du temps. Tu devais tomber et, moi, je devais Te repousser.

Jakób est couché sur le dos dans le lit de sa cellule, au bas de la tour de la forteresse de Częstochowa, la lettre qu'il tenait tombe à terre. Par la petite fenêtre plus adaptée pour tirer au fusil que pour regarder le monde, il voit les étoiles. Il est comme dans un puits profond d'où l'on distingue mieux les astres que de la surface de la Terre, car le puits fait office de lunette qui rapproche les corps célestes et ceux-ci semblent alors à portée de main.

Ienta observe Jakób de là-haut.

La tour est dans la forteresse entourée de remparts, la forteresse est sur une colline au pied de laquelle est située une petite ville mal éclairée, à peine visible dans les ténèbres. L'ensemble se trouve dans une contrée vallonnée, couverte de forêts denses. Plus loin s'étend la grande plaine du centre de l'Europe, entourée de l'eau des mers et des océans. Finalement, toute l'Europe vue des hauteurs où se trouve Ienta prend la taille d'une pièce de monnaie et, de l'obscurité, émerge la courbe majestueuse de la planète pareille à un petit pois vert à peine sorti de sa gousse.

Les cadeaux de Besht

Nahman, Piotr Jakóbowski, qui sort peu du bureau dernièrement, croque les gousses vertes de petits pois frais que lui a apportées son fils Aronek. Il les sort de sa poche, toutes fripées et cassées mais toujours savoureuses et croquantes. Aron est venu lui dire au revoir, il rentre à Busk et là, comme le fit autrefois son père, il rejoindra une caravane en partance pour la Turquie où il achètera du tabac et des pierres précieuses. Jakóbowski le voit rarement, l'enfant était resté à Busk avec sa mère et ses grands-parents quand le divorce fut prononcé. Son père en est fier, pourtant. À treize ans, Aronek ressemble à sa mère ; trapu et à la peau bise, il a l'air d'un Turc. Il a appris le turc. Il connaît également l'allemand parce que, avec Osman Czerniawski, il a fait des voyages à Wrocław et Dresde.

Nahman vient de terminer une lettre qu'il plie avec un grand soin. Aronek jette un œil aux lettres turques et devine certainement à qui son père écrit.

Ils se prennent dans les bras et s'embrassent sur la bouche comme un fils et son père. À la porte, Aronek jette un dernier regard par-dessus son épaule à son père frêle, maigre, aux cheveux ébouriffés, en sarrau noir déchiré, puis il s'en va.

En cette année 1760, Baal Shem Tov est mort, mais Nahman n'en a rien écrit à Jakób. Celui-ci ne respectait pas les *hassidim*, il disait que c'étaient des idiots, mais, pour ce qui est de Besht, il le craignait sans doute. Chaque fois qu'il apprenait que des gens de Besht venaient le voir, il ne cachait pas sa satisfaction. Or, il y en avait un certain nombre.

Désormais, on entend que Besht serait mort parce qu'il aurait eu le cœur brisé par le nombre de Juifs à s'être fait baptiser. Son cœur aurait été brisé par Jakób Frank. Nahman ne sait que faire, peut-être que cette nouvelle ravirait Jakób? Il faudrait peut-être la lui transmettre?

Piotr Jakóbowski est employé par Salomon Franciszek Wołowski dans un petit bureau pour compter les tonneaux de bière. Il n'y a pas beaucoup de travail car la brasserie vient d'ouvrir. Nahman compte les transports, les tonneaux pleins et les tonneaux vides, il expédie la marchandise dans toute la ville et vers des auberges des banlieues aux environs. Au début, Franciszek l'envoyait démarcher des acheteurs autour de Varsovie, mais il a vite changé d'avis. Nahman, serait-il vêtu d'un *kontusz*, garde une allure indécise, peu convaincante. Les Juifs refusent d'acheter de la bière à un apostat, les non-Juifs regardent avec suspicion ce roux maigrichon, laid comme une poule. C'est ainsi que Franciszek parle de Piotr, il dit qu'il ressemble à une poule. Nahman l'entendit une fois et il en fut blessé. Il aurait plutôt dit de lui-même qu'avec ses cheveux roux et sa vivacité d'esprit il rappelle le renard.

La vérité est que, depuis quelque temps, il ne se sent bien ni avec lui-même ni avec la *Havurah*. Dernièrement, il envisageait de laisser tomber cette attente inquiète d'un miracle à Varsovie pour partir vers l'est à Międzybóż, mais Emanuel était mort et la première pensée qui lui vint alors était que Besht avait emporté avec lui le petit garçon et qu'il y avait du sens à cela. Besht avait pris l'enfant dans ses bras pour le porter là-bas, dans la nuit, afin de le protéger d'eux. Oui, c'est ce que pensa Nahman Jakóbowski et c'est ce qu'il alla jusqu'à inscrire, le cœur plein d'effroi, en marge de son livre.

Récemment à Varsovie, on racontait qu'il y avait quelque temps de cela, quand Baal Shem Tov, malade, s'attendait à mourir, il aurait demandé à tous ses disciples de se réunir autour de lui pour leur distribuer les objets dont il se servait jusque-là. Il offrit sa tabatière à l'un, son talith à un autre, son psautier adoré à un troisième, mais pour son élève préféré il ne resta plus rien. Ce fut alors que Besht déclara qu'il lui offrait ses histoires : « Tu parcourras le monde pour que les gens puissent entendre ces histoires. » L'émule n'était pas franchement ravi de cet héritage à vrai dire, il était pauvre et aurait préféré recevoir quelque chose de concret.

Il oublia pourtant tout cela et vécut humblement en laitier jusqu'à ce qu'un jour arrive dans son village la nouvelle que, dans un pays lointain, un homme riche paierait beaucoup pour entendre des histoires sur Besht. Les voisins du laitier lui rappelèrent alors son héritage et lui firent prendre la route. Arrivé sur place, il découvrit que l'homme avide de récits était le responsable de la Commune juive, un homme richissime mais triste.

On organisa un petit festin auquel on convia des personnages importants, on fit asseoir le laitier au milieu d'eux, et, après un repas copieux, quand le silence retomba, on invita ce dernier à commencer. Il ouvrit la bouche, aspira et… rien. Il avait tout oublié. Il se rassit, confus, tandis que les invités ne cachaient pas leur déception. Il en fut de même le soir suivant. Et le suivant encore. Il semblait que le laitier avait perdu la parole. Aussi, extrêmement honteux, il se prépara à partir. Il était déjà assis dans la charrette quand soudain quelque chose en lui se passa, et sa mémoire, jusque-là considérable et pleine de récits, accoucha d'un seul petit souvenir. Il se saisit du minuscule incident et fit stopper les chevaux. Il sauta à terre et dit à son hôte, qui lui faisait froidement ses adieux : « Je viens de me rappeler quelque chose. Un petit incident. Rien d'important… »

Et il commença à raconter:

«Une nuit, Baal Shem Tov m'arracha du sommeil pour me demander d'atteler les chevaux et de me rendre avec lui dans un bourg éloigné. Il m'arrêta devant une maison cossue, près d'une église, où une lumière était allumée en permanence, et il y disparut une demi-heure. Quand il revint, il était assez fâché et il m'ordonna de le ramener.»

Là, le laitier, de nouveau incapable de poursuivre, resta silencieux. «Et puis? Que se passa-t-il ensuite?» demandèrent ses auditeurs, mais alors, à leur surprise à tous, le responsable de la Commune juive éclata en sanglots. Il pleura bruyamment, incapable de se maîtriser. Ce ne fut qu'après un bon moment, quand il reprit ses esprits, qu'il déclara: «C'était moi, cet homme auquel Baal Shem Tov rendit alors visite.» Les personnes assemblées, ne comprenant pas ce qui se passait, attendirent des explications en s'interrogeant du regard.

Le responsable de la Commune reprit donc la parole: «À cette époque, j'étais un chrétien, un fonctionnaire important. Organiser des conversions forcées faisait partie de mes obligations. Quand Baal Shem Tov fit irruption chez moi cette nuit-là, je bondis de la table où je signais des dispositions. J'étais surpris de voir là ce *hassid* barbu qui, en outre, me criait dessus en polonais: "Combien de temps cela va-t-il encore durer? Combien vas-tu encore faire souffrir tes propres frères?" Je le regardais sidéré, persuadé que ce vieillard était fou et me confondait avec quelqu'un d'autre. Lui n'arrêtait pas de crier: "Ignores-tu que tu es un enfant juif qui a été sauvé, accueilli et élevé par une famille polonaise qui t'a toujours caché ta véritable origine?"

«Avant que le saint homme n'ait disparu aussi brusquement qu'il était entré, je fus gagné par un immense malaise, de la tristesse et un sentiment de culpabilité. "Est-il possible que me soit pardonné tout ce que j'ai fait contre mes frères?" demandai-je d'une voix tremblante. Baal Shem Tov répondit alors: "Le jour où quelqu'un viendra pour te raconter cette histoire, tu sauras que tu as été pardonné."»

Piotr Nahman Jakóbowski voudrait lui aussi que quelqu'un arrivât avec un récit. Qu'il fût pardonné!

Un manoir en mélèze à Wojsławice et les dents de M. Zwierzchowski

L'été, des travaux eurent lieu au manoir. Il fut doté d'un nouveau toit, d'une nouvelle charpente et de bardeaux en mélèze. Les pièces furent repeintes, les poêles ramonés et l'un d'eux fut rhabillé en belle céramique blanche que l'on avait fait venir de loin, de la région de Sandomierz. Il y avait six chambres, dont deux furent données à Chana et à sa fillette, dans les autres logèrent les femmes qui l'accompagnaient et la servaient. La famille Zwierzchowski occupe l'une d'elles. Il n'y a pas d'autre pièce commune que la grande cuisine où il fait le plus chaud et qui sert de salle de réunion. Les autres membres de la *Havurah* habitent les corps de ferme attenants, dans de mauvaises conditions parce que ces bâtiments sont décrépits et humides.

Le pire est qu'au début ils ont peur d'aller au bourg. On les y regarde de travers, en ennemis, et ceci tant les Juifs qui se sont installés autour de la toute petite place pour y commercer que les goyim. Depuis leur arrivée, quelqu'un peint des croix noires sur les portes du manoir, nul ne sait qui le fait ou ce que cela peut signifier. Les deux traits de pinceau qui se croisent laissent une impression d'hostilité.

Une nuit quelqu'un met le feu à la remise. Par chance, il neige et l'incendie s'éteint.

Zwierzchowski et Piotrowski vont voir à plusieurs reprises la Virago, Mme Kossakowska, qui veille maintenant sur eux depuis le palais de ses cousins Potocki à Krasny Staw. Ils se plaignent à elle d'être contraints à l'inactivité.

— Pour commercer, nous devons aller jusqu'à Krasny Staw, voire même Zamość, pour vendre quoi que ce soit, parce que, ici, on ne nous le permet pas. Nous avions une échoppe à la foire, elle a été renversée dans la neige et on nous a volé et détruit beaucoup de marchandises, dit Piotrowski, le regard fixé sur Katarzyna Kossakowska qui arpente la pièce de long en large.

– Ils ont mis en pièces notre haquet, de sorte que nous n'avons plus avec quoi transporter nos marchandises, ajoute encore Piotrowski.

– Madame Chana Frank a peur de sortir, dit Zwierzchowski, nous avons dû placer nos gardes dans le verger. Mais il faut voir ce que c'est comme gardes! Quasiment rien que des femmes, des enfants et des vieillards!

Après leur départ, Mme Kossakowska pousse un soupir en disant à sa cousine Marianna Potocka:

– Toujours des récriminations. Ceci ne va pas, ceci est mauvais. Je me suis mise dans les soucis. Le poêle en céramique à lui seul m'a coûté une petite fortune.

Katarzyna Kossakowska porte le deuil de son époux. Il est mort à Noël. Son décès aussi soudain qu'absurde – il prit froid en se rendant sans cesse au chenil où sa chienne adorée mettait bas – la plonge dans un état étrange, un peu comme si elle se retrouvait noyée dans un pot de saindoux. Tout ce qu'elle veut attraper se dissout entre ses doigts. Elle fait un pas… et déjà elle s'enfonce. Avant, elle parlait de son mari à Agnieszka en l'appelant «l'estropié»; or, depuis sa disparition, elle se sent complètement désemparée. L'enterrement eut lieu à Kamieniec Podolski et, sitôt après, elle gagna Krasny Staw. Elle sait qu'elle ne retournera plus jamais à Kamieniec.

– Je ne peux plus les aider, explique Katarzyna à sa cousine.

Marianna Potocka, en femme d'un âge respectable et très pieuse, lui répond:

– Et moi, que pourrais-je encore faire pour eux? J'ai déjà doté de nombreux baptisés, nous leur avons préparé le manoir ensemble…

– Ce n'est plus une question de finances, dit Katarzyna. J'apprends de Varsovie qu'ils ont des ennemis puissants, avec des moyens énormes, qui ne mettent pas seulement en jeu des bourses remplies d'or. Vous seriez surprise… – Katarzyna s'interrompt un instant avant de s'écrier: Chez le ministre Brühl! Celui-là, c'est connu, est très lié aux Juifs chez lesquels il place l'argent de l'État. Que puis-je y faire, moi, la petite Kossakowska, alors que Mgr Sołtyk n'a rien pu faire? – Katarzyna frotte son front plissé. Il nous faudrait quelqu'un d'intelligent…

– Écrivez-leur, ma cousine, qu'ils doivent se tenir tranquilles, lui dit Marianna Potocka, et demeurer patients. Mais aussi continuer à montrer le bon exemple à ces autres Juifs, les infidèles qui persistent dans leur erreur pécheresse.

Ceci se passe au printemps 1762. Il souffle un vent chargé d'humidité qui annonce la nouvelle saison. Dans les caves, les oignons pourrissent ; un champignon dévore la farine. Des croix noires apparaissent de nouveau sur les portes, elles rappellent la végétation rabougrie de fin d'hiver. Quand l'un des protégés de Mme Kossakowska se rend au marché, les Juifs lui crachent au visage et lui ferment leurs boutiques. Les goyim le bousculent et lui crient « *porcochien* ». Les hommes n'arrêtent pas de se battre. Dernièrement, des jeunes gens s'en prirent à Zwierzchowski et à sa fille adolescente tandis qu'ils rentraient en haquet de Lublin. Ils désho-norèrent la jeune fille et cassèrent les dents au père. Mme Zwierzchowska ramassa ensuite ces dents dans la boue pour les porter au manoir et les montrer à tout un chacun dans sa main tendue. Trois dents, un mauvais présage.

Quelques jours après l'incident, la jeune fille se pendit pour le plus grand désespoir de ses parents.

Le supplice et la malédiction

La solution est simple, elle plane dans l'air. Elle est tellement évidente qu'il sera difficile par la suite de savoir qui en a eu l'idée. L'affaire se présente ainsi.

Juste avant les fêtes de Pâques, une femme habillée à la juive, avec un foulard sur les cheveux, en jupe plissée, les épaules couvertes d'un châle, vient voir le prêtre du lieu et se présente comme étant l'épouse du rabbin de Wojsławice. Elle ne parle guère, elle dit juste qu'elle a sur-pris une conversation comme quoi son mari et d'autres hommes avaient tué un enfant pour avoir du sang chrétien, comme quoi la Pessah était proche et comme quoi ce sang était nécessaire pour la *Matsot*. Le prêtre est sidéré. La femme est trop agitée, elle se conduit étrangement, elle ne le regarde pas dans les yeux. Il ne la croit pas. Il la reconduit à la porte et lui conseille de se calmer.

Le lendemain, en proie à l'inquiétude, ce curé se rend toutefois à Krasny Staw afin de voir la duchesse Marianna Teresa Potocka et sa proche parente Katarzyna Kossakowska. Le soir même, tous les trois signalent cette affaire peu banale au Tribunal. L'enquête débute.

Les enquêteurs trouvent le corps sans grand effort, il est dissimulé par des branchages non loin de la maison du rabbin. La peau de l'enfant est piquée de trous, mais sans hématomes. Les petites blessures sur le corps dénudé de Mikołaj, un garçonnet de trois ans aux cheveux sombres, semblent irréelles, elles paraissent n'être que de petits creux dont le sang n'a jamais coulé. Le soir, Sender Zyskieluk et Henryk Józefowicz, deux rabbins de Wojsławice, ainsi que la femme du premier et quelques autres personnes sont arrêtés. Le curé recherche la mystérieuse épouse du second rabbin pour qu'elle confirme sa déclaration, mais il ne la retrouve pas. Il apparaît vite que le second rabbin est veuf. Au cours des tortures auxquelles tous les interpellés sont aussitôt soumis, ceux-ci avouent plusieurs meurtres, le pillage d'églises et la profanation d'hosties. Très vite, il est clair que la Commune juive de Wojsławice, avec ses quatre-vingts membres, ne compte que des assassins. Les deux rabbins, mais aussi Lejb Moszkowicz Sienicki et Josa Szymułowicz, avouent sous la torture comme un seul homme que ce sont eux qui tuèrent le petit garçon et qu'après lui avoir pris son sang ils jetèrent son corps aux chiens.

Mme Zwierzchowska, les deux Piotrowski, Pawłowski et les Wołowski viennent témoigner de la réalité de ces crimes rituels, en s'appuyant sur ce qui fut consigné au «Septième point» de la disputation de Lwów. La preuve fait grand effet sur le Tribunal, si bien que, le lendemain, un lynchage est évité de justesse. Mme Kossakowska écrit à Mgr Sołtyk pour le conjurer de venir – et celui-ci finit par arriver, en qualité de spécialiste de ce genre de problèmes. Il éclaire les femmes, Mmes Kossakowska et Potocka, sur la manière de voir les choses. Appelée à témoigner parmi les derniers, Katarzyna Kossakowska parle des croix peintes sur les maisons et du harcèlement des nouveaux venus. Le procès dure longtemps parce que tout le monde veut en apprendre le plus possible sur le crime juif. Il est donc donné lecture d'opuscules, en particulier de celui de Serafinowicz qui, pour avoir été juif lui-même, changea de foi et, des années plus tard, avoua avoir commis des crimes juifs, mais aussi du texte des pères Pikulski et Awedyk. L'affaire paraissant claire et évidente, il n'est pas surprenant que tous les accusés soient condamnés à mort par écartèlement. Exception faite de ceux qui acceptent de se faire baptiser et dont la peine, charitablement adoucie, sera la décapitation. Quatre condamnés se décident donc à demander le baptême, aussi sont-ils solennellement baptisés à l'église et enterrés en grande pompe au cimetière chrétien. Sender Zyskieluk réussit à se pendre dans sa cellule, mais, puisqu'il a évité la véritable peine, son corps est traîné dans les rues de Krasny Staw avant d'être brûlé sur la Grand-Place. Il ne reste rien de plus à faire qu'à chasser tous les autres Juifs du bourg. Avant de se pendre, le rabbin Zyskieluk jeta une malédiction sur tout le bourg.

L'été, au manoir de Wojsławice et dans les fermes attenantes, les enfants tombent malades, mais uniquement ceux des néophytes, le mal n'atteint pas ceux des paysans. Il en meurt plusieurs. À commencer par la fillette des Pawłowski, elle n'a que quelques mois, puis Wojtuś Majewski, et ensuite sa sœur de sept ans. Quand arrive le mois d'août, au plus fort de la chaleur, il n'est pas de famille qui n'ait été touchée par une mort d'enfant. Mme Kossakowska fait venir un médecin de Zamość, mais celui-ci se montre impuissant. Il conseille de poser des compresses chaudes sur le dos et la poitrine des malades. Il ne parvient à sauver la petite Zosia Szymanowska que parce qu'il lui fait un trou dans la gorge quand elle commence à étouffer. C'est une maladie qui passe d'un enfant à l'autre ; d'abord il tousse, ensuite il a de la fièvre et enfin il étouffe à force de tousser. Mme Kossakowska participe aux modestes petites funérailles. On creuse les tombes dans le cimetière catholique de Wojsławice, mais, conscient de leur différence, un peu à distance des autres. À la fin du mois d'août, il y a quasiment un enterrement par jour. Marianna Potocka en est tellement effrayée qu'elle fait construire de petites chapelles aux cinq octrois du bourg pour le protéger du mal : sainte Barbara des orages et des incendies, saint Jan Nepomucen des inondations, saint Florian du feu et sainte Thècle d'Iconium de toutes les épidémies. Une cinquième chapelle est dédiée à l'archange Michel pour qu'il protège la petite localité de tout mal, malédiction ou mauvais sort.

Mosze, l'aîné des Łabęcki, meurt également, et il laisse une très jeune épouse, Tereska, en fin de grossesse. Il paraît qu'un grand corbeau noir s'installe au faîte des maisons où quelqu'un meurt. Plus personne ne doute ni qu'il s'agit d'un sort jeté, ni que celui-ci est aussi puissant que nocif. En l'absence de Mosze Łabęcki, qui savait lever le *herem* pour le retourner à son envoyeur, tous se sentent démunis. Il leur semble que, désormais, ils vont tous périr. C'est pourquoi ils se souviennent de Haya Hirsz, devenue Mme Lanckorońska ou peut-être Rudnicka, Haya la prophétesse. Dame Chana en personne lui écrit une lettre avec la demande pressante d'une prédiction. Elle fait partir deux émissaires avec des plis pour Jakób à Częstochowa, mais aussi pour la *Havurah* et Haya à Varsovie. Aucune réponse ne lui parvient. Les envoyés semblent s'être évanouis.

Ce que prédit Haya

Quand Haya s'exprime par des voix étrangères, elle a toujours devant elle une carte peinte sur une planche. Il s'y trouve divers signes mystérieux et un dessin qui rappelle l'arbre de vie des *Sephirot* mais en quadruple. Cela a l'allure d'une croix incroyablement décorative, tel le flocon de neige à quatre branches qui n'existe pas dans la nature. Haya y place des pions en mie de pain dans lesquels sont enfoncés des petites plumes, des boutons, des graines ; chacun d'eux est bizarre comme une figurine humaine mais cauchemardesque, indécente. Haya tient deux dés, l'un avec des chiffres, l'autre avec des lettres. Des secteurs sont délimités sur la tablette, mais assez maladroitement, leurs frontières sont estompées, peu claires, des lettres sont éparpillées, il y a des signes, des animaux dans les angles, des soleils, des lunes. Un chien et un grand poisson pareil à une carpe. La planche doit être vieille parce que en certains endroits la peinture est complètement écaillée et l'on ne sait plus ce qu'il y avait là.

Haya joue avec les dés, elle les retourne dans sa main, fixe longuement la planche – nul ne sait jamais combien de temps cela va durer –, puis ses yeux clignent et frémissent très vite pendant un moment, après quoi les dés roulent pour donner la réponse. Haya dispose les pions selon le présage, chuchote quelque chose pour elle-même, puis les pousse. Elle modifie leurs places, mets les uns de côté, en sort d'autres encore plus bizarres. Quand on observe ce jeu étrange de l'extérieur, il est difficile de s'y retrouver, la configuration change sans cesse. En effectuant ces choses insolites, Haya parle des enfants, de la confiture de pruneaux de l'année, elle s'inquiète de la santé des membres de la famille. Puis, brusquement, sur le même ton avec lequel elle parlait des confitures, elle déclare que le roi va mourir et qu'il y aura interrègne. Les femmes qui préparaient les *kluski* pour le repas se figent, les enfants arrêtent de courir autour de la table. Haya observe ses figurines et parle de nouveau.

– Le prochain roi sera le dernier roi de Pologne. Trois mers inonderont le pays. Varsovie sera une île. La jeune Łabęcka donnera naissance à un enfant posthume, une fille, qui deviendra une grande princesse. Jakób sera libéré par ses grands ennemis et il devra fuir vers le sud avec ses proches. Toutes les personnes présentes dans cette pièce vivront dans un grand château près d'un large fleuve, elles seront vêtues de riches habits et elles oublieront leur langue.

Haya est sans doute surprise elle-même par ses paroles. Elle a une expression amusante, comme si elle étouffait un rire ou cherchait à retenir les mots qui se détachent de ses lèvres. Elle grimace.

Marianna Wołowska, qui disposait des œufs dans des paniers, s'exclame alors :

– Je vous l'avais dit. Ce fleuve, c'est le Dniestr. Nous retournerons tous à Iwanie pour y bâtir nos palais. Ce grand fleuve, c'est le Dniestr.

Édom vacille sur ses fondations

En octobre 1763, à la mort d'Auguste III, roi de Pologne, grand-duc de Lituanie, électeur de Saxe et membre de la Maison de Wettin, les cloches sonnent toute la journée. Les moines se relaient aux cordes tandis que la foule des pèlerins, peu dense à cette époque de l'année, moins importante également à cause du chaos qui règne dans la *Respublica*, est gagnée par une grande peur, les gens s'allongent en croix sur le sol et il devient difficile d'aller du parvis à l'église.

Jakób en est informé par Roch, qui vient aussitôt le voir pour le lui dire avec une certaine satisfaction :

– Il va y avoir la guerre. C'est sûr. Et peut-être qu'ils vont de nouveau prendre tout le monde, parce que plus personne ne veille sur ce pays catholique, il n'y a que tous ces infidèles et ces dissidents qui tendent les bras pour s'emparer de la République.

Jakób a de la peine pour cet homme âgé, il lui donne quelques sous pour qu'il fasse passer comme d'habitude ses lettres en évitant la censure du couvent, autrement dit pour qu'il les porte en ville et les remette à Szmul. Jakób se réjouit lui aussi de la perspective d'une guerre. Plus tard, il va trouver le prieur avec l'intention de se plaindre de ce que les frères retiennent les vivres qui lui arrivent de la petite ville, mais aussi d'autres choses, dont le tabac. Il sait que l'abbé ne fera rien, il va le voir ainsi tous les jeudis. Cette fois, Ksawery Rotter ne le reçoit pas. Jakób tremble de froid, il attend longtemps, jusqu'à la tombée de la nuit. Le prieur se rend à l'office du soir et passe à côté de lui sans un mot. Jakób, grand et maigre, emmitouflé dans sa cape, s'en retourne frigorifié à sa chambre de la tour.

Dans la soirée, après avoir comme toujours généreusement soudoyé les gardes, Matuszewski se faufile pour rejoindre Jakób et rédiger une lettre avec lui. La main de Matuszewski tremble de froid tandis qu'il inscrit en haut de la page «Nonce Visconti» et elle tremble encore à mesure que viennent sous sa plume de nombreux autres noms connus. Cette lettre doit être écrite maintenant, au moment où l'ordre ancien disparaît avec la mort du roi et où naît quelque chose de nouveau. Au moment où, avec la mort du vieux monarque, tout est sens dessus dessous, où la gauche devient la droite et la droite devient la gauche. Au moment où le nouvel ordre n'est pas encore en place, où les nouvelles chancelleries n'ont pas encore commencé à travailler, où les lois qui se veulent inflexibles n'ont pas encore molli comme le pain sec trempé dans l'eau, et où tous les personnages occupants des postes élevés regardent nerveusement autour d'eux pour voir à qui s'allier et à qui ne plus adresser la parole. Le moment est approprié, il offre l'opportunité à cette lettre d'être suivie d'effet. Jakób y revendique sa libération. Le nonce jugerait-il son élargissement par trop précoce, Jakób le supplie néanmoins d'intervenir parce qu'il souffre de l'étroitesse des lieux et du sort misérable qui lui est fait. Les moines lui refusent tout secours de sa famille et de ses amis, ils ne lui permettent pas de prendre l'air, sa santé se trouve altérée par plus de deux années de confinement dans une chambre glaciale au bas de la tour. Il est pourtant un catholique pieux, entièrement dévoué à sa foi, laquelle, depuis toujours puissante et sincère, s'est encore renforcée dans la proximité de la Madone.

Cette partie de la lettre achevée, il leur reste à écrire le plus important, si ce n'est qu'ils ne savent pas comment le faire. Ils y peinent toute la soirée, brûlent plusieurs chandelles. Au petit matin, ils en sont venus à bout. Voici :

La Sainte Église catholique signala déjà à maintes reprises la fausseté des accusations prêtant aux Juifs l'utilisation de sang chrétien. Déjà accablés par de nombreux malheurs, nous nous retrouvâmes frappés en sus par tout ce qui arriva à Wojsławice, rien n'était pourtant de notre fait, mais nous devînmes des instruments entre les mains d'autrui.

Reconnaissants jusqu'à notre mort à nos grands protecteurs, à savoir Mgr Sołtyk, mais aussi Mgr Załuski, qui voulurent nous accueillir sur leurs terres, mais aussi à notre immense bienfaitrice Mme Katarzyna Kossakowska, nous devons nous défendre de la suspicion que nous eussions été à l'origine de l'accusation portée contre les Juifs de Wojsławice d'avoir pris du sang chrétien et commis un meurtre atroce contraire à tout le saint enseignement de l'Église. La délation est intervenue sans notre participation consciente, à nous qui sommes de bons catholiques.

Comment l'interrègne perturbe la circulation des carrosses sur Krakowskie Przedmieście

À Varsovie, il serait, paraît-il, devenu difficile de se loger et, dans la rue Krakowskie Przedmieście, qui mène au Château royal, la circulation est effroyable. Toute la noblesse de quelque importance sort en carrosse, ce qui d'emblée provoque un embouteillage et un engorgement immense.

Agnieszka a appris à faire des saignées à sa maîtresse, dernièrement elles sont pourtant sans effet. Dans la journée, Mme Kossakowska va bien, mais elle n'arrive pas à dormir la nuit, elle a des bouffées de chaleur et des palpitations. Le médecin a déjà été appelé par trois fois. Elle devrait peut-être rester chez elle, à Busk ou Krystynopol. Mais où Katarzyna Kossakowska est-elle vraiment chez elle?

Sitôt après la mort du roi, elle s'est rendue en hâte dans la capitale où, immédiatement, elle a fraternisé avec Mgr Sołtyk pour soutenir la candidature au trône du prince Frédéric-Christian. Le carrosse de l'évêque avec lequel ils se rendent présentement chez Branicki, le Grand Hetman de la Couronne, pour une rencontre politique, se trouve bloqué rue Krakowskie Przedmieście à la hauteur de la rue Świętokrzyska. Katarzyna est assise en face de Mgr Sołtyk, un homme corpulent qui transpire, auquel elle dit de sa voix basse et quasi masculine:

– Comment ne pas douter de l'ordre qui règne dans ce pays en voyant nos chers époux, frères et pères, qui tiennent notre destin entre leurs mains? Regardez-les d'un peu plus près, Excellence, mon très cher ami. Celui-ci s'intéresse à l'alchimie moderne et cherche la pierre philosophale, celui-là s'adonne à la peinture, un troisième passe ses nuits au jeu dans la capitale et dilapide le revenu de ses terres en Podolie, un autre encore – voyez donc ! –, sa lubie, ce sont les chevaux et il dépense des sommes considérables à acheter des poulains arabes. J'oublie encore ceux qui tournent des vers alors qu'ils devraient s'occuper des comptes. Ou encore ceux qui pommadent leur perruque alors que leur épée rouille...

L'évêque ne l'écoute sans doute pas. Il regarde par une fente entre les rideaux – ils se trouvent près de l'église de la Sainte-Croix –, il est inquiet parce qu'il a de nouveau des dettes. Il semblerait que ce qui revient régulièrement dans sa vie, ce qui est douloureusement réel, ce sont les dettes.

– ... Nous avons souvent l'impression que la Pologne, c'est nous, poursuit obstinément Katarzyna, mais la Pologne ce sont eux aussi. Ce paysan que vous avez daigné faire fouetter il y a peu, monseigneur, ce paysan ne le sait pas, et ce Juif qui se charge de vos affaires l'ignore, mais eux aussi font partie de la *Respublica*, même s'il se peut qu'ils ne veuillent pas le reconnaître... et pourtant ils sont dans le même bateau que nous, et nous devrions nous soucier d'eux comme eux de nous, plutôt que de nous sauter à la gorge en chiens ennemis. Comme c'est le cas l'heure actuelle. Des ambassadeurs russes voudraient prendre le pouvoir chez nous ? Nous imposer un roi ?

Mme Kossakowska l'entretient ainsi jusqu'à la rue Miodowa et, en pensée, Mgr Sołtyk s'étonne de l'énergie inouïe de cette femme. Il ignore pourtant ce que sait Agnieszka, à savoir que, depuis la malédiction de Wojsławice, sa maîtresse n'arrive plus à dormir et qu'elle se flagelle tous les soirs. Si Son Excellence avait par quelque miracle la possibilité de dénouer son corsage, de soulever sa chemise en lin pour mettre son dos à nu, il verrait les conséquences de ces insomnies : les zébrures sanguinolentes d'une inscription inachevée, disposée n'importe comment.

Pinkas rédige les *Documenta Judaeos*

Rabbi Rapaport est un homme de belle allure et de grande taille, avec une barbe grise qui se scinde en deux pour descendre sur sa poitrine pareille à deux stalactites. Il n'élève guère la voix, et ainsi, par ce simple moyen, il soumet les personnes, qui sont contraintes de faire un effort pour comprendre ses paroles et rester attentives. Là où il intervient, il suscite toujours le respect. Il en sera de même aujourd'hui, Chaïm Kohen Rapaport, le rabbin principal de Lwów, arrivera bientôt, il entrera en silence, mais tous les regards se tourneront néanmoins vers lui par-dessus les tables et les gens se tairont. Pinkas lui présentera l'une des premières brochures, déjà pliée et reliée, ses pages coupées avec une belle régularité. Le secrétaire, quoique un peu plus âgé que Rabbi Rapaport, a souvent l'impression que ce dernier est son père, si ce n'est son grand-père. Il est vrai qu'un saint homme n'a pas d'âge, il vient au monde déjà patriarche chenu. Pour Pinkas, la moindre félicitation de sa part est plus précieuse que l'or. Il se remémore ensuite chaque parole du Rabbi, il rejoue maintes fois en pensée la scène du compliment. Rabbi ne réprimande jamais. Quand il ne loue pas, il se tait et son silence est plus pesant qu'une pierre.

Il y a maintenant une sorte de grande chancellerie dans la maison du rabbin. Des tables, des bureaux et des pupitres y ont été installés sur lesquels on recopie le document qui est à cette heure le plus important. Le texte en a été envoyé à l'imprimerie et les premières épreuves sur feuilles libres sont déjà là. Certains préposés les découpent pour que d'autres en fassent une petite brochure en pliant les feuillets et en leur adjoignant à la colle une couverture cartonnée plus épaisse sur laquelle figure un long titre compliqué qui occupe la moitié de la page : *Documenta Judaeos in Polonia concernentia ad Acta Metrices Regni suscepta et ex iis fideliter iterum descripta et extradicta.*

Pinkas y a eu sa part, car c'est lui qui a organisé tout ce bureau, et, dans la mesure où il parle le polonais et sait le lire, il a également aidé à la traduction du document. Ce fut toutefois d'un certain Zelig que vint le plus grand secours dans cette affaire. L'homme avait échappé à la mort à Żytomierz puis était allé trouver le pape à pied pour demander justice. Désormais, il fallait traduire en polonais et en hébreu ce qu'il avait obtenu du Saint-Office, à Rome, mais également donner une version latine et hébraïque de ce qui, en 1592, avait été inscrit dans les Actes royaux, les *Metrica Regni Poloniae*. Il y avait aussi la lettre de recommandation pour Zelig, adressée au nonce apostolique à Varsovie par le préfet du Saint-Office, dans laquelle il est clairement écrit que le Saint-Office, après avoir étudié avec précision la question des accusations quant à l'emploi de sang chrétien à Żytomierz, et le supposé meurtre rituel, considère que celles-ci sont complètement infondées. Et que toute accusation similaire devrait être rejetée, étant donné que, dans la religion et la tradition juives, il n'y a aucune référence à l'emploi de sang chrétien. Finalement, Rapaport, en usant de ses relations, parvint également à obtenir du nonce apostolique Antonio Eugenio Visconti une lettre pour le ministre Heinrich von Brühl dans laquelle il confirmait que les Juifs se sont adressés à la plus haute instance de l'Église catholique, au pape, et que celui-ci prend leur défense contre ces terribles accusations.

Il en est donc presque exactement comme Pinkas se l'était imaginé, alors qu'il est rare que ce que l'on imagine soit aussi conforme à ce qui arrive dans la réalité. (Le secrétaire est assez âgé pour comprendre comment les choses fonctionnent : Dieu nous place dans des situations que nous ne sommes pas en mesure d'imaginer.)

Rapaport entre et Pinkas lui tend une brochure tout juste reliée. L'ombre d'un sourire apparaît sur le visage du Rabbi, mais son secrétaire n'a pas prévu une chose, à savoir que ce dernier ouvrirait le livre à l'envers, à la manière des Juifs, et que là, au lieu de voir la page de garde, il tomberait sur la conclusion :

Le Saint-Office étudia dernièrement tous les témoignages selon lesquels les Juifs utilisent le sang humain pour préparer leur pain appelé *Matsot* et tuent des enfants à cette fin. Il proclame fermement qu'il n'y a aucune justification de pareille accusation. Si de telles accusations venaient à être réitérées, leur examen ne devrait plus être envisagé sur la base des seules affirmations de témoins, mais sur celle de preuves convaincantes.

Le regard de Rabbi glisse sur ces mots, mais il ne comprend pas ce qu'il lit. Pinkas, après avoir attendu un moment, s'approche alors pour se pencher vers lui et traduire avec fluidité, à voix basse, mais sur un ton triomphant.

Qui Pinkas
rencontre au marché à Lwów

Pinkas observe un homme sur la place de Lwów. Il est habillé comme les chrétiens, ses cheveux fins et duveteux lui descendent jusqu'aux épaules. Il porte un jabot blanc, son visage vieillissant est rasé. Deux rides coupent verticalement son front encore jeune. L'homme sait déjà qu'il est observé, aussi abandonne-t-il l'achat de bas de laine pour chercher à se fondre dans la foule. Pinkas se met pourtant à le suivre en zigzaguant entre les marchands. Il bouscule une jeune fille avec un panier de noix, mais finalement il parvient à saisir l'homme par le pan de son manteau.

– Lejbko? C'est toi?

L'homme se retourne à contrecœur et examine Pinkas des pieds à la tête.

– Lejbko? répète Pinkas d'une voix moins assurée – et il lâche la cape.

– Oui, mon oncle, c'est bien moi, répond tout bas l'interpellé.

Pinkas en est bouleversé. Il se couvre les yeux des mains.

– Qu'est-ce qui t'est arrivé? Tu n'es plus rabbin à Glinna? De quoi tu as l'air...

Lejbko, comme s'il s'était enfin décidé, déclare:

– Je ne peux pas parler avec vous, mon oncle, je dois y aller...

– Comment cela, tu ne peux pas me parler?

L'ex-rabbin de Glinna se retourne et veut s'éloigner, mais des paysans qui escortent des vaches lui barrent le passage. Pinkas poursuit:

– Je ne vais pas te lâcher. Tu dois tout m'expliquer.

– Il n'y a rien à expliquer. Ne me touchez pas, mon oncle. Je n'ai plus rien à voir avec vous.

– Fi! lâche soudain Pinkas qui vient de comprendre et vacille d'effroi. Sais-tu que tu es perdu pour les siècles des siècles? Tu es avec eux? Tu es déjà baptisé ou tu es encore dans la file d'attente? Si ta mère vivait, elle en aurait le cœur brisé.

Au beau milieu de la place, Pinkas se met brusquement à pleurer, les commissures de ses lèvres retombent, son maigre corps est secoué de sanglots, ses yeux versent des larmes qui inondent complètement son petit visage ridé. Les gens le regardent avec curiosité, ils doivent sans doute se dire que le pauvre homme s'est fait voler et pleure ses sous perdus. L'ancien rabbin de Glinna, devenu Jakub Goliński, regarde craintivement autour de lui et, manifestement, il a de la peine pour son parent. Il va vers lui pour lui prendre doucement le bras.

– Je sais que vous ne me comprenez pas, mon oncle. Je ne suis pas un homme mauvais.

– Satan s'est emparé de vous, vous êtes pires que Satan lui-même, une chose pareille est sans précédent... Tu n'es plus un Juif!

– Mon oncle, allons sous une porte cochère...

– Tu sais qu'à cause de vous, moi, j'ai perdu ma Gitla, ma fille unique? Tu sais cela?

– Je ne l'ai vue nulle part...

– Elle n'est plus là. Elle est partie. Vous ne la retrouverez jamais.

Ayant dit cela, il envoie soudain de toutes ses forces, avec élan, un coup de poing dans la poitrine de Jakub Goliński et celui-ci, pourtant grand et fort, se plie en deux.

Pinkas se hisse sur la pointe des pieds pour lui siffler au visage:

– Lejbko, aujourd'hui tu as plongé un couteau dans mon cœur. Mais tu reviendras vers nous!

Ces paroles prononcées, il se retourne pour s'éloigner d'un pas rapide entre les étals.

Le miroir et la simple vitre

Katarzyna Kossakowska parvient à obtenir que Chana Frank puisse rendre visite à son époux. Tout le monde est occupé par la politique, le choix du futur roi. Le prieur du monastère accepte d'adoucir la détention. Au début de l'automne, Chana, Awacza et un groupe important de vrai-croyants quittent avec un grand soulagement Wojsławice qu'ils exècrent pour Częstochowa. Marianna Potocka est fâchée tant contre eux que contre sa cousine. Non seulement le bourg a perdu les autres Juifs, mais voilà que ceux-ci s'en vont, laissant le manoir en mélèze à l'abandon, toutes portes ouvertes et le sol jonché de détritus ! Là où ils ont grimpé sur leurs chariots traînent encore des loques boueuses et piétinées. De leur présence à cet endroit ne témoigneront sans doute désormais que les tombes situées sur le côté du cimetière, sous le grand orme, avec des croix en bouleau faites n'importe comment et des tas de cailloux. Seule la sépulture de Rabbi Mosze de Podhajce, grand kabbaliste et créateur de puissantes amulettes, se distingue des autres par les petites pierres blanches dont son épouse l'entoura.

Ils arrivent à Częstochowa le 8 septembre 1762. Ils franchissent l'enceinte du monastère en grande cérémonie, magnifiquement vêtus, avec des bouquets de fleurs jaunes et mauves. Les gardes de la forteresse et les moines les regardent surpris, parce qu'ils ne rappellent en rien les pèlerins fatigués habituels, mais plutôt un cortège de noce. Dès le 10 septembre, Chana, qui n'a pas vu son époux depuis presque deux ans, a une première relation avec lui, en plein jour, au su de tous ceux qui l'accompagnent. Cela se fait dans la salle des officiers dont les petites fenêtres ont été soigneusement voilées pour qu'aucune personne étrangère ne puisse participer au *tikkoun*, l'acte qui répare le monde. L'espoir emplit le cœur de tous ceux qui en sont témoins, l'espoir que le pire est passé et que le temps va redémarrer pour aller de l'avant. Un mois plus tard, la main de Matuszewski note dans sa chronique, tenue de façon chaotique, que le 8 octobre (le Maître a demandé de laisser définitivement tomber le calendrier juif) Chana et Jakób attendent un fils, ce qu'il sait de la bouche du Maître.

Les membres de la *Havurah* ont loué deux maisons rue du faubourg de Wieluń, et ceux qui n'y ont pas trouvé place s'entassent dans des chambres chez l'habitant, mais ils restent unis. Du côté nord du monastère se forme donc un petit hameau avec uniquement des vrai-croyants, aussi Jakób reçoit-il tous les jours des légumes et des fruits frais, ainsi que des œufs et de la viande – quand il ne jeûne pas.

Les maisons de la petite ville atteignent presque les remparts et des jeunes gens astucieux, tel Jan Wołowski, parviennent à grimper sur la muraille pour tendre quelque chose au prisonnier, en particulier lorsqu'une pièce a été glissée aux gardes l'instant d'avant. Les vieux briscards s'endorment alors appuyés sur leurs lances ou, se plaignant du froid, disparaissent simplement sous un toit pour réchauffer leurs os. Il a même été possible de fixer, sous le couvert de la nuit, une poulie au moyen de laquelle des sacs de nourriture peuvent être hissés avec une corde. Il faut veiller à ce qu'aucun des frères ne remarque le point d'accroche sur les remparts. Dernièrement, le Maître demande des oignons, et ceci parce qu'il s'est énormément affaibli à rester enfermé, ses gencives saignent et il a mal aux dents. Il se plaint également d'avoir mal à une oreille et des vertiges. Chana a l'autorisation du couvent de rendre visite à son époux une fois par jour, mais elle s'attarde et reste souvent pour la nuit. D'autres viennent aussi. Maintenant ce sont de petits pèlerinages qui se pressent chez le Maître. Tous sont bien habillés, de façon chrétienne, urbaine, modeste. Les femmes diffèrent totalement des Juives de Częstochowa aux tenues criardes, coiffées de grands foulards. Les vrai-croyantes portent des bonnets et même si ceux-ci, faits en toile, dissimulent parfois une plique, et même si la semelle de leurs chaussures se détache, elles portent haut le front.

Après que les interdits ont été assouplis, le Maître fait savoir à Varsovie que l'on peut lui envoyer les femmes, étant donné qu'elles n'ont pas pris part à la trahison, ce seront elles qui, désormais, seront ses gardes. Il dit avoir également besoin de la présence de femmes *naarot*, autrement dit de jeunes filles, qui seront les demoiselles de compagnie et les préceptrices de sa petite Awacza. Et il a besoin de femmes qui s'occuperont de lui. Des femmes, des femmes et encore des femmes, partout, comme si leur douce et vibrante présence pouvait renverser le temps sombre de Częstochowa.

Elles sont là! D'abord Wittel Matuszewska, elle est la première. Puis l'épouse de Henryk Wołowski, toute jeunette mais posée, un peu corpulente avec un visage beau quoique large, elle parle d'une voix basse, chantante, et ses magnifiques cheveux marron s'échappent de sa coiffure serrée. Il y a Ewa Jezierańska, fluette, pas grande, avec une tache brune couverte de poils au cou dont elle a honte, aussi porte-t-elle toujours un foulard. Son visage est beau pourtant, il rappelle le museau d'une jeune hermine avec des yeux sombres au regard de velours, un beau teint et une masse de cheveux fortement serrée par un nœud.

Il y a aussi la femme de Franciszek Wołowski, la plus âgée de toutes, belle, avec de l'allure, musicalement douée, à la voix pure. Sont également venues toutes les femmes que le Maître s'est choisies à Iwanie : Mme Pawłowska, Mme Dembowska et sa sœur, Simcie Czerniawska. Il y a aussi Mme Lewińska et l'épouse de Michał Wołowski. Et encore Klara Lanckorońska, la fille de Haya, avec des formes généreuses et des yeux rieurs. Toutes sont arrivées de Varsovie sans leurs maris sur deux chariots. Elles vont s'occuper du Maître.

Jakób leur ordonne de se mettre en ligne devant lui et il commence par les regarder avec sérieux – par la suite, Mme Piotrowska dira « à la manière d'un loup » –, sans un sourire. Il s'en repaît les yeux, tant elles sont belles. Il les passe en revue comme si elles étaient des soldats et il dépose un baiser sur la joue de chacune. Ensuite, il prie Chana, surprise, de se joindre à elles.

Tandis qu'il les regarde ainsi, il répète ce qu'il leur avait dit à Iwanie : qu'elles choisissent l'une d'elles, mais en bonne intelligence, sans conflit, et celle-là restera avec lui un temps et il l'honorera sept fois la nuit et six fois le jour. Par la suite, elle donnera naissance à une fille, et dès qu'elle sera enceinte tous le sauront, car un semblant de fil rouge traînera derrière elle.

Les joues des jeunes femmes rougissent. L'aînée des Wołowski, Marianna, magnifiquement vêtue, a des jumeaux d'un an qu'elle a laissés aux soins de sa sœur à Varsovie et elle aimerait rentrer au plus vite. Confuse, elle recule quelque peu. Les jeunes filles sont celles qui rougissent le plus.

– Je serai cette femme, celle qui restera avec toi, dit brusquement Chana.

Cela fâche manifestement Jakób. Il soupire et baisse les yeux, tandis que les autres jeunes femmes, effrayées, se taisent toutes. Lui, pourtant, ne dit rien, il rejette la proposition de son épouse, c'est évident, n'est-elle pas enceinte ? En outre, elle est sa femme. Les larmes montent aux yeux de Chana, soudain repoussée, elle sort avec les autres. Marianna Wołowska lui passe le bras sur l'épaule, mais ne dit rien.

Mme Zwierzchowska, qui ne prend pas part à cette sélection puisqu'elle est auprès du Maître tous les jours, de façon naturelle en quelque sorte, affirme d'une voix forte qu'il faut d'abord établir laquelle sera volontaire tandis qu'elles descendent ensemble de la colline du monastère en croisant des pèlerins. C'est alors que toutes, à l'exception des deux épouses Wołowski, déclarent l'être. Un charivari en résulte et, dans l'excitation, elles passent au yiddish, elles chuchotent maintenant dans leur langue.

– Je vais y aller, dit Ewa Jezierzańska. Je l'aime plus que ma vie.

Les autres se révoltent.

– Moi aussi, j'irai volontiers, annonce Marianna Piotrowska, vous savez que je n'ai pas d'enfants. J'en aurai peut-être un de lui?

– Moi aussi, je peux y aller. J'étais avec lui à Iwanie. C'est mon beau-frère en plus, dit Mme Pawłowska.

D'ailleurs, elle a une fille du Maître. Tout le monde le sait. Mme Zwierzchowska leur dit de se taire parce que déjà des pèlerins retardataires se retournent sur leur groupe enfiévré.

– Nous discuterons à la maison, finit-elle par trancher.

Chaque jour, le Maître leur demande si elles ont décidé laquelle ce sera, mais elles n'y parviennent pas. Finalement, elles procèdent à un vote, et c'est la douce, posée et, qui plus est, belle épouse de Henryk Wołowski qui est élue. Troublée, elle reste tête baissée, le rouge aux joues. C'est elle qui a reçu le plus de voix, mais Ewa Jezierańska refuse d'admettre le résultat, alors qu'il doit y avoir unanimité.

– Ce sera moi ou personne, dit-elle.

C'est pourquoi Mme Lewińska, que Jakób apprécie particulièrement pour son calme et sa sagesse, se rend au monastère et demande à lui parler. Elle le supplie de choisir parce qu'elles n'y arrivent pas. Jakób se met tellement en colère qu'il refuse de les recevoir pendant un mois. Finalement, Chana se mêle à l'affaire et interroge habilement Jakób pour savoir laquelle lui semblerait la plus appropriée. Il nomme Klara Lanckorońska.

Quelques jours plus tard, tandis qu'ils s'assoient pour manger ensemble dans la salle des officiers, Jakób, satisfait, demande à Klara de plonger la première sa cuillère dans la soupe. Klara baisse la tête et deux énormes rougeurs envahissent ses joues rose pâle. Les autres attendent, cuillère en main.

– Klara, commence, lui dit le Maître – mais elle se retient comme s'il lui demandait de commettre le plus grand des péchés.

Pour finir, Jakób jette sa cuillère et quitte la table.

– Si vous refusez de m'obéir pour une telle peccadille, qu'est-ce que ce sera quand je vous ordonnerai une chose plus importante! Est-ce que je peux compter sur vous? Êtes-vous pareils à des boucs et des lièvres!

Tous se taisent en baissant la tête.

– La place que je vous avais donnée était celle d'un miroir transparent dont j'étais le fond, le tain autrement dit. C'est grâce à moi que le miroir était miroir et que vous vous y voyiez. Mais maintenant, j'ai dû retirer ce tain et vous vous retrouvez face à du verre ordinaire.

Le soir, il a une nouvelle idée. Il convoque Wittel Matuszewska, devenue son bras droit depuis qu'il a renié Jakóbowski.

– Je veux que nos frères dont les femmes ne sont pas des nôtres les abandonnent pour prendre des épouses parmi nos sœurs. Je veux aussi que celles de nos femmes qui ont épousé des étrangers prennent des maris parmi nos frères. Je veux en outre que cela se fasse publiquement. Si quelqu'un vous demande pourquoi, dites que c'est sur mon ordre.

– Jakób, cela ne peut se faire, dit Wittel Matuszewska, surprise. Ce sont des couples stables. Ils peuvent faire beaucoup de choses pour toi, sauf abandonner leur femme ou leur mari.

– Vous avez tout oublié! lui répond Jakób en envoyant son poing dans le mur, vous n'êtes plus des vrai-croyants! Tout va trop bien pour vous! lance-t-il tandis que le sang suinte de sa main écorchée. Il doit en être comme j'ai dit! Tu m'entends, Wittel?

Ainsi que l'avait annoncé Jakób, en juillet 1763, dans une maisonnette rue du faubourg de Wieluń, lui vient un fils qui reçoit pour prénom Jakubek. Un mois plus tard, après le retour de couches de Chana, a lieu l'union solennelle des époux en présence de tout le monde, dans la salle des officiers du couvent de Jasna Góra.

En septembre 1764, pour la naissance du deuxième fils, Roch, une multitude d'adeptes de Jakób arrivent à Częstochowa. Les vrai-croyants dispersés se regroupent, notamment les rares qui étaient toujours à

Wojsławice, Rohatyn, Busk ou Lwów, et tous envisagent de s'installer à proximité de Jakób, peut-être à Częstochowa. Viennent également le voir les amis de Turquie et de Valachie, persuadés que son emprisonnement dans le saint lieu d'Édom accomplit indéniablement la prophétie.

Un peu plus tôt, en août 1763, Frank envoie chercher Jakóbowski à Varsovie et celui-ci arrive immédiatement. Il s'approche du Maître le dos courbé, comme s'il s'attendait à recevoir un coup, se préparait à avoir mal, or là, soudain, le Maître pose un genou à terre devant lui. Ils font silence.

Par la suite, les autres membres de la *Havurah* discutent dans les coins, se demandant si le Maître a fait cela par jeu ou par respect réel pour Piotr Jakóbowski, autrefois appelé Nahman de Busk.

La vie quotidienne en prison. La boîte aux enfants

Wajgełe Nahman, devenue Zofia Jakóbowska, se rend fréquemment à la lisière de la petite ville, dans la forêt, pour y chercher une branche de tilleul assez grosse mais fraîche, encore pleine de sève. Allez savoir pourquoi elle en choisit une et non une autre. Elle, elle le sait. Elle la rapporte chez elle, rue du faubourg de Wieluń, où, avec son mari, elle loue une chambre, et elle s'installe à l'arrière de la maison où personne ne la verra. Elle prend alors un canif très aiguisé avec lequel elle sculpte un petit homme dans le bois. Quand les bras, puis le cou, puis la tête apparaissent, Wajgełe ne peut retenir ses larmes, elle est secouée par un sanglot qui est un vrai spasme, c'est comme si elle avait en elle une sorte de glaire qu'il lui fallait expectorer. En pleurs, Wajgełe dessine les yeux – ils sont toujours fermés –, des lèvres minuscules, et habille la petite figurine dans les petits vêtements de son enfant mort, avant de la cacher sous le banc. Elle revient régulièrement à cet endroit pour jouer avec la poupée comme une fillette. Elle la cajole, la presse contre sa poitrine, lui parle en murmurant, et ce jeu finit par lui permettre de retrouver son calme, signe que Dieu a eu pitié d'elle et qu'il a éloigné d'elle sa souffrance. Wajgełe place alors la poupée dans une boîte cachée au grenier, où il y a d'autres figurines. Quatre déjà, les unes plus grandes, les autres plus petites. Il y a eu deux enfants dont Nahman ne sait même pas qu'ils ont été conçus. Ils sont sortis de Wajgełe prématurément, trop petits, alors que leur père était en voyage. Elle n'a rien dit. Elle a enveloppé chacun d'eux dans de la toile et les a enterrés dans la forêt.

Quand, avec son mari, ils se mettent au lit, elle pleurniche dans son oreiller. Elle se tourne vers Nahman pour prendre sa main et la poser sur son sein nu.

– Dors avec moi.

Nahman se racle la gorge et lui caresse les cheveux.

– N'aie pas peur. Il te donnera la force et la santé et permettra à ton corps d'enfanter.

– Il me fait peur.

– Qu'est-ce que tu racontes ! Tu ne vois pas que nous sommes tous baignés de lumière ? Tu ne vois pas comme nos visages ont changé, comme ils ont embelli ? Et cette lueur au-dessus de Jakób ! Tu ne la vois pas ? Un halo vert. Nous sommes les élus de Dieu, maintenant. Dieu est en nous, et qui a Dieu en soi n'est plus soumis aux simples lois.

– C'est les champignons qui luisent comme ça la nuit, dit Wajgełe. Lueur de champignon, d'humidité, de ténèbres...

– Qu'est-ce que tu racontes, Wajgełe !

Wajgełe pleure. Nahman Jakóbowski lui caresse le dos. Et puis un jour, Wajgełe accepte.

Jakób dit à Nahman de rester. Il se couche très raide sur Wajgełe, émet un gémissement et fait ce qu'il a à faire sans la regarder une seule fois. À la fin, Wajgełe pousse un profond soupir.

Chaque soir, ils se réunissent dans la salle des officiers, où Jakób délivre son enseignement comme il le faisait à Iwanie. Pour commencer sa palabre, il implique volontiers l'un des compagnons de la *Havurah* dont il raconte l'histoire. Ce soir, c'est le tour de Wajgełe, l'épouse de Nahman. Il la prie de s'asseoir à côté de lui et prend sa main pour la poser sur son épaule. Wajgełe est pâle, elle a mauvaise mine.

– La mort d'un enfant est la preuve qu'il n'y a pas de Dieu bon, dit Jakób. Comment pourrait-il l'être, alors qu'il détruit ce qui est le plus précieux, la vie de quelqu'un? Ça lui apporte quoi, à ce Dieu, de nous tuer? A-t-il peur de nous?

L'assitance est troublée par une telle présentation des choses. Elle murmure.

– Là où nous allons, il n'y aura pas de lois car elles viennent de la mort, alors que, nous, nous sommes unis à la vie. La mauvaise force qui a créé l'univers ne peut être purifiée que par la Demoiselle. La femme vaincra cette force parce qu'elle détient la puissance.

Soudain, Wajgełe recommence à verser des larmes, l'instant d'après la vieille Pawłowska se joint à elle, d'autres aussi pleurnichent. Les regards des hommes brillent. Jakób change de ton :

– Les mondes créés par le Dieu bon existent pourtant, mais ils sont cachés aux hommes. Seuls ceux d'entre eux qui ont la foi juste peuvent trouver le chemin qui y mène, car ces mondes ne sont pas si éloignés. Il faut juste savoir comment y arriver. Moi, je vais vous le dire : la voie vers eux passe par les gouffres d'Olsztyn, sous Częstochowa. L'entrée est là. Il y a la caverne Machpéla, le centre du monde se trouve là.

Jakób déploie devant eux un grand panorama où toutes les cavernes du monde se rejoignent, et là où elles se rencontrent le temps s'écoule différemment. C'est pourquoi, si quelqu'un s'assoupissait dans l'une d'elles, dormait un peu, puis voulait retourner dans le village où il aurait laissé sa famille, il apprendrait que ses parents sont morts, verrait que son épouse est une très vieille femme ridée et ses enfants déjà des vieillards.

Tous hochent la tête, ils connaissent ces histoires.

– De la même manière, la caverne qui se trouve sous Częstochowa communique rapidement avec celle de Korolówka, et celle-ci avec celle où reposent Abraham et les premiers pères.

On entend un soupir. C'est donc ainsi que tout est relié avec tout.

– Est-ce que quelqu'un connaît le plan de ces cavernes ? interroge Marianna Pawłowska, pleine d'espoir.

Jakób le connaît, à l'évidence. Jakób sait où et à quel moment tourner pour arriver à Korolówka, ou bien à cet autre monde où il y a de grandes richesses et des carrosses chargés d'or qui attendent quelqu'un qui voudra bien les prendre.

Cela leur fait plaisir d'entendre Jakób leur décrire ces richesses, aussi le fait-il avec une grande précision : les parois sont en or, les rideaux de facture précieuse parce que brodés d'or et d'argent ; sur les tables, il y a des assiettes en or qui, à la place des fruits, contiennent de grosses pierres précieuses, des rubis, des saphirs de la taille de pommes, de la taille de prunes. Les nappes, elles aussi, sont en damas brodé au fil doré et les lampes toutes de cristal.

Wajgełe, autrement dit Zofia Jakóbowska, qui ne sait pas encore qu'elle est enceinte, se dit qu'elle n'aurait pas besoin de tout cela, un rubis de la taille d'une pomme lui suffirait… Elle n'écoute plus, mais imagine ce qu'elle ferait d'un fruit pareil. Wajgełe Zofia Jakóbowska le ferait tailler en pierres plus petites pour que personne ne la suspecte d'avoir volé une telle merveille, posséder une grosse pierre est dangereux parce que tentant pour les malfaiteurs et les voleurs. Aussi, elle la ferait tailler en secret – mais par qui ? – et peu à peu, très lentement, elle vendrait les petits cailloux l'un après l'autre dans des villes différentes, car ce serait plus prudent. Elle vivrait de cela. Elle s'achèterait une petite boutique, ensuite elle lui adjoindrait une maison pas trop grande, mais belle, claire et sans humidité, et encore du joli linge de corps blanc, en coton, et des bas de soie, une demi-douzaine pour en avoir de réserve. Elle se commanderait certainement aussi de nouvelles jupes, plus légères, et d'autres en laine pour l'hiver.

Quand tous s'en vont, quittent subrepticement et en silence le monastère pour retourner en ville, Nahman Jakóbowski reste. Une fois qu'il se retrouve seul avec Jakób, il tombe à genoux pour saisir les jambes du Maître.

– Je t'ai trahi pour te sauver, dit-il près du plancher, d'une voix étouffée. Tu le sais. C'est toi qui le voulais.

Un trou dans l'abîme ou la visite de Tov et de son fils Chaïm le Turc en 1765

Le premier acte du nouveau roi, détesté au monastère, est de retirer aux frères paulins la garde de la forteresse de Jasna Góra, ce qui réduit notablement leurs revenus, et, désormais, on peut le dire, ils sont à la portion congrue. Les prieurs changent tous les ans, ou tous les deux ans, et aucun d'eux ne trouve de solution pour y remédier étant donné qu'ils ne sont pas formés à diriger une entreprise. Or, le monastère en est une.

Aucun d'eux ne sait que faire non plus de l'encombrant prisonnier qui s'est déjà approprié toute la tour des officiers, qui considère les vieux militaires comme ses serviteurs et auquel il serait difficile de refuser une quasi-liberté, étant donné les dons généreux qu'il fait au couvent. Le prieur l'observe, lui, mais aussi les invités qui lui rendent fréquemment visite – ces gens passent des heures à l'église devant le saint tableau, et leurs prières ferventes, les journées qu'ils passent allongés en croix sur le sol, tout cela fait grande impression sur l'abbé. Ils sont toujours prêts à venir en aide au monastère, ils ont l'air paisibles et semblent avoir accepté la sentence infligée à leur Maître. Parfois, il y a des disputes et des cris dans la tour. À plusieurs reprises, il y eut même des chants – ce que le prieur a fermement interdit, sauf s'il s'agissait de chants catholiques.

Le prieur Mateusz Łękawski était moins favorable à la Fraternité de Frank que son successeur et prédécesseur Mniński. L'idée qu'il y eut une vie de famille dans les saints lieux conventuels ne plaisait guère à Łękawski et le nombre de femmes qui y circulaient l'agaçait ; en outre, il avait été informé que dans la salle des officiers des actes de fornication avaient lieu. Tout cela ne dérange pas du tout son successeur. Mniński s'inquiète des peintures dans la chapelle, il se lamente de l'état délabré du toit et se réjouit de chaque obole qui tombe, or les néophytes sont très généreux. Il aime regarder les femmes et celles-là lui plaisent particulièrement.

Il en voit deux qui, en cet instant, suivent Jakób Frank jusqu'au portail. L'une d'elles porte un nourrisson, l'autre tient par la main une petite fille. Jakób les précède, il salue gaiement de nombreux pèlerins qui, surpris par son haut bonnet et son manteau turcs, se retournent. À la porte d'entrée, Jakób rejoint deux hommes vêtus à l'ottomane. Les retrouvailles semblent celles de personnes qui ne se sont pas vues depuis longtemps. La femme avec le bébé s'agenouille devant l'homme plus âgé pour lui baiser la main. Le prieur devine que c'est son père. Il a donné au prisonnier l'autorisation de sortir du monastère à condition de rentrer avant la nuit. Il voit tout le groupe qui se dirige vers la petite ville. Oui, c'est Iehuda Tov ha-Levi, le père de Chana Jakób, il n'a guère vieilli. Il est corpulent, son teint est bis ; une barbe fournie, sans aucun grisonnement, toujours noire, couvre la moitié de sa poitrine. Son visage est aimable, ses lèvres sensuelles. Chana a hérité de lui ses magnifiques grands yeux et la couleur olivâtre de sa peau qui ne laisse jamais le rouge lui monter aux joues. Ils arrivent au logement que leur a loué Chana. Tov s'assied sur une chaise. Il ne s'y sent guère à son aise, il préfère être installé à l'ottomane sur des coussins. Il pose les mains sur son ventre imposant, elles sont souples et délicates comme celles d'un sage.

Son fils Chaïm, le frère jumeau de Chana, est devenu un bel homme même s'il n'a pas la prestance de son père. Comme Tov, il a un visage rond aux traits réguliers. Ses sourcils très denses se rejoignent quasiment et divisent son visage en deux. Chaïm est habillé à la turque, il est aimable et chaleureux. Un sourire ne quitte pas son visage comme s'il cherchait à conquérir tout le monde avec. On voit qu'il a été élevé dans l'amour, parce qu'il est sûr de lui sans être vaniteux pour autant. Le vieux Tov tient Awacza sur ses genoux, elle est devenue aussi maigre qu'un faon, aussi son grand-père lui propose-t-il des figues séchées et des douceurs turques. Chana reste assise à côté de son père, Jakubek au sein, et les menottes de bébé jouent avec les franges du châle que son père lui a apporté en cadeau. Avec l'arrivée de son père et de son frère, Chana s'est animée, elle a désormais la certitude qu'un changement important aura lieu, même si elle ignore lequel. Tandis qu'ils parlent, son regard interrogatif passe de son mari à son père et à son frère, elle dépend des hommes et de ce qu'ils décideront. Elle fait cela toute la soirée jusqu'à ce qu'elle tombe de sommeil.

Jakób regagnera sa cellule dans la nuit. Le lendemain, Roch recevra de ce fait une réserve de bon tabac turc et plusieurs pipes. Il ne méprisera pas non plus l'argent sonnant et trébuchant qu'il cachera vite dans les poches effilochées de son pantalon. Le couvent aura droit à un don généreux, en sus d'un panier de douceurs. Quelqu'un a dit que les frères, privés de nombreux plaisirs de l'existence, étaient très gourmands de sucreries.

Quand Jakób parle, il pourrait sembler que Tov ne l'écoute pas, son regard ne cesse de parcourir la pièce ou de fixer ses doigts, et, de temps à autre, avec un soupir plein d'impatience, il rectifie sa position inconfortable sur son siège. Ce n'est pourtant pas le cas, il est tout ouïe. Il se peut que ce que raconte Jakób l'énerve réellement, ce dernier a eu beaucoup de temps pour mûrir ses réflexions au cours de ses cinq années d'isolement. Tov considère une partie d'entre elles comme chimériques, d'autres comme nuisibles. Quelques-unes sont intéressantes. L'une est terrible.

Tov n'en peut plus de l'entendre parler de la *Shekhina* emprisonnée dans le tableau du monastère, ses doigts tambourinent. Pour la énième fois, comme si revenir sur un sujet le rendait plus réel, Jakób répète les paroles du Zohar:

– Le salut se trouve à l'endroit le pire.

Il attend l'effet que ses paroles provoqueront, puis lève brusquement le doigt en l'air, à sa manière, et il demande sur un ton dramatique:

– Et nous, où nous sommes-nous retrouvés?

Il a beaucoup changé, son visage rasé s'est assombri, ses yeux se sont éteints. Ses gestes sont brusques comme s'il étouffait sa colère. Cette brutalité suscite de la peur chez son entourage, c'est pour cela que personne n'ose lui répondre. Jakób se lève à présent pour arpenter la pièce, penché en avant, un doigt en l'air pointé vers le plafond en bois.

– C'est le *nuqbe detom rabe*, le trou du Grand Abîme, que cette Częstochowa, cette Jasna Góra. C'est la Porte romaine près de laquelle, selon d'autres paroles du Zohar, est assis le Messie qui noue et dénoue… C'est un endroit sombre, l'antichambre du purgatoire dans lequel nous devons aller pour libérer la *Shekhina* emprisonnée ici. Plus loin se trouve ce qui était: pour aller plus haut, il faut tomber au plus bas, au plus obscur où la plus grande des clartés se fera; plus tout va mal, plus tout ira bien.

« Au début j'ignorais pourquoi j'avais été incarcéré ici, déclare Jakób, tendu et excité, tandis que son beau-père observe discrètement sa fille qui fixe le sol, absente. Je pressentais juste que je ne devais pas m'opposer à cette sentence. Maintenant, je sais. J'ai été envoyé ici, car c'est ici que se trouve emprisonnée la *Shekhina*, sur ce nouveau mont Sion, dissimulée sous une planche peinte… Sous le tableau, il y a la Demoiselle. Ces gens eux-mêmes l'ignorent, ils pensent vénérer avec respect le tableau, mais il n'est que le reflet de la *Shekhina*, sa version accessible au regard des hommes.

Pour Tov, ce que Jakób raconte est choquant. Il va encore plus mal que ce que laissait penser les lettres qu'il envoyait à son beau-père. Tov remarque pourtant que sa Fraternité de Częstochowa accepte ses paroles comme absolument naturelles. Jakób affirme que la *Shekhina* se

trouve prisonnière d'Ésaü, raison pour laquelle il faut tenir compagnie à la prisonnière comme il le fait lui-même, car c'est lui qui est devenu le gardien de la *Shekhina* dans le tableau de Jasna Góra. Il dit que la Pologne est le pays de l'emprisonnement de la *Shekhina,* la Présence divine dans le monde, et que c'est là que la *Shekhina* sortira de son emprisonnement pour libérer l'univers. La Pologne est l'endroit le plus insolite du monde, à la fois le pire et le meilleur. Il faut relever la *Shekhina* de ses cendres et sauver le monde. Sabb
ataï Tsevi l'avait tenté et Barukhia avait essayé, mais Jakób sera le premier à y parvenir. Parce qu'il s'est trouvé au bon endroit!

– Regardez, père, les usages du monde, murmure à Tov sa fille, l'adorée Chana, comme si elle venait de se réveiller. Chez Ismaël, il est impossible de louanger la *Shekhina* parce que la *Shekhina* est en la femme, et eux, les Ismaélites, considèrent que la femme n'est rien, elle est une esclave et personne ne la respecte. La *Shekhina* ne peut se trouver que dans un pays où l'on rend hommage aux femmes, et tel est le cas en Pologne. Non seulement l'on s'y découvre la tête devant les femmes, on leur fait des compliments, on veut les servir, mais, en plus, l'on y vénère cette Vierge à l'Enfant, ici à Częstochowa. C'est le pays de la Demoiselle. Nous aussi, nous devrions nous placer sous sa protection.

Chana saisit alors la main de son mari pour la porter à ses lèvres, puis elle dit:

– Le Maître fera de nous les chevaliers de cette Demoiselle, nous serons tous les guerriers du Messie.

Le père de Chana est la proie de pensées dont il n'arrive pas à se défaire, il voudrait emmener sa fille et ses petits-enfants loin de cet endroit. Expliquer à Jakób que c'est pour leur santé. Ou bien les enlever. Engager des sbires pour ce faire? Il fait si sombre et si humide ici! La vie entre les murs de la forteresse les fait ressembler à des champignons. Chana a mal partout, ses chevilles sont enflées, son visage est gonflé, elle s'est enlaidie. Les enfants sont délicats et craintifs. La magnifique petite Awacza, amenée de Varsovie, est timide et peu loquace. Elle devrait être mieux entourée. Jakób ne lui enseigne rien de bon, la fillette traîne dans la garnison, parle avec les soldats. Elle interpelle les pèlerins. Les enfants manquent de soleil, et pour ce qui est de la nourriture, quoique achetée dans les meilleures échoppes du village ou importée de loin, elle n'est pas fraîche, elle est de qualité médiocre. Jakób parle en gesticulant, tandis qu'eux, à l'étroit dans la salle des officiers, assis sur les sommiers ou par terre, l'écoutent:

– *Ayelet Ahavim*, la biche adorée. L'endroit où je vais est celui vers lequel s'était dirigé le Jacob des Écritures, puis le Premier, Sabbataï Tsevi. Maintenant, c'est moi qui y vais, moi, le véritable, dit Jakób – et en prononçant «moi», il frappe sa large poitrine si fort qu'elle résonne. Les patriarches Moïse, Aaron, David, Salomon et tous les piliers de ce monde ont déjà cogné à cette porte. Ils n'ont pourtant pas pu l'ouvrir. L'endroit où nous allons ne connaît pas la mort. La Demoiselle, la Vierge, la Biche qui est le vrai Messie y vit.

Jakób se tait et fait une série de deux pas d'un côté, deux pas de l'autre. Il attend que tous comprennent ce qu'il vient de dire. Le silence est absolu, et, quand Tov se racle la gorge, l'effet est celui d'un coup de tonnerre. Jakób se tourne vers lui pour déclarer:

– Tout cela est écrit, tu le sais. La Demoiselle est la sagesse divine cacnée dans la planche peinte comme une princesse dans une haute tour, personne ne la conquerra. Pour elle, il faut accomplir les Actes contraires, des actes qui mettent le monde à l'envers. Vous vous souvenez de ce serpent au paradis? Le serpent invite à devenir libre. Celui qui abattra l'Arbre de la connaissance, mais parviendra à l'Arbre de vie, s'unira à la Demoiselle, aura la connaissance de la rédemption, le *Daat* dissimulé.

Tous répètent ce mot: *Daat*, partout *Daat*. Le savoir. Tov est consterné par les changements intervenus chez son gendre. Avant de venir, il avait entendu des rumeurs selon lesquelles Jakób serait mort et aurait été remplacé par un autre individu. À vrai dire, il est un nouvel homme. Il a peu à voir avec celui auquel Tov a murmuré le secret sous le dais nuptial.

Tov et Chaïm dorment dans une chaumière sale, humide, dont les propriétaires ont déménagé. Toucher le moindre objet de cet endroit répugne au père de Chana. Les lieux d'aisances sont tels qu'il y est pris d'un malaise rien qu'à l'odeur : un toit sur des piquets et une toile malpropre pour se dissimuler, le tout proche d'un amas de fumier. Son fils doit l'y conduire. Le vieux Tov soulève un peu son long manteau dans la peur panique de le salir avec de la merde.

Il se promet chaque jour d'avoir une conversation avec Chana, et, jour après jour, il n'ose pas lui poser la question : « Es-tu prête à rentrer avec moi ? »

Sans doute est-ce parce qu'il sait ce qu'elle répondra.

Tov voit que, pendant leurs deux semaines de séjour, Jakób s'est assujetti Chaïm. Il s'est créé entre eux une complicité, une étrange entente pleine d'ambiguïté et de dévouement réciproque. Chaïm répète de plus en plus ce que dit Jakób, il parle avec les paroles de ce dernier.

Jakób Frank est donc quelqu'un qui lui a volé ses deux enfants. Une très vilaine chose est arrivée. Tov sort ses amulettes, il prononce sur elles une prière et les attache au cou de sa fille et de sa petite-fille.

La foi de Tov n'est manifestement pas assez forte, car, un soir, une dispute a lieu : Tov accuse Jakób de traîtrise et de tromperie et ce dernier le gifle. À l'aube, Tov s'en va avec Chaïm, mécontent et accablé par cette décision, sans même avoir dit au revoir à sa fille et à sa petite-fille. La colère ne le quitte pas de tout le voyage. En pensée, il rédige la lettre qu'il enverra à toutes les Communes des vrai-croyants en Europe. Il écrira en Moravie et à Altona, à Prague et à Wrocław, à Salonique et à Istanbul. Il se dressera contre Jakób.

Il est pourtant des choses sur lesquelles le beau-père et le gendre sont d'accord : il faut regarder vers l'est, vers la Russie. Ici, en Pologne, leurs protecteurs perdent lentement de leur influence. Tov et Jakób considèrent tous deux qu'il faut toujours être du côté des plus forts.

Peu après le départ soudain de Tov, des émissaires prennent la route pour négocier avec Moscou. Ils sont dirigés par Jakóbowski, qui est heureux d'être revenu en grâce. La veille du départ, un dîner commun a lieu près de la tour. Jakób verse lui-même du vin aux messagers.

– Nous devrions être reconnaissants à Sabbataï Tsevi, le premier Messie, d'avoir fait ce nouveau pas dans la religion turque. Nous devrions l'être au Deuxième, qui a découvert le *Daat Edoma*, le baptême. Maintenant, moi, je vous envoie à Moscou où doit être réalisé le troisième état, le plus élevé, le plus coûteux.

Tandis qu'il dit cela, il se lève pour marcher et son haut bonnet heurte les solives du plafond. Cette nuit, les émissaires – Wołowski, Jakóbowski et Pawłowski – couchent avec Chana. Ils deviennent tous ainsi les frères de Jakób et leur parenté est encore plus étroite que jusqu'alors.

Elżbieta Drużbacka écrit du couvent des bernardines de Tarnów sa dernière lettre au chanoine Benedykt Chmielowski à Firlej

… Cher Père, Mon Cher Ami, je ne suis quasiment plus présente au monde, sinon à travers ce qui se laisse apercevoir par la fenêtre de ma cellule, ainsi l'univers se résume-t-il pour moi à la cour du couvent. Ce confinement me vaut un immense soulagement; un monde réduit favorise la paix de l'âme. Il en est de même avec les objets que j'ai autour de moi, il y en a peu, et ils ne prennent pas toute la place dans mon esprit comme tout ce cosmos domestique que je devais jadis porter sur mes épaules tel Atlas. Après la disparition de ma fille et de mes petites-filles, pour moi tout fut terminé; et quand bien même vous me diriez que de telles paroles sont pécheresses, je ne m'en soucie guère. Depuis notre naissance, tout – l'église, le foyer, l'éducation, les usages et l'amour – nous ordonne de nous attacher à la vie. Il se trouve seulement que personne ne nous dit que plus nous nous attachons, plus nous souffrons ensuite quand nous acquérons un discernement définitif.

Je ne vous écrirai plus, Mon Ami qui avez adouci avec vos récits mes vieux jours et m'avez soutenue quand le malheur me frappa. Je vous souhaite de vivre longtemps et en bonne santé. Que Votre magnifique jardin puisse durer éternellement à Firlej, tout comme Votre bibliothèque et tous Vos livres, qu'ils servent les hommes...

Mme Elżbieta Drużbacka termine sa lettre et pose sa plume. Elle repousse le prie-Dieu tourné vers le Christ accroché au mur, dont elle connaît chaque muscle endolori par cœur. Elle s'allonge sur le dos à terre, rectifie encore sa robe en laine marron qui ressemble à un habit religieux, pose les mains sur sa poitrine comme les défunts dans leur cercueil et fixe son regard sur le néant suspendu dans l'air. Elle reste ainsi. Elle ne cherche même plus à prier, les paroles des prières la fatiguent, elles lui semblent vides, juste du grain moulu encore et encore, plein d'ergot qui plus est, du grain empoisonné. Au bout d'un moment, elle atteint un état spécifique, elle s'y maintiendra jusqu'à la sonnerie du repas. Il est difficile de décrire cet état dans lequel Elżbieta parvient tout simplement à ne plus être.

Ienta, qui est toujours présente, perd Mme Drużbacka de vue. Elle file aussi rapide que la pensée vers le destinataire de la lettre posée sur la table et voit celui-ci qui trempe ses pieds enflés dans une bassine. Il est assis, voûté, peut-être s'est-il assoupi, sa tête est retombée sur sa poitrine et il ronfle sans doute. Oh, Ienta sait bien que faire tremper les pieds ne servira à rien !

Le père Chmielowski n'est plus en mesure de lire cette dernière lettre, qui reste des semaines avec d'autres papiers sur la table sans être ouverte. Le père Benedykt Chmielowski, chanoine de Rohatyn, meurt d'une pneumonie parce que, contre toute prudence et avec une certaine impatience, il s'est précipité dans son jardin dès que le soleil a pointé son nez. Le successeur de son serviteur Roszko, un garçon jeune et mal dégourdi du nom d'Izydor, ainsi que Ksenia sa gouvernante tardèrent plus d'un jour pour appeler le médecin, d'ailleurs les routes étaient détrempées et il n'était pas aisé de se déplacer. Le père Benedykt s'éteignit paisiblement. Juste avant sa mort, la fièvre tomba suffisamment pour qu'il pût se confesser et recevoir les derniers sacrements. Longtemps encore, un livre resta ouvert sur la table, quelques vers y étaient inscrits sous une illustration effrayante, il les traduisait, ils y figuraient réécrits de sa main.

Morte nihil melius. vita nil peius iniqua
O ptima mors hoim. reqes eterna laboru
Tu senile iugum domino volente relaxas
Uinctorūq̃ graues adimis ceruice cathenas
Exiltumq̃ leuas. τ carceris hostia frangis
Eripis indignis. iusti bona pribus equans
Atq̃ immota manes. nulla exorabilis arte
A primo prefixa die. tu cuncta quieto
Ferre iubes animo. promisso fine laborum
Te sine supplicium. vita est carcer perennis

Nad dobro śmiere nietusz magnizua Legiego
Nad ćie życie nieuidząg w świećie nie gorsze go
Naylepsza śmiere albuiym ludiom u Boga thagciuiz
Wieczuē pō dobrich pracach dnoskonaiesliuē.
Ty zataraede Jarzina z Pockaru Pańskiego
Rozuiązuiesze, aluenias, zuich, by Naymnieiszego
Z ćelu niziemiom zohiore; zkazlou świemuieś.
Cyzslie Cauczeky; noczie: nih, udtomuiśe
W Ubignanui uluiuoniam uieres Alegtrezi
Hzaterena Druć romaniem Eixdeg ghelkaci
Podiuerase; bo mieydomni, a sdiachu to urenesse,
Zprauedliuego Dobru Cxzieij nienunuuuuuz
A cenmuszena Świeks z Sper ćepsi sadniaz
Meuttagaua, w wvhennien ctuity bateycadnimi
Ot nuuruhich Dui uiohuntou nauniesoni Gibriuuuvi
Keij esthema; idy uvaizlo rezungun sokotnuui
Za uthelacyie; Had mode czorng obiecuyze
Uvadeg luzu pornuuqli nilarg Dgunigdu

Le successeur du père Benedykt, qui emménagea au presbytère de Firlej, passa toute une soirée à ranger les documents de son prédécesseur, de sorte qu'ils puissent être envoyés à l'évêché. Il ouvrit également le pli de Mme Drużbacka, mais il ne savait pas trop qui elle était. Il s'étonna qu'un prêtre correspondît avec une femme, d'autant qu'il trouva toute une boîte de lettres soigneusement classées par dates, avec des fleurs séchées entre elles, probablement pour que les mites n'attaquent pas le papier. Il ne savait qu'en faire parce qu'il n'osait pas les joindre aux livres qu'on lui avait demandé de transmettre au diocèse de Lwów. Il les garda quelque temps près de son lit, il en lisait parfois quelques-unes avec plaisir, puis il les oublia ; la cassette glissa sous le lit et resta là, dans la chambre à coucher humide du presbytère, jusqu'à ce que les lettres se gondolent et se transforment en nid à souris.

Dans sa dernière lettre, Elżbieta Drużbacka posait encore deux questions : « Pourquoi ? » et « À quelle fin ? »

Je ne peux pourtant pas m'empêcher de les poser. Je réponds donc moi-même que Dieu nous voulait Ses créatures, mais créatures pécheresses à la naissance pour nous punir par notre création, précisément. Lui se lave les mains pour, à nos yeux, protéger Sa bonté. Il cherche des moyens naturels pour que notre perte se fasse indirectement par quelque chose de naturel, pour que le coup soit plus léger que si Lui nous frappait directement, parce que cela, nous ne pourrions pas le comprendre.

Dieu aurait pu guérir de la lèpre Naaman d'une parole, mais il lui ordonna d'aller se baigner dans le fleuve Jourdain. Il aurait pu guérir l'aveugle avec son amour transcendant, mais il mélangea la salive à la boue pour la poser sur ses yeux. Il pourrait guérir à chaque fois, mais il créa l'apothicairerie, le chirurgien, les plantes médicinales. Son univers est d'une grande singularité.

Le retour à la vie de Moliwda

Moliwda est amaigri ; en fait, il ne rappelle en rien le Moliwda de quelques années plus tôt. Il est rasé de près et, s'il n'a pas de tonsure, il porte néanmoins les cheveux coupés très court, au ras du cuir chevelu. Il a l'air plus jeune. Son frère aîné, militaire à la retraite, est embarrassé par son séjour au couvent. Il ne comprend guère ce qui lui est arrivé, sur ses vieux jours de surcroît. À Varsovie, l'on raconte qu'il serait tombé éperdument amoureux, mais sans réciprocité, d'une femme mariée qui le laissa faire sa cour et lui fit miroiter les faux-semblants d'une relation plus intime. Après l'avoir rendu amoureux d'elle, elle le laissa vite tomber. Le colonel trouve cela inouï, il ne veut pas croire cette rumeur. S'il s'agissait d'une affaire d'honneur, il comprendrait, mais d'amour ? Il pose sur Antoni un regard suspicieux. Ne s'agirait-il pas d'autre chose ? Quelqu'un lui a peut-être jeté un sort étant donné que tout allait si bien pour lui chez le primat.

– Je vais bien maintenant, mon frère. Ne me regardez pas ainsi, dit Moliwda tandis qu'il ôte son habit en le passant par la tête.

Devant le monastère, un carrosse les attend avec des vêtements pour Antoni Kossakowski, appelé Moliwda, une tenue de noble d'ici : un pantalon, une chemise, un *żupan* polonais et un modeste *kontusz* sombre avec une ceinture sombre également, sans ostentation. Un dédommagement sous forme d'or a été offert au prieur de la communauté religieuse, mais sans doute est-il un peu déçu, car Moliwda-Kossakowski semblait être un homme vraiment pieux – il passait ses jours et ses nuits en prières, il restait étendu en croix dans la chapelle et ne s'éloignait guère du tableau de Notre-Dame-Reine-du-Monde qu'il vénérait particulièrement. Il parlait rarement aux moines, ne souhaitait pas prendre part aux travaux du couvent et avait du mal à s'adapter au règlement monastique. Il marche maintenant à côté de son frère, le colonel ; il rase le mur, sa main glisse sur les briques, ses pieds nus dans ses sandales agacent son frère, un pied doit être chaussé, le mieux serait dans des bottes, militaires bien sûr. Ce sont les paysans ou les Juifs qui vont pieds nus !

– J'ai usé de toutes mes relations pour que vous puissiez entrer à la chancellerie du roi. Vous avez eu une bonne recommandation du primat en personne et ce fut déterminant. Ils ont bien voulu oublier le reste de votre passé. Vous avez beaucoup de chance, Antoni. Ils comptent beaucoup sur votre connaissance des langues… Je ne veux pas de votre gratitude, je le fais pour la paix de l'âme de feu notre mère.

Quand le carrosse démarre, Antoni baise soudain la main de son frère et se met à sangloter. Le colonel se racle la gorge, gêné. Il voudrait que le retour d'Antoni se déroule avec dignité, de façon virile comme il convient pour un noble. De son frère cadet, il pense : c'est un raté. Quelle idée d'aller au couvent alors que notre pays va si mal ? D'où lui viennent ces coups de mélancolie au moment où notre pays gouverné par un roi à la légèreté juvénile devient de plus en plus dépendant de la tsarine ?

– Vous ne savez rien de ce qui se passe, mon frère, parce que vous vous êtes caché derrière les murs de votre couvent, notre pays a besoin de nous, dit-il sur un ton de reproche avant de détourner la tête avec écœurement pour regarder par la petite fenêtre du carrosse.

Il parle ensuite comme s'il s'adressait non pas à son frère, mais au paysage au-dehors :

– À la Diète, quatre représentants de la *Respublica* furent tirés de leurs bancs comme des malandrins par les sbires de l'impératrice ! Traités comme des pouilleux… Et pourquoi, mon bon ? Pour s'être opposés aux réformes concernant les adeptes des autres religions que l'on veut nous imposer ici !

Le voilà en proie à la même sainte colère qui le gagna quand il apprit la nouvelle de cette barbarie. Il se tourne de nouveau vers son frère en larmes qui, justement, essuie ses yeux du revers de sa manche.

– Et eux refusaient de sortir et criaient, il y eut une grande confusion parce qu'une partie des députés tenta de prendre leur défense, et alors…

– Qui étaient ces députés courageux, est-ce que vous les connaissez? l'interrompt Moliwda qui semble reprendre un peu ses esprits.

Le colonel, manifestement heureux d'avoir un peu l'écoute de son frère, répond vivement:

– Et comment! Załuski, Sołtyk et deux Rzewuski. Tous les autres, quand ils aperçurent l'armée régulière russe qui entrait, prête à tirer, se contentèrent de crier: «Quelle honte! Quelle ignominie! C'est une atteinte à l'inviolabilité de la Diète!», mais les Moscovites ne s'en soucièrent guère et traînèrent les quatre députés à l'extérieur. Le corpulent Sołtyk, le visage cramoisi, proche de l'apoplexie, essaya de résister, il finit par agripper un meuble, mais ils réussirent à l'emmener lui aussi. L'imaginez-vous? Et cela avec l'assentiment des autres, que le diable les emporte, ces pleutres!

– Ils ont fait quoi avec ces députés? Ils les ont emprisonnés? interroge Moliwda.

– Ah, s'ils s'en étaient contentés! s'écrie le colonel qui s'adresse désormais directement à son frère. De la Diète, ils furent directement envoyés en Sibérie, et le roi n'a pas bougé le petit doigt!

Les deux hommes se taisent un moment parce que le carrosse pénètre dans une petite ville et que les roues martèlent bruyamment le pavé.

– Pourquoi s'entête-t-on autant à ne pas accorder le moindre droit à ceux qui sont d'une autre foi? demande Moliwda quand les roues retrouvent des ornières de boue molle.

– Comment cela, pourquoi? dit le colonel qui ne peut en aucune manière comprendre cette question. Parce qu'il ne fait aucun doute que le salut ne viendra que par la Sainte Église catholique romaine. Vouloir quelque compréhension pour les Luther, les Juifs ou les antitrinitariens est tout simplement diabolique! Et pourquoi la Russie se mêle-t-elle de nos affaires? Vous pensez à ce que vous dites? s'exclame le colonel qui en a le souffle coupé.

– Partout où j'ai posé le pied dans le monde, dit Moliwda, j'ai vu que, s'il est probable qu'il n'y a qu'un seul Dieu, il y a de nombreuses manières de croire en Lui, un nombre infini... Il est possible d'aller vers Dieu chaussé de diverses sortes de chaussures...

– Plus un mot ! le coupe son frère avec réprobation, vous devez garder le silence là-dessus. C'est une grande souillure sur votre honneur. Une bonne chose que votre passé ignominieux soit presque oublié !

Le colonel fait une moue comme s'il s'apprêtait à cracher.

Les deux hommes ne se parlent quasiment plus jusqu'à Varsovie.

Le colonel installe Moliwda chez lui – un appartement de vieux célibataire, encombré de vieilleries, situé dans le quartier de Solec – et lui dit de se ressaisir pour pouvoir commencer à travailler au plus vite à son nouveau poste.

Moliwda inaugure sa nouvelle vie en se rasant. Tandis qu'il aiguise son rasoir, il voit par la fenêtre un attroupement inquiet dans la rue. Les gens manifestent une stupéfaction indignée. Leurs gestes se font amples, les grands mots volent : Dieu, *Respublica*, Sacrifice, Mort, Honneur, Cœur… Ils sont scandés avec insistance. Le soir montent de la rue des prières monotones récitées par des voix fatiguées, pleines de résignation, mais aussi des cris très véhéments.

Moliwda commence son travail en écrivant et en traduisant des lettres que la diplomatie royale envoie partout en Europe. Il les rédige et les recopie avec indifférence. Il traduit également avec indifférence. Il observe l'agitation générale comme s'il assistait à un spectacle de

marionnettes. Une pièce qui aurait pour sujet le marchandage. Le monde devenu foire. Les hommes y investissent dans des marchandises, des matériaux en tout genre et de toute sorte : les richesses, le pouvoir, qui apporte prospérité et donne de l'assurance, les plaisirs corporels, les objets précieux, qui, indépendamment de leur prix, sont complètement inutiles, la nourriture, la boisson, la copulation. Autrement dit tout ce que les gens du commun considèrent être la vie. Tout ce que chacun désire, du paysan au roi. Au-delà du bûcher où l'on se jette, du sacrifice spontané sur l'autel de la patrie, chacun rêve d'un foyer chaleureux et d'une table richement fournie. Il semble à Moliwda que Mgr Sołtyk, déjà proclamé le plus grand des héros, est un Érostrate qui mit le feu au temple d'Artémis pour devenir célèbre, parce que son geste, *a priori* héroïque, ne servit en rien la cause commune. Moliwda ne comprend nullement l'opposition fanatique aux demandes de la Russie concernant les adeptes de confession différente. Tout ce que la tsarine peut dire est d'emblée pris pour un attentat contre la *Respublica*, alors qu'il ne faut pas être grand clerc pour savoir que tel est l'esprit des temps, il est de donner des droits aux autres religions ; et s'il y a des choses noires et d'autres blanches, il en est aussi des grises, et celles-là sont les plus nombreuses. Dans la chancellerie royale, de nombreuses personnes pensent comme Moliwda.

En rentrant chez lui, il regarde les prostituées qui, y compris en ces temps troublés, ne quittent pas leur poste de la rue Długa, et il se demande ce qu'est vraiment cette vie.

En dépit du fait que ces puterelles ne sauraient répondre à cette question, il profite souvent de leurs services, parce que depuis sa sortie du couvent il a une peur panique de la solitude.

Des cavernes voyageuses

Quand on quitte Częstochowa par le sud-est, la route traverse d'abord une forêt dense dans laquelle, outre les arbres, poussent des pierres blanches. Elles grandissent lentement, mais, avec le temps, à mesure que la terre vieillira, elles sortiront complètement, la glèbe ne sera plus utile car l'homme ne sera plus là, il n'y aura que des pierres blanches et il apparaîtra alors qu'elles sont les os de la terre.

On voit qu'aussitôt après la ville le terrain change, il vire au gris sombre, il est inégal, composé de petits cailloux légers pareils à des os qui auraient été écrasés par des meules. Il y pousse des pins et de hautes molènes dont les paysannes se font des décoctions pour éclaircir leurs cheveux. L'herbe sèche craque sous les pieds.

Au-delà de la forêt commencent les collines truffées de rochers blancs d'où émergent les ruines d'un château. Quand ils les voient pour la première fois, ils pensent tous que ce ne peut pas être un édifice construit par les hommes, mais qu'il fut élevé par la même force qui dispersa les rochers. Cette construction rappelle la forteresse des *balakaben*, ces richissimes démons privés de jambes dont parlent les sages dans les livres. Oui, ce doit être leur propriété comme l'ensemble des terres autour de Częstochowa, bizarres, rocheuses, pleines de passages et de cachettes.

Ezdra, l'un de leurs amis Juif de Częstochowa, chez lequel ils se fournissent en nourriture, garde pour la fin l'information majeure : le gouffre.

– Eh bien ? leur demande Ezdra triomphalement – il sourit et montre ainsi ses dents brunies par le tabac.

L'entrée de la caverne se trouve parmi les buissons qui couvrent le versant. Ezdra les invite à entrer comme s'il s'agissait de sa propre résidence, mais ils se contentent de passer la tête par l'ouverture, on n'y voit rien de toute manière. Ezdra sort alors une torche qu'il enflamme. Après quelques pas, l'orifice derrière eux disparaît, tandis que l'intérieur se révèle à la lueur du flambeau : des parois humides, étranges, splendides, luisantes comme si elles étaient d'un minéral inconnu des hommes, lisse, figé en gouttes et en stalactites, d'une pierre merveilleuse à la magnifique couleur rousse surfilée d'une teinte différente, blanche ou grise. Plus ils s'enfoncent, plus l'antre leur semble animé, c'est comme s'ils avaient pénétré dans un ventre, qu'ils voyageaient dans ses entrailles, son estomac ou ses reins. L'écho de leur pas se répercute contre les murs, gonfle comme le tonnerre, puis revient éclaté en morceaux. Brusquement, un souffle de vent arrive d'on ne sait où et éteint leur misérable torche. L'obscurité les engloutit.

– *El Sahddaï*, murmure soudain Jakóbowski.

Ils s'immobilisent, on entend leur respiration inquiète et superficielle, le bruissement du sang dans leurs veines, le battement de leur cœur, le ventre de Nahman qui se tord de peur, Ezdra qui déglutit. Le silence est tellement dense qu'ils sentent sur leur peau son frôlement froid et gluant. Oui, à coup sûr, Dieu est là.

Mme Zwierzchowska, qui, de façon naturelle, prit la direction de la *Havurah* dispersée dans les maisonnettes de Częstochowa, prépare un don généreux pour le prieur; ce seront des chandeliers en argent et un lustre de cristal, le tout d'une valeur telle que le prieur ne pourra pas rejeter leur demande. Ne se sont-ils pas tous promenés ensemble autour du monastère? Quel mal y aurait-il à pousser plus loin? L'abbé hésite, mais l'éclat de l'argent et le scintillement des cristaux le persuadent. Il donne son accord. Le couvent a des soucis financiers. Il faut que cela se fasse discrètement, et juste Jakób avec deux compagnons. Chana et les enfants resteront sous bonne garde.

Le moment arrive le 27 octobre 1768, un jour après l'anniversaire de Józef, le fils de Jakób. C'est ce jour-là que le Maître quitte pour la première fois l'enceinte de la ville. Il enfile le long manteau de Czerniawski et baisse son bonnet sur ses yeux. À la sortie de Częstochowa les attend une charrette louée avec un paysan qui les conduit tous les trois en silence par la route sablonneuse et inégale.

Jakób leur dit d'attendre et pénètre seul dans la caverne. Czerniawski et Jakóbowski installent un petit campement à l'entrée, mais leur feu rougeoie à peine. La journée est pluvieuse et humide. La bruine mouille leurs capes. Jakób ne revient pas avant la nuit. Les pommes mises à rôtir sur un bâton éclatent au-dessus du brasier souffreteux.

Le Maître apparaît dans l'ouverture alors que la nuit tombe déjà. Ils ne discernent pas très bien les traits de son visage. Jakób leur dit de marcher vite, ils le font donc en trébuchant sur les pierres saillantes et en se bousculant l'un l'autre, puis leurs yeux s'habituent à l'obscurité. La nuit est claire, allez savoir pourquoi : est-ce du fait de la brume humide qui diffracte le reflet des étoiles et de la lune, ou est-ce la terre de l'endroit, couleur d'os blanchis, qui brille ainsi ? Le paysan qui les attend sur sa charrette au bord de la route est mouillé et furieux. Il exige d'être payé davantage, il ne savait pas que cela durerait aussi longtemps.

Jakób ne dit pas un mot de tout le trajet. Il ne parle qu'une fois dans sa pièce de la tour, après avoir défait son manteau mouillé :

– C'est cette même caverne dans laquelle Rabbi Shimon bar Yohaï et son fils se cachèrent des Romains, tandis que Dieu leur fournissait de la nourriture et empêchait leurs vêtements de s'user jamais, dit-il. C'est là que Rabbi Shimon bar Yohaï rédigea le Zohar. Cette caverne nous suivit jusqu'ici depuis Hébron, ne le saviez-vous pas ? Là-bas, au plus profond, se trouve la tombe d'Adam et d'Ève.

Un silence se fait dans lequel les paroles de Jakób cherchent à se situer. C'est un peu comme si, au-dessus de lui, toutes les cartes du monde glissaient dans un bruissement et tournaient les unes par rapport aux autres pour s'ajuster. Il faut un long moment avant que l'on entende des raclements de gorge, un soupir, et qu'enfin tout semble en ordre. Jakób dit : «Chantons.» Et ils chantent comme toujours ensemble, comme ils chantaient à Iwanie.

Deux femmes restent chez le Maître pour la nuit, et à ceux qui vivent dans la petite ville, il ordonne que les deux Matuszewski et Pawłowski honorent l'épouse de Henryk Wołowski. La nuit suivante, Pawłowski, les deux Wołowski et aussi Jaskier devront honorer Zofia Jakóbowska qui ne nourrit plus au sein sa fillette.

Les ambassades échouent.
L'histoire fait le siège
des remparts du monastère

Les temps heureux de Nahman Piotr Jakóbowski ne durent guère long-temps. La mission pour Moscou, soigneusement préparée, se termine par un fiasco total. En Russie, les émissaires Jakóbowski et Wołowski sont traités en criminels, assassins et apostats, et ceci parce qu'ils y ont été précédés par des informations de Pologne sur le Messie déchu empri-sonné à Częstochowa. Ils ne peuvent rencontrer personne, les cadeaux généreusement distribués sont inefficaces. Finalement, Jakóbowski et Wołowski sont expulsés sous prétexte d'espionnage. Ils rentrent sans le sou et les mains vides. Jakób leur inflige une punition. Il leur ordonne de se présenter devant la *Havurah* pieds nus et en chemise pour deman-der pardon à tous, à genoux, d'avoir été aussi inefficaces. Jakóbowski le supporte mieux que Franciszek Wołowski. Marianna Wołowska raconte ensuite aux autres femmes que son mari sanglote la nuit de honte et d'humiliation, alors qu'il n'y a aucune faute des émissaires dans ce qui s'est passé. Ils ont l'impression que le monde entier complote contre eux, toute l'Europe. Après un tel épisode, la prison de Częstochowa paraît familière et accueillante à Nahman Jakóbowski, d'autant plus que le Maître peut désormais aller à la ville aussi souvent qu'il le veut, voire faire de longues promenades à la caverne, et que les membres de la *Havurah* ont toute licence de rendre visite à Jakób.

Dans la journée, la pièce au bas de la tour se change en secrétariat. Jakób dicte des lettres pour les vrai-croyants de Podolie, de Moravie et d'Allemagne, il y parle de la *Shekhina* dissimulée dans le tableau de Jasna Góra et il les appelle à se baptiser en grand nombre. De mois en mois, le ton de ces lettres devient plus apocalyptique. Parfois, le scribe – Jakóbowski ou Czerniawski – en a la main qui tremble. Le soir, la chancellerie se transforme en une salle commune semblable à celle d'Iwanie, et, après l'enseignement délivré par Jakób, seuls restent les élus et on « éteint les lumières ». Un jour d'automne 1768, lors du rituel, les pères paulins du couvent viennent frapper à la porte – qu'ils finissent par enfoncer. Dans l'obscurité, ils ne voient pas grand-chose. Il semble pourtant que ce qu'ils aperçoivent leur suffit, parce que, le lendemain, le prieur convoque Jakób sous bonne garde pour lui interdire de recevoir qui que ce soit, à l'exception de sa famille la plus proche.

– Pas de femmes au couvent, pas de jeunes garçons non plus, déclare le prieur – et, en disant cela, il se cache le visage dans les mains.

Le prieur interdit de nouveau les sorties en ville, mais, comme il en va toujours avec les interdictions, celle-ci s'effrite avec le temps, aidée en cela par la générosité considérable de la Fraternité. L'époque étant troublée, le prieur ordonne que les portes du monastère demeurent fermées toute la nuit, et seule la maladie de Chana attendrira assez son cœur pour qu'il l'autorise, ainsi que ses enfants, à séjourner tout le temps dans la salle des officiers.

Ce qui se passe en Podolie, à la frontière ottomane, ils l'apprennent par Jaskier Korolewicz, le beau-frère de Pawłowski, qui achemine les lettres dans cette région et a des yeux tout autour de la tête. Pour commencer, chose bizarre, son père, fabricant de tentes à Korolówka, a reçu une commande importante pour la noblesse polonaise, ce qui signifie à coup sûr que des mouvements de l'armée se préparent. Jaskier voit juste, Roch annonce bientôt que, dans la petite ville de Bar, une confédération s'est créée pour destituer le roi allié de la Russie. Ému, Roch évoque les étendards – l'on y voit Notre Demoiselle de Częstochowa, celle-là même, avec son visage sombre, l'Enfant sur le bras –, et les Confédérés qui portent des manteaux avec des croix et l'inscription en noir : « Pour la foi et la liberté. » Il paraîtrait que les armées royales envoyées combattre les Confédérés prendraient la poudre d'escampette, effrayées par leur ferveur religieuse, ou se rallieraient à ceux-ci. Roch recoud les boutons qui se détachaient de son vieil uniforme et nettoie son fusil, comme le font tous les briscards du couvent. Des pierres sont empilées sous les remparts et les meurtrières réparées alors qu'elles étaient déjà envahies par la végétation.

Częstochowa elle-même, endormie jusque-là, se remplit peu à peu de réfugiés juifs de Podolie, où a lieu la révolte des paysans ruthènes, les *Hajdamaks*, contre la noblesse polonaise, et où les pogromes ont commencé contre les Juifs qui sont souvent les régisseurs de ses biens. Les migrants se dirigent vers le saint refuge chrétien, convaincus qu'aucune violence ne peut y être perpétrée, et, en outre, ils viennent se mettre sous la protection du supposé Messie juif emprisonné là. Ils apportent avec eux de terribles histoires : dans la région livrée au chaos, les *Hajdamaks* déchaînés n'épargnent personne. La nuit, le ciel est rouge des flammes de villages incendiés. Quand la rigueur du prieur s'adoucit un peu, Jakób sort voir les arrivants tous les jours. Il pose ses mains sur leur tête, la rumeur qu'il a le pouvoir de guérir s'est largement répandue.

Tout le faubourg de Wieluń est désormais transformé en campement, les gens bivouaquent dans les rues, sur la place toute en longueur. Les pères paulins leur portent de l'eau fraîche du couvent, car les puits seraient déjà pollués et tout le monde craint une épidémie. Chaque matin, des miches de pain chaud cuit dans la boulangerie du monastère sont distribuées, ainsi que des pommes du verger dont il y a abondance cette année.

Nahman Jakóbowski rencontre des amis *hassidim* dans ce camp. Rendus orphelins par la disparition de Besht, ils observent la *Havurah* du Maître avec une distance méfiante. Ils restent entre eux, mais des accrochages bruyants et violents finissent par arriver avec les vrai-croyants. Les voix des adversaires, qui se lancent des citations d'Isaïe ou du Zohar, s'élèvent au-dessus des murs, il est possible de les entendre de la tour.

À l'occasion du baptême du petit Józef, Jakób donne une grande fête dans la petite ville, de sorte que chacun peut y manger et boire, qu'il soit baptisé ou non. La noce de Jakub Goliński, auquel le Maître donne pour épouse Magda Jezierzańska, deux fois plus jeune que lui, parce qu'il est un bon vrai-croyant, est tout aussi somptueuse. Le mariage a lieu au couvent, dans la chapelle du noviciat que le prieur leur ouvre aimablement après la restauration des peintures. La cérémonie est magnifique, on n'entend pas encore le bruit des canons qui approchent inexorablement de Częstochowa, mais, en revanche, y résonnent dignement les psaumes chantés par les pères paulins, ravis du don opulent reçu par le monastère.

Sitôt après arrive la nouvelle que la Russie est intervenue dans les affaires intérieures polonaises et que les armées russes arrivent de l'est. Que c'est la guerre.

Ensuite, les informations sont chaque jour plus mauvaises, et, chaque jour, un peu plus de gens viennent voir la Madone de Jasna Góra, persuadés qu'en sa présence rien de mal ne peut leur arriver. La chapelle est remplie, les gens sont étendus en croix sur le sol froid, l'air est dense de prières. Quand les chants se taisent, de loin, d'au-delà de l'horizon, arrivent les détonations de mauvais augure, celles des explosions.

Jakób, effrayé par tout cela, prie Jan Wołowski d'aller à Varsovie chercher Awacza qui demeure chez les Wołowski pour étudier. Par la suite, il le regrettera beaucoup. Il est très surpris par son apparence. La maigre fillette s'en était allée avec les cheveux tressés en nattes, les ongles rongés, les mains rugueuses pour avoir grimpé aux murs. Elle revient en jolie jeune fille sage. Désormais, elle porte les cheveux coiffés en chignon, ses robes à décolleté – néanmoins couvert d'un foulard – chatoient de leurs couleurs criardes. Dès qu'elle sort pour sa brève promenade quotidienne sur les remparts, tous les regards du couvent se dirigent vers elle. Les moines ne la voient pas d'un bon œil, elle provoque trop d'émoi autour d'elle. Son père la garde donc dans la salle des officiers et, finalement, ne l'autorise à sortir qu'au crépuscule et toujours sous surveillance.

Deux semaines après l'arrivée d'Awacza au monastère, les Confédérés y parviennent sous le commandement d'un certain Pułaski. Un après-midi, ils s'installent dans la forteresse de Jasna Góra comme dans la cour d'une auberge, envahissant tout avec leurs chevaux, leurs voitures et leurs canons, pour le plus grand effroi des paulins. Ils font évacuer les pèlerins et instaurent un ordre militaire. La place forte est immédiatement fermée et il est désormais impossible de rendre visite à Jakób, lequel n'a plus le droit de sortir en ville. Chana, Awacza et les garçons sont avec lui, ainsi que les deux Zwierzchowski, les Matuszewski et Nahman Jakóbowski, en tant que coursier. Les moines doivent libérer une aile du monastère, réquisitionnée par l'armée. Après avoir été interrompus, les pèlerinages recommencent timidement, mais les briscards rajeunis, pleins de fougue, s'assurent qu'aucun de ceux qui entrent n'est un espion russe. Roch, devenu le chef de la garde au portail, n'a plus le temps de discuter avec Jakób. Il a d'autres questions d'importance à gérer, il surveille chaque soir la livraison de la bière et du vin pour les soldats. La petite ville s'anime elle aussi, car il faut nourrir, vêtir et distraire les militaires.

Kazimierz Pułaski a l'air tout jeune, on dirait un garçon dont la moustache vient de pousser. Il est difficile de croire qu'il est un chef expérimenté. Il doit le savoir, parce qu'il se donne du sérieux et un peu de corpulence avec un lourd manteau militaire qui rend sa mince silhouette plus massive.

Il n'a guère l'occasion de combattre. Les régiments russes rôdent autour de la forteresse comme un renard autour du poulailler. Ils s'en approchent et s'en éloignent. Les gens pensent que la Madone sur les étendards accrochés aux remparts les effraie.

Pułaski, qui commence déjà à s'ennuyer de cette inactivité dans le monastère fermé, est intrigué par l'homme au haut bonnet qui sort rarement de la tour et par sa magnifique et mystérieuse fille, sur le compte de laquelle des légendes circulent déjà dans la garnison. Il se moque des questions religieuses et s'intéresse peu aux hérésies. Il a juste entendu dire que le résident du couvent était un ancien hérétique, mais aujourd'hui un bon catholique comme l'assura le prieur. Il le voit chaque matin à l'office. Sa sincère et authentique participation à la messe, sa voix puissante quand il chante le Notre Père éveillent l'admiration et la sympathie de Pułaski. Il invite un jour à dîner le père et la fille, mais Jakób se présente seul, grand, distingué. Il parle peu, avec un accent étranger et de façon réfléchie. Ils discutent de ce qui peut arriver, de la Russie, de la politique du roi. Pułaski comprend que ce prisonnier royal se montre prudent et cherche à changer de sujet, car leur conversation est saccadée. Interrogé sur sa fille, Jakób Frank répond qu'elle a dû rester avec sa mère souffrante. Pułaski semble déçu. La fois suivante, Jakób vient avec sa fille et la présence de celle-ci rend la soirée très agréable. Les autres officiers invités, légèrement émoustillés par la compagnie d'une jeune femme aussi belle, quoique timide et silencieuse, rivalisent d'esprit et d'intelligence. Le vin est bon, les maigres poulets ont un goût semblable à celui du gibier.

Les plaisantes soirées en société se terminent quand arrive à Częstochowa le prince Lubomirski avec ses régiments. Celui-ci, à en croire les habitants de la petite ville, est pire que les Russes. Il rançonne impitoyablement les villages avoisinants, ses soldats n'hésitent pas à recourir à la violence et les paysans l'appellent «le Hussite». L'armée de Lubomirski circule sur un très vaste territoire, et sans doute parvient-elle à repousser les Russes, mais elle se soumet difficilement aux ordres de l'état-major des Confédérés et finit par se transformer peu à peu en une horde de brigands.

Quand il se rend au monastère, Jakób cache Awacza chez les moines et lui interdit de sortir tant que ces vauriens ne seront pas partis. Lubomirski organise de grandes libations dans la garnison et il a une mauvaise influence sur les soldats de Pułaski. Les briscards sont les seuls à regarder le jeune prince Jerzy Marcin Lubomirski avec admiration.

– C'est des chefs pareils qu'il nous faut, dit Roch en offrant à Jakób du tabac qu'il a reçu du prince. On chasserait les Russes comme des chiens galeux!

Jakób prend une pincée de tabac et se tait. Un soir, le prince éméché frappe à la tour de Jakób et celui-ci est obligé de le recevoir. Jerzy Marcin lui demande conseil comme à un père dans des questions liées aux femmes. Son regard erre nerveusement dans la pièce, sans doute à la recherche de l'une d'elles, celle dont tout le monde parle.

Il y a dans la forteresse des soldats appartenant aux corps royaux vaincus par les Confédérés et intégrés dans leurs rangs, ils servent avec réticence. L'un d'eux, et c'est le capitaine du régiment de cavalerie de la Garde royale dont les Russes ont déjà tué trois officiers, vient voir Jakób pour lui demander conseil, et, ce faisant, il initie une mode nouvelle. Désormais, nombreux seront ceux qui viendront demander l'avis de Jakób, Juif-non-Juif intelligent, prophète mal défini, auquel l'incarcération dans un endroit aussi étrange vaut un statut hautement mystérieux. Le capitaine, fluet, blond et d'une politesse touchante, demande à Jakób en toute confidence ce qu'il doit faire, car il est jeune et il a peur de la mort. Tous les deux sont assis sur les pierres, penchés l'un vers l'autre, côté nord de la tour, là où les soldats arrosent habituellement le mur de leur urine.

– Dites-moi, monsieur, devrais-je fuir à Varsovie dont je suis originaire et devenir un déserteur et un pleutre, ou me battre pour la patrie et me faire tuer pour elle?

Le conseil de Jakób est très concret. L'officier doit se rendre au marché de Częstochowa pour y acheter des petites choses précieuses, des montres, des bagues, et, comme c'est la guerre, il en trouvera à bas prix. Et les conserver pour le cas où les choses tourneraient mal.

– La guerre est à la fois une foire et un cauchemar nocturne, déclare Jakób Frank. Jette ces babioles par-dessus ton épaule, paie pour ne pas être en première ligne, soudoie pour bien manger, prends soin de toi, et ainsi tu paieras ta rançon à la mort. Il n'y a aucun héroïsme à se laisser tuer.

Il tapote le jeune officier dans le dos et celui-ci se blottit un instant contre le col de Jakób.

– J'ai tellement peur, monsieur.

La disparition
de Dame Chana en février 1770
et le lieu de son repos éternel

– Pour moi, c'est une excentricité, déclare le prieur. Je n'ose pas m'opposer dans cette affaire, ce n'est pas notre prisonnier, mais celui de Notre Sainte Église. Dans la mesure où cette femme est baptisée, je lui chercherai une place au cimetière de la ville parce que nous n'enterrons pas de personnes laïques ici.

Le père abbé regarde par la fenêtre et voit les Confédérés vieillissants qui s'exercent à l'épée devant la chapelle. Le monastère rappelle maintenant une garnison. Jakóbowski met sur la table une bourse bien garnie, comme d'habitude.

Voici deux jours que Chana repose dans la salle des officiers. Ce temps semble déjà très long à tous, personne ne connaît la paix sachant que la terre ne l'a toujours pas accueillie. Jakóbowski vient voir pour la énième fois le prieur afin de lui demander l'autorisation de déposer la défunte dans la caverne, tout comme il l'avait déjà demandé les fois précédentes, à maintes reprises, et notamment lorsque mourut le petit Jakubek. Or, Chana n'est ni un petit enfant ni un néophyte sans importance. Elle est l'épouse de Jakób Frank.

Chana est morte de tristesse. L'année précédente, elle avait mis au monde une fillette à laquelle fut donné le prénom de Józefa Franciszka. À peine baptisée, l'enfant mourut. Chana perdit ses forces à cause de saignements inexpliqués qui durèrent longtemps après son dernier accouchement, sans jamais cesser. Vinrent ensuite des fièvres et de douloureux gonflements des membres. Mme Zwierzchowska, qui prenait soin d'elle, disait que c'était à cause du froid qui montait des pierres. Les édredons envoyés de Varsovie n'y remédièrent nullement. L'humidité était omniprésente. Les articulations de Chana gonflèrent tellement qu'à la fin elle ne pouvait plus bouger. Ensuite Jakubek mourut. Les enfants furent enterrés dans la caverne, sans la présence d'un prêtre, en catimini, et après ces deux décès Chana ne se remit plus. Jakób ordonna aux Wołowski

d'emmener Awacza à Varsovie et de sortir Chana dans des endroits ensoleillés à Częstochowa. Là, on put voir à quel point elle était pâle et épuisée.
Sa peau, habituellement d'une teinte claire olivâtre, était désormais grise et
semblait couverte d'une fine couche de cendre. De la décoction d'écorce
de saule, que les jeunes filles allaient chercher sur les terres avoisinantes,
l'aida un temps. Les saules y poussent en bordure de champ, en rangs
réguliers. Leur osier clair jaillit des troncs difformes et trapus. «Ce qu'il
est laid cet arbre, disait Chana, ce saule ébouriffé avec ses branches dans
tous les sens, on dirait une femme rabougrie, infirme!» Pourtant, cette
vilaine plante lui fut secourable un moment. Les femmes coupaient les
rameaux afin d'en prélever l'écorce. Chez elles, elles la faisaient bouillir
pour donner la décoction à la malade. L'un des pères paulins chercha à
aider Chana en lui faisant des massages de vodka au miel, mais le traitement ne lui fut d'aucun secours.

Désormais, il fait froid et humide. La terre diffuse une inquiétante
odeur de tombeau. Des champs proches de Częstochowa, l'on aperçoit
l'horizon lointain pareil à une corde de harpe tendue à la limite du
ciel et de la terre sur laquelle le vent jouerait le même son monotone
et sinistre.

Personne n'ose entrer chez Jakób. Tous s'entassent dans l'escalier,
blêmes, leurs lèvres rappellent un trait sombre, leurs yeux sont cernés
d'avoir trop veillé, personne n'a rien mangé depuis la veille, les casseroles
sont froides. Jusqu'aux enfants qui restent silencieux. Jakóbowski colle la
joue contre le mur de cette maudite tour. L'une des femmes le secoue,
aussi pose-t-il les mains sur son front pour prier, et, aussitôt, tous en font
autant. Il songe que, si la voûte céleste est constituée d'une pierre semblable, rugueuse et humide, sa prière arrivera à la traverser, une parole
après l'autre. Ils récitent d'abord le Notre Père, puis chantent *Igadel*.

Tous les yeux sont posés sur lui, Nahman Piotr Jakóbowski, ils savent
qu'il est le seul que le Maître autoriserait à entrer. Jakóbowski fait donc
tourner la lourde porte sur ses gonds pitoyables. Il sent que les autres
se pressent contre ses épaules pour voir ce qui se passe à l'intérieur. Ils
s'attendent certainement à un miracle, le Maître en tenue blanche qui
s'élèverait au-dessus du sol avec Dame Chana vivante et rayonnante dans

ses bras. Jakóbowski étouffe un soupir proche du sanglot, mais il sait qu'il doit se dominer, parce que, quoi qu'il fasse, tous les autres feront de même. Il se glisse par l'étroite ouverture de la porte qu'il referme aussitôt derrière lui. Les bougies se sont éteintes depuis longtemps, ne reste allumé que le cierge des morts. Chana est étendue comme deux jours plus tôt, quand elle est morte, et rien n'a changé, si ce n'est qu'il n'y a désormais plus de doute qu'elle est un cadavre. Sa mâchoire est tombée, laissant sa bouche ouverte, ses paupières sont mi-closes et la lueur de la flamme danse sur la surface lisse de ses yeux, la peau de Dame Chana est grise, sombre.

Jakób est étendu à côté d'elle, amaigri, anguleux, sombre également, même si les poils sur son corps sont maintenant complètement gris, emmêlés comme la toison d'un chien. Ses yeux sont enfoncés. Ses maigres hanches touchent le corps de Chana, sa main est posée sur la poitrine de sa femme comme s'il l'entourait de son bras. Il vient à l'esprit de Jakóbowski que Jakób lui aussi est mort, et, soudain, une vague de chaleur le gagne, il tombe à genoux devant le lit sans même ressentir la douleur de sa chute sur le sol de pierre, et il n'arrive pas à retenir ses sanglots.

– Aurais-tu vraiment cru que nous n'allions pas mourir? lui demande Jakób en se détachant du corps de sa femme.

Il regarde Nahman, la lumière du cierge des morts ne se reflète pas dans ses yeux sombres, qui sont pareils à l'entrée de la caverne. Cette question, à laquelle Jakóbowski ne répond pas, a une résonance ironique et provocante. Jakóbowski reprend ses esprits, il sort du coffre une chemise propre et une tunique en laine turque, puis il commence à habiller Jakób.

Le convoi funèbre sort de l'enceinte le lendemain avant l'aube. Vers midi, il est devant la caverne Machpéla. Les deux Wołowski, Pawłowski et Matuszewski peinent à faire entrer le cercueil dans la caverne.

LES RELIQUATS. ÉTAT DE SIÈGE

Les morts seront mon sujet d'écriture.

Pour commencer, ce fut Jakubek, le fils aîné âgé de sept ans, adoré par son père et supposé lui succéder, qui nous quitta. C'était fin novembre, la neige était déjà tombée. Au monastère transformé en forteresse régnaient la faim et la misère. Kazimierz Puławski, le nouveau commandant, s'y trouvait déjà installé, et lui, dans la mesure où il entretenait de bonnes relations avec Jakób – tous deux discutaient souvent –, autorisa l'enterrement à la caverne. Nous y avions déjà un petit caveau, loin des cimetières étrangers, et les nôtres y trouvaient leur sépulture, ce sur quoi nous restions discrets. Nous nous étions approprié cette caverne, nous l'avions reprise aux chauves-souris et aux lézards aveugles puisqu'elle était venue à nous de la terre d'Israël, comme l'avait découvert Jakób. Dans la mesure où Adam et Ève, Abraham et Sara, ainsi que les patriarches, y reposaient, nous commençâmes à y déposer nos défunts. Le premier fut Reb Eli, notre trésorier, puis vinrent les enfants de Jakób et finalement Chana. Si nous avions jamais eu une chose précieuse en Pologne, c'était cette caverne, nous y déposâmes nos trésors, elle était la porte d'entrée des mondes meilleurs où nous étions déjà attendus.

C'étaient de mauvais jours et rien ne saurait les expliquer devant Dieu. En automne 1769, les Confédérés de Puławski se mirent à poursuivre Awacza comme à la chasse. Leur commandant en personne eut beau répéter qu'elle était la fille d'un mage juif et qu'il serait préférable de la laisser en paix, rien n'y fit. Sa beauté éveillait une curiosité générale. Des officiers supérieurs l'aperçurent une fois et demandèrent à Jakób de rencontrer sa fille. Par la suite, l'un d'eux déclara que, par sa beauté, elle pourrait être la Madone et cela plut particulièrement à Jakób. Habituellement, il la gardait néanmoins cachée dans la tour, et, quand les soldats buvaient, il lui interdisait de sortir, y compris pour aller aux latrines. Un mauvais esprit s'empara pourtant de ces soldats confédérés, de ce ramassis d'hommes venus de partout, souvent las de leur confinement dans la forteresse ou excités par l'eau-de-vie que l'on y faisait parvenir en contrebande de la ville. Dès qu'Awacza sortait, ils lui barraient aussitôt le chemin pour lui parler, et parfois cela devenait déplaisant quand tant d'hommes s'en prenaient à une femme, jeune et magnifique de surcroît. Elle-même était surprise par l'intérêt qu'elle suscitait, ce mélange de fascination et de méchant désir. Plusieurs fois, cela ne se limita pas à des sifflements ou des interpellations, il semblait que la garnison dans son entier ne pouvait s'occuper à rien d'autre qu'à courir derrière elle. L'intervention de M. Pułaski – qui défendit sévèrement d'ennuyer Ewa Frank – fut sans effet. La soldatesque, privée d'occupations appropriées, immobilisée par l'attente et incertaine de ce qui va se passer, devient une foule idiote impossible à contrôler. Je préférerais ni écrire ni parler de cela, je ne le signale que par devoir de vérité, car, finalement, quand c'est arrivé, Jakób renvoya Awacza avec Wołowski et moi à Varsovie, d'où elle n'est revenue qu'après la mort de sa mère pour rester jusqu'au bout avec son père. La nuit où elle fut malmenée, elle eut un rêve dans lequel un Allemand vêtu de blanc la libérait de la tour. Dans son sommeil, il lui fut dit que c'était un empereur.

Ces années de siège furent difficiles pour moi comme pour nous tous. J'étais reconnaissant au destin de pouvoir circuler comme émissaire entre la capitale et Częstochowa, parce que je me sentais moins accablé que Jakób pour qui, après des années de liberté relative au couvent, l'emprisonnement s'était fait pénible. Les nôtres avaient presque tous quitté leurs locations pour rentrer à Varsovie, sachant qu'il y aurait un siège. Le faubourg de Wieluń se vida. Seuls Jan Wołowski et Mateusz Matuszewski restèrent auprès du Maître.

Après la mort de Chana, la santé de Jakób s'altéra et j'avoue sincèrement que je pensais sa fin proche. Je m'interrogeais beaucoup sur les paroles de Job, qui avait dit : « Je verrai Dieu de mon corps », ce verset ne me laissait pas en paix. Puisque le corps de l'homme n'est ni pérenne ni parfait, Celui qui le créa devait donc être faible et défaillant. C'était ce que Job avait à l'esprit. Je songeais à cela et le temps qui suivit devait confirmer que j'avais raison.

D'un commun accord avec Wołowski et Matuszewski, nous envoyâmes donc chercher à Varsovie d'abord Marianna, puis l'épouse d'Ignace, afin que Jakób puisse se sustenter à leur sein. Cela lui était toujours bénéfique. Je garde en permanence devant les yeux ce tableau du siège russe où le canon tonnait, les murs de la forteresse s'effondraient, la terre tremblait sous les balles et les hommes tombaient comme des mouches, tandis que dans la salle des officiers, dans la tour de sa prison, le Maître tétait le sein d'une femme pour réparer ainsi le misérable monde troué.

En été 1772, il n'y avait plus rien à défendre. Częstochowa était dévastée, les gens étaient épuisés et affamés, le couvent agonisait, l'eau et la nourriture manquaient. Pułaski, notre commandant, fut accusé de conspiration contre le roi et il dut remettre la forteresse aux corps russes. Les prières du 15 août, jour de la bienheureuse Vierge Marie, ne furent d'aucune aide. Les moines restaient étendus, les bras en croix, sur le sol sale à attendre un miracle. Le soir après l'office, on accrocha des drapeaux blancs aux remparts, nous aidâmes les paulins à cacher leurs précieux tableaux et ex-voto, et nous plaçâmes une copie à la place de la très sainte image. Les Russes entrèrent quelques jours plus tard, ils ordonnèrent d'enfermer les moines au réfectoire, d'où, pendant plusieurs jours, s'élevèrent leurs prières et leurs chants. Le prieur était au désespoir, car, pour la première fois de l'histoire, le couvent était entre des mains étrangères et, disait-il, ce devait être à coup sûr la fin du monde.

Les Russes allumaient de grands feux dans la cour, ils buvaient le vin de messe, et ce qu'ils ne buvaient pas ils le déversaient sur les pierres qui devenaient rouge sang. Ils dévastèrent la bibliothèque et la salle du trésor, détruisirent la poudrière et de nombreuses armes. Ils firent sauter le portail. Des remparts du couvent, on voyait la fumée monter des villages avoisinants auxquels ils avaient mis le feu.

À ma grande surprise, Jakób n'était pas du tout accablé par la situation. Bien au contraire, le chaos lui donnait des forces. Le désordre provoqué par la guerre l'excitait. Il allait voir les Moscovites pour discuter et eux avaient peur de lui parce que la mort de Chana l'avait beaucoup changé, maintenant il était maigre, ses yeux étaient cernés, les traits de son visage marqués, et ses cheveux avaient viré au gris. Qui serait resté longtemps sans le voir aurait pu jurer que c'était quelqu'un d'autre. Un fou? Un illuminé? À la vérité, il faut dire qu'il intervint auprès des Russes pour plaider la cause des paulins, que l'on libéra ensuite de leur mise aux arrêts dans le réfectoire.

Quelques jours plus tard, le général Alexandre Ilitch Bibikov arriva au monastère. Il s'avança sur son cheval jusqu'aux portes de la chapelle et, du haut de sa monture, il assura le prieur que rien de mal n'arriverait sous l'autorité des Russes. Le soir même, nous sommes allés avec Jakób demander à ce général notre libération exceptionnelle. Je pensais que ma traduction en russe serait nécessaire, mais les deux hommes parlèrent en allemand. Bibikov était remarquablement aimable et, dans les deux jours, Jakób obtint l'autorisation de quitter le monastère.

Jakób, notre Maître, dit:
«Celui qui cherche le salut doit faire trois choses: changer de lieu d'habitation, changer de nom et changer ses actes.»
Ce que nous fîmes. Nous devînmes d'autres personnes et nous abandonnâmes Częstochowa, un endroit des plus lumineux et des plus sombres à la fois.

In nostra Europa (sunt	W naszey Europie (są	
regna & regiones pri- (mariæ:	nayprzednieysze (kroleſtwa:	regnuum, n. 2. kro- leſtwo.
Luſitania,	Portugallia,	primarius, a, um, nay-
Hiſpania, 1	Hiſzpania, 1	przednieyſzy.
Gallia, 2	Francya, 2	
Italia, 3	Włochy, 3	
Anglia, (Britannia) (4	Anglia, 4 (Brytania)	
		Scotia,

Dans nostre Europe
Il est
Des royaumes des plus en vue
Portugal
Espagne, I
France, 2
Italie, 3
Angleterre (Bretagne), 4

26

Ienta lit les passeports

Ienta aperçoit les passeports montrés à la frontière. Un officier qui porte des gants les prend délicatement, les passagers restent dans la berline, lui va les lire tranquillement dans la salle de garde. Les voyageurs se taisent.

Nous Károly Imre Sándor baron de Reviczky, lit à mi-voix l'officier ganté, Chambellan Romain en Germanie, Hongrie et Bohême de Son Altesse Royale, Envoyé Authentique, Ambassadeur Accrédité près la Cour Royale de Pologne, affirmons que le porteur du présent document, ledit Józef Frank, marchand de son état, avec ses serviteurs au nombre de dix-huit, en deux véhicules, se rend d'ici pour affaire personnelle à Brünn, en Moravie, ce pour quoi nous ordonnons aux autorités concernées de ne faire aucune obstruction à son passage de la frontière, et de porter assistance, en cas de nécessité, au susnommé Józef Frank et à ses serviteurs au nombre de dix-huit personnes. Fait, ce 5 mars mil sept cent soixante-treize, à Varsovie.

Outre ce sauf-conduit autrichien, il y en a encore un autre, prussien, et Ienta le voit très précisément, il est rédigé d'une belle écriture et cacheté d'un grand sceau :

Le détenteur du présent document, ledit Józef Frank, marchand, arrivé ici de Częstochowa, ayant fait un séjour de huit journées à Varsovie, accompagné de dix-huit personnes de sa suite, et en deux voitures, se rend en Moravie *via* Częstochowa pour affaires personnelles. Étant établi que l'air ici est en tout lieu pur et sain, que, par la grâce de Dieu, aucune trace de fléau…

Ienta regarde avec attention la formulation allemande « *und von ansteckender Seuche ist gott lob nichts zu spüren…* »

… aussi, toutes les autorités militaires et civiles sont appelées à autoriser le passage de la frontière pour que le sus-désigné marchand, avec ses gens et ses voitures, poursuive son chemin sans entraves une fois toute vérification effectuée. Fait à Varsovie, le 1er mars 1773. Général Benoit, Délégué permanent de Sa Majesté Royale auprès de la *Respublica* de Pologne.

Ienta comprend qu'au-delà des passeports se trouve l'immense cosmogonie de l'appareil d'État, avec ses systèmes solaires, ses orbites, ses satellites, le prodige de la comète et la mystérieuse force de gravité décrite il y a peu par M. Newton. Il s'agit, par ailleurs, d'un système sensible et attentif, soutenu par des centaines et des milliers d'officines administratives et renforcé par des piles de documents, qui se multiplient sous la caresse des plumes d'oie aux pointes aiguisées et se transmettent de pupitre en pupitre. Les feuilles de papier provoquent un mouvement d'air qui peut sembler imperceptible comparé aux tempêtes d'automne, mais qui est significatif à l'échelle du monde. Il peut provoquer un ouragan au loin, en Afrique ou en Alaska. L'État est un usurpateur parfait, un détenteur du pouvoir impitoyable, un administrateur vigilant de l'ordre établi une fois pour toutes (tant qu'une guerre nouvelle ne vient pas l'anéantir). Qui traça la frontière dans ces broussailles d'épineux ? Qui interdit de la franchir ? Au nom de qui cet officier ganté suspicieux agit-il et d'où lui vient sa méfiance ? À quelle fin sont établis ces documents transmis par les émissaires, les postillons ou les voitures postales dont on remplace à chaque relais les chevaux fatigués ?

Le convoi de Jakób se compose de gens jeunes, aucun ancien n'est du voyage. Ces derniers sont restés à Varsovie, ils patientent et veillent aux affaires récemment créées. Les enfants plus jeunes sont envoyés à l'école des pères piaristes*, toute la *Havurah* vit dans le quartier de Nowe Miasto; chaque dimanche, elle se rend à la messe. Certains néophytes, une fois leur barbe rasée, ont intégré la cohue qui déambule dans les rues boueuses de la capitale. Parfois, on entend encore leur discret accent yiddish, mais celui-ci disparaît aussi vite que neige au soleil.

Jakób, couvert de fourrures, voyage dans la première berline, Awacza l'accompagne. Désormais, il ne l'appelle plus jamais autrement qu'Ewa.

 Elle a les joues rougies par le froid et son père réarrange régulièrement le plaid en mouton retourné qui la couvre. La jeune fille garde sur ses genoux sa vieille chienne Rutka, qui gémit tristement de temps à autre. Rien ne put convaincre Ewa de la laisser à Varsovie. Jędrzej Jeruchim

Dembowski est assis en face d'eux. Il est devenu le secrétaire du Maître depuis que Nahman Jakóbowski et son épouse prennent soin des fils Frank à Varsovie. À côté de Dembowski, il y a Mateusz Matuszewski. Ils se taisent quand l'officier prend leurs passeports. Le cuistot Kazimierz avec deux aides, Józef Nakulnicki et Franciszek Bodowski, mais aussi Ignacy Cesirajski que Jakób apprécia comme aide personnel à Częstochowa, les accompagnent à cheval.

Les femmes s'entassent dans la seconde voiture. Il y a Magda Golińska, auparavant Jezierzańska, l'amie d'Ewa Frank dont elle est l'aînée de plusieurs années. Elle est grande, sûre d'elle, attentive et dévouée à Awacza comme une mère. Le sauf-conduit mentionne qu'elle est femme de chambre. C'est aussi en qualité de domestique que voyage Anna Pawłowska, la fille de Paweł Pawłowski, autrefois Chaïm de Busk, le frère de Nahman Jakóbowski. Rozalia Michałowska et Teresa, la veuve Łabęcki, voyagent en tant que lavandières. Jan, Janek, Ignac et Jakub sont également du voyage, ils n'ont pas encore de noms, aussi l'officier note-t-il

---

* *Ordo Clericorum Regularium Pauperum Matris Dei Scholarum Piarum. (N.d.T.)*

scrupuleusement dans les rubriques appropriées : *Forisch* et *Fuhrmann*. Jakób confond leurs prénoms ou les oublie, aussi appelle-t-il chaque adolescent Herszełe.

À partir d'Ostrava, on voit à quel point la contrée est différente, ordonnée et proprette. Les routes sont consolidées, et, malgré la boue, elles restent tout à fait praticables. Des auberges les bordent, mais elles ne sont pas juives – d'ailleurs, en traversant la Pologne, le convoi évitait ces dernières. La Moravie n'est-elle pas le pays des vrai-croyants ? Il y en a dans chaque village, même quand on y rencontre d'autres fidèles, plus renfermés, avec leur quant-à-soi et une apparence de vrais chrétiens. Jeruchim Dembowski, que Jakób appelle désormais avec une pointe d'humour Jędruś, regarde très intéressé par la fenêtre et rappelle les paroles d'un kabbaliste d'après lequel le vers du psaume 14,3 – « Tous sont égarés, tous sont pervertis. Il n'en est aucun qui fasse le bien. Pas même un seul » – possède en hébreu la même valeur numérique que le nom « Moravie », *Mehrin*.

Méfions-nous de ces « Allemandiots », conclut-il en guise d'avertissement.

Ewa est déçue, elle aurait vraiment voulu que ses frères les accompagnent, mais eux, infantiles et timides, fluets comme des germes qui montent dans une cave obscure, craignent leur père, et lui les traite avec plus de sévérité que d'amour, tant ils semblent l'agacer en permanence. Il est vrai que tous les deux sont maladroits et manquent d'assurance. Roch, chevelure rousse et taches de rousseur, se met à pleurnicher quand il est puni, et alors ses yeux verdâtres, délavés, se remplissent de larmes qui prennent également la couleur de l'eau d'un étang. Józef est silencieux et secret, il a des traits d'oiseau de proie et de magnifiques yeux noirs. Toujours renfermé, il collecte les petits bâtons, les cailloux, les bouts de rubans ou les bobines de fil avec un zèle de pie difficile à comprendre. Ce frère-là, Ewa l'aime comme s'il était son propre enfant.

Quand, finalement, l'officier leur rend les passeports et que la berline démarre, Ewa se penche à l'extérieur pour regarder la route derrière eux et elle comprend qu'elle quitte la Pologne à jamais, qu'elle n'y reviendra plus. Pour elle, la Pologne restera cette prison à Jasna Góra. Elle avait huit ans quand elle est entrée pour la première fois dans la salle des officiers, toujours insuffisamment chauffée, glaciale. La Pologne, ce sont aussi ses voyages à Varsovie, chez les Wołowski où elle apprenait en hâte à jouer du piano, où le professeur lui tapait sur les doigts avec une règle de bois. Elle se souviendra également de la mort soudaine de sa mère qui fut pour elle un coup en pleine poitrine. Elle sait qu'elle ne reprendra plus jamais cette route en sens inverse. Dans le soleil hésitant de mars, la chaussée bordée de peupliers se transforme en souvenir.

– Mademoiselle Ewa daigne regretter la salle des officiers et Roch, ce vieux briscard, lui manquera certainement… dit Matuszewski, ironique, en voyant son air triste.

Dans la voiture, tous se mettent à rire, hormis Jakób. À l'expression de son visage, on devine ce qu'il pense. Il passe le bras autour de sa fille pour glisser sa tête sous son manteau comme il le ferait avec un chiot. Là, Ewa parvient à dissimuler les larmes qu'elle verse à flots.

Ils atteignent Brünn le soir du 23 mars 1773, ils y prennent des chambres à l'auberge *Zum blauen Löwen*, mais il n'y en a que deux de libres, ils sont à l'étroit. Le groupe formé de *Forisch* et de *Fuhrmann* couche à l'écurie, par terre, sur du foin. Dembowski dort la tête posée sur le coffret qui renferme leur argent et leurs documents. Le lendemain, ils apprennent que, pour s'installer en ville plus longtemps, il leur faut un sauf-conduit spécial. Aussi Jakób et Ewa se font-ils conduire à Prossnitz, chez leurs cousins Dobruszka.

La famille des Dobruszka
à Prossnitz

Ewa, les yeux écarquillés, observe les femmes locales, leurs petits chiens et leurs calèches. Elle aperçoit les alignements des vignes, dénudées à cette époque de l'année, et les jardinets nettoyés pour Pâques. Les passants, quant à eux, s'arrêtent quand ils voient passer la berline avec Jakób portant son haut bonnet et sa *chouba*, un long manteau doublé de peau de loup. La main puissante et anguleuse de cet homme, qui ne connaît pas le refus, tient fortement sa fille par le poignet, sans égard pour ses nouveaux gants en peau de chèvre. Cela fait mal, mais Ewa ne se plaint pas. Elle sait beaucoup prendre sur elle.

La demeure des Dobruszka est parfaitement connue de tout le monde en ville, chacun en indique le chemin. Elle donne sur la place, elle a un étage avec, au rez-de-chaussée, le magasin à la grande vitrine. La façade vient d'être ravalée, des gens sont en train de paver le terre-plein de devant. La voiture s'arrête, il lui est impossible de se rapprocher davantage, le cocher court annoncer les visiteurs. Un moment plus tard, les rideaux aux fenêtres de l'étage s'écartent, les yeux des habitants, vieux et jeunes, regardent les voyageurs avec curiosité.

Les Dobruszka sortent pour les accueillir. Ewa fait une révérence devant sa tante Szejndel. Celle-ci, émue, l'attire à elle et la jeune fille sent l'odeur de sa robe, un parfum discret de fleurs, de poudre et de vanille. Zalman a les larmes aux yeux. Il prend Jakób dans ses grands bras et lui tapote le dos. Oh oui, Zalman est faible et malade, il a maigri. Son ventre d'habitude rebondi a disparu, son visage est raviné. Vingt et un ans plus tôt, à la noce de Rohatyn, il paraissait deux fois plus grand. En revanche, son épouse Szejndel est aussi florissante qu'un pommier au printemps. Qui pourrait deviner qu'elle a mis au monde douze enfants? Elle a gardé une belle silhouette, pleine et ronde. Elle est juste un peu grisonnante, ses cheveux touffus sont relevés et retenus par des attaches en dentelle sous un petit bonnet.

Malgré la chaleur démonstrative de l'accueil, Szejndel observe son cousin avec méfiance, elle a entendu tant de choses à son sujet qu'elle ne sait trop qu'en penser. Par nature, elle ne porte jamais de jugement favorable sur les gens, ils lui semblent trop souvent bêtes et creux. Elle serre Awacza de façon quelque peu théâtrale, trop fort – elle prend toujours le pouvoir sur les autres femmes –, tout en s'extasiant sur ses nattes tressées à la polonaise. Szejndel est une femme magnifique, bien habillée, sûre d'elle et de la puissance de son charme. Dans un instant, seule sa voix résonnera dans toute la maison.

Sans plus de manières, elle prend son cousin par la main pour le faire entrer dans un salon dont le luxe intimide aussitôt ses invités qui, depuis treize ans, ne voyaient des belles choses qu'à l'église. Un parquet ciré avec des tapis turcs, des murs peints de couleurs douces avec des fleurs, un instrument à clavier et, près de lui, un petit tabouret décoré avec art, sur trois pieds en forme de pattes d'animaux. Des rideaux drapés aux fenêtres, une très amusante petite commode à couture à trois tiroirs. Les invités sont arrivés alors que Szejndel faisait de la broderie avec ses filles, des tambourins abandonnés traînent sur les chaises. Les demoiselles sont au nombre de quatre, elles se tiennent l'une à côté de l'autre, souriantes, contentes d'elles : l'aînée, Blumełe, est magnifique, pas très grande, joyeuse. Viennent ensuite Sara, puis Gitla et la toute jeune Estera, avec des anglaises et des ronds rouges sur son pâle visage comme si quelqu'un les y avait peints. Toutes les quatre sont en robes à petites fleurs, mais chacune de couleurs différentes. Ewa aimerait en avoir une pareille et ces rubans dans les cheveux aussi ; à Varsovie il n'y en avait pas de semblables et, déjà, elle sent qu'elle tombe amoureuse de ces tenues et rubans aux couleurs subtiles. En Pologne, elle n'a connu que le rouge et l'amarante criards ou les bleus turcs. Or ici, c'est différent, tout est dilué, comme si les diverses couleurs du monde avaient été dissoutes dans du lait. Elle ne trouve même pas de qualificatif pour nommer le rose légèrement grisé des rubans dans les coiffures. Sa tante Szejndel fait la présentation de ses enfants. Son yiddish est un peu différent de celui des visiteurs de Pologne. Après les filles, les garçons arrivent l'un après l'autre.

Voici Mosze qui, apprenant la visite de son célèbre oncle, est venu spécialement de Vienne. Il a vingt ans, à peine deux ans de plus qu'Awacza, un visage mince, mobile, avec des dents inégales. Il écrit déjà des textes savants tant en allemand qu'en hébreu. Il s'intéresse à la poésie et à la littérature, mais aussi aux nouveaux courants philosophiques. Il semble un peu trop à l'aise, trop bavard et, peut-être à l'exemple de sa mère, trop sûr de lui. Certaines personnes posent problème d'emblée parce qu'elles sont trop attirantes et qu'on les aime sans aucune raison, tout en ayant la certitude que tout n'est que jeu et apparence chez elles. Il en est ainsi avec Mosze. Quand il regarde Ewa, elle détourne les yeux et rougit, ce dont elle est d'autant plus embarrassée. Quand il est entré, elle fit une génuflexion maladroite et ne voulut pas lui donner la main. Szejndel, à laquelle rien n'échappe, jeta un regard entendu à son mari, l'expression de son visage fit comprendre à tous que l'éducation de la jeune fille laissait à désirer. Ewa n'est plus en mesure de retenir les autres prénoms des frères Dobruszka.

Szejndel Hirsz naquit à Wrocław, mais sa famille était originaire de Rzeszów tout comme celle de Jakób. La mère de Jakób et le père de Szejndel étaient frère et sœur. Elle a trente-sept ans, son visage a toujours l'air jeune et frais. Ses grands yeux sombres rappellent des puits : on ne sait pas ce qui se trouve au fond. Son regard est perspicace, suspicieux, attentif. Il est difficile de s'en défaire quand il se pose sur vous. Ewa détourne les yeux et songe à quel point sa tante Szejndel diffère de sa mère. Chana était confiante et droite, ce qui faisait qu'elle semblait souvent vulnérable et faible, c'est ainsi que sa fille se la rappelle – on eût dit que toutes ses forces l'abandonnaient et que chaque jour, au petit matin, elle devait les collecter comme on ramasse des baies, lentement, avec patience. Sa tante, elle, n'a que trop de forces ; elle dresse la table tout en discutant avec son cousin. Une servante fait irruption avec un panier rempli de petits pains chauds qu'elle apporte directement de la boulangerie. Avec cela, il y a du miel et des morceaux de sucre roux que l'on saisit avec une pince spéciale.

Les premières conversations servent à s'observer mutuellement. Accourus de toute la maison, les enfants des Dobruszka, curieux et amusés, regardent Ewa Frank, leur cousine inconnue, et leur oncle étrange au sombre visage grêlé. Ewa porte une robe achetée à Varsovie, dans une couleur tabac «de voyage», particulièrement peu seyante. L'une de ses chaussures a cédé, elle cherche à dissimuler la fissure avec le bout de l'autre. Les rougeurs ne quittent pas son visage. Son chapeau – il lui avait semblé élégant à Varsovie – laisse échapper des mèches de cheveux.

Dès le début, Jakób se conduit bruyamment et sans aucune gêne, comme si, au sortir de la voiture, un changement s'était opéré en lui et avait paré son visage accablé et fatigué d'un masque jovial. Son épuisement disparaît grâce aux gorgées de bouillon d'oie, réchauffé par le rire contagieux de Szejndel, dissous par la liqueur de merises. Pour finir, le mot exotique est prononcé, «Częstochowa», et Jakób se met à raconter, à sa manière, en gesticulant et en faisant des grimaces. Il jure en polonais et en yiddish, les enfants en sont gênés, mais un regard à leur mère les rassure – Szejndel baisse discrètement les paupières, comme pour dire: «Lui, il a le droit.»

Ils sont assis au salon à une petite table ronde et ils boivent du café dans de fines tasses. Ewa n'écoute pas le récit de son père.

Quand elle avance la main pour prendre du sucre – celui servi pour le café a la blancheur de la neige –, elle voit sur le sucrier l'image d'une ville portuaire avec ses grues pour décharger les marchandises. La tasse, quant à elle, est blanche, lisse à l'intérieur, un fin liseré d'or en décore la bordure extérieure. En posant les lèvres dessus, Ewa a l'impression que cet ornement a un goût, de vanille peut-être.

Le tic-tac de l'horloge est pour elle un son nouveau qui divise le temps en petits morceaux, tout semble à l'échelle, tiré au cordeau. Propre, approprié et très sensé.

Après dîner, son père reste avec son oncle Zalman et sa tante Szejndel. On prie Ewa d'aller dans la chambre des filles, où les plus jeunes, Gitla et Estera, lui montrent leurs livres d'or dans lesquels les visiteurs laissent un mot. Elle aussi doit y écrire quelque chose. Cela la panique.

– Je peux le faire en polonais? demande-t-elle.

Elle feuillette le livret et voit que toutes les inscriptions sont en alle-mand, une langue qu'elle connaît mal. Finalement, c'est Magda Golińska qui prend la plume pour elle, avec sa belle écriture et en polonais. Il reste à Ewa à y dessiner des roses avec des épines comme elles le faisaient ensemble à Częstochowa. Ce sont les seules fleurs qu'elle sait dessiner.

Au salon, les adultes parlent haut et l'on entend de temps en temps leurs éclats de rire ou leurs cris étonnés. Ensuite, ils baissent la voix jusqu'au murmure. Les servantes apportent régulièrement du café et des fruits. Des profondeurs de la maison monte un fumet de viande grillée. Jędrzej Dembowski furète dans toutes les pièces, regarde dans chaque coin. Il jette un œil dans la chambre des filles, y faisant pénétrer un relent de tabac, amer, intense.

– C'est donc là que ces demoiselles se sont cachées… lance-t-il – et sa silhouette enfumée disparaît.

Ewa, assise dans un profond fauteuil, joue avec la frange des doubles rideaux, la voix de son père lui parvient du salon où il relate avec ani-mation comment il a été libéré par les Russes. Elle l'entend enjoliver les événements, mentir peut-être. Dans son récit, tout semble plus drama-tique, et lui il devient un héros. Attaque, tirs, briscards qui meurent, sang, moines ensevelis sous les gravats. En réalité, c'était moins spectaculaire. Son père lui avait lui-même expliqué que la garnison s'était rendue sans combattre. Des drapeaux blancs furent accrochés aux remparts. Les armes furent déposées en de grands tas. Il pleuvait et les entassements de pistolets, d'épées et de mousquets avaient l'air d'un amas de branches sèches. Les Confédérés sortirent en colonnes par quatre. Les Russes se livrèrent ensuite à une fouille systématique du monastère.

Wołowski et Jakóbowski parlementèrent avec le général Bibikov au nom de Jakób. Après un bref entretien avec l'un de ses officiers, Bibikov fit rédiger un document déclarant que Jakób était libre.

Tandis que, dans une voiture de louage, ils se dirigeaient vers Varsovie, ils furent contrôlés plusieurs fois par des patrouilles, tant de Russes que de Confédérés rescapés. Elles lisaient le sauf-conduit et regardaient avec suspicion la belle jeune fille assise à l'étroit entre deux hommes étranges. Une fois, ils furent stoppés par des brigands en haillons, Jan

Wołowski tira en l'air et ils se sauvèrent. À proximité de Varsovie, la berline quitta la route principale. Jakób et Wołowski confièrent Ewa à des religieuses après les avoir généreusement rétribuées, ils ne voulaient pas poursuivre le voyage avec elle à travers un pays devenu soudain incontrôlable. Awacza allait attendre le retour de son père au couvent. En lui faisant ses adieux, Jakób l'embrassa sur les lèvres et lui dit qu'elle était ce qu'il avait de plus précieux.

Maintenant, elle entend son père raconter leurs démarches pour avoir des passeports et la voix de sa tante Szejndel qui s'écrie, incrédule :

– Tu voudrais aller en Turquie ?

Ewa ne perçoit pas ce que répond son père. De nouveau, elle entend sa tante :

– Mais la Turquie est maintenant l'ennemie de la Pologne, et de l'Autriche aussi et de la Russie ! Ce sera la guerre.

Ewa s'endort dans le fauteuil.

La nouvelle vie à Brünn et le tic-tac des horloges

Quelques jours plus tard, dans la banlieue de Brünn, ils louent une maison à Ignace Pietsch, un conseiller. Jakób est contraint de lui montrer ses passeports et de déposer aux services administratifs un écrit certifiant qu'il est originaire de Smyrne, qu'il arrive de Pologne et que, fatigué par son labeur de marchand, il voudrait s'installer définitivement avec sa fille Ewa à Brünn. Il lui faut également attester que ses revenus commerciaux lui assurent des moyens d'existence suffisants.

Tandis que, pendant des semaines, ils déballent leurs affaires, font leurs lits ou rangent le linge sur les étagères des armoires, au-dessus de leurs têtes bruissent des feuilles de papier qui sont autant de documents, de comptes rendus et de délations qui circulent, de notes confidentielles qui grincent et de rapports qui font des allers-retours. Le responsable du district de Prossnitz, un certain von Zollern, exprime par écrit ses réticences quant à autoriser l'installation de ce groupe à Brünn, car

212 Joh. Spreil
213 Fra. Wachter
214 Rathhaus
215 Jos. Schmidl
216 Ada. Skotz
217 Ber. Elgens
218 Dom. Saduani
219 Lui. Hoherische Er.
220 Vinz. Koslerin
221 Joh. Kruwaner
222 Wen. Eitelberger
223 Ludgar Pilnerin
224 Jos. Wolf
225 Elis. Schwäiger
226 Joh. Strzebirzeck
227 Chri. Beerische Er.
228 Vikt. Sterdschlin
229 Jas. Prager
230 Fra. Swoboda
231 Ant. Sreiter
232 Jph. Staugwitz
233 Joh. Tomann
234 Ant. Wossauch
235 Franz. Golz
236 Johan. Bauman
237 Stät. Brauhaus
238 Alo. Sirtus
239 Jos. Bauhleu
240 Jos. Richter
241 Jos. Demuth
242 Kat. Ramischain
243 Sta. Salmsches Hau
244 C. von Welzenstin
245 Jos. Fraun
246 Ana. Pomerin
247 Johan Stanzel
248 Johan Sabl
249 Ros. Bartusakin
250 Städ. Guar. Smlshaus
251 Chri. Weidner
252 Fra. Mildin
253 Tyra. Seldtner
254 Jos. Schrimpf
255 Jos. Konal
256 Ign. v. Abel
257 Ant. Scholz
258 Vinz. Gottlieb
259 Frh. v. Roden
260 Frh. v. Dubsky
261 Rosa. Schardlin
262 K. K. Posthaus
263 The. Sistin
264 Joh. Kwoziczka
265 Chri. Ortvanin
266 Jos. Rudl
267 Augu. Schiler
268 Fra. Mikssiczek
269 Städ. Malzhaus
270 Fra. Stayer
271 Schneiderherberg
272 Ign. Tytz
273 Nan. Petterin
274 Tyra. Madron
275 Jos. Schrotter
276 Ant. Frank
277 Wolf. Pupil. haus
278 Knd. Schweigel
279 Mari. Sistin
280 Jos. Poiger
281 Gew. Klost. Fisch
282 Ther. Festlin
283 Jos. Metrowsky
284 B. v. Freyenfels
285 Graf. Stockhamr
286 Graf. Skribenski
287 Jos. Stumer
288 Ana. Göttinger
289 Jos. Kniebadl
290 Jose. Ansanger
291 Graf. Sorent
292 Jak. Korabeck
293 Fra. Lachnit
294 Tyra. Polak
295 Jos. Festl
296 Joh. Perschl

Maassstab von 200. Wienner K.

10 0 10 20 30 40 50   100   150

310	Joh. Schwartz	4
311	Jol. Steiner:	4
312	Joh. Grott	4
313	Lor: Merkle	41
314	Jos. Taubensch.	41
315	F. v. Lerchenhei	
316	Ema. Sidl.	41
317	Graf v. Blümegen	4
318	B. Mundy	4
319	Ana v. Seiller	
320	Tob. Postelbauer	41
321	Xav. Kniehand	42
322	Fra. Pachner	42
323	Chr. Stadeus	42
324	Gra. Waſſenberg	42
325	Jos. Denner	42
326	Dom. Hilseber	42
327	Eli. Steinzin	42
328	Val. Gerstbauer	
329	Ba. v. Forgats	42
330	Graf Heiſzlerin	
331	Vin. Miller	42
332	Graf Fünfkir.	42
333	Flor. Horny	42
334	Joh. Reindlh.	
335	Alex. Kautscher	
336	Jos. Schonberger	42
337	Jac. Andres.	4
338	Konst. Sensz	42
339	Joh. Mayer	42
340	And. Obermayer	4
341	Apo. Loiblin	42
342	Jos. Rottenberg	44
343	Jos. Pertscher	44
344	Joh. Edler	44
345	Jos. Bauma	44
346	Joh. Stracka	44
347	Bür. Tuchm. Sta.	44
348	Wolf. Roszl	44
349	Joh. Wensla	44
350	Jos. Bern	45
351	Ana. Bergeryn	44
352	Joh. Schubert	45
353	Kerner O. W.	45
354	Fra. Pischl.	45
355	Joh. Wimula.	45
356	Tab. Martinius	45
357	Jos. Piller	45
358	Georg. Binder	45
359	Ant. Kopetschni	45
360	Elis. Donzilin	46
361	Klem. Stecher	46
362	Jos. Piffel	46
363	Jos. Ankermül.	46
364	Mich. Wilder	46
365	Fra. Senz	46
366	Fra. Bayer:	46
367	Jos. Maiserin	46
368	Doro. Feynerin	46
369	Jos. Moser.	46
370	Fra. Leixner	47
371	Wer. Grimmin	47
372	Jos. Tauglitz	47
373	Mat. Kurz	47
374	Ant. Fößl	47
375	Joh. Elbel	47
376	Joh. Koch	47
377	Mich. Landerer	47
378	Magd. Porzerin	47
379	Fra. Kojnusch.	47
380	Leop. Rome	48
381	Jos. Busterhojfer	48
382		48
383	Militär-Kaserne	48
384	Adel. Stift	48
385	Schul	
386	Rosa. Schalkin	46
387	Jak. Straszman	46
388	Nowakelg. Er.	
389	Graf Görinsky	46
390	Ed. v. Valenzi	46
391	Fra. Hodack	49
392	Joh. Gottsdank.	49
393	Apo. Stankin	49
394	Mich. Utharek	49
395	Joh. Holzubeck	49

Stoscher. K. prov. Bau Directions und Geschw. Landes Ingenieur. A. 1794.

il lui semble suspect qu'un néophyte, à ce qu'il a entendu, puisse se permettre d'avoir autant de serviteurs. Lesquels sont également tous des néophytes, qui plus est. Et même si Son Altesse l'empereur insiste sur la tolérance, il redoute pareille responsabilité, il préférerait que le susnommé s'installât ailleurs, le temps qu'arrive la décision définitive du Gouvernement des Provinces de l'Empire et du Royaume.

À cela, il lui est répondu que, du fait de la guerre en Pologne, il revient à l'autorité militaire de décider de la question des arrivants et que, sans son autorisation, conformément à la décision de la cour du 26 juillet 1772, les individus d'origine polonaise ne peuvent pas être admis à séjourner dans le pays. Là-dessus arrive de la *Kommandantur* militaire un document notifiant qu'ils ne dépendent pas d'elle, mais de la juridiction civile, et c'est pourquoi il est demandé à celle-ci de prendre une décision les concernant. L'autorité civile se tourne vers le commandant du district pour qu'il obtienne des informations sur la personne dudit Józef Frank, sur le but de son voyage, ses moyens de subsistance, et recueille des précisions sur le commerce qu'il est supposé exercer.

À la suite des démarches officielles et officieuses des enquêteurs, le commandant du district rapporte que :

... ledit Frank déclare posséder en propre au Royaume de Pologne, à dix lieues de Czerniowce, dont les habitants sont sujets de l'Empire russe, un cheptel de bétail à cornes dont il fait commerce important, mais dont il nourrit l'intention de se défaire du fait des présentes circonstances et troubles de guerre en Pologne, dans la crainte pour sa vie et celle de sa famille. Que par ailleurs, à Smyrne, il possède des biens dont il recueille tous les trois ans les revenus, et c'est pourquoi, n'ayant pas l'intention de faire commerce à Brünn en Moravie, il compte vivre uniquement de ses revenus. Pour ce qui est de la conduite, tenue, caractère et mode de vie dudit Frank, après une enquête minutieuse, une investigation en profondeur et des recherches laborieuses de la part du service du district, il n'est rien apparu qui pourrait dudit Frank entacher la réputation. Ce Frank est de conduite correcte, il vit de ses revenus et liquidités et ne contracte nulle dette.

D'abord, comme il fut dit, ils vivent en banlieue, sur de belles collines couvertes de jardins à proximité de Vinohrady. Au bout d'un an, ils déménagent sur la Kleine Neugasse, puis sur la Petersburger Gasse, où, avec l'aide de Zalman Dobruszka et d'autres personnes, ils louent un immeuble au numéro 4 pour douze ans.

Celui-ci appartient à un conseiller municipal et se trouve très près de la cathédrale, sur une hauteur depuis laquelle on voit tout Brünn. La cour, pas très grande, est à l'abandon, pleine de bardanes.

Ewa reçoit la plus belle chambre, claire, avec quatre fenêtres, une multitude de tableaux aux murs qui montrent des scènes de genre avec des pastourelles. Le lit est à baldaquin, bizarrement haut, pas très confortable. Ses robes sont suspendues dans l'armoire. Chaque nuit, Magda Golińska s'installe par terre à côté d'elle. Pour rien au monde, elle ne voudrait retourner auprès de son mari. Pour finir, on lui achète un lit. Ce n'était pas vraiment nécessaire, car, par temps froid, les deux jeunes femmes dorment blotties l'une contre l'autre de toute manière, mais ceci uniquement quand le père d'Ewa ne le voit pas, une fois qu'il s'est endormi et que son ronflement traverse toutes les pièces.

Jakób se plaint pourtant de ne pas pouvoir dormir.

– Enlevez-moi cette tocante! hurle-t-il – et il fait descendre au rez-de-chaussée l'horloge qui, au début, lui plaisait tant.

Celle-ci vient d'Allemagne, elle est en bois avec un petit oiseau qui sort et marque les heures en faisant un bruit de *Kartätsch,* d'obus qui explose, et c'est comme s'ils se trouvaient toujours dans Częstochowa assiégée. Qui plus est, l'oiseau est de toute laideur, il rappelle plutôt un rat. Jakób se réveille au milieu de la nuit et se met à marcher dans la maison. Parfois, il entre dans la chambre d'Awacza, mais quand il voit que Magda est couchée avec elle sa colère et son énervement n'en sont que plus grands. Finalement, l'horloge est offerte en cadeau à quelqu'un.

En été, Ewa se rend chez sa tante Szejndel pour apprendre les bonnes manières et jouer sur le piano à la dernière mode que Zalman a fait venir de Vienne. Elle apprend également le français, elle est subtile et, très vite, elle se débrouille assez pour la conversation. Dans son entourage, elle utilise le polonais, son père leur a interdit le yiddish à tous. Avec ses cousins, elle doit pourtant parler allemand. Chez sa tante, elle a un précepteur, celui qui s'occupe des plus jeunes de ses filles. Ewa est gênée d'assister aux leçons avec des petites. Elle apprend avec assiduité, mais elle a peu de chances d'atteindre le niveau des demoiselles Dobruszka. Parfois, elle participe également aux leçons données par le *Hausrabin*, le rabbin attaché à la maison qui veille à l'éducation hébraïque des enfants, tant des filles que des garçons. C'est un vieil homme, Salomon Gerlst, un parent de Jonathan Eybeschutz en personne, celui qui naquit précisément à Prossnitz où réside toujours sa famille éloignée. Rabbi Gerlst s'occupe principalement des deux garçons, Emanuel et Dawid, qui ont déjà fait leur *Bar Mitzvah* et commencent maintenant à étudier les livres saints des vrai-croyants.

Une fois par mois, un tailleur vient chez tante Szejndel, laquelle lui commande progressivement une nouvelle garde-robe pour Awacza: des robes d'été légères dans des couleurs pastel, de petits corsages décolletés, des chapeaux parés de tant de rubans et de fleurs qu'ils font penser au lit mortuaire d'une poupée. Chez le cordonnier, sa tante lui fait faire des chaussures en soie tellement souples qu'on craindrait de les mettre pour marcher dans les rues empoussiérées de Brünn. Dans ses nouvelles tenues, Ewa se transforme en femme du monde et son père plisse les yeux de satisfaction quand il la regarde et la prie de dire quelque chose en allemand, quoi que ce soit. Ewa lui récite des poésies. Il l'embrasse alors avec satisfaction.

– Voilà l'enfant que j'avais demandée dans mes prières! Je voulais une fille pareille, une reine!

Ewa aime plaire à son père, ce n'est qu'alors qu'elle se plaît à elle-même. En revanche, ce qu'elle déteste, c'est qu'il la touche. Elle esquive, se dit occupée et s'en va, mais elle a toujours peur qu'il l'appelle, parce que alors elle doit retourner vers lui. Elle préfère séjourner à Prossnitz chez son oncle et sa tante. Avec Anna Pawłowska, elles y font ce que font leurs cousines: elles apprennent à être des dames.

Dans le jardin des Dobruszka, les fruits apparaissent déjà sur les petits pommiers, l'herbe est touffue, les pas des marcheurs y ont tracé des passages. Récemment, il a plu, l'air est pur, vert sombre, chargé de senteurs. La pluie a creusé des ravines sur le chemin, il reste des gouttes d'eau sur le banc en bois que Szejndel a fait placer là. Elle vient volontiers s'y asseoir pour lire. En été, Ewa y passe du temps, elle aussi, en essayant de déchiffrer les romans français dont sa tante a toute une armoire fermée à clef.

Zalman Dobruszka regarde ses filles par la fenêtre ouverte tandis qu'il est assis à faire ses comptes. Dernièrement, il ne se rend pas à sa fabrique de tabac, l'air estival lui vaut des attaques d'asthme. Il respire mal et doit faire attention. Il sait qu'il ne vivra plus longtemps. Il a décidé de confier ses affaires à l'aîné de ses fils, Carl. Dans la famille Dobruszka, un débat permanent tourne autour du baptême. Zalman et plusieurs de ses fils aînés sont réticents, alors que Szejndel soutient ceux des enfants qui veulent sauter le pas. Carl s'est récemment fait baptiser avec son épouse et leur bébé. Le commerce de tabac deviendra un commerce catholique. Le tabac deviendra catholique.

Mosze Dobruszka
et le banquet du Léviathan

Vingt ans plus tôt, Mosze était déjà présent au mariage à Rohatyn, même si, évidemment, il ne peut pas le savoir. Ienta l'avait touché à travers le ventre de la toute jeune Szejndel que le crottin de cheval dans la cour dégoûtait. Ienta, qui elle aussi fréquente parfois le

jardin des Dobruszka à Prossnìtz, le reconnaît, oui, c'est bien lui, il était cette existence partielle, cette gelée de potentiel en boule, cette entité qui est et n'est pas en même temps. La langue à même de la décrire n'a pas encore été inventée et aucun Newton n'a été tenté d'élaborer une théorie appropriée la concernant. De là où elle est, toutefois, Ienta aperçoit aussi bien son commencement que sa fin. En savoir trop n'est pas une bonne chose !

Or, à Varsovie, dans la cuisine du quartier de Leszno, les doigts osseux de Haya, devenue Marianna Lanckorońska, façonnent pour cette existence une figurine en mie de pain. Cela dure longtemps parce que la mie s'émiette et se défait, la figurine prend de drôles de formes puis éclate. Il apparaît ensuite qu'elle est complètement différente des autres.

Mosze étudie le droit, mais le théâtre et la littérature l'intéressent bien davantage, les *Weinstube* viennoises sont indéniablement un meilleur endroit pour apprendre la vie, avoue-t-il à sa mère. Il n'oserait pas dire cela à son père malade. Sa mère l'aime plus que tout, et, pour elle, il est un vrai génie. Son regard maternel voit en lui un jeune homme plus que beau. Après tout, il serait difficile de dénier une certaine beauté à toute personne qui n'a pas dépassé vingt-cinq ans, et Mosze, qui est svelte, ne manque pas de prestance. Quand il arrive de Vienne, il se débarrasse de sa perruque poudrée et marche nu-tête. Ses cheveux ondulés et sombres sont alors noués en queue de cheval. À vrai dire, il ressemble à sa mère, il a son haut front et sa bouche pleine, et, tout comme elle, il est bruyant et bavard. Il a un maintien élégant à la viennoise, il se déplace à grands pas. Ses bottes en fine peau avec des boucles argentées soulignent ses mollets longs et minces.

Ewa a appris que Mosze avait une fiancée à Vienne, Elke, la belle-fille d'un riche industriel, Joachim *Edler* von Popper, un néophyte anobli. Oui, oui, un mariage s'annonce. Zalman marierait déjà volontiers Mosze pour qu'il poursuive paisiblement avec ses frères ce qui lui semble, à lui, être le mieux, le commerce du tabac. Mosze, pourtant, est en train de faire connaissance avec une étrange et profonde poche de ce monde dont on peut sortir de l'argent en permanence : la Bourse. Il sait, tout comme sa mère, qu'il est des choses plus importantes que le commerce du tabac.

Mosze invite à la maison plusieurs de ses amis, tous issus de familles aisées. Sa mère ouvre alors les fenêtres sur le jardin, dont elle dépoussière les bancs, et place au centre du salon le piano pour qu'on l'entende partout, tant à l'intérieur qu'à l'extérieur. Ses sœurs mettent leurs plus belles robes. Ces jeunes gens – poètes, philosophes ou Dieu sait quoi, Zalman les appelle « la jeunesse dorée » – ont l'esprit ouvert, ils sont modernes ; la longue barbe et l'accent étranger du père Dobruszka ne dérangent aucun d'eux. Ils ont l'air d'être dans un état d'excitation permanente, enchantés par leur propre personne et par les poèmes qu'ils composent, dans lesquels les allégories et l'abstraction fourmillent.

Au moment où sa mère annonce le dîner, Mosze est debout au milieu du salon.

– Vous avez entendu ? Allons dévorer le Léviathan ! s'écrie-t-il.

Les jeunes gens se lèvent pour glisser sur les parquets cirés et courir occuper les meilleures places à table.

Mosze lance de nouveau :

– Au festin messianique, Israël dévorera le Léviathan ! Il est vrai que Maïmonide explique cela philosophiquement et avec distance, mais pourquoi devrions-nous mépriser les croyances des gens simples qui eurent faim toute leur vie ?

Mosze occupe une place au centre de la longue table et ne cesse de pérorer :

– Oui, le peuple d'Israël dévorera le Léviathan ! L'immense, le gigantesque corps du monstre se révélera délicieux et fin comme, comme…

– … la chair de petites cailles virginales, lui souffle l'un de ses camarades.

– Ou de poissons volants transparents, poursuit Mosze. Le peuple dévorera le Léviathan jusqu'à ce qu'il rassasie sa faim pluriséculaire. Il y aura une grande ventrée, un festin inoubliable. Les nappes blanches claqueront au vent, nous jetterons les os sous la table aux chiens qui profiteront également du salut…

Il y a quelques vagues applaudissements, les mains sont prises, chacun est occupé à remplir son assiette de nourriture. Jusque tard dans la nuit, de la demeure des Dobruszka monte de la musique, et l'on entend des parties de fous rires quand les jeunes gens s'amusent aux jeux de société français à la mode. Szejndel, les mains croisées, est appuyée au chambranle de la porte, elle regarde son fils avec orgueil. Elle peut être fière de lui et elle l'est indéniablement: en 1773, il a publié trois études personnelles, deux en allemand et une en hébreu. Toutes traitent de littérature.

Après l'enterrement de Zalman, début janvier 1774, Mosze demande un entretien à son oncle Jakób Frank au moment de la *stypa*, le repas qui réunit les proches du défunt. Ils s'assoient dans la véranda où, l'hiver, Szejndel garde les fleurs. En ce moment de grands ficus, palmiers et oléandres s'y trouvent.

Mosze semble admirer Jakób tout en ne l'aimant guère. Telle est sa manière d'aborder les gens, à la fois extrême et ambivalente. Il l'observe en douce et les manières de rustre de son oncle l'agacent, tout comme son habit turc bigarré et théâtral. En revanche, il admire l'inexplicable assurance de cet homme que rien ne perturbe. Jamais, chez personne, il n'en a vu de similaire. Il se surprend à ressentir du respect pour lui et même à en avoir peur. C'est précisément ce qui l'attire autant en lui.

– Je voudrais que vous soyez mon témoin de mariage, mon oncle. Je voudrais que vous m'accompagniez pour mon baptême.

– Cela me plaît bien qu'un jour de funérailles tu m'invites à la noce, lui répond Jakób.

– À père, cela aurait plu également. Il a toujours considéré qu'il faut aller droit au but.

Pour les invités qui les voient par la baie vitrée, ils semblent fumer la pipe et parler du défunt Zalman. Leurs corps sont détendus, Jakób étend les jambes et, pensif, il fait des ronds de fumée.

– Tout se rapporte au fait que Moïse et sa Constitution sont une tromperie, dit Mosze Dobruszka. Moïse connaissait la vérité, mais il la cacha à son peuple. Pourquoi ? Probablement pour avoir de l'ascendant sur lui. Il a élaboré un mensonge tellement grand qu'il en est vraisemblable. Des millions de gens croient à ce mensonge, s'y réfèrent et vivent conformément à celui-ci. (Mosze prononce plus un discours qu'il ne parle, il ne regarde guère son oncle.) Quel effet cela fait de prendre conscience que l'on vivait dans une totale illusion ? C'est comme si quelqu'un disait à un enfant que le rouge est vert, que le jaune est rose, qu'un arbre est une tulipe…

Dobruszka se perd dans sa liste de comparaisons, il fait de la main un geste rond et poursuit :

– Donc, le monde est un mensonge trompeur, du théâtre. Et pourtant Moïse bénéficiait d'une chance inouïe, il pouvait mener vers la lumière véritable le peuple chassé, le peuple errant dans le désert, mais lui préféra le tromper et il a présenté comme venant de Dieu les injonctions et les lois qu'il avait inventées ! Il a caché profondément ce secret au point qu'il nous a fallu des siècles pour prendre connaissance de la vérité.

Mosze glisse brusquement de sa chaise pour s'agenouiller devant Jacob et poser sa tête sur ses genoux.

– Vous, oncle Jakób, vous êtes celui qui nous en fait prendre conscience avec pugnacité. Vous avez pris sur vous ce devoir et je vous admire pour cela.

Jakób ne semble nullement surpris, il prend dans ses mains la tête du jeune Dobruszka, et quiconque les voit maintenant par la baie vitrée imagine que l'oncle console un fils après la mort de son père, le spectacle est émouvant.

– Vous savez, mon oncle, Moïse a terriblement fauté, il nous a condamnés, nous les Juifs, et pas seulement nous, à des malheurs infinis, des catastrophes, des fléaux et des souffrances. Après quoi, il a abandonné son peuple…

– Pour rejoindre une autre religion… l'interrompt Jakób – et Mosze regagne son fauteuil qu'il rapproche néanmoins tellement de celui de son oncle que leurs visages sont distants d'à peine une main.

– Dis-moi si j'ai raison ? Jésus-Christ tenta de nous sauver et il y est presque arrivé, mais son message fut dénaturé, tout comme celui de Mahomet.

Jakób dit alors:

– Les lois mosaïques sont un fardeau et un crime pour le peuple, mais l'enseignement divin est une perfection. Aucun homme ni aucune créature n'a eu la chance de l'entendre, mais, nous, nous espérons l'entendre. Tu sais cela, n'est-ce pas?

Mosze Dobruszka hoche énergiquement la tête.

– Toute la vérité se trouve dans la philosophie des Lumières, dans le savoir que nous pouvons acquérir, elle nous libérera de cette misère…

Szejndel s'inquiète de ce qu'elle voit dans la véranda, elle hésite un moment puis frappe avec détermination à la porte et l'ouvre pour leur dire que la modeste collation est servie.

La maison près de la cathédrale et l'arrivée des demoiselles

Immédiatement, dès la première année de Jakób et des siens à la Petersburger Gasse, des hôtes se présentent chez eux et il y a de l'animation dans toute la maison. Toutes les pièces sont occupées et ceux qui n'y trouvent pas de place louent des chambres chez les bourgeois. Une nouvelle énergie gagne la ville somnolente de Brünn, parce que ces nouveaux venus sont presque tous des jeunes gens.

Dans la mesure où l'enseignement ne devait avoir lieu que le matin, il n'y aurait rien eu à faire le reste de la journée. Le Maître décida donc l'instauration d'un entraînement militaire, et, dès lors, la cour se remplit d'un brouhaha de langues quand cette jeunesse venue de Pologne, de Turquie, mais aussi de Bohême ou de Moravie – les «Allemandiots» comme les appelle Jakób –, s'exerça à la marche au pas. La Maison de la *Havurah* de Brünn dépensa des sommes importantes pour commander des uniformes à tout le monde, puis, une fois ceux-ci revêtus, le Maître divisa sa petite armée en compagnies.

Sur sa table sont disposés les croquis des uniformes et des fanions, ainsi que les plans de positionnement des sections. Chaque matin commence de la même manière. Le Maître se montre au balcon où, appuyé à la balustrade en pierre, il s'adresse aux jeunes gens :

– Qui ne prêterait pas attention à mes paroles ne pourrait en aucune manière rester à la Cour. Qui lancerait des jurons serait aussitôt écarté. Qui dirait que ce à quoi j'aspire est mauvais, ou inutile, serait aussitôt exclu.

Parfois, plus bas, il ajoute :

– Jadis, je détruisais, je déracinais. Désormais, je bâtis et je greffe. Je veux vous enseigner les usages royaux parce que vos têtes sont faites pour porter des couronnes.

Chaque mois, on reçoit des dizaines de pèlerins à la Cour. Les uns viennent juste rendre visite à Jakób, les autres, plus jeunes, restent quelque temps. C'est un honneur pour les demoiselles et les jeunes gens de passer un an au service du Maître. Ils viennent avec de l'argent qu'ils déposent aussitôt chez l'intendant.

La bâtisse de la Petersburger Gasse est cossue, elle a deux étages. Un lourd portail en bois ferme l'entrée de la cour intérieure sur laquelle donnent l'écurie, la remise, les réserves de bois et la cuisine. Du côté de la Petersburger Gasse qui mène à la cathédrale Saints-Pierre-et-Paul, il y a les plus jolies pièces, même si l'immense édifice religieux leur fait de l'ombre. Au premier étage, elles sont occupées par le Maître, Demoiselle Ewa, ainsi que Roch et Józef quand ils viennent de Varsovie. Il y en a également pour les hôtes les plus importants, les frères et les sœurs de marque. C'est ainsi là que dorment les aînés de la Fraternité, tels les Wołowski, les Jakóbowski, les Dembowski ou les Łabęcki, lorsqu'ils séjournent à Brünn. Au bout de l'aile gauche, le Maître a son bureau, où il reçoit ses invités. Les étrangers, il les accueille en bas, près de la cour intérieure. Il s'y trouve également une grande salle dans laquelle le propriétaire précédent donnait des bals et qui, maintenant, sert aux réunions et aux conférences. Côté cour, on trouve en outre un jardin d'enfants où l'on instruit les plus jeunes. Le Maître n'aime pas avoir de marmots autour de lui, aussi chaque femme qui accouche est-elle éloignée quelque temps de la Cour, retournant en Pologne dans sa famille. Sauf si le Maître en décide autrement. Il aime téter le lait de certaines d'entre elles.

Au second étage, côté rue et côté cour, se trouvent les chambres des hommes et des femmes, ainsi que celles des visiteurs. On en a aménagé un certain nombre, mais cela ne suffit pas pour héberger toutes les personnes qui arrivent. Le Maître n'autorise pas les couples à loger ensemble. Il décide seul qui doit être avec qui et, en fait, il n'y a jamais eu de soucis avec cela.

Il est évident que, dans une ambiance pareille, les amourettes et les romances fleurissent. Parfois, quelqu'un qui est déjà dans les bonnes grâces du Maître lui demande le droit de se rapprocher de telle ou telle personne. Le Maître le lui accorde ou pas. Il en a été ainsi récemment avec la fille de Jezierzański, Magda Golińska, laquelle, quelque peu gênée, supplia le Maître de pouvoir vivre avec Jakub Szymanowski, un homme de sa garde personnelle. Or, elle est l'épouse de Jakub Goliński, resté en Pologne où il a ses affaires. Longtemps, le Maître ne donna pas son accord, mais, un jour, ému par un magnifque défilé et par la beauté de Jakub en uniforme, il finit par céder. Il se révéla ensuite que ce ne fut pas une bonne décision.

À l'arrière de la maison et des écuries, sur un terrain en pente, se trouve un jardinet avec, principalement, des herbes aromatiques et du persil. Un poirier y donne des fruits très sucrés qui attirent les guêpes de tout Brünn. Sous cet arbre, par les chaudes soirées, les jeunes gens de la résidence se réunissent, mais aussi ceux qui logent en ville. La vraie vie est là. Ils viennent parfois avec des instruments de musique, et alors ils jouent et chantent: les langues se mêlent, les airs se superposent. Ils font de la musique aussi longtemps qu'un aîné ne vient pas les contraindre à se disperser. Ils se rendent alors, comme ils en ont la permission, dans le square au pied de la cathédrale.

Les chevaux de la Cour ne restent pas à l'écurie en permanence, excepté peut-être la paire dont on a besoin chaque jour pour atteler une petite calèche. Les autres sont dans des haras hors de la ville. Ce sont de magnifiques étalons, dont chaque paire est différente. Quand le Maître doit voyager, il envoie un cavalier à Obrowitz pour ramener des chevaux avec un carrosse.

Le Maître n'en a pas besoin pour se rendre à l'église. La cathédrale est à deux pas. Des fenêtres de la résidence, on voit ses murs de pierre massifs. Son clocher domine toute la ville. Quand les cloches sonnent pour annoncer la messe, tout le monde se réunit dans la cour intérieure en habit de fête et forme le cortège. Viennent d'abord le Maître et Ewa, puis les aînés, puis la jeunesse avec à sa tête les fils de Jakób qui ont récemment rejoint leur père et leur sœur. Le portail est ouvert, et tous, d'un pas lent, se rendent à la cathédrale. Le chemin est bref, aussi, chacun de leur pas semble obéir à un lent cérémonial pour que les badauds aient le temps de les voir. Les habitants de Brünn se placent par avance sur leur passage afin d'observer la parade. L'effet majeur est toujours produit par le Maître, parce qu'il est né roi – il est grand, corpulent, et son haut fez ottoman, qu'il n'enlève pratiquement jamais, ajoute encore à sa stature, tout comme son large manteau à col de vison, un manteau royal. Les gens regardent également ses chaussures turques à bout retroussé. Ewa, elle aussi, est une attraction en soi, elle est habillée à la dernière mode, elle affiche un air fier ; vêtue de couleurs céladon ou roses, elle vogue aux côtés de son père tel un nuage. Les regards de la foule glissent sur elle, comme si elle était un être fait de matière noble, intouchable.

fig. 1.

Au début du printemps 1774, quand Jakób est de nouveau souffrant, cette fois à cause de problèmes digestifs, il fait venir de Varsovie Łucja, l'épouse de Kazimierz Szymon Łabęcki, celle-là même qui, à Częstochowa, le nourrissait de son lait. Il avait guéri alors, aussi souhaite-t-il renouveler cette thérapie. Łucja Łabęcka fait ses bagages avec son enfant et sa sœur sans poser de questions et elle vient à Brünn. Elle sustente Jakób pendant six mois, puis elle est renvoyée chez elle lorsque le Maître commence à passer de plus en plus de temps à Vienne.

L'été, tout un groupe de jeunes filles rejoint la suite d'Ewa. Il en vient huit de Varsovie dans deux berlines : les deux jeunes Wołowski, mesdemoiselles Lanckorońska, Szymanowska et Pawłowska, mais aussi Tekla Łabęcka, les demoiselles Kotlarz et Grabowska. Elles sont escortées par leurs frères et cousins. Après deux semaines de voyage, la joyeuse compagnie arrive à Brünn. Les demoiselles sont vives d'esprit, belles, bavardes. Jakób les observe de sa fenêtre tandis qu'elles descendent des voitures, lissent leurs jupes froissées, attachent les rubans sous leurs mentons. Elles font penser à une couvée de poussins. Elles sortent les paniers et les coffres des chariots. Quelques passants s'arrêtent pour regarder cette profusion de charme inattendue. Jakób évalue les jeunes femmes du regard. Les plus belles sont toujours les demoiselles Wołowski, et ceci grâce à ce charme insolent de Rohatyn qui semble inné chez elles, aucun enfant Wołowski n'est laid. Pourtant, ces pipelettes agacent manifestement Jakób qui se détourne de la fenêtre, furieux. Il les fait venir après le repas du soir, en tenue de fête, dans la longue salle où il se trouve avec plusieurs frères et sœurs plus âgés. Il est assis sur la chaise rouge qu'il s'est fait faire, à l'identique de celle qu'il avait à Częstochowa, mais bien plus décorée. La Fraternité est assise le long des murs, chacun à sa place attitrée. Les jeunes filles sont debout au milieu de la pièce, un peu effrayées, elles chuchotent entre elles en polonais. Szymanowski, qui est debout à côté de Jakób avec à la main ce qui rappelle une longue pique ou une hallebarde, les fait taire sévèrement. Il leur ordonne d'approcher l'une après l'autre du Maître pour lui baiser la main. Les jeunes filles s'exécutent avec obéissance, une seule d'entre elles se met à rire nerveusement. Ensuite, Jakób s'approche de chacune pour la dévisager. Il reste le plus longtemps près de celle aux cheveux noirs et aux yeux sombres qui a ri.

– Tu ressembles à ta mère, lui dit-il.

– Comment savez-vous, monsieur, qui est ma mère ?

Des rires fusent dans la salle.

– Tu es la cadette de Franciszek Wołowski, n'est-ce pas?

– Oui, mais pas la plus jeune, j'ai encore deux frères.

– Comment t'appelles-tu?

– Agata. Agata Wołowska.

Jakób parle encore avec Tekla Łabęcka, la fillette n'a guère plus de douze ans, sa beauté éclatante attire pourtant les regards.

– Tu parles allemand?

– Non, français.

– Comment dit-on en français «je suis sotte comme une oie»?

Les lèvres de l'adolescente se mettent à trembler. Elle baisse la tête.

– Eh bien? Tu parles le français, n'est-ce pas...

Tekla dit tout bas:

– *Je suis, je suis**...

Un silence sépulcral s'abat sur la salle, personne ne rit.

– Je ne le dirai pas.

– Pourquoi cela?

– Je ne dis que la vérité.

Dernièrement, Jakób ne se sépare plus d'une petite canne terminée par une tête de serpent, et là il en touche les épaules et le décolleté des jeunes filles, accroche les boutonnières de leur corset, leur gratte le cou.

– Enlevez-moi ces frusques! Jusqu'à la taille.

Les jeunes filles ne comprennent pas. Pas plus que Jeruchim Dembowski, qui pâlit légèrement et échange un regard avec Szymanowski.

– Maître... commence Szymanowski.

– Déshabillez-vous, dit doucement le Maître – et les jeunes filles s'exécutent.

Aucune ne proteste.

Szymanowski hoche la tête comme s'il voulait les rassurer et leur confirmer que se déshabiller en public et montrer sa poitrine est une chose tout à fait naturelle à la Cour de Jakób. Les demoiselles dégrafent leurs corsages. L'une d'elles étouffe un sanglot, et, finalement, elles se retrouvent à demi nues au centre de la salle. Les femmes plus âgées, soucieuses, détournent les yeux. Jakób ne les regarde même pas. Il abandonne sa canne et il s'en va.

---

* En français dans le texte. *(N.d.T.)*

– Pourquoi avez-vous exigé qu'elles soient ainsi humiliées? lui demande ensuite Franciszek Szymanowski, sorti immédiatement derrière lui.

Il porte une longue moustache noire aux pointes redressées, comme les Polonais.

– Qu'est-ce qu'elles vous ont fait, ces petites demoiselles innocentes? C'est une manière de les accueillir, ça?

Jakób se tourne vers lui, il est satisfait, souriant.

– Vous savez parfaitement que je ne fais rien sans raison. Je les ai contraintes à être humiliées devant tout le monde, parce que, quand mon heure viendra, je les élèverai au-dessus de toutes les femmes. Dites-le-leur de ma part afin qu'elles le sachent.

LES RELIQUATS.
COMMENT PÊCHER DES POISSONS EN EAU TROUBLE

Il est écrit que trois choses arrivent lorsqu'on ne s'y attend pas: le Messie, un objet perdu retrouvé et un scorpion. Moi, j'en ajouterais une quatrième: l'appel au départ. Avec Jakób, c'est toujours pareil, il faut être prêt à tout. À peine m'étais-je installé à Varsovie et alors que mon épouse Wajgełe-Zofia m'avait demandé de tapisser de toile imprimée les murs de notre appartement rue Długa, je reçus une lettre de Brünn, rédigée de la main de Jakób qui plus est, dans laquelle il me demandait de lui rapporter tout l'argent possible, parce que là-bas ils en manquaient. Cela me faisait de la peine de laisser Wajgełe-Zofia seule, elle venait de mettre au monde Anna, notre deuxième petite fille. Après avoir collecté les fonds requis et les avoir placés dans un tonnelet – c'était ce que nous faisions déjà à Częstochowa pour nous donner l'apparence de marchands de bière –, nous prîmes la route avec Ludwik Wołowski et les fils de Natan-Michał. Une semaine plus tard, nous étions sur place.

Il nous accueillit à sa manière, bruyamment, en faisant du tapage. À peine sommes-nous descendus de la calèche que déjà nous étions reçus comme des rois. L'après-midi se passa entièrement en distribution de courrier, nouvelles de tout un chacun, combien d'enfants étaient nés, combien des nôtres étaient morts. Et comme le vin de Moravie que l'on nous offrit était de bonne qualité, la tête nous tourna vite, de sorte que je ne me rappelai où j'étais que lentement dans la matinée du jour suivant!

La vérité est que je n'ai jamais été ravi de ce Brünn, parce que c'était une vie de seigneur et non la vie que nous aurions dû avoir. Jakób était sans doute déçu de mon peu d'enthousiasme devant son opulence, ou la taille de sa propriété, tandis qu'avec fierté il me faisait faire le tour de sa nouvelle résidence en face de la cathédrale; ou encore lorsque nous sommes allés avec toute sa Cour à la messe, et que là nous avions nos bancs, avec des places réservées comme si nous étions des nobles. Moi, je me souvenais de ses autres maisons: celle louée à Salonique, une hutte basse, sans fenêtres, où la lumière n'entrait que lorsqu'on ouvrait la porte; celle en bois de Giurgiu, avec son toit en pierres plates et dont les murs colmatés à l'argile étaient charitablement cachés par la vigne. Celle aussi qu'il avait souhaité avoir à Iwanie, une chaumière d'une pièce avec un sol en terre battue et un poêle rafistolé n'importe comment. À Częstochowa aussi, cette cellule aux murs de pierre, avec une fenêtre de la taille d'un mouchoir de poche, où il faisait toujours froid et humide. J'étais mal à l'aise à Brünn et, peu à peu, je prenais conscience que je vieillissais et que toutes ces choses nouvelles cessaient de m'attirer. Or, élevé dans la pauvreté de Busk, je ne m'habituerai jamais à la richesse. Il en était de même pour l'église, haute, étroite, un peu comme si elle avait maigri. Je ne m'y sentais pas bien. Dans un endroit pareil, il est difficile de prier. Les tableaux et les sculptures, seraient-ils magnifiques, sont trop loin et il n'y a aucun moyen de les regarder calmement, en prenant son temps. La voix du prêtre se diffuse et se répercute aux murs en écho, je ne comprends jamais rien de ce qu'il dit. En revanche, il y a de la discipline pour ce qui est de s'agenouiller, et cela je le maîtrise assez bien.

Jakób est toujours assis au premier rang, devant moi, en manteau de grand prix. Awacza est à ses côtés, belle comme l'un de ces gâteaux couverts d'un glaçage vendus par ici dans des vitrines semblables à celles des bijoutiers. Ses cheveux sont soigneusement coiffés sous un chapeau tellement élégant que ses détails ne cessent d'accaparer mon attention. Aux côtés d'Ewa, il y a Mme Zwierzchowska, qui est la gouvernante depuis que Wittel a des problèmes de santé, et deux jeunes filles. J'aimerais voir ici l'aînée de mes filles, Barbara, elle pourrait être demoiselle de compagnie et apprendre les usages du grand monde, parce qu'à Varsovie elle n'apprendra ni ne verra grand-chose, mais elle est encore jeune.

En observant tout cela, tout ce nouvel univers qui s'était ouvert devant Jakób en pays étranger, je me demandais : est-ce le même Jakób ? Alors que le nom que je m'étais donné venait du sien – Jakóbowski découlait de Jakób, sa propriété en quelque sorte, un peu comme si j'étais sa femme –, maintenant je ne retrouvais plus en lui le Jakób que j'avais connu. Il s'était un peu empâté, ses cheveux étaient complètement blancs, c'était un souvenir que lui avait laissé Częstochowa.

Il nous recevait, Wołowski et moi, dans sa chambre aménagée à la turque où l'on s'asseyait sur le sol. Il se plaignait de ne plus pouvoir boire beaucoup de *cahvé*, que celui-ci lui asséchait l'estomac. D'une manière générale, il se préoccupait énormément de sa santé, ce qui m'étonna car il s'était longtemps comporté comme s'il n'avait pas le souci d'avoir un corps.

Ces premières journées passèrent donc à visiter la région, à assister aux messes et à discuter, mais ces discussions étaient creuses. Je me sentais mal à l'aise. Je m'efforçais le plus possible de le regarder de la manière dont je regardais le jeune homme que nous avions rencontré à Smyrne et je lui rappelai la fois où toute sa peau avait mué, et celle où nous voguions en mer et où il était parvenu à me sauver de ma propre peur. « Est-ce bien toi, Jakób ? » lui demandai-je un jour en faisant semblant d'avoir trop bu, alors qu'en fait j'étais très attentif à ce qu'il répondrait. Il fut embarrassé. Par la suite, je me suis dit qu'il serait bien sot celui qui penserait que les gens sont toujours pareils à ce qu'ils étaient par le passé, et qu'il y a de la vanité à penser que nous sommes un tout immuable, que nous restons toujours la même personne, parce que tel n'est pas le cas.

Au moment où je quittai Varsovie, des rumeurs couraient parmi les vrai-croyants affirmant que le vrai Jakób serait mort à Częstochowa et que celui qui était actuellement assis devant moi n'était que sa doublure. Beaucoup des nôtres le croyaient, dans la mesure où ces bruits s'étaient intensifiés derniè-rement. Pour moi, il ne faisait aucun doute que Ludwik Wołowski, mais aussi le jeune Kapliński, le beau-frère de Jakób, qui arriva aussitôt après nous parce que la rumeur était également parvenue en Valachie, étaient venus pour vérifier la chose afin de rassurer les nôtres, tant à Varsovie que partout ailleurs.

Nous étions à table et je voyais que tous, à la lumière diffuse des bougies, regardaient attentivement Jakób, observaient chacune de ses rides. Ludwik Wołowski, qui ne l'avait pas vu depuis longtemps, le dévisageait, certainement surpris par les changements. Soudain, Jakób lui tira la langue. Ludwik devint tout rouge et il se replia sur lui-même pour le reste de la soirée. Au cours de ce repas, quand la discussion battit son plein, je demandai à Jakób : « Quelles sont tes intentions maintenant ? Rester ici ? Et nous, on devient quoi ? »

« Mon souhait le plus cher est que davantage de Juifs encore viennent à moi, me répondit-il. Il en viendra un nombre infini. Dans une rangée, il n'y en aura pas moins de dix mille... » Ainsi parlait-il, évoquant aussi des étendards et des uniformes, il rêvait d'avoir un corps d'armée à lui, et plus il buvait de vin, plus ses projets prenaient de l'ampleur. Il disait que nous devions nous préparer à la guerre et que les temps étaient incertains. Que l'Empire ottoman s'affaiblissait, que la Russie montait en puissance. « La guerre est bonne pour nous – dans l'eau trouble, il est toujours possible de pêcher quelque chose pour soi. » Il s'excitait de plus en plus : « Il y aura la guerre de l'Autriche contre la Turquie, c'est certain, et si nous obtenions le lopin de terre que nous désirons tant au cours de cette confusion militaire ? Pour ça, il faut beaucoup d'or et une grande activité. L'idée serait de réunir dans les trente mille hommes avec nos propres deniers pour nous arranger avec la Turquie, pour la soutenir dans la guerre et, en échange, obtenir une terre en guise de petit royaume quelque part en Valachie. »

Wołowski ajouta qu'à Varsovie Haya aussi avait prédit une telle chose, et ce à plusieurs reprises, avec de grands changements dans le monde, des incendies et des destructions.

« En Pologne, le roi est faible et un grand chaos règne... » commença Ludwik.

« J'en ai fini avec la Pologne », le coupa Jakób.

Il dit cela avec amertume et de cette manière provocatrice qu'il avait jadis, comme s'il voulait que nous nous affrontions. Ensuite, tout le monde parla à qui mieux mieux de cette contrée que nous aurions en propre, chacun s'enflammait à cette idée. Les deux Pawłowski, venus également avec leurs femmes, et même Kapliński, le beau-frère de Jakób, que je considérais comme un homme particulièrement sage, tous se mirent à adhérer à ce projet utopique. Plus rien ne les intéressait, excepté la politique.

« Moi, j'ai perdu tout espoir que nous obtenions jamais une terre à nous ! » m'écriai-je à l'adresse de cette petite assemblée ivre qui discutaillait, mais personne ne m'entendit.

À ma grande surprise, Jakób demanda que Jeruchim Dembowski et moi-même consignions ses entretiens du soir. À sa Cour, on avait commencé à noter les rêves d'Ewa, et c'était Antoni Czerniawski, le fils des Czerniawski de Valachie, ceux qui à Iwanie gardaient nos fonds, qui en fut chargé. Un beau petit livre en résulta. Cela m'étonnait beaucoup car, à maintes reprises, j'avais insisté auprès de Jakób pour qu'il acceptât la tenue d'un journal et il n'avait jamais voulu.

À l'évidence, il se sentait désormais en sécurité à Brünn. Il se peut aussi que le jeune Mosze Dobruszka eût quelque influence sur lui. Ce dernier nous rendait souvent visite et il avait convaincu Jakób que, dans un pareil mémoire, les éléments qui n'étaient pas destinés à autrui n'avaient pas leur place. En revanche, pour le nombre croissant d'adeptes de Jakób, les pensées et les récits du Maître seraient ainsi accessibles. Concevoir un tel ouvrage serait à tout point de vue chose respectable, pour la postérité notamment.

Ce fut d'abord Jeruchim, autrement dit Jędrzej Dembowski, qui rédigea, puis moi. Quand nous serions tous deux absents, le fils Czerniawski, Antoni, un garçon particulièrement vif et très dévoué à Jakób, s'en chargerait. Ce devait être rédigé en polonais parce que nous avions abandonné notre ancienne langue depuis longtemps. Jakób, quant à lui, parlait selon son humeur en polonais, en allemand, avec parfois des phrases entières en turc, mais aussi des passages en hébreu. Après avoir noté ses paroles à la volée, il me fallait toujours les mettre au propre, parce que personne ne s'y serait retrouvé.

Je me rappelai alors que, jadis, je voulais être à Jakób ce que Nathan de Gaza avait été à Sabbataï Tsevi : Nathan lui avait révélé qu'il était le Messie parce que celui-ci l'ignorait. Il se trouve que, lorsque le souffle pénètre en l'homme, cela s'opère par la force, c'est comme si de l'air devait entrer dans la plus dure des pierres. Gagnés par le souffle, ni le corps ni l'esprit ne sont entièrement conscients de ce qui leur arrive. Il faut donc quelqu'un pour dire et pour nommer la chose. Et c'était ce que nous avions fait à Smyrne avec notre saint Mordekhaï ben Elie Margalit, nous étions les témoins de la descente du Souffle sur Jakób et nous avions nommé cela !

Après cette première visite à Brünn, il me sembla qu'entre Jakób et moi une sorte de mur invisible était apparu, comme un rideau ou peut-être une sorte de fin drap en mousseline.

LES PAROLES DU MAÎTRE

«Trois sont cachés devant moi et vous ne savez rien du quatrième.» Que veulent dire ces paroles de Jakób? Elles signifient qu'il y a trois Dieux très puissants et que ce sont eux qui dirigent le monde d'une main de fer. Le Maître parlait ainsi et moi je consignais ses paroles. Le premier Dieu est celui qui donne la vie à chacun, c'est pourquoi il est bon. Le deuxième Dieu est celui qui donne la richesse, pas à chacun, mais à qui il veut. Le troisième Dieu est *Majlech Hamowes*, le Maître de la Mort. Celui-là est le plus puissant. Quant au quatrième, celui dont nous ne savons rien, il est le seul Bon Dieu. Il est impossible d'arriver au Bon Dieu sans passer d'abord par les trois autres.

Tout cela, Salomon l'ignorait, disait Jakób – et nous, nous l'écrivions –, Salomon voulut atteindre directement le Plus Haut, mais il ne pouvait pas réussir, il dut quitter le monde sans avoir pu lui donner la vie éternelle. Ensuite, dans les cieux, l'on criait : «Qui est celui qui veut aller quérir la vie éternelle ?»

Jésus de Nazareth répondit à cela : «Moi, j'irai.» Lui aussi n'y parvint pas, alors qu'il était très sage et très savant, et qu'il avait un pouvoir immense. Il est allé voir les trois qui mènent le monde et, avec cette puissance qu'il avait reçue du Bon Dieu, il soigna et guérit les hommes, mais les trois autres le virent, ils redoutèrent qu'il ne prenne le pouvoir sur le monde, parce qu'ils savaient par les prophéties que le Messie viendrait et que la mort serait abolie à jamais. Jésus de Nazareth alla donc auprès du premier des trois et celui-là le laissa aller au deuxième, et celui-là encore au troisième, mais le troisième, qui était le Maître de la Mort, le prit par la main et lui demanda : «Où vas-tu ?» Jésus répondit : «Je vais au quatrième qui est le Dieu des Dieux.» Sur ce, le

Maître de la Mort fut pris de colère et dit : « C'est moi qui suis le Maître du monde. Reste auprès de moi, tu seras assis à ma droite, tu seras le Fils de Dieu. » Alors, Jésus comprit que la puissance du Bon Dieu n'était pas avec lui et qu'il était démuni tel un enfant. Il dit au Maître de la Mort : « Qu'il soit fait selon ta volonté. » Mais celui-ci lui répondit : « Mon fils, tu dois offrir ton corps et ton sang pour moi. – Comment cela, répondit Jésus, comment pourrais-je t'offrir mon corps, alors qu'il me fut dit que j'apporterais au monde la vie éternelle ? » Ce Dieu, le Maître de la Mort, lui rétorqua : « Cela ne peut être qu'il n'y ait point la mort au monde. » Jésus dit alors : « Puisque j'ai annoncé à mes disciples que je leur apporterai... » Le Dieu de la Mort l'interrompit : « Dis à tes disciples que la vie éternelle n'est pas de ce monde, mais de l'autre, comme il est dit dans la prière : "La vie éternelle après la mort, amen." » C'est pourquoi Jésus resta chez le Maître de la Mort et donna plus de puissance à la mort dans le monde que ne l'avait fait Moïse. Les Juifs meurent malgré eux, sans le vouloir, et ils ignorent où ils vont après leur mort. Les chrétiens meurent avec joie, parce qu'ils disent que chacun d'eux a sa place au Ciel auprès de Jésus qui est assis à la droite du Père. Ce fut ainsi que Jésus quitta ce monde. Des siècles plus tard, l'on s'écria de nouveau : « Qui est celui qui veut aller quérir la vie éternelle ? »

Sabbataï Tsevi répondit : « J'irai. » Il le fit tel un enfant, n'obtint rien, ne régla rien.

Aussi fus-je envoyé à sa suite, explique Jakób tandis que le silence est absolu chez ceux qui l'écoutent – ils sont pareils à des enfants auxquels on raconte une histoire. On m'envoya chercher, poursuit-il, pour que je fasse venir la vie éternelle dans le monde. Je suis malheureusement un trop grand rustre, je ne peux pas y aller seul. Jésus était un grand sage et moi je suis un rustre. Les trois premiers Dieux, il faut aller vers eux en silence et par des chemins tortueux, ils lisent sur nos lèvres jusqu'aux mots que nous ne prononçons pas. Il ne faut pas pousser de cris, mais avancer en silence, en se taisant. Je ne bougerai toutefois pas avant que n'arrive le temps où mes paroles se réaliseront.

Seuls quelques-uns reconnurent dans ce conte notre saint traité, lequel ne pouvait être compréhensible du *vulgum pecus* qu'ainsi simplifié et dénaturé.

Quand Jakób termina, ils insistèrent pour qu'il dise encore quelque chose. Il commença donc une nouvelle histoire.

C'était celle d'un certain roi qui avait projeté la construction d'une grande église. Les fondations étaient édifiées par un artisan, elles avaient un coude de profondeur à quoi s'ajoutait la hauteur d'un homme. Quand il fallut poursuivre, le maître d'œuvre disparut soudain, il ne revint que treize années plus tard pour élever les murs. Le roi lui demanda pourquoi il s'en était allé sans un mot et avait laissé son ouvrage à l'abandon.

«Ô mon roi, répondit celui-ci, le bâtiment est très grand, si j'avais voulu le terminer immédiatement, les fondations n'auraient pas supporté le poids des murs. Aussi m'en suis-je allé délibérément pour qu'elles se consolident tout à fait. Maintenant, j'élève une construction qui, elle, sera éternelle et ne s'effondrera jamais.»

Je pus réunir rapidement plusieurs dizaines de pages avec de tels récits, Jeruchim Dembowski fit de même.

L'oiseau qui fuse de la tabatière

Mosze, quand il arrive à la Cour de Brünn, fait venir des artisans qui parlent allemand avec un accent bizarre.

Il commence par montrer à Jakób et à Ewa des croquis.

Il explique de façon tortueuse les avantages de l'invention, en dépit du fait que Jakób ne semble pas comprendre comment cela fonctionne. Il paraîtrait qu'une chose similaire se trouverait à la cour de l'empereur, où Mosze a beaucoup de relations et d'amis. Il y est reçu et il nourrit l'espoir que, bientôt, Jakób et sa si jolie fille y feront leur entrée. Désormais, il préfère être appelé Thomas.

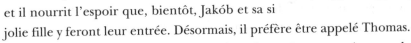

La chose est tout à fait simple quand, après quelques semaines, on la voit fonctionner: dans la pièce la plus haute de la maison, on a placé une cuvette en pierre joliment polie ; au-dessus se trouve un tuyau qui, telle une cheminée, monte jusqu'au toit pour le traverser. Plusieurs tuiles furent enlevées à cette fin et des poutrelles en bois ajoutées pour en supporter le poids, mais maintenant cela fonctionne.

– *Camera obscura*, dit Mosze-Thomas avec fierté, comme un présentateur au théâtre.

Les femmes applaudissent. Avec ses mains aux poignets souples, Thomas trace des cercles dans l'air, les dentelles de ses manches volettent. Son visage rasé de près est aimable, ses cheveux ondulent. Son large sourire découvre des dents un peu de travers. Peut-on résister à un tel jeune homme, qui a mille idées à l'heure et qui agit plus vite que tout autre ? songe Ewa. Chacun à son tour approche de la cuvette, et que voit-on ? C'est incroyable ! Penché vers l'intérieur parfaitement poli, on aperçoit tout Brünn, les toits, les clochers des églises, les ruelles qui montent et descendent, les frondaisons des arbres, la place avec ses étals. Ce n'est pas une image inerte, qui plus est ! Tout est en mouvement, voilà qu'un carrosse à quatre chevaux roule sur l'Alte Schmiedegasse, et là des religieuses accompagnent des orphelins, et là des ouvriers pavent une rue. Quelqu'un tend un doigt pour toucher l'image, mais, surpris, le retire aussitôt, la vue n'est pas de nature matérielle. La pulpe de son doigt n'a senti que la fraîcheur de la pierre polie.

– Maître, vous pourrez observer toute la ville. C'est une grande découverte, sauf qu'il n'y a en cela aucune magie ni aucune Kabbale. C'est une idée humaine.

Mosze est insolent. Il ose pousser Jakób vers la cuvette et celui-ci se laisse faire sans protester.

– Voir tout en étant invisible est réellement un privilège divin, ajoute Mosze, flatteur.

Avec cette invention, Mosze-Thomas s'assure l'admiration des jeunes et ceux-ci, voyant que le Maître a de la sympathie pour lui, le traitent un peu comme s'il était son fils. D'autant que la plupart ne connaissent pas ses vrais fils, lesquels ont été renvoyés à Varsovie par Jakób. Ils ont d'ailleurs été soulagés de rentrer en Pologne. Ce sont désormais Jakóbowski et Wołowski qui s'occupent d'eux.

Jakób regarde Mosze par la fenêtre, il l'observe très attentivement. Il le voit ouvrir les pans de sa veste française et écarter largement ses jambes en bas de soie blanche pour dessiner avec un bâton quelque chose sur le sol devant les jeunes qui l'entourent. Il se penche, on voit le sommet de son crâne. Ses belles boucles sont malheureuses sous la perruque. Sa barbe est à peine visible, sa peau est lisse, bise, parfaite. Sa mère l'a élevé avec trop de largesse. Szejndel gâte ses enfants, ils grandissent en princes sûrs d'eux, pensant tout savoir, beaux, insolents. La vie leur en fera voir.

Quand Jakób se penche un peu, il aperçoit Awacza qui, de sa fenêtre, observe également la scène et le bellâtre. Son corps conserve une certaine nonchalance, elle n'a pas la posture d'une reine, alors qu'il la lui a indiquée tant de fois : le dos droit, la tête levée, mieux vaut trop haut que pas assez. Elle a un très beau cou tout de même, et une peau comme de la soie. Pourtant, il lui enseigne une chose le jour, et une autre la nuit. La nuit arrive parfois en plein jour et alors sa soumission l'attire. Avec le léger frémissement de ses paupières, ses magnifiques yeux complètement sombres qui, quand ils reflètent la lumière, semblent se couvrir d'un glaçage luisant.

Tout à coup, comme s'il savait parfaitement qu'il était observé, Thomas lève les yeux et Jakób n'a pas le temps de disparaître. Leurs regards se croisent un instant.

Ewa Frank l'observe d'une autre fenêtre et, cela, Thomas ne le remarque pas.

Le soir, quand le Maître se retire pour se reposer, des jeunes assiègent de nouveau Thomas Dobruszka. Il y a Ewa, Anna Pawłowska et Agata Wołowska, ainsi que le cadet des Wołowski, Franciszek. Cette fois Thomas leur montre une tabatière comme s'il avait l'intention de leur offrir du tabac. Au moment où Franciszek tend la main et touche le couvercle, celui-ci s'ouvre bruyamment pour laisser sortir un oiseau qui bat des ailes et pépie. Franciszek retire sa main, effrayé, les autres éclatent d'un rire impossible à refréner. L'instant d'après, Mme Zwierzchowska, qui, à son habitude, fait le tour de toute la maison, jette un œil dans la pièce et leur demande d'éteindre les bougies. Ils lui proposent d'entrer, tout à leur amusement.

– Allons, montrez-lui, encouragent-ils Thomas.

– Chère tante, prenez donc un peu de tabac, lancent-ils.

Thomas tend le petit objet rectangulaire, magnifiquement décoré, à la gouvernante. Après un instant d'hésitation, amusée et flairant une plaisanterie, Mme Zwierzchowska tend la main pour saisir la tabatière.

– Appuyez ici, ma tante, commence à dire en allemand Thomas – mais réprimandé par son regard, il poursuit dans un polonais à l'accent cocasse : Que ma tante veuille appuyer ici.

Elle saisit la tabatière et l'oiseau se livre à sa danse mécanique pour elle seule, et alors Mme Zwierzchowska perd complètement son sérieux et piaille comme une jeune fille.

Mille compliments,
ou le mariage de Mosze Dobruszka
alias Thomas von Schönfeld

Le mariage de Mosze Dobruszka avec Elke von Popper a lieu à Vienne en mai 1775, une fois fini le deuil de Zalman. Des jardins proches du Prater sont loués pour la noce. Son père étant décédé, le jeune marié est conduit à l'autel par son ami Michael Denis, le célèbre traducteur des *Poésies galliques, Veillées poétiques d'Ossian* de Macpherson, ainsi que par Adolf Ferdinand von Schönfeld, l'éditeur, venu spécialement de Prague pour l'événement. Avant que le marié n'arrive à l'église, un petit rituel maçonnique a lieu : les frères de la loge, tous vêtus de noir, l'initient avec sérieux à la nouvelle étape de sa vie. Adolf Ferdinand von Schönfeld traite Mosze comme son fils et il a entrepris des démarches administratives complexes pour que Thomas soit intégré à la Maison Schönfeld. Anobli, Mosze deviendra Thomas von Schönfeld.

C'est à présent le temps de la réception. Outre le faste des tables couvertes de nourriture et d'énormes bouquets de fleurs de mai, l'une des grandes attractions est un pavillon où se trouve une collection de papillons exceptionnelle. Michael Denis, l'employeur du marié, a contribué à sa création. Ewa y est conduite par ses cousines et, penchées au-dessus des vitrines, les jeunes filles admirent ces merveilleux êtres inertes épinglés sur un fond de soie.

– Vous êtes un tel papillon, ma cousine, dit Estera, la plus jeune des enfants Dobruszka à Ewa.

Ewa retient ce compliment et y réfléchit encore longtemps. Les papillons viennent de chenilles qui sont de très vilaines petites bêtes, grasses et sans forme, ce que montre également l'une des vitrines. Ewa Frank se rappelle ce qu'elle était quand elle avait l'âge d'Estera, à quinze ans, dans la robe d'un gris sombre que son père lui faisait porter à Częstochowa pour qu'elle n'attire pas le regard des soldats. Elle se souvient du froid de la tour en pierre et des articulations déformées de sa mère. Une tristesse inexplicable la gagne, sa mère lui manque. Elle ne veut pas y penser et elle se force à oublier. Elle y parvient.

Le soir, une fois les lampions allumés dans les jardins, un peu grisée par le vin, elle écoute avec tout un groupe Adolf Ferdinand von Schönfeld qui, dans une longue veste d'un vert sombre, pérore en levant son verre de vin et s'adresse avec humour à la mariée, laquelle, à défaut d'être très belle, est fort intelligente.

– … Toute la famille du jeune époux est très honorable, vous n'en trouverez pas de meilleure. Elle est travailleuse, aimante, elle s'est enrichie par des voies honnêtes.

Les invités approuvent en hochant la tête.

– En outre, poursuit-il, elle a de nombreuses qualités et talents, et surtout elle est pleine d'ambition. Elle ne diffère en rien de nous qui avons été anoblis en des temps lointains et barbares quand nos aïeux soutenaient les rois de leur épée ou dépouillaient les paysans du coin et s'emparaient de leurs terres. Vous savez parfaitement que toutes les particules « *von* » allemandes, ou « de » françaises, ne correspondent pas nécessairement à des qualités d'esprit ou de cœur… Or, nous, nous avons besoin d'hommes forts pour qu'ils partagent ce qui est le plus important et le mettent en œuvre. C'est d'en haut qu'il est possible d'agir le plus, avec des relations et du pouvoir. Ce que nous considérons communément comme évident, toute cette construction du monde que nous connaissons est corrompue et elle s'effrite à l'évidence. Cette maison nécessite un ravalement et nous sommes ceux qui tiennent dans leur main la truelle.

Les applaudissements fusent, les lèvres des invités trempent dans le meilleur vin de Moravie. La musique commence à jouer, il y aura certainement des danses. Des regards intéressés se tournent vers Ewa Frank et, bientôt, le baron Hans Heinrich von Ecker und Eckhoffen est à ses côtés. Souriante, Ewa lui tend la main de la manière que lui a apprise sa tante, mais aussitôt elle cherche son père du regard. Il est là. Il est assis dans l'ombre, entouré de femmes, et il l'observe de loin. Elle sent le toucher de son regard. Elle a l'autorisation de danser avec cet aristocrate plein de grâce qui ressemble à un criquet et dont elle n'est pas en mesure de retenir le nom. Ensuite, quand s'approche d'elle un certain Hirschfeld, un marchand de Prague immensément riche, son père fait de la tête un signe imperceptible de négation. Après un instant d'hésitation, elle refuse en invoquant une migraine.

Cette nuit-là, elle entend mille compliments, et quand, enfin, elle se jette tout habillée sur son lit, elle a la tête qui tourne et l'excès de vin de Moravie, bu discrètement avec Estera, fait monter en elle une envie de vomir.

L'empereur et les gens
de partout et de nulle part

Le très éclairé empereur, qui règne avec sa mère, est un homme d'une trentaine d'années déjà veuf par deux fois. Il aurait juré qu'il ne se marierait pas une troisième fois, ce qui plonge dans la mélancolie de nombreuses jeunes filles des meilleures maisons. Il est renfermé et, à en croire ceux qui le connaissent le mieux, timide. Un empereur timide ! Il se donne de l'assurance en levant légèrement le sourcil, il lui semble alors qu'il les regarde tous de haut. Ses maîtresses affirment que durant l'amour il est comme absent, et que tout se termine vite. Il lit beaucoup. Il échange des lettres avec Frédéric de Prusse, qu'il admire dans le secret de son âme. Il l'imite en ceci qu'il se rend incognito en ville, déguisé en simple soldat, pour voir de ses propres yeux comment vivent ses sujets. Bien entendu, sa garde, également déguisée, l'accompagne discrètement.

Il semble qu'il ait une inclination pour la mélancolie, étant donné qu'il s'intéresse au corps humain et à ses mystères, à tous les os, aux dépouilles et aux crânes humains, il aime aussi les animaux empaillés et les monstres peu communs. Il a constitué une remarquable *Wunderkamera*. Il y invite ses visiteurs pour s'amuser de leur étonnement infantile, de leur dégoût mâtiné de fascination. Il les observe attentivement quand s'efface le sourire poli, cette grimace complaisante que tous affichent en présence de l'empereur. Il voit alors qui ils sont réellement.

Il aimerait transformer bientôt cette Chambre des Merveilles en une collection ordonnée, systématique, divisée en classes et catégories, et alors sa collection de curiosités deviendrait un musée. Ce serait une transition historique, la *Wunderkamera* appartient à un monde révolu, chaotique, plein d'anomalies qui échappe à l'intellect. Le musée, lui, sera un monde nouveau, éclairé par les lumières de l'esprit, logique, classifié et ordonné. Ce musée, quand il sera créé, sera le premier pas pour de nouvelles réformes qui permettront de réparer l'État. Il rêve, par exemple, à une refonte de cette administration développée à l'excès et bureaucratisée qui engloutit des sommes considérables du Trésor, et il voudrait par-dessus tout supprimer l'assujettissement des paysans. Les idées de ce genre ne plaisent guère à l'impératrice Marie-Thérèse. Pour elle, ce sont des bizarreries modernes. La mère et le fils ne sont nullement d'accord sur ces points.

En revanche, la question juive les préoccupe tous les deux. L'objectif que le jeune empereur se donne est de libérer les Juifs de leurs superstitions médiévales, parce que les talents naturels et indéniables de ce peuple sont maintenant employés à diverses cabales, à des spéculations et des réflexions improductives. S'ils pouvaient suivre un enseignement correct, pareil à celui de ses autres sujets, ils seraient plus utiles à l'empire. La mère de l'empereur voudrait les attirer vers la seule foi authentique, et, d'après ce qu'elle a entendu, cela pourrait se faire pour beaucoup d'entre eux. Dès lors, quand sur la liste des personnes demandant audience à l'empereur à l'occasion de son anniversaire apparaît le nom de Józef Jakób Frank, Joseph II et sa mère sont ravis et intrigués, étant donné que tout le monde parle déjà de ce Frank et de sa fille.

Jakób est recommandé par ses frères de la loge maçonnique, aussi l'empereur invite-t-il volontiers et avec curiosité ce couple étrange, le père et la fille, à l'horaire prévu pour les artistes et, précisément, la Chambre des Merveilles. Il les guide entre les vitrines où il a réuni les os d'animaux antédiluviens et d'hommes géants qui auraient autrefois habité la Terre. Il parle avec Frank par l'intermédiaire d'un traducteur et avec sa fille en français, ce qui génère une situation assez inconfortable. C'est pourquoi il commence par se concentrer sur le père. Pourtant, du coin de l'œil, il observe cette femme intéressante et remarque qu'elle est timide, pas vraiment sûre d'elle. La rumeur quant à sa beauté lui semble excessive. Elle est belle, mais pas d'une beauté éblouissante. Il connaît nombre de femmes plus belles. Par principe, il les traite avec suspicion et méfiance, il y a en elles quelque chose de pervers et elles sont toujours intéressées. Mais celle-ci semble honnête. Effrayée, elle ne cherche pas à séduire et ne simule pas. Elle n'est pas grande. Plus tard, comme toutes les femmes de l'Est, elle sera bien en chair; pour l'heure, elle est à la plénitude de son développement. Sa peau est pâle, légèrement céladon, sans rougeurs, ses yeux sont immenses, elle a relevé très haut ses cheveux. De jolis accroche-cœurs retombent sur son front et son cou. Ses petites mains et ses pieds semblent quasiment ceux d'une enfant. Elle n'a pas cette superbe propre à son père, qui est grand, bien bâti, laid et sûr de lui. L'empereur découvre avec plaisir que, malgré sa timidité, Ewa a de l'humour. Il fait un petit test – il les conduit jusqu'à l'étagère où, dans de grands pots, flottent des embryons humains dans un liquide trouble. La plupart sont des monstres. Les uns ont deux têtes, les autres un arrière-train surdimensionné, d'autres encore un seul grand œil tels des Cyclopes. Le père et la fille regardent sans dégoût, ils sont intéressés. Ils marquent un point. Ensuite, tous se dirigent vers une longue vitrine, de la taille d'un homme, où repose « Sibylle », comme l'empereur la nomme en secret, une femme en cire avec un visage extatique et un ventre ouvert où il est possible d'observer la place des intestins, de l'estomac, de l'utérus et de la vessie. Habituellement, devant cette présentation, les femmes s'évanouissent ou du moins se sentent mal. Il est curieux de la réaction de cette Ewa Frank. Elle, elle se penche au-dessus de la vitrine pour regarder les entrailles, le rouge aux joues. Ensuite, elle lève la tête pour regarder l'empereur d'un air interrogatif.

– Qui était le modèle ?

L'empereur rit, amusé, puis il explique patiemment comment ce modèle en cire, extrêmement précis, fut élaboré.

Quand ils reviennent de la Chambre des Merveilles, Jakób explique de façon détaillée, par l'intermédiaire de l'interprète, qui sont ses relations à Varsovie; il cite à tout instant un nom qui pourrait dire quelque chose à l'empereur, mais ne lui dit malheureusement rien. Par deux fois, il fait allusion à Mme Kossakowska. Il sait que le secrétaire de

Sa Majesté l'empereur se souviendra de tous ces noms imprononçables et fera tout vérifier en détail. L'empereur parle pour la première fois avec de telles gens, autrement dit des Juifs qui cessèrent d'être des Juifs. Une question ne cesse pourtant de l'obséder : où donc est passée leur judaïté ? Elle n'apparaît ni dans l'apparence ni dans les manières. Ewa pourrait passer pour une Italienne ou une Espagnole. Pour son père, il n'y a aucune nation à laquelle il serait possible de l'assimiler. C'est un original. Quand l'empereur s'adresse à lui avec une question directe, il la sent pratiquement rebondir contre les dures parois de sa volonté de fer, il distingue parfaitement les frontières étanches du «moi» de cet homme. Frank et sa fille sont des gens de partout et de nulle part. L'avenir de l'humanité.

L'audience dure un peu moins d'une heure. Le même jour, l'empereur fait envoyer aux Frank une lettre d'invitation pour sa résidence de Schönbrunn. Sa mère, qui les a vus les cinq premières minutes – elle n'aime pas entrer dans la Chambre des Merveilles, qui lui vaut de mauvais rêves –, partage l'avis de son fils. Elle déclare que les gens de cette espèce sont précieux pour l'État. Non seulement ils sont catholiques, mais, en outre, ils dépenseraient, à ce qu'on lui a déjà rapporté, jusqu'à mille ducats par jour pour entretenir leur résidence de Brünn.

– Si nous pouvions recevoir de telles gens dans notre empire, il se développerait mieux que la Prusse de Frédéric, conclut-elle – ce qui agace légèrement son fils.

L'ours dont rêve Awacza Frank

Ewa rêve, et Czerniawski le notera avec application, qu'un grand ours brun s'approche d'elle. Elle a peur de bouger, l'effroi la fige sur place. Or, cet ours se met à lui lécher les mains et les pieds. Il n'y a personne pour la délivrer de cette terrible situation. C'est alors qu'arrive un homme qui s'assied sur un fauteuil rouge pareil à celui que son père avait à Częstochowa. Ewa pense que c'est ce dernier qui est venu, mais il s'agit d'un autre homme, plus jeune, très beau. Il a quelque chose de l'empereur, mais il lui rappelle aussi Franciszek Wołowski et un peu Thomas Dobruszka. Et aussi cet illusionniste avec une canne blanche qu'ils ont vu à Schönbrunn, chez l'empereur. Il avait notamment déchiré un mouchoir en quatre, l'avait mis dans son chapeau noir, puis il avait agité sa canne au-dessus avant d'en ressortir le mouchoir intact. Ewa avait alors eu honte à cause de son père, parce qu'il était allé voir le mage pour lui proposer de déchirer lui-même le foulard qu'il portait au cou. L'homme refusa en disant qu'il ne savait reconstituer les choses que lorsqu'il les déchirait personnellement, et cela amusa grandement tout le monde. Dans son rêve, donc, son sauveur emprunte les traits de tant de personnes! L'ours s'en va et Ewa s'envole.

Ewa a des rêves si bizarres et si véridiques qu'elle ne se sépare plus du *Livre des songes* que Marianna Wołowska lui a fait parvenir directement de Varsovie.

Pour son voyage à Schönbrunn, son père lui a acheté quatre des plus belles robes qu'ils aient trouvées à Vienne. Il fallut un peu en raccourcir les manches et mieux les ajuster. Elles ont un corset serré et, conformément à la nouvelle mode, elles s'arrêtent au-dessus de la cheville. Ils ont

6

Podczas takich Snow, gdy Xiężyc zo-
ſtaie w *Baranie*: znaczy ſię choroba. w
Byku: boleści przymnożenie. w *Bliźnię-
tach*: przyjście przyjaciela. w *Raku*:
ſtrzeż ſię wody. we *Lwie*: życie długie.
w *Pannie*: bitwa albo utarczka. w *Wadze*: będziesz poniżon. w *Niedzwiadku*:
turbacya. w *Strzelcu*: obmow uwłacza-
nie, albo odmowienie w jakiey proźbie.
w *Koziorozcu*: ujma tobie. w *Wodniku*:
gość przyidzie, albo poydzieſz na uczte.
w *Rybach*: obmowa albo exkuza w proźbie.

BYDLĘTA i ZWIERZĘTA.

O Wſzelkich zwierzach, domowym bydle
jako ſą lwy, niedzwiedzie, liſy, dzi-
ki, zaiące, &c. bawoły, woły, kro-
wy, owce, pſy, &c. (oprocz koni)
zgoła wſzelkie zwierzęta i ptaki w o-
ſobliwości swoiey.

Podczas takich Snow gdy Xiężyc zo-
ſtaie w *Baranie*: znaczy ſmutek. w *Byku*: śmierć przyiaciela. w *Bliźnietach*:
wyznanie. w *Raku*: bogactwo. we *Lwie*:
choroba. w *Pannie*: bol naumyśle. w
Wadze: uciſk. w *Niedzwiadku*: ſtrzeż ſię
wyſtępku. w *Strzelcu*: śmierć. w *Ko.*

passé toute une journée chez la modiste pour
acheter les chapeaux. Ceux-ci étaient tellement merveilleux qu'Ewa n'arrivait pas à se
décider. Finalement, son père, impatienté,
les acheta tous.

Ewa avait également besoin de chaussures
et de bas. Son père assista aux essayages.
Ensuite, il fit sortir Magda et Anna avant
d'obliger Ewa à se déshabiller entièrement.
Cette fois, il ne la toucha pas. Il se contenta
de regarder, puis il lui dit de se coucher sur
le dos et ensuite sur le ventre. Elle fit tout
ce qu'il voulait. Il l'examinait d'un œil cri-

tique, mais ne dit rien. Après quoi, Anna coupa les ongles des orteils
d'Ewa et lui massa les pieds avec de l'huile. Enfin, selon l'usage turc,
elle prit un bain dans de l'eau parfumée et ses deux amies lui massèrent
le corps avec du marc de café et du miel pour que sa peau soit plus
douce.

Ewa visita le *Cekhaus* et les jardins avec l'empereur et sa mère. Elle marcha juste derrière Sa Majesté tandis que les autres courtisans restaient en
retrait. Elle sentit le poids de dizaines de regards sur son dos, mais quand
l'empereur frôla sa main, en apparence fortuitement, ce poids disparut.
Elle savait déjà ce qui arriverait, elle ignorait juste quand cela se ferait.
Il était bon de savoir qu'il ne s'agissait que de cela. Et de rien de plus.

Et cela arriva après un spectacle amusant auquel ils assistèrent depuis
la terrasse du palais de Schönbrunn. Elle ne se souvient guère de l'histoire de cette comédie, elle ne comprenait rien à cette étrange langue
allemande. La pièce amusa l'empereur, il était de bonne humeur. Il
toucha plusieurs fois sa main. Le soir même, une dame de la cour,
Mme Stamm ou quelque chose d'approchant, vint la chercher en lui
disant d'enfiler son plus beau linge de corps.

Anna Pawłowska, troublée, lui dit en emballant ses affaires:

– C'est une chance que vos menstrues soient terminées!

Ewa répliqua durement, mais en fait, oui, c'était une chance.

La grande vie

Jakób, aidé de Jędrzej Dembowski, loua pour trois mois un appartement au Graben. Dans le même temps, il envoya Mateusz Matuszewski à Varsovie collecter des fonds, il lui donna un pli pour tous les vrai-croyants de la capitale polonaise, pour toute la *Havurah*, dans lequel il informait qu'il négociait avec l'empereur. Mateusz avait pour mission de tout raconter méticuleusement et de décrire par le détail la vie de Brünn, leur nouvelle résidence, mais aussi les audiences d'Ewa auprès de l'empereur et la familiarité dans laquelle Jakób se trouvait avec Joseph II d'Autriche.

Dans sa lettre, il écrivait :

> Veuillez remarquer que, quand j'entrai en Pologne, la noblesse y vivait en paix et le roi avec elle, mais que, dès que j'arrivai à Częstochowa, j'eus la vision que la Pologne serait démantelée. Actuellement, il en est de même, que pouvez-vous savoir de ce qui se passe entre les rois et les empereurs ou de ce qu'ils décident entre eux ? Or, moi, je le sais ! Voyez par vous-mêmes que cela fait presque trente ans que je suis avec vous, et que pourtant nul d'entre vous ne sait où je vais ! Dans quelle direction je me tournerai. Vous pensiez que tout était perdu quand je fus mis entre les murs très étroits de la forteresse de Częstochowa. Dieu m'a pourtant élu parce que je suis un rustre et que je ne cherche pas les honneurs. Si vous m'aviez soutenu sans faillir, si vous ne m'aviez pas abandonné comme vous le fîtes à Varsovie, où en serions-nous maintenant ?

Mateusz revint deux semaines plus tard avec l'argent. Une somme plus importante que celle demandée par le Maître avait été réunie, et ceci parce que, entre-temps, la nouvelle s'était propagée qu'un manuscrit antique, retrouvé en Moravie, indiquerait noir sur blanc que, dans son déclin, le Saint Empire romain germanique passerait aux mains d'un étranger. Il y serait clairement mentionné que ce serait un homme habillé à la turque, mais sans turban sur la tête, juste avec un haut fez rouge bordé de peau de mouton, et que cet homme renverserait le détenteur du trône.

Il fallait acheter un grand nombre de choses nouvelles.

Un service à café pour commencer, en porcelaine de Meissen, semblable à celui qu'Ewa avait vu à Prossnitz : décoré de délicates feuilles dorées et de scènes de genre avec des pastoureaux, peintes au pinceau le plus fin. Désormais, elle aurait sa propre porcelaine, la plus raffinée qui soit.

En outre, il fallait acquérir un nécessaire de bain complet chez le marchand le plus à la mode de Vienne. Des tenues spéciales, des serviettes, des chaises longues pliantes, des manteaux doublés de tissu très fin. Quand Jakób Frank et Michał Wołowski vont se baigner dans le Danube, des badauds viennois les suivent parce que Jakób nage parfaitement, non sans souligner sa puissance dans l'eau tel un jeune homme. Les bourgeoises se pâment, excitées par la dextérité de ce personnage plus tout jeune, mais toujours si bel homme ! Certaines lancent des fleurs dans l'eau. Jakób est toujours d'excellente humeur jusqu'au soir, après ces bains.

Il fallait aussi acheter un cheval à Ewa, on l'a fait venir d'Angleterre, avec de très fins paturons. Il est tout blanc ; au soleil, il chatoie comme de l'argent. Ewa en a pourtant peur, parce qu'il ne supporte ni le bruit que font les carrosses, ni les rais de lumières, ni la présence des petits chiens, et il se cabre alors. Il a coûté une fortune.

Ewa a également besoin, de toute urgence, de quatre douzaines de chaussures en satin. Elles s'usent vite quand on marche un peu plus longtemps dans la rue, elles suffisent à peine pour une promenade ; ensuite, Ewa les donne à Anna – car Magda a les pieds un peu plus grands.

En outre, on avait besoin de sucriers et d'assiettes en porcelaine, de couverts et de coupes en argent. Ewa trouve l'or trop clinquant. Il lui fallait aussi une nouvelle cuisinière, meilleure que l'actuelle, et une aide cuisinière. Deux servantes pour le ménage seront également utiles, elles coûtent moins cher qu'un service, mais beaucoup tout de même. Après la mort de son chien polonais, sa Rutka, pour se consoler, Ewa commande deux levrettes, directement en Angleterre, elles aussi.

– Et si on vous grattait un peu pour enlever le vernis, que trouverait-on dessous, Madame ? demande Joseph II, par la grâce de Dieu empereur romain, archiduc régnant d'Autriche, roi de Hongrie et de Bohême, de Galicie et de Lodomérie, duc de Bourgogne, de Milan, de Brabant, de Dalmatie et de Croatie, de Limbourg et de Luxembourg, etc.

– Que peut-il y avoir? répond Ewa. Il y a Ewa.

– Qui est-elle cette Ewa?

– Votre dévouée. Une catholique.

– Et quoi d'autre?

– La fille de Józef Jakób et de Józefa Scholastyka.

– Quelle langue parlait-on chez vous?

– Le turc et le polonais, répond Ewa sans savoir si c'est la bonne réponse.

– Et cette langue que parlent les Juifs, la connaissez-vous, Madame?

– Un peu.

– Comment votre mère s'adressait-elle à vous?

Ewa ne sait pas ce qu'elle devrait répondre. Son amant lui souffle:

– Dites-moi quelque chose dans cette langue, Madame.

Ewa réfléchit:

– *Con esto gif, se vide claro befor essi.*

– Qu'est-ce que cela veut dire?

– Que Son Altesse Impériale ne m'en demande pas trop. Je ne me rappelle guère, ment Ewa.

– Vous mentez, Madame.

Ewa rit et se tourne sur le ventre.

– Est-il vrai que votre père est un grand kabbaliste?

– C'est vrai. C'est un grand homme.

– Qu'il transforme le plomb en or et que de là vient qu'il a tant d'argent, la taquine son amant.

– C'est possible.

– Et vous, Madame, vous êtes également une kabbaliste. Voyez ce que vous faites de moi, lui dit-il en lui montrant son érection.

– Oui, ce sont mes envoûtements.

Par beau temps, ils se promènent au Prater, Joseph II vient d'autoriser le parc au public. Les carrosses ouverts telles des boîtes de chocolats

transportent les bonbons viennois que sont toutes les élégantes en merveilleux chapeaux. Les messieurs qui les accompagnent à cheval saluent les personnes de connaissance. Les promeneurs piétinent pour traverser la promenade le plus lentement possible. On voit des petits chiens avec des rubans, des singes retenus par des chaînettes, des perruches adorées dans des cages argentées. Jakób a pourvu sa fille d'une petite calèche anglaise, uniquement dédiée à ces promenades. Dans cet adorable véhicule, Ewa est souvent accompagnée de Magda et d'Anna, parfois seulement de Magda. La rumeur court que cette dernière serait également l'enfant de Jakób, sa fille naturelle. À y regarder de plus près, elle ressemble en effet à ce Frank, elle est grande avec un visage oblong, des dents blanches, une allure plus distinguée que celle d'Ewa, ce qui fait d'ailleurs que des personnes non informées la prennent parfois pour la demoiselle Frank. Les gens disent aussi que ces vrai-croyants se ressemblent tous, un peu comme les membres des tribus africaines qu'il arrive à l'empereur d'exhiber en spectacle vivant extraordinaire.

La machine qui joue aux échecs

Un certain M. de Kempelen a construit, pour s'amuser, une machine qui a l'apparence d'un Turc en magnifique habit oriental, au visage basané, lisse et tout à fait sympathique. Celui-ci est assis à une table où il joue aux échecs, et il le fait si parfaitement que personne n'est encore parvenu à le battre. On dirait que, pendant la partie, il pense et donne le temps à son adversaire de réfléchir. Son bras droit s'appuie sur la table, sa main gauche déplace les pions. Quand un adversaire se trompe et enfreint une règle, il hoche la tête et attend que celui-ci s'en rende compte et se reprenne. La machine fait tout cela de façon autonome, sans être reliée à aucune énergie extérieure.

L'empereur est fou de cette mécanique. Il a perdu contre elle maintes fois, mais, à ce qu'il paraît, il y aurait eu en France des personnes pour la battre. Est-ce possible ?

– Si une mécanique est capable de faire ce que fait l'homme, voire de lui être supérieure, qu'est donc l'homme en ce cas ?

Son Altesse Impériale pose cette question au goûter, tandis qu'il est assis au jardin avec des dames. Elles attendent qu'il y apporte lui-même une réponse. Il a tendance à discourir, à poser des questions rhétoriques auxquelles il répond peu après. Il en est de même cette fois, il déclare que la vie est un processus absolument naturel et chimique, quoique induit à son origine par une force supérieure… Joseph II ne termine pas sa phrase par un point, mais la laisse inachevée, et elle se dissout dans l'air comme une bouffée de pipe. Il ne termine ses phrases par un point que lorsqu'il donne un ordre, et alors tout le monde se sent soulagé. Du moins chacun sait de quoi il retourne. À la seule idée d'avoir à prendre la parole en pareille compagnie, Ewa se sent rougir et elle doit s'éventer.

L'empereur est toujours intéressé par les progrès de l'anatomie. Pour donner une compagnie à sa « Sibylle », il a acquis un écorché en cire dont on voit le système sanguin. Quand on le regarde, on remarque que le corps humain rappelle une machine. Les tendons et les muscles, les enchevêtrements de veines et d'artères lui font penser aux écheveaux de fils moulinés utilisés par sa mère Marie-Thérèse de Habsbourg pour ses broderies, tandis que les articulations ressemblent à des charnières et des leviers. Son Altesse Impériale montre avec fierté sa dernière acquisition à Ewa Frank, c'est une fois de plus un corps de femme, où l'on voit les veines serpenter sur les muscles.

– Ne pourrait-on pas montrer tout cela sur le corps d'un homme? demande Ewa.

L'empereur rit. Ils se penchent tous deux au-dessus du corps en cire, leurs têtes se touchent presque. Ewa sent distinctement l'odeur de ses lèvres, une odeur de pomme, à cause du vin sans doute. Le visage clair et glabre de l'empereur rougit brusquement.

– Il se peut que les gens aient cette allure-là sans leur peau, dit Ewa, très à l'aise et non sans provocation, mais moi certainement pas.

L'empereur éclate de nouveau de rire.

Un jour, Ewa reçoit de sa part un oiseau mécanique dans une cage. À peine l'a-t-on remonté avec une petite clef que, déjà, il bat de ses ailes métalliques et qu'un pépiement sort de son gosier. Ewa l'emporte à Brünn et l'oisillon en cage devient l'attraction de toute la Cour. Ewa remonte elle-même le mécanisme, toujours avec un grand sérieux.

L'usage est que, quand l'empereur souhaite voir la belle Ewa, il l'envoie chercher par une modeste berline sans blasons ni décorations pour qu'elle n'attire pas l'attention. Ewa préférerait un carrosse impérial pour se rendre chez Son Altesse. Un jour, il en est arrivé un au Graben qui s'est arrêté à la hauteur de leur logement aux nombreuses pièces, il venait les chercher, elle et son père. Il se trouve que l'impératrice Marie-Thérèse apprécie Jakób Frank, elle l'autorise à venir dans ses appartements où elle passe beaucoup de temps en sa compagnie. Il paraît même qu'ils prient ensemble. La vérité est pourtant que l'impératrice aime écouter les récits de cet homme exotique et aimable, aux manières orientales, qui ne se met en colère ni ne s'emporte jamais. Ledit Jakób lui avoue en grand secret comment lui et les siens se firent baptiser en Pologne alors qu'ils étaient dans la vraie foi depuis des années déjà. Il lui parle de Katarzyna Kossakowska, avec laquelle l'impératrice a beaucoup de choses en commun d'ailleurs, il lui raconte comment cette femme

de valeur les aida à rejoindre l'Église et combien elle entoura de soins
feu son épouse… Tout cela plaît à l'impératrice, elle pose des questions
sur Mme Kossakowska. Souvent, ils abordent également des sujets très
sérieux. En effet, depuis que le partage de la Pologne lui a fait obtenir
la Galicie et une partie de la Podolie, Marie-Thérèse rêve d'un grand
empire qui s'étendrait jusqu'à la mer Noire et aux îles grecques. Sur les
Ottomans, Frank en sait plus que ses meilleurs ministres, elle l'interroge
donc sur tout, sur les sucreries, la nourriture, les vêtements. Elle veut
savoir si les femmes portent de la lingerie, et, si oui, laquelle, combien
les familles ont d'enfants en moyenne, à quoi ressemble la vie dans un
harem et si les femmes ne sont pas jalouses les unes des autres, si le
bazar turc est fermé le jour de Noël, ce que les Ottomans pensent des
habitants de l'Europe, si le climat à Istanbul est meilleur qu'à Vienne et
pourquoi ces gens préfèrent les chats aux chiens. Elle verse elle-même
du café à Jakób et l'invite à y ajouter du lait, c'est la dernière mode.

Quand il revient de chez l'impératrice, Jakób raconte l'entretien à
ses frères et sœurs qui, enthousiasmés, l'imaginent déjà en vice-roi de
Valachie avec Ewa à ses côtés. Comparé à cela, combien modestes étaient
leurs rêves de naguère d'avoir quelques malheureux villages en Podolie !
Ils leur semblent amusants et infantiles, désormais. Jakób se rend chez

l'impératrice avec des cadeaux ; il n'est pas de visite que Marie-Thérèse ne reçoive un châle en cachemire ou des mouchoirs en soie peints à la main, ou des souliers du meilleur cuir turc, brodés et incrustés de turquoises. Elle les pose à côté d'elle, en apparence nullement impressionnée par un tel faste, mais au fond d'elle-même ravie, tout comme elle l'est des visites de Frank. Elle est consciente que ceux qui haïssent cet homme doivent être nombreux. Il possède un charme naturel et un humour teinté d'ironie qu'elle apprécie particulièrement. Sa sympathie pour un tel personnage ne peut qu'engendrer de l'inquiétude chez beaucoup de gens. Sur son bureau atterrissent en permanence des rapports et des délations.

Le premier de la pile informe :

… non moins suspect se trouve être la source de ses revenus, des revenus très importants, parce qu'à Varsovie il vivait dans l'opulence. Il se dit, par exemple, que ce Jakób Frank aurait sa propre poste-relais, des hommes dévoués sur tout l'itinéraire jusqu'aux frontières polonaises que franchissent ses lettres. Ses transferts d'argent, toujours dans des tonnelets, se feraient sous l'escorte de sa propre garde.

– Et alors ? répond l'impératrice aux doutes de son fils. Faire entrer de l'or sur notre territoire pour le dépenser ici nous enrichit. Mieux vaut que cela vienne chez nous que si cela devait se retrouver en Russie.

Vient aussi l'accusation que ce Frank armerait ses propres hommes, un corps de plus en plus nombreux.

– Qu'il s'arme, rétorque l'impératrice, qu'il veille à sa sécurité ! Parce que nos aristocrates de Galicie n'avaient pas leur propre armée, peut-être ? Il peut encore nous servir comme chef, dit-elle – avant d'ajouter plus bas, pour son fils : J'ai des projets personnels en ce qui le concerne.

Il semble à Joseph II que sa mère a repris sa lecture, mais, peu après, Marie-Thérèse dit encore :

– Vous, en revanche, n'ayez aucun projet en ce qui la concerne.

Le jeune empereur ne répond rien et sort. Sa mère l'embarrasse souvent. Il est profondément convaincu que c'est parce qu'elle sous l'emprise d'un catholicisme rustaud, obtus et obstiné.

Comment Nahman Piotr Jakóbowski
devint ambassadeur

La Cour de Brünn n'est pas juste un endroit de plaisirs futiles et une foire de toutes les vanités. Dans les pièces du premier étage, appelées chancelleries, on travaille en permanence. Jakób y vient dès le matin pour dicter son courrier, qu'il faut ensuite recopier et diffuser. À côté se trouve toute la comptabilité de la maison, à laquelle Mme Zwierzchowska apporte ses compétences. Dans la troisième chancellerie, les Czerniawski – la sœur du Maître et son époux – s'occupent de la jeunesse, de son recrutement, ils répondent aux lettres, négocient avec les parents des jeunes qui sont reçus à la résidence. Autant la deuxième chancellerie s'occupe des questions intérieures, autant la première est un véritable petit ministère des Affaires étrangères; quant à la troisième, c'est le ministère de l'Économie et du Commerce.

Dès décembre 1774, Paweł Pawłowski, Jan Wołowski et son beau-frère Chaïm Jakub Kapliński, venu avec toute sa famille à Brünn après la mort de Tov, quittent Vienne pour Istanbul. Ils sont les meilleurs des émissaires de Jakób. Avant leur départ, une cérémonie officielle a lieu au cours de laquelle le Maître prononce un discours. Il les appelle les « guerriers du Messie » qui n'ont aucune religion, et, ceci, ils l'ont entendu maintes fois. La seule chose importante, c'est leur mission, qui est secrète: ils doivent s'assurer des faveurs du sultan, retrouver d'anciens appuis et proposer leurs services. Le soir qui précède leur voyage, les prières communes durent longtemps, elles se terminent par des prières en cercle et des chants. Tout le monde se joint à ces cérémonies, y compris les invités de passage. En revanche, pour participer ensuite au festin où est versée une grande quantité de vin de Moravie, très apprécié en ces lieux, ne restent de la *Havurah* que les frères et les sœurs du cercle étroit. Les choses sont maintenues comme autrefois, comme à Iwanie, mais désormais les Actes contraires deviennent symboliques, ce sont des rituels. Les disciples élus restent toujours proches les uns des autres, ils savent se reconnaître à l'odeur, au toucher, et tout les émeut : le visage allongé de Jan Wołowski, ses joues fraîchement rasées et ses grandes moustaches ; les maigres épaules de Mme Pawłowska, sa petite taille ; la grande tignasse grise de Jeruchim Jędrzej Dembowski ou la claudication de Mme Zwierzchowska. Ils ont tous vieilli, leurs enfants sont adultes et certains sont déjà grands-parents. Certains ont enterré leur femme ou leur mari et contracté un nouveau mariage. Ils ont connu de grandes tragédies et d'immenses chagrins, des morts d'enfants et des maladies. Ainsi, par exemple, Henryk Wołowski fit récemment une attaque d'apoplexie à la suite de laquelle son côté droit resta paralysé, et, depuis, il articule mal, mais ses forces vitales restent les mêmes qu'autrefois. Dernièrement, soutenu par ses filles, il se chargea de l'entraînement du corps d'armée haut en couleur, des très jeunes pseudo-soldats bariolés.

À l'aube, quand les émissaires se mettent en route, la maison est encore silencieuse. La veille, les femmes avaient préparé les paniers de nourriture pour le voyage. Les chevaux semblent endormis. Jakób sort dans la cour en peignoir de soie rouge, il donne à chacun de ses envoyés une pièce en or et sa bénédiction. Il leur dit que l'avenir des vrai-croyants dépend de cette mission. La berline roule sur le pavé en direction de la place du marché ; de là, elle quittera la ville en se dirigeant vers le sud-est.

Ils reviennent bredouilles quelques mois plus tard : ces ambassadeurs expérimentés n'ont pas même réussi à être reçus par le sultan, ils ont ainsi perdu plusieurs semaines. Au printemps 1775, au moment où Jakób considère qu'il est le plus grand ami de l'empereur, il envoie une seconde délégation à Istanbul. Cette fois, ce sont Nahman Piotr Jakóbowski, Ludwik Wołowski et le fils de Jan Wołowski qui s'y rendent. Ils reviennent de Turquie en automne, après six mois, et leur mission est également un échec. Non seulement ils ne sont pas parvenus jusqu'au sultan, mais une chose bien pire est arrivée. Accusés d'hérésie par des Juifs d'Istanbul ayant juré leur perte, ils passèrent trois mois en prison, et cela valut à Nahman de contracter une maladie pulmonaire. En outre, les fonctionnaires de la Sublime Porte confisquèrent l'argent que la délégation devait offrir au sultan au cours de l'audience. Une somme importante. Depuis leur geôle, les émissaires envoyèrent des lettres désespérées à Jakób, qui les ignora. Peut-être était-il souffrant, peut-être trop occupé par ses séjours à la cour impériale. Peut-être, surtout, comme l'affirme avec obstination Nahman, parce que aucune nouvelle de Turquie ne lui parvint. L'objectif de cette mission était identique à celui de la première : gagner les bonnes grâces du sultan, lui promettre de le servir fidèlement, lui montrer les avantages d'avoir dans son camp quelqu'un d'aussi proche de l'empereur que l'était Jakób, envisager la récompense si... Enfin, Piotr Jakóbowski savait faire, brosser de belles perspectives, et il était le meilleur pour ce qui était de manier la langue turque.

Ils rentrèrent amaigris et épuisés. Pour pouvoir revenir, ils durent emprunter de l'argent à Istanbul. Piotr Jakóbowski, émacié au point de faire penser à un sac vide, toussait. Une ombre voilait le visage de Ludwik Wołowski.

Le maître ne les accueille pas. Le soir, selon sa vieille habitude, il fait fouetter Nahman parce qu'il a perdu l'argent.

– Jakóbowski, tu ne m'es vraiment plus d'aucune utilité, tu n'es qu'un vieil âne têtu, dit-il. Écrire, ça tu sais, mais tu n'es bon pour aucun travail !

Piotr Jakóbowski cherche à se défendre, il fait penser à un gamin de dix ans.

– Pourquoi m'as-tu envoyé en ce cas ? Tu n'as personne de plus jeune que moi, qui connaîtrait mieux les langues ?

La punition se déroule ainsi : le condamné est allongé sur une table, juste en chemise, et chacun des vrai-croyants présents, frère ou sœur, doit lui flageller le dos avec une verge. Le Maître commence et il le fait comme toujours sans la moindre pitié, viennent ensuite les hommes, mais ils frappent moins fort. Les femmes, quant à elles, ferment généralement les yeux et leur geste est plutôt symbolique, comme si elles tenaient une palme le dimanche des Rameaux, sauf si l'une d'elles a ses raisons pour faire mal. Et tel est le déroulement du châtiment de Nahman Piotr Jakóbowski. Certains coups sont certainement douloureux, mais les choses ne vont pas trop loin. Une fois que c'est terminé, il se relève péniblement de la table et s'en va. Il ne répond pas à l'interpellation de Jakób qui lui demande de rester. Sa chemise descend pratiquement jusqu'à ses genoux, elle est ouverte sur le devant. Son visage a un air absent. On dit que Nahman serait devenu bizarre en ses vieux jours. Il sort sans même se retourner.

Après son départ, un silence s'installe et dure un peu trop longtemps, tout le monde baisse la tête. Le Maître se met à parler, sans s'arrêter, tellement vite qu'il est difficile de consigner ce qu'il dit, de sorte que Dembowski, resté seul pour cette tâche, finit par reposer sa plume. Jakób explique que, pour eux, le monde sera toujours une menace, et c'est pourquoi ils doivent toujours rester ensemble et se soutenir mutuellement. Ils doivent abandonner les anciennes explications des choses parce que l'ancien monde est déjà fini. Il en est venu un nouveau, mais il est encore plus impitoyable et plus hostile que le précédent. Ces temps sont exceptionnels et la *Havurah*, elle aussi, doit être exceptionnelle. Ses membres doivent vivre ensemble, s'unir entre eux et pas avec des étrangers, pour que se crée une grande famille. Dans cette famille, les uns en seront le pivot, les autres vont se mouvoir tout autour librement. Ils doivent considérer leurs biens comme communs, seulement confiés en gestion à certaines personnes, et celui qui en a le plus doit partager avec ceux qui ont moins. Il en était ainsi à Iwanie et il doit en être ainsi ici. Toujours. Tant qu'ils partageront ce qu'ils ont, ils pourront exister comme une *Havurah*, une Fraternité, et rester un mystère pour ceux qui n'en sont pas. Ce secret doit être gardé à tout prix. Moins les autres en savent à leur sujet, mieux c'est. On inventera sur leur compte des choses inouïes; eh bien, parfait, qu'on invente! En revanche, à l'extérieur, il ne faut jamais que la loi soit transgressée, que les usages humains du dehors soient bafoués.

Jakób leur demande de faire cercle et de poser leurs mains sur les épaules les uns des autres, les têtes doivent être légèrement penchées vers l'intérieur, les yeux fixés sur un point au centre.

– Nous avons deux objectifs, poursuit Jakób. Le premier est d'arriver au *Daat*, au savoir par lequel nous obtiendrons la vie éternelle, et nous nous arracherons ainsi à l'emprisonnement de ce monde. Nous pouvons le faire d'une manière plus primaire : avoir un endroit à nous sur cette terre, un pays dans lequel nous appliquerons nos propres lois. Dans la mesure où le monde aspire à la guerre et s'arme, l'ordre ancien s'est déjà effondré. Nous devons nous joindre à cette confusion pour en tirer quelque chose pour nous. Aussi, ne regardez pas avec méfiance mes hussards et mes étendards. Celui qui a des drapeaux et une armée, serait-elle des plus modestes, est considéré comme un vrai détenteur du pouvoir en ce monde.

Ensuite, ils entonnent tous *Igadel*, le même chant qu'à Iwanie. Pour terminer, alors qu'ils se préparent tous à partir, Jakób leur raconte un songe qu'il fit la nuit précédente. Il rêva du roi de Pologne, Stanisław Poniatowski. Celui-ci les poursuivait, Awacza et lui, avec l'intention de se battre. Jakób a également vu dans ce rêve qu'on le menait dans une église orthodoxe, mais celle-ci était complètement incendiée à l'intérieur.

Le retour de Mgr Sołtyk

L'hiver 1773, le peuple de Varsovie, avec ses évêques, se rend au bord de la Vistule. Il traverse les flots pris par le gel jusqu'à l'île qui se trouve au milieu du fleuve pour y attendre Mgr Sołtyk, tel un saint martyr. Les bannières de l'église raidissent dans le froid. Des nuages de vapeur sortent des bouches qui chantent des chants religieux. Les bourgeoises varsoviennes sont en bonnets de fourrure, avec des pèlerines doublées de fourrure également, qu'entourent, en outre, des châles en laine. Il y a des hommes en *chouba* longues jusqu'à terre, ils sont cochers, marchands ou artisans, il y a aussi des cuisinières et des aristocrates. Tous sont transis de froid.

Une berline finit par arriver avec une escorte militaire à cheval. Tous les yeux cherchent à voir l'intérieur du véhicule, mais les rideaux sont tirés. Quand la voiture s'arrête, la foule s'agenouille au milieu du fleuve, à même la neige.

L'évêque ne se montre qu'un instant, soutenu de part et d'autre, emmitouflé dans un manteau pourpre doublé de fourrure claire, probablement celle de quelque animal sibérien. Il semble immense, comme s'il avait encore grossi. Il trace une croix au-dessus de la tête des fidèles et un chant plaintif s'élève dans l'air glacial, les paroles sont difficiles à comprendre, la foule chante à des rythmes différents, les uns plus lents, les autres plus rapides, les tonalités se superposent jusqu'à s'éclipser les unes les autres.

Un bref moment, on aperçoit le visage de l'évêque, il est changé, étrangement grisâtre. Un murmure monte aussitôt: monseigneur aurait été torturé, d'où son apparence. Puis Son Excellence disparaît dans la berline et celle-ci se dirige vers la Vieille Ville en traversant le fleuve gelé.

À Varsovie, le bruit court aussitôt que, là-bas, à Kalouga, dans cet enfer de glace, Mgr Sołtyk aurait perdu l'esprit et qu'il ne retrouverait plus sa lucidité que de temps à autre. Certaines personnes, celles qui le connaissaient avant, affirment que déjà, quand les Russes l'arrêtèrent, il n'était pas très sain d'esprit. Ils disent qu'il fait partie de ces gens qui ont une si haute opinion d'eux-mêmes qu'ils en sont aveuglés et ne voient qu'eux où qu'ils regardent. La certitude de leur propre importance les prive de bon sens et de jugement. Mgr Sołtyk fait indéniablement partie de ces gens-là, et peu importe que son esprit batte la campagne ou non.

Ce qui se passe dans la *Havurah* du Maître à Varsovie

Les émissaires doivent rendre compte devant la Fraternité du séjour de Jakób à Brünn et de l'échec des ambassades. Dans la capitale polonaise, tout tourne désormais autour de la maison de Franciszek Wołowski.

La *Havurah* se réunit tantôt chez lui, dans le quartier de Leszno – sa maison est la plus grande –, tantôt chez sa fille, celle qui épousa un Lanckoroński, le fils de Haya. Les temps sont difficiles, il règne une sorte d'excitation politique, d'inquiétude, et dans cette ambiance les nouvelles de Brünn ont des accents irréels.

Dans la capitale polonaise, Nahman Piotr Jakóbowski rencontre Jakub Goliński, autrefois Lejbko de Glinna, qu'il doit avoir vu pour la dernière fois à Częstochowa. Il l'aime bien et cette faiblesse qu'il ressent pour lui le renvoie clairement au souvenir de leur séjour chez Besht, à Międzybóż, une réminiscence qui l'émeut toujours. Ils se jettent dans les bras l'un de l'autre et restent ainsi un moment immobiles. Malgré l'épaisseur de son gros manteau, Jakóbowski sent que son ami a maigri et semble avoir rapetissé.

– Tout va bien pour toi? lui demande-t-il, inquiet.

– Je te raconterai plus tard, lui répond dans un chuchotement Jakub, car le vieux Podolski prend la parole.

Podolski est un homme petit, tout sec dans son caftan marron-gris boutonné jusqu'au cou. Ses mains sont tachées d'encre. Il tient les comptes de la brasserie des Wołowski.

– Je vais avoir la témérité de le dire, lance-t-il en polonais, avec un fort accent chantant yiddish. Je suis un vieil homme et je n'ai plus peur de rien. D'autant qu'il me semble que, vous aussi, vous le pensez, sauf que vous n'avez pas le cran de le dire tout haut. Eh bien, je vais le dire.

Il s'interrompt un moment, puis reprend :

– C'en est fini. Puisque l'autre…

– Quel autre ? l'interrompt une voix fâchée près du mur.

– Puisque Jakób, notre Maître, s'en est allé d'ici, nous n'avons plus rien à attendre de lui. Nous devrions nous occuper de nous, vivre de façon exemplaire, rester ensemble et, sans abandonner nos pratiques, les raboter un peu…

– Comme ces rats aplatis de peur au sol… reprend la même voix près du mur.

– Les rats ? dit Podolski, qui se tourne vers l'endroit d'où vient la voix. Les rats sont des animaux intelligents, ils survivent à tout. Et toi, fils, tu t'égares. Nous avons de bons postes, nous avons à manger et nous avons un toit. De quels rats tu parles ?

– On ne s'est pas fait baptiser pour que ça ne serve à rien, recommence la voix – qui est celle de ce Tatarkiewicz dont le père était de Czerniowce. (Il est fonctionnaire à la poste, aussi est-il venu en uniforme.)

– Tu es jeune et emporté. Tu as le sang chaud. Moi, je suis vieux et bon en calcul. Je compte les dépenses de notre communauté et je sais combien d'or nous avons envoyé en Moravie et l'effort qu'il nous a fallu pour le réunir ici, en Pologne. Avec cet argent, vous pourriez faire faire des études à vos enfants.

Un murmure parcourt la salle.

– On a envoyé combien ? demande calmement Marianna Wołowska.

Le vieux Podolski sort d'une poche intérieure des papiers qu'il étale sur la table. Tout le monde se bouscule autour de lui, mais personne ne comprend les tableaux de chiffres.

– J'ai donné deux mille ducats. Presque tout ce que j'avais, dit Jakub Goliński à Piotr Jakóbowski, qui s'est assis à côté de lui. Il a raison ce Podolski.

Tous les deux restent sur leurs chaises près du mur, ils savent que dès qu'il est question d'argent les esprits s'enflamment.

En effet, les disputes commencent autour de la table. Franciszek Wołowski l'Ancien cherche à les juguler, à calmer les protagonistes, à leur expliquer que ce n'est pas la peine que l'on entende ce vacarme depuis la rue ; il leur dit qu'ils transforment sa maison en bazar turc, que les employés et les bourgeois polis et bien habillés qu'ils sont devenus montrent soudain leur côté vendeurs de vieilleries à la foire de Busk !

– Honte à vous ! leur dit-il pour les rappeler à l'ordre.

Tout à coup, on dirait que le diable en personne s'empare de Piotr Jakóbowski, qui se jette sur la table pour recouvrir de tout son corps les papiers qui y sont étalés.

– Mais qu'est-ce qui vous arrive ! Vous allez demander des comptes à Jakób comme à un vulgaire margoulin ? Vous avez oublié qui vous étiez avant sa venue ? Ou ce que vous seriez maintenant sans lui ? Des camelots, des métayers avec une barbe jusqu'à la taille et vos quelques sous cousus dans vos *schtreïmel* ? Vous avez déjà oublié ?

Majewski, qui est l'ancien Hilel parti vivre en Lituanie et qui vient rarement à Varsovie, s'écrie :

– C'est que rien n'a changé !

Franciszek Wołowski tempère Nahman :

– Ne t'emporte pas, frère Piotr. Nous devons beaucoup à notre propre opiniâtreté dans la foi. À notre travail aussi.

– À cause de nous, il est resté treize ans en prison, nous l'avions trahi, déclare Piotr Jakóbowski.

– Personne ne l'a trahi, intervient le jeune Lanckoroński. Tu as dit toi-même qu'il devait en être ainsi. Tu l'as dit toi-même, et, nous, toute notre *Havurah*, nous nous sommes endurcis, nous avons été mis à l'épreuve par ces treize années, mais nous avons tenu bon.

Près du mur, quelqu'un, sans doute Tatarkiewicz, lance encore :

– On ne sait pas si c'est lui ou pas lui… On dit qu'on a mis un autre à sa place.

– Ferme-la, toi ! crie aussitôt Nahman Piotr Jakóbowski – mais, à sa grande surprise, Lejbko Goliński intervient dans le sens des détracteurs :

– Qui sommes-nous, désormais. Qui je suis, moi ? À Glinna, j'étais rabbin, tout allait bien pour moi, et maintenant je ne peux plus y retourner, et ici j'ai fait banqueroute.

Jakóbowski a un coup de sang, il se jette sur son ami qu'il attrape par le jabot. Les papiers dispersés sur la table s'envolent.

– Vous êtes des gens minables et vils. Vous avez tout oublié. Vous voudriez rester dans votre merde de Rohatyn, Podhajce ou Kamieniec !

– De Glinna aussi, ajoute méchamment Majewski le Lituanien.

Jakub Goliński rentre chez lui à pied, seul. Il est bouleversé. Sa femme, qui a rejoint la résidence de Brünn dès le début pour être auprès d'Awacza, ne lui donne plus de nouvelles depuis plusieurs mois. Il espérait que Jakóbowski lui apporterait des lettres. Il ne l'a pas fait. Interrogé, il a étrangement détourné les yeux, puis il y a eu cette dispute dont Jakub n'arrive pas à se remettre.

Les chiffres qu'il a vus dans les comptes de Podolski l'obsèdent d'autant plus qu'il a en tête les siens propres – il livrait des étoffes à la cour royale, il était arrivé très haut, mais tout est terminé. Il reste avec ses balles de toiles coûteuses, luxueuses, que désormais plus personne ne lui achètera. Confiant dans sa bonne étoile, il a donné toutes ses économies pour la collecte de Brünn, parce qu'il voulait croire que, de la sorte, il aidait au succès de sa famille et au sien. Désormais, il voit les choses de façon absolument différente. C'est comme si les écailles lui étaient tombées des yeux ! Pourquoi est-ce que sa Magda ne lui donne pas signe de vie ? Jusque-là, il ne voulait pas y penser, il était occupé, mais là, au fin fond de son cerveau, la suspicion s'est installée, c'est une quasi-certitude, une tumeur maligne. C'est comme s'il avait dans la tête de la chair qui pourrit : « Magda a quelqu'un d'autre ! »

Il n'en dort pas de la nuit, il ne cesse de se retourner dans son lit, il entend des voix, une sorte de réminiscence d'une discussion violente, il revoit le regard de Jakóbowski qui se détourne, et il étouffe. Il le sent, il le sait, même si sa tête refuse de le penser. Il recompte à nouveau ses dettes. Dans un demi-sommeil, il voit des souris grignoter les brocarts écarlates et les balles de damas de sa réserve.

Le lendemain, sans avoir pris de petit déjeuner, il se rend à pied, par la rue Długa, chez les Jakóbowski. Le maître de maison lui ouvre, encore ensommeillé, en chemise et bonnet de nuit, amorphe et fatigué. Il se frotte un pied contre l'autre dans des chaussettes pas très propres. Wajgełe, qui a jeté un châle en laine sur sa chemise de nuit, se met à allumer le feu sous sa cuisinière sans dire un mot. L'instant d'après, leurs deux fillettes, Barbara et Anna, arrivent endormies. Nahman Jakóbowski l'observe un long moment avant de demander :

– Qu'est-ce que tu me veux, Goliński ?

En disant cela, il fait signe à sa femme d'emmener les enfants hors de la pièce.

– Tu vas me dire ce qui s'est passé là-bas ! Qu'est-ce qui se passe avec ma Magda ?

Piotr Jakóbowski baisse les yeux, il regarde ses chaussettes.

– Entre.

Le petit appartement de Nahman Piotr Jakóbowski est encombré. Il y a des paniers, des coffres. Cela sent le chou cuit. Ils s'assoient à table. Jakóbowski ramasse les papiers qui y traînent. Il nettoie soigneusement sa plume et la range dans une boîte. Il y a un verre avec un fond de vin.

– Dis-moi ce qui se passe avec elle. Parle !

– Que veux-tu qu'il y ait ? Que veux-tu que je te dise ! Je n'y étais pas, je voyageais par monts et par vaux, tu ne le sais pas, peut-être ? Je ne me suis pas prélassé avec les bonnes femmes.

– Mais tu as été à Brünn, aussi.

Un coup de vent claque contre la fenêtre, les vitres vibrent dangereusement. Jakóbowski se lève pour fermer les volets. La pièce s'assombrit.

– Te souviens-tu, nous avons dormi dans le même lit chez Besht, lui dit Goliński dans une sorte de plainte.

Jakóbowski soupire.

– Tu sais comment c'est, là-bas. Tu as bien vu. Tu es allé à Częstochowa, tu es allé à Iwanie. Personne ne va surveiller ta femme. C'est une femme libre.

– Je n'ai jamais fait partie du cercle des très proches. Je n'étais pas l'un d'entre vous, les «Frères».

– Mais tu as pu voir, dit Jakóbowski – comme si ce pauvre Goliński, désespéré, était responsable de tout. Elle l'a demandé elle-même. Elle est maintenant avec Szymanowski, le palefrenier du Maître. Une sorte de Cosaque à cheval...

– Un Cosaque... répète par automatisme Jakub Goliński, complètement brisé.

– Je vais te dire, Goliński, au nom de notre amitié et du soutien que tu m'as apporté après la mort de mon fils, et aussi parce qu'on a dormi dans le même lit chez Besht...

– Je sais.

– À ta place, je ne me ferais pas un mauvais sang pareil. Tu t'attendais à quoi ? Eux, c'est pour notre bien à tous... Auprès du plus grand empereur du monde. Une grande cour... Si tu veux qu'elle revienne, elle reviendra.

Jakub Goliński se lève pour marcher dans la petite pièce, il fait deux pas d'un côté, deux dans l'autre, puis il s'arrête, inspire profondément et se met à sangloter.

– Elle ne l'a pas demandé elle-même, ça je le sais, pour sûr... Ils ont dû l'obliger.

Nahman va chercher un deuxième verre dans le buffet et y verse du vin.

– Tu pourrais vendre toute ta marchandise à Brünn, tu y perdrais sûrement un peu parce que le brocart ne s'y vend plus aussi bien qu'avant, mais tu récupérerais toujours une partie de ton argent.

Jakub Goliński fait ses bagages dans l'heure et emprunte de l'argent pour le voyage contre reconnaissances de dettes. Après quelques jours, sale et fatigué, il arrive à Brünn. Sa marchandise déposée dans un magasin, il se rend immédiatement à la résidence près de la cathédrale, sur la Petersburger Gasse. Son chapeau enfoncé jusqu'aux oreilles, il demande son chemin à plusieurs personnes. Tout le monde le lui indique. Il envisage de frapper, d'entrer et de se présenter avec urbanité, mais soudain il est pris d'un doute, la méfiance le gagne, il se sent comme un homme qui déclare la guerre ; il se poste donc sous la porte cochère d'en face, et, en dépit du fait qu'il est encore tôt et que seules les longues ombres matinales remplissent les rues, il reste là, il enfonce encore un peu plus son chapeau sur ses yeux et il attend.

D'abord la porte s'ouvre pour laisser sortir une charrette avec des ordures et d'autres déchets, puis ce sont des femmes qui quittent le bâtiment. Goliński ne les connaît pas, elles portent des paniers en osier et remontent la rue, sans doute pour aller au marché. Après cela, c'est un haquet avec des légumes qui arrive, et un cavalier. Pour finir, une berline se présente, elle entre mais ne ressortira pas avant midi. Soudain, il y a du remue-ménage sous le portail. Goliński a l'impression de voir deux femmes : l'une est Mme Zwierzchowska qui remet quelque chose au coursier ou au postillon, l'autre est la vieille Mme Czerniawska. À une fenêtre du premier étage, un rideau bouge et apparaît un instant un visage que Goliński ne reconnaît pas. Il a un creux à l'estomac, mais il a peur de s'éloigner, il pourrait manquer quelque chose de très important. Juste avant midi, la porte cochère s'ouvre de nouveau et un petit cortège se forme dans la rue, surtout des jeunes gens, ils vont à la messe. Là encore Goliński ne reconnaît personne. En queue seulement, il aperçoit une connaissance, Dembowski dans une tenue polonaise, avec son épouse. Ils marchent en silence et disparaissent dans la cathédrale. Goliński comprend que ni Frank ni Awacza ne sont là. Il attrape par la manche l'un des jeunes, qui est en retard, pour l'interroger.

– Le Maître est où ?

– À Vienne, chez l'empereur lui-même, répond celui-ci avec bienveillance.

Goliński passe la nuit dans une auberge propre, charmante, et pas du tout si chère que cela. On lui permet de s'y laver et de se coucher. Il dort comme un loir. Le lendemain matin, il part pour Vienne, toujours en proie à la même inquiétude.

Atteindre la rue Graben, où réside le Maître, lui prend une journée. Des gardes sont postés à l'entrée de l'immeuble, ils sont bizarres dans des livrées criardes vert et rouge, coiffés de casquettes avec un bouquet de plumes, une hallebarde à la main. Hors de question qu'il entre ! Il demande à être annoncé, mais le soir arrive sans qu'il y ait de réponse.

Un très riche carrosse arrive, entouré de plusieurs cavaliers. Il veut s'en approcher, mais les gardes l'arrêtent brutalement.

– Je suis Jakub Goliński. Le Maître me connaît, je dois le voir.

On lui demande de déposer un billet le lendemain matin.

– Le Maître reçoit à midi, l'informe poliment un laquais dans une livrée bizarre.

Anzeige, ou la délation

Marie-Thérèse de Habsbourg, par la grâce de Dieu impératrice consort des Romains, reine d'Allemagne et de Hongrie, de Bohême et de Croatie, de Galicie et de Lodomérie, archiduchesse d'Autriche, duchesse de Bourgogne, de Styrie, de Serbie et de Transylvanie, etc.

Sujet de Son Altesse Impériale, natif de Glinno, à deux lieues de Lwów, élevé en cette ville, j'en étais le rabbin. Il est arrivé en 1759 qu'y vint un certain Jakób Frank, dit néophyte, résidant actuellement à Brünn, qui était le fils d'un enseignant juif. Son père, suspecté d'appartenir à la secte des sabbataïstes, fut chassé de sa Commune juive et il s'installa à Czerniowce, en terre moldave. Ce Jakób Frank, quoique né à Korolówka, voyagea beaucoup de par le monde, se maria et eut une fille, après quoi il se convertit à la foi mahométane et fut considéré comme étant un *hakham* des sabbataïstes.

La honte me gagne d'avouer à Son Altesse Impériale que j'appartenais également à cette secte et que je comptais parmi les adeptes qui vénéraient ledit Frank. Dans ma sottise, je le considérais non seulement comme un grand sage, mais également comme l'incarnation de Sabbataï et comme un faiseur de miracle.

Au début de 1757, ledit Frank vint en Pologne pour y appeler tous les fidèles à s'installer à Iwanie, dans la propriété de l'évêque de Kamieniec. Là, il annonça que Monsieur le Roi Sabbataï Tsevi avait dû se convertir à la religion des Ismaélites, que le Dieu de Barukhia devait également passer par celle-ci comme par celle des orthodoxes, et que lui Jakób devait se convertir à la foi chrétienne, parce que Jésus de Nazareth était la coquille, la partie extérieure du fruit, et que sa venue s'était accomplie uniquement pour tracer la voie au vrai Messie. Telles étaient les raisons pour lesquelles nous devions tous adopter *pro forma* cette croyance et la pratiquer avec un sérieux plus grand que ne le faisaient les chrétiens eux-mêmes. Nous devions donc vivre religieusement, mais sans jamais épouser aucune femme chrétienne, car le Señor Santo, autrement dit Barukhia, avait certes dit : « Béni soit celui qui autorisera toutes les choses interdites », mais il avait également interdit que l'on épousât la fille du Dieu étranger. Il ne convenait donc en aucune mesure de nous mélanger aux autres nations, mais nous devions rester fidèles au fond de notre cœur aux trois liens que sont nos Rois, Sabbataï Tsevi, Barukhia et Jakób Frank.

Après de nombreuses persécutions de la part des Juifs, nous avons été baptisés en automne 1759, sous la protection des évêques de Kamieniec Podolski et de Lwów.

Ledit Frank, qui, en arrivant de Turquie, était pauvre, reçut aussitôt beaucoup d'argent, ce à quoi je contribuai également en lui donnant pour commencer 280 ducats.

Par la suite, ledit Frank se rendit à Varsovie où il annonça à tout un chacun qu'il était le Maître de la vie et de la mort, et que ceux qui croiraient en lui ne mourraient jamais.

Quand, nonobstant ceci, certains de ses proches, mais également plusieurs de ses adeptes les plus fidèles, moururent, des explications lui furent demandées. Il répondit qu'ils étaient morts parce que leur foi en lui ne devait pas être suffisante.

Certaines personnes de son cercle étroit voulurent le mettre à l'épreuve et rapportèrent les faits aux autorités de l'Église catholique...

– C'est ce qui s'est passé ? demande Goliński à l'homme qui lui dicte le texte et dont il trace les mots de sa belle écriture, trébuchant juste imperceptiblement sur la longueur des expressions allemandes. L'individu ne lui répond pas, aussi se remet-il à écrire.

... L'affaire fut soumise au Tribunal composé du chancelier de la Couronne, du Chapitre et des évêques. La plupart des inculpés avouèrent ouvertement leurs fautes et prêtèrent serment qu'ils rejetaient ces pratiques et vivraient désormais chrétiennement. Ledit Frank fut condamné à une détention perpétuelle au monastère de Częstochowa. Malheureusement, cet homme possédé par le diable sait séduire les gens. Il en est qui sont allés le voir en prison pour le couvrir généreusement de présents. Beaucoup restèrent à ses côtés, car il sut les convaincre que son arrestation était nécessaire. Il me faut de nouveau avouer à Son Altesse Impériale, pour ma plus grande honte, que moi aussi j'étais là-bas auprès de lui, dans sa prison, jusqu'à la mort de son épouse et les funérailles de celle-ci.

Cette disparition fit grande impression sur de nombreuses personnes, tout comme l'enseignement dudit Frank par lequel celui-ci approuvait des Actes contraires qui offensaient la nature et les usages des hommes. Ce fut alors que je rompis avec ledit Frank pour devenir son ennemi. Je quittai Częstochowa pour rentrer à Varsovie, où je vécus avec ma femme et mon enfant. Depuis quatre ans, mon épouse séjourne à Brünn, dans la Résidence de ce Frank, où, depuis peu de temps, elle a un godelureau...

La main de Jakub Goliński s'arrête à ce terme de *Gefährten*.

– Cela aussi, vous le savez ? s'étonne-t-il.

L'autre homme ne répond pas, il reprend donc sa plume.

... elle était avec ledit Frank et sa fille à Vienne ; de retour à Brünn, elle me rencontra, et, de nouveau attirée par moi, elle me confia que le Saint Maître, car c'est ainsi que les adeptes parlent dudit Frank, avait ordonné, dès son séjour à Częstochowa, que moi ainsi que tous ceux qui, comme moi, se montraient réfractaires fussent tués dans leur sommeil.

– Ce n'est pas vrai ! Il n'y a jamais rien eu de tel, s'écrit Goliński, abasourdi, mais il continue à écrire.

Elle l'apprit parce qu'elle bénéficie d'une confiance totale, étant la fille de l'un des vrai-croyants parmi les plus fidèles adeptes de Frank. Elle m'en informa pour que je me protège et m'éloigne sans tarder. Je déposai en conséquence une plainte devant les autorités de la Couronne et une enquête fut même ouverte après que mon témoignage fut consigné dans un procès-verbal à Varsovie, où il peut être consulté.

Quand il y eut des troubles en Pologne, Frank trouva l'opportunité de se libérer de prison avec l'aide de l'armée russe. Il se rendit ensuite à Brünn, où il diffuse impunément sa croyance diabolique.

Ses cochers, palefreniers, serviteurs, postillons ou lanciers, autrement dit tout son entourage, se composent uniquement de Juifs renégats. Toutes les quinzaines, des hommes, des femmes, des fils et des filles de Pologne, mais aussi de Moravie et même de Hambourg, arrivent à la Résidence avec de riches présents, des chevaux, et eux aussi sont des apostats de cette même secte qui, comme on le voit, est présente dans le monde entier. Ils lui baisent les pieds, restent quelques jours, puis repartent, et d'autres viennent à leur suite et cette sorte de vermine se multiplie de jour en jour.

Je sais parfaitement que mes paroles ne sont aucunement une preuve, mais j'accepte d'être retenu en prison jusqu'à ce que l'enquête de Son Altesse Impériale confirme ces choses inouïes, dont personne n'entendit jamais parler depuis que le monde est monde, et que ma dénonciation…

Goliński réfléchit un moment à ce mot, puis il finit par écrire :

… soit confirmée en tous points.

Je me tourne donc très humblement vers Son Altesse Impériale, Royale et Apostolique, avec une prière humblement formulée à genoux, qui est d'être confronté avec ledit Jakób Frank ici, à Vienne, étant donné l'importance de cette affaire qui dévoilera tous les crimes dudit Frank et me permettra de rentrer en possession des mille ducats qu'il me prit, ajoutant à cela que j'espère la clémence de Son Altesse pour mes fautes passées, dont je souhaite me racheter par les présents aveux.

De Son Altesse, le plus humble des serviteurs,

Jakub Goliński.

L'homme qui dictait cette lettre la lui prend pour saupoudrer l'écriture de sable. Le sable assèche les paroles de Jakub Goliński et celles-ci acquièrent de la puissance.

Le café au lait et ses conséquences

Jakób supporte sans doute mal cette nouvelle mode qui veut que l'on mélange deux éléments, le café et le lait. Cela commença par de légères aigreurs, mais bientôt la digestion semble cesser complètement et la faiblesse qui le gagne rappelle celle qu'il connut à Częstochowa quand on lui donna des hosties empoisonnées. Qui plus est, les créanciers ne cessent de frapper à sa porte et il n'a pas de quoi les payer, des sommes considérables furent dépensées à Vienne et d'autres disparurent au cours des ambassades. En attendant le retour de Kapliński, Pawłowski et Wołowski de Varsovie, il ordonne de restreindre tous les excès de nourriture et de renvoyer chez eux une partie des hôtes dont l'accueil est un poids financier énorme pour sa Cour. Faible et épuisé au point qu'il a du mal à rester assis, Jakób dicte des lettres pour la *Havurah* de Varsovie, sa chère Fraternité. Il adjure ses frères et sœurs de rester forts comme l'arbre qui, malgré le vent qui agite ses branches, reste toujours en place. Qu'ils aient du cœur et demeurent courageux. La lettre se termine par : « N'ayez peur de rien. »

Le courrier le fatigue tellement que, ce soir-là, il tombe dans un sommeil lourd et profond.

Cet état dure plusieurs jours, le Maître sombre dans une sorte de léthargie. Seuls les soignants l'approchent pour humidifier ses lèvres avec une éponge ou refaire son lit. Les rideaux des fenêtres sont tirés, les repas pris en commun sont annulés. Désormais, on sert une nourriture frugale : du pain et du gruau avec juste un peu de gras. Au premier étage, où se trouvent les appartements du Maître, personne ne monte. Le tour de garde est établi par Mme Zwierzchowska, laquelle, grande et maigre, légèrement voûtée, hante les couloirs en faisant tinter les trousseaux de clefs attachés sur ses hanches. C'est elle qui, un matin, quand elle sort encore ensommeillée pour ouvrir la cuisine, voit le Maître en chemise de nuit, nu-pieds et vacillant à la porte. Et voilà, les jeunes femmes qui le gardaient se sont endormies et lui recouvre la santé ! Mme Zwierzchowska met toute la Cour au travail, du pot-au-feu est préparé, mais Jakób n'en veut pas. À partir de là, il ne se nourrit que d'œufs frits, ne mange ni pain ni viande, juste des œufs, et, chose surprenante, il retrouve rapidement sa forme. Il reprend ses promenades solitaires loin au-delà de la ville. Mme Zwierzchowska envoie quelqu'un de la Cour le garder discrètement à l'œil.

Un mois plus tard, complètement remis, il se rend en grande cérémonie à Prossnitz, chez Dobruszka, où se réunissent une fois l'an les vrai-croyants de toute l'Europe ; ce qui n'est connu que des initiés. Chez les Dobruszka, l'on fait croire que c'est une cérémonie familiale, un anniversaire, sans qu'on sache au juste lequel. Un rassemblement un peu comme lors du mariage d'Izaak Shorr, devenu Henryk Wołowski, qui eut lieu vingt-sept ans plus tôt : tout le monde est présent. Jakób Frank arrive dans son riche carrosse entouré par ses propres hussards. L'un de ces derniers est blessé. Des Juifs des environs de Brünn ont attaqué leur convoi, mais ils étaient peu armés. Szymanowski, qui a toujours son arme chargée, tira plusieurs fois et ils s'enfuirent.

Ienta observe tout cela parce qu'une similitude survient qui attire son attention. La ligne du temps connaît des moments très semblables les uns des autres. Ses fils ont leurs nœuds et leurs boucles, une symétrie revient régulièrement, quelque chose se répète, comme si tout était régenté par des refrains et des thèmes, cela se remarque non sans causer un certain trouble. Un tel ordre est embarrassant pour l'esprit, on ne sait qu'en faire. Le chaos semble toujours plus familier aux hommes, plus sécurisant, autant que le désordre que l'on a dans son tiroir. Or, là, maintenant, à Prossnitz, il en est comme à Rohatyn vingt-sept ans plus tôt, en ce jour mémorable où Ienta ne mourut pas complètement.

À l'époque, les chariots chargés de gens en capotes humides roulaient dans la boue. Les lampes à huile charbonnaient dans les pièces basses de plafond, les barbes touffues des hommes et les jupes en tissu épais des femmes sentaient la fumée omniprésente du bois humide et de l'oignon frit. Maintenant, des berlines à ressorts, aux intérieurs rembourrés, foncent sur les pistes de Moravie. Devant la grande demeure de Dobruszka, des personnes propres, bien nourries, correctement vêtues, polies et concentrées, en descendent. Elles se saluent les unes les autres dans la cour et l'on voit que, pour elles, le monde est un logis confortable. Elles se traitent avec amabilité, ce qui indique que c'est une grande famille qui se réunit. Et il en est ainsi. Deux auberges du voisinage leur louent des chambres. Les habitants de la petite ville regardent avec une curiosité éphémère ces arrivants qui parlent un allemand chantant. Il y a peut-être des noces d'or chez les Dobruszka. Les Dobruszka sont juifs, il y a beaucoup de Juifs à Prossnitz. Ils mènent une vie honnête et travaillent dur. Ils sont un peu différents des autres Juifs, mais là personne ne cherche à savoir en quoi.

Le temps des débats, pendant trois jours entiers, les femmes sont strictement séparées des hommes, elles auront tout loisir de discuter entre elles afin de savoir : qui, quand, avec qui, pourquoi et où. Ces conversations apporteront par la suite plus de bénéfices que les affinements de la doctrine. Des idées de couples à unir apparaîtront, on choisira des prénoms à la mode pour les enfants encore à naître, on évoquera les meilleurs endroits pour soigner ses rhumatismes et l'on mettra en relation ceux qui cherchent une bonne place avec ceux qui ont besoin d'employés. Le matin, elles lisent les textes sacrés et en discutent. L'après-midi, elles s'accordent également une séance de musique, Szejndel et ses filles sont très douées et disposent de nombreuses partitions. Quand les jeunes filles jouent, les femmes plus âgées, dont Szejndel, boivent un verre de vodka à la merise et commence alors un débat qui n'est pas moins intéressant que celui des hommes de l'autre côté du mur.

L'une des filles Dobruszka, Blumełe, particulièrement talentueuse, chante la traduction allemande d'un ancien chant des vrai-croyants en s'accompagnant au piano.

En un refuge en métal, en une bulle d'air,
Le navire de mon âme vogue sur la mer,
Il ne se laissera pas enfermer au cœur de Babylone
Ni en aucune enceinte bâtie par les hommes,
Peu lui chaut que sa réputation soit bonne,

L'opinion des invités conviés au festin,
L'urbanité, la célébrité, le destin.

Mon âme s'échappe au-delà des barrières,
Elle méprise les gardiens de votre ordre,
Elle contourne les mots rangés à l'arrière
Ou ce que les paroles ne peuvent mordre.

Elle ignore la jouissance et les peurs nocturnes
Dans la jungle, dans les sables. Votre Grâce, dit-elle
Comme une pauvre parente taciturne,
Ô Dieu, au firmament Présence éternelle,
Donne-moi Ta parole que je puisse la porter !
Ce n'est qu'alors que j'atteindrai à Ta vérité.

La voix pure de Blumełe s'élève si claire que certains hommes qui écoutent les discussions près de la porte reculent discrètement pour ensuite passer sur la pointe des pieds dans la pièce des femmes.

Thomas est spécialement venu de Vienne pour cette grande réunion. Naturellement, avant d'aborder les entretiens sérieux, il se rend chez les femmes. De la capitale, il a apporté un nouveau jeu de société : il faut mimer une phrase que les autres personnes présentes doivent deviner. Les gestes et les mimiques sont le plus démocratique des langages, les accents les plus bizarres que l'on peut entendre ici ne seront plus embarrassants. Thomas promet qu'ils y joueront le soir quand viendra le temps des plaisirs. Il leur laisse *Les Poésies d'Ossian* dans la traduction de son ami Michael Denis. Les femmes passent l'après-midi à les lire. Ewa ne comprend pas le ravissement que provoque cette lecture ni l'émotion qui, chez les jeunes filles, va jusqu'aux larmes.

Aux hommes, Thomas parle des idées maçonniques. Le sujet suscite depuis longtemps la curiosité des frères plus avancés en âge qui vivent en province. Dans la mesure où le fils de Szejndel fait lui-même partie d'une loge, il est normal qu'il leur fasse une sorte de petit exposé. Une grande discussion s'ensuit. Un passage s'inscrit plus particulièrement dans la mémoire des frères. Thomas y explique qu'en ce monde divisé, fait de factions diverses qui s'affrontent et qui se nomment religions, la franc-maçonnerie est le seul endroit où peuvent se rencontrer et agir des hommes au cœur pur, dépourvus de préjugés et ouverts.

– Connaissez-vous un autre endroit où un Juif peut parler, discuter et agir avec un chrétien à l'abri du regard scrutateur des églises et des synagogues, des divers systèmes de coercition qui classent les hommes et décident que les uns sont meilleurs que d'autres? crie-t-il par-dessus leurs têtes.

Sa lavallière en soie blanche s'est relâchée autour de son cou et ses longs cheveux ondulés, habituellement bien coiffés, sont maintenant ébouriffés. Il parle comme s'il était inspiré:

– Ces deux systèmes ennemis se combattent, ils sont toujours méfiants l'un à l'égard de l'autre, ils s'accusent mutuellement d'actes ignobles et d'idées fallacieuses. Nous participons à cet affrontement depuis notre naissance, en quelque sorte, les uns naissent tels, les autres tels. Nul n'accorde d'importance à la manière dont nous voudrions vivre…

Des protestations s'élèvent dans le fond de la salle. Une discussion violente s'engage et Thomas ne peut pas terminer. Heureusement qu'il est l'hôte, et que la rencontre a lieu le soir, de façon informelle, sans quoi il eût été hué. Il est évident que le fils de Zalman est vraiment un exalté!

Ce jour-là, Jakób prend la parole en dernier, il parle avec courage et panache. Il n'y a en lui rien qui rappelle les vieux discoureurs ennuyeux qui – Thomas excepté – parlèrent avant lui et déclinèrent de mille façons le nom d'Eybeschutz. Dans son laïus, il ne parle ni de lui ni de la Demoiselle, son jeune cousin l'ayant particulièrement mis en garde sur ce point. Il évoque la question du passage à la «religion d'Édom», devenu une nécessité. Il n'y a pas d'autre voie. Il faut se chercher une place à soi, si possible en toute indépendance, là où il sera possible de vivre selon ses propres lois, mais en paix.

Lorsque d'un angle de la pièce montent des murmures consternés, Jakób se tourne dans leur direction et déclare:

– Vous savez qui je suis et comment je suis devenu celui que je suis. Un an avant ma naissance, mon grand-père Meir Kamenker a été arrêté parce qu'il passait en fraude des livres sabbataïstes des vrai-croyants de

Pologne à Hambourg. Cela lui valut la prison. Moi, je sais ce que je dis et je ne me trompe pas. Je ne peux pas me tromper.

— Et pourquoi, est-ce que tu ne peux pas te tromper, Jakób? demande quelqu'un dans la salle.

— Parce que Dieu est en moi, répond Jakób Frank avec un beau sourire qui découvre ses dents toujours blanches et saines.

Un brouhaha s'élève, quelqu'un siffle, et il faut apaiser tout le monde.

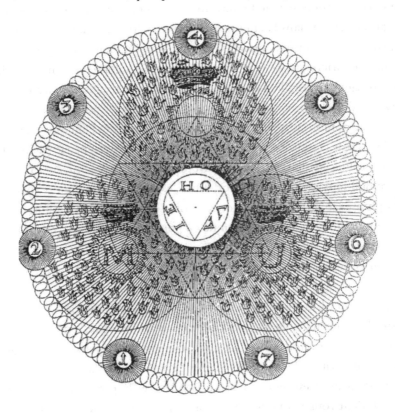

Jusque tard le soir, les femmes et les jeunes jouent au nouveau jeu de Dobruszka. Par les fenêtres ouvertes fusent des éclats de rire. La gagnante incontestée est Fanny, la jeune épouse du rabbin d'Altona. Il est celui qui proteste le plus contre Thomas.

La hernie et les paroles du Maître

Le palais de Brünn n'est plus aussi plein de monde que par le passé, mais il y arrive toujours des vrai-croyants de Ruthénie, de Podolie et de Varsovie. Ce sont des hôtes plus pauvres, mais qu'il faut pourtant également accueillir. Sales après leur long voyage, certains ont une allure de sauvages, comme cette femme avec une plique qu'elle ne voulait pas se laisser couper dans la crainte que cela ne la tue. Le Maître décida de lui couper ces cheveux emmêlés pendant son sommeil, puis, après avoir récité une prière au-dessus de la plique, il brûla solennellement celle-ci. Les voyageurs s'installent dans toute la maison, mais aussi au-dessus des cuisines, dans la cour, où des pièces ont été aménagées pour les pèlerins, mais leur nombre reste insuffisant. Ils louent donc des chambres dans la région. Dans la journée, ils viennent de toute manière chez le Maître. Il suffit à celui-ci de leur jeter un regard pour juger qui ils sont, en fonction de quoi il leur raconte des historiettes, des anecdotes, ou leur explique des phrases longues et compliquées prises dans des livres savants.

Pour Hanoukka, le Maître allume en personne les bougies, mais interdit de prier en yiddish. Pour Yom Kippour, il ordonne de chanter et de danser comme cela se faisait à Iwanie et avant.

Pour la nuit, il invite dans sa chambre Wittel Matuszewska – elle vient juste de rentrer de Varsovie où elle séjournait chez ses enfants. Il est content de son retour, il se fait raser, couper les cheveux et les ongles des orteils. Wittel s'élance vers lui dès la porte pour s'agenouiller à ses pieds dans une révérence, mais lui la relève et la prend dans ses bras. Elle devient rouge comme une pivoine. Jakób accueille tout aussi chaleureusement Mateusz, son mari.

Quand Ewa Zwierzchowska tomba malade, Wittel a pris en charge ses obligations, et désormais elle dirige tout d'une main de fer. Les jeunes hommes paresseux, occupés à leurs gesticulations militaires, sont mis au travail. Ils cultivent le jardin, arrachent les mauvaises herbes qui s'immiscent entre les pavés de la cour, ramassent au fur et à mesure le crottin de cheval au-dessus duquel tourbillonne une nuée de mouches. Wittel se met d'accord avec le porteur d'eau pour qu'il en livre davantage et elle décide de conserver des cornichons en saumure dans de grands tonneaux. Wittel seule est autorisée par le Maître à lui faire de légères réprimandes. Elle peut même se fâcher contre lui, comme lorsqu'elle lui reproche de toujours décider des relations intimes à la convenance des maris plutôt que des épouses, car les femmes s'en sont plaintes à elle.

– Parce que, toi, tu ferais ça comment? lui demande Jakób. C'est Dieu qui me le souffle!

– Tu dois être attentif à ce qu'ils aient plaisir à être ensemble, voir lesquels s'aiment bien et lesquels ne s'aiment pas. Parce que si tu formes un couple qui se déteste, cela n'apporte que honte et souffrance.

– Il ne s'agit pas de ça, de ce qu'ils se rapprochent pour le plaisir, lui explique le Maître, mais qu'ils se fassent violence pour se découvrir. Pour former un tout.

– C'est plus facile pour un homme que pour une femme de «se faire violence», comme tu dis! Les femmes, ensuite, se sentent horriblement mal.

Jakób la regarde attentivement, surpris par ce qu'elle vient de dire.

– Les femmes doivent avoir le droit de dire «non», déclare Wittel.

Ce à quoi Jakób lui répond:

– Évite de le crier sur les toits, parce que alors leurs maris vont les obliger à dire «non»!

Après un instant de réflexion, Wittel réagit:

– Elles ne sont pas aussi bêtes. Les femmes aiment bien avoir des relations avec d'autres hommes... Nombreuses sont celles qui ne font qu'en attendre l'autorisation et, quand celle-ci ne vient pas, elles le font tout de même. Il en a toujours été ainsi et il en sera toujours ainsi.

Au retour de Prossnitz à Brünn, Jakób est de nouveau malade. Wittel Matuszewska affirme que ses maux viennent d'un excès de *hermelin*, le fromage local, qu'il aime à manger chaud et en grande quantité. Aucun estomac ne peut digérer ça, s'énerve Wittel. Cette fois, pourtant, la douloureuse hernie revient. Au bas du ventre, presque à l'aine, une

grosseur apparaît. Jakób avait déjà eu cela à Iwanie. Wittel et celles qui le servent le jour ou la nuit racontent, impressionnées, que le Maître a deux membres. Aux cuisines, il se dit que ce second membre apparaît quand quelque chose d'important doit arriver. Les femmes rient sous cape, leurs joues rougissent.

Le Maître s'efforce de soigner seul sa hernie étranglée, pour laquelle il n'y aurait aucun traitement. D'ailleurs, il se pourrait que cette maladie soit la manifestation visuelle d'une bénédiction. Dans la forêt proche de Brünn où il aime à se promener, il y a une chênaie. Il y choisit un tout jeune chêne qu'il fait couper de façon longitudinale en deux, puis il allume de l'amadou avec une pierre à feu et place le tout dans l'arbre fendu, la pierre et l'amadou enflammé. Ensuite, il ficelle le tronc avec des joncs et demande à tout le monde de s'éloigner. Il fait cela à plusieurs reprises et sa hernie se résorbe.

À la même époque, il envoie chercher Ewa à Vienne et fait venir un artiste spécialisé dans la peinture de portraits miniatures. Il en commande trois. Ewa pose, fâchée d'avoir dû quitter la cour impériale, alors que Sa Majesté pouvait la demander à tout moment. Les miniatures sont envoyées à la communauté des vrai-croyants de Hambourg et Altona pour leur demander de financer la Fraternité – et en particulier la Demoiselle, qui fréquente la cour impériale, point que Jakób fait souligner à maintes reprises.

Aux conférences du soir, qui durent souvent jusque tard dans la nuit, Jakób raconte d'abord des légendes, cite des paraboles, puis il développe un sujet plus sérieux. Les auditeurs sont assis là où ils peuvent, les aînés dans les fauteuils, les canapés ou sur les bancs qu'on est allé chercher dans la salle à manger, les jeunes par terre, sur les coussins turcs dont la Cour a fait une large provision. Ceux qui n'écoutent pas se plongent en pensée dans leurs propres affaires, dont ils n'émergent que de temps à autre, harponnés par une question un peu bête ou un brusque éclat de rire.

– Nous ferons trois pas, commence le Maître, rappelez-vous.

Trois pas : le baptême est le premier, l'accès au *Daat* est le deuxième, le royaume d'Édom est le troisième.

Dernièrement, Jakób parle le plus volontiers du *Daat*, ce qui en hébreu veut dire « savoir », le plus grand des savoirs, celui que possède Dieu. Ce savoir peut pourtant être accessible à l'homme. C'est aussi la onzième *Sephira*, celle qui est extérieure à l'Arbre des *Sephiroth*, et dont aucun homme n'a eu connaissance depuis l'origine des temps. Quiconque suit Jakób se dirige directement vers le *Daat*, et, quand il l'atteindra, tout sera annulé, y compris la mort. Ce sera la libération.

Pendant la conférence, Jędrzej Dembowski distribue des feuilles sur lesquelles figure l'Arbre des *Sephiroth*. L'idée lui en est venue récemment, et il est content de ce que ces nouvelles méthodes d'enseignement, des méthodes éclairées, soient arrivées jusqu'à eux. De cette manière, les auditeurs peuvent facilement visualiser où se situe la rédemption dans le plan général de la création.

L'attirance pour les expérimentations mystérieuses sur la matière

Thomas von Schönfeld, qui, à la mort de son père, a investi dans le commerce maritime avec ses frères, en récolte désormais les premiers bénéfices. Plusieurs fois par an, il se rend à Amsterdam et à Hambourg, mais aussi à Leipzig, pour en revenir avec de bons contrats. Ses frères ont fondé une petite banque à Vienne et ils prêtent de l'argent à intérêts. Thomas effectue également pour l'empereur de mystérieuses investigations à propos de la Turquie, pour lesquelles il utilise avec satisfaction et loyauté les vastes relations de son oncle Jakób Frank.

Jakób le convoque souvent par courrier, il emprunte de l'argent aux banques viennoises par son intermédiaire. Thomas transmet les lettres de rente. Il conseille à Jakób de placer à terme les sommes qui lui arrivent de Pologne, ou de bien les investir, au lieu de les garder dans des tonnelets comme le voudraient Mme Czerniawska et son mari, qui sont désormais les trésoriers de sa Cour.

Toutefois, la chose la plus importante, au cours de cette exceptionnelle phase d'amour entre l'oncle et le neveu, ce sont les étranges visites de « frères », comme les appelle Thomas, et qui sont, par exemple, Efraim Josef Hirschfeld ou Nathan Arnstein, tous deux riches industriels de Vienne, le banquier Bernard Eskeles, qui ne s'intéresse nullement à l'argent, ou encore un certain imprimeur qui est le parrain de Thomas von Schönfeld, le duc Adolf Ferdinand von Schönfeld, celui qui demanda l'anoblissement de son filleul et beau-fils.

Pour l'heure, Thomas utilise la particule « von » de façon illicite, surtout quand il voyage en Allemagne ou en France. Simultanément, et toujours par son intermédiaire, un échange de courrier a débuté pour que soit accordé le titre de baron à Jakób Frank. À Brünn, ce dernier se sert du nom de Dobrucki de Prossnitz, ce qui est on ne peut plus justifié par le fait qu'il est apparenté aux Dobruszka de Prossnitz. Il est donc Józef, seigneur Dobrucki. Jakób est son prénom de cérémonie, le manteau pourpre qu'il revêt pour les grandes occasions.

Longtemps avant la disparition de la grande impératrice Marie-Thérèse en 1780, sur le bureau de son fils se trouve déposée la demande d'anoblissement autrichien de Jakób Frank puisqu'il est déjà anobli en Pologne comme le prouve le document rédigé par Thomas von Schönfeld dans un style juridique, élégant et qui inspire la confiance. Un second document ajouté par le secrétaire impérial, consciencieux et loyal, est une dénonciation formulée de la manière caractéristique dont sont rédigées les délations, sur un ton impersonnel, avec une assurance imperturbable et comme en chuchotant :

… il convient d'être conscient qu'existait par le passé, mais également, de façon inévitable, qu'il existe aujourd'hui, un savoir communément inaccessible, qui s'intéresse à des choses, semblerait-il, naturelles, comprises pourtant comme surnaturelles, mais aussi une tradition qui aborde ce qui se passe sur notre planète au moyen de la croyance dans les cycles. Cette tradition s'occupe témérairement de ce que nous, catholiques professant la crainte de Dieu, nous n'oserions jamais aborder, à savoir d'une réflexion sur la question de la Personne Divine. Il se dit que ces sciences sont contenues dans le livre de la sagesse chaldéenne appelé Zohar. Ce savoir y serait exprimé de manière confuse et intentionnellement allégorique pour que les personnes qui ne savent pas utiliser les techniques numériques et les symboles hébraïques ne puissent pas le comprendre. D'ailleurs, cela implique également les Juifs. Seuls quelques-uns d'entre eux sont en mesure de comprendre ce qui y est écrit. Parmi ceux qui le peuvent se trouve notamment un sujet de Son Altesse Impériale, ledit Frank, qui habite à Brünn. Le savoir des gens de cette espèce leur suffit pour mener de mystérieuses expériences sur la matière et en étonner les crédules. Il s'agit de pure charlatanerie, parce que l'on crée autour de ces individus une atmosphère singulière et que l'on élabore de fausses suppositions à leur propos. Il se dit également que, après la destruction du Second Temple de Jérusalem, ce savoir fut dispersé dans tout l'Orient, principalement dans les pays arabes. Les Arabes le transmirent aux templiers…

Là-dessus, l'empereur pousse un profond soupir, il aurait sans doute arrêté sa lecture s'il n'avait reconnu au bas de la lettre un nom familier. Il poursuit donc :

… qui à leur tour l'introduisirent en Europe, ouvrant la voie à plusieurs hérésies. Ce même savoir, ou des fragments de celui-ci, devint la pierre angulaire de ce à quoi croient et ce dont s'occupent les maçons, mais pas tous, uniquement ceux dont l'un des membres les plus importants est Thomas von Schönfeld, autrement dit Mosze Dobruszka...

– Madame, votre père sait-il faire de l'or ? demande l'empereur quelques jours plus tard à Ewa quand elle le rejoint dans sa chambre de Schönbrunn.

Il s'adresse à elle en disant «mein Vogel», autrement dit «mon oiseau».

– Évidemment, lui répond Ewa, sous notre maison de Brünn, nous avons des passages conduisant à des mines d'or secrètes, ils vont jusqu'en Silésie.

– Je pose la question très sérieusement, dit l'empereur qui fronce les sourcils et une ride verticale apparaît sur son front impeccablement pur. On m'a rapporté que c'était possible.

Après l'avant-première viennoise des *Noces de Figaro*, l'opéra d'un certain Mozart que l'empereur souhaita voir avant la première en France, un homme élégant, grand et ayant de l'allure, quoique plus de prime jeunesse, s'approche d'Ewa. Sa perruque blanche est parfaitement ajustée et son habit est d'une splendeur tellement différente de ce qui se porte à Vienne qu'il ne fait aucun doute qu'il arrive directement de Paris.

– Je sais qui vous êtes, Madame, lui dit-il en français en la regardant un peu de côté.

Ewa se sent flattée d'être reconnue parmi toutes ces grandes dames; elle pourrait en rester là de cette rencontre, mais cet homme élégant poursuit:

– Vous êtes, Madame, une personne qui m'est semblable, vous êtes étrangère à pareil spectacle. N'ai-je pas raison ?

Ewa s'affole. Elle se dit que ce doit être quelque impertinent, elle veut s'éloigner et, machinalement, cherche son père du regard dans la foule.

– Votre noblesse, Madame, et votre beauté sont d'une nature plus grande, elles viennent du cœur. Vous êtes une étoile égarée sous ces toits de toute banalité, une étincelle perdue par la plus pure des comètes... poursuit l'inconnu.

S'il n'est plus jeune, il reste très beau. Son visage poudré semble impénétrable à Ewa. Du coin de l'œil, elle remarque les regards curieux des autres femmes.

Dans la mesure où l'empereur ne s'intéresse pas à elle ce soir-là et s'éclipse rapidement avec une nouvelle maîtresse, Ewa passe du temps avec l'inconnu. Il est trop vieux pour être traité comme un homme, trop mou, trop beau parleur ; à vrai dire, elle trouve qu'il manque totalement de virilité. Ils vont au fumoir et il lui offre de l'excellent tabac. Il lui apporte du champagne et, chose étrange, ils parlent de chiens. Ewa se plaint de ce que ses levrettes sont très délicates et lui semblent idiotes. Le chien qu'elle avait dans son enfance lui manque. L'homme montre une grande connaissance des habitudes des chiens et des secrets de leur élevage.

– Les grands chiens sont maladifs et vivent peu, les lévriers en sont un exemple. Tout cela parce qu'on croise ces chiens entre eux jusqu'à complète dégénérescence. Comme les gens, ajoute le vieil élégant. Vous, Madame, il vous faudrait un chien petit mais courageux. Un petit lion. On en élève au Tibet, des chiens sacrés, paraît-il.

Leur conversation dévie sur le « grand œuvre », à un moment donné, sans qu'ils s'en aperçoivent. Le sujet fascine tout le monde ; même si peu de gens l'ont vraiment creusé, la plupart ne s'intéressent qu'à l'or. Pourtant, l'alchimie est une voie de la sagesse. Giacomo Casanova explique les étapes successives de l'alchimie de façon tortueuse à Ewa Frank. Ils en sont au *nigredo*.

Ewa serre son ventre. Elle a éloigné Magda Golińska, qui a la langue trop bien pendue. Rentrée à Brünn, Magda épouse Szymanowski, qui l'a prise à Goliński. Pour Ewa, Anna Pawłowska est la seule à être au courant de tout. Entre elles, elles n'en parlent pas. Anna aide Ewa à bander ses hanches et sa taille arrondie, elle le fait comme si c'était complètement normal. Elle est très délicate mais d'un caractère déterminé. Un jour, le père d'Ewa vint la voir alors qu'elle était déjà au lit et il glissa sa main sous la couverture. Ses doigts rugueux et osseux sentirent la rondeur embarrassante. Ewa se mordit la lèvre. Son père s'allongea auprès d'elle pour lui caresser la tête, mais ensuite ses doigts s'accrochèrent à ses cheveux et il lui tira la tête en arrière. Il la regarda longuement dans les yeux comme si ce n'était pas elle qu'il voyait mais ce qui allait arriver. Ewa était terrorisée. Le pire du pire venait d'arriver, son père était en colère. Ewa avait une peur panique de ses fureurs. Ensuite, il ne s'est plus montré, et, elle, elle n'est plus sortie, laissant croire qu'elle était malade.

Finalement, Wittel Matuszewska est venue donner à Ewa beaucoup d'eau salée avec quelque chose d'amer, d'horrible à boire. Le lendemain, elle est revenue pour lui appuyer sur le ventre jusqu'à ce que, au soir, le sang apparaisse. L'enfant était petit, de la taille d'un concombre, long, maigre et inerte. Mme Matuszewska et Anna l'entourèrent de chiffons et l'emportèrent. La Française qui donnait des leçons à Ewa entra inopportunément dans sa chambre. Elle fut renvoyée le jour même.

Toutes les variantes de la cendre, ou comment faire de l'or de façon artisanale

Quand Thomas prononce le mot « alchimie », il le fait comme si de sa bouche sortait un petit pain rond, encore chaud.

La dernière pièce au bout du couloir, près des appartements de Jakób, est transformée en atelier. Jakób commande du matériel spécial en Italie par l'intermédiaire du général Balviccini, qu'il a connu à la Cour impériale. La machinerie composée d'alambics et de brûleurs, de tuyaux en verre et de fioles, est disposée avec précaution et soin sur des tables et des étagères spécialement conçues à cet effet, de sorte que, pour Noël, il est enfin possible d'allumer le feu sous les alambics avec la première bougie de Hanoukka. Thomas von Schönfeld, déjà père de trois enfants, toujours en perruque d'une blancheur immaculée et dans des vêtements élégants, vient à Brünn dès qu'il rentre au pays. Il apporte d'énormes quantités de cadeaux, il y en a pour chacun des frères et chacune des sœurs.

Avec Jakób, ils ne sortent alors pratiquement pas de l'atelier où ils ne permettent à personne d'entrer. Seul Matuszewski est mis dans la confidence, ainsi qu'un certain baron von Ecker und Eckhoffen des relations de Thomas, celui qui avait si joliment dansé avec Ewa chez l'empereur. Désormais, il est universellement connu que Hans Heinrich n'est pas intéressé par les femmes, ce qui ne l'empêche pas d'être versé dans le grand œuvre. Hélas, mars arrive et il n'y a pas le moindre petit morceau d'or ou d'argent dans les éprouvettes ! Dans les innombrables ustensiles et fioles, seuls des liquides malodorants et toutes les sortes imaginables de cendres se forment de temps à autre.

Jakób rêve que la Gräfin Salm, dont il a fait la connaissance à la cour, et qui lui témoigne des faveurs exceptionnelles, lui conseille de « prendre de la Moravie » pour les douleurs à la nuque qui le font réellement souffrir. Cela veut certainement dire que de l'aide sous forme d'or arrivera bientôt – il serait particulièrement le bienvenu, car la Cour est endettée au-delà de toute mesure, et ce malgré les spéculations de Thomas. Ou peut-être à cause de celles-ci. Il avait convaincu Jakób, mais surtout les Zwierzchowski et les Czerniawski, de s'intéresser à la Bourse. Or, si au départ les gains furent tels qu'ils permirent de rembourser les dettes, par la suite la chance tourna. Ce fut alors que naquit l'idée de l'alchimie. Maintenant, Thomas a une idée encore plus remarquable : ils vont mettre en bouteille un liquide transparent de couleur dorée, à l'odeur délicieuse, qui résulte du dérivé d'un acide faible. Correctement dilué, il ne fait pas de mal à la peau. En prendre une goutte dans un gobelet d'eau soigne toutes les maladies, affirme Thomas. Jakób, qui souffrait de saignements à l'anus, l'a vérifié sur lui-même, il était complètement guéri dès l'automne.

Les premières caisses avec les flacons de ce liquide miraculeux partent pour la Commune des vrai-croyants à Prossnitz, et, comme ils y font fureur, Wołowski en emporte à Varsovie. En été, une petite manufacture est créée dans une deuxième pièce de la Résidence, et là les femmes collent de petites étiquettes décoratives sur les petites bouteilles, puis les rangent dans des caissettes qui partent pour Altona.

Malheureusement, les «gouttes d'or», comme ils les appellent, ne sont pas non plus en mesure de couvrir toutes leurs dettes.

Comment les rêves du Maître voient le monde

L'hiver 1785-1786 n'apporte rien de bon. Au palais de la Petersburger Gasse, le froid règne, le Maître est tout le temps malade et morose, tandis que Mademoiselle ne quitte plus ses appartements. Les voyages pour Vienne ont cessé brutalement, comme d'un coup de tranchet. L'un des carrosses a été vendu, tandis que l'autre, un petit coach élégant, reste toujours à la remise au cas où l'empereur changerait tout de même d'avis et voudrait faire venir Ewa auprès de lui. Pour payer les fournisseurs, il fallut vendre un service très précieux. Le général Balviccini l'acheta à un prix défiant toute concurrence. Beaucoup de personnes ont été renvoyées chez elles, et la Cour est devenue silencieuse. On ne chauffe plus que les chambres à coucher et la grande pièce où il y a une cheminée. C'est pourquoi ceux qui sont restés passent la majeure partie de la journée dans cette salle.

À l'aube, avant le petit déjeuner, les fidèles s'y réunissent pour écouter les paroles du Maître. Il arrive quand tout le monde est déjà là, et la manière dont il est habillé est importante. Les femmes ont remarqué que, lorsqu'il porte une chemise blanche, il se fâchera et réprimandera plus d'une personne au cours de la journée. Quand il a enfilé sa tenue rouge, cela veut dire qu'il est de bonne humeur.

Il raconte son rêve et le jeune Czerniawski ou Matuszewski le notent. Quand Nahman Jakóbowski est à Brünn, il s'en charge également. Ensuite, c'est Ewa qui rapporte son rêve, et celui-ci est également couché par écrit. Après quoi, ces rêves sont largement commentés et discutés. L'habitude a été prise que les autres membres de la Fraternité parlent également des leurs s'ils le veulent, et ainsi commentent-ils également ceux du Maître ou de Mademoiselle. Des coïncidences inouïes en résultent et les discussions durent ensuite toute la journée. Les récits peuvent parfois s'étirer jusqu'à midi, aussi Mme Zwierzchowska a-t-elle instauré une petite collation dans la matinée.

Dans les couloirs et les cages d'escalier règne un froid cruel, les petites griffes de la neige glacée grattent aux vitres des fenêtres, le vent mugit dans les cheminées. On a comme l'impression que la Cour de Brünn est assaillie par d'autres mondes où personne n'est celui qu'il est, mais quelqu'un de tout à fait différent, et où tout ce qui semble stable et certain perd ses contours, toute certitude d'une existence propre disparaît.

Le Maître rêve qu'il est à la cour du roi Frédéric de Prusse auquel il sert le meilleur des vins, mais avant de le verser il met du sable dans le verre puis le mélange au vin. L'empereur boit cela avec plaisir. Ensuite, il en donne à boire aux princes et aux rois qui sont également là.

Étrange comme un tel rêve prend ses aises dans le monde diurne. Par la suite, à la Résidence, chacun garde à l'esprit l'image de la coupe avec le sable et le vin, et même le soir venu, lorsqu'ils mangent et boivent tous du vin, cette image de sable délayé leur revient; certains, surtout les femmes – car elles semblent rêver plus ou, à tout le moins, se souvenir de davantage de choses –, disent avoir eux aussi bu du sable la nuit suivante, et en avoir donné à boire autour d'eux. Apparaît donc cette possibilité de transmutation qui les accompagnera désormais: changer le sable en vin, changer le vin en sable.

Le Maître a vu en rêve Rabbi Symeon, le père de Jakub Szymanowski, qui lui a dit que la châtelaine de Wojsławice l'attendait. Celle-ci lui est apparue en femme belle, et jeune et tout de blanc vêtue. Le Maître dit à Symeon: «C'est qu'elle est vieille, laide, et toujours de noir vêtue.» Symeon lui répondit: «N'y prête aucune attention, ce n'est qu'une ombre. Elle a d'immenses richesses et elle veut te les donner toutes.» Dans ce rêve, le Maître était encore jeune et potelé. La châtelaine de Wojsławice le caressait et avait dénudé sa poitrine pour lui, elle voulait avoir une relation intime avec lui, mais le Maître ne voulait pas, il se cabrait.

Après ce rêve, tout le monde est d'accord pour dire qu'il annonce la fin de leurs soucis financiers.

Dans un vaste champ, le Maître a vu des milliers de uhlans, rien que des vrai-croyants. Quant à ses fils, Roch et Józef, ils en avaient le commandement. Dans son commentaire, le Maître dit: «Je sortirai de Brünn pour être enfin à ma place, et alors viendront à moi de nombreux seigneurs et des Juifs pour se faire baptiser.»

Le Maître a vu le Graf Wessel – auquel il cherchait à louer un palais à Pilica – qui était assis sur un petit tabouret dans son propre carrosse. Pour commenter ce rêve, Jakób dit: «Un soutien nous arrivera sous forme d'or et la requête du Graf sera honorée, car il a demandé que sa fille soit reçue par Ewa en qualité de demoiselle de compagnie.»

Le Maître a vu une belle jeune fille assise sur une montagne, autour d'elle il n'y avait que des plantes et des herbes foisonnantes. Entre ses pieds jaillissait une source d'eau douce, pure et fraîche. Un nombre inouï de personnes était venu pour boire à cette fontaine. Lui aussi buvait, mais il le faisait discrètement pour ne pas attirer l'attention. La leçon à tirer de ce rêve est donnée le soir dans la chambre d'Ewa, laquelle, ces temps derniers, est dans un état de grand accablement. Ce rêve ne peut définitivement signifier qu'une chose : elle va finalement se marier.

Ewa attend un signe de l'empereur. Qui ne vient pas. Depuis la disparition de sa mère, Joseph II d'Autriche ne l'envoie plus chercher. Sans doute ne le fera-t-il plus. Elle a toujours su que cela arriverait un jour, mais elle ne s'en sent pas moins pitoyable et abandonnée. Elle a maigri. Elle ne veut plus aller à Vienne, cela lui rappelle trop de choses. Son amie la comtesse Wessel cherche à lui expliquer qu'en tant qu'ancienne maîtresse de l'empereur elle pourrait désormais avoir qui bon lui semble et tout ce qu'elle veut.

Ewa se rendit seulement aux funérailles de l'impératrice, mais la foule y était tellement grande que sa nouvelle robe, son chapeau, ses yeux magnifiques et son charme oriental y passèrent inaperçus. L'impératrice avait été magnifiquement vêtue pour sa mise au tombeau, sa corpulence imposante disparaissait dans un nuage de dentelles. Ewa Frank était placée suffisamment près pour voir les bouts de ses doigts déjà violacés posés sur sa poitrine. Depuis, chaque jour, elle vérifie les siens, pleine d'inquiétude, parce qu'elle a peur que ce soit un signe de mort. À l'enterrement, on se racontait à mi-voix les circonstances de la fin de Marie-Thérèse. La grande impératrice se serait effondrée dans un fauteuil où elle aurait commencé à étouffer. L'une des dames de la Cour raconta dans un murmure dramatique que le jeune empereur, comme toujours impassible, eut encore le temps de lui faire remarquer qu'elle s'était mal assise. «Votre Majesté s'est mal positionnée, aurait-il dit. Suffisamment bien pour mourir», lui aurait-elle répondu – et elle serait vraiment morte.

Ewa se jure de mourir dignement, elle aussi. «Jeune, ce serait le mieux», dit-elle, et cela agace son père. Jakób affirme que, maintenant que Joseph II ne partage plus le pouvoir avec sa mère, il fera enfin ce qu'il veut, et, selon lui, il épousera Ewa.

Il lui demande de préparer ses robes parce qu'elle retournera à la cour d'ici peu. Ewa sait pourtant que ce ne sera pas le cas. Elle redoute de le dire à son père ; aussi le soir, avec Anna Pawłowska, elles ravaudent les dentelles déchirées et tirent des prédictions du livre de la Kabbale apporté de Pologne par Anna.

Depuis quelque temps, Ewa ronge les petites peaux de ses ongles. Parfois, ses doigts sont tellement à vif qu'il lui faut porter des gants pour le cacher.

Franciszek Wołowski fait sa cour

Franciszek Wołowski, le fils aîné de Salomon Shorr, devenu Łukasz Franciszek Wołowski, est un homme paisible, grand et beau, d'un an l'aîné d'Ewa. Il parle lentement et d'une manière réfléchie. Il a fréquenté les écoles polonaises, rêvé d'aller à l'université, mais n'y est pas parvenu. Il a beaucoup lu et il s'y connaît dans divers domaines. Il parle hébreu, yiddish, polonais et allemand. Dans chacune de ces langues, il a son trait personnel à cause d'un léger défaut de prononciation. Il ne veut pas rester auprès de son père à Varsovie pour s'occuper de la fabrication de la bière. Il porte un titre de noblesse, tout de même ! Il voudrait faire de grandes choses, même s'il ne sait pas exactement lesquelles. Quand il arrive à Brünn, il est déjà à un âge où il devrait se marier. En tant que fils de l'un des membres les plus anciens et qui comptent le plus dans la *Havurah*, il a des privilèges. On lui attribue une chambre pour deux, qu'il occupe avec son cousin. De quelques années plus jeune que lui, ce dernier a terminé le collège des pères piaristes. Franciszek l'envie.

Le père de Franciszek, Salomon Wołowski, a déjà écrit à Jakób Frank au sujet du mariage de son fils. Il se peut qu'il n'ait pas formulé les choses clairement, mais sa lettre était plus que chaleureuse et n'y manquaient ni les souvenirs, ni l'évocation d'Elisha Shorr, ni l'assurance d'un amour fraternel, ce qui pouvait indiquer que les Wołowski comptaient sur quelque chose qui cimenterait les relations de la *Havurah* varsovienne avec celle de Brünn. L'idée semble une évidence par bien des côtés, à maintes reprises un tel mariage fut évoqué, déjà à Iwanie lorsque les enfants étaient petits. Qu'y aurait-il d'exceptionnel à ce que Franciszek vienne demander la main d'Ewa?

Franciszek attend calmement d'être invité le soir dans les appartements de ses hôtes. Finalement, habillé de frais, il salue chaleureusement le Maître et Ewa, puis, après un échange assez difficile – il n'a jamais su faire la conversation avec aisance –, il est autorisé à tourner les pages de la partition quand Ewa joue d'un instrument tout neuf qui vient d'être acheté. Bientôt, Franciszek est amoureux, comme le souhaitèrent ses parents, même s'il n'est guère exagéré de dire qu'Ewa n'a même pas remarqué la présence de ce tourneur de pages.

– Cela ne t'ennuie pas qu'elle ait fait la traînée à Vienne ? lui demande son cousin une fois qu'ils sont dans leurs lits, épuisés par les exercices militaires.

Ils ont joué aux hussards toute la journée, et Franciszek, vraiment, n'est pas fait pour cela.

– Elle a couché avec l'empereur. D'ailleurs, on ne parle pas de coucherie quand il s'agit de l'empereur, un empereur ça conte fleurette, un empereur ça a une romance… répond intelligemment Franciszek.

– Et tu la voudrais pour épouse ?

– Et comment ! Elle m'est destinée, étant donné que mon père est le vrai-croyant le plus proche du Maître, le plus ancien de la Fraternité.

– Le mien l'est également, et qui sait s'il n'est pas plus proche encore. Il était avec lui à Częstochowa, après quoi il a fait le mur quand Dame Chana est morte.

– Pourquoi est-ce qu'il s'est enfui ?

– Ce qu'il a dit, c'est qu'il a sauté du rempart parce qu'il avait peur.

À cela, Franciszek Wołowski le Jeune répond calmement, comme à son habitude :

– Nos pères pensaient que, depuis qu'ils étaient avec le Maître, la mort ne les concernait plus. Aujourd'hui, c'est difficile à comprendre.

– Ils croyaient qu'ils étaient immortels ? demande le cousin d'une voix incrédule qui vire à l'aigu.

– Qu'est-ce qui t'étonne autant ? Toi aussi, tu y crois à ça.

– Oui, mais pas sur terre. Au royaume céleste.

– Et donc où ?

– Je l'ignore. Après la mort. Et toi, tu en penses quoi ?

Samuel Ascherbach, le fils de Gitla et d'Asher

Ienta, qui est partout, observe maintenant Samuel, le fils de Gitla et d'Asher, autrement dit Gertruda et Rudolf Ascherbach, qui ont une lunetterie dans l'Alte Schmiedegasse à Vienne. Ce jeune homme maigre et boutonneux, étudiant en droit, regarde avec ses amis passer un riche carrosse. Dans celui-ci, il y a un homme coiffé d'un haut bonnet et une magnifique jeune femme assise à ses côtés. Elle a le teint olivâtre et de très grands yeux sombres. Tous ses vêtements sont d'un céladon clair, les plumes de son chapeau également, elle semble rayonner d'une lumière qui viendrait de la profondeur des eaux. Elle est petite mais de proportions parfaites, mince à la taille mais avec des rondeurs. Son grand décolleté est couvert d'un foulard en dentelle à la blancheur immaculée. Le véhicule s'arrête et les serviteurs aident le couple à descendre.

Les jeunes gens observent cela avec curiosité. Des chuchotements excités des passants, Samuel comprend que ce serait un prophète polonais avec sa fille. Le couple entre dans un magasin de douceurs. C'est tout. Les jeunes hommes retournent à leurs occupations.

Samuel sait se montrer vulgaire, mais, à son âge, la chose n'est-elle pas pardonnable ?

– Moi, je l'empalerais bien, cette belle damoiselle polonaise ! lance-t-il

Ses camarades ricanent.

– Les perles ne sont pas pour les pourceaux, Ascherbach. C'est une grande dame.

– C'est justement les grandes dames que j'enfilerais volontiers !

La beauté céladon fit grande impression sur Samuel. Le soir, il se masturbe en pensant à elle. Ses seins galbés et fermes jaillissent du décolleté et, dans ses jupons en bataille, Samuel trouve le point brûlant et humide qui l'engloutit et l'inonde de jouissance.

28

Asher dans un salon de thé viennois, ou *Was ist Aufklärung?* 1784

Thé de Chine, café de Turquie, chocolat d'Amérique. On y trouve tout.
Les tables sont très serrées. Autour d'elles, de jolies chaises fantaisie,
en bois chantourné, à pied unique. Asher et Gitla fréquentent ce salon
de thé, ils commandent avec leur café un gâteau sucré qui se mange
lentement à la petite cuillère en savourant chaque bouchée. Le chocolat
explose sous leur palais avec délice, à leur brouiller la vue de la rue. Le
café, toutefois, ramène l'acuité du regard. Ils terminent en silence cette
guerre des saveurs qui leur déferlent dans la bouche et restent assis à
observer la foule bariolée des passants devant la cathédrale Saint-Étienne.

Des journaux sont disposés sur une étagère à l'entrée du salon de thé,
c'est une nouvelle mode qui serait arrivée directement d'Allemagne, ou
d'Angleterre. On en prend un, puis on s'assoit à une table, de préférence
la plus proche possible d'une fenêtre, à l'endroit le plus clair; aux autres
places, il faut lire à la lueur des bougies et cela fatigue les yeux. De nombreux tableaux ont été accrochés aux murs, mais il est difficile d'y discerner
quelque chose dans la pénombre, y compris en plein jour. Il est fréquent
que des clients s'approchent des tableaux avec un chandelier pour en
admirer les paysages ou les portraits à la lumière incertaine des bougies.

À tout cela s'ajoute le bonheur de lire. Au début, Asher lisait les
journaux de la première à la dernière lettre, avide qu'il était de textes

imprimés. Maintenant, il sait où trouver des choses intéressantes. Il regrette de mal connaître le français – il faudra qu'il y remédie parce que des revues françaises sont également importées. Il approche la soixantaine, mais son esprit est resté vif et alerte.

« L'univers soit réel soit intelligible a une infinité de points de vue sous lesquels il peut être représenté, & le nombre des systèmes possibles de la connoissance humaine est aussi grand que celui de ces points de vue », lit-il en traduction allemande. La phrase est d'un certain Diderot, dont il a feuilleté récemment avec admiration l'*Encyclopédie*.

Asher Rubine a bien réussi. Quand, après son départ de Lwów, il s'est retrouvé avec sa famille ici, à Vienne, il se fit inscrire dans les registres administratifs sous le nom d'Ascherbach. Pour prénoms, il se donna Rudolf Josef, indéniablement à l'exemple du jeune empereur dont la soif de savoir lui en impose tant et qu'il admire. Gitla, quant à elle, est devenue Gertruda Anna. La famille du docteur Ascherbach habite maintenant un bel immeuble de l'Alte Schmiedegasse. Rudolf Josef est oculiste. Il commença par soigner les Juifs locaux, mais, bientôt, sa clientèle s'était élargie. Il opère la cataracte et ajuste les lunettes. Il possède également une lunetterie, une petite officine dont s'occupe Gitla-Gertruda. Les fillettes reçoivent des cours à la maison, elles ont un pédagogue ; Samuel étudie le droit. Asher, lui, collectionne les livres, c'est sa passion majeure. Il espère qu'un jour Samuel reprendra sa collection.

Le premier achat d'Asher-Ascherbach, ce furent les soixante-huit volumes de *La Grande et Très Complète Encyclopédie de tous les Arts et de toutes les Sciences* de Johann Heinrich Zedler, pour laquelle, à la vérité, il dépensa la totalité de ses premiers gains. Il se remit néanmoins rapidement à flot. Les patients ne manquent pas, ils arrivent l'un après l'autre, recommandés par ceux qui les ont précédés.

Gitla commença par vitupérer contre cet achat, mais, un jour, alors qu'il rentrait de l'hôpital, il la trouva penchée sur l'un des volumes, à étudier l'un des articles. Dernièrement, elle s'intéressait à la forme des coquillages. Elle porte des lunettes qu'elle s'est fabriquées seule. Le verre en est complexe et lui permet de voir de loin, mais aussi de près, pour lire.

Le couple loua un vaste appartement avec un atelier dans le même bâtiment. Au départ, le docteur Ascherbach engagea un vieux polisseur de lentilles, déjà presque aveugle lui-même, pour fabriquer les verres optiques selon ses prescriptions. À son arrivée, Gertruda passa son temps à observer le vieil homme qui ajustait soigneusement les verres. Elle ne saurait dire quand, mais elle s'y mit elle aussi. Elle s'assit à l'établi et remonta ses jupes sur ses genoux pour appuyer plus facilement sur la pédale qui entraîne le mécanisme des meules. Maintenant, c'est elle qui fabrique les lunettes.

Les Ascherbach se disputent souvent et se réconcilient tout aussi fréquemment. Un jour, Gitla envoya une tête de chou à la figure d'Asher. Désormais, elle passe peu de temps à la cuisine; ils ont une cuisinière et une servante chargée d'allumer le feu dans les poêles et d'entretenir la maison. Une blanchisseuse vient une fois par semaine, une couturière une fois par mois.

Le dernier volume de l'immense *Universal-Lexicon* de Zedler paraît en 1754, et, comme Ascherbach range ses livres sur les étagères non par série, titre, nom d'auteur, mais selon leur date de publication, celui-ci se trouve à côté de *La Nouvelle Athènes*, qu'ils ont rapportée de Podolie et dans laquelle Gitla apprit à lire en polonais. Un effort inutile. Cette langue ne leur sera plus utile. Asher prend parfois ce volume en main pour le feuilleter, même si son niveau de polonais baisse de jour en jour. Il pense toujours alors à Rohatyn avec l'impression qu'il s'agit d'un rêve très ancien, très lointain, et que, dans ce rêve, lui, Asher, ne ressemblait guère à ce qu'il est désormais, qu'il était vieux et plein d'amertume. C'est comme si, en ce qui le concerne, le temps avait inversé son cours.

Installés au salon de thé le dimanche après-midi, conformément à leur rituel hebdomadaire, les Ascherbach décident d'intervenir dans la discussion qui a lieu depuis quelque temps dans les colonnes du *Berlinische Monatsschrift*, qu'ils lisent régulièrement. C'est à Gertruda que vient l'idée de s'y essayer, elle brûle d'envie d'écrire, mais Rudolf Josef trouve son style mauvais, trop fleuri, et il se met à la corriger, de sorte qu'ils finissent par écrire ensemble. La discussion porte sur la définition à donner au terme à la mode de «Lumières», de plus en plus présent dans les conversations. Tout le monde l'utilise, mais chacun le comprend à sa manière. Cela commença avec un certain Johann Friedrich Zöllner, qui, dans l'un de ses articles où il prenait la défense de l'institution qu'était le mariage à l'église, mentionna ce concept, non pas dans le corps du texte d'ailleurs, mais dans une note où il demandait: *Was ist Aufklärung?*, «Que sont les Lumières?». Cela provoqua un afflux imprévu de réactions de lecteurs et, qui plus est, de personnes au nom connu. Moses Mendelssohn fut le premier à répondre, et, plus tard, Emmanuel Kant, le célèbre philosophe de Königsberg, écrivit un article sur les Lumières pour la revue.

Les Ascherbach sont attirés par un défi particulier qui serait de polir le terme de manière à ce que, à travers lui, on puisse voir clairement toute chose. Gertruda, qui fume toujours la pipe au café, ce qui ne manque pas de provoquer un certain émoi chez les bourgeois viennois, prend les premières notes. Rudolf et elle ne sont d'accord que sur le fait que le plus important, c'est la raison. Toute une soirée, ils s'amusent avec la métaphore de la lumière de la raison qui éclaire tout à l'identique et sans passion. Gertruda remarque aussitôt, avec pertinence, que là où quelque chose est très éclairé une ombre apparaît, un obscurcissement donc. Plus la lumière est intense, plus l'ombre est profonde. Oui, voilà qui est inquiétant.

Ils se taisent. Une chose encore: puisque l'homme devrait utiliser ce qu'il a de plus précieux, et donc son esprit, il en découle que la couleur de sa peau, sa famille d'origine ou la religion qu'il professe, voire son sexe, cessent d'avoir de l'importance. Rudolf ajoute, en citant Mendelssohn qu'il lit dernièrement avec passion – sur la table traîne *Phädon oder über die Unsterblichkeit der Seele,* et ce titre: *Phédon ou Entretiens sur la spiritualité et l'immortalité de l'âme,* est imprimé en rouge –, que l'*Aufklärung* est pour la culture ce que la théorie est pour la pratique. Les Lumières ont beaucoup à voir avec les sciences, avec l'abstraction. La culture, en revanche, est une amélioration des relations entre les hommes par l'intermédiaire de la parole, de la littérature, de la peinture, des beaux-arts. Gitla et Asher sont d'accord là-dessus. Quand il lit Mendelssohn, Rudolf se sent content d'être juif pour la première fois de sa vie.

Gitla-Gertruda a quarante-quatre ans, ses cheveux sont gris et elle a grossi, mais elle reste une belle femme. Désormais, avant de se coucher, elle se tresse les cheveux en deux nattes qu'elle glisse sous un bonnet. Rudolf et elle dorment ensemble, mais se rapprochent moins souvent que par le passé. Pourtant, quand Asher regarde sa femme, quand, tandis qu'elle se coiffe, il voit ses bras dodus levés en l'air et son profil, il éprouve toujours du désir. Il se dit qu'il n'est dans ce monde aucune personne qui lui soit aussi proche qu'elle. Aucun de ses enfants. Personne. Sa vie à lui commença à Lwów le jour où une jeune fille enceinte frappa à sa porte, où il la trouva affamée, et insolente, sur son seuil. Depuis, Rudolf Josef Ascherbach vit une nouvelle existence, il n'a plus rien à voir avec la Podolie, ou avec le ciel bas, couvert d'étoiles, au-dessus de la place du marché de Rohatyn. Il aurait d'ailleurs pu complètement oublier ce passé si, un certain jour, dans la rue devant son salon de thé préféré, il n'était tombé sur un visage connu, celui d'un jeune homme modestement habillé qui marchait à grands pas, une partition sous le bras.

Dans l'instant, Rudolf Josef le regarde avec une telle insistance que celui-ci ralentit. Les deux hommes se croisent comme à regret, se retournent, finalement s'arrêtent et vont l'un vers l'autre, plus surpris que ravis par cette rencontre inattendue. Asher reconnaît le jeune homme, mais n'arrive pas vraiment à replacer les prénoms dont il se souvient dans l'époque adéquate et celle-ci dans les lieux qui lui correspondent.

– Serais-tu Salomon Shorr? demande-t-il en allemand.

Une ombre voile le visage du jeune homme et il fait un mouvement comme s'il voulait repartir. Rudolf Josef se dit qu'il a fait erreur. Il soulève son chapeau, confus.

– Non, je ne m'appelle pas Shorr, mais Wołowski. Franciszek Wołowski. Vous me confondez avec mon père, monsieur… répond le jeune homme avec un accent polonais.

Rudolf Josef s'excuse, il comprend aussitôt sa confusion.

– J'ai moi-même été médecin à Rohatyn. Asher Rubine.

Il veut mettre à l'aise le jeune homme en utilisant son ancien nom, qu'il n'avait pas prononcé depuis des années. Il en ressent de l'inconfort,

un peu comme s'il glissait ses pieds dans de vieilles chaussures déformées. Son interlocuteur reste silencieux un moment, avec un visage qui
n'exprime aucune émotion, et, en cela, la différence avec son père est
manifeste. Salomon avait une physionomie très expressive.

– Je me souviens de vous, monsieur Asher, dit-il en polonais, vous
soigniez ma tante Haya, n'est-ce pas ? Vous veniez chez nous. Vous m'avez
retiré un clou du talon, j'en ai gardé une cicatrice.

– Tu ne peux pas te souvenir de moi, fils. Tu étais trop petit, dit
Ascherbach soudain ému, sans savoir si c'est parce que l'on se rappelle
de lui ou qu'il parle polonais.

– Je me souviens. Je me rappelle beaucoup de choses.

Chacun sourit pour lui-même, à l'évocation de ce temps lointain.

– Oui... dit Rudolf Josef en soupirant.

Ils marchent encore un peu dans la même direction.

– Que fais-tu par ici ? finit par demander Asher.

– Je suis en visite dans ma famille, répond calmement Łukasz
Franciszek. Il est temps de me marier.

Asher ne sait trop que dire pour ne pas aborder de point sensible, il
en pressent un certain nombre.

– Tu as déjà une fiancée ?

– Dans mon esprit. Je veux la choisir seul.

Cette réponse, allez savoir pourquoi, plaît à Rudolf Josef.

– Oui, c'est très important. Je te souhaite de faire un bon choix.

Ils échangent encore quelques informations anodines, à propos de tout
et de rien, puis chacun part de son côté. Rudolf Josef Ascherbach remet
au jeune garçon sa carte de visite avec son adresse, Łukasz Franciszek
Wołowski la regarde longuement.

Rudolf Josef ne parle pas à Gitla-Gertruda de sa rencontre. Le soir,
pourtant, tandis qu'ils travaillent à l'article pour le journal berlinois,
une image lui revient d'un soir à Rohatyn où il traversait la place du
marché dans l'obscurité pour se rendre chez les Shorr. La pâle lueur
des étoiles qui ne faisait que promettre une autre réalité sans pour
autant éclairer le chemin. L'odeur des feuilles pourrissantes, la puanteur
des animaux dans les petits enclos. Le froid qui vous pénétrait jusqu'à

l'os. Le caractère étranger et indifférent du monde qui contrastait avec la grande confiance des petites chaumières inclinées jusque terre, des basses palissades sur lesquelles s'entortillaient les tiges desséchées du liseron; les lumières misérables, incertaines, aux fenêtres – tout cela se trouvait dans cet ordre du monde pitoyable. Du moins était-ce ainsi qu'Asher le voyait alors. Voilà longtemps qu'il n'y avait plus pensé, et là il ne peut s'arrêter. Gitla, déçue par sa distraction, rédige seule l'article et enfume le salon.

Ce soir-là, Asher retombe dans sa mélancolie d'alors. Il est nerveux et demande qu'on lui fasse une infusion de mélisse. Il a soudain l'impression qu'au-delà de toutes ces thèses de haut vol que l'on imprime dans le *Berlinische Monatsschrift*, qu'au-delà de la lumière et de la raison, de la puissance des hommes et de la liberté, il reste quelque chose de très essentiel, une contrée sombre, visqueuse et molle, dans laquelle toutes les paroles et tous les concepts sombrent comme dans du goudron, où ils perdent leur nature et leur signification. Les grandes tirades du journal y résonnent comme si elles étaient dites par un ventriloque, elles deviennent imprécises et grotesques. Un ricanement semble sourdre de partout – autrefois, Asher aurait peut-être pensé que c'est celui du diable; aujourd'hui, il ne croit plus aux démons. Cela lui rappelle ce qu'a dit Gitla en parlant de l'ombre: ce qui est bien éclairé projette une ombre. C'est précisément ce qui est inquiétant dans cette nouvelle conception. Les Lumières commencent quand l'homme ne croit plus que le monde est bon et ordonné. L'*Aufklärung* est l'expression de la méfiance.

De l'aspect salutaire des prophéties

Asher est parfois appelé pour d'autres problèmes que ceux de la vue. Quelqu'un a dû le recommander, parce que les Juifs locaux, en particulier ceux qui, en secret, sont enclins à rejoindre la bonne société viennoise par assimilation et qui sont nombreux à être originaires de Pologne, de Podolie, le font venir non plus en tant qu'oculiste, mais en tant que médecin intelligent pour intervenir dans des questions gênantes et étranges.

Il se trouve que, dans ces vastes demeures aux pièces claires, des vieux démons se font entendre comme s'ils sortaient des coutures des vêtements usagés, des taliths gardés en souvenir d'un grand-père, de la veste en velours tissée autrefois par les arrière-grands-mères et brodée de fil rouge. Or, ces demeures, ce sont le plus souvent les maisons de riches marchands et de leurs familles, des gens bien assimilés, plus viennois que les Viennois eux-mêmes, riches, contents d'eux, mais en apparence uniquement, parce que, en réalité, ils se sentent perdus.

Asher tire la poignée et entend de l'autre côté de la porte le tintement agréable à l'oreille de la sonnette.

Le père de la jeune fille, soucieux, lui serre la main en silence. La mère est l'une des filles d'un Juif de Moravie, Seidel, un cousin des Shorr de Rohatyn. Ils le mènent directement à la patiente.

Sa maladie est par nature étrange et pas très agréable. Chacun préférerait la cacher pour qu'elle ne s'impose pas aux regards familiers des tapisseries aux dessins classiques, tellement à la mode en ce moment, des rideaux beaux et lourds, des pieds agréablement courbes des petites tables à café ou des tapis turcs. Et pourtant, les chefs de ces familles attrapent la syphilis et en contaminent leurs épouses, les enfants ont la gale, les oncles, propriétaires respectables de grandes entreprises, s'enivrent à mort, et il arrive à leurs filles si jolies de tomber enceinte. C'est alors, précisément, que l'on appelle le docteur Ascherbach, qui redevient le mire Asher de Rohatyn.

Tel est le cas ici également, chez Rudnitzky, ce commerçant qui débuta avec une manufacture de boutons et qui maintenant possède une fabrique, à proximité de Vienne, où sont cousus les uniformes pour l'armée. La jeune femme qu'il a épousée après son veuvage est malade.

Elle dit qu'elle est devenue aveugle. Elle s'est enfermée dans sa chambre où, depuis deux jours, elle reste couchée dans le noir, sans remuer, de peur que tout son sang ne s'écoule avec celui des menstrues. Elle sait que la chaleur favorise l'hémorragie, aussi n'autorise-t-elle pas que l'on allume le feu et elle ne se recouvre que d'un drap, ce qui lui vaut d'avoir déjà pris froid. Elle garde des bougies allumées tout autour de son lit, car elle veut être certaine que son sang ne la quitte pas. Elle ne dit mot. La veille, elle a déchiré un morceau de drap en coton pour s'en faire un tampon qu'elle a placé entre ses jambes, dans l'espoir d'endiguer une éventuelle hémorragie. Elle craint en outre qu'elle ne soit provoquée par les selles, aussi ne veut-elle pas les expulser et elle se bouche l'anus d'un doigt.

Rudnitzky est en proie à des émotions contraires, il meurt d'inquiétude et, simultanément, il a honte de la maladie de sa très jeune épouse. Sa folie l'effraie et l'embarrasse. Si cela se savait, sa réputation en souffrirait.

Le docteur Ascherbach s'assied au bord du divan sur lequel la jeune femme est allongée et il lui prend la main. Il parle avec elle très doucement. Il fait preuve de patience, il lui permet de longs moments de mutisme. Cela calme les nerfs. Il supporte le silence qui règne maintenant dans la pièce étouffante, sombre et froide. Sans en être conscient, il lui caresse la main. Il pense à autre chose. Les bribes de savoir humain, pareilles aux maillons d'une chaîne, commencent à s'ordonner, l'une à la suite de l'autre, définitivement, songe-t-il. Bientôt, toutes les maladies pourront être guéries, y compris celles de ce genre-là. Mais aujourd'hui il se sent impuissant, il ne comprend pas la souffrance de la jeune femme, il ignore ce qui se cache derrière. Tout ce qu'il peut faire pour cette pauvre enfant, maigre et malheureuse, c'est lui offrir un peu de chaleur par sa présence.

– Que t'arrive-t-il mon enfant? lui demande-t-il.

Il lui caresse les cheveux et elle le regarde.

– Est-ce que je pourrais ouvrir les rideaux? demande-t-il tout bas.

Il entend un «non» catégorique.

Quand, tard le soir, il rentre par les rues de Vienne encore bruyantes et animées, il se rappelle les fois où, à Rohatyn, il allait voir Haya Shorr lorsque celle-ci se livrait à des prophéties en se jetant à terre, avec des spasmes, toute en sueur.

À côté de Vienne, Rohatyn lui semble être un rêve fait sous un édredon, dans une chambre sombre et enfumée. Aucune de ses patientes ne vit plus dans une pièce commune, ne se coiffe d'un chiffon ou ne porte un *kubrak* polonais. Personne ici ne souffre de la plique. Les maisons sont hautes, imposantes, elles ont d'épais murs de pierre, elles sentent la chaux, le bois frais dont a été construit l'escalier. La plupart des immeubles récents bénéficient de canalisations. Dans les rues, larges et aérées, des réverbères à gaz sont allumés. Par les vitres claires, on voit le ciel et les volutes de fumée qui s'échappent des cheminées.

Et pourtant, aujourd'hui, chez cette malade, Asher a perçu quelque chose de la même nature que chez Haya de Rohatyn! Celle qui était jeune alors, et qui désormais doit avoir atteint la soixantaine, si elle est encore en vie. Il se peut que prophétiser, se déplacer dans les ténèbres de l'esprit, dans ses zones d'ombre et ses brumes, apporterait un soulagement à Mme Rudnitzky. Peut-être que là aussi se trouve un espace favorable à la vie. Peut-être est-ce le conseil à donner au mari : « Monsieur Rudnitzky, votre épouse devrait faire des prophéties, cela l'aiderait. »

Des figurines en mie de pain

Haya Marianna somnole maintenant. Sa tête s'est affaissée sur sa poitrine, ses mains pendent inertes et, dans un instant, le livre comptable glissera de ses genoux. Haya tient les comptes pour son fils. Cela consiste à rester toute la journée dans l'officine derrière la boutique à totaliser des colonnes de chiffres. Le magasin vend des tissus. Son fils s'appelle Lanckoroński comme tous ses fils et filles, désormais Haya est veuve. Pour s'approvisionner en étoffes, Lanckoroński s'est associé avec Goliński, mais, alors que celui-ci a choisi la vente en gros et a beaucoup perdu, le fils de Haya a préféré la vente au détail et s'en est bien trouvé. La boutique est située dans le quartier varsovien de Nowe Miasto, elle est très belle, bien entretenue. Les habitantes de Varsovie viennent y acheter des tissus parce que les prix sont raisonnables et qu'il est possible d'avoir un rabais. Elles y trouvent de simples percales en nombre, mais aussi du coton importé d'Asie, moins cher encore et qui rencontre un franc succès. Les servantes et les cuisinières s'en font des robes. Les riches bourgeoises y achètent des étoffes plus nobles, mais aussi des rubans, des plumes, des cordons, des broderies et des boutons. Lanckoroński fait en outre venir des chapeaux d'Angleterre, c'est un nouveau rayon. Il veut ouvrir une petite chapellerie rue Krakowskie Przedmieście. Il songe à créer une manufacture, parce que en Pologne personne ne fabrique de chapeaux en feutre acceptables. Pourquoi ? Dieu seul le sait !

Haya somnole donc dans le bureau. Elle a grossi et n'aime guère bouger, ses jambes la font souffrir, ses articulations sont boursouflées et semblent grincer douloureusement. Avec sa prise de poids, son visage s'est un peu empâté et il est difficile d'y retrouver ses traits d'antan. En fait, l'ancienne Haya a disparu, elle s'est dissoute en quelque sorte. La nouvelle Marianna semble léthargique, un peu comme si elle était en permanence dans un état second. Quand on vient la voir pour lui demander conseil, elle sort toujours sa planche à prédictions. Une fois qu'elle l'a posée sur la table et qu'elle a sorti d'une boîte en bois les figurines appropriées, ses paupières se mettent à frémir, son regard file vers le haut jusqu'à ce que ses pupilles disparaissent. Dès lors, elle voit. Les figurines disposées sur la surface plane créent diverses configurations, les unes belles, les autres laides à vous glacer les sangs. Haya Marianna sait placer sur sa planchette tous les « plus loin » et les « plus près », tant dans le temps que dans l'espace. La position de la figurine lui indique les affinités ou, au contraire, les répulsions. Haya perçoit également le conflit ou la paix possibles.

Depuis l'époque de Rohatyn, les figurines se sont multipliées, il y en a une grande quantité, les plus récentes sont les plus petites, en mie de pain et non plus en argile. D'un coup d'œil, Haya parvient à comprendre le sens des constellations, à voir à quoi elles tendent, ce qui va se développer.

Certains motifs en résultent, ils sont reliés entre eux par des ponts ou des passerelles, ou bien séparés par des digues et des barrages. Il y a des rivets et des clous, des cerclages et des collets qui poussent l'une vers l'autre des situations aux rebords modelés de façon similaire, un peu comme sont assemblées les lattes d'un tonneau. Il y a également des suites qui ressemblent à des chemins de fourmis, à de vieilles pistes végétales tracées par on ne sait qui, et nul ne sait pourquoi elles l'ont été de cette façon et pas d'une autre. On y trouve aussi des nœuds et des tourbillons, de dangereuses spirales dont le lent mouvement aspire le regard de Haya vers les profondeurs et les abysses qui accompagnent chaque chose.

De son bureau, Haya, penchée sur sa planche – certains clients de son fils pensent que cette femme étrange retombe en enfance et s'amuse avec les jouets de ses petits-enfants –, aperçoit parfois Ienta, elle sent sa présence, inquisitive mais calme. Elle la reconnaît, elle sait que Ienta n'est de toute évidence pas morte complètement, et cela ne la surprend guère. Ce qui l'étonne, en revanche, c'est la présence de quelqu'un d'autre, d'une nature absolument différente. Cet Autre les observe affectueusement, elle, son officine, tous les frères et sœurs éparpillés de par le monde, mais aussi les gens dans la rue. Cet Autre est attentif aux détails. Voici qu'à l'instant Il observe par exemple la planchette et les figurines. Haya devine ce qu'Il veut, elle le traite donc comme un ami quelque peu troublant. Elle lève ses yeux fermés pour regarder Son visage, mais ignore si cela peut se faire.

Le rejet de la déclaration de Franciszek Wołowski le Jeune

Franciszek Wołowski le Jeune veut Ewa. Non pas parce qu'il l'aime ou la désire, mais parce qu'elle est hors de sa portée. Plus cela se confirme, plus sa volonté de l'épouser est forte. Voilà pourquoi il est malade d'Ewa Frank, une maladie dans laquelle son père a également une part de responsabilité : il lui a toujours répété qu'Ewa serait sienne et qu'ainsi leurs deux lignages s'uniraient, mais aussi que Franciszek prendrait le pouvoir à la suite de Jakób. Jakób lui-même y était favorable, mais, par la suite, quand Ewa commença à fréquenter l'empereur en personne, tout espoir s'envola comme une plume, haut, très haut, sans qu'il soit possible de la rattraper. Ewa changea, elle aussi, elle se montrait rarement. Vêtue de soies chatoyantes, elle se dérobait comme un poisson glissant, impossible à attraper.

Franciszek lui fait sa déclaration sans en avertir son père, lequel est à Varsovie où il s'occupe de la brasserie. La demande en mariage est passée sous silence comme si Franciszek avait commis un acte honteux auquel la moindre allusion est à éviter. À la Cour de Brünn, on chuchote pendant des semaines à ce propos, mais Franciszek ne reçoit aucune réponse et il comprend qu'il s'est ridiculisé. Il écrit à son père une lettre chargée d'amertume pour lui demander qu'il le rappelle à Varsovie. En attendant la réponse, il cesse d'assister aux prières communes et aux conférences de Jakób. Ce qui, lorsqu'il était arrivé, lui semblait si fascinant, cette petite foule de gens dans le palais de la Petersburger Gasse, ces nouveaux visages, ce sentiment de communauté, l'impression d'appartenir à une grande famille, les flirts, les potins, les plaisanteries et les jeux incessants aussitôt après les prières et les chants, tout cela lui fait horreur maintenant. Et, par-dessus tout, il déteste les exercices militaires que son oncle Jan Wołowski, appelé le Cosaque à cause de la tenue qu'il porte, organise en permanence pour les jeunes hommes et les garçons. Il en entraîne plusieurs à former un escadron cosaque, mais il n'y a pas assez de chevaux, les cavaliers montent à tour de rôle car il n'y en a que quatre. Son autre cousin, Franciszek Szymanowski, a reçu du Maître la mission de former une légion. Ce nouveau terme s'applique à tout. Uniformes pour la légion, étendard pour la légion, exercices de la légion, chants de la légion… ne cesse d'entendre Franciszek, le fils de Salomon, qui ressent une profonde répugnance, quelque peu teintée de mépris d'ailleurs, envers tout ce qui a trait à l'uniforme et aux gesticulations avec une épée.

En revanche, il se rend volontiers à Vienne, il y traîne dans les rues, et, dans sa situation peu confortable, il trouve une consolation aux concerts; or, ceux-ci ne manquent pas, il y en a partout. Il fut profondément ému en écoutant un certain Haydn, dont la musique lui sembla tellement proche et belle. Il pleura discrètement, ses yeux s'humidifièrent, mais il parvint à ravaler ses larmes, qui coulèrent vers l'intérieur pour y laver son cœur. Quand l'orchestre termina de jouer et que les applaudissements fusèrent, il sentit qu'il ne pourrait plus supporter que cette musique lui fasse défaut, qu'il devait la garder en permanence. Sans elle, le monde serait vide. Au sortir de ce concert, qu'il s'était difficilement offert, il avait compris qu'il existait quelque chose qui pouvait lui apporter la plénitude du bonheur, alors qu'il eût été possible de l'ignorer et de vivre dans un manque continuel. Il devait acheter des cadeaux pour ses sœurs, elles voulaient des dentelles et des boutons recouverts de soie, des chapeaux et des rubans, mais Franciszek leur apporterait une partition.

Il ne put obtenir une place pour le concert du jeune Mozart, mais il trouva un endroit sous les fenêtres du bâtiment où il l'entendit comme s'il était à l'intérieur. Il avait l'impression que l'Opéra lui était tombé sur la tête, et la cathédrale, et la ville tout entière, que Vienne s'était effondrée sur lui et l'écrasait. Cette musique était tout autant hors de sa portée qu'Ewa, elle était un rêve impossible qui jamais ne pourrait se réaliser à Varsovie. Il était Varsovie, elle était Vienne.

Finalement, la lettre tant attendue arrive, son père lui demande de rentrer. Il y fait allusion à Marianna Wołowska, la fille de son oncle Michał, que Franciszek connaît depuis l'enfance. Il n'y a pas un mot à propos d'un mariage, mais Franciszek comprend qu'on la lui destine. Son cœur se serre et c'est dans cet état qu'il part pour Varsovie.

Aux moments des adieux, Jakób le prend dans ses bras comme un fils, tout le monde le voit. Franciszek se sent alors vraiment le fils de Jakób. Il comprend qu'une mission lui est assignée, mais pas celle qu'il attendait. Apparemment, de là où se trouve Jakób, les choses sont différentes que de là où est Franciszek. Il dit affectueusement au revoir à ses amis, qui restent à la Cour auprès de la Demoiselle. Avant de partir, il achète un grand nombre de partitions qu'il feuillettera ensuite dans le coche, cherchant à déchiffrer les notes en les jouant silencieusement de ses doigts sur ses genoux. Au fond, il est vraiment soulagé de rentrer à Varsovie. Désormais, sa place sera là-bas. Il sera le chef d'une autre légion dans la forteresse varsovienne et il obéira à Jakób.

Dès qu'il a franchi la frontière, Vienne pâlit dans son esprit pour ne plus être qu'une estampe en blanc et noir. Toutes ses pensées se dirigent vers la rue Leszno de Varsovie, vers cette Marianna. Il lui faut faire un effort pour se remémorer ses traits, parce que, jamais auparavant, il ne l'avait regardée attentivement. Il y a un arrêt à Cracovie, et là il lui achète tout à fait innocemment de toutes petites boucles d'oreilles avec des perles de corail rouge, petites gouttes de leur sang commun que quelqu'un aurait suspendues sur un cheveu d'or.

La dernière audience chez l'empereur

Mme Zwierzchowska a appris à faire des saignées au Maître et elle lui en fait justement une tout à fait adroitement. Le sang coule dans une bassine, il y en a beaucoup. Après cette intervention, le Maître est affaibli, il vacille sur ses jambes. Il a pâli. C'est très bien. Il aura l'air suffisamment diminué.

Le carrosse attend déjà, il n'est pas aussi décoré et fastueux que celui avec lequel ils se rendaient autrefois à Schönbrunn. C'est un simple attelage de deux chevaux, il est modeste, on ne le remarque pas. Ils y montent à trois, Jakób, Ewa et Anna Pawłowska, qui accompagne Mademoiselle, elle a une belle prestance et parle un excellent français.

L'empereur Joseph passe l'été au château de Laxenbourg avec deux dames réputées pour leur beauté et leur intelligence. Elles ne le quittent jamais. Sous leurs beaux chapeaux, pareils à des méduses aériennes, elles sont prêtes à défendre tout accès à Son Excellence, ce sont les deux sœurs Lichtenstein, la duchesse Léopoldine Kaunitz et la princesse Kinsky, laquelle aurait une romance avec le monarque.

Ewa ne voulait pas y aller, mais son père l'obligea. Elle s'est assise, boudeuse, elle regarde par la fenêtre. C'est le mois de mai 1786, le monde est en fleurs, les collines autour de Brünn semblent tendres et pleines de sève tant elles sont verdoyantes. Le printemps est arrivé tôt cette année, les lilas sont donc fanés depuis longtemps, ce sont maintenant les jasmins et les pivoines joufflues qui fleurissent, on sent partout le parfum doux et joyeux de la floraison. Jakób gémit, la saignée l'a vraiment affaibli. Les traits de son visage sont plus marqués, comme autrefois après son hémorragie. Il n'a pas l'air bien.

On les fait d'abord attendre un long moment, chose inouïe ! Ils voient par la fenêtre des groupes de personnes qui se promènent dans le parc, les taches claires des ombrelles des dames, le vert vigoureux des gazons tondus. Ils patientent deux heures sans échanger un mot, ils ne se parlent pas. Une fois seulement quelqu'un vient les voir pour leur proposer de l'eau.

Puis, des voix amusées se font entendre ainsi que des pas rapides, et, soudain, la porte s'ouvre, l'empereur entre. Il porte une tenue d'été pas du tout française mais de facture paysanne. Sa chemise ouverte laisse voir son maigre cou et fait ressortir la proéminente mâchoire inférieure des Habsbourg. Il n'a pas de perruque, ses rares cheveux sont hirsutes, il a l'air plus jeune. À sa suite entrent deux dames rieuses, des bergères élégantes. Les dernières plaisanteries résonnent.

Les invités se lèvent. Jakób vacille, Anna se précipite vers lui pour le soutenir. Ewa reste debout, comme hypnotisée, elle fixe l'empereur.

Dans cet entourage de femmes, les deux hommes se mesurent du regard un moment. Jakób salue très bas. Les robes d'Ewa et d'Anna se fanent dans la révérence.

– Mais qui se présente devant mes yeux ? dit l'empereur qui s'assoit et étire ses longues jambes devant lui.

– Votre Altesse Sérénissime… commence à dire Jakób d'une voix faible.

– Je connais votre affaire, le coupe l'empereur – et aussitôt son secrétaire arrive avec des documents, il lui remet une feuille et indique des passages sur lesquels l'empereur jette à peine un regard.

– Les dettes honnêtes doivent être payées. Et vous pouvez étaler leur remboursement dans le temps. Mais nombre d'autres n'ont aucune valeur. Notre aide consistera à vous donner ici le détail des dettes justes et de celles qui ne le sont pas. Ces dernières vous ont été habilement imposées et vous ne devriez pas les payer, parce que ce sont des exigences injustifiées. C'est tout ce que nous pouvons faire pour vous. Je vous conseille de mieux veiller à vos affaires à l'avenir. Liquidez votre Résidence, payez vos dettes. Tel est mon conseil.

– Votre Altesse... essaie de dire Jakób – mais il se tait pour ajouter un moment plus tard: Peut-être pourrions-nous parler seul à seul?

L'empereur a un geste impatient et toutes les femmes sortent. Quand elles s'installent dans la pièce voisine à une petite table amusante, la princesse Kinsky fait apporter de l'orangeade. Avant que celle-ci ne soit servie, on entend l'empereur élever la voix de l'autre côté de la porte.

Ewa trouve le courage pour dire d'une voix tremblante, le regard fixé au sol, en parlant très vite comme si elle voulait couvrir cette voix en colère:

– Nous demandons de l'aide non seulement pour nous, mais également pour toute la ville. Sans nous, Brünn se videra, les commerçants se plaignent déjà de leur baisse de revenus depuis que nous avons dû renvoyer une partie de notre Fraternité.

– Je compatis avec les Brunois de perdre des hôtes tels que vous, répond poliment la princesse Kinsky.

Elle est très belle, d'une beauté semblable à celle d'Ewa, elle n'est pas très grande, avec de grands yeux sombres et d'épais cheveux noirs.

– Si Votre Altesse pouvait intervenir en notre faveur... commence Ewa – mais ces paroles passent difficilement par ses mâchoires serrées.

– Vous surestimez, madame, mon influence sur l'empereur. Nous sommes là pour les choses agréables, superficielles.

Il se fait un silence désagréable, hostile. Ewa sent qu'elle est tout humide. Sous ses aisselles, des taches de sueur apparaissent sur la soie et cela la prive du peu d'assurance qui lui restait. Elle a envie de pleurer. Brusquement, la porte s'ouvre, elles se lèvent. L'empereur sort le premier, il n'a pas un regard pour les femmes, son secrétaire le suit.

– Je suis désolée, dit tout simplement la princesse Kinsky qui leur emboîte le pas.

Quand ils disparaissent tous, Ewa pousse un soupir et se sent tout à coup légère comme un petit bout de papier.

Thomas von Schönfeld et ses jeux

Ils rentrent en silence, aucun mot n'est prononcé de tout le voyage. Le soir, Jakób ne descend pas dans la salle commune. Mme Zwierzchowska est à son habitude auprès de lui. Pour le dîner, il ne se fait porter que deux œufs durs, rien de plus.

Le lendemain, il commence à renvoyer les jeunes dans leurs familles. L'élégant coach et la porcelaine sont vendus facilement. Un marchand de Francfort achète l'ensemble des autres petites choses. Ewa évite de sortir en ville, elle a honte parce qu'elle doit de l'argent un peu partout.

Un mois après l'audience chez l'empereur, Thomas von Schönfeld arrive à Brünn. Il revient de l'étranger et apporte une boîte de chocolats pour Ewa. Elle lui a envoyé plusieurs lettres désespérées pour lui demander de l'aide. Chacune contenait une allusion au risque de prison pour dettes.

– Les soucis font partie de la vie comme la poussière de la promenade, dit Thomas au moment où ils quittent la ville tous les trois pour emprunter les chemins forestiers que Jakób apprécie tant.

La matinée est fraîche, plus tard il fera sans doute très chaud. Cela fait du bien d'avoir un peu froid quand la canicule s'annonce.

– Je suis de ces hommes, et c'est sans doute dans la nature de notre famille, qui voient toujours le bon côté de tout ce que leur apporte la vie, poursuit Thomas. C'est vrai que nous n'avons pas réussi à accomplir certaines choses, mais d'autres sont un succès. Notre potion médicale jouit d'une certaine popularité, y compris ici, à Vienne. Je m'efforce de la distribuer discrètement et uniquement parmi mes relations ou des gens dignes de confiance.

Ses boniments agacent Ewa.

– Oui, dit-elle, mais nous savons tous que le revenu qu'elle nous apporte n'est pas en mesure de financer une infime partie de la vie à laquelle nous nous sommes habitués, et encore moins de pourvoir aux besoins de toute la Cour.

Thomas marche un pas derrière Ewa et il fauche les têtes des orties avec sa canne en bambou.

– C'est pourquoi je vous parle avec sincérité, dit-il en s'adressant à Jakób. J'ai appris avec soulagement que vous aviez ordonné récemment à nos frères et sœurs, à toute cette bande de parasites, de regagner leurs foyers. C'est un bon signe.

– Nous nous sommes également défaits d'une grande partie de nos biens mobiliers... ajoute Ewa.

Son père se tait.

– Parfait, cela permettra de se ressaisir et de faire le pas suivant, ce à quoi je vous invite cordialement, mon oncle.

Ce n'est qu'à ce moment-là que Jakób se manifeste. Il parle tout bas, il faut tendre l'oreille pour entendre ce qu'il dit. Il fait toujours cela quand il est en colère, c'est de sa part une forme de violence qu'il exerce pour contraindre son interlocuteur à l'écouter.

– Nous t'avons confié l'argent collecté auprès de nos frères et de nos sœurs. Tu disais que tu le multiplierais à la Bourse. Que tu l'empruntais pour le faire fructifier. Où est cet argent?

– Il viendra! C'est évident, dit Thomas qui commence à devenir fébrile. La guerre arrive, c'est certain. L'empereur doit respecter les engagements pris envers Catherine, elle va attaquer la Turquie. J'ai obtenu une lettre patente pour équiper l'armée en grand, et vous savez que je connais tout le monde, chaque personne qui compte en Europe.

– Tu as dit la même chose quand on a fait venir les alambics et les brûleurs.

Thomas éclate d'un rire un peu forcé.

– Certes, je me suis trompé. Tout le monde s'est trompé. Pour ce que j'en sais, personne n'est parvenu à obtenir de l'or, même si des rumeurs courent. Il y a pourtant quelque chose de plus sûr que ces centaines d'expériences dans les alambics, ces *nigredo* et ces *conniuncto*. La nouvelle alchimie, c'est l'investissement astucieux. Investir avec hardiesse en faisant confiance à sa voix intérieure, exactement comme cela se passe dans un laboratoire d'alchimie, tenter et risquer...

– Nous en avons déjà fait les frais.

Jakób s'assied sur un tronc d'arbre et, du bout de sa canne, il détruit une piste de fourmis voyageuses. Il élève la voix :

– Tu dois nous aider.

Thomas reste debout devant Jakób assis. Il porte des bas de soie. Un pantalon vert sombre moule étroitement ses hanches minces.

– Je dois vous dire quelque chose, mon oncle, dit-il au bout d'un moment. Votre personne a éveillé l'intérêt de mes compagnons. Vous n'obtiendrez plus aucun soutien de l'empereur, mais vous en obtiendrez d'eux. Votre mission ici est terminée. L'empereur a des conseillers qui ne vous sont pas favorables, c'est clair. J'ai personnellement entendu qu'on parlait de vous comme d'un charlatan, vous comparant très injustement à ces imposteurs dont les cours royales sont pleines. Votre crédit à Vienne est fermé, et, quant à moi, je ne peux momentanément vous offrir aucun soutien, étant donné que j'ai un projet d'importance en cours et que je préférerais que l'on ne m'associe pas à vous.

Jakób se lève et colle son visage tout contre celui de Thomas. Ses yeux s'assombrissent.

– Tu as honte de moi, maintenant !

Jakób prend le chemin du retour à grands pas, Thomas le suit embarrassé, il s'explique :

– Moi, je n'ai jamais eu honte de vous mon oncle, et ce ne sera jamais le cas. Il y a entre nous l'écart d'une génération, et, si j'étais né à la vôtre, sans doute aurais-je tout fait pour être ce que vous êtes. Mais, désormais, les règles sont différentes. Les choses que vous espérez, moi je voudrais les réaliser. Vous attendez des signes mystiques, des conspirations de *balakaben*, tandis que moi j'ai l'impression que l'homme peut se libérer plus simplement, non pas dans les cercles mystiques, mais ici, sur terre.

Ewa regarde son père avec effroi, certaine que l'insolence de Thomas provoquera chez lui un accès de colère. Jakób reste pourtant calme, il marche penché en avant, il regarde ses pieds. Thomas trotte derrière lui.

– Il faut montrer à l'homme qu'il a une influence sur sa vie et sur le monde dans son ensemble. Quand il tape du pied, les trônes tremblent. Vous dites : la loi, il faut la transgresser en douce, dans les alcôves et les boudoirs !

Thomas sent qu'il est allé un peu loin, aussi baisse-t-il le ton.

– Moi, je dis le contraire, poursuit-il. Quand la loi est injuste et provoque le malheur des gens, il faut la changer, agir ouvertement, avec courage, sans faire de compromis.

– En général, l'homme ignore qu'il est malheureux, dit tranquillement Jakób à ses chaussures.

Son calme encourage manifestement Thomas, parce qu'il presse le pas pour se placer devant Jakób et continuer à pérorer tout en marchant à reculons.

– Il faut lui en faire prendre conscience et l'encourager à agir au lieu de danser en rond et de chanter en agitant les bras.

Ewa est certaine que maintenant Thomas von Schönfeld va prendre une gifle, mais Jakób ne s'arrête même pas.

– Tu crois possible de construire quelque chose en repartant de zéro? demande-t-il en continuant à fixer ses pieds.

Thomas s'arrête, choqué, et il élève la voix:

– Mais ce sont vos paroles, c'est votre enseignement, mon oncle!

Ce soir-là, quand Thomas s'apprête à rentrer à Vienne, Jakób l'attire à lui et le prend dans ses bras. Il chuchote à son oreille. Le visage de Thomas s'éclaire, puis Thomas se racle un peu la gorge. Ewa, qui se trouve près de son père, n'est pas certaine d'avoir bien entendu ce qu'il a dit. Il lui semble que c'était: «Je te fais absolument confiance.» Le mot «fils» aurait été également prononcé.

Quelques mois plus tard, un paquet arrive de Vienne. Un coursier vêtu de noir l'apporte. Ce sont des lettres de recommandation pour le voyage, mais également une note d'information de la main de Thomas:

… mes Frères, dont l'influence est grande, ont trouvé un homme d'une bonté angélique, le prince d'un petit État qui vous accueillerait avec toute votre *Havurah*. Il possède un château assez imposant sur la rivière Main, non loin de Francfort, et il le met à votre disposition si vous acceptez de l'adapter à vos besoins. C'est une bonne direction de changement, à l'Ouest, loin de la guerre que l'empereur a déclaré à la Turquie – certes à contre-cœur, mais néanmoins. Prêtez attention, Mon Oncle, que je vous écris en toute discrétion. Votre dévoué Thomas von Schönfeld.

Lisant cette lettre que son père lui montre, Ewa s'exclame, bouleversée :
– Comment a-t-il réussi cela ?

Jakób est assis, les yeux fermés, son habit boutonné jusqu'au cou malgré la chaleur du feu dans la cheminée. Ewa remarque qu'il aurait déjà besoin d'un coiffeur. Il a posé ses pieds nus sur un petit tabouret rembourré et Ewa voit les veinules éclatées qui colorent sa peau en bleu. Elle se sent soudain envahie par une fatigue terrible et peu lui importe ce qu'ils vont devenir.

– Cette ville me répugne, dit-elle.

Par la fenêtre, elle voit la cour vide qui vient à grand-peine de se libérer de la neige sale, laissant apparaître des ordures. Ewa remarque un gant abandonné.

– Elle me fait juste horreur. Je n'en peux plus de regarder tout cela.

– Tais-toi ! lui dit son père.

Le soir qui précède leur départ de Brünn, une délégation de bourgeois de la ville se présente à la Résidence des Frank. Dans la mesure où il n'y a déjà plus de meubles, les visiteurs sont reçus debout. Jakób vient les voir en s'appuyant sur le jeune Czerniawski, Ewa reste à ses côtés. Les bourgeois apportent des cadeaux d'adieu : une caisse du meilleur vin de Moravie pour « Monsieur le Baron » et une coupe en argent sur laquelle est gravée une vue de la ville avec l'inscription « Adieu aux Amis de Brünn. Les habitants ».

Jakób semble ému, tous sont émus, et, chez les bourgeois, naît également un sentiment de culpabilité parce qu'ils apprennent que Jakób et les siens laissent une somme importante pour les nécessiteux et pour les conseillers de la cité.

Coiffé de son haut fez turc, en manteau à col d'hermine, debout sur une petite estrade, Jakób déclare dans son allemand rocailleux mais correct :

– Un jour, j'ai fait un long voyage, j'étais tellement fatigué que je cherchais un endroit où me reposer. Je trouvai alors un arbre qui offrait beaucoup d'ombre. Déjà de loin, ses fruits embaumaient, et, à côté de lui, se trouvait une source des plus pures. Je m'allongeai donc sous cet arbre, je mangeai ses fruits, je buvais l'eau de la source, puis je m'endormis d'un bon sommeil. « Comment te remercier, l'arbre ? demandai-je. Comment te bénir ? Faut-il te souhaiter de nombreuses branches ? Tu en as déjà en quantité. Te dire : "Que ton fruit soit sucré et grand son parfum" ? Tel est déjà le cas. Dire : "Que tu aies une source fraîche d'eau douce à tes côtés" ? Tu l'as déjà. Je ne peux donc te bénir en rien si ce n'est en te souhaitant que tous les passants honnêtes se reposent à ton ombre et rendent grâce à Dieu qui te créa. » Cet arbre, c'est Brünn.

Ceci a lieu le 10 février 1786 et il recommence à neiger.

Les Reliquats. Les fils de Jakób Frank. Moliwda

J'ai toujours rempli mes missions avec dévouement, je savais que Jakób m'honorait en me les confiant. Car qui aurait pu les remplir sinon moi ? Je parlais couramment le turc et je connaissais les usages ottomans comme s'ils étaient miens. Néanmoins, les derniers échecs firent que Jakób m'éloigna de lui pour se tourner vers Jan Wołowski, plus jeune et plus efficace, qui, déguisé en Cosaque, à la peau bise et au visage traversé par une moustache à la polonaise, l'accompagnait toujours. Son autre acolyte était Antoni Czerniawski, son beau-frère. Ces deux individus tournaient autour de lui comme des mouches. Il y avait également Matuszewski et Wittel, et puis surtout sa fille Ewa, qui protégeait Jakób au point de devenir peu à peu sa mère.

Avec Jeruchim, nous avions bien des choses en commun et, tandis que les plus jeunes se consacraient à ce qu'ils appelaient pompeusement « la vie », nous, nous préférions discuter des questions anciennes, celles que plus personne à Brünn ne respectait, celles qu'ils avaient tous oubliées. Ayant mené les choses depuis le départ, nous en avions une vision plus vaste que quiconque dans notre grande *Havurah*. Pour ma part, je pouvais m'enorgueillir d'être resté le seul à avoir accompagné Jakób depuis le commencement. Reb Mordke, Isohar, même Mosze de Podhajce et son père, qui fut inhumé dans la caverne de Częstochowa, étaient morts. Cela ne m'empêchait pas de penser toujours à eux en me disant plutôt qu'ils s'en étaient allés et nous attendaient assis à une grande table en bois, que la porte de leur chambre était ici, dans cet immense château. La mort n'est-elle pas simplement une illusion, à l'exemple de cette immense quantité de phénomènes visibles dans le monde auxquels nous croyions pareils à des enfants ?

J'ai intensément réfléchi à la mort à ce moment-là, car, durant l'une de mes absences de Varsovie, ma Wajgełe est morte en donnant la vie à une enfant que j'appelai Rozalia, ma troisième fille, et que je me pris à aimer très fort. Elle naquit précocement, elle était faible. Sa mère, plus de prime jeunesse, ne survécut pas aux difficultés de l'accouchement. Elle a fermé les yeux en silence dans notre appartement de la rue Długa, en présence de ses deux sœurs, qui me communiquèrent cette effroyable nouvelle quand je rentrai de Brünn. Je pense que Dieu voulut me dire quelque chose en m'offrant Rozalia, cette petite miette de pain, en un moment de doute et de grisaille, à moi qui n'ai jamais été proche de ma famille. Nous avions déjà rarement des relations intimes, avec mon épouse, et nous n'avions pas de grands espoirs d'enfantement depuis longtemps. Que voulut me dire Dieu, en me donnant Rozalia ? Je pense qu'ainsi il m'a fait redevenir un père, qu'il m'a rappelé ce rôle que j'avais oublié afin que je me charge de veiller sur les fils de Jakób.

Telle est la raison pour laquelle je rentrais toujours volontiers à Varsovie, où je m'occupais de mes affaires, mais également de mes obligations à l'égard de notre grande famille. Avant tout, pourtant, je pris soin des deux fils de Jakób, Józef et Roch, auxquels je consacrais plus d'attention qu'aux miens. Pour l'heure, je laissai Rozalia à ses tantes. Les fils Frank étaient confiés à des écoles où ils se formaient au métier d'officier. Jakób savait très bien ce qu'il faisait en les plaçant sous ma curatelle, je veillais à ne pas les laisser mal tourner dans la turbulence varsovienne, et j'avais pour eux une affection particulière, surtout pour l'aîné, Roch, dont je me sentais proche. Maintes fois, je comptai sur les doigts ces mois ténébreux de Częstochowa, lorsque Roch était né, où j'avais été relevé de terre par Jakób et où ma trahison m'avait été généreusement pardonnée. Malheureusement, cet enfant m'évitait autant qu'il le pouvait, il lui arrivait d'être particulièrement désagréable avec moi. J'avais l'impression que je lui faisais honte, que je n'étais pas assez polonais pour son goût, « trop juif », que mon accent yiddish l'agaçait et que toute ma personne lui était insupportable. Quand il s'approchait de moi, il faisait la grimace et disait : « Ça sent l'oignon, ici ! », ce qui me faisait grand-peine. Son jeune frère, Józef, sous la coupe de son aîné, me traitait également avec dureté, mais, parfois, avec tendresse aussi ; je pense que, moi excepté, ils n'avaient personne de proche. Et ils n'avaient pas une vie facile, ces garçons, à vivre toujours chez les autres, puis à l'internat de l'académie du corps des cadets, dans une aura de prestige *a priori*, mais traités en types bizarres. Tout cela fit qu'ils s'émancipèrent vite, ne vivant que l'un avec l'autre comme si le reste du monde était leur ennemi. Ils dissimulaient soigneusement leur ascendance juive, se faisant toujours plus polonais que les Polonais.

Quand ils étaient plus jeunes, ils s'étaient retrouvés chez les pères piaristes. Roch y alla le premier – je lui demandai comment c'était et il se plaignit avec des larmoiements que le lever était à six heures du matin, aussitôt suivi de la messe, après laquelle on ne recevait qu'une tranche de pain avec du beurre. Pour avoir du café, il fallait payer. À huit heures, entrée en classe et cours jusqu'à midi. Ensuite, tour de garde pour celui qui était désigné, et déjeuner. Jusqu'à quatorze heures, ils pouvaient jouer dans le jardin à l'arrière du bâtiment et, à partir de quatorze heures, de nouveau des leçons jusqu'à cinq heures. Ensuite, c'étaient les devoirs surveillés et il ne restait qu'une heure, de vingt heures à vingt et une heure, pour jouer. À vingt et une heures trente, ils regagnaient déjà leurs lits. Et ainsi de suite. Est-ce là la vie d'un enfant heureux ?

Dans cette école, on leur inculquait que l'appartenance à une lignée nobiliaire n'était qu'une question de hasard et de destin aveugle, et que la véritable noblesse reposait sur la vertu, qui en était l'aiguillon : sans vertu, sans talent et sans une conduite appropriée, la noblesse n'était qu'une coquetterie et un mot creux. Pour ce qui est des connaissances, on leur apprenait correctement le latin de sorte qu'ils comprennent ensuite les autres disciplines. Il y avait des mathématiques, des langues étrangères, de l'histoire générale et de l'histoire de la Pologne, de la géographie et de la philosophie moderne. Il leur était fait obligation de lire des journaux dans d'autres langues. Il y avait également des cours auxquels je n'entendais rien, comme la « physique expérimentale », avec des exercices pratiques. Lorsque Józef m'en fit la description, cela me rappela quelque peu les pratiques alchimiques.

Par la suite, à l'école des cadets où ils étaient reçus en tant que fils anoblis du seigneur Frank, ils furent informés qu'ils devaient garder un silence absolu sur eux-mêmes, éviter de trop se confier, n'être proche de personne. Chétif, roux, nerveux, Roch se donnait de l'assurance en accomplissant des actes d'une bravoure inouïe, puis en buvant plus que de mesure. Józef, en revanche, de carnation délicate, rappelait une fille. Parfois, en le regardant, j'avais l'impression qu'il n'était maintenu que par son uniforme de cadet et que, si on le lui retirait, Józef Frank se déverserait comme du petit-lait. Józef était plus grand que Roch, mieux bâti également, avec les grands yeux de sa sœur, des lèvres charnues, des cheveux toujours coupés court. Silencieux et accommodant, il rappelait un peu Franciszek Wołowski.

Pour les fêtes, les deux garçons allaient soit chez moi, soit chez Franciszek Wołowski, et moi je m'efforçais de leur transmettre la foi des vrai-croyants, même si les fils de Jakób étaient récalcitrants. Ils faisaient mine d'écouter mon enseignement, mais ils me paraissaient absents, comme quand leur père les faisait punir pour la moindre de leurs fautes. Jakób pensait qu'il fallait avoir la main lourde avec les garçons. À Częstochowa, j'avais souvent de la peine pour eux, surtout pour Roch qui, jusqu'à la mort de Chana, passa son enfance en prison et pour qui le monde se réduisait à la salle des officiers et à la petite cour devant la tour, avec pour compagnons de jeu les vieux briscards ou, parfois, des moines du noviciat. Il était pour moi semblable à une petite plante qui pousse dans une cave, dans l'humidité. C'était peut-être à cause de cela qu'il était si petit, si frêle, si peu imposant. Comment pareille créature pourrait-elle devenir le successeur de Jakób ? Son père ne l'aimait pas et ne l'estimait guère. Je crois que la vue seule de ses fils l'irritait. C'est pourquoi je me chargeai d'eux. Parrainer ces deux âmes perdues ne fut pourtant pas un succès.

À un moment donné, j'eus également à jouer un rôle comparable à celui que nous avions eu il y a longtemps, avec Reb Mordke, lors de nos pérégrinations : le rôle de marieur. Pour commencer, Jakób destina les nôtres à prendre des épouses de haute naissance dans la noblesse, car à ce moment-là il nous poussait tous vers l'extérieur, pour que nous épousions des étrangers et des étrangères. Néanmoins, cela ne dura pas longtemps.

Pour ma part, j'avais toujours été d'avis que nous devions rester entre nous, faute de quoi nous ne survivrions point. Mon fils unique Aron, celui de Léa, épousa Marianna Piotrowska, petite-fille de Moszek Kotlarz, et mes petits-enfants grandissent maintenant à Varsovie, tous nos efforts vont à leur éducation. Ma fille aînée est déjà promise au plus jeune garçon de Henryk Wołowski. Nous ne voulons pas qu'elle se marie dans un trop jeune âge, aussi attendons-nous qu'elle grandisse.

Un jour, à Varsovie, je rencontrai Moliwda dans la rue. Je fus surpris parce qu'il n'avait pas du tout changé, juste maigri peut-être, et ce ne fut que lorsqu'il retira son bonnet que je vis qu'il était devenu chauve, mais son visage, sa démarche caractéristique, tout en lui semblait être resté pareil. Ce n'était que son habit qui était complètement différent, d'origine étrangère, peut-être élégant par le passé, mais plutôt défraîchi. Il ne me reconnut pas immédiatement. Il commença par me croiser avant de se retourner, et, moi, j'ignorai comment me conduire, aussi je restai là, le laissant prendre la parole le premier.

« Nahman, dit-il surpris, c'est toi ?

– Eh oui, moi. Sauf que je suis Piotr Jakóbowski. Tu te souviens ? répondis-je.

– Quelle allure tu as ! Je me souviens de toi, mais différent.

– Moi aussi, je pourrais dire que, dans mon esprit, je t'ai gardé différent. »

Il me donna une tape dans le dos, comme autrefois à Smyrne, puis il me prit sous le bras et nous quittâmes la rue pour entrer dans une cour, assez embarrassés tous les deux, mais joyeux. L'émotion s'empara de moi et des larmes me montèrent aux yeux.

«Je pensais que tu me dépasserais sans t'arrêter...» dis-je.

Et là, dans cette cour, il fit une chose étonnante, il me prit par le cou, enfouit son visage dans mon col et se mit à sangloter d'une façon si terrible que j'eus envie de pleurer, alors que je n'avais aucune raison pour cela.

Par la suite, je rencontrai Moliwda plusieurs fois. Nous allions toujours dans une petite cave à vin, à l'arrière de la place du marché, où l'on servait du vin hongrois chaud, celui que nous buvions autrefois. Moliwda finissait toujours par être ivre, et, à vrai dire, moi aussi.

Désormais, il était un fonctionnaire haut placé de la chancellerie royale, il fréquentait la meilleure des sociétés, écrivait dans les journaux et faisait imprimer ses pamphlets, dont il m'apporta quelques-uns. Je pense qu'il m'entraînait dans cette cave à vin parce qu'elle était sous terre, que l'obscurité y régnait et que, si quelqu'un y venait, il ne pourrait reconnaître quiconque.

«Pourquoi ne t'es-tu pas marié?» lui demandais-je à chaque fois, incapable de comprendre qu'il préférât vivre seul avec des étrangères qui faisaient sa lessive et d'autres encore qu'il mettait dans son lit. Quand bien même on n'aurait aucune attirance pour les femmes, il est toujours utile de vivre avec l'une d'elles.

Lui soupirait et me narrait une histoire, à son habitude, à chaque fois un peu différente, il s'emmêlait dans les détails, mais moi je ne faisais que hocher la tête avec compréhension parce que je connaissais son inclination à raconter des fables.

«Je manque de tranquillité d'esprit, Nahman», me disait-il, appuyé sur son coude au-dessus d'un verre.

Après quoi, nous en venions toujours à évoquer Smyrne et Giurgiu, nos aventures semblaient se terminer là-dessus, il n'y avait rien d'autre. Il ne voulait pas entendre parler de Częstochowa, il s'agitait et on pouvait croire que ce qui était arrivé après l'emprisonnement de Jakób ne l'intéressait plus désormais. Je lui notai également l'adresse des Wołowski et de Haya Lackorońska, mais, pour ce que j'en sais, il n'alla jamais les voir. En revanche, il vint une fois chez moi, alors que je devais partir pour Brünn, il était déjà légèrement ivre et nous sommes allés boire rue Grzybowska. Il me parla du roi, qui l'invitait à ses dîners et appréciait ses vers. Une fois qu'il eut bien bu, il dessina un plan sur la table pour m'indiquer quelle puterelle le recevait et en quel endroit.

Tout à fait récemment, j'appris qu'il avait recommandé le fils de Michał Wołowski, qui est un jeune juriste, à un poste de la chancellerie royale et qu'il s'en était occupé. Or, le garçon est très capable.

Voilà pour Moliwda. Quand le Maître nous convoqua à Brünn pour les derniers jours, après les fêtes de fin d'année 1786, j'appris juste avant mon départ que Moliwda était mort.

LES DERNIERS JOURS À BRÜNN

Quand nous arrivâmes à Brünn, la maison de la Petersburger Gasse était déjà presque vide. Pour ces derniers mois, Jakób avait fait venir à lui ceux de la *Havurah* d'Iwanie qui étaient encore en vie, les frères et les sœurs les plus âgés : Ewa Jezierzańska, Klara Lanckorońska, les frères Wołowski et moi-même. Parmi les frères plus jeunes, Redecki et Bracławski. Sur place se trouvaient Pawłowski, Jeruchim Dembowski et d'autres encore.

Nous le trouvâmes seul dans ses appartements, il avait ordonné à Ewa et Anna Pawłowska de déménager dans une autre partie de l'immeuble, ce qui me sembla assez peu raisonnable étant donné qu'il souffrait dernièrement d'hémorragies et d'apoplexie. Il était irrité et il demanda à ce que Redecki s'occupât de lui ; ce dernier me rappelait fortement le regretté Herszełe, mort à Lublin. Jakób était amaigri, il avait mauvaise mine. Sa barbe de plusieurs jours était déjà complètement grise, ses cheveux aussi étaient blancs, même s'ils restaient denses et ondulés. Il marchait en s'aidant d'une canne. Je n'en croyais pas mes yeux de le voir ainsi et que ce fût arrivé en une seule année, parce que, dans mon souvenir, il restait toujours le Jakób de Smyrne, d'Iwanie, sûr de lui, avec son parler grivois, sa voix qui porte, ses déplacements rapides, non sans une certaine violence, parfois.

«Qu'est-ce que tu as à me regarder ainsi, Jakóbowski? me dit-il en guise d'accueil. Tu as vieilli. Tu as l'air d'un épouvantail à moineaux.»

Il était évident que sur moi aussi le temps avait fait des ravages, mais je ne le sentais pas parce que je n'avais mal nulle part. Il n'en restait pas moins que Jakób n'aurait pas dû me comparer à un épouvantail devant tout le monde.

«Toi aussi, Jakób», répliquai-je, et lui ne réagit même pas à mon insolence. Les autres riaient sous cape.

Chaque jour au matin, nous nous mettions en route, tantôt pour telle ou telle maison de Brünn, afin de voir les créanciers, tantôt pour Vienne où les fils de feu Salomon Shorr, assez bien installés socialement, nous conseillaient quant aux moyens de rembourser les dettes incommensurables de la Résidence.

Les soirées étaient déjà plus longues. À la tombée de la nuit, nous nous installions comme autrefois dans la pièce commune. Jakób veillait à ce que nous priions à notre manière, mais brièvement, sans doute juste pour ne pas oublier. Dans la journée, il fallait emballer et vendre ce qui était encore vendable. Le soir, Jakób devenait prompt à nous faire des récits, sans doute était-il heureux de nous voir si nombreux. Mes compagnons et moi, nous mîmes par écrit nombre de ces palabres.

«Il existe un endroit, disait-il – et moi j'aurais pu écouter ce récit à l'infini, il me calmait, et si, sur mon lit de mort, je voulais entendre une histoire, je demanderais celle-là –, et je vais vous y conduire. Vous êtes aujourd'hui dans le besoin, et pourtant, si vous connaissiez cet endroit, vous ne désireriez aucune des richesses de ce monde. C'est l'endroit du Grand Frère, du Dieu bon qui est favorable à l'homme, qui lui porte un sentiment fraternel et qui me ressemble. Et il a autour de lui un cénacle qui est exactement pareil au nôtre: douze frères et quatorze sœurs, et les sœurs partagent la couche des frères, comme chez nous. Toutes ces sœurs sont des reines, parce que là-bas ce sont les femmes qui dirigent, pas les hommes. Ce qui va vous sembler étrange, c'est que les noms de ces frères et de ces sœurs sont absolument identiques aux vôtres en hébreu. Leurs silhouettes sont identiques aux vôtres, juste plus jeunes, telles que les vôtres à Iwanie. Et c'est vers elles que nous allons. Quand enfin nous les rencontrerons, vous épouserez ces sœurs et ces frères. »

Je connaissais ce récit, les autres également. Nous l'écoutions toujours avec émotion, mais cette fois, dans cette maison vide, j'avais l'impression que *tous restèrent indifférents*. Comme s'il n'avait plus la même signification que d'habitude, qu'il était juste une jolie parabole.

Il était clair pour nous tous que Mosze Dobruszka, celui que l'on appelait Thomas von Schönfeld, était désormais la personne la plus importante pour Jakób. Il attendait son arrivée de Vienne des journées entières et, chaque matin, il demandait s'il y avait du courrier venant de lui. La seule personne qui rendait visite à Jakób était le trésorier Wessel, une connaissance de Dobruszka, avec lequel il était en affaires, mais il ne nous en parlait pas. Quant à moi, j'eus à rédiger des lettres et c'étaient principalement des courriers pour les créanciers qu'il fallait rassurer poliment, mais aussi pour nos frères à Altona et Prossnitz.

Jakób commença même à parler d'un retour en Pologne, ce qui fit qu'il m'interrogea sur Varsovie et sur ce qui s'y passait, et il me sembla que la ville lui manquait ou qu'il était trop faible pour commencer une nouvelle existence à l'étranger. Le soir, il avait envie d'évoquer des souvenirs ; aussi, je prenais du papier et je les notais, et, quand j'avais mal à la main, c'était Anna Pawłowska qui écrivait pour qu'ensuite, le lendemain, Antoni Czerniawski corrige et recopie.

« Regardez, disait Jakób. Quand j'étais en Pologne, ce pays connaissait la paix et l'opulence. Dès que j'ai été emprisonné, le roi est mort et le pays a connu des troubles. Et quand j'ai quitté le territoire pour de bon, le royaume a été déchiqueté. »

Il serait difficile de ne pas lui donner raison.

Il disait également qu'il s'habillait à la turque parce que en Pologne un vieil écrit affirmait que viendrait quelqu'un d'origine étrangère, de mère étrangère, qui assainirait le pays et le libérerait de toute oppression.

Jakób nous mettait régulièrement en garde de ne pas revenir à notre ancienne foi juive, mais, cet hiver-là, tout à coup, il alluma la première bougie de Hanoukka. Il ordonna que l'on prépare des plats juifs et tout le monde les mangea avec un grand appétit. Ensuite, nous avons chanté dans notre vieille langue l'ancien chant que nous avait enseigné Reb Isohar :

Qu'est-ce que l'homme ? Une étincelle.
Qu'est-ce que la vie humaine ? Un instant.
Qu'est-ce que l'avenir, maintenant ?
Une étincelle. Qu'est-ce que le cours fou du temps ? Un instant.
De quoi l'homme naît-il ?
De l'étincelle. Qu'est-ce que la mort ? Un instant.
Qui était-Il, Lui, quand le monde était en Lui ?
Une étincelle. Que sera-t-Il quand Il engloutira le monde à nouveau ? Un instant.

Moliwda à la recherche du zénith de son existence

Ce doit être le meilleur, celui qui ne fait pas mal à la tête le lendemain. Ce vin l'empêche pourtant de dormir à son aise, il se réveille à l'aube, et c'est le pire moment de la journée, tout semble faire problème, être un terrible malentendu. Tandis que Moliwda s'agite dans son lit, des souvenirs très anciens lui reviennent avec une grande précision, une multitude de détails. Une pensée insistante le hante de plus en plus souvent : quand est-il arrivé au milieu de son existence ? Quel jour était celui où son histoire était au zénith, au midi de sa vie, pour décliner ensuite, sans qu'il le sache, vers le couchant ? Le problème est très inté-ressant, car si les gens savaient quel jour est devenu le point central de leur vie, peut-être parviendraient-ils à donner un sens à celle-ci et aux événements. Allongé sans trouver le sommeil, Moliwda compte les dates, crée des combinaisons de chiffres, tel Jakóbowski dans son obsession kabbalistique. C'est l'année 1786, la fin de l'automne. Il est né en été 1718. Il a donc soixante-huit ans. S'il mourait maintenant, cela voudrait dire que le milieu de sa vie était en 1752. Il cherche à se souvenir de cette année-là, il tourne dans sa tête les pages de son calendrier intérieur, qui est peu précis, pour finalement découvrir que, s'il devait mourir là, ce point central serait peut-être le jour où il est arrivé à Craiova. Chose incroyable, il s'en souvient parfaitement. Il se rappelle même qu'il portait la chemise en lin blanche des bogomiles, que c'était la canicule et que les petites prunes trop mûres tombaient sur la route desséchée, où les roues des voitures les écrasaient aussitôt. Des guêpes grosses et grasses, faisant plutôt penser à des frelons, s'enivraient au jus sucré des poires du verger. Les gens habillés de blanc dansaient en faisant une ronde. Moliwda était parmi eux et il était joyeux, mais c'était le genre de joie à laquelle il faut d'abord se contraindre pour qu'elle s'épanouisse.

Son travail à la chancellerie royale n'est pas des plus durs, en tant que fonctionnaire supérieur il dirige plus qu'il n'écrit. C'est lui qui veille aux relations avec la Porte du fait de sa connaissance des langues. Pour tout dire, à son âge, il est possible de faire semblant de travailler et c'est ce que fait Moliwda.

Le roi aime l'humour de Moliwda, sa voix un peu enrouée, ses historiettes. Ils échangent souvent quelques phrases, c'est toujours amusant et cela se termine par une explosion de rires. Aussi, Moliwda est respecté par tous. Quand Stanislas Auguste Poniatowski entre dans la chancellerie, tout le monde se lève vivement pour saluer. Moliwda est le seul à prendre son temps et à le faire avec peine, à cause de son gros ventre. Dans la mesure où le roi n'aime pas ce qui est exagéré, Moliwda se contente, pour le saluer, d'incliner la tête.

Moliwda se considère désormais comme une sorte de sage et, malgré  quelques crises mineures, il garde une bonne opinion de lui-même. Au fond, il ne pense pas avoir été lésé par la vie. Il s'efforce de vivre en philosophe cynique. Peu de choses sont en mesure de l'affecter. Il possède une plume au vitriol dont il use fréquemment. Il y a peu, un certain Antoni Felicjan Nagłowski a fait paraître un *Guide de Varsovie* dans lequel il présente les lieux pittoresques et notables de la capitale.

Moliwda se railla de lui, déclarant que cette vision policée relevait d'une approche de midinette. Il décida, quant à lui, de rédiger une étude sur les putains varsoviennes. Ne s'était-il pas penché, au cours des dernières années, sur les us et coutumes de celles-ci, à l'exemple des savants qui étudient la vie des sauvages dans les îles lointaines ? L'ouvrage, intitulé *Supplément au Guide par un autre Auteur publié*, parut en  1779 et se diffusa rapidement ; certaines courtisanes devinrent célèbres, et, en société, la position de Moliwda y gagna encore. Et ce en dépit de la mauvaise facture de l'édition, anonyme en sus. Tout le monde savait néanmoins que ce *Supplément* avait été écrit par Moliwda.

Depuis des années, il fréquente un groupe d'amis, des collègues de la chancellerie, mais aussi des journalistes et des auteurs de théâtre. Une joyeuse compagnie qui ne craint pas les conversations intelligentes. Ces messieurs se réunissent chaque mercredi, boivent du vin, fument la pipe, puis, le vin aidant, partent dans Varsovie chercher des endroits meilleurs encore que ceux trouvés la semaine précédente. Ainsi vont-ils par exemple chez Liza Szyndler, rue Krochmalna, une maison bon marché et bonne franquette. Les filles portent une chemise ample mal coupée, rien à voir avec les jeunes femmes boudeuses que l'on croise dans les salons, celles qui portent un *robron*, cette jupe à traîne et plastron rigide sur le devant. Moliwda n'aime guère toutes ces simagrées des dames. Parfois, la joyeuse compagnie se rend rue Trembacka, où le rez-de-chaussée de chaque maison est un havre d'amour et où les femmes assises aux fenêtres aguichent les clients. Moliwda recourt désormais rarement à leurs services, sa virilité ne partage plus son enthousiasme pour les puterelles en liquettes qui leur cachent à peine les fesses, les «demi-foufounes» comme ils disent par plaisanterie et par méchanceté. Les femmes l'attirent toujours, mais il est rarement en mesure de les honorer normalement, ce qui lui vaut des «demi-sourires» et des regards entendus. Depuis quelque temps, il n'essaie même plus.

C'est bien cela, les femmes l'attirent et en même il éprouve pour elle une répulsion croissante. Il a l'impression que ce n'est que maintenant que s'est effondrée en lui toute cette construction élaborée au cours de sa vie à propos des femmes, de leur vulnérabilité, de leur sainteté et de leur pureté. De tout temps, il a souffert à cause d'elles, il a toujours été amoureux, et, le plus souvent, sans réciprocité. Il leur adressait ses prières... Désormais, il perçoit les femmes, dans leur majorité, comme des putains très primaires, rusées, creuses et cyniques, qui font un excellent commerce de leur corps, négocient leurs orifices, l'un et l'autre, comme si elles étaient éternelles avec une jeunesse en granit. Il en connaît beaucoup et observe leur déchéance avec satisfaction. Certaines parviennent à une richesse importante grâce à leur chatte. Tel est le cas de cette Maciejewska chez laquelle se rendaient tous les officiers, l'un après l'autre, et qui se fit construire un petit immeuble à Nowe Miasto. Ensuite ne vinrent plus chez elle que des soldats, mais elle n'en rabattit pas pour autant. Dernièrement, Moliwda l'a vue en bonne santé, vieille dame digne et embourgeoisée. Le mépris de Moliwda s'étend à toutes les femmes, y compris les nobles – juste en apparence, se dit-il –, celles qui affichent leur origine, sur laquelle elles n'eurent aucune influence, et qui, frigides, deviennent les gardiennes de la vertu d'autrui.

Tout comme lui, ses compagnons semblent trouver du plaisir à cette misogynie sénile, après quoi ils discutent, jouent à faire des listes, des comparaisons et des classements. Dans ses vieux jours, Moliwda se rend également compte qu'il méprise les femmes, pas juste celles des listes qu'ils dressent, mais toutes les femmes. Qu'il en a été ainsi depuis toujours, qu'il a ressenti ainsi les choses, qu'il a été élevé de la sorte et que c'est ainsi que fonctionne son cerveau. Son amour pur d'adolescent n'avait été qu'une tentative de gérer la noirceur de sentiment que provoque le mépris. Une révolution naïve, une tentative de se purifier, de se libérer des mauvaises pensées. Elle échoua.

Quand il quitta son travail pour un repos bien mérité, ses amis commandèrent son portrait. Ils demandèrent au peintre d'insérer dans le tableau toutes les aventures de Moliwda telles qu'il les leur avait racontées : les voyages en mer, les pirates, l'île dont il fut le roi, ses maîtresses exotiques, la Kabbale juive, le monastère du mont Athos, la conversion des païens... La plupart de ces choses étaient pur mensonge, évidemment. Un monument fut ainsi élevé à sa vie mensongère.

Il lui arrive d'errer dans les rues de Varsovie, des rues boueuses et pleines de trous. Parfois, il va jusqu'à la rue Ceglana, où vivent de nombreux artisans de la cour et où les Wołowski mènent leurs affaires. Salomon Wołowski y a construit sa maison, un immeuble à étages qui n'est pas encore achevé, avec au rez-de-chaussée un magasin et, dans la cour, les locaux d'une brasserie. Une odeur douceâtre, qui donne faim, s'élève alentour.

Une fois, apercevant une jeune femme, il osa lui demander des nouvelles de Nahman Jakóbowski. Elle le regarda sans aménité et répondit :
   – Vous voulez parler de Piotr Jakóbowski. Je ne connais aucun Nahman.
Moliwda confirma prestement.
   – Nous nous sommes connus dans notre jeunesse, ajouta-t-il pour la rassurer.

Il sort maintenant de sa poche le bout de papier sur lequel elle lui a inscrit l'adresse de Jakóbowski et il décide de s'y rendre.
   Il le trouve chez lui, sur le départ. Nahman n'est manifestement pas ravi de le voir. Chétif, mal rasé, il fait descendre de ses genoux un petit garçon, son petit-fils sans doute, et il se lève pour accueillir Moliwda.
   – Tu pars en voyage ? lui demande Moliwda qui, sans attendre de réponse s'assied sur une chaise libre.
   – Pourquoi, ça ne se voit pas ? Je suis un émissaire, sourit Jakóbowski, dévoilant ainsi ses dents noircies par le tabac.

Moliwda sourit également en regardant ce vieillard cocasse et frêle qui, il n'y a pas si longtemps de cela, lui parlait de la luminosité qui émane de l'homme. Le terme d'« émissaire » rapporté à cet être maigrichon ne manque pas d'être drôle, par ailleurs. Jakóbowski est un peu mal à l'aise que Moliwda le trouve dans une situation aussi gênante, avec des enfants qui courent autour de la table, une belle-fille qui entre en trombe, l'air féroce, et se retire effarouchée. L'instant d'après elle revient avec une cruche de jus de compote et une corbeille de petits pains sucrés. Moliwda ne boit pas de ce jus. Ils sortent pour aller au troquet où Moliwda commande un plein cruchon de vin. Nahman Jakóbowski ne proteste pas, même s'il sait que le lendemain il aura des aigreurs d'estomac.

Suite de l'histoire d'Antoni Kossakowski dit Moliwda

— J'ai pris femme chez vous et j'ai eu un enfant avec elle, se met-il à raconter. Je me suis enfui de chez moi pour l'épouser chrétiennement.

Jakóbowski le regarde surpris, il pose le doigt sur son menton et sa barbe de quelques jours. Il sait qu'il devra écouter l'histoire jusqu'au bout. Moliwda lui dit :

— Et je les ai abandonnés.

Après que le meunier Mendel Kozorowicz a expédié sa fille Malka et Antoni Kossakowski en Lituanie, le jeune couple s'arrêta chez un cousin, douanier de pont, un homme très occupé avec une famille nombreuse. Les jeunes gens comprirent vite que leur séjour chez ce parent ne serait que temporaire, bien qu'ils aient eu droit à une pièce à eux près de l'étable chauffée par les vaches. Toute la famille, y compris les enfants les plus jeunes, ne quittait pas Antoni des yeux, comme s'il était une créature étrange. C'était assez insupportable. Il aidait le cousin par alliance dans la tenue de ses paperasses. Dans des habits juifs récupérés de l'un des adolescents du gabelou, il se promenait dans le village ou se querellait au pont pour récupérer le tonlieu. Néanmoins, il redoutait d'être trahi par son langage, aussi le mâtinait-il de divers accents, il y introduisait des mots appartenant à différentes langues, au lituanien, au ruthène ou au yiddish. Quand il rentrait, son cœur se serrait à la vue de Malka enceinte, effrayée, étonnée par sa grossesse soudaine, elle qui était encore une enfant. Que faire ? Le gabelou, qui dégageait une odeur d'arak, faisait toujours lire la même chose à Antoni, il lui indiquait de son ongle noir le même passage d'une écriture que celui-ci ne connaissait pas encore. Pour finir, Malka lui expliqua que c'était l'histoire de Dinah, la fille de Léa et de Jacob, qui, quoique prévenue, s'était trop éloignée de sa maison et avait été violée par un étranger, Shechem.

– Et toi, tu es ce Shechem, ajouta-t-elle.

Quand un type au pont se mit à lui enfoncer l'index dans la poitrine en lui demandant qui il était, un petit Juif ou un petit Polak, il prit peur, un peu comme s'il nageait dans la rivière et avait perdu pied alors que l'eau l'emportait démuni vers l'inconnu. Il était gagné par une inquiétude de plus en plus grande, qui tournait à la panique, tant il pressentait sans doute ce qui allait arriver. Il se rappela alors qu'à Troki il avait de la famille du côté maternel, une parenté Kamiński, et il se dit qu'il irait les voir pour solliciter leur aide.

Il y alla en effet, en janvier, après avoir troqué ses habits juifs contre une tenue polonaise. Au terme de trois jours de voyage, il arriva à Troki, mais ne trouva personne de la famille Kamiński. Sa tante était morte quelques années plus tôt, ses filles avaient suivi leurs époux, l'une en Pologne, l'autre dans les profondeurs de la Russie. En revanche, il apprit par hasard qu'un marchand de Troki cherchait un pédagogue polonais pour ses enfants à Pskov, au sud de Saint-Pétersbourg.

Antoni envoya donc tout l'argent qu'il possédait au gabelou et, dans des lettres très verbeuses, l'une pour le cousin, l'autre pour sa femme, il promit d'en envoyer davantage dès qu'il en gagnerait. Il conjurait cet étranger de s'occuper de sa femme et de son enfant jusqu'à son retour. Tout s'arrangerait alors. Il demandait que l'enfant ne soit pas considéré comme le bâtard d'une union illégitime, mais l'enfant d'une union consacrée par l'Église, et que le mariage chrétien soit respecté.

Or, par un jour d'hiver gris, précisément celui où il partait pour la Russie, une lettre arriva, il avait donné son adresse à Troki. D'une écriture maladroite, le gabelou écrivait que Malka et l'enfant étaient morts en couches. Il formait le vœu que l'image de ces deux êtres obsède Antoni jusqu'à la fin de ses jours, que la pensée qu'il avait causé leur mort le poursuive à jamais et que rien ne le libère jamais de sa faute. Moliwda lisait ce pli sous un immense ciel froid, serré entre les autres voyageurs du coche. Il ressentait un désespoir mêlé de soulagement, tel le nageur emporté par les flots qui cesse d'avoir peur lorsqu'il accepte sa petitesse, sa vulnérabilité, et devient cette brindille dont plus rien ne dépend. Il trouve alors la sérénité.

Le voyage pour Pskov dura un mois. La plupart du temps, Antoni marcha, de temps à autre des charrettes l'avançaient. Il dormit dans des écuries et il lui sembla parfois que, dans son cerveau, un abcès douloureux s'était formé avec lequel il pouvait vivre à condition de ne pas y toucher. C'était envisageable, sinon que, parfois, sans prévenir, la douleur semblait échapper aux limites magiques qu'il s'était tracées et elle l'assommait. Il connut de telles situations, comme la fois où, dans un traîneau avec des paysans ruthènes, frigorifié et sale, il pleura tout au long de la route, au point que le cocher, un grand gars en peau de mouton retourné, arrêta finalement les chevaux, descendit et prit Antoni dans ses bras pour le bercer. Ils restèrent ainsi, dans les bras l'un de l'autre, au milieu du désert blanc, avec les chevaux dont les bouches fumaient dans le froid, et les autres voyageurs emmitouflés dans leurs fourrures qui attendaient patiemment. Le cocher ne lui demanda pas pourquoi il pleurait.

À Pskov, il se révéla qu'il arrivait trop tard et qu'il y avait déjà un pédagogue, plus expérimenté que lui d'ailleurs.

Après un long voyage, il arriva à Saint-Pétersbourg et comprit qu'il pourrait continuer à vivre ainsi, sans cesse en mouvement, en charrette, à cheval, chaque jour avec d'autres personnes. Il était aimable, intelligent, disert. Les gens se prenaient aussitôt d'amitié pour lui, et, comme s'ils devinaient qu'il était plus jeune qu'il ne le disait, ils lui apportaient leur soutien. Antoni bénéficiait de leur gentillesse sans jamais abuser. À y regarder de près, l'homme n'a pas de grands besoins pour être heureux. Un repas, un vêtement. Il est possible de dormir partout. D'ailleurs, il y avait toujours des marchands pour l'accueillir, auxquels il servait de traducteur, de comptable, voire de conteur d'histoires distrayantes. Les simples paysans, qu'il traitait toujours avec respect comme s'ils étaient eux aussi porteurs de titres de noblesse et devant lesquels il jouait au mystérieux gentilhomme dans une mauvaise passe, l'aidaient toujours. Il fréquentait les Juifs et les Grecs, dont il avait appris la langue, et il travaillait volontiers comme traducteur. Tantôt il disait qu'il s'appelait Kamiński comme sa mère, tantôt Żmudziński, à moins qu'il ne s'inventât un nom pour une nuit ou pour deux jours. Étant donné qu'il s'exprimait bien, qu'il était aimable et avait de bonnes manières, les marchands dont il faisait la connaissance en chemin le recommandaient à leurs relations, de sorte qu'il voyagea avec les caravanes sur tout le territoire ottoman. En proie à des attaques de mélancolie, il finit par s'enrôler dans la flotte de la mer Noire. Il navigua presque trois années durant comme marin et visita de nombreux ports. Il survécut à un naufrage en mer Égée, fut incarcéré dans une prison turque à Salonique sous de fausses accusations, évidemment. À sa sortie, il se rendit sur le saint mont Athos, persuadé qu'il y trouverait le réconfort. Mais il ne le trouva pas. Ensuite, il fut traducteur à Smyrne, avant d'atterrir finalement chez les bogomiles de Craiova, où il eut le projet de rester jusqu'à la fin de ses jours.

– Jusqu'à ce que Jakób s'y manifeste. Jusqu'à ce que vous m'y trouviez, dit-il maintenant à Nahman.

Les deux hommes viennent de vider deux cruchons de vin et Moliwda se sent très las. Nahman se tait un long moment, puis il se lève et le prend dans ses bras, comme jadis le cocher dans le désert hivernal.

– Qu'en penses-tu, Jakóbowski, ai-je bien vécu ma vie ? marmonne-t-il dans le col de son ami.

Alors que d'un pas vacillant Antoni Kossakowski rentre chez lui, il voit un incendie. Il s'arrête et observe un long moment l'immeuble en flammes, dans lequel se trouve un magasin d'instruments de musique. Les cordes de guitares se rompent sous l'effet de la chaleur, les peaux tendues des tambours éclatent, le feu joue une musique infernale qu'écoutent les passants jusqu'au moment où les pompiers arrivent avec leur grande pompe.

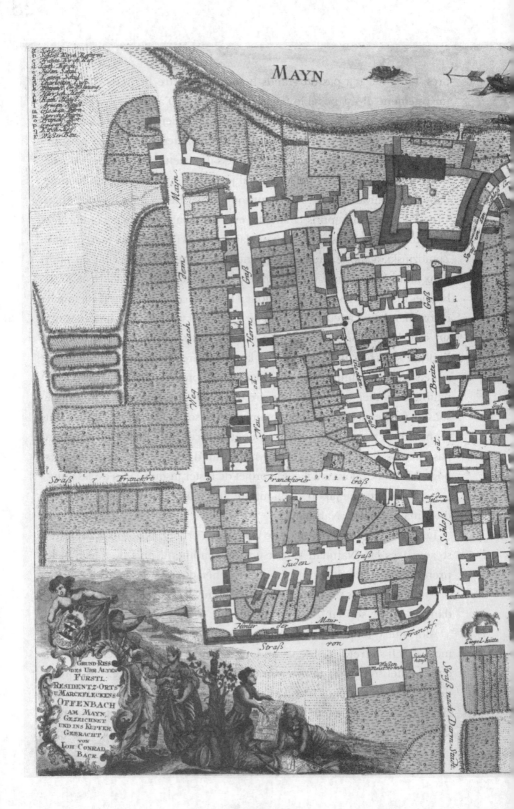

MAYN

FL.

in Anker

nach Alter Burgel

Sand Gaß

der Wasser Weg

Bier Grund

Gr.

Bier Grund

Nürnberg Mühlbach fl.

Quantsen Mühl

29

Un peuple de sauterelles s'installe à Offenbach-sur-le-Main

La vue est si surprenante que les véhicules locaux cèdent la place spontanément et se rangent sur le bord de la route pour laisser passer cette étrange cavalcade de chevaux et de voitures. En tête se trouve un groupe de six cavaliers armés de lances, ce sont des soldats aux habits hauts en couleur. Ils ont des moustaches imposantes, et malgré leur air sérieux voire menaçant, ils rappellent des forains annonçant l'arrivée d'un cirque. Un guide armé les mène, ses moustaches sont tournées avec fantaisie pour prendre la forme de clefs de *sol*. Cette avant-garde est suivie par un somptueux carrosse aux portes ornées d'un blason compliqué et difficile à retenir, puis, tirés par de lourds chevaux orientaux, viennent plus d'une dizaine de chariots portant de nombreuses personnes. Les derniers véhicules sont des charrettes chargées, soigneusement recouvertes de bâches. Et pour fermer la marche, il y a encore des cavaliers, des jeunes gens très beaux. La cavalcade arrive de Francfort, elle franchit le pont sur le Main et se dirige vers Oberrad qui est un faubourg d'Offenbach.

Mme Sophie Gutermann von Gutershofen, qui rend visite à sa famille d'Offenbach et décidera bientôt de s'installer dans cette petite ville exceptionnellement calme et rappelant une station thermale, ordonne, elle aussi, à son cocher de laisser le passage. Elle regarde ces gens étranges en se demandant qui peut bien voyager de la sorte. Les gardes ont des uniformes bariolés, comme ceux des uhlans, dans des teintes généralement vert et or, avec beaucoup de cordons et de boutons. Leurs hauts bonnets sont décorés de plumes de paon. Ces hommes très jeunes, presque des adolescents, évoquent à Sophie von La Roche – tel est son nom de romancière – des sauterelles à longues pattes. Elle jetterait volontiers un œil à l'intérieur du carrosse le plus riche, mais les rideaux aux fenêtres sont tirés. Par contre, elle n'a aucune difficulté à observer les voyageurs des autres véhicules, ce sont surtout des femmes et des enfants, tous dans de beaux vêtements colorés, souriants et sans doute un peu gênés par l'intérêt qu'ils suscitent.

– Qui est-ce ? demande Mme von La Roche, intriguée, à un bourgeois qui regarde le cortège.

– Ce serait, paraît-il, un baron polonais avec ses fils et sa fille.

Le cortège traverse sans hâte le faubourg de la ville, investit les étroites ruelles pavées. Les cavaliers élèvent la voix dans une langue inconnue, on entend leurs sifflements. Sophie von La Roche a l'impression d'être à une représentation à l'Opéra.

Plus tard, quand elle rencontre sa cousine tout aussi excitée par l'événement, son séjour à Berlin passe au second plan. Tout le monde ne parle que du baron polonais et de sa mystérieuse et très jolie fille. Répondant à l'invitation du prince, le noble étranger lui a loué un château. Pour l'heure, les arrivants investissent une maison à Oberrad.

Sa cousine a spécialement affrété une calèche pour aller voir la descente solennelle du carrosse. Elle raconte maintenant avec animation :

– Les deux fils aidèrent un grand vieillard tout vêtu de rouge et coiffé d'un fez turc à sortir du carrosse. Il avait une étoile en diamant sur la poitrine. De l'autre voiture est descendue sa fille, habillée comme une princesse. J'ai vu des diamants dans ses cheveux. Vous n'avez pas idée, ils avaient l'allure d'un couple impérial. Vous serez voisins quand ils s'installeront au château.

Depuis mars 1786, tout Offenbach est pris dans une sorte d'hystérie légère. Des maçons travaillent au château, de la poussière vole des fenêtres. Des quantités énormes de tapisseries, de tentures, de tapis, de meubles et de parures de lits ont été commandées, toutes choses nécessaires pour rendre la résidence du baron polonais confortable et digne de lui. Sophie von La Roche, en femme de lettres chez laquelle écrire est une habitude, note tout ce qu'elle voit dans son journal :

> Il est très curieux, écrit-elle, de voir comment nos chers Offenbachois se dépêtrent avec les informations à trous dont ils doivent se contenter à propos de ces Polonais. L'esprit humain ne supporte ni l'incertitude ni les malentendus, aussi l'on commença immédiatement à inventer toutes les histoires possibles sur ce peuple de sauterelles. Les bavardages prétendent que le vieil homme en habit turc serait un alchimiste et un kabbaliste, comme le fameux Saint-Germain, et que toute sa fortune viendrait de l'or qu'il produirait dans son propre atelier, ce que confirmeraient les ouvriers qui transportèrent des caisses mystérieuses pleines de verre, de bocaux et de fioles. Notre chère Madame Bernard me déclara que ce baron Frank-Dobrucki ne serait personne d'autre que le Tsar Pierre III, miraculeusement sauvé de la mort, ce qui expliquerait que des caisses remplies d'or arrivent ici de l'Est pour entretenir cette Cour de Nabuchodonosor. Je me permis de prendre part à ce jeu et je lui dis qu'elle était dans l'erreur. Cette supposée fille et ses deux frères étaient en réalité les enfants de la Tsarine Élisabeth et de son amant Kirill Razoumovski, dont ce baron ne pouvait être que le pédagogue. Elle hocha la tête, et, le jour même, ma version des faits me fut rapportée par le médecin venu me faire une saignée.

L'Isenburger Schloss et ses habitants frigorifiés

Le château d'Isenburg est situé sur le fleuve, aussi a-t-il eu à subir maintes fois la montée des eaux. En deux endroits, les marques de crue sont soigneusement notées. La plus forte inondation eut lieu deux ans plus tôt. De là vient certainement la moisissure sur les murs. Ewa hésite longuement avant de choisir sa chambre, elle se demande si elle préfère celle avec vue sur la rivière, elle bénéficierait alors d'un balcon, ou bien celle avec la grande fenêtre donnant sur la ville. Finalement, elle se décide pour la rivière et le balcon.

Ici le cours d'eau a de nombreuses couleurs, il est paisible et lent. Il a pour nom le Main, mais son père s'obstine à l'appeler le Prut. La vue des péniches et des barques à double voilure qui y voguent calme Ewa.

Elle pourrait rester ainsi sur son balcon à les regarder, elle en ressent une sorte de jouissance, l'écoulement fluide de l'eau, le mouvement des voiles, tout cela frôle en quelque sorte son corps pour laisser une trace agréable sur sa peau. Ewa a déjà commandé ses meubles : un bureau et deux armoires, mais aussi des divans recouverts de toile claire et une table à café. Elle prépare pour son père deux pièces donnant sur le Main. Pour lui, elle s'est rendue spécialement à Francfort afin de lui commander des tapis – il n'accepte ni les chaises ni les fauteuils. La plus belle des pièces, avec une suite de fenêtres à vitraux de couleur, sera le temple, elle en a déjà décidé ainsi. Là se réuniront les frères et les sœurs.

Le château est imposant, c'est le plus grand bâtiment de la région, il donne l'impression d'être plus vaste que n'importe quelle église. Une route régulièrement ravinée, renforcée tous les ans de tombereaux de pierres par les cantonniers, le sépare de la rive plate. Il y a également un embarcadère pour le bac qui permet de passer sur l'autre rive. Une auberge et une forge se trouvent à proximité. Sur des tables de planches rafistolées dressées sur les berges, on vend des poissons de la rivière, surtout des brochets et des perches. Eux, les *Polacken*, comme on les appelle en ville, achètent des paniers entiers de cette pêche.

Le château a quatre étages. Ewa et Matuszewski ont dressé le plan de l'utilisation de chacun d'eux. Au rez-de-chaussée se trouveront les salles de représentation, le premier sera pour Ewa, son père et les aînés de la Fraternité. Plus haut, il y aura les cuisines et les logements des femmes. Les deux derniers étages seront pour la jeunesse. Une cuisine et une buanderie supplémentaires seront aménagées dans un bâtiment annexe. Ewa, qui a eu tout loisir d'observer les palais impériaux à Vienne, a une idée précise de ce à quoi cela doit ressembler. Elle a engagé un architecte de Francfort pour diriger les travaux; parfois il est difficile de lui expliquer ce qu'ils veulent: la salle de réunion doit être sans meubles, juste avec des tapis et des coussins, la chapelle sera sans autel, avec seulement une estrade en son centre. Il est beaucoup de choses que cet homme ne comprend pas. Ils passent l'été à repeindre les murs et à changer les parquets vermoulus. Le pire est au rez-de-chaussée où l'eau a stagné deux ans plus tôt. Il faut aussi mettre de nouvelles vitres à toutes les fenêtres. À Francfort, on achète également un grand nombre de tapis et de plaids, parce qu'il fait froid à l'intérieur du château, et ce même l'été. Les marchandises sont payées comptant, sans rechigner. Aussitôt, des banquiers de Francfort se présentent pour proposer des crédits.

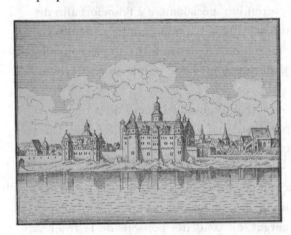

L'emménagement au château n'est plus du tout solennel et se fait en un jour. Ils s'y installent au moment où Mme Sophie von La Roche, devenue veuve, s'établit définitivement à Offenbach, en hiver 1788.

Les deux cages d'escalier aux marches abruptes vont poser problème à Jakób, car il marche moins bien. Le long voyage d'hiver à travers l'Allemagne jusqu'à Offenbach lui valut un refroidissement. À Meissen, où ils s'arrêtèrent quelques jours, il eut une attaque de fièvre, il délira en affirmant de nouveau qu'on voulait l'empoisonner avec le saint sacrement. Il alla quelque peu mieux après leur visite d'une manufacture où ils s'intéressèrent aux porcelaines de Saxe.

Actuellement, indifférent aux travaux, nullement intéressé par les tapisseries et les meubles, il passe ses journées à dicter des lettres que des émissaires emportent vers la Pologne, la Moravie, Bucarest et partout où il y a des vrai-croyants. Il convoque tous les anciens de la *Havurah*. En été, les premiers à arriver sont Piotr Jakóbowski et Jan Wołowski, puis les enfants Łabęcki et Lanckoroński, mais également les «turkmènes», comme on les appelle, les vrai-croyants de Valachie. La demeure d'Oberrad où ils s'étaient installés à leur arrivée ne peut pas les héberger tous, aussi, tant que le château ne sera pas prêt, ils doivent louer des chambres à Offenbach, dans ces petites maisons très soignées, confortables, aux murs couverts d'ardoise. Jakób s'anime manifestement lors des visites de Thomas, auquel ses fréquents voyages d'affaires à Francfort donnent l'occasion de s'arrêter à Offenbach. Par deux fois, ils sont allés faire un tour de l'autre côté de la rivière, où Thomas présenta son oncle aux banquiers et lui permit d'obtenir de nouveaux emprunts.

D'habitude, ils restent néanmoins assis à discuter. Et aujourd'hui, apparemment de façon fortuite, Jakób fait servir le café dans la galerie du château où il est possible de se réchauffer au soleil, mais c'est parce qu'il souhaite que Thomas puisse voir le bel homme, en uniforme blanc, qui dirige les exercices militaires dans la cour.

– C'est le prince Lubomirski, déclare Jakób avec une fierté enfantine.

Thomas se tait, surpris, à moins qu'il ne croie pas tout à fait son oncle.

– Comment se retrouve-t-il ici? Un vrai prince?

Jakób raconte son histoire avec plaisir en savourant son café. Le café importé de Turquie fait fureur à Offenbach. L'un des vrai-croyants vient déjà d'ouvrir un petit salon où il en sert. Aller y passer un moment est aussitôt devenu très à la mode chez les bourgeois d'Offenbach.

Jakób explique que Lubomirski a fait banqueroute à vrai dire, et que, pour éviter la prison pour dette, il a dû fuir la Pologne. À Varsovie, toutefois, il avait rencontré la très jolie Tekla Łabęcka, la fille posthume de Mosze Łabęcki et de Teresa. Il en était tombé amoureux et l'avait suivie jusqu'ici. Jakób lui a proposé un poste – Jerzy Marcin Lubomirski a été nommé commandant en chef de sa garde. Le prince a même aidé à élaborer le modèle de ses uniformes, tirant à profit sa grande expérience en la matière.

Thomas se met à rire.

– Donc ces uniformes bariolés, c'est l'idée de Lubomirski?

Cette supposition fâche Jakób. L'idée des uniformes venait de lui: pantalons amarante et veste bleu azur avec un galon doré. Les halle-bardiers, quant à eux, ont un côté bleu azur et l'autre rouge carmin.

Les œufs durs
et le prince Lubomirski

Le château, non chauffé pendant des années, est saturé du salpêtre des frimas et de toute sorte de froidures, les murs sont glacés et humides, les cheminées et les poêles s'allument lentement. À vrai dire, ils chauffent bien, mais dès que la dernière bûche s'est consumée l'âtre refroidit aussitôt. De ce fait, toutes les silhouettes des personnes pré-sentes s'arrondissent sous plusieurs couches de vêtements portés les uns au-dessus des autres. Le froid ici est différent, étrange, il colle à la peau, garde mains et pieds gourds en permanence. Il est difficile de planter une aiguille dans un tambourin de broderie ou de tourner une page de livre. Aussi, l'hiver, la vie se déroule dans une seule pièce, la plus grande du rez-de-chaussée, près de la cheminée et des poêles turcs à braises disposés dans les angles. Les vêtements prennent une odeur familière de fumée humide.

– Cela sent comme à Iwanie, dit le Maître quand il entre.

C'est aussi là qu'ils prennent tous leurs repas, assis à la longue table placée le plus près possible de la cheminée. Dans le beau service de porcelaine, il n'y a pratiquement que des œufs.

– Tu deviens une vieille peau. Jusqu'à ce Lubomirski qui n'a pas voulu de toi, alors que tu l'as invité à tes petites séances de thé ! dit soudain Jakób à sa fille au moment où tout le monde prend son petit déjeuner.

Sa mauvaise humeur commence toujours ainsi – il doit s'en prendre à quelqu'un.

Ewa devient toute rouge. La remarque a été entendue par Matuszewski, les deux frères d'Ewa, Anna Pawłowska, Ewa Jezierzańska et – ce qui est horrible – par Thomas. Ewa pose ses couverts et sort.

– C'est qu'il est venu ici pour Tekla Łabęcka, intervient Ewa Jezierzańska, conciliante – et elle ajoute un peu de raifort dans l'assiette de Jakób. C'est un grand coureur de jupons, il faut s'en méfier. Tekla lui a résisté, mais c'est elle qui l'attire.

– Elle n'a pas résisté longtemps, déclare Matuszewski la bouche pleine, content de pouvoir changer de sujet.

Jakób se tait un moment. Dernièrement, il ne se nourrit que d'œufs durs ou frits. Il affirme que son estomac ne supporte plus rien d'autre.

– C'est tout de même un prince polonais… dit Jakób.

– Prince peut-être, mais fini pour ce qui est des finances et de l'honneur, intervient tout bas Czerniawski. Il n'a ni argent ni le respect de quiconque. Il a été obligé de s'enfuir de Pologne. Une bonne chose qu'il nous soit utile comme palefrenier…

– Il est général de la garde du palais, le corrige Matuszewski.

– C'est un prince, déclare Jakób, fâché. Va la chercher, dit-il en s'adressant à Mme Zwierzchowska.

Celle-ci n'a pas le moins du monde l'intention de se lever.

– Elle ne viendra pas. Vous l'avez outragée, répond-elle – avant d'ajouter après un silence : Maître.

La table se fait silencieuse. Jakób domine mal sa colère, sa lèvre inférieure tremble. Alors seulement, on peut voir que, depuis sa dernière crise d'apoplexie, le côté gauche de son visage est quelque peu flétri et relâché.

– J'ai pris sur moi toute la maladie pour vous l'épargner, fait-il tout bas peu après – puis, de plus en plus haut, il poursuit : Voyez qui nous sommes devenus, alors que vous ne m'écoutiez guère et que vous teniez mes paroles pour vaines. Je vous ai amenés jusqu'ici, et si vous m'aviez écouté dès le début vous seriez plus haut encore. Vous n'arrivez même pas à vous en rendre compte. Vous dormiriez dans du duvet de cygnes, sur des caisses remplies d'or et dans des palais royaux. Lequel d'entre vous croyait réellement en moi ? Vous êtes tous des idiots, je me suis épuisé avec vous en pure perte. Vous n'avez rien appris, vous ne faites que me regarder, aucun de vous ne se demande comment je me sens ou si j'ai mal.

Jakób repousse vivement son assiette. Les œufs dont les coquilles ont été retirées roulent à terre.

– Allez-vous-en ! Toi, Ewa, tu restes, dit-il à Jezierzańska.

Tandis que les autres sortent, elle se penche vers lui pour arranger l'écharpe de fine laine qu'il a autour du cou.

– Elle me gratte, se plaint Jakób.

– Quand ça gratte, ça réchauffe.

– Tu as toujours été la plus douce avec moi, la plus tendre, après ma Chana.

Ewa Jezierzańska cherche à esquiver, mais il lui saisit la main et l'attire à lui.

– Ferme les rideaux, dit-il.

Obéissante, elle tire la grosse toile de sorte qu'il fait presque noir et qu'ils sont comme cachés dans une boîte. Jakób dit d'une voix pleurnicharde :

– Mes pensées ne sont pas les vôtres. Je suis tellement seul. Vous êtes peut-être des gens magnifiques et bons, mais aussi des rustres sans cervelle. Avec vous, il faut se conduire comme avec des enfants. Je vous parle de choses simples, à l'aide de comparaisons simples. La sagesse peut se cacher dans une bêtise. Tu sais cela, toi, tu es intelligente, dit-il à Ewa Jezierzańska en posant la tête sur ses genoux.

Elle retire délicatement l'éternel bonnet de sa tête, ses doigts jouent dans les mèches grasses et grises du Maître.

Jakób est vieux. Ewa Jezierzańska, qui lui donne un bain chaque semaine, connaît très bien son corps. Sa peau est sèche, elle est devenue fine mais lisse comme du parchemin. Jusqu'à son visage grêlé qui s'est lissé, à moins que les petits cratères ne se soient cachés dans ses profondes rides. Ewa sait que les gens se divisent entre ceux qui ont des rides horizontales au front et ceux qui en ont des verticales. Les premiers sont de bonne composition et amicaux, voilà ce qu'elle pense d'eux – elle aussi est ainsi –, mais ils arrivent rarement à obtenir ce qu'ils voudraient de la vie. Les autres, ceux avec un sillon au-dessus du nez, sont colériques et emportés. En revanche, ils réussissent à obtenir tout ce qu'ils souhaitent. Jakób fait partie des seconds. Autrefois, dans sa jeunesse, ces marques de colère étaient plus visibles, maintenant elles se sont atténuées, le but a peut-être été atteint et elles n'ont plus de raison d'être. Sur le front de Jakób ne reste que leur ombre que, chaque jour, la lumière du soleil délave.

Son teint a viré au brun, les poils de sa poitrine sont gris et se sont raréfiés, jadis ils étaient fournis et sombres. De même pour les jambes, elles sont presque glabres. Son sexe également a changé. Ewa Jezierzańska peut en dire quelque chose, car elle y a souvent eu affaire, l'a l'accueilli en elle. Elle ne l'a plus vu depuis longtemps en posture virile ; désormais, notamment à cause de la hernie, il rappelle une petite bourse difforme ballottée entre les jambes. Sur les mollets et les fesses, des varices sont apparues, petites, fines et de toutes les couleurs. Jakób a maigri, quoique son ventre soit gonflé à cause d'une mauvaise digestion.

Ewa a la délicatesse de tourner la tête vers la fenêtre quand elle lui lave l'entrejambe. Elle doit faire attention à l'eau pour que, à Dieu ne plaise, elle ne soit ni trop froide ni trop chaude, parce que alors Jakób crie comme si elle l'assassinait. Pourtant, jamais elle ne lui ferait le moindre mal. C'est le corps le plus précieux qu'elle connaisse.

C'est également elle qui eut l'idée d'envoyer chercher au village, chez les paysans, un petit sécateur avec lequel on taille les sabots fendus des bêtes de ferme. Les ongles des orteils de Jakób ne peuvent être coupés autrement.

– Va, Ewa, va voir les plus jeunes des femmes, choisis-en trois, tu sais comment je les aime, et dis-leur de se préparer une tenue blanche et de se tenir prêtes. Je vais les appeler bientôt.

Ewa Jezierzańska soupire d'une façon théâtrale et dit sur un ton faussement offusqué :

– Avec toi, il n'y a ni maladie ni vieillesse, Jakób... Tu devrais avoir honte.

À l'évidence, il se sent flatté, il sourit pour lui-même et saisit Ewa par sa taille plutôt épaisse.

Comment la louve Zwierzchowska fait régner l'ordre au château

Il faut tout recommencer de zéro. Mme Zwierzchowska est l'intendante fatiguée de cette communauté. Les clefs sont fixées à sa ceinture, elle s'est longuement formée à l'emploi de chacune.

Partout où elle se trouve, elle met en place l'intendance et la dirige. Elle est pareille à la louve qui veille sur sa meute, elle la nourrit et la protège. Elle sait être économe, elle est rompue à la gestion d'une grande maison, elle l'a appris dès Iwanie, où elle était encore Hawa, la sœur de Jakób et l'épouse d'Osman, puis partout où ils s'installèrent un temps, dans des endroits comme Wojsławice, Kobyłka ou Zamość, des résidences de moindre importance, des manoirs et des villages, partout où un gîte leur était accordé. Elle sait qu'elle a participé à un crime et qu'à cause d'elle quatorze personnes périrent ; elle les a sur la conscience et, maintenant encore, après toutes ces années, elle se souvient très exactement de cette scène où elle se fit passer pour l'épouse du rabbin Zyskieluk de Wojsławice. Elle le fit avec maladresse et, à l'évidence, n'importe qui aurait dû remarquer la supercherie. Elle l'avait fait en se disant qu'il le fallait, qu'ils étaient en guerre et que la guerre obéit à d'autres règles que la paix. Elle vengeait ainsi également sa fille violée, qui s'était pendue. Elle avait droit à cette vengeance. Désormais, son mari lui répète qu'elle ne doit pas se sentir coupable, que tout le monde a pris part à la machination. Tous, ils mordaient comme des animaux enragés. Il semble pourtant que personne ne soit aussi perturbé qu'elle par ce passé. Jakób lui a promis que, lorsque les derniers jours arriveraient et qu'ils iraient vers la Demoiselle, il lui tiendrait la main. Cette promesse l'aide beaucoup. Elle espère qu'aucune damnation ne la frappera, qu'aucune malédiction ne la guette. Ne se battait-elle pas pour les siens?

Maintenant, alors qu'elle souffre de ses jambes enflées, elle est aidée par sa très jeune belle-fille Eleonora, née Jezierzańska. Elle se déplace difficilement, aussi s'appuie-t-elle souvent sur Eleonora, et les autres disent alors qu'elles ressemblent aux bibliques Naomi et Ruth.

Quand elle est près de Jakób, et non à Varsovie, Ewa Jezierzańska, la mère de sa belle-fille, s'occupe des jeunes, de leur installation au château, des demoiselles notamment, de leurs travaux et de leurs distractions. Elle se charge de la correspondance, décide de la répartition des logements et des dates de séjour des membres de la *Havurah* à Offenbach, un peu comme si c'était une auberge très demandée. Quand elle regagne Varsovie, elle est remplacée dans ses fonctions par Jakub Zaleski, le gendre de Dembowski le Jeune. Les Czerniawski, quant à eux, gèrent les finances. Leur fils Antoni est l'un des secrétaires de Jakób, avec Dembowski, que le Maître veut désormais avoir à ses côtés en permanence. À côté de la chambre du Maître, ils ont toute une chancellerie, plus grande encore que celle de Brünn. Plusieurs jeunes y recopient les lettres, quand il faut les envoyer partout aux vrai-croyants. Dans une petite pièce sous les toits toujours en proie aux coups de griffes des pigeons, Mme Dembowska, la femme de Jeruchim, s'occupe de la vente des gouttes dorées. L'endroit est une sorte de relais postal, il y a là plein de petites caissettes en bois et des tas d'étoupe pour les garnir. La précieuse marchandise se trouve sur les étagères ; ce sont des centaines de fioles déjà remplies de la médication miraculeuse. La fille de Mme Dembowska rédige les étiquettes. L'une des filles Matuszewski, celle qui a épousé le fils de Michał Wołowski, supervise les cuisines. C'est une femme directive et sûre d'elle, son allure et son tempérament sont en harmonie avec cet endroit où l'on ne trouve guère de casseroles, mais d'énormes marmites et poêles. Quant aux braisières, elles ont été achetées d'une taille suffisante pour qu'on puisse y faire cuire la plus grasse des oies. Pour les travaux les plus pénibles, des chambrillons de la ville sont engagées, mais aider aux cuisines fait partie des obligations de toute demoiselle de passage au château.

Franciszek Szymanowski, qui à Brünn était chargé des exercices militaires de la garde et avait sur celle-ci un pouvoir absolu, fut contraint de partager ses prérogatives avec le prince Lubomirski. Il le fit volontiers, il alla jusqu'à lui remettre en grande cérémonie, posé sur un coussin, le bâton de maréchal qu'il avait déjà fait faire à Brünn. Il se sent fatigué par cette « légion » qui s'agrandit en permanence. Il s'est seulement gardé le privilège de prendre la tête du cortège qui, chaque dimanche, se rend à l'église en suivant le chemin le long de la rivière. Les habitants sortent alors de chez eux pour le regarder mener la cavalcade. Il est assis droit et fier sur son cheval. Sur ses lèvres flotte toujours une sorte de demi-sourire, pensif et ironique à la fois. Son regard glisse sur les gens qu'ils croisent comme sur un gazon ennuyeux et monotone. Le prince Lubomirski chevauche toujours près du carrosse de Jakób et d'Ewa. Le convoi apparaît avec une telle ponctualité que les bourgeois d'Offenbach pourraient régler leurs montres. Il est l'heure du café du matin ! Voici le châtelain polonais qui se rend à Bürgel, à l'unique petite église catholique de la région, en cortège, tel un faune !

La messe n'est dite que pour eux, les *Polacken*, comme on les appelle ici, et ils remplissent entièrement la petite chapelle. Ils prient en silence et chantent en polonais. Jakób a l'habitude de s'allonger en croix devant l'autel, ce qui fait sensation chez les rares catholiques du village de Bürgel, peu familiers de la religiosité ostentatoire de l'Est européen.

Le Baron de Franck allant se promener en voiture

Le curé les félicite et les donne en exemple. Depuis qu'ils sont arrivés, ni les cierges ni l'encens ne manquent. Dernièrement, Ewa offrit de nouveaux vêtements sacerdotaux et un bel ostensoir en or serti de pierres précieuses à la paroisse. Le prête faillit se trouver mal quand il vit ce dernier, et depuis, toutes les nuits, il s'inquiète de ce que cet objet précieux ne tente un voleur.

Un couteau serti de turquoises

Le prince Jerzy Marcin Lubomirski était complètement à sec quand il arriva à Offenbach. De son immense fortune, l'une des plus grandes de Pologne, il ne restait plus rien. Au cours des dernières années, il s'était entièrement dévoué au roi, qui appréciait sa remarquable connaissance des actrices grandes et petites, ainsi que de toutes les affaires qui se traitent en coulisses. Le prince Lubomirski organisa le Théâtre royal de Varsovie. Malheureusement, une réputation de traître et de fomenteur de scandales lui colle à la peau. D'abord, encore au temps où il était le commandant de la garnison de Kamieniec Podolski, il entacha son honneur aristocratique en épousant une femme sans l'accord ni des parents de celles-ci ni des siens. Le mariage fut malheureux et ne dura guère. Après le divorce, il se maria de nouveau, mais cela ne dura pas non plus. Il avait également des amourettes avec des hommes. À l'un de ses amants, il offrit une bourgade avec plusieurs hameaux. Il n'était sans doute pas fait pour être un mari. Lui se considérait d'abord comme un soldat. Ses talents tactiques furent manifestement remarqués par le roi de Prusse, Frédéric, qui le nomma général lors des guerres de Silésie. Poussé par un ennui difficile à expliquer, et que suscitait en lui la manière prussienne de guerroyer, Jerzy Marcin déserta pour créer son propre corps avec lequel il attaqua ses anciens compagnons d'armes. Il se battait d'ailleurs sur deux fronts, luttant également contre l'armée polonaise, et, qui plus est, en se livrant avec ravissement à des violences et des pillages. Son domaine, c'était l'espace entre les fronts, avec sa délicieuse anarchie, sa mise entre parenthèses de toutes les lois humaines et divines, ses villages incendiés après le passage des armées, ses champs de bataille couverts de cadavres que l'on peut dévaliser en tuant les miséreux qui les fouillent, l'odeur suave du sang, mêlée à celle, acide, de l'alcool ingurgité. Il fut finalement arrêté par les Polonais et condamné à mort pour trahison et banditisme. Sa famille intervint et la peine de mort fut commuée en longues années de prison. Quand la confédération de Bar fut créée en 1768, on se souvint de ses talents de commandement et on lui offrit une chance de se réhabiliter. Il fut chargé de l'approvisionnement des régiments de Puławski dans la forteresse de Jasna Góra, où il fit également des séjours.

Il se rappelle toujours très bien une certaine soirée à Częstochowa, celle au cours de laquelle la femme de ce Frank mourut. Il avait observé ces néophytes qui formèrent un petit convoi funèbre pour sortir hors les murs, avec l'autorisation du dirigeant de la forteresse, et inhumer dans une caverne le corps de la défunte. Jamais sans doute au cours de sa vie Lubomirski n'avait vu gens plus accablés. Misérables, fripés, ternes, l'un vêtu à la turque, l'autre à la cosaque, les femmes en robes criardes bon marché nullement appropriées pour des funérailles. Il en eut de la peine pour eux. Qui aurait cru que maintenant il serait parmi eux?

Lors du siège chaotique du monastère, il savait que, malgré l'interdiction qui était faite d'avoir des contacts avec les prisonniers, les soldats allaient voir ce Frank comme s'il était un prêtre, et que celui-ci imposait ses mains sur leurs têtes. Les militaires étaient en effet convaincus que ce geste les protégeait des coups et des balles. Il se souvient aussi de cette demoiselle, la fille de Frank, jeune et farouche, que son père, craignant sans doute pour sa vertu, ne laissait guère sortir de la tour ; parfois, revenant de la ville, elle se faufilait dans le monastère sous une capuche dissimulant son joli petit minois.

Lui, le prince, avait sombré dans une humeur sinistre à Częstochowa. Il ne savait pas prier, il ânonnait les patenôtres, les ex-voto accrochés aux murs le mettaient mal à l'aise. Et si de tels malheurs le frappaient à son tour ? S'il perdait une jambe ou si une explosion enlaidissait son visage ? Il restait certain d'une chose : la Mère de Dieu veillait sur les gens comme lui, elle l'avait montré maintes fois. Elle était pour lui une parente, une gentille tante qui vient vous libérer de tout type d'oppression.

Fatigué du manque d'activité au couvent, il s'enivrait chaque soir et encourageait ses sous-officiers à s'occuper de la fille jeunette du prisonnier. Une fois, dans un élan de générosité éthylique, las de cet endroit où il se sentait tout aussi détenu que ce Juif si singulier, il offrit aux néophytes un panier de victuailles acquises avec difficulté en ville, ainsi qu'un tonneau de vin pas vraiment bon pris dans les réserves des moines. Frank lui adressa un mot avec des remerciements polis et un très joli couteau dont le manche en argent était serti de turquoises, un cadeau au prix beaucoup plus élevé que le panier de nourriture et le vin acide. Ce couteau, Lubomirski l'égara, mais ensuite, quand il eut des soucis et se retrouva à Vienne, il s'en souvint brusquement.

Lorsque Jasna Góra tomba aux mains de l'ennemi, il rentra à Varsovie. On raconta qu'à la Diète de partition, en 1773, il repoussa en personne Rejtan, l'opposant au Partage, avant de tracer les nouvelles frontières du Royaume de Pologne restreint et amputé. C'est pourquoi, à Varsovie, les gens qui le connaissaient se mirent à changer de trottoir en l'apercevant. Lubomirski, quant à lui, menait une vie de dévoyé, il dilapidait les restes de sa fortune et faisait des dettes phénoménales dans une capitale polonaise en plein chaos. Il buvait, jouait aux cartes, on le qualifiait d'un terme à la dernière mode, «libertin», alors qu'aussi longtemps que cela lui fut possible il resta du côté des ultra-catholiques. Quand, en 1781, la liste de ses dettes fut publiée, elle comportait plus de cent noms de créanciers. Ces derniers calculèrent précisément la somme astronomique qu'il leur devait: deux millions six cent quatre-vingt-dix-neuf mille deux cent quatre-vingt-dix-neuf zlotys polonais. Il était un banqueroutier, peut-être le plus grand d'Europe. Quelques années plus tard, l'une de ses relations, la vieille Katarzyna Kossakowska, lui apprit que Jakób Frank s'était installé à Offenbach avec sa Cour.

Et là, soudain, le couteau serti de turquoises, égaré ou offert à une prostituée, trancha dans les pensées chaotiques du prince pour isoler l'une d'elles: lui, Jerzy Marcin, devait avoir quelque chose de commun avec ces gens, puisqu'il n'arrêtait pas de les trouver sur son chemin au fil des ans! Ne les avait-il pas vus pour la première fois à Kamieniec Podolski quand ils étaient encore des Juifs, dissimulés sous leurs grandes barbes, puis déjà baptisés, lorsque, tout un hiver, à la demande de la virago Kossakowska, ils s'établirent sur ses terres. Il doit y avoir une force invisible qui lie les destins humains, car comment expliquer autrement pareil concours de circonstances, avec cette nouvelle rencontre à Częstochowa? Maintenant qu'il n'a quasiment plus où habiter, Lubomirski croit volontiers aux fils invisibles du destin, mais il se fait surtout confiance à lui-même. Il est en outre profondément convaincu que la route de sa vie est aussi rectiligne et cohérente qu'un chemin taillé à l'épée dans un champ de blé. Il regrette seulement de ne plus avoir échangé la moindre parole avec ce Jakób à Częstochowa. Désormais, le détenu terne de la tour est entouré d'une cour et possède son propre château. À tout coup, c'est pour le sauver lui, le prince Lubomirski, au moment où il doit disparaître de Varsovie.

Seules les idées téméraires, inhabituelles, voire excentriques, ont une chance d'aboutir, voilà ce que lui a appris sa vie turbulente. Toute l'existence du prince Lubomirski est faite de décisions atypiques qu'aucune populace n'est en mesure de comprendre.

Il en a été de même cette fois-ci. Jerzy Marcin envoya une lettre au prince Fryderyk Karol Lichnowski, un ancien ami du temps où il servait le Prussien, pour lui demander de le recommander à ce Frank, puisque ce dernier, on ne sait comment, était arrivé à de tels honneurs. Il lui suggéra de faire allusion à leur ancienne relation, sans entrer dans les détails, et aux difficultés de sa délicate situation. Il reçut rapidement une lettre de son ami, rédigée à la hâte et sur un ton enthousiaste, qui lui rapportait que ce Frank-Dobrucki serait honoré de pouvoir offrir à Son Altesse le prince Jerzy Marcin Lubomirski le commandement de sa garde personnelle, ce qui, selon lui, permettrait d'accroître la splendeur de sa Cour. Frank offrit également à Lubomirski un logement dans la meilleure partie de la ville, une calèche et un second avec un grade de colonel.

Ce qui arrivait était parfait, parce que, dès même son voyage jusqu'à Offenbach, le prince n'eut plus besoin de se quereller à chaque relais pour qu'on lui fournît des chevaux à crédit.

La maison de poupées

– Chère amie, je pense que je peux vous appeler ainsi, n'est-ce pas ? commence à dire Sophie von La Roche avec la spontanéité que chacun lui connaît et qui n'étonne plus personne.

Elle prend Ewa, troublée, par le bras pour l'entraîner vers une table où d'autres personnes sont déjà assises. Or ce sont principalement des bourgeois et des hommes d'affaires d'Offenbach, comme les André ou les Bernard, des descendants de huguenots auxquels l'ancêtre du prince d'Isenburg donna refuge plus d'un siècle plus tôt, de la même façon que le prince, aujourd'hui, accueille Frank et sa Cour.

Dans le salon, des gens s'activent et, par la porte ouverte sur l'autre pièce, on en voit d'autres qui accordent des instruments. Ewa Frank et Anna Pawłowska s'assoient. Ewa, qui, à son habitude, manque d'assurance mais voudrait donner l'impression du contraire, peut-être même se montrer grossière, gonfle légèrement ses lèvres.

– Voyez-vous, Madame, chez nous la confusion règne toujours. Comment travailler ainsi? Hier, pourtant, M. André, notre ami, nous apporta de Vienne les partitions les plus à la mode, nous allons les déchiffrer. Jouez-vous d'un instrument, Mesdames? Nous aurions besoin d'une clarinettiste.

– Je n'ai aucun talent pour la musique, répond Ewa. Mon père accordait une grande importance à l'éducation musicale, mais qu'y puis-je… Je pourrais accompagner au clavecin, peut-être?

On lui demande des nouvelles de son père.

– Mon père vous prie de l'excuser, il sort rarement. Il est souffrant.

Sophie von La Roche, qui propose des tasses de chocolat, demande, inquiète:

– Aurait-il besoin d'un médecin? À Francfort se trouve l'un des meilleurs, je vais tout de suite lui envoyer un petit mot.

– Non, ce n'est pas nécessaire, nous avons nos médecins.

Un silence se fait, comme si tout le monde devait réfléchir calmement à ce qu'Ewa Frank vient de dire, à ce que signifie ce «nous» et ce «nos médecins». Dieu soit loué, les premières mesures de musique arrivent de la pièce voisine. Ewa respire et serre les lèvres. Des partitions traînent sur la table, elles viennent directement de l'imprimerie, les feuilles n'en sont pas encore coupées. Ewa tend la main vers l'une d'elles et lit: «*Musikalischer Spaß für zwei Violinen, Bratsche, zwei Korner und Bass, geschrieben in Wien*. W. A. Mozart.»

Le thé pris dans des tasses replètes est excellent. Ewa n'est pas coutumière de cette boisson, ce que Sophie von La Roche note méticuleusement dans sa tête. Tous les Russes ne boivent-ils pas du thé?

Ewa observe avec curiosité mais discrétion Sophie: dans les cinquante ans, un visage étonnement frais et juvénile, un regard de jeune fille. De la simplicité dans la conduite, pas comme une aristocrate mais plutôt comme une bourgeoise. Les cheveux remontés, poivre et sel, sont retenus par un petit bonnet à dentelles plissées. Elle semble d'une apparence propre et soignée tant que l'on ne voit pas ses mains, lesquelles sont tachées d'encre comme celles d'un enfant qui apprend à écrire.

Quand le petit ensemble se met enfin à jouer, Ewa profite de ce qu'elle n'a pas à faire la conversation pour inspecter le salon du regard. Elle voit quelque chose qui retient son attention un long moment. Elle n'arrive pas à se concentrer sur la musique et, à la pause, elle veut aussitôt interroger la maîtresse de maison là-dessus, mais les musiciens reviennent à la table, les tasses tintent, les hommes plaisantent et, dans ce brouhaha, l'hôtesse présente chaotiquement de nouveaux invités. Ewa n'a encore jamais vu des gens aussi spontanés et amusants dans la bonne société ! À Vienne, tout le monde affichait raideur et distance. Soudain, elle-même, sans savoir comment cela lui arrive, sans doute à cause d'Anna qui, avec enthousiasme, le rouge aux joues, vante ses mérites, mais aussi parce que les yeux intelligents et bons de Sophie semblent la rassurer, la voilà qui se retrouve assise au clavecin de Mme von La Roche. Son cœur bat la chamade, elle sait que son plus grand talent n'est pas de jouer du clavecin mais de tenir ses émotions en laisse : « Les lèvres ne se laissent pas séduire par le cœur, ni le corps ne révèle ce que le cœur ressent » – une conséquence de l'ancienne éducation. Elle réfléchit à ce qu'elle pourrait jouer, on pousse vers elle une partition, mais elle l'écarte calmement, et de ses doigts coule la musique qu'elle apprit à Varsovie, quand son père était enfermé à Częstochowa, elle joue une simple ballade paysanne.

Au moment où, accompagnée d'Anna, Ewa prend congé, Sophie von La Roche l'arrête près d'une maison de poupées.

– J'ai remarqué, Madame, qu'elle avait suscité votre intérêt, dit-elle. C'est pour mes petites-filles. Elles seront bientôt ici. Cette merveille est l'ouvrage d'un artisan de Bürgel, voyez, dernièrement il leur fit cette essoreuse.

Ewa s'approche pour pouvoir distinguer les moindres détails. Elle découvre un petit chiffonnier et une commode sur laquelle sont montés deux rouleaux de bois entre lesquels se trouve pressé un morceau de toile blanche.

Avant de s'endormir, elle repense à tous les détails de la maisonnette. Au rez-de-chaussée, une lingerie et une buanderie avec des cuviers à lessive et des battoirs, un âtre et des marmites, un atelier de tissage et des tonnelets. Il y avait même un petit poulailler soigneusement peint en blanc et une échelle pour les poules. Des volailles aussi, canards et poules en bois. Au premier étage, une chambre de dame, avec des parois recouvertes de tapisseries, un lit à baldaquin ; sur une petite table était posé un magnifique service à café couleur crème, et, plus loin, il y avait un joli petit lit d'enfant avec un voilage en dentelle. Au deuxième étage, le bureau du maître de maison et celui-ci en redingote ; sur son bureau, de quoi écrire et une ramette de papier pas plus grande qu'un ongle de pouce. Au-dessus de tout cela, un lustre en cristal, et au mur un miroir en cristal. Tout en haut de la maisonnette se trouve la cuisine pleine de casseroles, de passoires et de saladiers ayant une taille de dés à coudre ; il y a même, posée à terre, une baratte semblable à celle qu'ils avaient à Brünn, où les femmes préféraient battre le beurre elles-mêmes.

– Je vous en prie, Madame, regardez de plus près, lui avait dit son hôtesse – et elle lui tendit un petit beurrier. Ewa le prit entre deux doigts pour l'approcher de ses yeux. Elle le reposa délicatement.

Cette nuit-là, Ewa ne dort pas et Anna l'entend pleurer doucement. Nu-pieds sur le sol glacé, elle va se glisser dans le lit de sa maîtresse pour se blottir contre son dos secoué de sanglots.

Le dangereux arôme de muscadelle
et d'alcool de framboises

La nuit, Jakóbowski transcrit le rêve du Maître à partir de ses notes. Le voici :

J'ai vu un très vieux Polonais dont les cheveux gris descendaient jusqu'à la poitrine. Je me rendis chez lui avec Awacza et j'entrai dans son logis. Sa maison se dressait solitaire dans une plaine près d'une haute montagne. Nous marchions vers cette maison, et, sous nos pieds, il y avait de la glace sur laquelle poussaient des plantes magnifiques. Le palais était entièrement sous terre, il comptait six cents pièces et chacune était tapissée de toile rouge, et, plus loin, dans un grand nombre de salles se trouvaient les magnats polonais, ces Radziwiłł, ces Lubomirski, ces Potocki, et aucun ne portait de ceinture coûteuse tandis que les plus jeunes, modestement vêtus, avec des barbes noir et rouge, étaient occupés à des travaux de tailleur. Je fus très surpris en voyant cela. Ensuite, le vieillard nous indiqua au mur un robinet de soutirage dont on pouvait faire couler de la boisson, et, avec Ewa, nous bûmes de ce merveilleux élixir, il avait un goût incroyablement suave, pareil à celui du vin de framboises ou de la muscadelle, au point que je l'avais encore en bouche à mon réveil.

Il est tard en cette nuit de décembre, les braises viennent de s'éteindre dans l'âtre et Piotr Jakóbowski est sur le point de se coucher. Soudain, à l'étage au-dessous, il entend un grand bruit, comme si un objet métallique était tombé par terre, et, sitôt après, des cris de femmes et des martèlements de pieds. Il jette son manteau sur ses épaules pour descendre prudemment l'escalier en colimaçon. Au premier étage, des flammes de bougies scintillent. Mme Zwierzchowska le croise en courant.
 – Le Maître s'est évanoui !
Nahman parvient à entrer dans la chambre pleine de monde. Presque tous les frères sont déjà présents – ils logent plus près ou descendent

plus vite ces terribles marches. Nahman se fraie un chemin pour se rapprocher et se met à prier à haute voix : *Dio mio Barukhia...* Mais quelqu'un le fait taire.

– On n'entend pas s'il respire. Le médecin arrive.

Couché sur le dos, Jakób semble dormir, il tremble légèrement. Ewa, agenouillée près de son père, pleure en silence.

Avant que le médecin ne soit là, Mme Zwierzchowska chasse tout le monde de la chambre. Ils restent tous debout dans le couloir, on entend le hurlement du vent, il fait effroyablement froid. Jakóbowski s'entoure de son manteau, qu'il retient de ses doigts engourdis, et il prie en silence en se balançant d'avant en arrière. Les hommes qui escortent le médecin d'Offenbach le repoussent avec ce qui ressemble à de la colère. Il reste là jusqu'au matin, avec les autres frères, et, juste avant l'aube, quelqu'un a l'idée d'apporter des petits poêles turcs, là, dans le couloir.

La matinée du jour suivant est étrange, un peu comme si la journée n'avait pas commencé. Les cuisines ne travaillent pas, il n'y a pas de petit déjeuner. Les jeunes qui se sont réunis comme chaque matin pour leurs exercices sont informés qu'il n'y en aura pas. Les gens de la ville viennent aux portes du château s'inquiéter de la santé du baron.

Le Maître savait que cela arriverait, se disent-ils tous, sinon pourquoi aurait-il dernièrement envoyé des lettres à Varsovie dans lesquelles il demandait à tous les vrai-croyants de venir à Offenbach ? Mais qui l'a écouté ?

Ses fils sont revenus pour s'installer définitivement, Roch et Józef sont arrivés avec leurs malles et leurs serviteurs. S'ils avaient quelque espoir de trouver auprès de leur père le pouvoir qui leur est dû par leur naissance, ils se sont trompés. Ils ont droit à de belles chambres, mais pour la moindre dépense il leur faut adresser une demande de fonds à Czerniawski, comme tout un chacun. Dieu soit loué, avec les enfants du Maître, Antoni se montre généreux. Piotr Jakóbowski est lui aussi venu à Offenbach avec deux de ses filles, Anna et Rozalia ; leur aînée est restée à Varsovie. Après la mort de sa femme, il a décidé qu'il n'avait plus rien à faire dans la capitale polonaise, et il s'est mis sous la protection du Maître. Il vit maintenant dans une petite chambre au dernier étage, avec une seule fenêtre sur le mur pentu, et là, comme le lui a ordonné Czerniawski, il se consacre à la transcription des paroles du Maître et à ses propres études insolites. Quand, en son absence, Czerniawski inspecte cette petite niche, il trouve sur la table une pile de papiers dans lesquels il ne se gêne pas pour fouiller. Il ne comprend rien aux calculs hébreux de Jakóbowski, à ses dessins et croquis. En revanche, il trouve d'étranges prophéties rédigées d'une écriture penchée, une chronique événementielle qui remonte loin dans le temps et des feuillets reliés d'une couture faite à la main, avec, sur la première page, le titre de *Reliquats*. Curieux, Czerniawski les feuillette sans comprendre de quels restes il peut s'agir, à quel ensemble ils se rapportent.

Antoni Czerniawski, le fils d'Izrael Osman de Czerniowce, ce Juif turc qui fit traverser le Dniestr à Frank et à ses compagnons, ne rappelle en rien son père. Ce dernier avait le teint bis, il était mince et violent. Son fils, en revanche, est déjà un peu enrobé, très calme et attentif aux choses. C'est un homme pas très grand, peu loquace, concentré, avec un front soucieux, ridé en permanence, qui le vieillit. Malgré son jeune âge, il a

déjà du ventre, ce qui donne une apparence massive à toute sa silhouette. Il a des cheveux touffus, longs jusqu'aux épaules, complètement noirs, et il porte une barbe qu'il taille de temps en temps. Et le Maître ne remet pas en question cette barbe, la seule au château d'Offenbach ! Jakób lui fait une confiance sans bornes, aussi lui confie-t-il la surveillance des finances, ce qui n'est guère aisé. Les entrées, quoique grandes, ne sont pas très régulières. Les dépenses, quant à elles, ne sont pas moindres, mais régulières. Antoni occupe les fonctions de secrétaire et il a pour habitude d'entrer dans toutes les pièces à son gré, sans frapper ni s'annoncer. Son regard, d'un marron sombre, remarque le moindre détail. Ses phrases sont brèves et concrètes. Il sourit parfois discrètement, le plus souvent de ses seuls yeux, qui deviennent alors comme des fentes.

C'est lui, Antoni Czerniawski, qui fut jugé digne d'épouser Ruta, la plus jeune des sœurs du Maître. Il considère que c'est un trésor qui lui a été confié. Ruta, devenue Anna Czerniawska, est une femme intelligente et réfléchie. Par ailleurs, dans la mesure où, par le passé, Ewa Jezierzańska, la sœur d'Antoni, fut des intimes de Jakób, celui-ci s'estime doublement le beau-frère du Maître, autant dire son frère. Ewa Jezierzańska, veuve depuis belle lurette, était devenue, en quelque sorte, l'épouse de Jakób. À présent que Jakób est malade, Antoni Czerniawski le voit comme un frère aîné dont les forces déclinent. Lui-même n'a aucune prédisposition pour être un chef. Il préfère veiller à l'ordre, organiser. La seule chose qui échappe parfois à son contrôle, c'est la bonne chère. Une fois par semaine, il envoie une charrette à Bürgel et à Sachsenhausen acheter des œufs, de la volaille et surtout des pintades, qu'il apprécie beaucoup. Il a également un grand crédit en ville chez le fromager, Kugler. Czerniawski ne résiste pas au fromage. Pour le vin, qu'il achète par tonneaux, il s'approvisionne également dans la région. Tandis qu'il hante les couloirs silencieux du château, c'est précisément à cela qu'il pense, aux tonneaux de vin et aux douzaines d'œufs.

Il se rend compte que, parmi toutes les histoires qui, jusque-là, sont arrivées dans le monde, celle de leur *Havurah*, de leur Fraternité dirigée par Jakób, est exceptionnelle. D'ordinaire, il y pense au pluriel, avec un « nous » qui évoque pour lui une sorte de pyramide ; Jakób est au sommet et, à la base, se trouve toute la foule, celle qui, ici, à Offenbach, traîne dans les allées, s'exerce à l'ennui en marchant au pas, mais également celle de Varsovie, de toute la Moravie, d'Altona, de l'Allemagne et de Prague la Tchèque – même si ces vrai-croyants-là sont plutôt une branche collatérale de ce « nous ». Tandis qu'il feuillette la chronique rédigée par Jakóbowski – auquel il demande de s'y atteler avec plus de précision, d'établir certains faits avec l'aide d'autres anciens, tels Jan Wołowski, lui aussi venu à Offenbach, ou Jeruchim Dembowski, qui y séjourne depuis le début –, il réalise que l'histoire de ce « nous » est vraiment unique. Il s'en convainc d'autant plus le soir quand le Maître se livre à ses récits, que Jeruchim et Nahman notent jusqu'à ce qu'en émerge la vie de Jakób qui est également celle de ce « nous ». Antoni Czerniawski se range alors parmi ceux qui regrettent amèrement d'être nés trop tard et de n'avoir pu accompagner le Maître dans ses dangereux voyages, dormir avec lui dans le désert, partager ses aventures maritimes. Ce dernier épisode est celui qu'ils aiment tous écouter le plus, d'autant que le Maître parodie parfaitement Nahman et imite ses cris, ce qui fait que tout le monde reconnaît en Jakóbowski le héros peu glorieux de la tempête en mer.

– Il promettait en poussant les hauts cris qu'il ne prendrait plus une goutte de vin dans sa bouche, ricane Jakób – et eux rient avec lui, Jakóbowski compris. Ou il promettait d'être Jan Wołowski, le Cosaque, comme on l'appelle, un homme moustachu d'un certain âge aujourd'hui, mais qui, autrefois, savait échapper au sultan et passer en fraude de l'argent dans des tonneaux à travers les frontières.

Son travail auprès du Maître, Antoni Czerniawski le prend au sérieux, c'est pour lui une source d'émotion permanente. Dans cette foule bavarde et insouciante, personne, sans doute, ne comprend aussi bien que lui ce qui s'est vraiment passé quand ses parents arrivèrent en Podolie en 1757 pour rejoindre Jakób. Désormais, plus personne ne les appelle les *porcochiens* ou les renégats, et il ne reste plus rien de ce mépris qui était une composante de l'air qu'ils respiraient. Tous les dimanches, il regarde avec fierté le cortège qui se rend à l'église de Bürgel, le Maître qu'ils font sortir en le tenant sous les bras, et Ewa aussi : quand bien même elle manquerait un peu de prestance, il juge que tous les honneurs qui lui sont rendus lui sont absolument dus. Il sait que les fils du Maître le haïssent, mais il veut croire que ce méchant sentiment relève d'un pur malentendu et disparaîtra avec le temps. Il veille sur eux, ces deux vieux garçons, malheureux, incapables du moindre travail et qui récriminent toujours. Roch est un sybarite, Józef est un taiseux et un être bizarre.

Antoni Czerniawski décrète que, lorsqu'on est reçu en audience chez le Maître, il faut commencer par tomber face contre terre et attendre qu'il s'adresse à vous. Il veille au régime alimentaire de Jakób. Il lui commande des vêtements. Plus Jakób s'affaiblit, plus Czerniawski prend de l'assurance, mais il ne s'agit aucunement de son intérêt personnel, il ne veut pas régenter les âmes. Il lui suffit que le Maître ne puisse pas se passer de lui, qu'il l'appelle, impatient, pour la moindre peccadille. Antoni comprend tous ses besoins, il ne les juge jamais ni ne s'y oppose.

Il s'est installé près des appartements de Jakób, et, désormais, pour parler à ce dernier, il faut passer par lui. Il veille à l'ordre d'une main de fer, il choisit seul les médecins et dirige la correspondance d'Ewa. C'est lui que le Maître envoie chez le prince ou bien en mission à Varsovie. C'est par son intermédiaire que fut obtenue une partie de l'argent nécessaire au déménagement à Offenbach.

Désormais, à la vérité, Antoni se sent comme un chien de berger, tels ceux que possèdent les paysans de Valachie, qui regroupe les moutons et veille à ce qu'ils ne se dispersent pas.

Le Maître va nettement mieux, malgré une inertie persistante du bras et de la joue gauches. Cela donne à son visage une nouvelle expression de tristesse et d'étonnement. Les femmes accourent avec des bouillons et des mets délicats. Le Maître a-t-il envie d'un silure? Elles se précipitent chez les pêcheurs du bord de rivière. Ewa passe ses journées assise auprès de son père, elle est son Awacza, mais il ne fait pas entrer ses fils qui, pourtant, lui ont demandé audience depuis la veille.

Au bout d'une semaine, il se sent suffisamment bien pour se faire conduire à Bürgel, à l'église, et ensuite en promenade le long de la rivière, au soleil. Le soir, il livre sa première leçon depuis sa maladie. Il dit qu'il a pris cette souffrance sur lui en chemin pour le *Daat*, qui est le saint savoir et l'unique voie vers la rédemption. Celui qui l'emprunte sera libéré de tous les maux et de tous les fléaux.

Les grands projets de Thomas von Schönfeld

Les appartements de Jakób sont au premier étage, on y entre directement par la galerie. Il y a des vitraux aux fenêtres, ils sont immenses, et aussi des tapis partout, comme il aime. On s'y assoit à la mode turque sur des coussins. Le lit est dissimulé par d'épais kilims. Dans la mesure où l'humidité règne dans ces pièces, Ewa n'oublie pas d'y faire brûler de l'encens chaque jour. Les encensoirs sont allumés jusqu'à midi, et chacun a l'obligation de venir dans la matinée au «Temple», c'est ainsi qu'ils appellent la salle de réception de Jakób, et, après avoir prié, de s'incliner en direction du Maître dissimulé au fond de la pièce. Ewa sait très précisément qui est venu et qui n'a pas rempli ses obligations, parce que les vêtements s'imprègnent de l'odeur de l'encens, il suffit de les renifler.

Mme Zwierzchowska, qui a le droit d'entrer chez le Maître à toute heure de la journée et de la nuit, lui ramène des fillettes pour réchauffer sa literie. Plus le Maître vieillit, plus il aime les toutes jeunes. Il leur demande de se déshabiller et de s'allonger près de lui dans le lit, deux par deux. Habituellement, elles commencent par être horrifiées, mais, très vite, elles s'habituent et rient dans les draps. Parfois, le Maître plaisante avec elles. Ces jeunes corps font penser à la racine du persil, longue et fine. Mme Zwierzchowska ne s'inquiète guère pour leur vertu. Le Maître n'est fort qu'en paroles. Quelqu'un d'autre devra se charger de leur pucelage. Ici, elles doivent seulement réchauffer le Maître.

Mme Zwierzchowska frappe et n'attend pas même d'entendre «entrez».
– Le jeune Dobruszka vient d'arriver.

Jakób se lève en gémissant, puis il se fait habiller pour accueillir son invité. Peu à peu les lumières du château s'allument, c'est pourtant le milieu de la nuit.

Thomas von Schönfeld accourt vers son oncle, les bras grands ouverts. Derrière lui, marche son frère cadet, Dawid-Emmanuel.

Ils parlent presque jusqu'à l'aube. Jakób est retourné dans son lit, Thomas s'est installé au bout de celui-ci. Le jeune Emmanuel s'est endormi sur le tapis. Thomas montre des reçus et des dessins à Jakób, qui demande aussitôt qu'on réveille Czerniawski, lequel arrive au bout d'un long moment en chemise et bonnet de nuit. S'il fait appeler Czerniawski, c'est qu'il s'agit d'argent.

Encore un peu endormi, Antoni perçut la voix de Thomas von Schönfeld à travers la porte :

– … je vais divorcer de ma femme pour épouser Ewa. Vous êtes trop faible, mon oncle, vous ne pouvez plus gérer seul tout cela. Vous avez besoin de tranquillité. Les riches de votre âge partent dans le Sud, là où l'air est meilleur. En Italie, l'air guérit des pires maladies. Voyez, vous marchez à peine, mon oncle.

Quand Czerniawski frappe à la porte et entre, une dernière phrase lui tombe dans l'oreille :

– Je sais parfaitement que je suis celui qui t'est le plus proche et que personne ne comprend ce que tu dis aussi bien…

Ensuite, en présence d'Antoni, ils ne parlent plus que d'investisse-ments : l'argent en Bourse serait momentanément bloqué, mais il y aurait bientôt de nouvelles possibilités. Des investissements aux Amériques, des obligations. Thomas est très informé de tout cela. Antoni, lui, réfléchit en termes de quantité d'or dans les malles, il ne croit pas aux obligations. Rien que des bouts de papier !

Thomas passe la journée auprès de Jakób, dans sa chambre, où il se fait même apporter à manger. Il lui lit toutes les lettres reçues et en écrit sous sa dictée. Il essaie de se rapprocher d'Antoni, mais celui-ci reste de marbre. Poli, docile, mais particulièrement inflexible sur certains points. Thomas s'efforce aussi de courtiser les « vieillards », Dembowski et Jakóbowski, mais eux se taisent et le regardent comme s'ils ne comprenaient guère de quoi il s'agit. Quand Jan Wołowski arrive, Thomas cherche à s'en faire un allié, mais en vain, alors qu'il comptait beaucoup sur lui. Les Polonais restent les plus influents dans cette cour et ce sont eux qui tiennent les rênes d'une main de fer. Les «Allemandiots» n'ont pas grand-chose à dire, même s'il en vient beaucoup.

Un certain Hirschfeld séjourne actuellement au château, un bourgeois riche, instruit, un Juif excentrique qui n'a jamais changé de religion et qui s'entend très bien avec Piotr Jakóbowski. C'est lui qui, à l'incitation de ce dernier, va voir le Maître pour le mettre en garde contre Thomas von Schönfeld.

– C'est certainement un homme génial, lui dit-il, mais un libertin aussi. Il a été expulsé de la Loge des frères d'Asie qu'il avait lui-même créée et pour laquelle il avait rédigé d'excellents et dignes statuts. À Vienne, il s'est régulièrement servi de votre nom et de celui de demoiselle Ewa pour tirer bénéfice de vos liens familiaux et cela lui valut un accès plus facile à la cour. Il s'est endetté à cause des femmes et de sa débauche. Je regrette de dire cela parce que j'avais de bonnes relations avec lui, déclare Hirschfeld qui feint d'être navré et de s'en vouloir. Mais je me dois de vous prévenir loyalement, Monsieur, c'est une tête brûlée et un mange-tout.

Jakób écoute, le visage impassible. Depuis son attaque, il ne cligne que d'un œil. L'autre, immobile, larmoie. En revanche, celui qui est sain a pris une couleur métallique.

– Il ne peut plus retourner à Vienne, c'est pourquoi il est là, ajoute Hirschfeld.

Plus tard, Antoni Czerniawski découvre une chose vraiment honteuse: Thomas avait envoyé des lettres aux Communes des vrai-croyants, surtout en Allemagne et en Moravie, pour dire qu'il était le bras droit de Jakób. Il y suggérait en outre très clairement, même si c'était formulé avec une éloquence habile, qu'après la mort du Maître il serait son successeur. Antoni montre ces lettres à Jakób, qui fait aussitôt convoquer Thomas von Schönfeld.

Jakób se penche au-dessus de lui, ses traits sont tirés. Il vacille encore sur ses jambes, mais retrouve vite son équilibre, et alors – Ewa Jezierzańska le voit parce qu'elle est au plus près, mais il y a d'autres témoins – il gifle Thomas à la volée. Celui-ci tombe de tout son long, aussitôt des taches de sang apparaissent sur le jabot de dentelle blanche. Il cherche à se relever, se protège derrière une chaise, mais la puissante main osseuse de Jakób l'attrape par l'épaule et le relève. On entend une seconde claque. Thomas, frappé de nouveau avec force au visage, s'affale, étonné d'avoir du sang sur les lèvres. Il ne se défend pas, surpris que ce vieillard à demi paralysé ait autant de force. La main de Jakób le soulève de terre par les cheveux pour lui porter un nouveau coup l'instant d'après. Thomas se met à gémir :

– Ne me frappez pas !

Il n'en reprend pas moins une gifle, mais là Ewa Jezierzańska n'en peut plus et elle saisit Jakób par les mains en se plaçant entre les deux hommes. Elle cherche à capter le regard du Maître, mais celui-ci l'évite. Son œil est injecté de sang, sa mâchoire pend, il bave et semble ivre.

Thomas est étendu sur le sol où il pleure comme un enfant, le sang se mêle à de la bave et de la morve, il protège sa tête et hurle contre terre :

– Vous n'avez plus de force, mon oncle ! Vous avez changé ! Personne ne vous croit plus, personne ne vous suivra plus ! Vous allez bientôt mourir !

– Silence ! lui hurle Jakóbowski, horrifié. Silence !

– De persécuté et de victime vous êtes devenu un tyran, un baron par la grâce de Dieu. Vous êtes devenu pareil à ceux auxquels vous vous opposiez ! À la place de l'autre loi que vous avez rejetée, vous avez introduit la vôtre, encore plus sotte. Vous êtes pitoyable comme un bouffon de comédie…

– Enfermez-le, dit Jakób d'une voix rauque.

Qui est le Maître
quand il n'est plus lui-même

Nahman Jakóbowski descend de sa niche là-haut ; sa chambre a un mur commun avec celle de son frère Paweł Pawłowski, qui, depuis l'été, est ici à demeure. La descente lui prend du temps, la cage d'escalier en pierre est étroite et en colimaçon. Il se tient à la rampe métallique et fait de petits pas. Il s'arrête après quelques marches, marmonne dans une langue qu'Antoni Czerniawski ne comprend pas. Celui-ci attendait Jakóbowski en bas. Il se demande quel âge peut avoir ce vieillard frêle, décharné, aux mains arthritiques. Ce frère Jakóbowski auquel le Maître s'adresse en l'appelant toujours « Nahman » quand ils sont entre eux. Désormais, Antoni pense également à lui en tant que Nahman.

– Tout se passe conformément à ce qui doit arriver, l'informe Nahman Jakóbowski.

Antoni Czerniawski lui tend la main pour l'aider à descendre les dernières marches.

– D'abord, il y eut le changement de nom, nous avons dû prendre d'autres noms, et cela s'appelle le *Shinouï Hachem*, ce que vous, les jeunes, ne voulez plus savoir. Ensuite vint le changement de lieu, quand nous avons quitté la Pologne pour Brünn, et là intervient le *Shinouï Makom*, et actuellement arrive le *Shinouï Maase*, le changement d'action. Le Maître a pris sur lui la maladie pour nous soulager. Il a endossé toute la souffrance du monde, comme cela a été annoncé dans Isaïe.

Antoni a envie de répondre « amen », mais il ne dit rien. Le vieillard est déjà en bas, et le voici soudain qui trotte vivement dans le couloir.

– Il faut que je le voie, dit-il.

Tout ce bavardage sur la souffrance et la rédemption apaise certaines personnes, mais pas Antoni. Il est concret et ne croit guère à ces histoires de Kabbale et il n'y comprend rien. Néanmoins, il est certain que Dieu veille sur eux tous et que ces questions auxquelles il n'entend rien doivent être laissées aux spécialistes. Il lui faut se concentrer plutôt sur le fait que la nouvelle de la maladie du Maître commence à attirer à Offenbach de grandes quantités d'adeptes qu'il doit loger en ville ou accueillir au château. Les audiences n'ont lieu qu'une fois par jour, le soir, et elles sont brèves. Les gens viennent avec leurs enfants pour une bénédiction. Le Maître impose les mains sur le ventre des femmes enceintes, sur la tête des malades. Oh, songe soudain Czerniawski, il faut commander à l'imprimerie des feuillets avec l'*Arbre des Sephiroth* pour les distribuer aux adeptes – et, déjà, il abandonne Jakóbowski qui trotte devant lui. Que d'autres le prennent en charge ! Antoni entre dans la chancellerie où se trouvent deux jeunes gens, de Moravie sans doute, prêts à rejoindre les rangs des adeptes et à verser à la Cour la somme respectable dont leurs familles les ont dotés. Quand il pénètre dans la pièce, Zaleski et Czyński, ses deux secrétaires, se lèvent avec respect. Zaleski a perdu ici, à Offenbach, ses deux parents, avec lesquels il était venu faire l'indispensable pèlerinage chez le Maître. Après leur mort, il s'était replié sur lui-même et, à vrai dire, il n'avait plus aucune raison de retourner à Varsovie. La *Havurah* s'était chargée des questions d'héritage, elle vendit la petite boutique des Zaleski dans la capitale polonaise et envoya l'argent à Offenbach. Il n'y a pas beaucoup de résidents comme Zaleski, la plupart du temps ce sont des gens plus âgés, des anciens, tels les deux Matuszewski et leur fille aveugle qui joue magnifiquement du clavecin – ce qui lui vaut d'être professeur de musique à la Cour – ou Paweł Pawłowski, le frère de Piotr Jakóbowski, qui récemment encore était un ambassadeur du Maître. Il y a également Mme Jezierzańska, qui est veuve, et les deux fils du célèbre Elisha Shorr – Wolf Wilkowski, qui est ici avec son épouse, et Jan Wołowski, dit « le Cosaque », dont le veuvage récent atténua un moment le sens de l'humour contagieux, mais qui, déjà, semble se remettre : quelqu'un l'aurait vu courtiser une jeunette. Il y a également Józef Piotrowski, et Jeruchim Dembowski, l'homme de confiance du Maître qui l'appelle tendrement « Jędruś ». Et puis, parmi les Anciens, il y a encore Franciszek Szymanowski, plusieurs fois divorcé, qui dirige la garde du Maître à la place de Lubomirski, lequel se montre rarement et de façon irrégulière depuis qu'il s'est installé en ville.

Une nuit d'automne, le Maître fait réveiller tous les frères et sœurs. Dans le noir, le martèlement des pieds résonne, les bougies s'allument. Les résidents ensommeillés prennent place sans un mot dans la plus grande salle.

– Je ne suis pas celui que je suis, dit le Maître après un long moment – des toussotements grêlent le silence nocturne. J'étais avec vous dissimulé sous le nom de Jakób Frank, mais ce n'est pas mon vrai nom. Mon pays se trouve loin d'ici, à sept ans de voyage par la mer depuis l'Europe. Mon père se nommait Tigre, et l'emblème de ma mère était le loup. Elle était fille de roi…

Tandis que le Maître parle ainsi, Antoni Czerniawski observe les visages dans l'assemblée. Les aînés écoutent avec attention, ils hochent la tête comme s'ils savaient cela depuis longtemps et que, maintenant, la confirmation leur en était donnée. Eux sont habitués à ce que tout ce que dit Jakób soit la vérité. Or, celle-ci est comme la pâte enroulée du *sękacz*, elle a plusieurs couches qui se superposent les unes aux autres, parfois absorbent la précédente et d'autres fois sont absorbées. La vérité peut s'exprimer par de nombreux récits parce qu'elle est semblable à ce jardin où sont entrés les sages qui tous l'ont vu différemment. Les jeunes, quant à eux, n'écoutent qu'au début; ensuite, le long récit compliqué, pareil à un conte oriental, les lasse. Ils s'agitent sur leur siège, chuchotent entre eux, ils n'entendent pas tout car Jakób parle bas, avec difficulté, et l'histoire en soi est tellement étrange qu'ils ne comprennent pas de qui il est question. Est-ce de Jakób, qui serait de lignée royale, mais aurait été confié au Juif Buchbinder pour son éducation et échangé avec le fils de celui-ci, un Jakób lui aussi, et ce Buchbinder lui aurait appris le yiddish pour sauver les apparences? Ce serait pourquoi sa fille Ewa-Awacza – que Dieu lui donne la santé – ne peut épouser que quelqu'un de lignée royale.

Ces jeunes s'intéressent davantage, apparemment, aux nouvelles qui arrivent de France et que les journaux rapportent avec une inquiétude croissante. Certaines corroborent étrangement ce que dit Jakób quand il cite Isaïe – lorsque viendra le temps du baptême de tous les Juifs, les paroles des prophètes s'accompliront: «Il met sur un pied d'égalité le grand et le petit, les rabbins, les sages et les maîtres avec l'humilié et l'analphabète. Tous seront vêtus pareillement.» Ceci fait grand effet sur les jeunes, mais quand le Maître évoque une certaine étoile Sabbataï qui indiquerait le chemin vers la Pologne, où se trouverait un grand trésor, ils décrochent de nouveau.

Le Maître termine son drôle de laïus par ces mots:

– Quand on vous demandera d'où vous venez et où vous allez, devenez sourds et donnez l'impression que vous ne comprenez pas leurs paroles. Qu'ils disent de vous: «Ces gens sont beaux et bons, mais ce sont des rustres sans cervelle.» Acceptez-le.

Tous regagnent leurs lits, fatigués et glacés. Les femmes commentent encore le long monologue inattendu du Maître en chuchotant, mais, au lever du soleil, ce discours pâlit et se dissout avec la nuit.

Le lendemain est le jour du baptême du petit Kapliński, parce qu'à la nouvelle de la faiblesse du Maître tous les Kapliński sont arrivés de Valachie. En les apercevant, Jakób s'anime et pleure d'émotion. Antoni Czerniawski et tous les Anciens versent également une larme, touchés par cette présence subtile de Chana à travers celle de son frère, mais également quelque peu gênés d'avoir subi ainsi l'outrage des ans. Chaïm, devenu Jakub Kapliński, a vieilli et il boite, mais son visage garde sa beauté et rappelle tellement celui de Chana qu'un frisson traverse ceux qui la connaissaient.

Le Maître prend le petit garçon dans ses bras et plonge la main dans l'eau bénite apportée de l'église. Il lui lave d'abord la tête, puis la coiffe d'un turban en souvenir de la religion ottomane. Enfin, pour témoigner de l'endroit où ils se trouvent, il lui noue autour du cou un foulard en soie. Pendant la cérémonie, des larmes coulent sur la partie souffrante, tendue et immobile de son visage. Ses paroles, elles, semblent claires: les vrai-croyants voguent maintenant sur trois navires et celui sur lequel lui, Jakób, se trouve apportera le plus de bonheur à ses compagnons de voyage. Mais le deuxième est bon également, car il n'ira pas loin;

c'est celui des frères de Valachie et des terres ottomanes. Le troisième, quant à lui, voguera loin, il est celui des frères qui se disperseront dans le monde par les mers.

Les péchés de Roch Frank

Un jour où Jakób est malade et où, à cause de cela, le silence est imposé au château, du tapage monte d'en bas. Malgré la garde postée alentour, une femme arrive jusqu'à l'entrée principale pour se précipiter vers la galerie en criant. Czerniawski descend en hâte et voit son épouse qui tente de calmer la visiteuse. Celle-ci est jeune, ses cheveux clairs se sont détachés dans son dos alors qu'elle se débattait. Elle dénoue un balluchon replet qu'elle porte sur la poitrine et le pose à terre. Czerniawski voit avec effroi que celui-ci remue, il ordonne donc aux gardes de s'éloigner, ainsi qu'aux autres témoins fortuits de l'incident.

– Lequel de ces messieurs ? demande Anna Czerniawska.

Elle attrape la jeune femme par le coude pour l'entraîner doucement vers la salle à manger. Elle demande à son mari d'apporter quelque chose de chaud, parce qu'il fait froid et que la visiteuse tremble.

– *Herr* Roch, dit la jeune fille en pleurant.

– N'aie pas peur, tout ira bien.

– Il va m'épouser. Il l'a promis !

– Tu recevras une compensation.

– C'est quoi, une compensation ?

– Tout ira bien. Laisse-nous l'enfant.

– Il est, il est… commence la jeune fille, mais Anna le voit par elle-même quand elle déplie les chiffons.

L'enfant est malade, sans doute la jeune fille s'était-elle étroitement bandé le ventre pour dissimuler sa grossesse. Voilà pourquoi le nourrisson est si calme, avec un regard qui fuit bizarrement, et de la bave partout.

Antoni apporte de la nourriture, la jeune femme mange avec appétit. Les Czerniawski tiennent conseil. Ensuite, Anna prend une décision et son mari pose sur la table en bois plusieurs pièces d'or. La jeune femme s'en va. Le même soir, les Czerniawski se rendent au village où ils paient généreusement un paysan auquel ils remettent l'enfant et avec lequel ils signent un contrat de longue durée.

Les amourettes de Roch coûtent cher. C'est déjà le second.

Ewa Frank, informée par Anna et Antoni, convoque son frère et, là, elle le semonce. Dans sa colère, sa robe balaie devant lui les bouts de tissu laissés par la couturière – l'instant d'avant, elles faisaient un essayage. Ewa parle d'une voix basse, crispée, qui fouette Roch.

– Tu ne t'impliques en rien dans notre cause, tu ne sais rien faire d'utile, rien ne t'intéresse. Tu es un abcès sur les fesses qui veut tout le temps être ménagé. Père t'avait donné une chance, mais tu n'as rien fait. Le vin et les femmes, c'est tout ce qui t'intéresse!

Elle échange un regard avec Anna, assise avec son mari près du mur.

– Le vin te sera rationné. Ordre de père.

Roch, affalé dans un fauteuil, ne lève pas les yeux et semble rire à l'intention de ses souliers. Ses cheveux d'un roux pâle s'échappent de sa perruque mal ajustée.

– Père est malade, il ne vivra plus longtemps. Ne me parle pas de lui. Cela me donne la nausée.

Ewa ne se domine plus. Elle se penche vers son frère et siffle:

– Tais-toi, misérable crétin!

Roch cache son visage dans ses mains. Ewa se détourne violemment, ses vastes jupons envoient de nouveau valser les bouts de tissu dans toutes les directions. Elle sort.

Antoni, embarrassé, voit que Roch sanglote.

– Je suis le plus malheureux des hommes!

Neshika, le baiser divin

Le Maître rêve de nouveau de cette étrange odeur, ce parfum d'ambroisie. Quelques heures plus tard, il a une attaque. Grâce à Mme Sophie von La Roche, le meilleur médecin de Francfort vient l'ausculter, avant de tenir conseil avec les praticiens locaux, ses collègues d'Offenbach. Ils débattent longuement, mais il devient clair qu'aucune aide ne peut être apportée à Jakób Frank. Il a complètement perdu conscience.

– Combien de temps? leur demande Ewa Frank lorsqu'ils quittent la chambre de Jakób.

– Cela, on ne peut pas le dire. L'organisme du malade est remarquablement fort et sa volonté de vivre énorme. Personne, pourtant, ne peut survivre à une attaque d'apoplexie aussi violente.

– Combien de temps? répète Antoni Czerniawski.

– Dieu seul le sait.

Et pourtant le Maître vit. Il reprend conscience un moment et se réjouit alors du perroquet vert qui sait parler et dont quelqu'un lui fit cadeau. On lui lit les journaux, mais l'on ignore dans quelle mesure les nouvelles, de plus en plus apocalyptiques, parviennent à son esprit. Le soir, il ordonne que l'on exerce également les femmes à monter à cheval. Elles aussi deviendront des guerrières. Il ordonne de vendre tous les kilims et les vêtements de prix pour acheter plus d'armes. Il appelle Czerniawski pour lui dicter des lettres. Antoni note tout ce que dit Jakób sans laisser paraître ce qu'il en pense, pas même d'un froncement de sourcil.

Le Maître ordonne également d'envoyer une ambassade en Russie et de préparer le départ. La plupart du temps, il reste pourtant absent comme si ses pensées s'en étaient allées au loin. Il divague, et, dans ses délires, reviennent toujours les mêmes paroles. «Faites ce que je vous ordonne!» crie-t-il toute une soirée.

«La noblesse tremblera», dit-il avant d'annoncer de grands troubles et du sang dans les rues. Ou encore, il prie et chante dans la langue ancienne. Sa voix se brise pour se transformer en un murmure: *Ashapro ponov baminsho...* ce qui, en ladino, signifie: «Je m'excuserai d'un don devant Sa Face.» «Je dois être très faible pour aller à la mort... Abandonner ma force, ce n'est qu'alors qu'elle me renouvellera... tout sera renouvelé.»

Jakóbowski, accablé, sommeille à son chevet. Ensuite, il affirmera avoir noté les dernières paroles de Jakób qui auraient été: «Le Christ a dit être venu libérer le monde des mains de Satan, mais moi je suis venu le libérer de toutes les lois et règles qui existaient jusque-là. Il fallait détruire tout cela pour qu'alors se dévoile le Dieu bon.»

La vérité est pourtant qu'à l'ultime moment Nahman n'était pas auprès du Maître. Il s'était endormi dans une position inconfortable dans le couloir. Les femmes l'avaient remplacé et elles ne laissèrent plus entrer personne. Il y avait Ewa avec Anna, les vieilles Mme Matuszewska, Mme Zwierzchowska, Mme Czerniawska et Ewa Jezierzańska. Elles allumèrent la *gromnica*, le cierge des morts, et disposèrent des fleurs. La dernière personne qui s'entretint avec Jakób, s'il est permis d'appeler cela un entretien, fut Ewa Jezierzańska. Elle avait veillé près du lit toute la nuit précédente, mais était partie faire un somme à l'aube. Ce fut alors que le Maître l'envoya chercher en ne disant que «Ewa». Certains pensèrent qu'il demandait sa fille, mais il ne dit pas «Demoiselle Ewa», juste «Ewa», et d'ailleurs il appelait toujours sa fille Awacza ou utilisait un diminutif plus affectueux encore, comme Awaczunia. La vieille Ewa Jezierzańska vint donc s'asseoir sur le lit et comprit aussitôt ce que Jakób voulait. Elle posa sa tête dans le creux de son épaule, et, lui, il chercha à avancer les lèvres pour un baiser, mais il n'y parvint guère du fait de la moitié immobile de son visage. Mme Jezierzańska sortit alors son grand sein flétri qu'elle porta aux lèvres du Maître. Il téta, quand bien même le lait y était tari depuis longtemps. Ensuite, ses forces l'abandonnèrent et il cessa de respirer. Il ne prononça aucune parole.

Mme Jezierzańska, effondrée, sortit. Elle n'éclata en sanglots qu'une fois la porte passée.

Antoni Czerniawski annonce la disparition du Maître à tous ceux qui, inquiets, se sont réunis le matin. Le corps est déjà lavé, habillé et étendu sur le catafalque. Il leur dit :

– Notre Maître s'en est allé. Il est mort du baiser *Neshika*. Dieu est venu à lui cette nuit pour le frôler de ses lèvres comme Il le fit pour Moïse. Le Dieu tout-puissant l'accueille maintenant en Sa demeure.

Un seul grand sanglot s'élève, la nouvelle file par la galerie, quitte le château pour virevolter comme un tourbillon dans les rues étroites et proprettes d'Offenbach. Un moment plus tard, les cloches sonnent dans toutes les églises, quelle que soit leur confession.

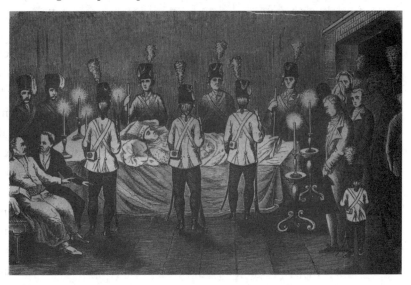

Czerniawski remarque que tous les Anciens sont déjà descendus, ne manque que Jakóbowski, resté toute la nuit à la porte du mourant, et il s'inquiète qu'il ne lui soit arrivé quelque chose. Il grimpe au dernier étage en se disant que ce n'était pas une bonne idée de loger les plus âgés si haut, qu'il faut changer cela.

Jakóbowski est assis le dos tourné à la porte, mince, voûté, il est dans ses papiers. Sa tête grise, aux cheveux coupés court sous la kippa de laine, ne semble pas plus grande que celle d'un enfant.

– Frère Piotr, lui dit Antoni, mais Nahman ne réagit pas. Frère Piotr…
Il s'en est allé.

Un long silence lui répond, Czerniawski comprend qu'il doit laisser
le vieillard seul.

– La mort n'est pas mauvaise, dit soudain Jakóbowski sans se retourner. À la vérité, il ne faut pas s'y méprendre, elle nous vient du Dieu
bon, qui, de cette manière, nous sauve charitablement de la vie.

– Allez-vous descendre, frère Piotr?

– Ce n'est pas nécessaire.

La nuit qui suit la mort de son père, Ewa fait un rêve. Il s'y passe une
chose qui fait que son corps enfle, quelque chose glisse sur elle, se
couche sur elle, elle sait ce que c'est, mais elle ne peut pas le voir. Le
pire – et le meilleur à la fois –, c'est qu'elle sent que quelque chose se
fait une place dans son ventre, s'enfonce dans ses entrailles, dans cet
endroit entre ses jambes dont elle ne veut même pas prononcer le nom,
et que la chose y remue, cela dure peu car sa soudaine jouissance, son
orgasme et la faiblesse qui suit arrêtent tout. Étrange moment d'impu-
deur et d'abandon. Les factures non payées, les regards du bourgmestre,
les lettres de M. Giacomo Casanova, les sombres affaires de Roch et les
paillettes argentées sur le napperon blanc cessent d'avoir de l'importance. Une preuve de triomphe. Tout s'annule en ce bref moment. Dans
son sommeil déjà, Ewa veut tout oublier, effacer à jamais cette jouissance
et cette honte. Toujours en dormant, elle se fait obligation de ne plus
se souvenir de rien et de ne jamais y revenir. De le traiter de la même
manière que les autres secrets du corps, les menstrues, les boutons, les
bouffées de chaleur ou les discrètes palpitations du cœur.

Aussi se réveille-t-elle avec un sentiment d'innocence absolue. Elle
ouvre les yeux et aperçoit sa chambre lumineuse, couleur crème, son
meuble de toilette avec une cruche en porcelaine et une bassine, la
maison de poupées faite spécialement sur commande à Bürgel. Elle
cligne des yeux et, tant qu'elle reste allongée sur le ventre, elle a toujours
accès à son rêve, à ce plaisir inouï, mais, quand elle se tourne sur le dos
et remet en place le bonnet avec lequel elle dort pour ne pas défaire

sa coiffure soigneusement apprêtée, le rêve s'éloigne et son corps se recroqueville, se dessèche. La première pensée qui lui vient est que son père est mort. Allez savoir pourquoi, cette pensée éveille en elle deux sentiments complètement opposés, un désespoir insupportable et une étrange joie débridée.

Ragots, lettres, délations, oukases et rapports

Voici ce qu'avait à dire l'édition offenbachoise de la *Gazette de Voss* à propos des funérailles de Jakób Frank :

Le corps du baron Frank fut solennellement porté en terre le 12 décembre 1791 à Offenbach.

L'homme était le patriarche d'une secte religieuse polonaise qui l'avait suivi en Allemagne et qu'il dirigeait avec panache. Elle l'honorait tel un autre Dalaï-Lama. Le cortège était précédé par des femmes et des enfants au nombre d'environ deux cents, vêtus de blanc et avec des cierges allumés à la main. Derrière eux venaient les hommes en tenues polonaises hautes en couleur, avec des écharpes en soie à l'épaule. Ensuite venait un orchestre d'instruments à vent derrière lequel était porté un lit de parade avec la dépouille du défunt. De part et d'autre, marchaient : à droite, les enfants du disparu, sa fille unique et ses deux fils, et, à gauche, le prince Marcin Lubomirski, un magnat polonais arborant l'ordre de Sainte-Anne autour du cou, ainsi que de nombreux dignitaires. Le défunt, étendu dans une tenue orientale rouge rehaussée d'hermine, le visage tourné vers la gauche, semblait dormir. Une garde de uhlans, de hussards et d'autres *Polacken* en tenues magnifiques entourait son cercueil. De son vivant, le défunt avait donné l'ordre que l'on ne le pleurât point ni ne portât son deuil.

Après les funérailles, auxquelles assistèrent toute la ville d'Offenbach et la moitié de Francfort-sur-le-Main, la bonne société se rendit chez

Sophie von La Roche. M. Bernard, toujours bien informé, fut le premier à commenter toute l'affaire :

– Il se dit que ces néophytes cherchent à fonder une sorte de confédération entre les Juifs. Sous l'étendard d'une opposition au Talmud, la Bible des Juifs, ils contestent le pouvoir et se soumettent à des lois et croyances ottomanes.

– Je pense, moi, dit le médecin Reichelt qui avait assisté Jakób Frank dans sa maladie, que tout ce mouvement messianique est, en son genre, un moyen élaboré et compliqué de soutirer de l'argent aux Juifs naïfs.

Ensuite, M. von Albrecht, un ami de la maison de Sophie Gutermann von Gutershofen, autrefois ambassadeur de Prusse à Varsovie et qui connaît bien les questions orientales, livre également son opinion :

– Mes chers amis, je m'étonne pour ma part que vous ayez été aussi naïfs, ici. J'ai toujours averti que cette nouvelle secte était une tentative de prise de possession et de contrôle des synagogues dans toute la Pologne, et qu'il fallait donc soumettre son action à une observation attentive et informer le cabinet de Son Altesse Impériale de l'évolution de la situation. Je l'avais vu ainsi il y a de nombreuses années, quand ils ne faisaient que commencer. Il semblerait actuellement que, dans leur résidence, il y ait une quantité d'armes inouïe. En outre, ils y ont régulièrement entraîné des jeunes gens pour leur donner une formation militaire.

– Des femmes, également, s'écrie Mme Sophie von La Roche.

– Tout cela fait suspecter que ces néophytes se préparent à une insurrection en Pologne qui serait principalement dirigée contre la Prusse, poursuit l'ancien ambassadeur. Et c'est pourquoi je m'étonne que votre prince ait si généreusement accepté de les accueillir ! Cette secte est parvenue à se créer ici une sorte d'État dans l'État, avec ses lois et sa garde. Par ailleurs, elle gère l'essentiel de ses finances en dehors de tout système bancaire.

– Ils vivaient paisiblement et honnêtement, dit Sophie von La Roche, désireuse de prendre la défense du «peuple de sauterelles».

Le docteur l'interrompt :

– Ils ont des dettes invraisemblables…

– Qui n'en a pas de nos jours, cher docteur? s'exclame Sophie. Pour ma part, je préfère croire que Mlle Ewa et ses frères sont les enfants illégitimes de la tsarine Élisabeth et du prince Razoumovski, nous les considérons comme tels ici. C'est plus romantique.

Tout le monde rit poliment et ils changent de sujet.

– Vous êtes des incrédules, ajoute encore Mme von La Roche, sur un ton faussement froissé.

L'affaire de Jakób et de ses adeptes ne se calme pas pour autant, un vent de plus en plus violent souffle sur l'Europe, il transporte des lettres et des dénonciations qui soulèvent de nouvelles craintes et d'autres conjectures.

Les plis envoyés aux Communes juives alentour, et à d'autres, appellent à une union de tous les Juifs et chrétiens sous l'étendard de leur secte appelée Édom. L'objectif serait une fraternité qui transcenderait les différences entre ces deux religions...

Les objectifs qui président aux activités de la secte ne sont pas connus avec précision, mais nous savons avec certitude que certains de ses membres restent en contact étroit avec les francs-maçons, les illuminati, les rosicruciens et les jacobins, même s'il nous est impossible de le prouver tant à partir de leur correspondance qu'autrement...

La directive du roi Frédéric-Guillaume II constate clairement que :

... cet homme, Jakób Frank, était le chef de cette secte, mais également l'agent d'une force encore inconnue. Dernièrement, des lettres sont apparues qui appellent à l'union des diverses synagogues sous l'obédience de sa secte. À dater de ce jour, tout ce qui a trait aux organisations secrètes apparues sous des auspices inconnus ou troubles, tout ce qui manifeste un enthousiasme politique demandera une attention particulière, étant donné que les sociétés secrètes agissent toujours en silence et dans l'ombre, chacune d'elles utilise la propagande jacobine pour ses terribles projets criminels...

Le temps aidant, puisque celui-ci possède la grande faculté de gommer les incertitudes et de ravauder les lacunes, on écrivit à l'unisson :

Pour ce qui est de la secte des Frankistes, désormais appelée Édom, encore récemment regardée par bon nombre de nos aristocrates comme une curiosité exotique, nous devons changer notre approche – à la suite des terribles expériences de la révolution en France et des relations de cette secte avec les jacobins – pour considérer ses rituels mystiques comme une couverture à de réelles intentions politiques et révolutionnaires.

30

La mort de la princesse polonaise, pas à pas

Les choses se déroulent selon leur ordre propre. Ceci est difficile à apprécier quand, pour les observer, on se trouve sur la scène où elles ont lieu. Là, on ne voit rien, il y a trop d'aspects qui s'entrechoquent et ne laissent qu'une impression de chaos. Dans la confusion, le fait que Gitla-Gertruda Ascherbach disparaît le même jour que le Maître passe inaperçu. Ainsi s'accomplit pourtant un processus entamé quelque part en Podolie, lors d'un hiver glacial, quand leur grand amour tumultueux, dont le fruit est Samuel, connut une injuste brièveté que, sur ladite scène, l'on pourrait assimiler à un clin d'œil entre les événements.

Néanmoins, cet agencement est perçu par Ienta, dont le corps se transforme peu à peu en cristal dans la caverne de Korolówka. L'entrée de celle-ci est presque entièrement recouverte de sureau noir dont les grappes généreuses de baies, depuis longtemps blettes, sont tombées sur le sol où celles qui ont échappé aux oiseaux sont gelées. Ienta voit la mort de Jakób, elle ne s'y arrête pas, car une autre l'attire, à Vienne celle-là.

Asher-Rudolf Ascherbach est assis au chevet de son épouse Gitla-Gertruda depuis qu'elle s'est évanouie. Il avait tout compris deux ou trois mois plus tôt quand il avait examiné une grosseur sur son sein – il est médecin, après tout. Il a l'impression d'avoir su alors même que Gitla marchait encore et, avec une étrange nervosité, s'efforçait de diriger la maison. Elle se fâchait, par exemple, à cause de la commande hivernale d'oignons arrivée dans de gros sacs en lin, affirmant que, pourris à l'intérieur, ils ne tiendraient pas jusqu'au printemps. Elle disait que la lingère abîmait les manchettes, que la glace de la glacière avait une odeur bizarre pareille à celle de Busk, une odeur d'eau stagnante. En lisant les journaux, elle vitupérait contre la bêtise des politiciens, et sa tête grise disparaissait dans la fumée de la chibouque qu'elle fuma jusqu'à la fin.

Désormais, elle reste surtout allongée sur le divan, elle ne veut pas se mettre au lit. Asher lui fournit des doses de plus en plus fortes de laudanum et observe l'évolution de son mal avec attention et précision. Ce regard froid et impassible le protège du désespoir. Ainsi, quelques jours avant la mort, la peau de Gitla se densifie, devient rigide et mate, elle reflète différemment la lumière du jour. Cela se voit sur les traits de son visage qui se creusent. Au bout de son nez apparaît une fente longitudinale. Asher la remarque le lundi soir à la lueur des bougies quand Gitla, pourtant très faible, s'assied pour mettre de l'ordre dans ses paperasses. Elle sort du tiroir tout ce qu'elle a, toutes ses notes, toutes les lettres de son père rédigées en hébreu à Lwów, les articles, les dessins et les projets. Elle les sépare en tas qu'elle place ensuite dans des pochettes souples en papier. Elle ne cesse de poser des questions à Asher, mais lui n'arrive pas à se concentrer. Il vient de voir le sillon et l'angoisse le gagne. Elle sait qu'elle va mourir, se dit-il pris d'effroi, elle sait que son mal ne guérira plus et qu'il n'y a plus rien à faire, mais elle n'envisage pas *la mort*, car c'est tout à fait autre chose. Elle le sait intellectuellement, elle est capable de le dire avec des mots, de l'écrire, mais son corps, au fond de lui, la bête qu'il est, n'y croit guère.

En ce sens, la mort n'existe pas réellement, songe Asher, personne n'en a décrit l'expérience. Elle est toujours celle d'autrui. Il ne faut pas en avoir peur, parce que nous craignons autre chose que ce qu'elle est vraiment. Nous redoutons *une mort* imaginaire, ou bien la Mort, qui est une élaboration de notre esprit, un agrégat de pensées, de récits et de rituels. Elle est une tristesse programmée, une césure fixée pour mettre de l'ordre dans la vie humaine.

Aussi, quand Asher aperçoit le sillon sur le nez de Gitla et l'étrange teinte de sa peau, il sait que le temps est venu. Le mardi matin, Gitla lui demande de l'aider à s'habiller, elle le lui demande à lui et non pas à Sofia, leur servante. Asher noue les rubans de sa robe. Gitla s'assied à table mais ne mange pas, puis elle regagne son lit et Asher lui ôte sa robe. Il peine à retirer les lacets de leurs œillets, ses doigts sont gros et malhabiles. Il a l'impression de déballer un objet fragile et précieux – quelque chose comme un vase de Chine, un verre en cristal ou une figurine en porcelaine – pour le remettre à sa place et ne plus s'en servir. Gitla supporte cela avec patience et supplie d'une voix faible de pouvoir envoyer une brève petite lettre à Samuel. Elle se fait donner du papier mais n'a plus la force d'écrire, aussi ne fait-elle que dicter quelques mots, puis, après avoir pris du laudanum, elle somnole et ne s'aperçoit pas qu'Asher a cessé d'écrire. Elle se laisse nourrir, mais uniquement par Asher, avec de la soupe, du bouillon dont elle n'avale que quelques cuillerées. Asher la fait asseoir sur le pot de chambre, mais elle ne lâche que quelques gouttes d'urine, et il a l'impression que son corps s'est bloqué comme le ferait un petit mécanisme complexe. Il en est ainsi jusqu'au soir. La nuit, quand Gitla se réveille, elle veut savoir si par exemple la facture du libraire a été payée et elle rappelle à Asher qu'il faut mettre à l'abri pour l'hiver les plantes qui se trouvent sur l'appui des fenêtres. Elle demande qu'il aille reprendre les tissus confiés à la couturière, car elle n'aura plus à lui commander de robes. Ils ne plairont certainement pas à ses filles, qui n'apprécient que la dernière mode ; ce sont pourtant des tissus de bonne qualité. Il peut les donner à Sofia, elle sera ravie. Ensuite viennent les souvenirs et Gitla parle de cet hiver où elle frappa à la porte d'Asher, à Lwów, des traîneaux, de la neige et du cortège du Messie.

Le mercredi matin, elle donne l'impression de se sentir mieux, mais, vers midi, son regard devient vitreux. Elle fixe un point lointain, au-delà du mur de son logis viennois, très haut au-dessus des immeubles. Ses mains sont agitées, elles errent sur le drap, ses doigts froissent le damassé de l'édredon pour le lisser soigneusement aussitôt après.

– Arrange-moi mon coussin, dit-elle à Adélaïde, son amie, qu'Asher a avertie et qui est arrivée en hâte de l'autre bout de la ville.

À l'évidence, sa position reste inconfortable, le coussin remonté n'est pas d'un grand secours. Rudolf Ascherbach a prévenu ses filles, mais il ne sait pas quand elles arriveront. L'une vit à Weimar, l'autre à Breslau.

La voix de Gitla s'est faite lente, elle a perdu son timbre, le ton est uniforme, métallique, déplaisant, note le docteur Ascherbach. Il est difficile de comprendre ce que dit Gitla. Or, à plusieurs reprises, elle s'inquiète du jour de la semaine. Mercredi. Mercredi. Mercredi. À sa question si simple : « Je meurs ? », Asher répond d'un geste, il acquiesce de la tête, sans un mot, puis il se reprend pour dire d'une voix rocailleuse :

– Oui.

Et elle, Gitla, pareille à elle-même, le pronostic confirmé, se mobilise, et on dirait qu'elle prend en main cette partance, ce processus problématique et irrévocable, comme elle le ferait avec une nouvelle obligation à honorer. Quand Asher regarde son corps frêle, amaigri, épuisé par la maladie, les larmes lui montent aux yeux, et c'est la première fois qu'il pleure, d'aussi loin qu'il se souvienne, peut-être depuis ce jour où une aristocrate polonaise s'était reposée dans la maison de ses parents et où chacun avait tenté, avec des chiffons, de récupérer la vodka déversée des tonneaux brisés.

Au cours de la nuit, avec Adélaïde et Mme Bachman, la voisine d'en bas, il veille Gitla.

Il lui demande :

– Veux-tu voir un prêtre ?

Après un moment d'hésitation, il ajoute :

– Un rabbin ?

Elle le regarde avec surprise, peut-être ne comprend-elle pas. Il devait le lui demander. Il n'y aura pourtant ni prêtre ni rabbin. Gitla se serait mortellement vexée s'il en avait fait venir un. L'agonie commence jeudi à l'aube et les femmes réveillent Asher qui s'était assoupi, la tête sur son bureau. Ils allument les cierges autour de son lit. Adélaïde se met à prier, mais tout bas, comme si elle se parlait à elle-même. Asher remarque que les ongles de Gitla ont blanchi avant de virer définitivement au bleu sombre; quand il lui prend la main, elle est tout à fait froide. Sa respiration se fait sifflante et difficile, chaque souffle est un effort; au bout d'une heure, elle se transforme en râle. C'est pénible à entendre, Adélaïde et Mme Bachman pleurent. Le souffle faiblit, à moins que l'oreille ne s'y soit habituée. Gitla devient plus calme, elle s'en va. Asher est témoin de cet instant qui a lieu longtemps avant que le cœur ne s'arrête et que la respiration ne cesse, Gitla s'éclipse quelque part, elle n'est plus dans ce corps sifflant, elle s'en est allée, elle a disparu. Quelque chose l'a requise, quelque chose a attiré son attention. Elle n'a pas jeté un regard derrière elle.

Jeudi, à treize heures vingt, le cœur de Gitla cesse de battre. Gitla prend une dernière goulée d'air et celle-ci reste en elle. Elle remplit sa poitrine.

Aucun dernier souffle rendu, songe alors Asher avec une colère croissante, aucune âme ne quitte le corps; bien au contraire, le corps attire l'esprit à lui pour le porter au tombeau. Il a vu cela tant de fois, mais ce n'est qu'aujourd'hui qu'il l'a compris pleinement. Il en est ainsi, précisément. Il n'y a pas de dernier souffle. Pas plus qu'il n'y a d'âme.

Une table pour trente à Varsovie

La nouvelle de la disparition de Jakób Frank parvient à Varsovie avec retard, au début du mois de janvier, quand les grands froids vident la ville et que le monde entier semble recroquevillé sur lui-même, ficelé par une cordelette rêche.

Chez les Wołowski, rue Walic*w, une grande table est dressée pour trente personnes, avec, sous le service en porcelaine, une nappe blanche soigneusement repassée. Un petit pain est posé à côté de chaque assiette. Les rideaux des fenêtres sont tirés. Aleksander et Maria, les enfants des Wołowski, disent sagement bonjour aux invités dont ils reçoivent de petits cadeaux, des fruits et des sucreries. La jolie petite Maria aux boucles noires comme du goudron fait des génuflexions en répétant: «Merci mon oncle, merci ma tante». Après quoi, les enfants s'éclipsent.

Les chandeliers à sept branches, posés à distances régulières, éclairent l'assemblée, tout le monde est habillé de façon bourgeoise, proprette, en noir. Le vieux Franciszek Wołowski préside la table; à ses côtés, il y a sa sœur Marianna Lanckorońska, avec son fils Franciszek et Barbara l'épouse de celui-ci, viennent ensuite les enfants adultes des autres frères Wołowski avec leur mari ou femme, mais aussi les enfants des Lanckoroński, les deux frères Jezierzański, Dominik et Ignacy, Onufry Matuszewski avec son épouse née Łabęcka, les frères Majewski de Lituanie, ainsi que Jakub Szymanowski avec sa nouvelle femme née Rudnicka. Franciszek aide son père à se lever, celui-ci regarde longuement tout le monde, puis tend le bras vers ceux qui se trouvent à ses côtés, de part et d'autre, et chacun fait de même. Son fils pense qu'il va entonner l'un de ces chants qu'il faut chanter à voix basse, presque murmurer, mais son père dit simplement: «Remercions Dieu tout-puissant et sa gloire, la Demoiselle Lumineuse, de nous avoir permis de tenir. Remercions notre Maître de nous avoir conduits jusqu'ici, que chacun de nous prie pour Lui, comme il le peut, avec le plus grand des amours.»

Ils prient en silence, tête baissée, jusqu'à ce que le vieux Franciszek Wołowski prenne la parole de sa voix toujours puissante:

– Que nous annonce l'arrivée des temps nouveaux? Qu'a dit Isaïe?

L'aînée de Łabęcki, assise à sa gauche, répond automatiquement:

– La fin des lois de la Torah, le Royaume sombrera dans l'hérésie. Ainsi fut-il annoncé aux temps les plus anciens et nous l'attendions.

Franciszek Wołowski se racle la gorge et inspire profondément.

– Nos ancêtres entendaient cela comme ils le pouvaient, et ils pensaient que la prophétie concernait le temps où les chrétiens s'emparèrent de la domination du monde. Nous savons maintenant qu'il ne s'agissait pas de cela. Tous les Juifs doivent passer par le royaume d'Édom pour que cette prophétie puisse s'accomplir! Jakób, notre Maître, était le Jacob incarné qui s'est rendu le premier à Édom, puisque l'histoire du Jacob de la Bible relate également notre histoire, somme toute. Et comme dit le Zohar, notre père Jakób n'est pas mort. Son héritage terrestre revient à Ewa, qui est la Rachel de Jacob.

– En réalité Jakób n'est pas mort, répondent-ils tous en chœur.

– Amen, leur répond Salomon-Franciszek Wołowski, qui s'assied, rompt son petit pain et commence à manger.

De la vie dans sa normalité

L'un des fournisseurs auxquels les Wołowski achètent du houblon est particulièrement fouinard. Les mains dans les poches, il observe Franciszek le Jeune qui pèse les sacs et il finit par dire :

– Dites-moi, Wołowski, pourquoi que vous allez tout le temps chez ce Frank et que vous lui envoyez vos gosses, alors que vous vous faites baptiser dans nos églises ? Même qu'il se dit que vous le considérez comme une sorte de patriarche et que vous lui versez un écot. Et que vous ne voulez pas épouser des catholiques.

Wołowski veut se montrer cordial à son égard, il lui donne une tape dans le dos avec familiarité avant de répondre :

– Les gens exagèrent. Il est vrai qu'on se marie entre nous, mais c'est comme partout. On se connaît mieux, nos femmes font la même cuisine que nos mères, et nous avons les mêmes habitudes. Rien de plus naturel.

Franciszek pose un sac sur la balance et ajuste les poids en porcelaine.

– Ma femme, par exemple, me fait des petits pains pareils à ceux de ma mère, personne n'y arrive s'il n'est pas né en Podolie, dans une famille juive. Je l'ai épousée pour ces petits pains ! Ce Frank nous a tendu la main quand nous étions dans le besoin, nous lui rendons la pareille avec reconnaissance. C'est de la vertu, pas un péché.

Wołowski fouille dans les poids, il a besoin des plus petits pour peser à l'once près le houblon séché.

– C'est juste, dit le grossiste. Moi, je me suis marié pour le chou aux petits pois. Celui que me cuisine ma femme est bon à se lécher les babines ! Mais il se dit aussi que vous vous installez les uns à côté des autres, dès qu'y a un manoir de la noblesse, vous y êtes pour ouvrir un troquet, avec des marchandises, vous monteriez même des fanfares, maintenant...

– Et alors, quel mal y a-t-il à cela? répond Wołowski aimablement, tandis qu'il inscrit le poids dans la colonne. C'est ça le commerce. Il faut trouver l'endroit où les gens viennent acheter chez vous. C'est ce que vous faites, vous voudriez me l'interdire?

Le grossiste lui tend le deuxième sac, plus grand, il tient à peine sur la balance.

– Et les enfants? On dit que vous avez payé à grands frais de bonnes études aux enfants de ce Frank, et que vous leur donniez du «Monsieur le baron», alors qu'ici, à Varsovie, on les voyait souvent aux bals masqués, aux danses, aux comédies, en carrosse somptueux, à faire la noce…

– Vous ne connaissez aucun catholique qui va à des bals masqués ou à des bals tout court? Et les carrosses des Potocki, vous les avez vus?

– Vous prenez pas pour un aristocrate, Wołowski.

– Je ne le fais pas. Parmi nous, les uns sont plus pauvres, les autres plus riches. Les uns vont à pied, les autres possèdent des voitures de prix. Et alors?

Franciszek en a assez de cet importun. Ce dernier semble regarder le houblon séché qu'il porte à son nez, émiette entre ses doigts, mais, en fait, son regard se promène partout dans la cour. Une colère étouffée perce en permanence dans sa voix. Franciszek Wołowski fils replie la balance et se dirige vers la sortie. L'homme le suit à regret.

– Une chose m'est encore revenue. Est-ce que c'est vrai que vous avez des réunions secrètes, que vous tirez les rideaux aux fenêtres pour pratiquer des étrangetés? demande-t-il, suspicieux. C'est ce qu'il se dit de vous.

Franciszek est prudent. Il soupèse un moment ses paroles avec la même attention que s'il choisissait les poids en porcelaine.

– Nous, les néophytes, nous prêtons une attention particulière à aimer notre prochain. N'est-ce pas le commandement essentiel de tous les chrétiens? interroge-t-il de façon rhétorique.

L'autre ne peut qu'acquiescer.

– Il est vrai que nous nous réunissons pour tenir conseil, comme pas plus tard qu'hier, chez moi, pour nous entraider, pour savoir où investir. Nous nous invitons aux mariages et aux baptêmes. Nous parlons de nos enfants, de leurs écoles. Nous nous serrons les coudes et il n'y a aucun mal à cela, ce serait plutôt un exemple à suivre pour les autres chrétiens.

– Eh bien, bonne continuation parmi nous, Wołowski, finit par dire le grossiste quelque peu déçu au moment où ils s'assoient pour faire leurs comptes de houblon.

Quand enfin Franciszek se débarrasse du fouinard, il soupire d'aise. Il n'en revient pas moins, aussitôt après, à un état de vigilance permanente et épuisante.

L'ambiance autour de la *Havurah*, à Varsovie, n'est pas des meilleures. Certains de ses membres sont partis pour Wilno, tels les jeunes Kapliński ou tous les Majewski, d'autres sont rentrés à Lwów tels les Matuszewski, mais, là-bas non plus, rien n'est facile. Reste que c'est à Varsovie que la situation est la plus mauvaise. Tout le monde épie, chuchote. Barbara, l'épouse de Wołowski, dit que Franciszek s'implique trop et donc qu'on le voit trop. Il a pris part à la Procession Noire qui réclamait des droits pour les bourgeois. Il agit dans le cadre de la Guilde des marchands. Il possède une brasserie qui marche bien, il est propriétaire d'une maison, il garantit les emprunts des siens, son nom s'entend d'autant plus souvent qu'il est porté par ses fils et ses cousins, cette multitude dérange et agace. Hier, par exemple, Barbara a trouvé un bout de papier glissé sous la porte avec un texte grossièrement imprimé, dont les lettres bavent :

Frank leur inculque la superstition, il les bénit, volubile,
Moyennant quoi, chacun, des ducats de Pologne, lui file.
Celui-là, chez eux comme un Dieu vénéré, honoré,
Celui-là, au fort de Jasna Góra par décret fut enfermé.
Celui-là, gabelle sur la vodka, sur la bière, ils lui versent,
Des millions de Pologne partent, qu'ils lui déversent.
N'est-ce pas justice qu'arrêter cette sottise, ces secrets, ce haut mal?
Ils sont baptisés, eh bien, qu'ils vivent une vie normale!

Heiliger Weg nach Offenbach

La véritable maison de Dieu est à Offenbach, fut-il dit à Josef von Schönfeld, presque vingt ans, neveu de Thomas von Schönfeld de Prague, et il commença alors ses préparatifs de départ. Certes, il s'agissait de la Sainte Voie que chaque vrai-croyant devait prendre, mais il faut ajouter que ce voyage avait également un aspect pragmatique : le jeune homme échappait ainsi à l'enrôlement, obligatoire pour les vrai-croyants depuis qu'ils étaient chrétiens. Josef était accompagné de deux camarades dans une situation comparable à la sienne. Leur route les mènerait par Dresde où, sans explications particulières, ils devaient recevoir des lettres de recommandation du baron Eybeschutz – bien que, pour Josef, comme l'affirma sa mère, elles soient inutiles lorsqu'on s'appelle von Schönfeld.

Quand, en juin 1796, ils arrivent enfin à Offenbach-sur-le-Main, ils passent toute une journée à attendre une audience de Madame, au milieu d'une cohue de jeunes hommes venus de nombreuses nations, aux vêtements de diverses couleurs. Certains, déjà vêtus d'un uniforme bizarre, font des exercices militaires, d'autres traînent tout simplement dans la cour, et, quand il se met à pleuvoir, on les autorise à se réfugier sous la galerie. Josef observe avec curiosité les bas-reliefs des piliers, chacun d'eux représente des personnages dont il reconnaît aussitôt, en adolescent futé, qu'ils appartiennent à la mythologie. Il y a notamment celui qu'il déteste, le dieu Mars, engoncé dans son armure, une hallebarde à la main et à ses pieds un bélier, son signe du zodiaque. Pour Josef, ce bélier symbolise plutôt tous ceux qui, tels des moutons, suivent les ordres des généraux pour devenir de la chair à canon. Il préfère de loin le visage harmonieux et lisse de Vénus, dont il commente les formes avec ses camarades.

Ils ne sont reçus que le soir par la Dame.

C'est une femme dans la cinquantaine, habillée avec une élégance parfaite, aux mains blanches et soignées, dont les cheveux foisonnants sont remontés en chignon. Tandis qu'elle lit la lettre de recommandation, Josef observe avec attention son chien grand et maigre – il lui fait surtout penser à une sauterelle monstrueuse – qui ne les quitte pas des yeux. La femme finit par dire :

– Vous êtes reçus, très chers. Vous allez vous soumettre ici à une règle dont le strict respect vous conduira au vrai bonheur. Le vrai salut se trouve ici.

Elle parle allemand avec un fort accent oriental. Elle renvoie les autres garçons, mais demande à Josef de rester. Elle se lève alors et se rapproche pour lui donner sa main à baiser.

– Tu es le neveu de Thomas ?

Il confirme.

– Est-il vrai qu'il est mort ?

Josef baisse la tête. Un mystère honteux, gênant, jamais révélé par la famille, est lié à la disparition de son oncle. Josef ignore si c'est parce que Thomas, pour une raison inconnue, s'est laissé tuer ou s'il y a autre chose qu'on ne lui a pas révélé.

– Vous le connaissiez, n'est-ce pas, Madame ? demande-t-il pour éviter ainsi de nouvelles questions.

– Tu lui ressembles un peu, dit la Belle Dame. Si tu souhaites parler avec moi, si quelque chose ici vient à te manquer, je te recevrai toujours volontiers.

Un instant, Josef a l'impression qu'elle le regarde avec tendresse, cela l'enhardit. Il voudrait dire quelque chose, il ressent soudainement un élan d'amour et de reconnaissance pour cette femme triste qu'un fil mystérieux relie à la Vénus de grès rouge, mais rien ne lui vient à l'esprit et il bredouille timidement :

– Merci de m'accueillir ici. Je serai un bon élève.

Quand il dit cela, la Dame a un sourire qui semble charmeur à Josef, un sourire de jeune femme.

Le lendemain, on demande aux jeunes gens de monter au dernier étage, là où se trouvent les chambrettes de ceux qu'on appelle les Anciens.

« Vous êtes allés chez les Anciens ? » leur demande-t-on depuis leur arrivée. Josef est donc curieux de savoir qui ils sont. Il a tout le temps l'impression d'être tombé dans l'un de ces contes que sa mère lui racontait, avec plein de rois, de belles princesses, d'expéditions au-delà des mers et de sages sans jambes qui veillent sur des trésors.

Ces sages-ci ont des jambes, à l'évidence. Ils sont installés à deux grandes tables sur lesquelles s'étale une multitude de livres, de ramettes et de rouleaux de papier. Un travail est en cours, cela se voit. Ces hommes ont l'air de Juifs, de savants juifs tels ceux que l'on peut rencontrer à Prague, ils portent de longues barbes, mais ils sont habillés à la polonaise avec des *kubraks*, vestes jadis de couleur, désormais délavées. Ils ont enfilé des manches de lustrine pour protéger leur vêtement de l'encre. L'un des vieillards se lève et, les regardant à peine, il leur remet à chacun une feuille sur laquelle est imprimé un étrange dessin plein de cercles qui se rejoignent. Il leur dit ensuite avec un accent semblable à celui de la Belle Dame:

– Mes fils, la *Shekhina* a perdu sa liberté, Édom et Ismaël la retiennent prisonnière. Notre devoir est de la libérer de ses entraves. Cela se fera quand viendra l'union des trois *Sephirot* en une trinité, alors la rédemption aura lieu.

De son doigt osseux, il désigne les cercles.

Le camarade de Josef lui jette un regard amusé en douce, on voit qu'il cherche à s'empêcher de rire. Josef promène son regard dans toute la pièce, il y découvre un méli-mélo surprenant. En place dominante se trouve accrochée une croix avec, à côté d'elle, un tableau de la Sainte Mère de Dieu catholique. Quand il y regarde de plus près, celui-ci se révèle être le portrait de la Belle Dame, mais arrangé comme le sont les représentations de la Vierge Marie dans les églises et les chapelles. En dessous, il y a des portraits d'hommes et des figures avec des lettres hébraïques dont il ne comprend guère le sens. Il parvient juste à reconnaître, sur l'une des plaques, des noms appris dont il ignore néanmoins le sens profond: *Kéther, Hokhma, Binah, Hessed, Guévoura, Tiféreth, Nétsah, Hod, Yésod* et *Malkhout.* Reliés entre eux par des tirets, ils s'unissent en un concept, *En Sof.*

L'Ancien parle:

– Deux *Sephirot* se sont déjà donné une apparence humaine. Nous devons maintenant attendre la troisième. Gloire à celui qui sera choisi pour s'unir à *Tiféreth,* la Beauté. De lui viendra le Sauveur. Soyez donc assidus, écoutez attentivement tout ce que l'on vous dira pour que vous puissiez vous trouver parmi les élus.

L'Ancien dit tout cela comme s'il récitait ce que tout le monde sait, comme s'il l'avait répété des milliers de fois. Il se retourne et s'en va, sans un mot de plus. Il est frêle et tout sec, il trotte à petits pas.

Une fois qu'il a passé la porte, les garçons éclatent de rire.

À leur retour de chez les Anciens, ils sont immédiatement intégrés à la garde ; ils remettent l'argent qu'ils ont apporté de chez eux et reçoivent de drôles d'uniformes de couleur. Désormais, chaque jour, ils prendront part aux exercices de marche, de tir et même de combat. Leur seul devoir sera d'exécuter les ordres de celui qui dirige les entraînements, un homme avec une moustache à la polonaise, puis de se mettre au garde-à-vous devant ce vieillard dont l'uniforme indique un rang de général et qui se montre à la Cour de temps à autre pour recevoir les parades. La cuisine fournit trois repas copieux par jour ; le soir, ceux qui ne sont pas de service se rendent dans la grande salle pour suivre l'enseignement des Anciens. Tant les garçons que les filles y assistent, aussi l'on ne s'étonnera guère que tous s'y préoccupent davantage d'échanger des regards à tout va que d'écouter. Josef ne saisit guère que des mots isolés de ces leçons dont le sens général est étrange, et

lui n'a pas la tête à ces choses. Il ne comprend pas si ce qui est dit doit être pris au pied de la lettre ou s'il s'agit d'une sorte de métaphore. Dans les cours, les citations du prophète Isaïe reviennent régulièrement, tout comme le mot *Malkhout*, le Royaume. Quand Josef est appelé à participer à l'escorte d'honneur de l'expédition dominicale à Bürgel, à l'église – une faveur, sans doute, de la Belle Dame qui l'invite parfois à prendre le café –, il commence à comprendre que ce mot «Royaume» désigne ce même *Maître* dont ils accompagnent le carrosse soigneusement fermé à la petite ville. Soutenu par des aides robustes, coiffé d'une grande capuche, il entre avec difficulté dans l'église, où il reste seul un moment. Josef devine alors que ce *Maître* est précisément *Celui* qui est mort récemment, et que, en vérité, *il n'est pas mort*. Dans leurs uniformes multicolores – ainsi vêtu, Josef se sent pareil à un homme de cirque –, tous les gardes doivent alors se retourner, de sorte à regarder la rivière Main qui coule paisiblement et les voiles de ses petits bateaux fragiles comme des libellules.

Parfois, les gardes ont du temps libre. Josef se rend alors en ville avec ses camarades pour y rejoindre la foule colorée des jeunes gens qui s'ennuient, occupent déjà tous les parcs et squares de la petite localité, y content fleurette ou font de la musique. Ils parlent de nombreuses langues avec un exotisme bariolé. On peut entendre là tant le dialecte allemand hambourgeois du Nord, que celui de Bohême et de Moravie du Sud, le tchèque aussi, et, plus rarement, des langues orientales que Josef ne sait pas identifier. Le polonais domine néanmoins, une langue qu'il a appris à comprendre. Quand les jeunes ne se comprennent pas, ils tentent de parler yiddish ou français. Les amourettes fleurissent, Josef a lui-même vu un jeune homme de toute beauté chanter un chant plein de tristesse en s'accompagnant à la guitare sous les fenêtres d'une amoureuse.

Josef se lie rapidement avec un garçon de Prague qui se retrouve là pour avoir fui comme lui la sévère figure de Mars. Il se prénomme Mojżesz, mais se fait appeler Leopold. Il n'est pas baptisé et, au début, il récite encore ses prières juives. Ensuite, il laisse tomber. C'est avec lui que Josef passe le plus de temps et c'est très bien: il a quelqu'un à qui confier le sentiment croissant d'irréalité qu'il ressent dans cette ville, ce pays, au bord de cette grande rivière qui observe leur vie paresseuse d'un œil platement indifférent.

Josef bénéficie pourtant d'un statut spécial; il se doute que ce n'est pas uniquement parce qu'il est un lointain parent de la Belle Dame, mais aussi à cause de son oncle. Il est invité plusieurs fois à la table de Madame et de ses frères. On l'interroge sur sa famille, Madame connaît bien ses tantes. Elle parle de l'horloge dans le salon de sa grand-mère, demande si elle marche toujours. Cela met Josef à l'aise. Il rapporte des anecdotes sur Brünn, en évoque les commerçants, les caves à vin et les salons de thé, mais, finalement, il n'a pas tellement de souvenirs, il allait rarement voir sa grand-mère. Un jour, les yeux de Madame se remplissent de larmes, elle lui demande un mouchoir. Son chien regarde le jeune homme avec un calme inhumain, suspicieux. Lorsque Josef se retrouve seul avec la Belle Dame, il perd toute assurance. Il lui semble qu'une bonté particulière, nimbée d'une tristesse indéfinie, émane de cette femme, et cela fait qu'il repart de chez elle la tête pleine de confusion. Vulnérable.

Mojżesz-Leopold, lui, est de loin plus critique.

– Tout ça, c'est des simagrées, dit-il. Rien n'est vrai ici, regarde! C'est comme si on jouait une pièce de théâtre…

Ils observent d'en haut le carrosse qui se prépare à partir. Les chevaux ont de grands panaches sur la tête. De part et d'autre du véhicule, les gars en uniformes chamarrés prennent place, ils vont courir en l'accompagnant tout au long de la route. Mojżesz a raison.

– Et ces vieux? Ils sont ridicules, ils répètent tout le temps la même chose, et quand on les interroge pour en savoir davantage ils se cachent derrière allez savoir quel secret. Et ces airs savants qu'ils se donnent…

Mojżesz imite leurs mimiques et leurs gestes. Il ferme les yeux, lève la tête et récite des suites de mots dénuées de sens. Josef éclate de rire. Il suspecte de plus en plus qu'ils se sont retrouvés sur une scène aussi vaste que l'est cette ville, où chacun joue le rôle qui lui a été attribué sans pour autant connaître la trame du drame dans lequel il intervient, ni son sens et encore moins sa conclusion. L'entraînement à l'ordre serré, fastidieux et épuisant, lui rappelle des exercices collectifs de danse. On se met sur deux rangs, puis on se rejoint et on se sépare comme dans un quadrille. Josef a une chance que n'a pas Mojżesz, il est choisi par le général pour monter à cheval. C'est la seule chose concrète et utile qu'il apprendra à Offenbach.

Des femmes prennent un bain de pieds

Ewa avait été contrainte de marier Anna Pawłowska voilà longtemps déjà. Celle-ci, en dépit du fait qu'elle a un mari et des enfants à Varsovie, revient chaque année à Offenbach-sur-le-Main. Elle s'est mariée dans sa proche parenté, avec son cousin Pawłowski, elle n'a donc même pas changé de nom. Son époux est officier, il est fréquemment absent. En ce moment, Anna est à Offenbach avec sa fille, Paulinka, qui restera auprès de Madame dans la solitude hivernale. Heureusement, ce ne sera plus au château, qu'il leur fut impossible de garder, mais dans une demeure cossue donnant sur la rue principale de la petite ville. Les Czerniawski l'ont achetée à leur nom pour permettre à Ewa d'échapper aux créanciers.

Paulinka est sortie en ville avec la bonne, tandis qu'elles, les vieilles, se font un bain de pieds. L'articulation du gros orteil d'Ewa est enflée et cela lui fait très mal. Quand Anna retire ses bas blancs, on voit qu'elle souffre du même mal. Des sels ont été dissous dans l'eau chaude. Les jupes remontées découvrent leurs jambes, celles d'Ewa sont rouges de vaisseaux éclatés. Sur la table à côté d'elles, ces dames ont posé un pot de café et une assiette de petites gaufrettes. Ewa aime surtout celles qui sont fourrées à la pistache. Les deux amies se demandent combien Jakób a pu avoir d'enfants et qui ils pourraient être. Désormais, Ewa va jusqu'à se réjouir d'avoir une aussi grande fratrie. Cela veut dire qu'elle a beaucoup de petits-enfants par frères et sœurs interposés, à Varsovie, en Moravie ou en Valachie. Est-ce que l'un des petits Kapliński, de ceux que Jakób baptisa peu avant sa mort avec une telle émotion, est l'un d'eux? Tu te souviens? Tu te souviens? Et Magda Jezierzańska? Tu te souviens? Et Ludwik Wołowski? Il lui ressemblait tellement! Barbara Szymanowska? Ou Jan Zwierzchowski? Barbara Jakóbowska, c'est sûr, c'est Jakób tout craché! Brusquement, Anna demande:

– Et moi?

Ewa pose sur elle un regard plein de bonté, puis, très vite, elle lui caresse les cheveux comme pour la réconforter.

– Aussi, peut-être. Je ne sais pas.

– Quoi qu'il en soit, nous sommes sœurs.

Elles se blottissent l'une contre l'autre, les pieds dans les bassines d'eau. Peu après, Ewa demande :

– Et ta mère ? Comment était-elle ?

Anna devient pensive, elle croise les mains sous son menton.

– Bonne et vive d'esprit. Elle avait le nez creux pour les affaires. Elle était partout, jusqu'à la fin. Sans elle, mon père aurait été perdu. C'est elle qui a développé la boutique, veillé à l'éducation de mes frères. Et maintenant, nous avons ce magasin grâce à elle !

– Elle avait pour prénom Pesełe, n'est-ce pas ? Mon père parlait d'elle en disant Pesełe.

– Oui, je sais.

– Comment ça se passe pour toi dans ton couple, Mme Pawłowska ? lui demande ensuite Ewa, au moment où elles s'essuient les pieds dans de très douces serviettes.

– Bien. Je me suis mariée trop tard. Je me suis trop attachée à toi.

– Tu m'as abandonnée, répond Ewa comme par chamaillerie.

– Que peut faire une femme, sinon bien se marier ?

Ewa se fait pensive. Elle s'incline ensuite pour masser son orteil enflé.

– Devenir une sainte. Tu pouvais rester avec moi.

– Je suis là.

Ewa se redresse, appuie sa tête contre le fauteuil et ferme les yeux.

– Mais tu vas partir, dit-elle avant de se courber péniblement pour enfiler ses bas. Et moi, je resterai seule ici, avec un frère ivrogne et un frère débauché.

– Attends, je vais t'aider, dit Anna qui se baisse à son tour.

– Des dettes partout, je n'ai pas le droit de quitter la ville. Les Czerniawski ont tout laissé tomber pour fuir vers je ne sais quel Bucarest ou Buda. Ils m'ont abandonnée avec tout ça. Autour de moi, il n'y a que des étrangers.

Anna parvient à enfiler un bas sur le pied d'Ewa. Elle sait de quoi il est question. Elle a vu les affiches dans les rues d'Offenbach informant que la fratrie Frank promettait de payer toutes les dettes contractées chez les artisans et les commerçants, et que, à cette fin, le plus jeune des barons Frank se rendait à Saint-Pétersbourg.

– Pourquoi à Saint-Pétersbourg ? demande Anna.

– Une idée de Zaleski. Ici, ils pensent que nous sommes russes. De la famille du tsar. Quant à Roch, il ira à Varsovie.

– Ce sera en vain. C'est la misère là-bas. Tu veux de la vodka? demande Anna.

Elle se lève pour aller pieds nus jusqu'au buffet dont elle sort une bouteille et deux verres. Elle revient verser la boisson dorée.

– *Miodówka.*

Elles savourent la vodka à base de miel en silence. Le soleil couchant hivernal jette brièvement un rai rouge par la fenêtre, cela rend la pièce vraiment chaleureuse. Ce boudoir féminin a un lit confortable, des fauteuils à rayures disposés autour d'une petite table à café, un bureau « néoclassique » où traînent des piles de factures et une lettre inachevée. La pointe de la plume a eu le temps de sécher.

Ensuite, le soleil disparaît et la pièce sombre dans un crépuscule qui se densifie. Anna se lève pour allumer une bougie.

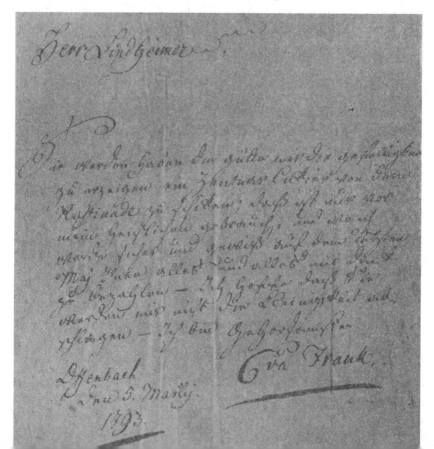

– N'allume pas, lui dit Ewa. Tu te souviens, tu m'as raconté un jour que dans le village de ta mère il y avait une femme qui n'était pas morte complètement.

– Oui, c'est vrai. Maman disait qu'elle continuait à respirer, mais devenait juste de plus en plus petite. C'était une de nos arrière-arrière-aïeules. Elle est finalement devenue aussi petite qu'un enfant, qu'une poupée. Ils l'ont laissée dans une caverne.

Ewa s'agite nerveusement.

– Comment est-ce possible?

– Je l'ignore, répond Anna – et elle verse un deuxième verre. Impossible de le savoir désormais.

LES RELIQUATS. DE LA LUMIÈRE

Nahman est déjà âgé, sec comme une boise et voûté. Il est assis devant une petite fenêtre qui laisse passer peu de lumière, un froid terrible se dégage des murs épais. Sa main qui tient la plume tremble. Les derniers grains de sable s'écoulent dans le petit sablier posé à côté de l'encrier, il faudra le retourner dans un instant. Nahman écrit.

Comme il est écrit dans le Pessahim, nos pères répétaient qu'il y a quatre sortes de revenus qui n'apportent jamais le bonheur: la rétribution de l'écrivain, la rétribution du traducteur, la rente de l'orphelin et l'argent qui arrive des pays d'outre-mer.

Et je pense que grande est en effet la sagesse du Talmud, parce que, dans ma vie, c'étaient là mes principales sources d'argent, et cela permet de comprendre pourquoi je n'ai pas atteint au grand bonheur. Je suis néanmoins arrivé à un accomplissement de soi qui peut être qualifié de petit bonheur, de bonheur humain, et ceci se fit à partir du moment où je m'installai ici, à Offenbach, et où je compris que j'y mourrais. Ce fut également alors que me quitta ma plus grande faiblesse, mon péché, l'impatience. Car être impatient, qu'est-ce que cela signifie?

Être impatient, c'est ne jamais vivre pleinement, mais se projeter toujours vers l'avenir, vers ce qui va arriver, mais qui n'est pas encore advenu. Est-ce que les gens impatients ne rappellent pas ces fantômes qui ne sont jamais là, ici, maintenant, en cet instant, mais passent juste la tête à travers le mur de la vie, pareils à ces voyageurs qui, lorsqu'ils se retrouvèrent au bout du monde, auraient regardé au-delà de l'horizon. Et que virent-ils ? Que peut voir celui qui est impatient ?

Je me souvins de cette question hier, alors qu'à notre habitude, Jeruchim Dembowski et moi, nous discutions jusque tard le soir. On prétend, me répondit-il, que là-bas, hors du monde, il en est comme dans les coulisses d'un petit théâtre de foire où règne un désordre de cordages, de vieux décors, de déguisements et de masques, d'objets les plus divers, toute une machinerie nécessaire à créer une illusion. C'est à cela que les choses ressemblent là-bas, paraît-il. En langue ancienne, *Achizas Einayim*, autrement dit l'Illusion du prestidigitateur.

C'est ainsi que je voyais les choses de ma petite chambre, maintenant. Une illusion. Une représentation. Tant que je pouvais emprunter l'escalier, chaque matin, nous délivrions un enseignement pour les jeunes qui, année après année, me semblaient moins distincts les uns et des autres et qui finirent par se fondre en un seul visage qui changeait et ondulait. Et, à vrai dire, je ne leur trouvais plus rien qui m'intéressât. Je leur parlais, ils ne comprenaient pas. C'était comme si, sur l'arbre de notre monde, des rameaux avaient poussé dans des directions complètement nouvelles. Mais cela non plus ne m'inquiète plus.

Après la mort de Jakób arriva pour moi le temps du grand calme. L'étude de la Merkava devint ma principale occupation, à laquelle s'ajoutèrent mes conversations avec Jeruchim Dembowski. Nous occupions la même chambre, cela nous rapprocha. À lui, Jeruchim, je parlai également de Haya Shorr. Je lui avouai qu'elle était la seule femme pour laquelle j'avais ressenti de l'amour et que je l'avais aimée depuis ce merveilleux moment où je pus la posséder toute une nuit, celle où j'arrivai à Rohatyn avec des nouvelles de Jakób. Mais c'était Jakób que j'aimais plus que n'importe qui d'autre !

Maintenant, à Offenbach, ville paisible et endormie, nous passions nos journées à ne rien faire d'autre qu'étudier les mots hébreux. Nous en déplacions les lettres et comptions leur valeur, de sorte que de nouvelles significations apparaissaient, et donc de nouveaux mondes possibles. Quand il obtenait un résultat, Jeruchim gloussait de rire, et à moi il me semblait que Dieu riait de la même manière au moment où il créait chacun de nous.

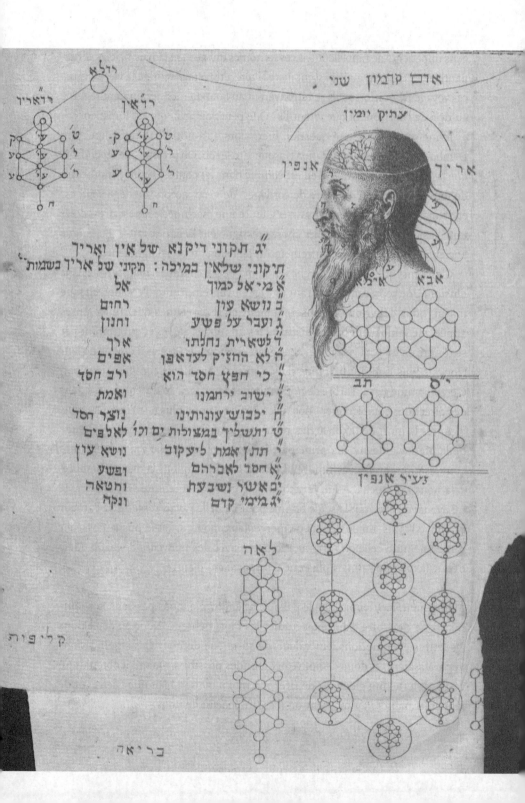

אדם קדמון שני

עתיק ימין

אנפין   אריך

אבא   א"מא

ודלא

רדאריר   רדאין

ט' ק ל ל ע ח

תב   י"ס

צעיר אנפין

לאה

קליפות

בריאה

"ג תקוני דיקנא של אין וַאריך

תיקוני שלאין במיכה : תקוני של אריך בשמות"

אל	א' מי אל כמוך
רחום	ב' נושא עין
וחנון	ג' ועבר על פשע
ארך	ד' לשארית נחלתו
אפים	ה' לא החזיק לעד אפו
ורב חסד	ו' כי חפץ חסד הוא
ואמת	ז' ישוב ירחמנו
נוצר חסד	ח' יכבוש עונותינו
לאלפים	ט' ותשליך במצולות ים וכו'
נושא עון	י' תתן אמת ליעקב
ופשע	יא' חסד לאברהם
וחטאה	יב' אשר נשבעת
ונקה	יג' בימי קדם

Parfois l'envie nous prenait d'évoquer nos souvenirs. Je lui demandais alors : « Te souviens-tu du temps où tu étais le Juif préféré de Mgr Dembowski ? Comme il te choyait ? » J'avais envie de promener ma mémoire dans un passé qui, pour moi, restait vivant. Le présent respirait à peine, l'avenir gisait devant moi tel un cadavre froid.

Jeruchim et moi espérions sans cesse la venue de nos enfants et de nos petits-enfants. Les fils de Jeruchim, Jan et Joachim, devaient venir le voir à Offenbach. Il parlait si souvent d'eux et les décrivait avec une telle précision que, bientôt, leur visite ne fut plus nécessaire. Tout le monde se souvenait d'eux dans leur enfance et leur jeunesse comme de garçons un peu hautains, fiers, portant haut le front parce que éduqués chez les théatins*. Tous deux grands et de belle allure. « L'un viendra en veste argentée, disait le vieux Jeruchim, l'autre en uniforme polonais. » Mais ils ne vinrent jamais.

Quant à moi, je trouvais une immense consolation auprès de mes petites-filles, qui venaient rendre visite à Ewa, notre Demoiselle. L'une d'elles s'est même mariée à Offenbach, avec un Piotrowski. Nos petits-enfants nous réjouissent un temps, ensuite nous devenons plus attentifs aux affaires du monde et nous finissons par confondre les prénoms de notre descendance.

Personne ne voulait nous écouter, chacun se préoccupait de lui-même. Ewa, notre Demoiselle, avec l'aide de ses dévoués secrétaires Zaleski et le jeune Czyński, dirigeait la Cour comme une pension. Des gens y venaient, mais la plupart logeaient en ville. En bas, l'on donnait des concerts auxquels nous ne descendions jamais, ni Jeruchim ni moi, nous préférions nos exercices de gématrie et de notarique. L'année dernière, les frères Wołowski vinrent nous voir et, tout l'été, avec Jeruchim, ils travaillèrent à une lettre pour l'ensemble des Communes juives du monde. Ils la recopièrent des centaines de fois, des milliers de fois peut-être, toujours à l'encre rouge. C'était un avertissement à propos de la grande catastrophe supposée les attendre s'ils ne passaient pas à la foi d'Édom, qui seule les sauverait de l'anéantissement. Ils signèrent ce courrier de leur nom juif. Franciszek Wołowski signa Salomon ben Elisha Shorr, Michał Wołowski signa Natan ben Elisha Shorr, Jędrzej Dembowski signa Jeruchim ben Hananiah Lippman de Czarnokozińce. Cette lettre, moi,

---

* Les théatins, ordre des clercs réguliers fondé en 1524. Ils inaugurent un type nouveau d'ordre religieux dont le XVIᵉ siècle connaîtra plusieurs exemples, notamment avec les Jésuites. (N.d.T.)

je ne voulus pas la parapher. Je ne crois pas aux catastrophes futures. Je crois en celles que nous avons pu éviter.

Dans le livre de Bemidbar, il est dit que Dieu ordonna à Moïse de décrire l'itinéraire de la pérégrination de son peuple. Il me semble qu'à moi aussi Dieu ordonna de faire cela. Et bien qu'il me semble ne pas y être arrivé, parce que j'étais trop vif et trop impatient, ou peut-être trop paresseux pour tout englober, je m'efforçai néanmoins de rappeler aux vrai-croyants qui ils étaient et d'où ils venaient. Notre histoire ne nous est-elle pas toujours racontée par autrui ? Nous ne pouvons savoir de nous que ce que d'autres nous disent de ce que nous sommes ou de la raison de nos efforts. De quoi me souviendrais-je de mon enfance s'il n'y avait eu ma mère ? Comment aurais-je pu me connaître si je n'avais vu mon reflet dans les yeux de Jakób ? Je m'asseyais donc auprès de mes frères pour leur rappeler ce que nous avions vécu ensemble, car leur volonté de prévoir les catastrophes futures embrumait leur esprit. «Allons, Nahman, occupe-toi de ton travail ! Tu nous agaces», disaient-ils au début pour m'écarter. Mais moi, je m'obstinais. Je leur rappelais nos débuts. J'évoquais les rues de Smyrne et de Salonique, les méandres du Danube et les pénibles hivers polonais où, par grand froid, nous suivions Jakób en traîneaux dans le tintement des clochettes. Je parlais aussi du corps nu de Jakób lorsque nous étions témoins de la descente du souffle en lui. Du visage de Haya. Des livres du vieux Shorr. De la sévérité des visages de nos juges. Et ces temps ténébreux à Częstochowa, vous vous en souvenez ? leur demandais-je.

Ils m'écoutaient distraitement. Avec le temps, l'homme oublie les pas qu'il fit et il lui semble qu'il marche seul, selon son bon vouloir et non pas comme Dieu le conduit.

Est-il possible d'arriver à cette connaissance que nous promettait Jakób, au saint *Daat* ?

Je leur disais : «Il y a deux façons de ne pas parvenir à la connaissance. La première, c'est quand quelqu'un ne cherche même pas à poser des questions pour la trouver, puisqu'il estime que, de toute manière, il ne saura jamais vraiment ce qu'il en est. La seconde, c'est quand il étudie et enquête pour arriver précisément à la conclusion qu'il lui est impossible de savoir.» Là, je recourais à un exemple, afin que mes frères puissent mieux comprendre la valeur de cette différence entre les deux approches. Je leur disais donc que c'est comme si deux personnes voulaient connaître le roi. L'une se disait : « Puisque c'est impossible, à quoi bon entrer dans son palais pour en parcourir les pièces ? » La seconde pensait différemment. Elle visitait les salles royales, se réjouissait du trésor du roi, les magnifiques tapis la ravissaient, et, quand elle apprenait qu'elle ne pourrait pas faire la connaissance du monarque, elle savait qu'elle connaissait au moins son logis.

Ils m'écoutaient sans vraiment comprendre où je voulais en venir.

Je souhaitais donc revenir au commencement pour leur rappeler que notre préoccupation première était la lumière. Nous admirions la lumière dans tout ce qui existe, nous suivions sa piste sur les routes étroites de Podolie, par les gués du Dniestr, le passage du Danube, ou encore lorsque nous traversions les frontières les mieux gardées. La lumière nous appelait quand nous plongions à sa suite dans les plus grandes ténèbres de Częstochowa, elle nous emmenait d'un endroit à l'autre, de maison en maison.

Je leur rappelais alors également que, dans notre vieille langue, « lumière » et « infini » avaient une valeur numérique identique. Lumière s'écrit :

אור

Aleph, Vav, Resh, ce qui donne 1+6+200 = 207.

Infini s'écrit :

אין ס וף

Aleph, Yod, Nun, Samech, Vav, Phe, en valeur numérique 1+10+50+60+6+80 = 207. Mais le mot « mystère » a lui aussi une valeur numérique de 207.

Voyez, leur disais-je, tous les livres que nous avons étudiés parlent de la lumière. *Sefer ha-Bahir* est *Le Livre de la Clarté*, *Shaaréi Orah* ce sont *Les Portes de la Lumière*, *Meor Enajim* veut dire *Lumière des Yeux*, et, pour finir, il y a *Sefer ha-Zohar*, le Livre de la Splendeur. Nous n'avons rien fait d'autre que de nous éveiller à minuit pour étudier la lumière dans le froid, dans les petites pièces sombres, dans les plus grandes ténèbres.

C'est la lumière qui nous fit découvrir que l'énorme corps de la matière, avec ses lois, n'est pas réel, pas plus que toutes ses figures et manifestations, ses formes infinies, ses normes et ses habitudes. La vérité du monde n'est pas la matière, mais la vibration des étincelles de lumière, ce scintillement permanent qui se trouve en toute chose.

Rappelez-vous notre quête, leur dis-je. Toutes les religions, les lois, les livres et les anciens usages sont révolus, périmés. Celui qui lit les vieux livres, qui respecte ces lois et ces usages, c'est comme s'il avait toujours la tête tournée en arrière alors qu'il doit aller de l'avant. Il trébuchera pour finalement tomber. Parce que tout ce qui était venait de la mort. L'homme sage regardera vers l'avant, devant lui, à travers la mort, comme si celle-ci n'était qu'un voile de mousseline, et il se placera du côté de la vie.

Et moi, Nahman Samuel ben Lewi de Busk, mais aussi Piotr Jakóbowski, j'appose ma signature au bas de ceci.

Hominem 1	Człowieka 1	Homo, m. 3. czło-
attingunt *confangui-*	dotykaią pokrewien-	wiek.
(*nitaté,*	(ſtwem,	confanguinitas, f. 1.
in *linea afcendente,*	w Linii powſtaiącey,	pokrewny.
(m. 2.		linea, f. 1. aſ endens,
pater, m. 3. *vitricus,* 2	Ociec, Oyczym, 2	c. 3. linia powſta-
& *mater,* f. 3. *nover-*	i Matka, macocha, 3	iąca.
(*ca,* 3 f. 1.		
avus, 4 m. 2.	dźiadek, 4	
& *avia,* 5 f. 1.	i babka, 5	
proavus, 6 m. 2.	pradźiadek, 6	
& *proavia,* 7 f. 1.	i prababka, 7	
abavus, 8 m. 2.	prapradźiadek, 8	

L'homme I
est uni à sa parenté
en Ligne ascendante
le Père, le Parâtre, 2

la Mère, la marâtre, 3
le grand-père, 4
et la grand-mère, 5
l'arrière-grand-père, 6

et l'arrière-grand-mère, 7
l'arrière-arrière-grand-père, 8
et l'arrière-arrière-grand-mère,

31

Piotr Jakóbowski et les livres de la mort

Piotr Jakóbowski mourut peu de temps après le Maître, il ne lui survécut que d'une année. Le regard omniprésent de Ienta voit l'employé inscrire le nom de Nahman Piotr Jakóbowski dans le *Sterbe und Begräbnis Bücher*, le registre de l'état civil de la ville d'Offenbach, à la date du 19 octobre 1792, avec, pour cause du décès : « *An einer Geschwulst* », un abcès. Nul ne sachant vraiment quel âge il avait, il semble à tout le monde qu'il vivait depuis une origine mythique. L'un des jeunes déclare simplement qu'il était très vieux. Le préposé inscrit donc : « Quatre-vingt-quinze ans », vieux comme Mathusalem, un âge respectable pour un Ancien. En réalité, il était né en 1721, il avait donc soixante et onze ans, mais, épuisé par la maladie, il avait l'air d'un vieillard. L'une de ses filles, Rozalia, mourut un mois plus tard à Offenbach, d'hémorragie pendant un accouchement.

Jędrzej Jeruchim Dembowski réunit les papiers de Nahman. Il n'y en avait finalement pas beaucoup, tout entra dans un coffret. *La Vie de Sabbataï Tsevi* que Piotr Jakóbowski écrivit tout au long de son existence, s'égarant en digressions kabbalistiques, constituait pourtant une grosse liasse, avec des feuilles couvertes de croquis, de dessins, de calculs géométriques et d'étranges petites cartes. Sous le titre « Diverses annotations » se regroupaient les notes prises pour rédiger une biographie de Jakób qui ne vit pas le jour.

49-48

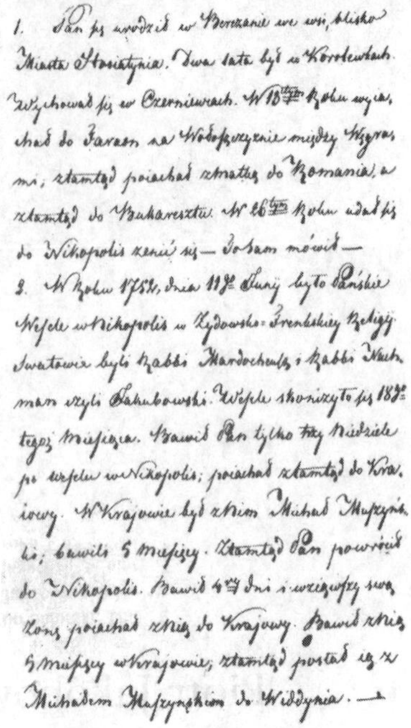
1. Pan się urodził w Berezanie we wsi blisko Miasta Stasiatynia. Dwa lata był w Korolówkach. Wychował się w Czerniowcach. W 13tym Roku wyjechał do Izaron na Wołoszczyznie między Węgrami; ztamtąd pojechał z Matką do Rumanii, a ztamtąd do Bukaresztu. W 26tym Roku udał się do Nikopolis żenić się — Sam mówił —
2. W Roku 1752, dnia 11go Junij było Pańskie Wesele w Nikopolis w Żydowsko-Frenkskiej Religii. Swatowie byli Rabbi Mardochaiusz i Rabbi Nachman czyli Jakubowski. Wesele skończyło się 18go tegoż miesiąca. Bawił Pan tylko trzy niedziele po weselu w Nikopolis; pojechał ztamtąd do Krajowy. W Krajowie był z nim Michał Myszyński; bawili 5 miesięcy. Ztamtąd Pan powrócił do Nikopolis. Bawił 4ry dni i wziąwszy swą Żonę pojechał z nią do Krajowy. Bawił z nią 5 miesięcy w Krajowie, ztamtąd postał się z Michałem Myszyńskim do Widdynia. —

Jan Wołowski, dit le Cosaque, disparut une année après Nahman, puis vint bientôt le tour de Józef Piotrowski – c'était ainsi que l'on appelait Moszek Kotlarz –, placé au château pour qu'il puisse y connaître une vieillesse paisible. Il devint infantile et boudeur, mais il bénéficia en ce lieu de soins attentifs.

En septembre 1795 mourut Mateusz Matuszewski et, moins d'un mois après lui, sa femme Wittel, appelée Anna. À la mort de son mari, elle sombra dans un étrange engourdissement qui ne la quitta plus. Il en est parfois ainsi des époux ne peuvent pas vivre l'un sans l'autre, le survivant préfère mourir.

Eliasz et Jakub, les frères Szymanowski, sont également morts l'un après l'autre, c'étaient des vieillards, et, une fois ceux-ci disparus, le reste de la famille Szymanowski retourna à Varsovie.

À la mort de Paweł Pawłowski – antérieurement Chaïm de Busk, frère de Piotr Jakóbowski –, dernier Ancien présent à la cour d'Offenbach, le château se vida lentement. À vrai dire, des vrai-croyants, surtout originaires de Moravie et d'Allemagne, résidaient encore en ville, mais ils étaient moins attachés à la Cour. Quand, en 1807, après une longue et épuisante maladie mourut Józef, le plus jeune des frères Frank, Ewa, qui s'en était occupée avec dévouement, parvint à tromper la vigilance de ses créanciers pour fuir à Venise. Par la suite, la nouvelle de la maladie de son frère Roch la fit revenir. Il mourut le 15 novembre 1813, seul dans sa chambre; il fallut en défoncer la porte pour sortir son pauvre corps, énorme et enflé par l'abus d'alcool.

Ewa Frank sauve Offenbach du pillage napoléonien

On chercha à poudrer quelque peu Roch, déjà très malade, quand, en mars 1813, le tsar Alexandre rendit visite à Ewa Frank dans sa maison à l'angle de *Canalstrasse* et *Judengasse*. La nouvelle de cet honneur devait rester secrète, mais toute la ville en fut rapidement informée. Le souverain voulait connaître cette célèbre communauté chrétienne juive dont il avait entendu parler au cours de son périple en Europe. En tant que monarque éclairé et progressiste, il avait déjà le projet de créer, sur le territoire immense de son pays, un petit État où les Juifs pourraient vivre en paix et selon leurs traditions.

La visite du monarque alimenta une rumeur qui circulait à Offenbach depuis des années, selon laquelle Ewa Frank était étroitement liée au trône russe; cela permit à cette dernière de repousser pour un temps le remboursement de nombreuses dettes. Le tsar, quant à lui, apprécia tellement ce qu'il vit que, quelques années plus tard, il convoqua par oukase un comité de soutien aux colonies des *izraèl'skix krest'jan*, les chrétiens juifs, qui devaient être créées en Crimée. L'objectif principal de ce comité était la conversion des Juifs à la chrétienté.

Plusieurs années plus tôt, en juillet 1800, Ewa et son frère Roch, encore en bonne santé, étaient devenus les héros d'Offenbach lors de la tourmente guerrière qui déferla sur cette ville jusque-là paisible.

L'aile gauche des Français, dans laquelle se trouvait la légion du Danube, qui se battait sous les ordres du général polonais Karol Kniaziewicz, s'empara des canons autrichiens et d'Offenbach au cours de la même nuit. Les soldats déchaînés, avides de rapine, se jetèrent sur la ville innocente. Il fallut l'attitude décidée d'Ewa et de son frère pour épargner à Offenbach leur violence et leur sauvagerie. C'est en effet avec une grande générosité que Mlle Frank ouvrit les portes de sa demeure pour accueillir dans la joie et traiter somptueusement ses compatriotes, sans se soucier du danger ou des dépenses considérables que cela supposait, et c'est ainsi, par son hospitalité et ses bonnes paroles, qu'elle put contenir l'avidité des vainqueurs.

Les habitants d'Offenbach allaient s'en souvenir. La vertu des femmes, les vitrines des magasins, les marchandises dans les boutiques, tout cela fut épargné par la guerre qui dévasta les villes voisines. Ewa, déjà fortement endettée, parvint donc à obtenir de nouveaux emprunts.

Malheureusement, elle passa les dernières années de sa vie aux arrêts domiciliaires avec sa dame de compagnie, Paulina Pawłowska, et son secrétaire, Franciszek Zaleski, qui était responsable de l'approvisionnement. Après sa mort, le 7 septembre 1816, l'immeuble qu'elle habitait fut mis sous scellés et les créanciers, déçus, n'y trouvèrent plus rien de précieux, si l'on excepte quelques objets de Mme la baronne qui étaient plutôt des souvenirs. Il fut juste possible de vendre l'incroyable maison de poupées à quatre étages, avec de nombreuses pièces, des salons, des salles de bains, des lustres de cristal, des couverts en argent et la plus belle des garde-robes. L'équipement de la maisonnette fut mis aux enchères séparément et il atteignit, pour l'ensemble, une somme non négligeable. L'acquéreur était un banquier de Francfort-sur-le-Main.

Paulina Pawłowska épousa un conseiller local, chez lequel elle put distraire encore longtemps la bonne société avec d'étranges récits sur les accointances personnelles de Mlle Ewa, sur la cour de Vienne ou sur le merveilleux bouc aux cornes souples. Ce bouc inspira un artiste local au point qu'il en fit une sculpture, laquelle fut placée au fronton d'un immeuble d'Offenbach.

Quant à Franciszek Wiktor Zaleski – appelé *Der Grüne*, car, tout comme sa défunte maîtresse, il s'habillait en vert –, il vécut paisiblement à Offenbach-sur-le-Main jusqu'au milieu du siècle. Il ordonna que, à sa mort, on lui coupât les carotides, tant il avait une peur panique d'être enterré en état de léthargie.

Le crâne

Tous les néophytes furent inhumés au cimetière communal qui, des
années plus tard, gêna les projets de développement de la ville. Il fut
supprimé en 1866. Les ossements des défunts furent regroupés et ensevelis avec respect dans un autre endroit. C'est alors que le crâne de
Jakób Frank fut sorti de sa tombe pour être soigneusement décrit en
tant que « crâne du patriarche juif » et remis entre les mains de l'historien de la ville d'Offenbach-sur-le-Main. Des années plus tard, dans
des circonstances inconnues, il se retrouva à Berlin où il fut soumis à des
mesures et des études pour être utilisé comme exemple de l'infériorité
raciale des Juifs. Après la guerre, il disparut. Il se peut que, détruit dans
la tourmente, il soit devenu poussière ; à moins qu'il n'ait été oublié
dans les réserves souterraines de quelque musée.

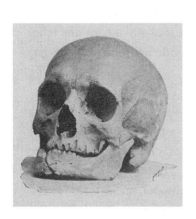

Des retrouvailles à Vienne

L'un des voyages les plus lointains de Katarzyna Kossakowska la conduisit
à Vienne en 1777. La palatine de Kamieniec s'y rendit pour recevoir
le titre de duchesse et être décorée de l'ordre de la Croix étoilée par

l'impératrice Marie-Thérèse. Elle fut accompagnée par Ignacy Potocki, son neveu qu'elle aimait comme un fils. Il semblerait que la spontanéité de Katarzyna ait particulièrement séduit l'impératrice qui se serait adressée à elle en l'appelant « ma chère amie ».

Au cours du bal donné en l'honneur des récipiendaires, Ignacy, tout à sa joie, fit une surprise à sa parente.

– Devinez, ma tante, qui je vous amène, dit-il tout excité.

Mme Kossakowska vit une dame vêtue d'une robe céladon magnifique et de toute élégance. Cette dernière, le rouge aux joues, se plaça devant elle pour faire une génuflexion très respectueuse et elle sourit. La palatine se sentit très gênée, elle fusilla du regard son neveu, qui, avec désinvolture, la plaçait dans une situation aussi embarrassante. Ce fut alors que la jeune femme lui dit gentiment en polonais :

– Je voudrais me rappeler au bon souvenir de Votre Altesse. Je suis Ewa Frank.

Il n'y avait hélas guère de temps pour parler. Ignacy murmura juste à l'oreille de sa tante qu'il se disait à la Cour qu'Ewa Frank serait la maîtresse de l'empereur. Cela plongea Mme Kossakowska dans une telle sidération et provoqua chez elle un tel afflux de souvenirs qu'elle en pleura dans son carrosse au retour du bal.

Ignacy prit cela pour l'émotion naturelle d'une dame d'un certain âge le jour où elle connaît pareils honneurs, aussi ne s'étonna-t-il guère de cette crise de larmes. Il ajouta juste en passant que les francs-maçons locaux, avec lesquels il était en relations étroites, disaient grand bien du père de cette Ewa Frank.

Katarzyna mourut à un âge très avancé à Krystynopol, sur ses terres, affectueusement entourée des soins d'Agnieszka, à la vieillesse tout aussi chenue.

Samuel Ascherbach et ses sœurs

Samuel Ascherbach, le fils de Rudolf et Gertruda Ascherbach, eut de vilaines fréquentations pendant ses études, qu'il parvint pourtant à terminer, quoique non sans difficultés. Après l'échec d'un bref stage dans l'un des cabinets juridiques de Vienne, où il entra en conflit avec son supérieur, il abandonna tout, fit des dettes, et, sans que ses parents n'en sachent rien, il partit pour Hambourg. Il y trouva d'abord un emploi de clerc chez un armateur, avant de gagner beaucoup d'argent, parce que, juriste très compétent et prometteur, il savait recouvrer des sommes importantes d'assurances. Pour des raisons partiellement non élucidées – on parla d'une affaire d'extorsion –, au bout d'un an d'une carrière qui s'engageait bien, il disparut. Ses parents finirent par recevoir de lui une lettre d'Amérique, ils regardèrent longtemps l'enveloppe qui avait traversé l'océan. Elle venait de Pennsylvanie, elle était signée du nom de Samuel Uscher. Ils y apprirent qu'il avait épousé la fille d'un gouverneur et qu'il était un homme de loi distingué. Dans les journaux d'outre-mer, qui n'avaient guère de chance d'arriver dans le salon de thé viennois que fréquentaient Gertruda et Rudolf Ascherbach, on pouvait apprendre que la fonction de juge à la Cour suprême des États-Unis fut le couronnement de sa carrière. Son épouse devait avoir eu une bonne influence sur lui ! Il eut sept enfants. Il mourut en 1842.

Ses sœurs, les jumelles, s'installèrent l'une à Weimar et l'autre à Breslau, où elles épousèrent des notables juifs. À Breslau, l'époux de Christina, le docteur Löwe, fut l'un des membres actifs de la Première Association des Frères, une organisation de Juifs libéraux. Avec lui, Christina aida à la construction de la synagogue à la Cigogne blanche. Katarzyna, quant à elle, mourut malheureusement lors de ses premières couches sans laisser plus de traces.

La bibliothèque des frères Załuski et le chanoine Benedykt Chmielowski

Les collections réunies par les frères Załuski – tous deux évêques –, avec compétence et un financement important, et dont le sort inquiétait telle-ment le père Benedykt Chmielowski, connurent un développement inouï avec le temps : près de quatre cent mille volumes, deux cent mille manuscrits, sans compter les milliers de gravures, de dessins et d'estampes. En 1774, elles furent placées sous la gestion de la Commission de l'Éducation nationale. À la suite du Troisième Partage de la Pologne, en 1795, sur ordre de la tsarine Catherine II, plusieurs mois durant, chariots et chars les déménagèrent à Saint-Pétersbourg, où elles restèrent jusqu'à la Première Guerre mondiale. Quand la Pologne retrouva son indépendance en 1918, une partie des collections revint à Varsovie, mais y fut incendiée en 1944, pendant l'Insurrection de la capitale polonaise.

Il est heureux que le père Benedykt Chmielowski n'ait pas eu de nouveau à assister au spectacle du feu qui dévorait les lettres, tandis que les parcelles des feuilles de papier voletaient vers les cieux.

Si l'homme savait conserver sa connaissance du monde, s'il savait la graver dans la pierre, dans le cristal, dans le diamant, pour la transmettre ainsi à ses descendants, le monde serait peut-être complètement différent. Que pouvons-nous espérer d'un matériau aussi fragile que le papier ? Que nous vaut d'écrire des livres !

Dans le cas du père Benedykt, le bois, la brique, la pierre, ces matériaux plus solides se révélèrent pourtant aussi décevants que le papier. Il ne resta rien de sa cure, ni de son jardin, ni de son lapidarium. Les plaques brisées se couvrirent d'herbes, les racines s'y faufilèrent, et, désormais, les lettres gravées règnent sous terre. Les taupes aveugles et les vers de terre, dans leurs déplacements ondulatoires, les fréquentent chaque jour, indifférents au fait que la lettre « N » dans la phrase « le temps qui passe ne se rattrape plus » est tracée à l'envers.

Le martyr de Junius Frey

Après la mort de Jakób, Thomas von Schönfeld fut convié à Offenbach par Ewa en qualité de « neveu » du Maître. La chose est surprenante, mais, les plus jeunes, notamment les vrai-croyants de Moravie et d'Allemagne, l'accueillirent en successeur. Certains Polonais tels les Łabęcki ou les enfants de Jan Wołowski se joignirent à eux. Un soir, pourtant, il y eut une dispute majeure et Thomas s'en alla le jour suivant.

Le même mois, sous le nom de Junius Brutus Frey, il rejoignit la France révolutionnaire avec sa sœur Léopoldine et son frère Emmanuel. Ils étaient porteurs de diverses lettres de recommandation, de sorte qu'ils se retrouvèrent immédiatement en plein cœur des événements. Le 10 août 1792, Junius Frey et son frère Emmanuel prirent part à l'invasion du palais des Tuileries, ce pour quoi ils furent décorés. Un mois plus tard, pour célébrer la proclamation de la République, Junius Frey adopta un orphelin, prit à vie une veuve aveugle à sa charge et s'engagea à verser une rente à un vieillard grabataire.

En été 1793 fut publié l'ouvrage de Junius Frey intitulé *Philosophie sociale, dédiée au peuple françois par un Citoyen de la Section de la République Françoise, ci-devant du Roule,* dans lequel Frey, alias Thomas von Schönfeld, alias Mosze Dobruszka, affirme que chaque système politique, mais aussi chaque religion, possède sa propre théologie et qu'il conviendrait d'examiner les fondements théologiques de la démocratie. Il y consacre un chapitre entier à une critique féroce de la Constitution de Moïse, qui trompa son peuple en lui présentant comme divines des lois qu'il inventa et qui avaient pour fin unique d'accabler l'homme, de le priver de liberté. Le nombre des malheurs, des fléaux, des violences et des guerres que cela valut au peuple juif, et à d'autres nations, était phénoménal. Jésus-Christ se conduisit mieux, avec plus de noblesse d'âme, et ceci parce qu'il fonda son système sur la raison. Malheureusement, ses idées furent perverties, tout comme le furent celles de Mahomet. Il est possible de parvenir à la vérité que dissimula efficacement Moïse, explique Frey, en étudiant les relations entre les domaines en apparence distincts que sont les sciences, l'art, l'alchimie et la Kabbale, parce que tout cela se complète et se justifie réciproquement. Le livre se termine par une glorification de Kant, lequel, par crainte d'un pouvoir obscur, fut contraint de dissimuler ses pensées authentiques sous les apparences d'une sombre métaphysique, qui lui servait de «talisman contre la ciguë et la croix».

À Paris, Junius Frey menait une vie aussi intense que dispendieuse. Avec François Chabot, qui avait épousé Léopoldine, il était connu pour sa tendance à mener la grande vie. Les deux hommes avaient beaucoup d'ennemis. Comme Thomas, alias Junius, disposait de sommes d'argent considérables, on le soupçonna vite d'espionnage en faveur de l'Autriche. Grâce à Chabot, il avait été nommé membre de la commission chargée de la liquidation des actifs et des passifs de la Compagnie des Indes, laquelle avait amassé une richesse inimaginable. Chabot fut suspecté de faux en écriture, il entraîna Thomas dans sa chute.

Après un bref procès, le 16 germinal de l'an II, c'est-à-dire le 5 avril 1794, Junius Frey, son jeune frère Emmanuel, ainsi que Danton, Chabot, Desmoulins et d'autres, entendirent une sentence de mort prononcée à leur encontre.

L'exécution de Danton était le point culminant de l'événement, c'était sa tête qu'attendait la foule avec impatience. Il y eut des sifflets et des applaudissements, ils faiblirent ensuite à chaque condamné. Quand vint le tour de Junius Frey, alias Thomas von Schönfeld, alias Mosze Dobruschka, l'assistance se dispersait déjà, il était le dernier à monter sur l'échafaud.

Junius voyait tomber les têtes coupées dans le panier placé sous la guillotine, aussi, cherchant à contrer la vague de peur complètement animale qui le paralysait, il se mit à penser avec intensité qu'il aurait enfin l'occasion d'apprendre combien de temps vit une tête coupée, chose dont on discutait vivement depuis que la guillotine faisait une carrière époustouflante. Il songea aussi qu'il chercherait à faire traverser à ce savoir les champs vides de la mort, avant de renaître.

Pour les Français, il écrivit : «Je suis un étranger parmi vous, mon ciel familial est loin d'ici, mais mon cœur s'est enflammé au mot de "Liberté", qui est le plus beau de notre siècle. C'est lui qui préside à toutes mes actions, mes lèvres sont collées aux tétons de la Liberté, je me nourris du lait de la Liberté. Le monde est ma patrie, faire le bien est mon métier, éveiller les âmes sensibles est ma mission.»

Dans les rues de Paris, l'on chanta encore longtemps une chanson dont personne ne chercha l'origine. Quant à nous, nous savons avec certitude que c'était une traduction simplifiée du poème de Junius Frey inspiré de la version allemande de la Prière de Nahman. La voici :

Aujourd'hui, mon âme méprise
Ce qui t'agite, ce que tu prises,
Trône, emblème, sceptre, couronne.
Elle est insouciante et autonome.

Aujourd'hui, mon âme danse
Sur la scène avec pétulance.
Du bien, du mal, du gentil, du beau,
Elle est le moulin et voilà l'eau.

Elle traverse murailles et frontières,
Elle monte aux tribunes, elle est altière.
Du grain et de l'ivraie, elle est le tamis,
Et les perles, elle les jette sous les porcheries.

Dis-moi, Toi, le Seigneur céleste,
Citoyen de l'Éternité Tu restes
Tant que mon âme danse pour Vous –
Des comme Toi, en est-il beaucoup ?

Parce que si, Toi, Tu es l'unique,
Prête-moi des paroles authentiques,
Pour que mes fils et leurs descendants
Puissent encore aimer le Tout-Puissant.

Les enfants

Seule Ienta, qui regarde d'en haut, est en mesure de suivre à la trace tous ces êtres remuants.

Ainsi voit-elle que le vieux Jeruchim Jędrzej Dembowski avait raison quand il racontait comment ses fils seraient habillés lorsqu'ils viendraient le voir. Toutefois, il n'est pas non plus surprenant que, pour finir, ils ne soient jamais venus. Jan Dembowski devint le secrétaire d'Ignacy Potocki ; Joachim, quant à lui, fut l'adjudant du prince Joseph Poniatowski, le neveu du roi. Jan combattit ensuite dans l'insurrection de Kościuszko, au rang de capitaine, et il aurait été le plus remuant des comploteurs. On le vit ensuite à la tête de la populace quand on pendit les traîtres. À la chute de l'insurrection, en novembre 1794, il rejoignit les légions polonaises, comme beaucoup, pour combattre auprès de Bonaparte en Italie. Lors de la guerre de 1813, il affronta les Autrichiens et fut, pendant un temps, gouverneur de Ferrare. Il épousa Mlle Visconti et s'installa en Italie.

Son frère Joachim combattit jusqu'à la fin auprès de son prince, dont il partagea le sort tragique.

Quand il termina sa scolarité chez les pères piaristes, Antoni, le fils unique de Józef Bonawentura Łabęcki et de Barbara Piotrowska, la fille de Moszek Kotlarz, et le petit-fils de Mosze de Podhajce, commença à travailler dès l'âge de quinze ans dans les bureaux de la Diète de Quatre ans, et, à ce très jeune âge, il publia déjà plusieurs petits écrits prenant la défense des réformes projetées. Au temps du Royaume du Congrès, il travailla comme avocat et prit souvent la défense des minorités. Son style de défense était connu : il se penchait très fort en avant au-dessus de la barre et, semblant chuchoter, baissait la voix pour, soudain, aux endroits qu'il considérait comme particulièrement importants, hurler à pleins poumons et frapper du poing ladite barre, de sorte que les juges, bercés par la monotonie momentanée de l'exposé, sursautaient nerveusement dans leurs fauteuils. Quand il voyait que ses arguments n'étaient pas retenus et qu'il perdait du terrain, il levait alors les deux bras en l'air, serrait les poings, s'agitait de tout son corps, et sa poitrine émettait des sons désespérés qui appelaient les juges à son secours.

Marié à Ewa Wołowska, il eut quatre enfants, dont Hieronim, son fils aîné, se distingua particulièrement comme organisateur et historien des houillères du Royaume du Congrès.

Les enfants de Chaïm Jakub Kapliński se dispersèrent à travers l'Europe. Une partie d'entre eux s'installa à Nikopol et à Giurgiu, une autre partit pour la Lituanie, où elle fut anoblie et mena une activité de propriétaire terrien.

Ienta parvient à voir une chose étrange et significative : les deux branches de la famille, qui oublièrent complètement l'existence l'une de l'autre, comptèrent des poètes parmi leurs membres. L'un de leurs plus jeunes descendants est un poète hongrois auquel fut dernièrement décerné un prix d'État prestigieux. L'autre est devenu le barde de l'un des pays de la Baltique.

Salomea Łabęcka, l'une des deux filles Majorkowicz qui échappèrent au fléau de Lwów, adoptée par les Łabęcki, épousa leur régisseur et fut mère de huit enfants et grand-mère de trente-quatre. L'un de ses petits-fils devint un politicien connu dans la Pologne de l'entre-deux-guerres pour ses positions nationalistes et furieusement antisémites.

Le frère du père de Salomea, Falk Majorkowicz, devenu Waletyn Krzyżanowski une fois baptisé, s'installa à Varsovie avec toute sa famille. L'un de ses fils, Wiktor Krzyżanowski, entra au couvent chez les basiliens. Son autre fils, officier pendant l'Insurrection de novembre 1830, prit la défense des petits magasins juifs pillés par la populace. Avec d'autres militaires, comme le relata magnifiquement Maurycy Mochnacki dans son reportage publié à Paris en 1834, il chercha à disperser la foule qui les mettait à sac.

Hryćko, alias Chaïm Rohatyński, resta à Lwów. Influencé par la famille de sa femme, il rejeta l'hérésie pour devenir un simple Juif commerçant de vodka. L'une de ses petites-filles devint une traductrice respectée de la littérature yiddish. Quant au paysan en fuite, il se fit baptiser une seconde fois, prit le nom de Jan Okno et devint charbonnier à Lwów. Un an plus tard, il épousa une veuve avec laquelle il eut un enfant.

C'est sur la famille des Wołowski qu'il y aurait le plus à dire, elle s'agrandit d'une manière considérable. Presque toutes ses branches furent anoblies, les unes sous le blason du «Buffle», les autres sous celui de «Na Kaskach». Franciszek, le fils d'Izaak Wołowski, celui-là même que le père Benedykt Chmielowski surnomma Jérémie, fit à coup sûr une grande carrière. Né en 1786 à Brünn, élevé à Offenbach, il devint l'un des meilleurs juristes et spécialistes du droit de son temps. Ce qui est curieux, c'est que, lorsque le projet d'accorder la nationalité polonaise à tous les Juifs fut présenté à la Diète, Franciszek Wołowski, alors député, s'y opposa dans une prise de parole enflammée, arguant qu'il était trop tôt pour cela. La nation polonaise devait d'abord conquérir son indépendance, les réformes sociales viendraient ensuite.

Ludwik, le petit-fils d'un autre fils Wołowski, partit pour la France à la chute de l'Insurrection de novembre. Il y connut la célébrité en tant que connaisseur génial du droit et cela lui valut la Légion d'honneur.

Une jolie petite fille joue de l'épinette

À Varsovie, des concerts ont lieu dans le grand immeuble de Franciszek et Barbara Wołowski, récemment construit en brique à l'angle des rues Grzybowska et Walicóv. Les chambres d'hôtes accueillent volontiers les amis de la famille. Franciszek, calme et maître de lui, est en train d'installer les invités au salon. Habituellement, c'est là qu'on joue de la musique, mais, aujourd'hui, l'épinette est dans l'autre pièce parce que la petite artiste a un trac terrible et qu'elle n'arriverait pas à jouer devant un public aussi important. Les notes qui s'échappent de sous ses doigts parviennent donc au salon par la porte ouverte. Elles sont si belles, les auditeurs ont fait silence, on craindrait même de respirer profondément. C'est du Haydn. Les partitions ont été rapportées d'Offenbach-sur-le-Main, du magasin de M. André. Avant le concert, la petite Maria s'est exercée tout un mois. Son professeur, un homme d'âge moyen au tempérament quelque peu exalté, est tout aussi nerveux que la petite pianiste. Avant le concert, il a déclaré ne plus être en mesure de lui apprendre la moindre chose. Il y a là les Szymanowski, les Majewski, les Dembowski et les Łabęcki. Il y a M. Elsner, qui lui a également donné des leçons, et un invité de France, M. Ferdinando Paër, qui conseille aux parents d'affiner ce talent exceptionnel avec soin. Une vieille dame vêtue de noir, dont les petites-filles s'occupent, est assise dans un angle. C'est Marianna Lanckorońska, ou peut-être Rudnicka, tante Haya en tout cas, comme on l'appelle dans cette maison. Le prénom de Marianna ne s'est jamais habitué à elle. Elle est très vieille et, inutile de le cacher, sourde. Elle n'entend donc pas les sons qui jaillissent de sous les doigts de Maria Wołowska. Au bout d'un moment, sa tête retombe sur sa poitrine, Haya somnole.

À propos d'un certain manuscrit

Le premier livre sur le voyage à travers le temps, les lieux, les langues et les frontières fut terminé en 1825. Il fut écrit par un certain Aleksander Bronikowski, alias Julian Brinken, en compensation des honoraires dus à maître Jan Kanty Wołowski, l'avocat ayant conduit et remporté le procès qui permit à sa famille de recouvrer les biens de Mme Bronikowska, ainsi qu'il est expliqué dans la préface.

Jan Kanty était le descendant de Jehuda Shorr, autrement dit Jan Wołowski « le Cosaque », et il avait la réputation incontestée d'être un excellent juriste, un homme instruit et d'une honnêteté à toute épreuve. Pendant de nombreuses années, il dirigea l'université et fut procureur général. Il resta notamment dans les mémoires parce que, en tant que doyen de la faculté de droit et d'administration, il n'accepta aucun émolument, mais fit verser ceux-ci sous forme de bourse à six étudiants pauvres. Le gouvernement russe lui proposa un portefeuille de ministre qu'il refusa. Il affirma toujours son origine juive et frankiste, aussi, quand il apparut que son client n'avait guère d'argent pour payer les honoraires du procès, il demanda à être dédommagé par un roman.

– Un de ces livres que tout le monde pourra lire et qui décrira les choses ainsi qu'elles se déroulèrent, dit-il.

Brinken lui aurait répondu:

– Mais comment se déroulèrent-elles? Qui saurait le dire maintenant, après toutes ces années?

Maître Wołowski l'invita dans sa bibliothèque, où, en sirotant des liqueurs, il lui raconta l'histoire de sa famille, par lambeaux et avec des lacunes, étant donné que lui-même n'en savait pas beaucoup.

– Vous, vous êtes écrivain, à vous de compléter en faisant jouer votre imagination, conclut-il au moment où son invité s'en allait.

Après cette soirée, l'écrivain rentra chez lui par les rues de Varsovie, la tête en feu à cause des liqueurs excessivement sucrées et du récit qui, déjà, y prenait naissance.

– Est-ce que tout cela est vrai? demanda quelques années plus tard la pianiste Maria Szymanowska, née Wołowska, quand elle rencontra le romancier en Allemagne.

Julian Brinken, déjà âgé, écrivain, mais qui avait également été officier, prussien d'abord, puis napoléonien et, pour finir, auprès du Royaume de Pologne, haussa les épaules.

– C'est un roman, chère madame. De la littérature.

– Mais quoi, insistait la pianiste, c'est vrai ou pas?

– J'attendrais de votre part, à vous qui êtes artiste, que vous ne pensiez pas comme les gens du commun. La littérature est un genre de savoir particulier, c'est…

Julian Brinken cherchait les mots appropriés et soudain une phrase toute prête vint sur ses lèvres:

– … la perfection des formes imprécises.

Mme Szymanowska, confuse, se tut.

Le lendemain, elle l'invita dans son salon, où elle jouait pour ses invités, et elle lui demanda de rester quand tout le monde s'en alla. C'est alors qu'elle chercha à le persuader, et cela dura jusqu'au petit matin, de ne pas publier son roman.

– Mon cousin, Jan Kanty, est trop confiant dans ce pays où le chaos et la turpitude règnent toujours. Il est facile de suspecter quelqu'un de… – elle hésita, mais poursuivit l'instant d'après: … de le suspecter de tout et de n'importe quoi, pour le discréditer ensuite. Vous savez, monsieur, je ne dors pas la nuit, j'ai toujours peur qu'il arrive quelque chose de terrible… À quoi servirait de connaître cette histoire maintenant?

Julian Brinken sortit de chez elle, l'esprit embrumé par son charme et plusieurs bouteilles d'excellent vin. Ce ne fut que dans la matinée qu'il fut pris de colère, puis de rage. Comment osait-elle? Évidemment qu'il allait publier son livre à Varsovie. Il avait déjà un éditeur.

Bientôt, toutefois, tant de choses arrivèrent qu'il n'eut plus la tête à s'occuper de son manuscrit. Il organisa l'aide aux migrants qui arrivaient de l'Est, fuyant la Pologne insurgée, et, en hiver 1834, il prit froid et mourut brusquement. Son manuscrit, jamais publié, atterrit dans les profondeurs vertigineuses des magasins de la Bibliothèque nationale polonaise.

Les pérégrinations
de *La Nouvelle Athènes*

Un exemplaire rohatynien de *La Nouvelle Athènes*, celui sur lequel Jakób Frank apprenait à lire en polonais, s'y retrouva également. Il partit d'abord pour Offenbach puis revint en Pologne, à Varsovie, rapporté par Franciszek Wołowski quand les biens d'Ewa furent liquidés. Il resta longtemps dans sa bibliothèque, où ses petites-filles le lurent.

L'exemplaire offert par l'auteur à Mgr Dembowski brûla presque entièrement dans l'une des grandes bibliothèques privées, rue Hoża, pendant l'Insurrection de Varsovie. L'excellent travail du relieur de Lwów, qui serra très fort les pages du livre, fit qu'elles se défendirent un temps contre les flammes. Aussi *La Nouvelle Athènes* ne brûla-t-elle pas complètement, les pages du milieu restèrent intactes et le vent les agita encore longtemps.

Le volume de *La Nouvelle Athènes* offert à Mme Elżbieta Drużbacka resta dans sa famille et échoua chez sa petite-fille. Par la suite, il fut l'une des lectures de l'arrière-petit-fils de Mme Drużbacka, l'écrivain Aleksander Fredro. Après la Deuxième Guerre mondiale, à l'exemple de la plupart des bibliothèques de Lwów, le livre entra dans les collections Ossolineum, à Wrocław, où il est toujours possible de le lire aujourd'hui.

Ienta

Là d'où regarde Ienta, il n'y a pas de dates, il n'y a donc rien à fêter ni rien dont il faudrait s'inquiéter. La seule écriture du temps est celle des traînées furtives qui la croisent. Elles sont nébuleuses, réduites à quelques principes, privées de parole, mais, par contre, patientes. Ces traînées, ce sont précisément les défunts. Ienta prend peu à peu l'habitude de compter les Morts.

Ceux-ci vivent toujours leur purgatoire de remémoration, y compris lorsque les vivants cessent complètement de ressentir leur présence, quand plus aucun signe venant d'eux ne leur parvient. Privés du soutien humain, ils n'ont plus de lieu d'attache. Les êtres vivants sont le souci de tous, y compris des avares ; en revanche, même les plus généreux des gens ne s'inquiètent guère des Morts. Ienta, quant à elle, a pour eux une sorte de tendresse quand ils la frôlent telle une brise chaude, elle qui se trouve bloquée à la frontière entre la vie et la mort. Elle leur permet de passer un moment en sa compagnie, elle consacre un peu de temps aux êtres qui eurent une présence dans son existence et qui sont désormais remisés au second plan par la mort, comme ces vétérans de Częstochowa oubliés du roi et oubliés de l'armée qui mendient une once d'attention.

Si Ienta professa jamais une religion – après toutes les constructions que ses ancêtres et ses contemporains élaborèrent dans leurs têtes –, la religion des Morts est maintenant devenue la sienne, avec leurs tentatives si imparfaites, jamais abouties, avortées, de réparer le monde.

À la fin de cette histoire, alors que son corps devient pur cristal, Ienta se découvre une capacité totalement nouvelle : elle cesse de n'être qu'un témoin qui voyage dans l'espace et le temps pour pouvoir, en outre, voguer à travers le corps des hommes, des femmes et des enfants. Le temps s'accélère alors, tout va très vite et ne dure qu'un instant.

Il devient absolument évident que ces corps sont comme les feuilles des arbres, la lumière les habite pour une saison, pour quelques mois. Ensuite, ces feuilles tombent, se dessèchent et meurent, les ténèbres les réduisent en cendres. Ienta voudrait saisir du regard le mouvement où ils passent les uns dans les autres, pressés par les âmes qui suivent, impatientes de leur nouvelle incarnation. Mais ceci, même pour elle, reste mystérieux.

Freïna, la sœur de Pesele, devenue Anna Pawłowska, vécut avec bonheur jusqu'à sa vieillesse à Korolówka, où elle était née et où elle fut inhumée dans le très beau cimetière juif qui descend en pente jusqu'à la rivière. Elle n'eut plus aucun contact avec sa sœur et, occupée à élever ses douze enfants, elle l'oublia. D'ailleurs, son mari, en bon Juif, veilla à garder strictement secrète toute information sur la parenté hérétique de son épouse.

Ses arrière-petits-enfants vivaient toujours à Korolówka quand la Deuxième Guerre mondiale éclata. Le souvenir de la caverne en forme de lettre *Aleph* et de la Vieille Aïeule persista, surtout parmi les femmes les plus âgées, celles qui se rappellent de choses dont il pourrait sembler qu'elles sont inutiles et relèvent du fantastique, qu'on n'en fera pas de pain ni n'en élèvera de maison.

L'arrière-petite-fille de Freïna, qu'on appelait la *Czarna* du fait de sa chevelure noir de jais, aînée de sa famille, refusa fermement de se rendre à Borszczów pour se faire enregistrer conformément à l'ordre des Allemands. «Ne faites jamais confiance aux autorités», disait-elle. C'est pourquoi, alors que tous les Juifs de Korolówka partaient avec leurs balluchons pour la ville, vers la rampe, elle et les siens, en catimini, de nuit, traînèrent leurs haquets avec leurs affaires vers les bois.

Le 12 octobre 1942, cinq familles de Korolówka, trente-huit personnes – le plus jeune enfant avait cinq mois, l'adulte le plus âgé soixante-dix-neuf ans – abandonnèrent leurs maisons du village pour pénétrer dans le gouffre, juste avant l'aube, par l'entrée du côté de la forêt, là où la puissante lettre *Aleph* a sa barre droite supérieure.

Certaines des grottes sont couvertes de cristaux qui croissent sur les parois et sur les voûtes. Ce seraient, dit-on, des gouttes de lumière figées qui sont entrées profondément en terre où elles cessèrent de briller. Pourtant, dès qu'une flamme de bougie les frôle, elles s'éclairent pour montrer leur intériorité silencieuse et éternelle.

Ienta gît toujours dans l'une de ces salles. Au long de toutes ces années, l'humidité s'est déposée sur sa peau, complètement collée à ses os, pour se transformer en cristaux, briller, miroiter. La lumière a pénétré son corps qu'elle rend pratiquement transparent. Ienta se transforme lentement en cristal pour devenir diamant dans des millions d'années. Ce long cristal rosâtre adhérant au rocher, éclairé un instant par les lampes à huile utilisées avec parcimonie, laisse voir un inté-rieur imprécis, flou. Les enfants, qui se sont accoutumés à vivre dans le gouffre et savent déjà s'aventurer dans ses profondeurs, affirment que ce bout de rocher est vivant et que, si on en éclairait l'intérieur, on y verrait un visage humain ; mais, évidemment, personne ne les prend au sérieux, d'autant plus que près d'un an et demi passé dans l'obscurité affaiblit la vue.

Les adultes sortent de temps à autre chercher de la nourriture, mais ils ne vont jamais plus loin que les villages environnants. Les paysans les traitent comme ils le feraient avec des esprits, ils leur déposent, comme sans y prendre garde, des petits sacs avec de la farine ou du chou derrière les granges.

En avril 1944, quelqu'un jette dans le trou qui mène au gouffre une bouteille avec une feuille sur laquelle une main maladroite a écrit : « Les Allemands sont partis. »

Ils sortent alors. Aveuglés, ils se protègent les yeux de la lumière.

Tous, ils survécurent également à la tourmente d'après-guerre, la plupart réussirent à émigrer au Canada où ils racontèrent cette histoire tellement invraisemblable que rares furent ceux qui les crurent.

Ienta voit les sous-bois, les petites boules des baies noires, les feuilles claires des jeunes chênes à l'entrée de la caverne, et, ensuite, toute la colline, le village, les routes sur lesquelles les voitures filent vite. Elle voit l'éclat du Dniestr, pareil à celui d'une lame de couteau, et d'autres fleuves qui charrient les eaux vers les mers et celles-ci chargées de grands navires transportant des marchandises. Elle voit les phares qui dialoguent par des séquences de lumière. Dans ce voyage vers le zénith, elle s'arrête un instant car il lui semble que quelqu'un l'appelle. Qui pourrait encore connaître son nom ? Dans le bas, elle aperçoit alors une silhouette assise, le visage éclairé par un reflet blanc, elle voit une coiffure bizarre, des vêtements étranges, mais plus rien ne la surprend depuis longtemps, elle a perdu la possibilité de s'étonner. Elle note uniquement que, sur une surface plane éclairée, les mouvements de doigts de ce personnage font apparaître des lettres venues de nulle part qui se rangent en file avec docilité. Ienta les associe aux traces laissées dans la neige, puisqu'il semblerait que les défunts perdent la capacité de lire, et telle est en effet l'une des conséquences les plus déplaisantes de la mort... Ainsi, la pauvre Ienta n'est pas en mesure de reconnaître son propre nom, « IENTA IENTA IENTA », qui défile maintenant à l'écran. Elle s'en désintéresse donc pour disparaître dans les hauteurs.

En revanche, là où nous sommes, monte un bourdonnement, le son sinistre de la matière, et l'univers s'obscurcit, la terre s'éteint. Le monde est indéniablement élaboré par les ténèbres. Maintenant, nous sommes du côté des ténèbres.

Il est néanmoins écrit que celui qui se soucie de la question des Messies, y compris de ceux qui ne s'accomplirent guère, quand bien même il se contenterait de raconter leur histoire, sera traité pareillement à celui qui étudie les mystères éternels de la lumière.

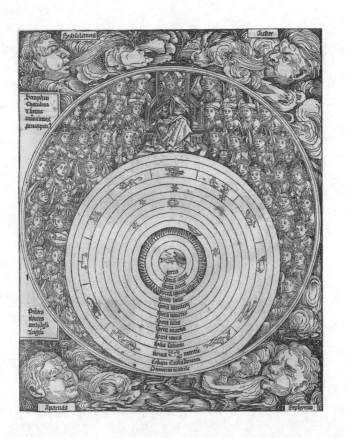

Note bibliographique de l'auteure

L'usage veut qu'un roman soit considéré comme relevant de la fiction, et c'est une bonne chose, car l'on n'attend pas de son auteur qu'il indique ses références bibliographiques. Surtout qu'en la circonstance présente cela prendrait inutilement une place considérable.

Toutes les personnes intéressées par l'histoire racontée dans ce livre devraient avant tout se reporter aux deux volumes de l'ouvrage d'Aleksander Kraushar *Frank i frankiści polscy 1726–1816** [*Frank et les frankistes polonais 1726-1816*, Éditions Hadès, 2017], monographie historique parue en 1895, mais aussi au recueil des «laïus» de Jakób Frank publié par Jan Doktór en 1997 sous le titre *Księga Słów Pańskich. Ezoteryczne wykłady Jakuba Franka* [Livre des paroles du Maître. Enseignement ésotérique de Jakób Frank].

Le livre de Paweł Maciejko *The Mixed Multitude: Jakub Frank and the Frankist Movement, 1755–1816*, publié par University of Pennsylvania Press en 2011, à une époque où j'écrivais déjà mon livre, présente un contexte historique et politique plus vaste qui aide à mieux comprendre le phénomène du frankisme en Pologne. L'article de Maciejko sur la doctrine de Sabbataï Tsevi me permit de saisir ce que pouvait être le frankisme dans sa conception la plus

* Le texte intégral se trouve en ligne : https://archive.org/details/frankifrankicip01kraugoog

profonde. Les trois paradoxes de la théologie sabbataïste, discutés par Nahman (p. 805-804) furent empruntés aux travaux initiaux de Maciejko, « Coitus interruptus in And I Came this Day unto the Fountain », in R. *Jonathan Eibeschütz, And I Came this Day unto the Fountain.* Critically Edited and Introduced by Paweł Maciejko, Los Angeles, Cherub Press, 2014, que leur auteur me laissa aimablement consulter.

La lecture fondamentale qui décida de toutes les autres concernant le judaïsme fut évidemment l'ouvrage de Gershom Scholem, *Majors Trends in Jewish Mysticism,* New York, 1941, édité en polonais en 1997 [*La mystique juive : les thèmes fondamentaux,* Paris, Éditions du Cerf, 1985].

Je trouvai une description détaillée des accusations de meurtre rituel à Markowa Wolica en 1752, ainsi que de nombreux documents concernant l'affaire, dans le livre de Kazimierz Rudnicki, *Biskup Kajetan Sołtyk, 1715–1788* [Mgr Kajetan Sołtyk, 1715-1788], paru en 1906 à Cracovie comme 5ᵉ volume de la série *Monografie w zakresie dziejów nowożytnych* [Monographies sur les événements de l'histoire moderne] dirigée par l'historien Szymon Aszkenazy. Le livre de Gaudenty Pikulski, *Sąd żydowski we lwowskim Kościele Archikatedralnym 1759 r.* [Tribunal juif en la cathédrale de l'archidiocèse de Lwów, 1759], 4ᵉ édition, 1906, me servit de référence pour les joutes de la disputation de Lwów.

Le portrait psychologique de Katarzyna Kossakowska me fut inspiré par le personnage qui apparaît brièvement dans le roman de Józef Ignacy Kraszewski (1812-1887) *Macocha* [La Marâtre], mais également par la foisonnante correspondance de la vraie palatine Kossakowska. Le personnage de Moliwda doit indéniablement beaucoup à l'essai d'Andrzej Żuławski écrit en 1979 à New York et intitulé *Moliwda.* Les nombreuses informations concernant Thomas von Schönfeld me viennent du livre de Krzysztof Rutkowski *Kościół świętego Rocha. Przepowieści,* 2001 [L'Église Saint-Roch. Prédictions].

Travailler à donner figure au père Benedykt Chmielowski, doyen de Rohatyn, puis chanoine de Kiev et premier encyclopédiste polonais, m'apporta beaucoup de joie. Aux personnes intéressées, je conseille la lecture de l'ouvrage *Nowe Ateny albo Akademia Wszelkiej sciencyi pełna* [*La Nouvelle Athènes ou Académie pleine de Toute Science*] dont des pages remarquablement choisies et commentées furent publiées par Maria et Jan Józef Lipski en 1968. Cet excellent ouvrage mériterait d'ailleurs une nouvelle édition. La rencontre du père Benedykt Chmielowski et d'Elżbieta Drużbacka – une poétesse baroque notable, hélas peu connue du vaste public de nos jours – n'est mentionnée nulle part, mais, selon toute vraisemblance, elle est possible, puisque tous deux se mouvaient dans un temps et un espace communs.

Les registres des décès, des mariages et des naissances que je trouvai aux archives municipales d'Offenbach-sur-le-Main me permirent de reconstituer l'entourage de Jakób Frank à l'étranger jusqu'à ses derniers jours, mais aussi de suivre globalement le devenir des familles frankistes qui rentrèrent en Pologne.

Ce pourrait être le sujet d'un nouveau livre.

Les gravures qui constituent la base des illustrations du présent volume viennent dans leur majorité des collections de la bibliothèque Ossolineum de Wrocław.

La pagination inversée de ce livre se veut un hommage aux ouvrages rédigés en hébreu, mais elle nous rappelle également que l'ordre relève toujours d'une question d'habitude.

Je suis certaine que le père Benedykt Chmielowski serait comblé en apprenant que son projet d'un savoir accessible à tous et à tout moment put être réalisé deux cent cinquante ans après sa mort. En effet, je dois beaucoup à l'Internet, c'est grâce à cette invention porteuse d'une connaissance exhaustive du monde que je tombai sur la piste du «miracle» de la caverne de Korolówka, l'histoire inouïe de plusieurs dizaines de personnes qui y échappèrent à la Shoah. Ceci me permit de saisir combien d'événements restent subtilement reliés entre eux, mais aussi que l'histoire est une tentative permanente de comprendre ce qui est arrivé et ce qui pourrait aurait pu advenir.

Remerciements de l'auteure

Ce livre n'aurait jamais pu exister sous cette forme sans l'aide de nombreuses personnes. Je souhaite remercier tous ceux que je poursuivis plusieurs années durant avec mes récits sur les frankistes et qui, souhaitant des éclaircissements, me posèrent les bonnes questions et, ce faisant, m'aidèrent à comprendre le sens complexe de cette histoire et ses différents niveaux.

Je remercie mon éditeur pour sa patience, Waldemar Popek pour sa relecture attentive et perspicace, Wojciech Adamski pour sa traque des anachronismes et la vérification d'innombrables détails qui, négligés, font toujours courir le risque aux romans de manquer de saveur. Je remercie Henryka Salawa pour son travail de bénédictin sur le texte, Alek Radomski pour l'insigne forme graphique des *Livres de Jakób*.

Je suis particulièrement reconnaissante à Paweł Maciejko pour ses précieuses remarques dans le champ de la judaïstique et celles concernant la doctrine de Jakób Frank.

Je remercie Karol Maliszewski, qui sut faire voyager la « Prière de Nahman » à travers les lieux et les temps d'une façon poétique, Kinga Dunin pour s'être livrée à la première lecture, comme toujours, et Andrzej Link-Lenczowski pour la pertinence de ses cours d'histoire.

Les illustrations qui se trouvent dans ce livre, je les dois à Adolf Juzwenko, le directeur de l'Institut national Ossoliński de Wrocław, qui me permit de recourir aux collections de son institution, et à Dorota Sidorowicz-Mulak qui m'aida à m'y retrouver. Un grand merci à eux!

Lors de sa lecture des premières versions, ma maman, qui est une personne d'une grande sagacité, attira mon attention sur des usages de la vie de tous les jours, petits mais essentiels, je lui en suis très reconnaissante.

Plus que tout, je remercie Grzegorz pour ses talents de chercheur, dignes d'un détective. Sa capacité à fouiller dans les sources les moins évidentes fit surgir de nombreuses idées et trames. Quant à sa présence patiente et réconfortante, elle me donna en permanence la force et l'espoir de mener cet ouvrage à son terme.

Note de la traductrice

L'onomastique fut un défi dans cette traduction qui est celle d'une fiction absolue, mais dont il serait difficile de trouver un événement, une localité ou un personnage qui n'aurait pas son référent réel.

Ainsi, à l'époque des événements relatés, la ville que nous appelons aujourd'hui « Brno » était notée « Brin » dans les atlas français, mais ses habitants l'appelaient « Brünn ». À l'exception de noms historiquement confirmés en français, tels Varsovie ou Vienne, le lecteur trouvera dans ce texte le terme utilisé par ses locuteurs du moment. Ce sera donc Brünn, ou encore Międzybóż où vécut Baal Shem Tov, Prossnitz au lieu du Prostějov aujourd'hui en Tchéquie, Borszczów, où périrent 4 500 Juifs pendant la Deuxième Guerre mondiale, au lieu de Borchtchiv, désormais ville ukrainienne.

Quant aux personnages, leur nom est un élément clef de la narration. Pratiquement tous changent radicalement d'identité au fil du récit. La préférence fut donc donnée au maintien de la graphie au plus près de celle du texte source. On rencontrera Mosze de Podhajce ou Lejbko de Glinna qui deviendra Jakub Goliński. Comme pour les noms géographiques, une présence académique dans les textes français vaudra par exemple à Nathan de Gaza d'avoir droit au *h* tandis que Natan Shorr s'en verra privé avec l'orthographe polonaise.

Un certain nombre de noms apparaissent dans les publications françaises avec des orthographes variées, parfois très fantaisistes quand elles sont des transcriptions de l'hébreu ou d'une variante de yiddish. Une cohérence graphique est tentée ici.

À l'exception des deux protagonistes pivots du roman, les nombreux diminutifs tant polonais que yiddish d'un prénom ont été abandonnés. Salomon Shorr n'est jamais mentionné comme Szlomo ou Szlomek, plus tard il deviendra Franciszek Wołowski. Dans de rares cas, seul le diminutif est utilisé, comme pour Lejbko de Glinna déjà cité.

Jakób est un personnage majeur. Le choix de la graphie polonaise ancienne de son nom, consultée avec l'auteure, fut mûrement réfléchi. Le distinguer des Jakub et Jacob nombreux dans le récit semblait d'autant plus important qu'il déclare *expressis verbis* «que, pour sa part, il a immédiatement pensé à lui-même en tant que "Jakób", il s'est toujours appelé "Jakób" dans ses pensées. Pas un Jacob *quelconque*, mais le Jakób, l'unique.»

Le nom de Frank se trouve dans les publications françaises avec diverses orthographes. Dans le présent roman, le lecteur découvrira l'enfant appelé des diminutifs polonais de Jakóbek, yiddish de Jankiełe, qui deviendra le Brillant Jakób, le musulman Ahmed Frenk, le catholique Józef Frank, le Maître, et enfin le baron Dobrucki. Il appellera sa fille «Awacza», elle sera Ewa Frank, son héritière.

Force est de dire un mot de son très fidèle Nahman ben Samuel Levi de Busk ou Nahman Szmulowicz, qui se donnera totalement à lui en devenant après son baptême Piotr Jakóbowski – le Pierre de Jakób.

S'il fallait ici justifier la majuscule au mot «Juif», je renverrai à l'analyse de Janine Ponty, *L'Immigration dans les textes*, Paris, Belin Sup, 2003, p. 64; et à mes propres travaux publiés dans *Tsafon*, Revue d'études juives du Nord.

Remerciements de la traductrice

La version française de ce livre inouï d'érudition, et non moins d'une lecture captivante, n'aurait pu aboutir, elle aussi, sans l'aide de nombreuses personnes.

Il me faut d'abord remercier Olga pour le bonheur de tous les instants que fut ce travail, mais également pour sa totale disponibilité pour répondre à la moindre question qui lui était posée.

Par ailleurs, autour de ce texte se créa une fraternité – oserais-je dire une *Havurah*? – de ses traducteurs qui, à des rythmes divers, donnaient à ces pages une version dans leur langue. Quelle stimulation fascinante pour l'esprit que de réfléchir à tel passage, telle tournure ou tel mot par d'innombrables échanges *via* l'Internet! Merci à vous Jan-Henrik, Milica, Miriam, Jana, Lisa, Jennifer, Petr, Karol... Une étude approfondie de l'ouvrage découla de vos compétences professionnelles mises en commun. Elle dévoila les divers niveaux de lectures, les maillages profonds, la finesse de la construction intradiégétique.

Le passage sans entraves d'une langue à l'autre est l'une des richesses du roman. Ses personnages polyglottes sautent aussi facilement du ladino au polonais, au turc ou à l'allemand, qu'ils traversent les frontières. Le souci était que les citations hébraïques transcrites en alphabet latin devaient l'être selon la phonologie française. Il apparut vite que, pour les diverses variantes de yiddish, dont celui de Podolie, rare aujourd'hui, cette forme de traduction particulière eût été un épouvantable casse-tête sans l'aide avisée de mes collègues hébraïstes Ziva Avran, Michèle Tauber, Marie Bruhnes ou Bernard Vaisbrot. Ils veillèrent par ailleurs à l'exactitude des traductions quand il s'agissait de textes canoniques. En effet, la version polonaise de tel ou tel autre passage nécessitait un retour à l'original pour retrouver la version établie en français.

L'aide de mes amies universitaires Tatiana Milliaressi et Lynne Franjié fut également très précieuse pour ce qui se rapportait à l'Église orthodoxe d'une part, et au monde musulman d'autre part.

Agnieszka Wiśniewska veilla avec rigueur à la conformité du texte source avec le texte cible, qu'elle trouve ici l'expression de ma profonde gratitude pour la pertinence de ses remarques et son amitié chaleureuse.

Agathe Roche et Sébastien Laurent-Sorel furent mes premiers lecteurs, sévères, critiques, mais d'un soutien absolu les longs mois au cours desquels, ce qu'Estelle et Théophile appelaient respectueusement « la Bible », ne me quittait ni de jour ni de nuit. Je les en remercie affectueusement.

Tous apportèrent leur contribution à la version française de ce roman.

Que ce soit pour le plus grand plaisir de ses lecteurs.

TABLE

1032 Prologue

I. LE LIVRE DU BROUILLARD

1 1030 1752, Rohatyn

2 1008 Le ressort fatidique et la maladie féminine de Katarzyna
       Kossakowska
  1006 Le sang sur les soieries
  1003 Les places d'honneur à la table du staroste Łabęcki

3 996 Asher Rubine et ses sombres pensées
  993 La ruche, ou la demeure de la famille Shorr de Rohatyn
  987 Au *Beth Midrash*
  983 Ienta, ou un mauvais moment pour mourir
  979 Ce que nous lisons dans le Zohar
  978 L'amulette avalée

4 974 Mille et pharaon
  971 *Polonia est paradisus Judaeorum...*
  968 La cure de Firlej et le berger pêcheur qui y vit
  957 Le révérend père Chmielowski essaie d'écrire une lettre
      à Mme Drużbacka
  955 Mme Drużbacka écrit au révérend père Chmielowski
  954 Mgr Sołtyk écrit une lettre au nonce apostolique
  949 Zelik

II. LE LIVRE DU SABLE

5 942 Comment naît le monde de la fatigue de Dieu
   937 LES RELIQUATS, OU COMMENT DE LA FATIGUE DU VOYAGE NAÎT
        UN RÉCIT. ÉCRIT PAR NAHMAN SAMUEL BEN LEVI, RABBIN DE BUSK.
        LÀ D'OÙ JE VIENS
   931 MA JEUNESSE
   925 LA CARAVANE, OU COMMENT JE RENCONTRAI REB MORDKE
   923 MON RETOUR EN PODOLIE ET UNE VISION ÉTRANGE
   921 L'EXPÉDITION À SMYRNE AVEC MORDEKHAÏ INDUITE PAR UN RÊVE
        DE CROTTES DE BIQUES

6 915 Un invité étranger à la noce en bas blancs et sandales
   913 Le récit de Nahman où il est question de Jakób
        pour la première fois
   906 L'école d'Isohar, ou qui Dieu est-il vraiment. Suite du récit
        de Nahman ben Levi de Busk
   901 À propos de Jakób le rustre et des impôts
   897 Comment Nahman se révèle à Nahman. Autrement dit,
        de la graine d'obscurité et du pépin de lumière
   895 Les cailloux et le Fuyard au visage épouvantable
   891 Comment Nahman rejoint Ienta et s'endort
        au pied de son lit
   885 Suite des voyages de Ienta dans le temps
   882 Les terribles conséquences de la disparition d'une amulette
   880 Ce dont parle le Zohar
   878 Le récit de Pesełe : le bouc de Podhajce et l'herbe étrange
   876 Le Révérend Père Chmielowski écrit une lettre
        à Mme Drużbacka

7 873 L'histoire de Ienta

8 857 Du miel, mais point trop n'en faut, ou l'enseignement
        à l'école d'Isohar, à Smyrne, en pays turc

855 Les Reliquats. Ce dont nous nous occupions à Smyrne en l'an juif 5511 et comment nous avons rencontré Moliwda, mais aussi que le souffle est comme une aiguille, il troue le monde

9 843 Le mariage à Nikopol, le secret sous le baldaquin et les avantages à être un étranger
835 À Craiova. Le commerce aux jours de fête et Herszełe confronté au dilemme des merises
828 La perle et Chana

10 825 Qui est celui qui cueille des herbes sur le mont Athos ?

11 815 Comment Moliwda-Kossakowski rencontre Jakób dans la ville de Craiova
812 L'histoire de Monsieur Moliwda, Son Altesse Antoni Kossakowski au blason *Corvinus*, dit Korwin
808 Ce qui attire les gens entre eux et quelques mises au point sur la transmigration des âmes
803 Le récit de Jakób sur la bague
800 Les Reliquats. Ce que nous avons vu chez les bogomiles de Moliwda

12 794 L'expédition de Jakób sur la tombe de Nathan de Gaza
793 Comment Nahman suit Jakób à la trace
788 Comment Jakób se mesure à l'Antéchrist
785 Le *Ruah ha-Kodesh*, ou quand le souffle descend en l'homme
781 Pourquoi Salonique n'aime pas Jakób
778 Les reliquats. Le sortilège salonicien et la mue de Jakób
773 Les Reliquats. Le déplacement des triangles
770 La rencontre de Jakób avec son père à Romań, le staroste et le voleur
766 La danse de Jakób

III. Le Livre du Chemin

13   760 La chaleur du mois de décembre 1755, ou mois de Tevet
         5516. Le pays de Polin et l'épidémie de Mielnica
     757 Ce que voient les yeux avertis d'espions en tous genres
     752 «Il y a trois choses qui me dépassent, et même quatre
         que je ne comprends.» Livre des Proverbes 30, 18
     747 La garde rapprochée du Maître
     745 Les Reliquats de Nahman de Busk écrits en cachette
         de Jakób
     742 Les mystérieuses célébrations de Lanckoruń et l'hostilité
         d'un regard
     739 Comment Gerszom s'empara des dissidents
     738 Gitla demoiselle Pinkas, princesse polonaise
     735 Pinkas et son grand désespoir

14   733 L'évêque de Kamieniec Mgr Mikołaj Dembowski inconscient
         de la fugacité de sa présence dans l'affaire
     727 Le père Benedykt Chmielowski défend sa bonne renommée
         chez l'évêque
     722 Ce qu'écrit Elżbieta Drużbacka au révérend père
         Chmielowski en février 1756 de Rzemień-sur-Wisłoka
     721 Le révérend père Chmielowski à Elżbieta Drużbacka
     718 Ce que Pinkas inscrit et ce qu'il occulte à jamais
     714 Le seder ha-herem ou la mise en place de l'exclusion
     712 Ienta, qui est toujours présente, voit tout
     708 Mgr Mikołaj Dembowski, évêque de Kamieniec, écrit une
         lettre au nonce apostolique Niccolò Serra à laquelle son
         secrétaire ajoute ceci ou cela de lui-même
     704 Mgr Dembowski écrit à Mgr Sołtyk
     701 Au même moment...
     700 Comment se réalisent les méchantes prophéties de la
         marâtre de Gitla

15 698 À Kamieniec, l'ancien minaret devient une colonne
        pour la Sainte Mère de Dieu
    694 À quoi réfléchit Mgr Dembowski tandis qu'on le rase
    691 Les deux natures de Haya
    687 Les formes des nouvelles lettres
    685 Krysa et ses plans d'avenir

16 682 L'année 1757, ou comment sont établies certaines vérités
        séculaires au débat de Kamieniec en Podolie pendant l'été
    679 L'autodafé des talmuds
    676 Le père Pikulski explique les principes de la gématrie
        aux personnes de haute naissance
    671 Mgr Dembowski, nouvellement promu archevêque
        de Lwów, se prépare à partir
    667 La vie de Ienta, morte en hiver de l'an 1757,
        autrement dit l'année où le Talmud fut brûlé, peu avant
        que ne le soient les livres de ceux qui le brûlèrent
    661 Les aventures d'Asher Rubine avec la lumière.
        Celles de son grand-père avec le loup
    657 La princesse polonaise dans la maison d'Asher Rubine
    655 Comment les circonstances peuvent réussir l'impossible.
        Katarzyna Kossakowska écrit à Mgr Kajetan Sołtyk
    653 Pompa funebris. 29 janvier de l'an 1758
    650 Le sang versé et les sangsues affamées
    647 Mme Elżbieta Drużbacka écrit au révérend père
        Chmielowski, ou de la perfection des formes imprécises
    645 Benedykt Chmielowski, le révérend père doyen,
        écrit à gente dame Elżbieta Drużbacka
    643 Un invité inattendu arrive chez le père Chmielowski de nuit
    642 Le gouffre aux formes de la lettre Aleph

17 639 LES RELIQUATS. MES PROBLÈMES DE CŒUR
    635 COMMENT, À GIURGIU, NOUS POUSSIONS JAKÓB
        À RENTRER EN POLOGNE

623 Le père Benedykt sarcle l'ansérine blanche

620 Le pérégrin

618 Le récit du pèlerin. Le purgatoire juif

614 Comment des cousins vont faire front commun
pour partir à la guerre

606 Moliwda se met en route et contemple le royaume des gens
sans attaches

602 Moliwda devient l'émissaire d'une affaire difficile

598 De l'utilité et de l'inutilité de la vérité, mais aussi des tirs
de mortiers comme moyen de communication

593 Katarzyna Kossakowska, la palatine de Kamieniec,
écrit à Mgr Łubieński, évêque de Lwów et sénateur
de la *Republica*

591 Le père Gaudenty Pikulski écrit à Mgr Łubieński,
évêque de Lwów et sénateur

590 Antoni Moliwda-Kossakowski écrit à Mgr Łubieński,
évêque de Lwów

587 Les couteaux et les fourchettes

18 585 Comment Iwanie, petit village sur le Dniestr,
devient une république

581 Les manches de la sainte chemise de Sabb ataï Tsevi

578 Comment agit le toucher de Jakób

577 Ce dont causent les femmes en plumant les poules

576 Qui sera dans le cercle féminin

574 À Iwanie, le regard ombrageux de Chana perçoit les détails

572 La visite de Moliwda à Iwanie

563 La grâce divine qui des ténèbres crie vers la lumière

558 Supplique adressée à Mgr Łubieński, archevêque de Lwów

555 Où il est dit que le divin et le péché
sont durablement unis

552 Où il est question de Dieu

551 « Le meunier *broye* le grain en farine »

IV. LE LIVRE DE LA COMÈTE

19 544 Une comète annonce toujours la fin du monde et fait
paraître la *Shekhina*
540 Lejbko de Glinna et la fatale odeur de vase
536 Où il est question des Actes contraires, du silence d'or et
d'autres jeux à Iwanie
531 L'histoire des deux tables
528 LES RELIQUATS. HUIT MOIS DE LA COMMUNAUTÉ DE DIEU
À IWANIE
526 DE LA DUALITÉ, TRINITÉ ET QUADRITÉ
521 De l'extinction des bougies
520 Un homme qui ne possède pas son propre lopin
de terre n'est pas un homme
518 Le mot *masztalerz*, ou l'apprentissage de la langue polonaise
517 Les nouveaux prénoms
515 Quand Pinkas descend aux enfers à la recherche de sa fille
510 Antoni Moliwda-Kossakowski écrit à Katarzyna Kossakowska
508 Katarzyna Kossakowska à Antoni Moliwda-Kossakowski
507 La croix et la danse dans l'abîme

20 505 Ce que voit Ienta sous la voûte de la cathédrale de Lwów
le 17 juillet de l'an 1759
500 Le bonheur familial d'Asher
498 Le septième point de la disputation
493 Un signe secret du doigt et un autre de l'œil
491 Katarzyna Kossakowska écrit à Mgr Kajetan Sołtyk
489 Les soucis du père Chmielowski
486 Pinkas ne comprend pas quel péché il aurait commis
483 La marée humaine qui inonde les rues de Lwów
481 Les Majorkowicz
479 Nahman et son habit de bonnes actions

477 Les comptes du père Mikulski et la foire aux prénoms chrétiens

475 Ce qui arrive au père Benedykt Chmielowski à Lwów

470 À l'enseigne de l'imprimerie Paweł Józef Golczewski, typographe, ayant privilège de Son Altesse Royale

465 Les justes proportions

462 Le baptême

460 La barbe rasée de Jakób et le nouveau visage ainsi révélé

21 459 Comment, en automne 1759, un fléau frappe Lwów

452 Ce que Moliwda écrit à sa cousine Katarzyna Kossakowska

450 Katarzyna Kossakowska ose inquiéter les puissants de ce monde

448 Les ducats piétinés et la migration des grues perturbée par un couteau

443 LES RELIQUATS. CHEZ RADZIWIŁŁ

438 LES TRISTES ÉVÉNEMENTS DE LUBLIN

22 430 L'auberge sur la rive droite de la Vistule

427 Les événements de Varsovie et le nonce apostolique

422 Katarzyna et son activité à Varsovie

420 Katarzyna Kossakowska écrit à son cousin

418 Ce que l'on servit à la veillée de Noël chez Mme Kossakowska

414 Awatcha et les deux poupées

413 La poupée pour Salomea Łabęcka. Les récits du père Chmielowski sur la bibliothèque et le baptême solennel

406 Le père Gaudenty Pikulski, bernardin, interroge des naïfs

402 Le père Gaudenty Pikulski écrit à Mgr le Primat Łubieński

398 La grande tenue nobiliaire en bleu et rouge

396 Ce qui se passa à Varsovie quand Jakób disparut

394 Crachez sur ce feu

392 Un océan d'interrogations qui briserait le plus puissant des navires

23 381 Comment l'on chasse chez Hieronim Florian Radziwiłł

    376 LES RELIQUATS. LES TROIS CHEMINS DU RÉCIT. RACONTER
          EST UN ACTE

    369 Chana, décide dans ton cœur

V. LE LIVRE DU MÉTAL ET DU SOUFRE

24 364 De la machine messianique et de son fonctionnement

    363 Comment par une nuit de février 1760 Jakób arrive
          à Częstochowa

    359 À quoi ressemble la prison de Jakób

    355 Les flagellants

    352 La sainte image qui dissimule et ne dévoile pas

    348 Une lettre en polonais

    347 La visite au couvent

    341 *Upupa dicit*

    339 Comment Jakób apprend à lire. De l'origine des Polonais

    337 Comment Jan Wołowski et Mateusz Matuszewski
          sont les suivants à venir en novembre 1760 à Częstochowa

    335 Elżbieta Drużbacka écrit au père Benedykt Chmielowski,
          doyen de Rohatyn, Tarnów, fêtes de la Nativité 1760

    334 Le lourd cœur en or d'Elżbieta Drużbacka offert
          à la Madone Noire

25 331 Ienta dort sous les ailes de la cigogne

    329 De l'aune à laquelle Ienta mesure les tombes

    327 La lettre de Nahman Jakóbowski au Maître à Częstochowa

    322 Les cadeaux de Besht

    318 Un manoir en mélèze à Wojsławice et les dents
          de M. Zwierzchowski

    316 Le supplice et la malédiction

    313 Ce que prédit Haya

    311 Édom vacille sur ses fondations

309 Comment l'interrègne perturbe la circulation des carrosses
    sur Krakowskie Przedmieście

308 Pinkas rédige les *Documenta Judaeos*

305 Qui Pinkas rencontre au marché à Lwów

304 Le miroir et la simple vitre

298 La vie quotidienne en prison. La boîte aux enfants

294 Un trou dans l'abîme ou la visite de Tov et de son fils
    Chaïm le Turc en 1765

287 Elżbieta Drużbacka écrit du couvent des bernardines
    de Tarnów sa dernière lettre au chanoine Benedykt
    Chmielowski à Firlej

283 Le retour à la vie de Moliwda

279 Des cavernes voyageuses

275 Les ambassades échouent. L'histoire fait le siège des remparts
    du monastère

268 La disparition de Dame Chana en février 1770
    et le lieu de son repos éternel

265 Les Reliquats. État de siège

VI. Le Livre du Pays lointain

26 260 Ienta lit les passeports

255 La famille des Dobruszka à Prossnitz

250 La nouvelle vie à Brünn et le tic-tac des horloges

244 Mosze Dobruszka et le banquet du Léviathan

239 La maison près de la cathédrale et l'arrivée
    des demoiselles

233 Les Reliquats. Comment pêcher des poissons
    en eau trouble

228 Les paroles du Maître

226 L'oiseau qui fuse de la tabatière

223 Mille compliments, ou le mariage de Mosze Dobruszka
    alias Thomas von Schönfeld

220 L'empereur et les gens de partout et de nulle part

216 L'ours dont rêve Awacza Frank

214 La grande vie

210 La machine qui joue aux échecs

27 206 Comment Nahman Piotr Jakóbowski devint ambassadeur

202 Le retour de Mgr Sołtyk

201 Ce qui se passe dans la *Havurah* du Maître à Varsovie

193 *Anzeige,* ou la délation

189 Le café au lait et ses conséquences

183 La hernie et les paroles du Maître

180 L'attirance pour les expérimentations mystérieuses
sur la matière

174 Toutes les variantes de la cendre, ou comment faire de l'or
de façon artisanale

173 Comment les rêves du Maître voient le monde

169 Franciszek Wołowski fait sa cour

167 Samuel Ascherbach, le fils de Gitla et d'Asher

28 165 Asher dans un salon de thé viennois, ou *Was ist Aufklärung?*
1784

159 De l'aspect salutaire des prophéties

156 Des figurines en mie de pain

154 Le rejet de la déclaration de Franciszek Wołowski le Jeune

151 La dernière audience chez l'empereur

148 Thomas von Schönfeld et ses jeux

143 LES RELIQUATS. LES FILS DE JAKÓB FRANK. MOLIWDA

137 LES DERNIERS JOURS À BRÜNN

134 Moliwda à la recherche du zénith de son existence

129 Suite de l'histoire d'Antoni Kossakowski dit Moliwda

29 123 Un peuple de sauterelles s'installe
à Offenbach-sur-le-Main

121 L'Isenburger Schloss et ses habitants frigorifiés

117 Les œufs durs et le prince Lubomirski

113 Comment la louve Zwierzchowska fait régner l'ordre au château

110 Un couteau serti de turquoises

106 La maison de poupées

102 Le dangereux arôme de muscadelle et d'alcool de framboises

96 Les grands projets de Thomas von Schönfeld

92 Qui est le Maître quand il n'est plus lui-même

88 Les péchés de Roch Frank

86 *Neshika*, le baiser divin

82 Ragots, lettres, délations, oukases et rapports

30 78 La mort de la princesse polonaise, pas à pas

74 Une table pour trente à Varsovie

72 De la vie dans sa normalité

69 *Heiliger Weg nach Offenbach*

62 Des femmes prennent un bain de pieds

59 LES RELIQUATS. DE LA LUMIÈRE

VII. LE LIVRE DES NOMS

31 50 Piotr Jakóbowski et les livres de la mort

48 Ewa Frank sauve Offenbach du pillage napoléonien

46 Le crâne

46 Des retrouvailles à Vienne

45 Samuel Ascherbach et ses sœurs

44 La bibliothèque des frères Załuski et le chanoine Benedykt Chmielowski

43 Le martyr de Junius Frey

39 Les enfants

37 Une jolie petite fille joue de l'épinette

36 À propos d'un certain manuscrit

34 Les pérégrinations de *La Nouvelle Athènes*
33 Ienta

26 Note bibliographique de l'auteure
22 Remerciements de l'auteure
20 Note de la traductrice
18 Remerciements de la traductrice

COMPOSITION ET MISE EN PAGES
NORD COMPO Á VILLENEUVE-D'ASCQ

ACHEVÉ D'IMPRIMER PAR
NORMANDIE ROTO IMPRESSION S.A.S.
EN FÉVRIER 2019

N° d'impression : 1900447
Dépôt légal : septembre 2018
Imprimé en France